CU00693368

1 MONTH OF
FREE
READING

at

www.ForgottenBooks.com

By purchasing this book you are
eligible for one month membership to
ForgottenBooks.com, giving you
unlimited access to our entire
collection of over 1,000,000 titles via
our web site and mobile apps.

To claim your free month visit:

www.forgottenbooks.com/free1213168

* Offer is valid for 45 days from date of purchase. Terms and conditions apply.

ISBN 978-0-428-40562-5
PIBN 11213168

This book is a reproduction of an important historical work. Forgotten Books uses
state-of-the-art technology to digitally reconstruct the work, preserving the original format
whilst repairing imperfections present in the aged copy. In rare cases, an imperfection in
the original, such as a blemish or missing page, may be replicated in our edition. We do,
however, repair the vast majority of imperfections successfully; any imperfections that
remain are intentionally left to preserve the state of such historical works.

Forgotten Books is a registered trademark of FB &c Ltd.
Copyright © 2018 FB &c Ltd.
FB &c Ltd, Dalton House, 60 Windsor Avenue, London, SW19 2RR.
Company number 08720141. Registered in England and Wales.

For support please visit www.forgottenbooks.com

A
19

Geschichte Oesterreichs

vom Ausgange

des Wiener October=Aufstandes 1848.

Von

Joseph Alexander Freiherrn v. Helfert.

III.

Die Thronbesteigung des Kaisers
Franz Joseph I.

Prag 1872.
Verlag von F. Tempsky.

Geschichte Oesterreichs

vom Ausgange

des Wiener October = Aufstandes 1848.

I. Band. Die Belagerung und Einnahme Wiens. October 1848.

II. Band. Revolution und Reaction im Spätjahre 1848.

„Fremden=Blatt 1870 Nr. ...

Alles was in irgend einer Weise die Revolution und Reaction im Jahre 1848" zu illustriren vermag, ...
Proclamationen und Kundmachungen, ...
Zeitungen und Flugschriften ... ...
ber erhält dadurch Helfert's Werk ... ...
Umfange noch gar nicht zu ... ...
Werkes noch lange nicht erreicht, ...
dern auch mit Geist geschrieben, ...
ihr lebhaftes Colorit.

„Vaterland" 1870 Nr. 201 ... ...

Die Objectivität des wahren Geschichtschreibers ...
der Gegenwart eine immer ... ...
eignisse handelt, in denen die ... ...
gewohnt, in den Werken, welche ... ...
gyristische Entstellungen oder ... ...
mals geschah, zu finden. Man ... ...
Erfahrungen dieser Art in der ... ...
den Haufen geworfen zu sehen... ... ...
1848" zerfällt in drei Theile... ... ...
Theil den Vorzug verdient. Es ist ... ...
Reichhaltigkeit und kritischen Sichtung ... ...
auch nur annähernd anzudeuten, ...
einem solchen genügt es, einige ... ...
das ganze Werk studieren, ...
Belesenheit und geniale Zuthat ... ...
erhalten. Wir können übrigens ... ...
diesen unmittelbaren Einblick ... ...
Bekanntwerden mit den interessanten ... ...
öffentlichen und geheimen Hebeln, ...
Coulissen=Geheimnissen auf's ... ...
nichts besseres thun zu können, ...
sen, welche sich im unmittelbaren ... ...
Tagesfragen befinden...

405383

"Allg. Zeitung" 1870 Beilage Nr. 215 v. 3., Nr. 216 v. 4., N. 217 v. 5.
August. (Von Prof. Dr. A. Gindely.)

Der zweite Abschnitt bildet den Kern des zweiten Bandes, Helfert geht in dem=
selben an eine Schilderung der Gefahren welche dem Bestand Österreichs durch die
überall auftauchende nationale Bewegung drohten. Um seinem Gegenstande gerecht
zu werden, durfte er seine Aufmerksamkeit nicht allein der vielfach geschilderten und
leichter zu studierenden deutschen, magyarischen und italienischen Entwicklung zuwen=
den, sondern mußte die ungemein schwierige und tausendfach verschlungene, schein=
bar bekannte und doch so vielfach fremde slavische Bewegung in ihren Fäden ver=
folgen und blosigzulegen suchen. Es war dies ein ebenso heilles als schweres Stück
Arbeit, und man darf wohl sagen daß der Verfasser mit demselben so viel geleistet
hat als sich in der Gegenwart überhaupt thun läßt.... Indem Helfert mit gewissen=
hafter Treue die Sachlage erörtert und uns mit den divergirenden Tendenzen der
Parteien bekannt macht, wahrt er den Standpunkt eines Historikers. Doch läßt er
auch den Politiker nicht ganz in den Hintergrund treten. Seine für den unge=
schmälerten Bestand Österreichs unverkennbaren Sympathien sind durch die Resul=
tate seiner mühevollen und großen Forschung zu einer wohlbegründeten Überzeugung
geworden, die ihn antreibt die Grundzüge jener Politik anzudeuten die geeignet ge=
wesen wäre vor 22 Jahren den Bestand Österreichs zu sichern, und die er wohl
auch heute mehr als je für die richtige hält.... Ob diese Auffassung der österreichi=
schen Zustände richtig ist, wird eine nicht allzu entfernte Zukunft zur Genüge leh=
ren. Die große Bedeutung des Helfert'schen Werks besteht darin
daß es für derartige Erwägungen den festen Boden bildet, und
so einen unschätzbaren Werth für die jetzigen Staatsmänner be=
sitzt, wenn sie sich aus demselben belehren wollen. Gewiß ist
nächst der Lösung der österreichischen Verfassungskämpfe ihre
sachkundige Darstellung wohl für das größte Verdienst zu halten
das sich ein Österreicher erwerben kann. Helfert's neue Geschichte Öster=
reichs entfernt die Illusionen, zerstreut die absichtlichen und unabsichtlichen Täuschun=
gen, und läßt uns den Kernpunkt der österreichischen Frage erkennen. Seine Dar=
stellungsweise bewegt sich im zweiten Band auf derselben Höhe wie im ersten.
Der Styl ist glänzend, und die Erzählung von einer Lebendig=
keit und einem Farbenreichthum, die man vergeblich bei den übri=
gen österreichischen Geschichtswerken der Neuzeit suchen würde. Die
Fülle des Materials das ihm zu Gebote stand, und dessen Auffindung und Benützung
ihm offenbar nur vermöge der hohen amtlichen Stellung möglich war die er so lange ein=
nahm, gibt seinem Werke einen so bedeutsamen Inhalt, daß unser Überblick nur
eine matte Vorstellung davon geben kann. Steht ihm ein gleiches Material auch
für die folgenden Jahre zu Gebot, vermag er namentlich den Schleier zu lüften
der auf den Vorgängen des Jahres 1849 ruht, sind ihm insbesondere die Mini=
sterialrathsprotokolle jener Zeit zugänglich, dann kann er eine Arbeit liefern die für
alle Zukunft einen bleibenden Werth besitzt.

"Mittheilungen d. Ver. f. Gesch. d. Deutschen in Böhmen" X Nr. I und
II. 28. August. (Von Dr. Ludwig Chevalier.)

Das eine Jahr 48 umfaßt zwei an fünfhalbhundert Seiten starke Bände und
hebt vom October an; wo bleiben die kommenden zwei und zwanzig vollen,
an Ereignissen von weltgeschichtlicher Bedeutung reichen Jahre? sie werden doch
nicht die Rolle der sieben mageren Jahre spielen? Helfert meint freilich, weil der
Grund so breit und möglichst fest gelegt wurde, könne die Erzählung dann um so
unaufgehalten fortschreiten. Ähnliches hoffte auch Gervinus in seiner Geschichte
des XIX. Jahrhunderts. Mag dem Verfasser Kraft und Lust zur Fortdauer seiner
"Lebensaufgabe", wie er sein Werk nennt, bleiben, die Wissenschaft kann bei
einem so angelegten Werke, auch wenn es ein Torsobleiben sollte,
nur gewinnen. Ein Mann, der den wichtigsten Ereignissen im ersten Decenium nach
dem Jahre 1848 so nahe stand, der Gelegenheit und Geist genug besaß, um überall Stu=
dien zu machen, der vielleicht von manchem Irrthum selber geheilt ist, wird immerhin,
sollte sein Werk auch nicht auf der Höhe der Geschichtswissenschaft stehen, die höchste
Beachtung verdienen.... Ob der Verfasser den Parteien gerecht werden wird auch
auf der Höhe der Umschau, ob das sine ira et studio narrabo wenigstens annähernd
erreicht werden wird, so weit es die Wärme und der jedem Historiker anhaftende

SABOR

Subjektivismus gestatten, muß bei einer Geschichtsperiode, der wir noch so nahe stehen, und bei der der Verfasser auch mit ein Rädchen war, sich erst später zeigen; man muß anerkennen, daß er den Ausschreitungen der in diesen 2 Bänden behandelten „Revolution und Reaction" mit Freimuth entgegentritt und die rechte Mitte zu finden weiß. An Lebendigkeit der Zeichnung, an starker Charakteristik fehlt es dem Verfasser nicht; bei den rasch sich drängenden Ereignissen war es gerade im ersten Band nicht leicht den Leser sicher zu führen und zu verhüten, daß der Faden der Erzählung nicht zu oft zerschnitten werde. Weder Affectirtheit noch ein gewisses Haschen nach Ausbeutung von interessanten Situationen macht sich auf Unkosten der Gleichmäßigkeit der Darstellung geltend. Der Verfasser malt klar und anziehend.... Die geistvollen Schlußbetrachtungen des Verfassers bereiten auf den dritten Band vor; wir sind einstweilen dem fleißigen Forscher zu Dank verpflichtet, daß er die umfassende Arbeit, wenn auch mitunter in einseitiger Weise, aber doch im Ganzen mit klarem Geiste, sichtend und ordnend, soweit es die ungeheure Breite der Thatsachen und Ereignisse eines so vielgegliederten Ganzen erlaubt, in die Hand genommen. Die lebhafte, gewandte Darstellung, das Eingehen in Einzelnes, was sonst leicht übergangen wird und doch den richtigen Sehwinkel für's Ganze bietet, dabei doch das Festhalten einer großen Idee, deren Richtigkeit freilich noch zu erproben ist, alles das macht das Buch zu einer anziehenden, für jeden Österreicher, gehöre er was immer für einer Partei an, lehrhaften Schrift.

„North British Review" October 1870.
The authorship of the new History of Austria from the year 1848 has been avowed with the publication of the second volume. The author is Baron Helfert, a German Austrian, formerly in the army, and now Under-Secretary of State in the Ministry of the Interior. His present position has enabled him to use a series of important sources which are not generally accessible, and to reproduce the tradition preserved in Government circles with regard to the events of 1848. This often leads him to represent things in a light which is too conservative and too favorable to the Government; but nevertheless his work, written with great intelligence and full knowledge of the facts, far surpasses in merit all that have preceded it on the subject, particularly Springer's Austrian history. Nor can similar works on former periods of Austrian history, such as those of Lorentz, Gindely and Hurter, compete with it either in the method or completeness of its exposition. The present volume is chiefly occupied by an account of the dangers with which Austria was menaced by the national agitation of 1848 etc.

„Blätter f. literarische Unterhaltung" 1870 Nr. 40. v. 1. October. (Von Hans Prutz).
Mit außerordentlicher Sorgfalt sind alle einschlagenden Quellen benutzt; nicht blos von den zahlreichen Memoiren und Tagebüchern, die zum Theil auch anonym, ihrem Werth nach durchgängig höchst zweifelhaft, nach der Katastrophe erschienen sind, sondern auch von den zahllosen Flugblättern, von den in allen möglichen Zeitschriften zerstreuten einzelnen Aufsätzen wird dem fleißigen Verfasser kaum eins oder das andere ganz unbedeutende entgangen sein; besonders werthvoll erscheint die eingehendste Benutzung der während der sturmbewegten Wochen in Wien erschienenen Zeitungen. Aber augenscheinlich haben dem Verfasser noch andere Quellen zu Gebote gestanden: täuschen wir uns nicht, so spricht derselbe an mehr als einer Stelle als Augenzeuge und zwar als ein mit Schärfe und Unbefangenheit beobachtender Augenzeuge; andererseits verdankt er werthvolle Mittheilungen über das Detail einzelner bisher weniger bekannter Vorgänge solchen Personen, die nicht blos Augenzeugen, sondern selbst als Mithandelnde dabei betheiligt waren, und zwar müssen des Geschichtschreibers Verbindungen in ziemlich hohe Regionen hinaufgereicht haben, wie das auch aus den im Buche angefügten Beilagen hervorgeht... Aus diesen umfangreichen, ihrem Werth nach freilich im höchsten Grade ungleichen Materialien hat der Verfasser mit einer trotz seines ausgesprochenen Parteistandpunktes sachlich durchaus unparteiischen Kritik den wirklichen Gang der Dinge, sowohl der vielfach höchst zweifelhaften Zeitfolge nach, wie in Rücksicht auf den oft noch fraglichen Inhalt und Charakter, zu ergründen gesucht und zwar mit dem besten Erfolge.... Überall die Wahrheit ernstlich suchend, ist der Verfasser doch zugleich bescheiden genug, sich keineswegs für unfehlbar zu halten; andern Meinungen gegenüber nichts

weniger als hochmüthig absprechend, drückt er den Wunsch aus, daß man ihn in denjenigen Punkten, wo er trotz aller angewandten Sorgfalt doch geirrt habe, berichtige und so die von ihm gesuchte Wahrheit an den Tag bringe. Diese unparteiische und ernste Bemühung um Erkenntnis der hier so viel getrübten und oft absichtlich gefälschten Wahrheit ehrt den Verfasser unsers Werks um so mehr, als man dieselbe keineswegs allen Geschichtschreibern nachrühmen kann, die so scharf und entschieden den Parteistandpunkt einnehmen, auf den er sich von Anfang an stellte.... Es liegt eben darin eine der auszeichnenden Eigenthümlichkeiten dieses Werks: auf Grund kritischer Forschung und Sichtung der zunächst fast nur in Parteischriften enthaltenen Überlieferung wird der vielfach unsichere oder auch absichtlich unrichtig dargestellte Thatbestand mit möglichster Genauigkeit nachgewiesen, und insofern entlehnt, wie der Verfasser bemerkt, sein Buch die Form von der Historiographie, im übrigen aber kann es fast der Memoirenliteratur zugerechnet werden. Letzteres kommt auch der Darstellung wesentlich zu Gute: an Frische und Lebendigkeit, an Anschaulichkeit und gleichsam greifbarer Plastik werden sowohl aus der eigentlich historischen Literatur wie aus der Masse älterer und neuerer Memoiren nur sehr wenige diesem Werke an die Seite gestellt werden können, und man kann daher dem Verfasser nur aufrichtig dafür danken, daß er seine vortreffliche Arbeit nicht, um sie als opus posthumum erscheinen zu lassen, vielleicht noch jahrelang in seinem Pulte zurückgehalten hat ꝛc.

„Presse" Nr. 185 v. 7. und 186 v. 8. Juli (Von Dr. Adalbert Horawitz.) Ich gestehe, daß ich sowohl die ungemeine Emsigkeit, mit der eine wahre Blüthenlese aller möglichen politischen Aussprüche und Programme, als das ernste, namentlich im ersten Abschnitt sich zeigende Bemühen, nirgends die Ereignisse mit Parteischlagworten zu kritisiren, sondern sich streng objectiv zu verhalten, sehr lobenswerth finde, das ganze Werk aber als Beitrag zur Geschichte der österreichischen Verfassungsfrage gerade jetzt willkommen heißen muß.... Doch trotz dieses principiellen Gegensatzes bin ich doch ganz davon überzeugt, daß dem Verfasser eine ungewöhnliche Beobachtungsgabe der Menschen und Dinge zu Theil geworden und er von derselben in erfolgreichster Weise bei der Ausarbeitung des vorliegenden Werkes — zu dem ein Mann von seiner Stellung und Erfahrung wol allen Beruf hat — Gebrauch gemacht habe.... Österreichs neueste Geschichte ist denn auch, kurz gefaßt, nicht blos eine Geschichte politischer und wirthschaftlicher Reformen, als vielmehr vorzugsweise eine Geschichte des Nationalitäten-Kampfes, des Systemwechsels, des Suchens nach dem ausgleichenden und Alles befriedigenden Regierungs-Programme. Und da wir dies bisher nicht gefunden und gerade heutzutage in der Arbeit sind, hiebei die Lehre der Vergangenheit zu benützen, so kommt die ausführliche Schilderung der Nationalitäten-Frage durch Helfert, das Beste, was ich über diesen Gegenstand kenne, gerade jetzt außerordentlich gelegen, und es rechtfertigt sich wol, wenn ich hiebei etwas länger verweile.... Wie Magyaren und Italiener auf Lostrennung hinarbeiteten, ist bekannt; in Reuchlin's trefflicher Geschichte Italiens ist die Schilderung dieses Processes gründlich dargestellt, auch die Constituirung des einigen Deutschland mit Inbegriff der deutschen Bundesländer, und die parlamentarischen Kämpfe, die über §. 2 und 3 des ersten Abschnittes der Reichsverfassung zu Frankfurt begannen, sind bekannt genug. Helfert aber gebührt das Verdienst, den Zusammenhang zwischen den Elementen der Oppsition nachgewiesen zu haben. Die Debatten über das Verhältnis Österreichs zu Deutschland gehören zu den interessantesten Partien des Buches (S. 227—237).... Der letzte Abschnitt des interessanten Buches: Annus confusionis betitelt, bringt in fesselnder Weise die Einflüsse des politischen Treibens auf die wirthschaftlichen, wissenschaftlichen und gesellschaftlichen Verhältnisse zur Anschauung und man wird dem Verfasser fast überall Recht geben können.

Außerdem finden sich mehr oder minder eingehende Besprechungen des II. Bandes in der „Prager Ztg." v. 1. Mai, „Bohemia" Nr. 104 v. 1. und Nr. 105 v. 3. Mai, „Národní listy" č. 123 v. 5. Mai, „Allg. Literatur-Ztg." Nr. 32 v. 8. August, „Literatur-Blatt z. Allg. Mil. Ztg." Nr. 39 v. 28. September, „Neue Temesvárer Ztg." Nr. 269 v. 25. November 1870, deren die meisten schon den I. Band in der günstigsten Weise beurtheilt hatten.

Die

Thronbesteigung

des Kaisers

Franz Joseph I.

Die

Thronbesteigung

des Kaisers

Franz Joseph I.

Von

Joseph Alexander Freiherrn v. Helfert

Prag 1872.
Verlag von F. Tempsky.

Alle Rechte vorbehalten.

Die Verlagshandlung.

K. k. Hofbuchdruckerei von Gottlieb Haase Söhne in Prag.

Es geschieht nicht ohne eine gewisse Befangenheit daß ich diesen dritten Band der Öffentlichkeit übergebe. Wohl sind zweiundzwanzig Jahre ein anständiger Zeitraum, und so lang ist es her daß sich die Begebenheiten abspielten von denen im Buche gehandelt wird. Und doch wieder, dies Gefühl beschlich den Verfasser bei mehr als einer Stelle, sind zweiundzwanzig Jahre kein **ausreichender** Zeitraum um mit voller Ruhe und Sicherheit jene Objectivität walten zu lassen, die als ein Haupterfordernis geschichtlicher Darstellung betrachtet werden muß. Denn diese Objectivität sollte nun auf lebende Persönlichkeiten von höchster Stellung, sollte auf die Person des regierenden Monarchen Anwendung finden, und dies wollte einsichtsvollen Freunden, deren mehrere ich mir über die wichtigsten Partien meiner Schrift zu vorläufigen Richtern erbat, Bedenken einflößen deren Gewicht auch mir nicht entgehen konnte. Gleichwohl brachte ich es mit dem besten Willen bei keiner der in diese Kategorie fallenden Partien über mich, sie zu unterdrücken oder auch nur zu ändern. Bei der strengen Anonymität, die von mir und einem kleinen Kreise Vertrauter bis zu dem Zeitpunkte bewahrt worden war da der zweite Band in die Welt trat, hatte ich meinen Nachforschungen über den Bereich gedruckt vorliegenden Materials hinaus die strengste Vorsicht auferlegen müssen. Diese Schranke fiel mit dem Augenblicke weg da meine Verfasserschaft aufhörte ein Geheimnis zu sein. Ich konnte jetzt meinen Erkundigungen die größte Ausdehnung geben, und habe sie ihnen gegeben. Es ist nicht leicht jemand

von mir unbehelligt geblieben von dem ich Aufschlüsse über zwei=
felhafte Punkte oder auszufüllende Lücken erwarten durfte.   Man
ist mir, diese Anerkennung drängt es mich hier öffentlich auszu=
sprechen, von all diesen Seiten mit vertrauensvoller Offenheit ent=
gegengekommen, und ich bin dadurch in den Stand gesetzt worden,
in einem der heikelsten Wendepunkte unserer vaterländischen Ge=
schichte, der Wahrheit bis zu ihrem innersten Kern nahezukommen.
Will man mich tadeln wenn ich jener Offenheit gegen mich mit
gleicher Offenheit meinem Leserkreise gegenüber gerecht werden zu
müssen glaubte? Oder bin ich im Unrecht daß es mir wie ein
Frevel an der mir enthüllten Wahrheit erschien wenn ich sie, nicht
etwa entstellte, sondern nur verschleierte? Allerdings kam mir da=
bei die Beruhigung zu statten daß die hochgestellten Träger der
Namen an die sich die innere Geschichte des Ereignisses vom 2.
December 1848 knüpft, so zarter Natur auch manche der bezüg=
lichen Momente sein mögen, in dem Ganzen ihrer Entschließungen
so edel, in den sie leitenden Motiven so rein und schön, selbst in
ihren zeitweiligen Zweifeln und Schwankungen so m e n s ch l i ch
w a h r dastehen, daß ich zuletzt, alle kleinmüthigen Bedenklichkeiten
beiseite setzend, mir sagen durfte: mehr discret wäre vielleicht
minder loyal.

Auch von den Andern, deren in meinem Werke ausführlichere
Erwähnung geschieht, befinden sich manche unter den Lebenden und
mochte darum das Wort W o l t m a n n's sein Recht fordern: „Immer
wandelt uns eine gewisse Scheu an, die ganze Individualität eines
Menschen aufzudecken daß alle auf ihn zeigen und sagen können:
der dort hingeht in dem ist es innerlich also; es ist als hätte
erst das Gericht über die Todten das Befugnis die ganze Indi=
vidualität einer Person auszusprechen". Diese Rücksicht der Wohl=
anständigkeit beherzigend habe ich mich in Fällen solcher Art auf
den Versuch beschränkt, ohne Vorausblick oder Andeutung auf die
spätere Entwicklung der betreffenden Persönlichkeiten, zu zeigen

was sie nach ihrem Vorleben zu jener Zeit waren in der sich
meine Darstellung bewegt.

In die Claſſe ſolcher Perſönlichkeiten gehört der Verfaſſer
ſelbſt, der ſeiner diesfälligen Aufgabe, keiner der leichteſten, ſo
weit nachzukommen beſtrebt war als es die Vollſtändigkeit und
das Ebenmaß der Erzählung zu verlangen ſchien. Nur dafür
muß ich einige entſchuldigende Worte vorbringen daß ich meine
Reichstagsrede v. 24. Auguſt 1848 in den Anhang gereiht habe,
wo ſonſt nur ſolche Stücke Aufnahme fanden die nicht bereits
anderwärts veröffentlicht ſind. Jene Rede iſt nun allerdings gedruckt, nämlich in den Protocollen des conſtituirenden Reichstages
von 1848; allein ſie iſt daſelbſt, bei der noch minderen Gewandtheit der damaligen Stenographen, in einer ſo fehlerhaften, ſtel-
lenweiſe ſogar ſinnſtörenden Weiſe wiedergegeben, daß der Abdruck
im Anhang des vorliegenden Bandes faſt als ein neuer gelten
kann. Die Änderungen und Verbeſſerungen, die der Redner zu
jener Zeit, unmittelbar nach Empfang ſeines Exemplars der ſteno-
graphiſchen Aufnahme, am Rande deſſelben ſchriftlich anbrachte,
haben der gegenwärtigen Wiedergabe zur Grundlage gedient.

* * *

An der Spitze Jener, denen ich mich für die Förderung
meiner Arbeit zu ganz beſonderem Dank verpflichtet fühle, habe
ich die fürſtlich Windiſchgrätz'ſche Familie, namentlich den Chef
des Hauſes Fürſten Alfred und deſſen Bruder Prinzen Ludwig zu
nennen. Von dem hochherzigen Beſtreben erfüllt die geſchichtliche
Wahrheit, ſo viel an ihnen liege, zu der ihr gebührenden Geltung
kommen zu laſſen, haben ſie dem Verfaſſer rückhaltloſe Einſicht in
das überaus reiche Material geſtattet das ſich im Nachlaſſe des
verſtorbenen Feldmarſchalls vorfand. Im Frieden wie im Kriege,
in den Zeiten ſeiner vielfältigſten Thätigkeit und ſpäter in denen
ſeiner unfreiwilligen Muße, hat es derſelbe niemals unterlaſſen
alle irgend wichtigern Correſpondenzen aufzubewahren, ſeine eigenen

Concepte entweder im Original oder in Copie zurückzubehalten, aber auch sonst von bedeutenderen Actenstücken sich Auszüge Übersichten Abschriften anfertigen zu lassen und in seinen Papieren zu hinterlegen. Mit je größerer Pietät von dem durchlauchtigen Geschlechte, das in dem verstorbenen Marschall das glänzendste Gestirn seines Stammes verehrt, dieser inhaltvolle Schatz gehütet wird, mit um so wärmerem Danke muß es der Verfasser des gegenwärtigen Werkes hier aussprechen daß ihm in der liberalsten Weise gestattet wurde denselben für seine Forschungen zu benützen.

Gleiche Erkenntlichkeit schulde ich dem Hause Schwarzenberg, dessen Haupt meinem Ansuchen um Benützung handschriftlicher die Persönlichkeit und das Wirken des verstorbenen Fürsten Felix betreffender Quellen in vollem Maße zu willfahren geneigt war. Leider fehlte hier der Stoff. Im Gegensatze zu seinem Schwager dem Feldmarschall, der jeden irgend bedeutungsvollen Papierstreifen vor Vernichtung bewahrte, hat sich im Nachlasse des Fürsten Felix auch nicht das geringste handschriftliche Material vorgefunden, ist mindestens nichts davon in den Besitz seiner Familie und in die wohlgeordneten Archive derselben gelangt. Dagegen hat sich im Besitze eines Gliedes des Hauses Schwarzenberg die sehr ergiebige Correspondenz eines um die beiden genannten Größen gruppirten Kreises den damaligen Ereignissen nächststehender Persönlichkeiten erhalten, deren Einsicht und Benützung mir mit vertrauensvoller Offenheit gestattet wurde.

Daß mir auch von den mannigfaltigsten andern Seiten umfassender Quellenstoff zugeführt worden, habe ich schon früher angedeutet. Es wurden mir auf meine Anfragen mündliche Aufschlüsse gegeben, die so weit reichten als nur überhaupt das Erinnern der Ersuchten über mitunter sehr in's einzelne gehende Umstände nun doch schon entlegener Tage reichte. Von Abwesenden habe ich in brieflichem Wege umständliche Aufklärungen erhalten deren manche, wenn sie für sich im Drucke erschienen, als werth-

volle Monographien über Episoden jener viel bewegten Zeit gelten
müßten. Es sind gleichzeitige Aufzeichnungen, sorgfältig geführte
Tagebücher vertrauensvoll in meine Hände gelegt worden, die wohl
erst spät, vielleicht auch nie, das Licht der Öffentlichkeit erblicken
werden. Ich kann hier k e i n e Namen nennen, weil ich sie nicht
a l l e nennen darf. Denn von Vielen wurde die ausdrückliche
Bitte beigefügt, den Ursprung meiner Wissenschaft als mir hinter-
legtes Pfand zu bewahren. Ich habe darum, wo ich nicht aus-
weichen konnte meinen in den Text verflochtenen Behauptungen
begründenden Nachweis anzufügen, mir dadurch geholfen daß ich
in den Anmerkungen die Quelle als „privat" bezeichnete und mich
auf Zeit und Ort der Ausstellung und die allgemeine Kategorie
des Berichterstatters (Haupt-Quartier Windischgrätz, Jelačić; alt-
conservativ; Staatskanzlei; Aristokratie, einheimische, auswärtige;
Diplomatie) beschränkte.

Auch was die Benützung amtlicher Quellen betrifft, hatte
ich mich allerseits fördernder Zuvorkommenheit zu erfreuen. Die
Einsicht in die Acten des k. k. Ministeriums des Äußern hat mir
nach eingeholter Zustimmung des Herrn Reichskanzlers Sections-
chef von Hofmann freundlich gestattet; der Gebrauch den ich davon gemacht wird sich im nächsten Bande offenbaren. Aufschlüsse
die ich aus den Archiven des k. k. Ministeriums des Innern be-
nöthigte, wurden mir maßgebenden Ortes freigebig ertheilt. Auch
von Seite des Herrn Reichs-Kriegsministers und der in seinem
Auftrage handelnden Organe wurde mir eine Willfährigkeit zutheil, der ich meine wärmste Erkenntlichkeit auszusprechen mich
gedrungen fühle. Bedauerlicher Weise war hier nicht zu finden was ich suchte. Wichtige Actenstücke können aus Rücksichten,
deren Bedeutung unter den obwaltenden Umständen nicht zu verkennen ist, wißbegieriger Einsicht für's erste nicht eröffnet werden;
andere auf deren Spur ich von mehreren Seiten geleitet wurde,
haben sich trotz wohlwollendster Bemühung nicht aufstöbern lassen.

Das Ergebnis waren vereinzelte Berichte, die allenfalls zur Be=
stätigung von bereits Gewußtem dienten. Zum Glücke hat sich
das wichtigste von dem, was mir das k. k. Kriegs-Archiv bieten
konnte, durch verläßliche Auskünfte aus andern Quellen, wenn
auch nur in Auszügen oder Abschriften, vorzüglich aus den Win=
dischgrätz'schen Papieren, decken lassen.

* * *

Man wird es kaum unbemerkt gelassen haben, daß ich als
Mottos zu den Hauptabschnitten meines Buches überall z e i t =
g e n ö s s i s c h e Aussprüche zu wählen mir zur Pflicht gemacht
habe. Wäre diese Schranke nicht, so stand mir, was den hervor=
tretenden Charakterzug der politischen Bewegung in Österreich in
den von mir geschilderten Tagen betrifft, das vor mehr als vierzig
Jahren geschriebene Wort Disraeli's (Contarini Fleming) zu Ge=
bote, mit dessen Anführung ich mein Vorwort schließen will:

„Wenn ich den Zustand der europäischen Gesellschaft mit
dem leidenschaftslosen Blicke untersuche über den allein der
Philosoph zu gebieten vermag, so erkenne ich in ihm einen
Zustand des Übergangs — einen Zustand des Übergangs
von feudalen zu föderalen Gestaltungen. Umstände liegen
außer der menschlichen Berechnung, doch seine Haltung hat
er in seiner Gewalt. An uns nur wird es liegen ob das
große Ereignis mit Weisheit begrüßt werden wird oder mit
Unwissenheit, ob dessen wohlthätige Folgen sollen beför=
dert werden durch den Geist der Einsicht, oder aufgehalten
durch die Verblendung der Leidenschaft"...

Wien, in der zweiten November Woche 1871.

Übersicht des Inhalts.

II. Belagerungszustand in Wien

I.

Bildung des Ministeriums Schwarzenberg-Stadion.

Troppi in questo moto gli avvocati cospi-
ranti, troppi i letterati ministri, troppi i rettori
filosofanti, troppi gli arcadi liberatori.
Tommaseo La nuova Italia (dic. 1848.)

Der Wiener October-Aufstand hatte das Ministerium Wessenberg-
Doblhoff auseinandergesprengt. Latour war gemordet; Bach, das zweite
Ziel der entfesselten Volkswuth, war flüchtig geworden und blieb längere
Zeit verschollen; Doblhoff und Hornbostel hatten ihre Entlassungsgesuche
eingereicht. Von allen Ministern hatte ein einziger den Muth auf seinem
Posten in Wien auszuharren, von allen Ministern besaß ein einziger die
Pflichttreue in der verhängnisvollsten Zeit seine Geschicke an die des
schwergeprüften Monarchen zu knüpfen. Nicht viel besser als mit den
Personen der Minister stand es mit dem übrigen Personale der Central-
Stellen. Von Brünn aus bat Dr. Cajetan Mayer, vom steirischen Aussee
Freiherr v. Feuchtersleben um Enthebung von dem Posten eines Unter-
Staatssecretärs, jener im Ministerium des Innern, dieser in dem des
öffentlichen Unterrichts. Wie in Wien während der Octoberzeit ganze
Zinshäuser, von den geflüchteten Parteien verlassen, fast leer standen, so
sah es in den Amtsräumen der meisten Ministerien aus. Es gab Be-

1

hörden, wo von allen Räthen einer oder zwei die ganze Stelle reprä=
sentirten und mit den wenigen Unterbeamten, die opferwillig an ihrer
Seite aushielten, ebenso in Permanenz blieben wie der große Ausschuß
des Reichstages und jener des Gemeinderathes. Namentlich war letzteres
bei den verschiedenen Zweigen des Finanzdienstes der Fall, wo die stand=
hafte Ausdauer des Ministers seinem Personale nothgedrungenes Vorbild
war, und wo zudem die Verantwortlichkeit für die öffentlichen Gelder
und Papiere die äußerste Anstrengung verlangte. Tag und Nacht brachten
die Beamten einzelner Cameral= und Banco=Abtheilungen in den gegen
befürchtete Angriffe des Proletariats an allen Ausgängen fest verrammelten
Gebäuden zu, ließen sich Speise und Trank in ihre Bureaux bringen,
schliefen Nachts so gut und schlecht es eben ging auf Bänken oder Tischen,
und vertrieben sich bei Tag, da es der Arbeit die zu besorgen war
nicht zu viel gab, mitten unter dem Kanonengebrüll draußen und der
oft in unmittelbarster Nähe einschlagenden Kugeln mit allerhand Allotrien
die Zeit.

Unter den Wünschen, die der Reichstag am 6. October nach Schön=
brunn zu senden sich herausnahm, während die entstellte Hülle Latour's
noch warm am Gaspfahle hing, war auch der eines „volksthümlichen"
Ministeriums. Namen wurden nicht genannt[1]); doch waren es vor=
züglich die Minister Wessenberg und Bach, auf deren Beseitigung man
es abgesehen hatte. Am 7. October circulirte in Reichstagskreisen eine
Liste, die den Grafen Eduard Wohna k. k. Gesandten in Brüssel für
das Äußere, den siebenbürgischen Commandirenden F.=M.=L. Puchner für
den Krieg und den Grafen Ludwig Breda für die Justiz bezeichnete;
Doblhoff, Kraus und Hornbostel für das Innere, die Finanzen und den
Handel sollten bleiben. Bald aber ließ man in Wien von dem Ent=
werfen von Ministerlisten ab, und horchte auf die Namen die man von
Olmütz zu vernehmen meinte. Schon am 17. October machte im Wiener
Reichstage eine Liste die Runde, die ganz andere Persönlichkeiten als
jene vor zehn Tagen aufführte: Inneres Stadion, Justiz Dr. Helfert,
Handel Karl von Bruck, öffentliche Arbeiten Dr. Brauner, Krieg Win=
dischgrätz, Äußeres Graf Franz Colloredo=Wallsee k. k. Botschafter am
russischen Hofe. Einige Tage später brachten Wiener Blätter ein neues
Verzeichnis, worin die vier ersten Namen sich gleich blieben, für den
Krieg aber neben Windischgrätz auch Freiherr von Welden, für den
Unterricht Palacky und als Präsident Wessenberg genannt wurden; über

die Portefeuilles des Äußeren und der Finanzen ſei noch nichts bekannt. Noch andere Combinationen, theilweiſe mit neuen Namen wie dem Cajetan Mayer's für das Innere, wurden von verſchiedenen Blättern gebracht, und nur von dem Manne, dem faſt unmittelbar nach dem Los= brechen des Aufſtandes von maßgebender Seite die erſte Rolle zugedacht war und der ſie wenige Tage ſpäter thatſächlich übernahm, ſchien die längſte Zeit nicht blos in Wien ſondern ſelbſt in Olmütz kein Menſch eine Ahnung zu haben.

Fürſt Felix Schwarzenberg, geboren am Abende des 2. October 1800 auf dem Schloſſe Krumau in Böhmen von welchem ſein alt be= rühmtes Geſchlecht den Herzogs=Titel führt, war das vierte Kind und der zweite Sohn des Fürſten Joſeph, Regierers der älteren Linie des Hauſes Schwarzenberg, und jener ſchönen geiſtvollen und gefühlſinnigen Fürſtin Pauline gebornen Princeſſin Arenberg, deren hingebende Mutter= angſt an dem ſchrecklichen 1. Juli 1810 in dem Flammenmeere des öſterreichiſchen Geſandtſchafts=Hotels in Paris ihren Tod finden ſollte. Sein Taufname „Felix" gab gleich in der erſten Zeit Anlaß zu ſinn= vollen Deutungen; ein bald nach ſeiner Geburt verfaßtes Chronoſtichon pries ihn als „die wahre Hoffnung der Zukunft"[2]. Wir finden den Knaben und heranwachſenden Jüngling bald munter und witzig im ge= ſelligen Kreiſe, bald hingeriſſen von überſchäumender Lebensluſt zu ver= wegenen Streichen, bald wieder in ſich gekehrt, ſinnig einſam, in ſtilles Nachdenken oder in die Leſung eines Buches vertieft. Dem überlieferten Hange ſeines Hauſes folgend betritt der Achtzehnjährige die militäriſche Laufbahn, 22. November 1818, als Cadet des Küraſſier=Regimentes Großfürſt Konſtantin, deſſen Befehlshaber ſeit Ende 1813 der Gemahl ſeiner älteren Schweſter Eleonore, Fürſt Alfred Windiſchgrätz, war. Die beiden Charaktere paſſen ſchwer zu einander. Windiſchgrätz, in ſeinem Gebahren ſtolz und ſtreng, ein Mann der Zucht und der Grundſätze, muß als Oberſt und als Verwandter dem brauſenden lebensfrohen, mitunter lockeren fürſtlichen Cadeten manch wohlmeinende Mahnung zu= kommen laſſen, die in letzterem für deſſen Lebenszeit das Gefühl einer gewiſſen rückhaltenden Scheu vor dem ernſten Schwager zurückläßt. Im J. 1822 kommt der Prinz als zweiter Rittmeiſter zu dem Uhlanen= Regimente Nro. 2, das für ewige Zeiten den Namen ſeines ruhmge= krönten Oheims Karl, des Gegenſtandes ſeiner höchſten Bewunderung,

1*

führt, und avancirt 1824 zum Escadrons-Commandanten. Doch das „Soldatenleben im Frieden", das „Liegen" in ruhigen Dorf-Stationen, der einförmige Gamaschen-Dienst sagen seinem Wesen wenig zu; er vertauscht sie mit der diplomatischen Carrière, und wir treffen ihn noch in demselben Jahre als kaiserlichen Gesandtschafts-Attaché in St. Petersburg. Augenzeuge jener gewaltigen Katastrophe, welche auf die Thronbesteigung des Kaisers Nicolaus folgte, wird er durch die „incartade audacieuse" eines der geheimen Häupter der Verschworenen in unliebsamer Weise blosgestellt; Schwarzenberg, lebenslustig und leicht, war damals auch dem Spiel nicht abgeneigt und sah sich gerade auf der Hauptwache, wo jener den Dienst hatte, in eine Partie verflochten, als die russische Polizei seinen Partner, nach Einigen den Fürsten Sergius Trubeckoj, abholen kam. Die Folge davon war seine Abberufung vom russischen Hofe, October 1826. Gegen Ende des Jahres tragen ihn im Gefolge des kais. Botschaftsrathes Baron von Neumann die Wogen des atlantischen Oceans nach der neuen Welt hinüber, von wo er, nach zehntägigem Aufenthalte in Rio Janeiro, am Bord eines englischen Postschiffes nach Europa zurückkehrt und über London und Brüssel am 4. Mai 1827 in Wien eintrifft. Bald darauf sehen wir ihn in Lissabon mit der Aufgabe betraut, dem von seinem kaiserlichen Bruder als Regenten von Portugal berufenen Dom Miguel die Wege zu bereiten; er hat hier in dem tumultuarischen Aneinanderprallen heftig erbitterter Parteien einen schweren Stand, wird bei einem Straßenauflaufe vom Pöbel mit Steinen beworfen und folgt, nachdem Dom Miguel in der Hauptstadt eingetroffen und vor den versammelten Cortes den Eid auf die Verfassung geleistet, im März 1828 seiner neuen Bestimmung am Hofe von St. James. Es gingen um diese Zeit im britischen Verfassungsleben wichtige Dinge vor: es bereitete sich jener Übergang von der seit den achtziger Jahren vorwaltenden toryistischen Starrheit zu den von den Whigs begünstigten Reform-Ideen der Neuzeit vor, deren erster Sieg die Emancipation der irischen Katholiken war.

Es war aber zugleich für den kaiserlichen Attaché, dem sich diese Wandlung als interessantes Studium darbot, die Zeit einer gewaltigen Gährung in seinem Innern. Er, den bisher in seinen Beziehungen zu der Frauenwelt eine gewisse Freigeisterei der Leidenschaft gekennzeichnet hatte, sah sich mit immer stärkeren Banden in ein ernstes Verhältnis verwickelt, das eine Zeit hindurch das Glück, aber nur zu bald das

Unglück feiner schönsten Lebensjahre werden sollte. Es war eine der glänzendsten Erscheinungen der britischen Frauenwelt, Lady Ellenborough Tochter des Admirals Digby, die sich von dem ungeliebten Gatten abwandte, dem liebenswürdigen Dränger in die Arme warf und diesem, der im Herbst 1829 seine Stelle bei der Londoner Botschaft mit einer am Hofe von Versailles vertauschen mußte, auf das Festland nachfolgte, bis zuletzt die Verbindung, die diesseits und jenseits des Canals das ärgerlichste Aufsehen machte und selbst ein Dazwischentreten der Gerichte herbeiführte, ein verdrießliches Ende nahm. Das Herz unseres Fürsten trug eine tiefe Wunde davon. Personen feiner Umgebung, die ihm 1831 in die abgeschiedene Stille der väterlichen Herrschaften in Süd=Böhmen folgten, schildern feinen damaligen Zustand als einen wahrhaft bemitleidenswerthen, ja beängstigenden. Es war vielleicht die einzige wahre Leidenschaft in feinem Leben, von der er sich gewaltsam hatte lossagen müssen, und die zärtliche in den schonendsten Formen gehaltene Sorgfalt für das Kind, das jener Verbindung entsprossen, sprach für die Nachhaltigkeit einer Neigung die ihm unter günstigeren Verhältnissen ein beglückendes Familienleben begründet hätte. Er hat an ein solches später nie wieder gedacht. Die Zeit die alles heilt goß auch über diesen heftigen Schmerz ihren allmälig lindernden Balsam; mit den Jahren kehrte fein früherer Hang zu wechselvollem Treiben zurück; er hat bis an fein Lebensende nicht davon abgelassen mit schönen geistreichen Frauen zu tändeln, er hat nie umsonst fein Glück bei ihnen versucht: allein er hat vielleicht nie wieder ernst geliebt. Auch in anderen Richtungen blieb jene Katastrophe nicht ohne ernste Folgen. Der lebensfrohe eigenwillige, von glücklichen Verhältnissen und entgegenkommenden Neigungen launenhaft verzogene Jüngling hatte nie eine eigentlich wissenschaftliche Grundlage seiner Bildung empfangen, und auch in dieser Hinsicht scheint es die Zeit seines tiefen Seelenschmerzes gewesen zu sein, wo er nachholte was früher versäumt worden war, wo er sich ernsterer Lectüre hingab, wo er insbesondere die Kenntnis des Lateinischen, die ihm aus feinen Knabenjahren geblieben war, auffrischte und zu classischen Studien benützte die bald eine reichere Nahrung finden sollten. Andererseits aber war es ein tief religiöser Zug der seiner scheinbaren Frivolität unbemerkt zur Seite ging, und gewiß die wenigsten, die ihn nur vom Salon her kannten, hatten eine Ahnung davon, daß der gewinnende Weltmann keinen Sonn= oder Feiertag verabsäumte, meist in früher Morgenstunde in irgend einer ab=

gelegenen Kirche, andächtig seine Messe zu hören, und gewiß ist es be=
zeichnend daß sein Secretär ein für allemal den Auftrag hatte zu seinen
Sachen, so oft er auf Reisen ging, zwei Bücher zu packen: einen latei=
nischen Classiker, Horaz oder Virgil, und Thomas a Kempis „De
imitatione Christi.‟

In seinen äußeren Verhältnissen brachte ihm das Jahr 1831 seine
Beförderung zum Major bei Kaiser=Uhlanen, 9. September, das folgende
die Ernennung zum Legations=Rath bei der k. k. Gesandtschaft in Berlin.
Am 19. December 1833 verlor er seinen geliebten Vater. Einen
längeren Urlaub den er aus diesem Anlasse antrat benützte er zu einer
Reise nach Rom, wo seit Jahren eine seiner jüngeren Schwestern Prin=
cessin Mathilde weilte, eine Dame deren klarer Geist und frauenhafte
Gemüthsruhe sie so ganz eigneten ihm als treue uneigennützige Freundin
und Trösterin zur Seite zu stehen, was sie ihm von da an, mit kurzen
Unterbrechungen, bis an das Ende seiner Tage blieb. In Rom, wo er
am 2. Jänner 1834 eintraf, brachte er ungefähr vier Monate zu und
benützte diese Zeit, unter Anleitung eines Professors Braun an den
Denkmalen und Erinnerungen einer großen Vergangenheit die Antike zu
studieren. Aber auch zu den Natur=Wissenschaften zog es ihn hin; auf
diesem Gebiete war es der geniale Hyrtl, damals Prosector bei der
anatomischen Lehrkanzel in Wien, aus dessen Vorträgen und Demonstra=
tionen er lernte. Wieder auf seinen Berliner Posten zurückkehrend, rückte
er im folgenden Jahre, 22. August 1835, zum Obersten bei Coburg=
Uhlanen vor. Im J. 1839 erhielt er den Ruf als außerordentlicher
Gesandter und bevollmächtigter Minister in Turin.

Die Stellung am Hofe Karl Albert's war seine erste selbständige,
und sie entfaltete viele jener Eigenschaften seines Wesens, die ihn später
auf einem ungleich höheren Posten zu einem Gegenstande der Bewunderung,
aber auch vielfach zu einem der Mißgunst und heftigsten Anfeindung
machen sollten. Sein Geist, sein Temperament hatten längst ihre frühere
Elasticität wieder gewonnen. Er repräsentirte am Hofe von Turin, aber
er konnte Monate hindurch in der glanzvolleren rauschenderen Hauptstadt der
Lombardie zubringen, von wo er nur etwa alle vierzehn Tage einmal,
um bei der Cour zu erscheinen, nach Turin kam. Mit dem weiblichen
Geschlechte nahm er es jetzt wieder wie er es damit früher genommen
hatte; er gefiel sich in allerhand Verhältnissen deren er, so namentlich
in Mailand, auch wohl mehrere nebeneinander unterhielt. Doch streng

wußte er davon fein Hauswefen frei zu halten, deffen Anftand und Ehre
durch das was auswärts vorging nie berührt wurde. Wenn er in Turin
weilte, hielt er gaftfreien Tifch. Zu feinen nächften italienifchen Bekannt=
fchaften gehörte Lamarmora, damals Rittmeifter bei der reitenden Artillerie,
der den militärifchen Unterricht des Herzogs von Genua leitete und zu
diefem Zwecke aus La Venerie, wo er in Garnifon lag, häufig nach Turin
kam. Es war für ihn immer ein Gedeck an Schwarzenberg's Tafel in
Bereitfchaft, von dem er oft genug Gebrauch machte, bis mit einemmal
feine Befuche eine Unterbrechung erlitten: es war ihm von hoher Stelle
bedeutet worden, man könne es nicht hingehen laffen daß ein Militär
der piemontefifchen Armee im kaiferlichen Gefandtfchafts=Hotel fo ver=
traut aus= und eingehe. Lamarmora war auch fonft viel bekannt in
der kaiferlichen Armee, beliebt bei Radecky, gern gefehen bei dem „Feld=
herrn", wie man den alten Wallmoden zu nennen pflegte. Überhaupt
that man damals in Sardinien gut öfterreichifch. Als zu Anfang der
vierziger Jahre die orientalifche Frage zwei Welttheile in Flammen zu
fetzen drohte, bewarb fich der kriegsluftige König eifrig um ein öfter=
reichifches Commando um an der Spitze eines Armee=Corps in Frank=
reich einzumarfchiren.

In feinen Berufsgefchäften war Schwarzenberg zu jener Zeit im
allgemeinen bequem zu nennen, infofern er in der Regel feine Beamten
für fich arbeiten ließ. Doch wußte er genau und behielt treu in feinem
Gedächtniffe was eingelaufen war, was er jedem feines Perfonals zu=
gewiefen hatte, was der eine oder andere etwa zu lange „hinter fich
hatte"; und eben fo ging nichts, felbft das anfcheinend unbedeutendfte,
von der Gefandtfchaft fort, wovon das Auge des Chefs nicht zuvor
prüfend Einficht genommen hätte. Seine Umgebung hatte keinen leichten
Stand mit ihm. Wie er felbft wenn es galt all feine Kräfte anfpannte,
fo kannte er unter folchen Umftänden auch für die feiner Beamten keine
Schonung; er verlangte dann alles was man verlangen kann, mit=
unter mehr als man verlangen follte. Auch zeigte er in der Regel
jenen, die mit ihm in gefchäftliche Verbindung traten, für's erfte keine
angenehme Außenfeite; er war gegen Untergebene nicht wählerifch in
feinen Ausdrücken, wenn etwas nicht nach feinem Sinne war. Einen
über „die Dummheit die er da gemacht" barfch anzufahren, fiel ihm
durchaus nicht fchwer, und er brauchte darum von der Fähigkeit, von
der Arbeitskraft des Mannes, den er auf fo eigenthümliche Weife aus=

zeichnete, keine geringschätzende Meinung zu haben, nur daß etwa in diesem Falle die lächelnde Miene, mit der er das rasche Wort begleitete, seiner Unhöflichkeit die Spitze abbrach. Es war dann zu begreifen warum Viele in amtlicher Stellung vor ihm zitterten, sich in seine Nähe zu kommen scheuten, und zwar war dies nicht blos bei geringen Leuten der Fall, sondern, als er später seine hohe Stellung einnahm, selbst bei Personen von Rang und Stand. Allein wer sich ihm, überzeugt nicht im Unrecht zu sein, zu stellen wußte, wer Selbstgefühl genug besaß dem barschen Worte entschiedene Haltung entgegenzusetzen, wer darauf bestand seine Ansicht näher zu entwickeln, der fand den strengen Chef für wohl= erwogene Gründe durchaus nicht unzugänglich; er hörte sie aufmerksam an, stellte ihnen die seinigen entgegen, und dann traf es sich wohl daß er dieselbe Ansicht gelten ließ die er zuerst, wo sie mit der seinigen im Widerspruch stand, als einen „Unsinn" bezeichnet hatte. Überhaupt war er der Mann jede Eigenart zu würdigen, tüchtige Leistungen selbst an= zuerkennen und am gehörigen Orte zur Anerkennung zu bringen; nie hat er fremde Arbeit, wie dies bei minder gewissenhaften Übergeordneten wohl vorkommt, als seine eigene gelten lassen, nie ein Lob das dem Anderen gebührte für sich selbst eingeheimst. Politische Berichte verfaßte er immer selbst, und wenn es in seiner Art lag bei gewöhnlichen Dingen mit Weltmanns=Manier die leichte Seite herauszukehren, abgemessenen Geschäftsformen aus dem Wege zu gehen, so ließ er sich dagegen in allem, was von Wichtigkeit war, pflichtgetreu und aufmerksam bis zum äußersten finden. Dann bekamen wohl auch Andere als seine Unter= gebenen sein soldatisches Wesen zu empfinden, wie dies z. B. in der Angelegenheit wegen des österreichisch=schweizerischen Salzhandels der Fall war, hinsichtlich dessen Piemont, wie Schwarzenberg dem Cabinete von Turin vorwarf, die Beziehungen zu einem altbefreundeten und ver= bündeten Hofe, zu Gunsten „des gens de sac et de corde" die gegen= wärtig Tessin beherrschten, hintansetzte. Eine andere Note, die in dieser Sache der piemontesische Minister des Äußern Graf Solaro della Margarita zu lesen bekam, begann mit den Worten: „Ich richte an Sie eine Zuschrift in der Salzsache, und Sie werden finden daß sie sehr gesalzen ist. — Je Vous adresse une note sur l'affaire des sels et Vous trouverez qu'elle est bien salée." Derlei Aufsätze floßen stets unmittelbar aus Schwarzenberg's Feder, für die bediente er sich keines Hilfsarbeiters. Es sprachen sich darin schon ganz jene bezeichnenden

Eigenthümlichkeiten aus, die wir, vielleicht noch ausgebildeter, bei dem Minister-Präsidenten wiederfinden werden: Klarheit des Gedankens und Offenheit der Sprache, beides getragen von dem stolzesten österreichischen Bewußtsein das je in solcher Sphäre zum Ausdruck kam. Wenn zum Diplomaten das macht, was das bekannte Wort Montrond-Talleyrand's über die menschliche Sprache besagt, so war Schwarzenberg entschieden k e i n Diplomat. Er liebte es, die Dinge beim wahren Namen zu nennen und darin eher zu viel als zu wenig zu thun; er trat mit seinen An- sichten und Absichten frank und frei vor jeden hin der ihm gegenüber stand; er verschmähte Umzüge, oder vielmehr solche lagen gar nicht in seiner Natur, er ging den geraden Weg auf sein Ziel los. Er that dies aber auch nur da, wo er selbst sich seiner Sache vollkommen sicher wußte. Wir werden ihn später in manchen Fragen, die neu vor ihn hintraten und doch eine wenn auch nur vorläufige Entscheidung verlangten, un- gewiß schwanken, mehr auf's geradewohl hintappen sehen, und das ver- räth sich dann gleich in der Sprache seiner Noten. Aber ebenso zeigte es sich andererseits in der Art seines Auftretens, sobald er einmal über eine Frage mit sich im reinen war und klar wußte was er wollte. Was er in späteren Tagen bei einer solchen Gelegenheit schrieb, das kenn- zeichnete sein Wesen schon damals: „Die Offenheit war uns leicht, weil wir wissen was wir wollen, und weil wir nur wollen was den Grund- sätzen der Vernunft und der Gerechtigkeit entspricht." [3]) Dann half aber auch kein Widerstreben von der anderen Seite, kein Winden und Drehen, dem gegenüber der Vertreter Österreichs standhaft und unerschütterlich auf dem Punkte blieb wo er sicheren Grund unter seinen Füßen fühlte. Darum war auch Schwarzenberg Solchen, die eben in jene kleinen Dinge ihre Kunst setzten, ein Gegenstand besonderen Widerwillens, ja eines gewissen Schreckens. Der Graf von Margarita hat es aufgezeichnet, daß Karl Albert den Fürsten, eine in geselligen Kreisen allgemein be- liebte Persönlichkeit, ganz eigentlich fürchtete; „der König scheute seinen Blick", fügt Margarita bei, „und jenes Lächeln, womit er zu verstehen gab daß er Worte und Höflichkeiten nach ihrem wahren Werthe zu schätzen wisse." „Ma che uomo è questo Svarzenberg?" soll einmal in seinem Ingrimm einer von des Fürsten politischen Gegnern ausgerufen haben. „„Non è uomo!"" gab der And.re mürrisch darauf, und wollte damit ohne Zweifel sagen: „Er ist kein Mensch, sondern der helle Satan!"[4])

Seit 1842 mit dem Generals-Charakter und mit der Geheimraths-Würde bekleidet, schied Schwarzenberg 1844 vom sardinischen Hofe um den Posten eines kaiserlichen Gesandten an jenem von Neapel anzutreten. Er verlebte da, von wo er häufige Ausflüge nach Rom machte, die schönste Zeit seines Lebens, mindestens jene deren er später am liebsten gedachte. Als er in den Sälen der Staatskanzlei, von Geschäften er-drückt, Tag und Nacht keine Ruhe sich gönnend, an der Riesenaufgabe arbeitete die das Schicksal in seine Hände gelegt hatte, da erinnerte er sich zuweilen an die balsamische Luft, an den zauberhaften Garten, an den heiteren Himmel von Neapel, und wohl auch an sein eigenes Ge-müth das damals nicht minder klar und ruhig gewesen zu sein scheint. Er war immer voll Begeisterung wenn er von Neapel sprach; Personen die von dort kamen fanden stets herzliche Aufnahme, und wenige Monate vor seinem plötzlichen Hinscheiden, als man von allen Seiten in ihn drang sich eine zeitweilige Erholung zu gönnen, da waren es jene glück-lichen Gefilde wohin er ziehen wollte sich zu zerstreuen und neue Kräfte zu sammeln.

In Neapel war es auch, wo Kaiser Nicolaus von Rußland zu unserem Fürsten in ein freundlicheres Verhältnis trat das nicht ohne Bedeutung für dessen späteres Wirken bleiben konnte. Als es sich zu Anfang der vierziger Jahre um die Wiederbesetzung unseres Botschafter-Postens in St. Petersburg handelte, waren die Augen des Staats-kanzlers auf Schwarzenberg gerichtet; allein der Zar hatte die fatale Geschichte von 1826 nicht vergessen und die Sache unterblieb. Im Winter 1845 nun kam Nicolaus nach Neapel, seine Gemahlin zu be-suchen die auf Rath der Aerzte längere Zeit in dem milden Klima Siciliens zubrachte, und hatte da öftere Begegnungen mit dem öster-reichischen Gesandten den er jetzt erst näher kennen lernte und der den günstigsten Eindruck auf ihn machte. Das Vorurtheil das sich seit dem Vorfalle von 1826, in den doch Schwarzenberg ohne alles eigene Ver-schulden verwickelt worden, beim russischen Kaiser festgesetzt hatte, schwand ganz und gar und er äußerte: „Contre le prince Schwar-zenberg de Naples je n'ai aucune objection".

Mit der Erhebung des Cardinals Mastai-Feretti auf den päpstlichen Stuhl begann die amtliche Stellung Schwarzenberg's immer unerquicklicher zu werden. Noch im Spätherbst 1846 reiste er nach Wien, dem Fürsten-Staatskanzler mündlichen Bericht über seine

Wahrnehmungen abzustatten. Auf der Rückreise in Venedig, wo er am 11. Jänner 1847 ankam, wurde er von einem Typhus ergriffen der ihn wochenlang zwischen Leben und Tod schweben ließ, bis zuletzt seine glücklichere Natur siegte und ihn allmälig der Gesundheit wiedergab. Am 25. Februar konnte er seine Rückreise nach Neapel fortsetzen, um neuen Verdrießlichkeiten daselbst entgegenzugehen. Mit dem Leiter der auswärtigen Angelegenheiten Fürsten Scilla stand er auf so schlechtem Fuße, daß er zuletzt dem Könige rundweg erklärte, er wolle mit dessen Minister nicht mehr in Berührung kommen: „Se. Majestät geruhe entweder zu gestatten daß er, Schwarzenberg, unmittelbar Allerhöchst=Ihm, so oft es die Geschäfte mit sich brächten, Vortrag erstatte, oder für diesen Zweck irgend einen anderen Mittelsmann zu bestimmen." Die Bewegung des Jahres 1848 begann, von einem Ende der Halbinsel zum anderen ertönte das Kriegsgeschrei gegen Oesterreich. In Neapel war es der österreichische Gesandte, den die allgemeine Stimme als den einfluß= reichsten jener „fremden" Rathgeber bezeichnete die an dem Widerstreben des Hofes gegen die Erfüllung der „Volkswünsche" Schuld trügen. Am 25. März sehen wir das österreichische Gesandschafts=Hotel von einer viel tausend Köpfe zählenden Menge umringt, die den kaiserlichen Doppeladler herunterreißt, unter ausgelassenem Triumphgeschrei auf den Largo Santa Caterina schleppt und ihn dort im Beisein der müssig zu= schauenden Bürgerwehr und ohne Einschreiten der königlichen Truppen den Flammen preisgibt. Der Vertreter Oesterreichs verlangt voll= ständige Genugthuung, und als Fürst Cariati in seiner zögernden Ant= wort auf die „Schwierigkeit der Zeitumstände" hinweist, besteht jener darauf daß das österreichische Wappen in Gegenwart eines königlichen Beamten an seine frühere Stelle gesetzt und ein den vorausgegangenen Auftritt misbilligender Artikel in das amtliche „Giornale delle due Sicilie" eingerückt werde. Die zweite Note ist kaum abgegangen, als Schwarzenberg ein Aufruf zur Bildung von Freischaaren für Ober= Italien zu Gesicht kommt. Er verlangt über die Bestimmung derselben binnen vierundzwanzig Stunden bündige Aufklärung und verläßt, da seiner kategorischen Aufforderung nicht Genüge geschieht, unmittelbar darauf Stadt und Land.

Aus der diplomatischen Laufbahn gerissen, will er sich dem Vater= lande in seiner Eigenschaft als Militär zur Verfügung stellen. Das „Italia farà da sè", das ihm auf seinem ganzen Wege von Neapel bis

in das Lager am Isonzo in die Ohren gellt, übersetzt er "L'Italie
se perdra d'elle-même!" Am 17. April führt er die Vorhut des
Nugent'schen Armee-Corps über den Isonzo und besteht bei dem Vordringen gegen Palmanuova sein erstes siegreiches Gefecht. Rasch hat er
das Vertrauen der Officiere und des gemeinen Mannes gewonnen, wo er
sich zeigt begrüßt ihn jubelnder Zuruf der Truppen. Am 24. Mai leitet er
beim Angriff auf Vicenza die Beschießung der Stadt, am 29. nimmt er
als Qua-Divisionär mit den Brigaden Benedek und Wohlgemuth Theil
an der Erstürmung der Schanzen von Curtatone und führt zu Fuß die
tapferen Colonnen dreimal zum Sturme vor. Tags darauf gilt es einem
Angriffe auf das stark besetzte Goito, als Schwarzenberg von einer Kugel
in den Arm getroffen sich auf den Verbandplatz muß bringen lassen.
Noch leidend an seiner Wunde und genöthigt einige Zeit seiner vollständigen Heilung zu widmen, erhält er von Radecky den Auftrag, auf
seiner Durchreise durch Innsbruck bei Hof dahin zu wirken, daß man
auf das kurz zuvor aufgetauchte Hummelauer'sche Project der Abtretung
der Lombardie nicht eingehe; „der Zumuthung ihre Action, damit jene
Verhandlungen nicht"gestört würden, zu sistiren, vermöge die italienische
Armee des Kaisers nicht nachzukommen; dieselbe fühle sich stark genug
das Land zurückzuerobern, dessen Besitz ihm durch Aufstand und Verrath für eine Zeit entrissen wurde." Es mag für den stolzen selbstbe-
wußten Fürsten ein schwerer Schritt gewesen sein, als er, den Arm in
der Binde, mit ehrerbietiger Reverenz vor einem der damaligen Machthaber erschien, ihm das dringende Anliegen seines Feldherrn vorzutragen. Doch noch bitterer mußte es für ihn sein, als ihn Doblhoff in
kurzer Audienz mit dem Bescheide entließ: „in der Sache lasse sich
nichts weiter thun, sie sei abgemacht." Dennoch scheint das Auftreten
Schwarzenberg's in dieser Angelegenheit nicht ganz ohne Folgen geblieben zu sein; mindestens beeilte man sich in Innsbruck nicht den
Vorschlag Hummelauer's endgiltig anzunehmen, wie er denn in der That
bald darauf in den Papierkorb geworfen und seitdem von österreichischer
Seite nie als amtlich gemacht und behandelt angesehen wurde. Schwarzenberg reiste weiter nach Norden in das Land seiner Kindheit, dessen
idyllischen Frieden er immer gern aufsuchte wenn sich in seinem Leben
eine nach äußerer und innerer Sammlung verlangende Pause einstellte.
Doch blieb er nicht unthätig. Als um diese Zeit die Wahlen in den
constituirenden Reichstag ausgeschrieben wurden, besann er sich keinen

Augenblick in die Reihen der Bewerber zu treten und wies die Ab=
mahnungen des fürstlichen Oberbeamten, der ihm einen Miserfolg prophe=
zeite, mit den Worten zurück: „An das Compromittirtwerden müssen wir
uns im constitutionellen Leben gewöhnen." Was sein erfahrener Rath=
geber vorausgesagt, traf ein; auch konnte man sich kaum darüber wundern
wenn es dem Fürsten bei seiner Ansprache nicht gelingen wollte jenen
Ton anzuschlagen, wie er sich für die Versammlung eines bäuerlichen
Wahlbezirkes schickte. Und gewiß war es nicht er dem es zur Unehre
gereichte wenn ihm die Wähler, die wenigen städtischen von Krumau
ausgenommen, einen ungeschlachten versoffenen Bauer vorzogen, der
später sie selbst und den Reichstag dem er angehörte durch einen Cri=
minal=Proceß, worein ihn sein rohes Wesen verwickelte, in der ärgsten
Weise blosstellte. [5]) Nach kurzen Wochen der Erholung eilte der durch=
gefallene Reichstags=Candidat nach Italien die Toga wieder mit dem
Sagum zu vertauschen, und stellte sich, am 20. Juli zum Feldmarschall=
Lieutenant befördert, an die Spitze seiner Division. Nach dem heißen
Kampfe von Volta, 26. 27., erschienen bei unseren Vorposten, von Karl
Albert gesandt, zwei piemontesische Generale mit dem Artillerie=Obersten
Lamarmora. Als dies in's kaiserliche Haupt=Quartier gemeldet wurde,
bestimmte Radetzky, der sich in solch kleinen Bosheiten gefiel, nebst seinem
General=Quartiermeister den Fürsten Felix Schwarzenberg zu ihrem
Empfange, und Lamarmora kam in sichtliche Verlegenheit als er sich,
nachdem ihm die Binde herabgenommen, seinem ehemaligen nun in ernst=
gemessener Haltung vor ihm stehenden Turiner Gastfreund als bittender
Feind gegenüberfand. Der Waffenstillstand den Piemont vorschlug wurde
nicht gewährt, und im unaufgehaltenen Siegeslauf ging es bis Mailand
in das der Feldmarschall am 6. August als Sieger einzog. Fürst Felix,
mit italienischem Wesen und Mailänder Verhältnissen vertraut, wurde
Gouverneur der wiedereroberten Stadt und erhielt gleich darauf, zur
großen Freude aller Patrioten die darin ein vollständiges Fallenlassen
der Hummelauer'schen Vorschläge erblickten, einen noch wichtigeren Auf=
trag. Es sollte nämlich zur Seite des Feldmarschalls ein diplomatisches
Bureau eingerichtet werden, dessen Leitung auf Vorschlag Latour's Fürst
Schwarzenberg zu übernehmen hatte. [6]) Der Legations=Secretär Baron
Franz Metzburg wurde von Wien aus ihm zur Verfügung gestellt. Auch
Joseph Alexander Hübner, damals General=Consul in Leipzig und kaiser=
licher Geschäftsträger an den Anhalt'schen Reuß'schen und Schwarzen=

burg'schen Fürstenhöfen, bewarb sich eifrig um eine Verwendung in dieser
Sphäre. Er mußte durch ein in vertraulichem Wege nach Mailand ge=
sandtes Exposé, worin er mit klarem politischen Blick und großer Ge=
wandtheit die Lage der Dinge auseinandersetzte, die Aufmerksamkeit des
Fürsten auf sich zu ziehen der ihm von diesem Augenblicke besonders
gewogen blieb.

Mittlerweile drängten die Ereignisse in Wien immer mehr einer
Entscheidung zu; Schwarzenberg nahm Urlaub und traf um den 23.
September in Wien ein. Hier war es, wo eines Tages im Auftrage
des Fürsten Windischgrätz Oberst=Lieutenant Baron Langenau erschien ihn
wegen allfälliger Uebernahme eines Portefeuilles auszuholen. Schwar=
zenberg gab keine abschlägige aber auch keine zusagende Antwort; letzteres
zu thun waren in der That weder die Umstände reif, noch entsprach dieser
Antrag den Neigungen des Fürsten der sich bereits vorwaltend im
Kriegsdienste zu gefallen schien. Bei einem der Gespräche die er aus
jenem Anlasse mit Langenau hatte entfiel ihm das bezeichnende Wort:
„Es ist doch merkwürdig, daß die Monarchie in diesem Augenblicke
eigentlich durch drei renitente Generale zusammengehalten wird: Ra=
decky der sich gegen den Hummelauer'schen Vorschlag gewehrt, Jelačić
der dem Hofe von Innsbruck und dem Pester Ministerium zugleich ge=
trotzt, und Windischgrätz der dem Grafen Latour den Gehorsam aufge=
kündigt.“ Bald darauf brach der October=Aufstand los. Schwarzenberg
warf sich am 6. in seine Generals=Uniform und erbat von Auersperg
ein Commando. An der Spitze einer Abtheilung Truppen drang er
durch das Carolinen=Thor in die Stadt, als ein höherer Befehl seine
Schritte hemmte und ihm den Rückzug anbefahl. Das Militär sammelte
sich auf dem Glacis und marschirte theilweise noch denselben Abend
in den Schwarzenberg=Garten ab, die Generale mitten im Haufen,
neben Schwarzenberg auf einem Militär=Pferde der in einer Verkleidung
aus der Stadt entflohene Bach. Auersperg hatte vollständig den Kopf
verloren, wenn er in den letzten Tagen überhaupt noch einen besaß;
seine einzigen Sorgen waren seine Familie und seine Equipage. Wenn
der immer kühner auftretenden Revolution gegenüber nicht alles aus den
Fugen ging, so war es das Verdienst Schwarzenberg's der sich den
General Mertens zur Seite stellte und den unfähigen Commandirenden
in eine Art Vormundschaft nahm.

Ueberschauen wir den Lebenslauf Schwarzenbergs bis zu diesem Zeitabschnitte, so ist es schon die Vielseitigkeit seines Wesens die in Erstaunen setzt. Mit Leichtigkeit schreitet er vom Diplomaten-Posten in das Kriegsgezelt, aus dem Lager wieder in das Cabinet, von den Geschäften zum Vergnügen und von diesem zu jenen; wir finden ihn überall ganz wo er ist, er mischt nicht eins in's andere. Rasche Auffassung der Verhältnisse, klares Wollen, festes und entschlossenes Auftreten charakterisiren ihn bei all' seinen Unternehmungen. Dabei ist er frei von jeder Kleinlichkeit, von jedem vermeidlichen Hadern und Nergeln, ein Feind alles eitlen Scheines. Der piemontesische Minister des Außern, dem er in geschäftlichen Auseinandersetzungen manch unangenehme Stunde bereitet, nennt ihn gleichwohl einen Diplomaten „von nicht gewöhnlicher Bildung und von durchdringendem Blick; mit Wärme und Nachdruck die Interessen seines Hofes vertretend, hat er es vermieden in die Fehler seines Vorgängers zu fallen, den Protector des sardinischen Hofes oder den Vormund seines Ministers der auswärtigen Angelegenheiten zu spielen." In kritischen Momenten kommt ihm in hohem Grade die kostbarste aller Eigenschaften eines öffentlichen Charakters zu statten: Ruhe und Freiheit des Gemüths. Die Krieger des neuen Feldherrn, der eben erst den Degen mit der Feder vertauscht, bewundern das feine Lächeln das mitten im Kugelregen um die Lippen ihres Führers spielt, als ob es sich um ein bloßes Scheingefecht handle. Dieser heitere Gleichmuth, die werthvolle Errungenschaft eines überlegenen Geistes, ist ihm in allen Zeitlagen geblieben. Während so vieler bedenklicher Wendungen, welche die Ereignisse der kommenden Monate bringen sollten, wir haben ihn nie außer Fassung, nie eine Wolke um seine Stirn gesehen.

In die Gesellschaft begleiten ihn anmuthige Laune und schlagfertiger Witz; gewandter und heiterer Causeur, verlieren selbst seine epigrammatischen Ausfälle durch die gutmüthige Unbefangenheit ihrer Wiedergabe den verwundenden Stachel. Bei aller vornehmen Zurückhaltung, die ihn nie ganz verläßt, ist ihm im hohen Grade die Kunst eigen, wenn es ihm darauf ankommt, verbindlich für sich einzunehmen. Empfindsamer Diener der Charitinen weiß er kaum minder eifrig den Musen zu opfern, und wenn es in seinem vielgeprüften Leben Zeiten gibt wo er mehr Neigung verräth den Gürtel Aphroditens zu lösen als den Schleier der Isis zu lüften, so folgen wieder andere, wo er mit Dr. Hyrtl anatomische und physiologische Studien treibt, von Professor

Lippich sich in die Geheimnisse des thierischen Magnetismus einführen
läßt, gerichtsärztlichen und pathologischen Sectionen beiwohnt. Er treibt
mit Vergnügen Angelfischerei, aber ohne Leidenschaft das Jagdhandwerk;
nöthigen ihn zu letzterem Rücksichten geselliger Höflichkeit, so läßt er sich
wohl gern einen einsamen Posten anweisen, wo er einen seiner Lieb-
lingsschriftsteller aus der Jagdtasche, in die er ihn vor dem Aufbruche
vorsichtig gepackt, herausziehen und darin unbelauscht und ungerügt von
den Anderen blättern kann.

Fürst Felix Schwarzenberg war von hoher Gestalt, schlank und
hager, von zartem Gliederbau; den regen Geist, die kühne Willenskraft
barg eine scheinbar gebrechliche Hülle. Seine feinen Züge trugen ein
ausgesprochen aristokratisches Gepräge und verriethen ein jüngeres Lebensalter, als sein vor der Zeit gebleichtes Haar, die Folge seines lebensgefährlichen Typhus vom J. 1847, vermuthen ließ. Der Ausdruck
seines Gesichtes war im Geschäfte ernst, ja streng, verwandelte sich aber
in der Conversation in gewinnende Liebenswürdigkeit. In seinem Auftreten gab sich die doppelseitige Natur seines Berufes zu erkennen: aufrecht gerade, wie dies dem Soldaten eigen, doch ohne im geringsten steif
zu sein, war seine Haltung, aber kleinschrittig, leicht hingleitend, wie
wenn er beständig den glatten Boden des Salons unter seinen Füßen
fühlte, war sein Gang.

Vor dem Eintritt des Jahrhunderts geboren, trug sein Lebensalter
dieselbe Zahl wie das Jahr, dessen Schäden und Wirren einen Schlußstein zu setzen er damals berufen war: acht und vierzig.

2.

Ob und wie oft sich in früheren Tagen die Lebenswege Schwarzenberg's und Stadion's kreuzten, sind wir nicht in der Lage anzugeben;
über ein einziges Begegnis der Beiden haben wir unsichere Kunde erlangt. Es war zu Anfang des Jahres 1847, wo Schwarzenberg seine
schwere Krankheit durchmachte, als der damalige Gouverneur von Triest,
Graf Franz Stadion, nach Venedig herüberkam, und da, im Reconvales-
centen-Zimmer des Fürsten Felix, soll sich im wechselseitigen Gedanken-

austausch jene Annäherung der beiden Männer begründet haben, die
mehr als ein Jahr später neue Anknüpfungspunkte fand.

Graf Franz Seraph Stadion, dritter Sohn des in den
Jahren vor und nach dem Befreiungskriege um Österreich vielverdienten
Staats- und Conferenz-Ministers Johann Philipp von der Friedericianischen und der Gräfin Marie Anna von der Philippinischen Linie, war
geboren am 27. Juli 1806 zu Wien, wo sein Vater kurz zuvor die
Führung der auswärtigen Geschäfte übernommen hatte. Gemeinschaftlich
mit seinem anderthalb Jahre jüngeren Bruder Rudolf durchlief er die
Gymnasial= sowie die philosophischen Studien als Privatist erst in Wien,
dann, nachdem ihr Vater 1824 aus dem Leben geschieden, auf dem
Schlosse Jamnic in Mähren, und besuchte darauf die juridischen Colle=
gien ordnungsmäßig in Wien. Von Stadion's Lehrern hat namentlich
der Professor der Philosophie Remboldt, in mehrfacher Hinsicht der
Bolzano Wiens, nachhaltigen Einfluß auf seine Weltanschauung geübt.
Nebstdem war es sein Correpetitor in den juridischen Fächern Dr.
Leopold Anton Dierl, dem Stadion Zeit seines Lebens eine dankbare
Erinnerung weihte und mit dem er, so oft er in spätern Jahren nach
Wien kam, seine persönlichen Beziehungen wieder anknüpfte. Stadion
kam von Kindesbeinen an mit dem Sprechen nicht immer nach Wunsch
fort, und war sich dieses Fehlers ebenso bewußt als eifrig bemüht ihn
zu verbessern. Von Demosthenes wird erzählt, daß er, um ein ähnliches
Hinderniß zu besiegen, an das Gestade des Meeres hinausging und
dort, mit Kieselsteinen im Munde, den brandenden Wogen mit über=
tönender Stimme seine in wohlgesetzte Worte gekleideten Gedanken vor=
trug. Dem jungen Grafen Franz, dem Binnenländer, mußte die Schul=
jugend von Mährisch=Jamnic als „mobilium turba Quiritium" her=
halten der er die Siege Eduard's III. und seines schlachtenberühmten
Sohnes des schwarzen Prinzen, den blutigen Kampf der weißen und
der rothen Rose, die Unthaten des schlimmen Richard, den Frauenwechsel
des lüsternen Heinrich und andere Partien der englischen Geschichte mit
weit schallender Stimme zum besten gab. Er ist aber trotz dieser früh=
zeitigen Übungen, vielleicht weil er sie während der vielbeschäftigten
Jahre seiner späteren Laufbahn unterließ, nie ein Demosthenes ge=
worden, sondern hat sich in den Tagen wo es galt als einen unbe=
holfenen, m͏   den als   nei ɩ, den Faden der Gedanken und
des Satzgefü   cher erwiesen.

Mit einundzwanzig Jahren trat Stadion bei der nieder-österreichischen Regierung als Concepts-Practicant ein, wurde 1828 zum galizischen Gubernium, 1829 zum Kreisamte von Stanislau, am 16. Mai 1830 als „überzähliger und unbesoldeter" Kreis-Commissär zu jenem von Nzeszow übersetzt. Aus diesem galizischen Abschnitte von Stadion's Lebenslauf wird uns eine Thatsache berichtet, die ebenso für die Willens- stärke und Unerschrockenheit wie für die aufopferungsfähige Pflichttreue des jungen Staatsdieners zeugt. Die asiatische Brechruhr mit allen Schrecknissen einer seit langem vorausverkündeten, seit langem gefürch- teten Seuche, deren verheerende Wirkungen nichts aufzuhalten, nichts zu bannen im Stande sei, hatte trotz Wachsamkeit und Gränzsperre die Marken des Landes überschritten. Plötzlich war die Krankheit herein- gebrochen, mit furchtbarer Schnelle wurden die ersten Personen von ihr ergriffen, entstellt und verzerrt, getödtet. Was sich um das von seinem Schicksal ereilte Opfer befand entfloh, kein Freund und kein Verwandter harrte aus, ja selbst der Todtengräber weigerte sich seines Amtes zu walten; denn die leichteste Berührung, so ging die grauenhafte Kunde, ja die bloße Nähe bringe den gleichen Tod. Da überwand der weichlich erzogene und gepflegte Stadion die Scheu die auch ihm, was er von der fürchterlichen Ansteckung der Cholera vernommen hatte, einflößen mußte, packte muthig eine der Leichen auf, lud sie auf seinen Rücken und trug sie auf den Friedhof hinaus. Das Beispiel war gegeben und die Lei- chenbestatter thaten von da an ihre Pflicht. [7])

Am 13. März 1832 kam Stadion, noch immer „überzählig und unbesoldet", als Gubernial-Secretär nach Innsbruck. Begreiflicherweise war die Masse der Beamten, an die regelmäßige Stufenleiter des Vor- rückens gewiesen, einer Einrichtung nicht hold, die jungen Cavalieren, Abstämmlingen hochgestellter Staatsbeamten oder vermöglichen Mutter- söhnchen einen bedeutenden Vorsprung gab, und ihr Witz bezeichnete die in jener Weise Begünstigten mit einer boshaften Wortverwechslung als „überflüssig und gehaltlos". Daß der Stachel dieser Spitzrede einen jungen Mann von Franz Stadion's Begabung nicht treffen konnte, trotz seiner hohen Geburt und beflügelten Laufbahn nicht treffen konnte, braucht nicht erst gesagt zu werden. Dagegen ist es nur zu wahrscheinlich, daß er, wie er frühzeitig in Umgang und Benehmen manches absonder- liche herauszukehren liebte, durch überschäumenden Muthwillen oft genug Verlegenheiten und Ärgernis für Andere herbeiführte, auch in seinem untergeordneten Dienstverhältnis sich nicht immer in den vorgezeichneten Schranken gehalten haben wird; und hieran knüpft sich wohl die Sage: einer seiner damaligen Vorgesetzten, sei es aus Verdruß sei es aus Beschränktheit, habe in die „Qualifications = Tabelle" des bevorzugten Gubernial=Beamten hineingeschrieben: „Zu jedem weiteren Avancement gänzlich unfähig." Ungeachtet dieses abfälligen Wahrspruches kam Stadion bald in der Eigenschaft eines k. k. Hof=Secretärs zur Allgemeinen Hofkammer nach Wien und wurde schnell darauf, 12. Mai 1834, noch nicht achtundzwanzig Jahre alt, wirklicher Hofrath. In jener streng geschulten Zeit wo jedes Ablenken aus dem ausgefahrenen Geleise der Geschäfts= Praxis nahe an die Stufe eines Staatsverbrechens gerückt war, mag der jugendliche Hofrath seinen Vorgesetzten und Collegen manches gelinde Frösteln eingejagt haben. Stadion hatte von frühe den Blick frei und offen, ja noch mehr, er fand ein eigenes Gefallen darin die Dinge anders anzuschauen und anzufassen als die herkömmliche Weise es mit sich brachte. Er war ein abgesagter Feind trockener Acten=Erledigung, unnützen Papierverbrauches, leeren kleinlichen Formwesens. Es drängte ihn, wie er dies schon in seinen früheren wenn auch untergeordneten Stellungen versucht hatte, vom Bureautisch hinweg in die volle Wirklichkeit hineinzugreifen und darin unmittelbar zu nützen. Er hatte stets die breite Grundlage alles staatlichen Lebens, die ewig bewegte Masse der Bevölkerung, ihre Ziele und Bedürfnisse im Auge. Wir können uns daher vorstellen, wie frei Stadion's Brust aufathmete, als er, nachdem er länger als sieben Jahre als Mittelsrath an den Schreibtisch im Bureau und an den grünen im Berathungssaale sich gefesselt sah, am 29. Februar 1841 die Ernennung zum Gouverneur des österreichischen Küstenlandes — Triest Istrien Görz und Gradisca — und damit die Freiheit erhielt selbständig zu wirken, zu zeigen wohin er strebte, was er vermochte.

Stadion's Statthalterschaft in Triest war ohne Frage die glänzendste Periode seines Lebens; sie war zugleich, so wenig Jahre es ihm vergönnt war daselbst zu wirken, diejenige deren segensreiche Folgen noch heute dankend empfunden werden. „Es war als ob erst bei seinem Auftreten die Provinz an Österreich gekommen wäre", so äußerte gegen uns ein Mann der unter Stadion's damaligem Walten mitzuschaffen berufen war. Die Th ·igkeit die Stadion vom Antritt seines ˙neuen Postens entfaltete, ˙ rastlos umfassend schöpferisch in den verschiedensten

2*

Richtungen. Galt es dem mercantilen Aufschwung der stets bewegten
See- und Handelsstadt worauf er sogleich seinen Blick richtete, so war
es zur selben Zeit das arme verwahrloste Volk dessen intellectuelle
Hebung er in's Auge faßte. Er begann damit, Land und Leute mit
eigenen Augen zu beschauen. Während unter allen Räthen seines Guberniums, wie er nachmals seinem Monarchen klagte, nicht einer war der
eine Stunde bei einem Kreisamte des Landes gedient hatte, der die
Provinz anders als „blos aus Exhibiten" kannte, durchstreifte der neue
Statthalter in wiederholten Bereisungen alle Theile des Gebietes dessen
Wohl und Wehe seiner Obsorge anvertraut war. Er setzte sich mit seinen
Kreishauptleuten in unmittelbaren Verkehr, quartierte sich wochenlang in
die ärmlichsten Orte ein, zog verständigere Insassen an sich heran, unterhielt sich mit ihnen über die Verhältnisse und Bedürfnisse ihrer Mitbürger. Er sah des Volkes Noth, dessen Verwahrlosung, dessen Unwissenheit, und gewann die Überzeugung daß es vorzüglich zwei Dinge
seien, wo rasches und unabläßiges Handeln Noth thue: Regelung des
Gemeindewesens und Förderung der Volksschule. Jene hätte allerdings eines
durchgreifenden Gesetzes bedurft; allein dazu hätte Stadion in Wien anfragen müssen, und er kannte Wien und das Lieblingswort des Erzherzogs Ludwig der dort waltete: „Liegen lassen ist die beste Erledigung!"
Darum schlug er, um den Schein zu wahren und in eigenem Wirkungskreise vorgehen zu können, einen andern Weg ein. Er suchte die Grundzüge hervor, die im Jahre 1814 nach der Wiedererwerbung Istriens Graf
Saurau als Organisirungs-Commissär entworfen, um deren Belebung
und zeitgemäße Durchführung aber sich seither niemand bekümmert hatte.
Auf dieser Grundlage begnügte er sich einfache Instructionen zu entwerfen,
die nicht förmlich kundgemacht, sondern ohne alles Aufsehen dort wohin
sie gehörten hinausgegeben und den Kreisämtern zur fleißigen Betreibung
und sorgfältigen Überwachung an's Herz gelegt wurden. Solcher Instructionen waren drei; sie betrafen die Wahl der Vorstände Räthe und Abgeordneten der Gemeinden, die Verwaltung des Gemeinde-Vermögens,
die Besorgung der Gemeinde-Angelegenheiten überhaupt. Es waren damit die Hauptpunkte getroffen, die Sache kam in Gang, jedermann griff
freudig zu, alle Kreise der Bevölkerung zeigten eine ungewohnte Rührigkeit. Ähnliche Wunder that Stadion auf dem Gebiete der Volksschule.
Dabei ordnete er nicht blos an, behielt nicht nur den Überblick über das
Ganze: er selbst that bei dem anscheinend geringfügigsten mit, legte selbst

Hand an um die Sache vorwärts zu bringen, arbeitete mit feinen Räthen als wäre er nicht ihr Chef, sondern einer ihrer Gehilfen. Auch in der Hinsicht durchbrach er die Schranken des hergebrachten Geschäfts= ganges daß er tüchtige Leute heranzog wo er solche fand, und sie für feine gemeinnützigen Zwecke gebrauchte, was man auch sonst gegen sie mochte einzuwenden haben. Der Name und die Tendenzen eines „Ita= lianissimo" hatten vor dem Jahre 1848 allerdings nicht die Bedeutung wie nachher, waren aber immerhin für deren Träger keine Empfehlung in den Augen eines kaiserlichen Beamten von gewöhnlichem Schlage. Stadion kehrte sich nicht daran und verwendete ohne Bedenken den geist= vollen Abate dall' Ongaro für die Abfassung italienischer Schulbücher, weil er in ihm den geeignetsten Mann für diese Aufgabe erkannte. [8]) Sein Referent im Schulwesen, Gubernial=Rath Ignaz Beck, hatte voll= auf zu thun; doch wurde ihm keine Mühe zu sauer, wie Allen die nicht stumpf waren für das gute und wohlthätige was ihr Chef anstrebte. Binnen zwei Jahren waren bei sechzig Schulbücher in vier Sprachen hergestellt, keines ohne daß Stadion selbst es geprüft, theilweise mit daran gearbeitet hätte. „Ich wußte nicht", erzählte Beck in späteren Jahren, „ob ich mich früher im Italienischen oder im Krainerischen oder im Illyrischen perfectioniren sollte." Die Bücher wurden um einen Spottpreis hergegeben, den Armen unentgeltlich. Damit ging eine eifrige Vermehrung der Lehranstalten Hand in Hand; als Stadion nach Triest kam, fand er daselbst zwei Volksschulen, als er von der Stadt schied, hatte sie ihrer sechzehn. Kann man sich eine anmuthigere Idylle denken, als die von Aloys Fischer beschriebene Scene, wie der Gouverneur bei einer Bereisung des Bezirks von Monfalcone auf ein Rudel bettel= armer, aber reinlich gekleideter Buben und Mädels stößt, die mit ihren Büchern unter dem Arm zum Unterricht eilen, der thurmhohe Stadion, der sich ihnen gleich anschließt, mitten drinnen, Fragen an sie stellend die sie ihm munter beantworten, sie prüfend und wieder belehrend? Die Schule aber wird in Gottes freier Natur unter dem Laubdache eines Baumes gehalten, der junge Caplan ist der Lehrer, denn die Gemeinde hat nicht die Mittel ein Schulhaus zu bauen und einen Schulmeister zu besolden. „Ich verlange mir nichts", gibt jener dem sich verwundernden fremden Herrn zum Bescheid; „wir Priester, die wir ein Herz für's Volk haben, danken es dem neuen Stat lter, unser Erzbischof uns erlaubt hat selbst den Kindern Unterricht wo sie keine ordentliche Schule und Lehrer haben" [9]).

So ging es auch in anderen Dingen. In alle Kreise des öffentlichen Lebens kam ein Schwung, eine Rührigkeit, ein Vorwärtsstreben,
wie man es früher nicht geahnt hatte. Dem hergebrachten Schlendrian
wurde offener Krieg erklärt; Stadion ging mit seinem Beispiele voran,
statt langwieriger Schreibereien überall selbst nachzusehen, die Bedürfnisse
an Ort und Stelle zu erforschen, zu ihrer Deckung die naheliegendsten
Mittel zu ergreifen. D e r Amtsvorstand war ihm der liebste, der die
wenigsten Numern in seinem „Gestions-Protocoll" aufzuweisen und dabei
doch nichts auf die lange Bank geschoben hatte. Ein Gegenstand des
Schreckens und geheimen Grolls der älteren Beamten von gewöhnlichem
Schlage, wußte er sich aus befähigten jüngeren Kräften eine Schule her-
anzuziehen, die mit verehrender Begeisterung seinen Schritten nachging
und von denen so mancher nachmals in höheren Sphären dankbar zu
verwerthen wußte, was er von dem unvergeßlichen Meister gelernt. Nur
unter einem Stadion konnte der kühne gedankenvolle Bruck Triest in
vollem Maße das werden, was er ihm in der That ward; aber auch
nur ein Stadion konnte sich das herausnehmen, dessen es bedurfte um
Dinge im großen Style durchzuführen. Denn daß all dies Neue, Unerhörte geschah ohne vorerst in Wien anzufragen, wurde bereits angedeutet; nach der Hand machte man wohl die Anzeige und dann kamen
die Bedenken, die Ausstellungen, die „Wenn" und die „Aber"; doch geschehen war es einmal und gethan blieb es. Seine Gemeindeordnung,
dieses der ganzen bisherigen administrativen Bevormundung hohnsprechende
Institut, führte er „provisorisch" auf eigene Verantwortung ein; er
umging dabei nicht blos die Wiener Hofkanzlei, sondern auch sein eigenes
Gubernium, dem er die Haftung für etwas wovon es nichts verstand
nicht aufbürden wollte; er mit der Kammer-Procuratur und seinen beiden Kreisämtern machte das Ding allein. Seine Schulbücher verfaßte
er, druckte er, verkaufte und verschenkte er, die Studien-Hof-Commission
und die „politische Verfassung der deutschen Schulen" mochten dazu
stimmen oder nicht. Sein vorurtheilsfreier Blick, sein mannhafter Wille
zeigten sich erst recht im Augenblicke allgemeiner Noth und Bedrängnis.
„Der Fall", bemerkt mit Recht sein Biograph, „wo eine in Triest plötzlich eingetretene Krisis den ganzen Geldmarkt in's Stocken brachte, wo
sich die Kaufmannschaft der ersten Handelsstadt der Monarchie ohne
rasche und ausgiebige Hilfe den größten Verlusten preisgegeben sah und
wo Stadion, nicht etwa aus eigener Machtvollkommenheit sondern mit

höchſter Überſchreitung derſelben, aus dem Trieſter Cameral-Zahlamte
die benöthigten Millionen anwies — ſie wurden auch zurückgeſtellt —
dieſer Fall ſteht in der Geſchichte der öſterreichiſchen Gouvernements-
Verwaltungen wohl einzig da" [10]).

Wo möglich noch rückſichtsloſer als mit der Hofkanzlei, der Allgemeinen Hofkammer, der Studien-Hof-Commiſſion ſprang Stadion mit der
Oberſten Polizei- und Cenſur-Hofſtelle um. Die Überwachung der öffentlichen Sicherheit wurde in der humanſten Weiſe geübt, die Polizei war
ein Schrecken der Übelwollenden, aber nicht eine Plage und Feſſel für
ſtrebſamere Gutdenkende. Trieſt war unter ihm nicht bloß in mercantiler Hinſicht ein Freihafen, es war auch in geiſtiger, trotz Metternich
und Sedlnicky, eine Freiſtätte. Die Wiener Bücherverbote ſchienen im
Emporium der Adria keine Geltung zu haben; in den Lehrſälen des
Tergeſteums lagen Zeitungen Zeitſchriften Druckwerke auf, die man an
keinem öffentlichen Orte Wien's zu leſen bekam.

Manche lieben es Stadion einen Joſeph II. im kleinen zu nennen,
wir unſererſeits haben ihn ſtets mit dem portugieſiſchen Pombal ver-
glichen; jedenfalls hatte er mit beiden Männern das gemein, daß ſie,
wenn ſie etwas heilſames durchführen zu müſſen glaubten, nicht blos
mit den lähmenden Formen veralteten Herkommens brachen, ſondern ſich
mitunter mit herriſchem Gebot über läſtige Rechte und Satzungen hin-
ausſetzten. Daß die k. k. Schulbücherverſchleiß-Direction in allen nicht-
ungariſchen Ländern das ausſchließliche Recht hatte Schulbücher aufzu-
legen und in Handel zu bringen, kümmerte den Gouverneur von Trieſt
blutwenig; und ähnlich wie Pombal an Orten, wo er andere Cultur-
Arten für gedeihlicher hielt, die Weinrebe gewaltſam aus dem Boden
reißen ließ und den Eigenthümern verwehrte ſie wieder anzupflanzen, ſo
erklärte Stadion den Ziegen der ärmeren iſtrianiſchen Bevölkerung den
Krieg, weil er dieſelben mit gutem Grund als das größte Hinderniß
erkannte, den durch eine kurzſichtige und rückſichtsloſe Ausbeutung herab-
gekommenen Waldſtand zu verjüngen. Auch wurde ſein Verbot, Ziegen
anderswohin als auf Privat- und ſolche Gemeindegründe die ſich für
keine beſſere Benützung eignen zur Weide zu führen, mit unnachſichtiger
Strenge durchgeführt; die Zahl dieſer allem jungen Pflanzenwuchs ſchäd-
lichen Hausthiere nahm in kurzer Zeit beträchtlich ab und eine vernünf-
tigere dem allgemeinen Beſten gedeihliche Forſtwirthſchaft konnte begründet werden. [11]) Wenn aber, wie das Beiſpiel zeigt, Stadion da wo

er mit Vorurtheilen und Unwissenheit zu kämpfen hatte, vor eigenmäch=
tigem Eingreifen nicht zurückschreckte, so hat es andererseits, wo es dar=
auf ankam auf Einsicht und verständige Überzeugung durch Gründe zu
wirken, niemand besser verstanden als er, die Verwirklichung seiner
Pläne in die gefälligsten Formen zu kleiden. In vieler Hinsicht hat er
bei weitem mehr von seinem Salon aus, bei Thee und Cigarre, als aus
seinem Sitzungssaal mit Feder und Tinte regiert. Allwochentlich waren
bei ihm ein oder mehrere Herren=Abende; da wurde entweder ein all=
gemeines Gespräch auf eine Angelegenheit geleitet die der Gouverneur
auf dem Herzen hatte, oder es wurde von ihm oder einem der Räthe
seines Vertrauens, die dafür ihre Instructionen hatten, dieser oder jener
einflußreiche Mann unter den Arm genommen oder in eine Fensternische
gezogen und ihnen die Sache auseinandergesetzt. Auf solchem Wege kamen
neue Ideen unter die Leute, wurden von ihnen des weiteren erwogen be=
sprochen verhandelt, und zuletzt schien die Regierung nur den Wünschen
der intelligenten Bevölkerung in einer Sache entgegenzukommen, die im
Grunde nur von ihr selbst ihren Ausgang genommen hatte. Im J. 1846
wurde auf Stadion's Anregung der „Monte di Pietà" von der Ge=
meinde wieder hergestellt; der Sanitäts=Dienst erfuhr wesentliche Ver=
besserungen; die Quarantaine=Einrichtungen, die Dr. Gobbi b. J. zu
seinem besondern Studium machte, sollten umstaltet werden. Einen Gegen=
stand, den Stadion zum Anlaße wiederholter Verhandlungen und Be=
sprechungen nahm, bildete das städtische Armenwesen. Nach seiner Idee
sollte eine Central=Commission mit dem Bischof an der Spitze, mit Ver=
tretern der Gemeinde und den Armenvätern der einzelnen Bezirke als
Mitgliedern, das Ganze leiten, die Geschäfte selbst nach Fächern abge=
theilt, für Arbeiterwohnungen und Arbeiter=Kolonien, für asili d'infanzia,
für die Betheilung von Hausarmen gesorgt werden 2c.

Leider war es bei so viel Sonnenglanz und blendenden Erfolgen
schon jene Triester Zeit, wo sich die ersten Wolken zeigten, die so früh
den hochfliegenden Geist des genialsten aller Staatsmänner des neuen
Österreich für immer umnachten sollten. Stadion war in frühesten
Jahren nicht von der Schwäche freizusprechen, in seinem Thun und
Lassen ein Original sein und, vielleicht mehr noch, als ein solches
gelten zu wollen, und wenn ihm um dieser Eigenschaft willen Viele nach=
sagten, er habe von jeher in seinem Kopfe ein Rädchen zu viel gehabt,
so mochten sie nicht so ganz Unrecht haben. Zum mindesten scheint dafür

aus der Triester Zeit ein Vorfall zu sprechen, den wir leider nur in
dunklen Umrissen aus zweiter, strenggenommen erst dritter Mittheilung
kennen. Eine Hof=Entscheidung in einer ganz untergeordneten Ange=
legenheit, die der Gouverneur in anderem Sinne geschlichtet zu haben
meinte, soll ihn dermassen außer sich gebracht haben, daß er knallundfall
davon ging, sein Amt und seinen Wohnsitz im Stiche ließ, und niemand
wußte wohin er gerathen oder was aus ihm geworden sei, bis er eines
Tages plötzlich bei Kübeck, für den er stets die höchste Verehrung hatte,
in einem ganz verwahrlosten Zustande erschien und diesem beichtete was
ihm durch den Sinn gefahren sei und wie er sich in seinem Unmuth
Tage lang in der Fremde herumgetrieben habe. Kübeck brachte ihn
wieder in's Geleise, rieth ihm, ohne sich in Wien irgendwo zu zeigen,
sogleich nach Triest zurückzukehren und seine Geschäfte, als ob nichts ge=
schehen wäre, wieder zu übernehmen. Was denn auch geschah. Da
Jähzorn eine Eigenschaft ist von der wir an Stadion nie etwas ent=
decken konnten, so ist vielleicht schon das eben erwähnte Ereignis als ein
Vorbote jener furchtbaren Krankheit anzusehen, die sich in noch auffal=
lenderer Weise ankündigte, als Stadion während einer Verhandlung mit
dall' Ongaro mit einemmal die Rede verlor, weil ihm die Zunge oder
weil ihm die Gedanken ihren Dienst versagten, so daß die Audienz
plötzlich abgebrochen werden mußte. Bekanntlich pflegt sich die Gehirn=
erweichung durch Anfälle solchen Charakters anzumelden und ist dann
die Welt stets mit allerhand Gerede bei der Hand, das den Ursprung
dieses Übels auf maßlosen Lebensgenuß in einer gewissen Richtung zurück=
führt. Wie es Stadion während seines achtjährigen Aufenthaltes in
Wien, 1833—1841, in diesem Punkte gehalten, entzog sich wohl in=
mitten des so viel verschlungenen großstädtischen Treibens jeder näheren
Beobachtung und dürfte kaum jemand im Stande sein darüber verläß=
liche Auskunft zu geben. Besser unterrichtet pflegt man über das Thun
und Lassen einer Persönlichkeit, zumal einer in erster Stellung, in Städten
von geringerem Umfange wie Triest zu sein, und von dorther sowie von
seinem späteren Aufenthalte in Lemberg und seinem letzten in Wien haben
wir nach den genauesten Erkundigungen bei Personen, die ihm mehr oder
minder nahe standen, durchaus nichts in Erfahrung bringen können,
woraus in entferntesten auf wüstes Übernehmen im Genuße geschlossen
werden dürfte. Im Gegentheil, der Mann auf den damals alle Finger
wiesen, schien sich diese Sache wie seine anderen privaten Angelegenheiten

mit einer gewiffen Methode zurechtgelegt zu haben die weder ihn felbft noch das was ihm höher ftand als er felbft, feinen Beruf und feine Pflicht, gefährden konnte. Soll von etwas gefagt werden, er habe es mit Übermaß getrieben, fo wäre es der Genuß von fchwarzem Kaffee womit er oft in die tiefe Nacht hinein „feine Nerven aufzufchrauben" meinte, und wenn daher dem trefflichen Manne in den Jahren feiner vollften Lebenskraft ein wichtiges Organ feine Dienfte verfagte, fo haben wir den Grund davon nicht in lüfternem Misbrauch den er von feiner thierifchen Anlage, fondern in jener fchonungslos aufreibenden Thätig- keit zu der er feine geiftigen Fähigkeiten anfpannte, zu fuchen.

Am 21. April 1847 erhielt Stadion den Ruf zur Leitung der gali- zifchen Angelegenheiten. Durch alle Kreife von Trieft ging ein Gefühl dankbarer Wehmuth als man die Stunde der Trennung gekommen fah; Deutfche Italiener und Slaven waren einig in dem Urtheil, daß Trieft an ihm einen Gouverneur verliere wie es nie einen gehabt habe und wie nicht fo bald ein gleicher wieder kommen werde. Auch Stadion fchied mit fchwerem Herzen von Trieft wo er manche feiner fegensreichften Schöpfungen kaum zur erften Blüte gebracht fah, und blos das konnte ihn einigermaffen beruhigen, daß er von feinem Geifte befeelte Männer zurückließ, die durch mannhaftes Wirken, wie Bruck, Hagenauer, oder mit gewandter Feder, wie Eduard Warrens, Ernft von Schwarzer, fort- erhalten und weiterführen würden was er begonnen und begründet. Nur eine Angelegenheit war es, deren Bewahrung und ungeftörte Weiter- führung er unter ganz befondere Obhut ftellen zu müffen glaubte, unter die feines Monarchen felbft, dem er in einem Immediat-Vortrage vom 26. April 1847 feine Gemeinde-Ordnung zur allerhöchften Würdigung und Billigung feines Vorgehens zu empfehlen fich erlaubte.

Der Poften von Galizien war zu jener Zeit ohne Frage der wich- tigfte und fchwierigfte der Monarchie. Das Land blutete noch aus allen Wunden die ihm die in ihrem Anlaß wahnfinnigen, in ihren Folgen gräulichen Ereigniffe von Februar 1846 gefchlagen hatten. Durch die verfchiedenen Claffen der Bevölkerung gingen tiefe Riffe. Die Regierung und die nationale Bewegungs-Partei, der grundbefitzende Adel und der zu entfetzungsvoller Bedeutung gelangte Bauer ftanden fich mistrauifcher feindfeliger erbitterter gegenüber als je. Stadion's Eintritt in's Land war keiner freudiger Begrüßung, vertrauensvollen Entgegenkommens.

Dazu kam, daß Stadion am 31. Juli 1847 d. i. an demselben Tage in Lemberg eintreffen sollte, wo Wiśniowski und Kapuścinski, ersterer einer der Führer des bewaffneten Aufstandes von 1846, letzterer Mörder des Bürgermeisters Markl von Pilsno, ihre Schuld am Galgen büßten. Stadion hatte keine Ahnung von dieser unverzeihlichen Tactlosigkeit, machte, als er zufällig noch zur rechten Zeit dies drohende Zusammentreffen erfuhr, eine kleine Rundreise im Lande ehe er in der Hauptstadt erschien, und sandte eine fulminante Note nach Wien: „wie man ihn über einen so wichtigen Umstand habe ohne Kenntnis lassen können; ob man es darauf anlegen gewollt ihn das Land, dem er Frieden und Versöhnung zu bringen sich berufen fühle, im Lichte eines Henkers betreten zu lassen ꝛc." Auch abgesehen von diesem unglückseligen Zusammentreffen, mußte sich Stadion seine neue Stellung im wahrsten Sinne erst erobern — und er eroberte sie sich! Wie im Küstenlande so gewann auch in Galizien alles binnen der kürzesten Zeit ein anderes Aussehen. Der neue Gouverneur trat dem Schlendrian in den Geschäften, der BeamtenWillkühr, die insbesondere bei den Kreisämtern in dem gegenseitigen Verhältnis zwischen Herrschaft und Unterthan nichts von den Gränzen von Administration und Justiz zu wissen schien, mit gewohnter Entschiedenheit in den Weg. Am bezeichnendsten in dieser Richtung war jenes Rundschreiben an die politischen Behörden, worin er sie mahnte: „das beste Mittel zur Hintanhaltung der Winkelschreibereien liege darin, daß sie selbst in ihrer Amtirung mit den Parteien sich ebenso aufmerksam und eifrig als willfährig und wohlwollend zeigten; daß sie nicht mit gewissenloser Indolenz blos darauf sähen die einlaufenden Acten zu erledigen d. h. sie nur vom Tische wegzubringen, aus dem RückstandsAusweise verschwinden zu machen; daß sie überhaupt ihre Wichtigkeit und ihr Verdienst nicht mehr nach dem Papierverbrauch, sondern nach dem Maß der geübten Gerechtigkeit, der geförderten Wohlfahrt der Interessen berechnen" [12]). Gleichwohl stießen seine bestgemeinten Schritte anfangs auf Argwohn Verdächtigung bitteren Spott: es war als ob man in dem von so frischem Unglück heimgesuchten Lande sich's gar nicht denken könne, daß ein kaiserlicher Regierungsmann es ernstlich wohl mit ihm zu meinen vermöchte. Donnerte er gegen die häufige „Pflichtvergessenheit der Beamten", gegen die „Erbärmlichkeit des papiernen Regiments" als den „faulen Fleck der unteren Verwaltung", so hieß man ihn höhnisch einen Joseph II. der um siebenzig Jahre zu spät gekommen. Zeigte er

sich bestrebt das tief erschütterte Verhältnis zwischen Edelmann und
Bauer wieder auf einen besseren Fuß zu bringen, den seit dem traurigen
Siege von 1846 nur zu häufig hervorbrechenden Übermuth des letzteren
in die gebührenden Schranken zu weisen, den ersteren gegen den zu weit
gehenden Unterthanen-Eifer der Kreisämter und Commissäre zu schützen:
so schalt man ihn einen Bauernfeind, einen eingefleischten Aristokraten
der es nur mit den Edelleuten halte. Räumte er in den Bureaux der
Polizei auf, übte er eine mildere Censur, ließ er Schauspiele von natio-
nalem Charakter wieder aufführen die seit Jahren vom Repertoir ge-
strichen waren, so führten ihn Spottbilder auf den Kirchhof von Tarnow
und ließen die Manen der Erschlagenen ihn fragen ob er etwa die
Gräuel und Wehe des Jahres 1846 durch Freigebung von ein paar
verpönten Komödien ausgleichen wolle u. dgl. Doch all das konnte den
pflichttreuen Mann nicht aus seinem Gleichmuth bringen; ruhig und unbeirrt ging er den Weg fort den er sich vorgezeichnet; all seine Maßregeln bekundeten den ernsten Willen, durch eine weise und einsichtsvolle
eine humane und gerechte Verwaltung, durch Herbeiziehung der bewähr-
testen Männer zu Rath und That, durch sorgfältige Beachtung und ver-
ständnisvolle Pflege der nationalen Elemente das Wohl des Landes zu
fördern; und siehe da, allmälig begann das Mistrauen zu schwinden,
die Überzeugung, daß er es ehrlich meine und nur das beste wolle, gewann in allen Kreisen die Oberhand, neue Hoffnungen, schönere Aussichten in die Zukunft hoben die gedrückten Gemüther. Binnen wenig
Monaten war ein vollständiger Umschwung in der öffentlichen Meinung
eingetreten; die einflußreichsten Persönlichkeiten erschienen in seinem
Salon, der bald dieselbe Bedeutung gewann wie in den schönen Tagen
von Triest; der nationale Adel drängte sich um ihn, umwarb ihn, hofirte
ihm; alle Welt war seines Lobes, seiner freudigen Bewunderung voll.

So arg er es bei seinem kecken Aufräumen mit den meisten der
älteren Beamten verschüttete, so mächtig war der Schwung, womit er
viele der jüngeren Kräfte des öffentlichen Dienstes mit sich fortriß. Und
hier ist es am Platze, des Mannes zu gedenken, ohne den sich, wer
Stadion in der Zeit seines selbständigen Wirkens kannte, ihn gar nicht
recht vorzustellen vermag. Joseph Öttel, ein Schneidersohn aus
Innsbruck, hatte dort seine Studien bis auf das letzte Jahr Jus das
er in Wien hörte zurückgelegt und sich darnach dem Verwaltungsdienste
gewidmet. Stadion traf ihn beim küstenländischen Gubernium, zog ihn

in seine Präsidial-Kanzlei und bald war er des Grafen rechte Hand.
Er besaß ausgezeichnete Gesetzkenntnis, mehrseitiges Wissen, eine glück=
liche Beobachtungsgabe. Er war im Dienst unerbittlich gegen sich wie
gegen Andere, er lebte im Dienst, und man kann sagen, er ist im Dienst
gestorben. [13]) Öttel hatte sich mit den Jahren so ganz in die Denk=
und Ausbrucksweise, selbst in gewisse Gesten seines Herrn und Meisters
eingelebt daß er dessen Copie genannt werden konnte, wenn sie sich leib=
lich nicht so unähnlich als möglich gewesen wären. Stadion mit seinem
Grenadier-Maß, mit der vornehmen Physiognomie, mit der hohen kahlen
Stirn, der ausgesprochene Typus eines britischen Lords, und Öttel der
zwerghaft genannt werden konnte, kupfrig im Gesicht, von hausbackenem
Aussehen — man konnte sich einen auffallenderen Gegensatz kaum denken.
Stadion hatte seinen getreuen Öttel von Triest mit nach Lemberg ge=
nommen, wo er Vorstand seines Präsidial-Bureau und zugleich Mittels=
rath im Gubernium war. Öttel, Graf Leo Thun, den Stadion als
Hof-Secretär bei der böhmischen Hof-Kanzlei in Wien kennen gelernt
und an sich gezogen hatte, dann Graf Agenor Gołuchowski, einer der
jüngeren Räthe des galizischen Guberniums, waren es vorzüglich die
das strebsamere in die Ideen ihres Chefs eingehende Element der Regie=
rungs-Behörde bildeten; frische Kräfte, die der Gouverneur in seine Nähe
zog, wie der Gubernial= und Präsidial-Secretär Karl Fidler, gleich Öttel
aus Triest nach Lemberg übersetzt, Heinrich Graf Clam-Martinic u. A.
halfen in untergeordneter Stellung mit dem Eifer der Jugend mit.
Schon waren von Stadion Anstalten getroffen die beiden Lieblings-Auf=
gaben seines administrativen Wirkens: Hebung der Volksschule und Frei=
gebung der Gemeinde in Angriff zu nehmen und war kein Zweifel zu
hegen daß es ihm mit der Zeit gelingen würde, in Galizien in groß=
artigerem Maßstabe in Ausführung zu bringen was er im Küstenlande
in kleinerem Rahmen geübt, das in den letzten Jahren schwer geprüfte
Land mit der österreichischen Administration zu versöhnen, neues Leben
ihm einzuhauchen: als der Eintritt der achtundvierziger Ereignisse alle
kaum besänftigten Leidenschaften von neuem hervorbrechen ließ, ja in häß=
licherer Weise als früher auf den Schauplatz brachte.

Wer Stadion als einen aufgeklärten Autokraten von josephinischem
Zuschnitt bezeichnen möchte, würde die Wahrheit nur zum Theile treffen
denn für was ̣ despotische „Schätzer der Menschen" nie einen Sinn
gehabt, aut ̣   Wesen und Walten, das hat Stadion von unten her=

auf zu begründen, von der Ortsgemeinde in höhere Gebilde hinanzu=
ziehen gesucht. Dies sollte nach seinem Sinne stufenweise und folglich allmälig
geschehen, und mit diesen Schöpfungen sollte in gleichem Maße die Be=
völkerung stufenweise und allmälig für freiere politische Bewegung her=
angebildet werden. Von einem plötzlichen Sprunge, von einer Umwand=
lung des bureaukratischen Absolutismus in selvgovernementalen Consti=
tutionalismus über Nacht durfte sich ein Stadion nichts dauernd gutes
versprechen. Von solcher Anschauungsweise geleitet, konnten es keine
freudigen Gefühle sein womit Stadion die überstürzten Gewährungen
der Wiener Märztage begrüßte; er sah sich dadurch in dem schönen
Werke nur gestört das er, langsamer zwar aber dafür um so sicherer,
aufzubauen im Begriffe war. Dabei kannte er die Rath= und Energie=
losigkeit in den Wiener Regierungskreisen zu gut um nicht im ersten
Augenblick ein Hereinbrechen der Anarchie zu befürchten. Letzterem wollte
er zum mindesten in seinem Machtkreise einen Damm setzen. Die
„Concessionen", wie man sie damals nannte, der drei Märztage waren
in der entlegenen Hauptstadt von Galizien um mehrere Tage später eine
nach der anderen bekannt geworden. Am 18. März hatte Stadion auf
außeramtlichem Wege die Nachricht von der ertheilten Constitution erhalten,
auf außeramtlichem Wege wußte er sie allsogleich zu verbreiten; schon am
19. war eine Petition in dreizehn Punkten aufgesetzt, von Männern aus
den verschiedensten Schichten der Gesellschaft unterzeichnet, am selben Tage
6 Uhr N. M. befand sie sich in den Händen des Gouverneurs, am 20.
auf dem Wege nach Wien.

Anders war es mit den Zugeständnissen der Nationalgarde und der
Preßfreiheit. Die Stürmer und Dränger verlangten deren augenblick=
liche Durchführung in weitestem Umfange: Stadion dagegen war fest
entschlossen in dieser Richtung so weit aber auch nur so weit zu
gehen, als ihm die kaiserlichen Entschließungen dies zum Gebot machten.
Hinsichtlich der Presse traf er mit einer Deputation der Schriftsteller
und Buchdrucker Lembergs, die am 21. aus diesem Anlasse vor ihm er=
schien, das Übereinkommen, daß er „bis zu dem nächstens zu gewärti=
genden Erscheinen eines Preßgesetzes" theils in Person theils durch die
Vorsteher des Magistrats und der Polizei=Direction die Censur in der
Richtung üben werde, „daß der Druck irreligiöser unmoralischer und in=
cendiarischer Machwerke, so wie solcher die sich die Verunglimpfung von
Personen in ihrem häuslichen Thun und Treiben zum Ziele setzten, be=

Einschreiten, doch ohne Blutvergießen, zerstreut werden mußte, und eine
solenne Katzenmusik, die vor Thun's Wohnung in Lemberg noch ehe er
heimgekehrt war veranstaltet wurde — die allgemeine Bewilligung der
Nationalgarde war mittlerweile von Wien aus bekannt geworden —
waren an sich geringfügige Demonstrationen, die aber durch umlaufende
Gerüchte vergrößert und entstellt und mit boshaften Erfindungen von
blutigen Zusammenstößen in Cuchlow, Hostow u. a. bereichert wurden [15]).
Mit der Volksthümlichkeit des kurz zuvor noch vergötterten Gouverneurs
hatte es nun allerdings ein Ende. In Wien tauchte eine „polnische"
Deputation auf — von wem sie, die im Namen des Landes sprachen,
„deputirt" waren, wußte kein Mensch — die dem Central-Comité der
Wiener Nationalgarde eine 21 Klagepunkte umfassende Schrift gegen das
unconstitutionelle Vorgehen der galizischen Beamten überreichte und die
Absendung einer gemischten Untersuchungs-Commission an Ort und Stelle
verlangte. Stadion selbst empfing am 17. April eine mit vielen Unterschriften versehene Adresse worin auf Grund ähnlicher Beschwerdepunkte
unter anderem verlangt wurde: Aufhebung der Militär-Polizei-Wache,
augenblickliche Entfernung aller Beamten die von der öffentlichen Meinung als Anstifter von Bauern-Unruhen bezeichnet würden; außerdem
sollte keine Amtshandlung eines Beamten mit einem Unterthan anders
stattfinden als in Gegenwart zweier Beisitzer aus dem Stande der Gutsherren. Wie rückhaltslos früher Stadion seinen Beamten die Wahrheit
gesagt, sie aus der sanften Gewohnheit des Amts-Schlendrians aufge-
rüttelt hatte: so muthvoll und kräftig nahm er sich jetzt ihrer an, wo
eine unzufriedene Partei nur Angriffe und Unglimpf für sie hatte. Die
Forderungen der Adresse wies er bündig und entschieden zurück: „Die
Polizei-Wache könne nicht aufgehoben werden so lange nicht in anderer
Weise für die öffentliche Sicherheit gesorgt sei; wo ein Beamter seine
Pflicht nicht thue stehe jedermann der Weg der Klage offen und werde
es an strengem Verfahren in solchen Fällen nicht fehlen; allgemein gehaltene Verdächtigungen aber könne er nicht gelten lassen, im Gegentheile
müsse er dem Beamtenstande in Galizien volle Gerechtigkeit widerfahren
lassen; daß bei der allgemeinen Aufregung", so hieß es am Schluße,
„die Ruhe noch nirgends ernstlich gestört worden, gibt den Behörden
ein ehrenvolles Zeugnis redlich erfüllter Pflicht und liefert zugleich die
schlagendste Widerlegung der zum mindesten sehr unüberlegten Schmähun-
). Nach Wien aber sandte er eine ausführliche Denkschrift worin

3

Flammen gerathen, war diesmal der unſchuldige Anlaß zu ſo auffallenden
militäriſchen Vorkehrungen. Aber die Wirkung dieſes eigenthümlichen
Zuſammentreffens war unbeſchreiblich. Die Leidenſchaft der Straße, durch
die abſchlägige Antwort Stabion's auf's äußerſte angefacht, ließ wilde
Ausbrüche befürchten, als man das Militär ſeine Gewehre laden, die
Kanonen richten ſah; das wirkte wie ein kaltes Sturzbad und in kurzer
Friſt verlief ſich die Menge. Während der Nacht wurden einige Rädels=
führer verhaftet, des anderen Morgens erſchien eine Kundmachung des
Gouverneurs gegen Zuſammenrottungen: „was er geſtern mahnend ge=
rathen, das befehle er heute ꝛc." und von da gab es, ſo lang Stabion
im Lande blieb, keine größeren Ausſchreitungen, keinen Aufſtandsverſuch
mehr in Lemberg.

Auch im Lande, beſonders in den Kreisſtädten, that ſich eine Partei
der Ungeduldigen Überſtürzenden hervor, trat zu ſogenannten „National=
Räthen" zuſammen, ſchickte Sendboten nach allen Richtungen aus, ver=
hieß den Bauern und gebot den Gutsherren unverzügliche Einſtellung
jeder Robot, verlangte daß allerorts Volkswehr ſich bilde und bewaffne
u. dgl. m. Auch gegen dies Unweſen ſchritt Stabion kräftig ein. Die
Kreisämter empfingen Weiſungen auf die Beruhigung und Belehrung
des Landvolkes zu wirken, durch zeitweiſe Ausſendung mobiler Colonnen
jedem Unfug zu ſteuern, aber ſich andererſeits nicht durch muthwillig
ausgeſtreute Alarm-Gerüchte beirren zu laſſen; „die Einmiſchung unbe=
rufener Leute, die unter dem Vorwand die Behörden in Erhaltung der
Ordnung zu unterſtützen eigentlich nur in ſtörender Weiſe ſich zwiſchen
Regierung und Bevölkerung zu drängen, das Anſehen der erſteren her=
abzuſetzen ſuchten, ſei nicht zu dulden, nöthigenfalls derlei Perſonen zu
inhaftiren und mit Anwendung der Strafgeſetze gegen ſie vorzugehen."
Energiſche Decrete ergingen gegen das Treiben republicaniſcher Wühler,
deren Thätigkeit dahin gerichtet ſei „den Aufſtand zur Erringung eines
ſelbſtändigen Polen als Demokratie vorzubereiten." Die Sicherheits=
Organe erhielten Weiſungen, revolutionäre Demonſtrationen, wie am
Grabe Wiśniowski's, bei Zeiten zu verhindern. [14]) Die Bildung der
Nationalgarde wurde wie in Lemberg bis zur Kundmachung des bezüg=
lichen Statutes unterſagt, Gubernial=Rath Thun nach Staniſlawow
Złoczow Tarnopol ausgeſandt, um die Comité's die daſelbſt für dieſen
Zweck bereits zuſammengetreten waren aufzulöſen. Ein Straßenauflauf
der bei Thun's Auftreten in Staniſlawow entſtand und durch militäriſches

Einschreiten, doch ohne Blutvergießen, zerstreut werden mußte, und eine
solenne Katzenmusik, die vor Thun's Wohnung in Lemberg noch ehe er
heimgekehrt war veranstaltet wurde — die allgemeine Bewilligung der
Nationalgarde war mittlerweile von Wien aus bekannt geworden —
waren an sich geringfügige Demonstrationen, die aber durch umlaufende
Gerüchte vergrößert und entstellt und mit boshaften Erfindungen von
blutigen Zusammenstößen in Cuchłow, Hostow u. a. bereichert wurden [15]).
Mit der Volksthümlichkeit des kurz zuvor noch vergötterten Gouverneurs
hatte es nun allerdings ein Ende. In Wien tauchte eine „polnische"
Deputation auf — von wem sie, die im Namen des Landes sprachen,
„deputirt" waren, wußte kein Mensch — die dem Central=Comité der
Wiener Nationalgarde eine 21 Klagepunkte umfassende Schrift gegen das
unconstitutionelle Vorgehen der galizischen Beamten überreichte und die
Absendung einer gemischten Untersuchungs=Commission an Ort und Stelle
verlangte. Stadion selbst empfing am 17. April eine mit vielen Unter=
schriften versehene Adresse worin auf Grund ähnlicher Beschwerdepunkte
unter anderem verlangt wurde: Aufhebung der Militär=Polizei=Wache,
augenblickliche Entfernung aller Beamten die von der öffentlichen Mei=
nung als Anstifter von Bauern=Unruhen bezeichnet würden; außerdem
sollte keine Amtshandlung eines Beamten mit einem Unterthan anders
stattfinden als in Gegenwart zweier Beisitzer aus dem Stande der Guts=
herren. Wie rückhaltslos früher Stadion seinen Beamten die Wahrheit
gesagt, sie aus der sanften Gewohnheit des Amts=Schlendrians aufge=
rüttelt hatte: so muthvoll und kräftig nahm er sich jetzt ihrer an, wo
eine unzufriedene Partei nur Angriffe und Unglimpf für sie hatte. Die
Forderungen der Adresse wies er bündig und entschieden zurück: „Die
Polizei=Wache könne nicht aufgehoben werden so lange nicht in anderer
Weise für die öffentliche Sicherheit gesorgt sei; wo ein Beamter seine
Pflicht nicht thue stehe jedermann der Weg der Klage offen und werde
es an strengem Verfahren in solchen Fällen nicht fehlen; allgemein ge=
haltene Verdächtigungen aber könne er nicht gelten lassen, im Gegentheile
müsse er dem Beamtenstande in Galizien volle Gerechtigkeit verfahren
lassen; daß bei der allgemeinen Aufregung", so hieß es am
„die Ruhe noch nirgends ernstlich gestört worden, gibt den
ein ehrenvolles Zeugnis redlich erfüllter Pflicht und liefert zug
schlagendste Widerlegung der zum mindesten sehr unüberlegter
gen" [16]). Nach Wien aber sandte er eine ausführliche D

er Punkt für Punkt die gegen seine Beamten geschleuderten Anklagen
beleuchtete, in schlagender Weise ihren Ungrund nachwies und zuletzt nur
das eine verlangte, daß, wie das Memorandum der „sogenannten"
Deputation durch den Druck veröffentlicht worden, dasselbe mit seiner
Antwort geschehe; denn „mit voller Ruhe könne er an das Urtheil
des ganzen Landes appelliren und würde, wenn ihm nur die Wahl
bliebe auf der Bank des Angeklagten oder auf jener von Anklägern wie
den Memorandums-Fertigern zu sitzen, mit Stolz sich auf der ersteren
niederlassen" [17]). Er wußte wohl, daß von allen Dingen die man ihm
vorrückte vorzüglich z w e i es waren die ihm den unversöhnlichen Haß
der Bewegungs-Partei zuzogen, und gerade hinsichtlich dieser war seine
Rechtfertigung die leichteste: die Aufhebung der Robot und unterthänigen
Leistungen durch die Regierung, und die „Erfindung der Ruthenen". Die
erstere Maßregel ward seinem Einfluße in dem Sinne zugeschrieben als
ob er damit nichts anderes beabsichtigt habe, als der nationalen Partei
das letzte Mittel sich die Sympathien des Bauernstandes zu gewinnen
aus den Händen zu winden; in Wahrheit aber war sie von ihm als
eine Art Nothwehr ergriffen worden, da der Bauer in seinem tiefen
Mistrauen und Groll gegen die „Herren" von einer Schenkung durch
diese nichts wissen wollte, ja in dem Entgegenkommen seiner ehemaligen
Gebieter nur eine neue Falle witterte. Und wenn, was die Ruthenen
betraf, in einer Zeit die alle Fesseln abstreifte das National-Gefühl
dieses lang verkannten und verwahrlosten Volksstammes neues Leben
gewann, wenn die Russinen, seit Jahrhunderten von den Polen verachtet
gehaßt mit systematischer Bedrückung verfolgt, sich vertrauensvoll an die
Regierung schlossen, war sich darüber zu wundern? Daß aber Stabion,
den Stand der Dinge schnell durchblickend, den Vertrauenden Schutz und
Unterstützung gewährte, daß er sie gegen die Angriffe eines fanatischen
Polenthums vertheidigte, daß er ihnen die Aussicht auf gleiche Theilnahme an den neuen Errungenschaften eröffnete: das allein war jenes
Verbrechen um dessenwillen die revolutionäre Propaganda ihn in allen
Zeitungen Europa's verläfterte, ihn einen „Verräther", einen „zweiten
Suvarov", einen „gewissenlosen Macchiavell", einen „politischen Tartufe"
schmähte, „der lange den Liberalen gespielt um sich zuletzt als würdiger
Schüler Metternich's zu entpuppen". Der eigentliche Grund ihrer Wuth
lag aber darin, daß die unerwartete Erhebung der Ruthenen, welche die
polnischen Revolutionäre bereits vollständiger Versunkenheit und Selbst-

vergessenheit preisgegeben wähnten, ein neues Bollwerk bildete das sich ihren Trennungsgelüsten von Österreich in den Weg stellte.

Doch Stadion's Tage in Galizien waren gezählt. Unmittelbar nach den Maitagen die den Hof von Wien wegscheuchten empfing er in vertraulicher Weise die Einladung sich in Innsbruck einzufinden, wo er mit der Bildung eines neuen Ministeriums betraut werden sollte. Stadion wandte mit Grund ein, daß er als Gouverneur ohne Vorwissen und Erlaubnis des Ministeriums seine Provinz nicht verlassen dürfe, es sei denn daß ein formeller Allerhöchster Auftrag ihm dies befehle. So erfolgte denn ein kaiserliches Handschreiben das man aber, allseits von beobachtenden Spürern umgeben, nicht wagte den gewohnten Wegen anzuvertrauen; eine Kammerdienerin der Erzherzogin Sophie, Frau Anna Hosp, mußte es ihrem bei der Wiener Polizei-Direction angestellten Sohne schicken, der es, unter irgend einem Vorwande Urlaub nehmend, unmittelbar nach Lemberg überbrachte. Nun konnte Stadion nicht zögern. Nachdem er in Eile und im engsten Vertrauen seine Vorkehrungen getroffen, den Grafen Gołuchowski als Vice-Präsidenten des Guberniums mit der einstweiligen Führung der Geschäfte, im steten Einverständnis mit dem Landes-Commandirenden F.-M.-L. Baron Hammerstein, betraut hatte, erhielt sein Präsidialist Fidler den Auftrag, unmittelbar beim Postmeister für sich eine Kutsche nach Kolomea wohin er einen Auftrag habe zu bestellen; Stadion erschien zur bestimmten Stunde in Fidler's Hause, wo man sich einsetzte und in der Richtung gegen die Bukowina abfuhr, aber gleich hinter der Rogatka den Kutscher die gegen Jaworow einschlagen ließ, 4. Juni. In Krakau zeigte sich Stadion nur bei Schlick, der ihm sammt seinem Begleiter durch den Polizei-Commissär Gabriel einen auf einen gleichgiltigen Namen lautenden Paß ausstellen ließ, von dem er übrigens, bei der damaligen Wirkungslosigkeit fast aller Überwachungs-Vorschriften, auf seinem ganzen Wege keinen Gebrauch zu machen fand. Stadion's Entfernung aus Lemberg konnte nicht lang verborgen bleiben; trotz aller angewandten Vorsicht mußte man bald daß er nach Wien gereist sei, und ahnte daß er nicht wiederkommen werde. Seine kurzsichtigen Feinde jubelten, aber Betrübnis und bange Sorgen für die Zukunft bemächtigten sich der Einsichtsvollen aus allen Classen der Bevölkerung. Denn sie sahen in ihm den Mann scheiden dem es gelungen war in einer Zeit, wo man fast allenthalben von Aufständen, von Gebrauch der Feuerwaffe, von Blutvergießen zu erzählen hatte, und

3*

in einem Lande von folch leidenschaftlicher Parteiung und Aufregung wie
Galizien, ohne Gewalt Ordnung und Ruhe aufrecht zu halten. Er felbst
foll gefagt haben: „Man wird mein Wirken in Galizien anders beurtheilen, wenn mein Nachfolger nicht zu verhüten wiffen wird, was ich ver-
hütet habe!" Auch in Wien blieb feine Ankunft nicht lange Geheimnis.
Sprach man doch hier fchon gleich nach der Abreife der kaiferlichen
Familie von feiner beabfichtigten Berufung in's Minifterium und machte
darüber feine misfälligen Gloffen. Denn die öffentliche Meinung war
durch Stadion's Widerfacher, insbefondere durch die Mitglieder der pol-
nifchen Deputation, die feit Monaten in Wien kaum ein anderes Ge-
fchäft trieben als diefes, fo gründlich gegen ihn bearbeitet worden, daß
derfelbe Mann den alle Vorwärtsftrebenden in Öfterreich feit Jahren
als „Minifter der Zukunft" bezeichnet hatten nun als das gefährliche
Werkzeug des Abfolutismus, der Reaction, der Camarilla wie verfehmt
war [18]). Kaum durfte man feinen Namen mehr laut ausfprechen, viel
weniger für ihn in die Schranken treten [19]). Nur verfteckt und anonym
kamen ihm Schreiben zu, worin man ihn befchwor „fich dem Dienfte
des Vaterlandes nicht zu entziehen; nur er fei es, der in einem Augenblicke wo alles in die Brüche zu gehen drohe berufen erfcheine das Ruder
zu ergreifen und Rettung zu bringen"; während es allerdings wieder
Andere gab, die ihm wohlmeinend abriethen fich jetzt verwenden zu
laffen, „feine Zeit fei noch nicht gekommen".

Nachdem fich Stadion in kurzem Aufenthalte die Dinge in Wien
angefehen, eilte er an das kaiferliche Hoflager, wo Rathlofigkeit und Zerfahrenheit an der Tagesordnung waren und die verfchiedenften Einflüffe
in rafchem Wechfel die Oberhand gewannen. Während der erfte Prinz
des Haufes, Erzherzog Franz Karl, ihn fehnlichft erwartete und bis zum
letzten Augenblicke fich der Hoffnung hingab daß es Stadion gelingen
werde „ein neues kräftiges Minifterium zu bilden" [20]), war Erzherzog
Johann der Berufung des Grafen fichtlich abhold und warb für Doblhoff. Stadion traf am 11. Juni in Innsbruck ein, wo er nur fo lang
verweilte um feinen beftimmten Willen zu erklären, die ihm zugedachte
Aufgabe n i c h t zu übernehmen; „er habe fich in Wien überzeugt daß
das Minifterium Pillersdorff dafelbft populär, und das einzige fei das
unter den gegenwärtigen Umftänden zu wirken vermöge". Bei dem
Zwiefpalt der Meinungen der in den Hofkreifen herrfchte fcheint man in
den Ablehnenden nicht weiter gedrungen zu haben, und die Sache zer-

schlug sich ohne besonderes Aussehen. Stadion, der inzwischen beim Ministerium um Urlaub angesucht hatte und bald darauf um Enthebung
von seinem Gouverneurs-Posten bat, besuchte für's erste seine Familie
in Chodenschloß in Böhmen und ging dann über Prag nach Wien
zurück. Neuerdings empfing er hier eine Einladung in's Ministerium
zu treten, und zwar von Pillersdorff selbst; Pillersdorff wollte, wie es
scheint, in ihm einen „Complicen" haben. Stadion lehnte es ab. Als er
Pillersdorff von der Nothwendigkeit ernster Maßregeln sprach und jener
davon nichts wissen wollte, weil dieß „ohne Blutvergießen" nicht ablaufen würde, entgegnete Stadion wie damals im März in Lemberg:
„Sie scheuen jetzt vor thatkräftigem Einschreiten zurück?! Sie werden
bald Ströme von Blut zu vergießen haben!" Noch bevor Stadion
Galizien verlassen, hatte er die Versicherung erhalten für den bevorstehenden constituirenden Reichstag in zwei oder drei Landbezirken gewählt zu werden; er nahm die Wahl für Rawa an und benützte die
Zeit bis zur Eröffnung der Sitzungen zu einem kurzen Ausfluge nach
Pest-Ofen.

Im Reichstage nahm Stadion seinen Sitz im Centrum; ihm zur
Rechten saß ein roher oberösterreichischer Kleinbürger von dem der arme
Graf täglich die impertinentesten Dinge zu hören bekam. „Aber Herr
Herndl" — so hieß der Edle —, sagte Stadion eines Tages gelassen
zu ihm, „wenn Ihnen meine Nachbarschaft so zuwider ist, warum vertauschen Sie nicht Ihren Sitz mit einem anderen?" „„Das hab' ich eh'
schon versucht; fünf Gulden hab' ich hergeben wollen; aber glauben S'
denn, 's geht mir Einer?"" Was der Volksmann von Grein in solcher
Weise sprach, war jedenfalls bezeichnend für die Stellung die Stadion
zu jener Zeit in Wien einnahm. Wohl zählte er unter seinen jetzigen
Berufsgenossen mehr als einen warmen Verehrer; es waren seine Getreuen aus Triest, aus Görz und Istrien, die ihn hier wiederfanden,
die mit Begeisterung von seinem kraftvollen freisinnigen Wirken in
ihrem Heimatland zu erzählen wußten, die auf ihn blickten wie sie Jahre
hindurch auf ihn und sein mannhaftes Thun zu blicken gewohnt waren.
Doch viel größer als dies Häuflein war die Zahl seiner erbitterten Feinde,
und viel rühriger unermüdlicher unerschöpflicher an Hilfsmitteln als
jene waren die Anderen, die ihm mit ihrem Hasse aus Galizien in den
Reichstagssaal gefolgt waren; die ihn höhnten, die ihn auslachten wenn
er sprach, ihn dem allerdings Beredsamkeit nicht gegeben war; die ganze

Regifter von Befchuldigungen gegen ihn vom Stapel laufen ließen, auf
feine Abfetzung als Gouverneur drangen, ja ihn durch den Mund des
breitfchulterigen Sierakowfki fogar in Anklageftand verfetzt wiffen wollten.
Die ganze Preffe war von ihnen gewonnen, in allen Witzblättern war
er eine ftehende Figur, alle Kannegießer von Wien fprachen eifrig nach
was ihnen täglich vorgefagt und vorgemahlt wurde. Was war ihnen
Stadion? Vernehmen wir darüber das Echo der „Reichstags-Galerie":
„Ein ftarrer Ariftokrat und Bureaukrat, der in dem breitgetretenen Ge-
leife der Metternich'fchen Politik feine Wege ging. Er hat aus dem
alten Syfteme das Renommée eines Staatsmannes mit in die neue Zeit
herübergebracht, etwa wie man einen Ausfatz mitbringt aus unreiner
Gefellfchaft. In Trieft hat er für einen fogenannten erleuchteten Admi-
niftrator gegolten; Galizien hat ihm felbft diefen, wiewohl fehr werth-
lofen Nimbus abgeftreift. Er ift feicht, ohne den geringften Anflug von
Geiftesfrifche und Genialität; er reicht mit feinem Wiffen nicht über die
Gränzen der Statiftik und des Formelthums u. f. w." [21]. Unter folchen
Umftänden gehörte immerhin einiger Muth dazu, fich mit dem „Abgeordneten Stadion" zu oft im Gefpräch oder Verkehr ertappen zu laffen;
man gerieth dabei ftets in einen gewiffen reactionären Geruch, und das
war zur Zeit der ärgfte Mackel der jemand anhaften konnte. Der
größere Muth aber war ficher auf Stadion's Seite, der fich durch all'
das nicht abhalten ließ auf feinem Platze auszuharren, all feinen Verpflichtungen als Abgeordneter auf das pünktlichfte nachzukommen; er fehlte
in keiner Sitzung, in keiner Abtheilungs-Berathung — in einen Aus-
fchuß wurde der Verrufene kaum gewählt —, in keiner Partei-Verfamm-
lung, deren in wichtigeren Angelegenheiten manche außerordentliche abgehalten wurden; er kneipte auch allenfalls, wenn es darauf ankam, mit
den Anderen. Allmälig bildete fich ein engerer Kreis um ihn, wozu
insbefondere die Trieftiner, Profeffor Leopold Neumann u. a. gehörten; den Abgeordneten für Tachau in Böhmen Dr. Helfert wußte er,
feit deffen erfolgreichem Auftreten in der Entfchädigungs-Frage, immer
näher an fich zu ziehen. Auch fonft fchien fich Stadion die Bedingungen für ein künftiges Wirken zurechtzulegen. Er hatte überall den Blick,
in vielen Dingen auch die Hand. Vor allem war es ihm darum zu
thun ein größeres Blatt für feine Ideen zu gewinnen; er faßte den
Plan, das „Journal des öfterreichifchen Lloyd" und für deffen Leitung
den federgewandten Eduard Warrens und J. Löwenthal aus Trieft nach

Wien zu ziehen. Um für den ersten Anfang einen Fond zusammenzubringen, wurde Stadion Bettler und sandte Bettelbriefe aus. Unter
seinen Werbern für diesen Zweck war auch Graf Heinrich Martinic der
sich um diese Zeit mit Urlaub in Prag befand, wo einzelne Häupter der
böhmischen Aristokratie ganz namhafte Summen spendeten.

Bei dieser Gelegenheit war es, wo Windischgrätz zuerst mit Stadion
anknüpfte. Bei seiner Abreise nach Wien empfing Martinic ein Schreiben des Fürsten, das Stadion einlud behufs einer näheren Verständigung
nach Prag zu kommen. Stadion antwortete am 30. Juli in einem
Briefe, dessen schroffe Fassung sichtlich darauf berechnet war den Schreiber, falls das Blatt in unrechte Hände fiele, unter allen Umständen vor
der Öffentlichkeit nicht bloszustellen: „er sei nicht in der Lage Wien ohne
Aufsehen zu verlassen, da er für vierundzwanzig Stunden Abwesenheit
eines Urlaubes vom Reichstags-Präsidium bedürfe; er müsse sich im
vorhinein gegen jede Betheiligung an einem Schritte erklären worin
irgendwie Hinneigung zu einer Reaction läge, die er für Unrecht, für
unehrlich halten müßte; was der Kaiser gegeben dürfe nicht angetastet,
der Rechtsboden nicht verlassen werden." Windischgrätz erwiederte am
2. August, etwas spitz, doch mit gewohnter Offenheit: „wenn man von
Reaction spreche, so sei wohl erst die Frage we r denn eigentlich die
Reactionäre seien, und ob diese Bezeichnung nicht vielmehr jenen gebühre
die ihre Forderungen so weit trieben, daß sie es ganz unmöglich machen
etwas nützliches und haltbares zu schaffen; wenn das gegenwärtige Ministerium nicht entspreche müsse man ein anderes bilden, wenn der
Reichstag zu keinem Ziele komme ihn auflösen; über das was Recht
oder Unrecht sei, werde wohl keiner von ihnen beiden von dem andern
eine nähere Auseinandersetzung benöthigen." Damit war eine Verhandlung abgebrochen, die bei Windischgrätz nur unangenehme Eindrücke
hinterlassen konnte. Fest und entschieden wie seit den Prager Juni-Tagen
ein ernstes Ziel vor seinem Geiste stand, hielt er sich in seinem Vertrauen auf einen Mann auf den er vor Vielen gezählt hatte grausam
getäuscht; Stadion's Erwiederung erschien ihm in dem Lichte einer bedauerlichen Haltlosigkeit, Unschlüssigkeit; das Zurückweisen der Hand die
er ihm zu gemeinschaftlichem Handeln geboten, beleidigte auf's empfindlichste
seinen Stolz. Dessenungeachtet hat Windischgrätz, wie wir sehen werden,
im entscheidenden Zeitpunkte nicht sein verletztes Gefühl, sondern seine ruhige
Überzeugung walten lassen und nicht gegen Stadion sondern für ihn gesprochen.

sich bestrebt das tief erschütterte Verhältnis zwischen Edelmann und
Bauer wieder auf einen besseren Fuß zu bringen, den seit dem traurigen
Siege von 1846 nur zu häufig hervorbrechenden Übermuth des letzteren
in die gebührenden Schranken zu weisen, den ersteren gegen den zu weit
gehenden Unterthanen-Eifer der Kreisämter und Commissäre zu schützen:
so schalt man ihn einen Bauernfeind, einen eingefleischten Aristokraten
der es nur mit den Edelleuten halte. Räumte er in den Bureaux der
Polizei auf, übte er eine mildere Censur, ließ er Schauspiele von natio-
nalem Charakter wieder aufführen die seit Jahren vom Repertoir ge-
strichen waren, so führten ihn Spottbilder auf den Kirchhof von Tarnow
und ließen die Manen der Erschlagenen ihn fragen ob er etwa die
Gräuel und Wehe des Jahres 1846 durch Freigebung von ein paar
verpönten Komödien ausgleichen wolle u. dgl. Doch all das konnte den
pflichttreuen Mann nicht aus seinem Gleichmuth bringen; ruhig und unbeirrt ging er den Weg fort den er sich vorgezeichnet; all seine Maßregeln bekundeten den ernsten Willen, durch eine weise und einsichtsvolle
eine humane und gerechte Verwaltung, durch Herbeiziehung der bewähr-
testen Männer zu Rath und That, durch sorgfältige Beachtung und ver-
ständnisvolle Pflege der nationalen Elemente das Wohl des Landes zu
fördern; und siehe da, allmälig begann das Mistrauen zu schwinden,
die Überzeugung, daß er es ehrlich meine und nur das beste wolle, gewann in allen Kreisen die Oberhand, neue Hoffnungen, schönere Aussichten in die Zukunft hoben die gedrückten Gemüther. Binnen wenig
Monaten war ein vollständiger Umschwung in der öffentlichen Meinung
eingetreten; die einflußreichsten Persönlichkeiten erschienen in seinem
Salon, der bald dieselbe Bedeutung gewann wie in den schönen Tagen
von Triest; der nationale Adel drängte sich um ihn, umwarb ihn, hofirte
ihm; alle Welt war seines Lobes, seiner freudigen Bewunderung voll.

So arg er es bei seinem kecken Aufräumen mit den meisten der
älteren Beamten verschüttete, so mächtig war der Schwung, womit er
viele der jüngeren Kräfte des öffentlichen Dienstes mit sich fortriß. Und
hier ist es am Platze, des Mannes zu gedenken, ohne den sich, wer
Stadion in der Zeit seiner selbständigen Wirkens kannte, ihn gar nicht
recht vorzustellen vermag. Joseph Ettel, ein Schneiderssohn aus
Innsbruck, hatte bei seinen Studien die auf das letzte Jahr das
er in Wien hatte zurückgelegt und sich darnach dem Verwaltungsdienste
gewidmet. Stadion traf ihn beim Innerländischen Gubernium, zog ihn

in feine Präfidial-Kanzlei und bald war er des Grafen rechte Hand.
Er befaß ausgezeichnete Gefetzkenntnis, mehrfeitiges Wiffen, eine glückliche Beobachtungsgabe. Er war im Dienft unerbittlich gegen fich wie
gegen Andere, er lebte im Dienft, und man kann fagen, er ift im Dienft
geftorben. [13]) Öttel hatte fich mit den Jahren fo ganz in die Denk-
und Ausdrucksweife, felbft in gewiffe Geften feines Herrn und Meifters
eingelebt daß er deffen Copie genannt werden konnte, wenn fie fich leib-
lich nicht fo unähnlich als möglich gewefen wären. Stadion mit feinem
Grenadier-Maß, mit der vornehmen Phyfiognomie, mit der hohen kahlen
Stirn, der ausgefprochene Typus eines britifchen Lords, und Öttel der
zwerghaft genannt werden konnte, kupfrig im Geficht, von hausbackenem
Ausfehen — man konnte fich einen auffallenderen Gegenfatz kaum denken.
Stadion hatte feinen getreuen Öttel von Trieft mit nach Lemberg genommen, wo er Vorftand feines Präfidial-Bureau und zugleich Mittelsrath im Gubernium war. Öttel, Graf Leo Thun, den Stadion als
Hof-Secretär bei der böhmifchen Hof-Kanzlei in Wien kennen gelernt
und an fich gezogen hatte, dann Graf Agenor Goluchowski, einer der
jüngeren Räthe des galizifchen Guberniums, waren es vorzüglich die
das ftrebfamere in die Ideen ihres Chefs eingehende Element der Regie-
rungs-Behörde bildeten; frifche Kräfte, die der Gouverneur in feine Nähe
zog, wie der Gubernial- und Präfidial-Secretär Karl Fidler, gleich Öttel
aus Trieft nach Lemberg überfetzt, Heinrich Graf Clam-Martinic u. A.
halfen in untergeordneter Stellung mit dem Eifer der Jugend mit.
Schon waren von Stadion Anftalten getroffen die beiden Lieblings-Auf-
gaben feines adminiftrativen Wirkens: Hebung der Volksfchule und Freigebung der Gemeinde in Angriff zu nehmen und war kein Zweifel zu
hegen daß es ihm mit der Zeit gelingen würde, in Galizien in groß-
artigerem Maßftabe in Ausführung zu bringen was er im Küftenlande
in kleinerem Rahmen geübt, das in den letzten Jahren fchwer geprüfte
Land mit der öfterreichifchen Adminiftration zu verföhnen, neues Leben
ihm einzuhauchen: als der Eintritt der achtundvierziger Ereigniffe alle
kaum befänftigten Leidenfchaften von neuem hervorbrechen ließ, ja in häß-
licherer Weife als früher auf den Schauplatz brachte.

Wer Stadion als einen aufgeklärten Autokraten von Jofephinifchem
Zufchnitt bezeichnen möchte, würde die Wahrheit nur zum Theile treffen
denn für was der defpotifche „Schätzer der Menfchen" nie einen Sinn
gehabt, autonomes Wefen und Walten, das hat Stadion von unten her-

auf zu begründen, von der Ortsgemeinde in höhere Gebilde hinanzu=
ziehen gesucht. Dies sollte nach seinem Sinne stufenweise und folglich allmälig
geschehen, und mit diesen Schöpfungen sollte in gleichem Maße die Be=
völkerung stufenweise und allmälig für freiere politische Bewegung her=
angebildet werden. Von einem plötzlichen Sprunge, von einer Umwand=
lung des bureaukratischen Absolutismus in selvgovernementalen Consti=
tutionalismus über Nacht durfte sich ein Stadion nichts dauernd gutes
versprechen. Von solcher Anschauungsweise geleitet, konnten es keine
freudigen Gefühle sein womit Stadion die überstürzten Gewährungen
der Wiener Märztage begrüßte; er sah sich dadurch in dem schönen
Werke nur gestört das er, langsamer zwar aber dafür um so sicherer,
aufzubauen im Begriffe war. Dabei kannte er die Rath= und Energie=
losigkeit in den Wiener Regierungskreisen zu gut um nicht im ersten
Augenblick ein Hereinbrechen der Anarchie zu befürchten. Letzterem wollte
er zum mindesten in seinem Machtkreise einen Damm setzen. Die
„Concessionen“, wie man sie damals nannte, der drei Märztage waren
in der entlegenen Hauptstadt von Galizien um mehrere Tage später eine
nach der anderen bekannt geworden. Am 18. März hatte Stadion auf
außeramtlichem Wege die Nachricht von der ertheilten Constitution erhalten,
auf außeramtlichem Wege mußte er sie allsogleich zu verbreiten; schon am
19. war eine Petition in dreizehn Punkten aufgesetzt, von Männern aus
den verschiedensten Schichten der Gesellschaft unterzeichnet, am selben Tage
6 Uhr N. M. befand sie sich in den Händen des Gouverneurs, am 20.
auf dem Wege nach Wien.

Anders war es mit den Zugeständnissen der Nationalgarde und der
Preßfreiheit. Die Stürmer und Dränger verlangten deren augenblick=
liche Durchführung in weitestem Umfange: Stadion dagegen war fest
entschlossen in dieser Richtung so weit aber auch nur so weit zu
gehen, als ihm die kaiserlichen Entschließungen dies zum Gebot machten.
Hinsichtlich der Presse traf er mit einer Deputation der Schriftsteller
und Buchdrucker Lembergs, die am 21. aus diesem Anlasse vor ihm er=
schien, das Übereinkommen, daß er „bis zu dem nächstens zu gewärti=
genden Erscheinen eines Preßgesetzes“ theils in Person theils durch die
Vorsteher des Magistrats und der Polizei=Direction die Censur in der
Richtung üben werde, „daß der Druck irreligiöser unmoralischer und in=
cendiarischer Machwerke, so wie solcher die sich die Verunglimpfung von
Personen in ihrem häuslichen Thun und Treiben zum Ziele setzten, be=

seitigt werde." Unmittelbar darauf begann der „Dziennik narodowy“ sein Erscheinen, und Stadion konnte sich nachmals auf den Inhalt dieses Blattes zum Beweise berufen „daß die von ihm geübte Censur der Preßfreiheit nicht nahetrat.“ Diese vom Gouverneur eingeleitete Maß= regel blieb übrigens nur fünf Tage in Kraft; sie wurde mit dem Augen= blicke eingestellt als das Erscheinen des kaiserlichen Patentes vom ·19., das alle Censur=Gesetze ausdrücklich aufhob, in Lemberg bekannt wurde.

Im Punkte der Nationalgarde hielt sich Stadion für ermächtigt und beauftragt vorläufig die Bewaffnung der Akademiker einzuleiten; im übrigen müsse die gesetzliche Organisation dieses Instituts, das vorläufig nur in Wien in's Leben getreten, abgewartet werden. In diesem Sinne beschied er am 21. März eine Deputation, der unruhige Volksmassen auf den Straßen bedrohlichen Nachdruck gaben. Ohne hierauf zu achten ver= fügte sich Stadion allein und zu Fuß durch die Menge auf das Rath= haus und nahm dort die Einschreibung der studierenden Jugend vor, indem er jedem Einzelnen das Gelöbnis abforderte die Waffen nur zur Vertheidigung von Ruhe und Ordnung zu verwenden; dann ging er denselben Weg den er gekommen mitten durch das Gedränge in seine Wohnung zurück. Auf der Treppe kam ihm der junge Martinic in den Weg: „Sie sehen wie eine Revolution anfängt: wie sie endet?“... er vollendete den Satz nicht, sondern wies mit der Hand nach oben. Am Mittwoch wiederholte sich das Schauspiel des vorigen Tages in ver= größertem Maßstabe; aus der Deputation wurde eine Massen=Deputation, aus der Petition um Herausgabe der Waffen eine Sturm=Petition, hinter welcher die Drohung eines gewaltsamen Angriffes auf das Zeughaus lauerte. Stadion blieb fest; „wenn seine Macht“, sagte er, „nicht hin= reichen sollte Ordnung und Gesetzlichkeit aufrecht zu erhalten, werde er sich bemüssigt sehen dieselbe in die Hände der Militär=Gewalt zu legen.“ Als hierauf die Dränger mit der üblichen gleißnerischen Warnung, „es werde Blut fließen“, vorrückten, antwortete er: „Ja es wird Blut fließen; aber die Verantwortung dafür wird nicht auf mich fallen sondern auf Sie. Und besser es fließt heute das Blut einiger Ruhestörer, als daß es nach einigen Monaten in Strömen vergossen werde.“ Während dies beim Gouverneur vorging, war zufällig die ganze Garnison auf ihren Alarm=Plätzen aufmarschirt; es bestand nämlich in Lemberg die Ver= ordnung daß dies immer stattfinde so oft Feuer ausbreche, und eine armselige Hütte, die vor irgend einer Rogatka (Linien=Schlagbaum) in

Flammen gerathen, war diesmal der unschuldige Anlaß zu so auffallenden
militärischen Vorkehrungen. Aber die Wirkung dieses eigenthümlichen
Zusammentreffens war unbeschreiblich. Die Leidenschaft der Straße, durch
die abschlägige Antwort Stadion's auf's äußerste angefacht, ließ wilde
Ausbrüche befürchten, als man das Militär seine Gewehre laden, die
Kanonen richten sah; das wirkte wie ein kaltes Sturzbad und in kurzer
Frist verlief sich die Menge. Während der Nacht wurden einige Rädelsführer verhaftet, des anderen Morgens erschien eine Kundmachung des
Gouverneurs gegen Zusammenrottungen: „was er gestern mahnend gerathen, das befehle er heute 2c." und von da gab es, so lang Stadion
im Lande blieb, keine größeren Ausschreitungen, keinen Aufstandsversuch
mehr in Lemberg.

Auch im Lande, besonders in den Kreisstädten, that sich eine Partei
der Ungeduldigen Überstürzenden hervor, trat zu sogenannten „National-
Räthen" zusammen, schickte Sendboten nach allen Richtungen aus, verhieß den Bauern und gebot den Gutsherren unverzügliche Einstellung
jeder Robot, verlangte daß allerorts Volkswehr sich bilde und bewaffne
u. dgl. m. Auch gegen dies Unwesen schritt Stadion kräftig ein. Die
Kreisämter empfingen Weisungen auf die Beruhigung und Belehrung
des Landvolkes zu wirken, durch zeitweise Aussendung mobiler Colonnen
jedem Unfug zu steuern, aber sich andererseits nicht durch muthwillig
ausgestreute Alarm-Gerüchte beirren zu lassen; „die Einmischung unberufener Leute, die unter dem Vorwand die Behörden in Erhaltung der
Ordnung zu unterstützen eigentlich nur in störender Weise sich zwischen
Regierung und Bevölkerung zu drängen, das Ansehen der ersteren herabzusetzen suchten, sei nicht zu dulden, nöthigenfalls derlei Personen zu
inhaftiren und mit Anwendung der Strafgesetze gegen sie vorzugehen."
Energische Decrete ergingen gegen das Treiben republicanischer Wühler,
deren Thätigkeit dahin gerichtet sei „den Aufstand zur Erringung eines
selbständigen Polen als Demokratie vorzubereiten." Die Sicherheits-
Organe erhielten Weisungen, revolutionäre Demonstrationen, wie am
Grabe Wiśniowski's, bei Zeiten zu verhindern. 14) Die Bildung der
Nationalgarde wurde wie in Lemberg bis zur Kundmachung des bezüg-
lichen Statutes untersagt, Gubernial-Rath Thun nach Stanislawow
Złoczow Tarnopol ausgesandt, um die Comité's die daselbst für diesen
Zweck bereits zusammengetreten waren aufzulösen. Ein Straßenauflauf
der bei Thun's Auftreten in Stanislawow entstand und durch militärisches

Einschreiten, doch ohne Blutvergießen, zerstreut werden mußte, und eine solenne Katzenmusik, die vor Thun's Wohnung in Lemberg noch ehe er heimgekehrt war veranstaltet wurde — die allgemeine Bewilligung der Nationalgarde war mittlerweile von Wien aus bekannt geworden — waren an sich geringfügige Demonstrationen, die aber durch umlaufende Gerüchte vergrößert und entstellt und mit boshaften Erfindungen von blutigen Zusammenstößen in Cuchlow, Hostow u. a. bereichert wurden [15]). Mit der Volksthümlichkeit des kurz zuvor noch vergötterten Gouverneurs hatte es nun allerdings ein Ende. In Wien tauchte eine „polnische" Deputation auf — von wem sie, die im Namen des Landes sprachen, „deputirt" waren, wußte kein Mensch — die dem Central=Comité der Wiener Nationalgarde eine 21 Klagepunkte umfassende Schrift gegen das unconstitutionelle Vorgehen der galizischen Beamten überreichte und die Absendung einer gemischten Untersuchungs=Commission an Ort und Stelle verlangte. Stadion selbst empfing am 17. April eine mit vielen Unter= schriften versehene Adresse worin auf Grund ähnlicher Beschwerdepunkte unter anderem verlangt wurde: Aufhebung der Militär=Polizei=Wache, augenblickliche Entfernung aller Beamten die von der öffentlichen Mei= nung als Anstifter von Bauern=Unruhen bezeichnet würden; außerdem sollte keine Amtshandlung eines Beamten mit einem Unterthan anders stattfinden als in Gegenwart zweier Beisitzer aus dem Stande der Guts= herren. Wie rückhaltslos früher Stadion seinen Beamten die Wahrheit gesagt, sie aus der sanften Gewohnheit des Amts=Schlendrians aufge= rüttelt hatte: so muthvoll und kräftig nahm er sich jetzt ihrer an, wo eine unzufriedene Partei nur Angriffe und Unglimpf für sie hatte. Die Forderungen der Adresse wies er bündig und entschieden zurück: „Die Polizei=Wache könne nicht aufgehoben werden so lange nicht in anderer Weise für die öffentliche Sicherheit gesorgt sei; wo ein Beamter seine Pflicht nicht thue stehe jedermann der Weg der Klage offen und werde es an strengem Verfahren in solchen Fällen nicht fehlen; allgemein ge= haltene Verdächtigungen aber könne er nicht gelten lassen, im Gegentheile müsse er dem Beamtenstande in Galizien volle Gerechtigkeit widerfahren lassen; daß bei der allgemeinen Aufregung", so hieß es am Schluße, „die Ruhe noch nirgends ernstlich gestört worden, gibt den Behörden ein ehrenvolles Zeugnis redlich erfüllter Pflicht und liefert zugleich die schlagendste Widerlegung der zum mindesten sehr unüberlegten Schmähun= gen" [16]). Nach Wien aber sandte er eine ausführliche Denkschrift worin

3

er Punkt für Punkt die gegen seine Beamten geschleuderten Anklagen
beleuchtete, in schlagender Weise ihren Ungrund nachwies und zuletzt nur
das eine verlangte, daß, wie das Memorandum der „sogenannten"
Deputation durch den Druck veröffentlicht worden, dasselbe mit seiner
Antwort geschehe; denn „mit voller Ruhe könne er an das Urtheil
des ganzen Landes appelliren und würde, wenn ihm nur die Wahl
bliebe auf der Bank des Angeklagten oder auf jener von Anklägern wie
den Memorandums=Fertigern zu sitzen, mit Stolz sich auf der ersteren
niederlassen" [17]). Er wußte wohl, daß von allen Dingen die man ihm
vorrückte vorzüglich zwei es waren die ihm den unversöhnlichen Haß
der Bewegungs=Partei zuzogen, und gerade hinsichtlich dieser war seine
Rechtfertigung die leichteste: die Aufhebung der Robot und unterthänigen
Leistungen durch die Regierung, und die „Erfindung der Ruthenen". Die
erstere Maßregel ward seinem Einflusse in dem Sinne zugeschrieben als
ob er damit nichts anderes beabsichtigt habe, als der nationalen Partei
das letzte Mittel sich die Sympathien des Bauernstandes zu gewinnen
aus den Händen zu winden; in Wahrheit aber war sie von ihm als
eine Art Nothwehr ergriffen worden, da der Bauer in seinem tiefen
Mistrauen und Groll gegen die „Herren" von einer Schenkung durch
diese nichts wissen wollte, ja in dem Entgegenkommen seiner ehemaligen
Gebieter nur eine neue Falle witterte. Und wenn, was die Ruthenen
betraf, in einer Zeit die alle Fesseln abstreifte das National=Gefühl
dieses lang verkannten und verwahrlosten Volksstammes neues Leben
gewann, wenn die Russinen, seit Jahrhunderten von den Polen verachtet
gehaßt mit systematischer Bedrückung verfolgt, sich vertrauensvoll an die
Regierung schlossen, war sich darüber zu wundern? Daß aber Stadion,
den Stand der Dinge schnell durchblickend, den Vertrauenden Schutz und
Unterstützung gewährte, daß er sie gegen die Angriffe eines fanatischen
Polenthums vertheidigte, daß er ihnen die Aussicht auf gleiche Theilnahme an den neuen Errungenschaften eröffnete: das allein war jenes
Verbrechen um dessenwillen die revolutionäre Propaganda ihn in allen
Zeitungen Europa's verläfterte, ihn einen „Verräther", einen „zweiten
Suvarov", einen „gewissenlosen Macchiavell", einen „politischen Tartufe"
schmähte, „der lange den Liberalen gespielt um sich zuletzt als würdiger
Schüler Metternich's zu entpuppen". Der eigentliche Grund ihrer Wuth
lag aber darin, daß die unerwartete Erhebung der Ruthenen, welche die
polnischen Revolutionäre bereits vollständiger Versunkenheit und Selbst-

vergessenheit preisgegeben wähnten, ein neues Bollwerk bildete das sich ihren Trennungsgelüsten von Österreich in den Weg stellte.

Doch Stadion's Tage in Galizien waren gezählt. Unmittelbar nach den Maitagen die den Hof von Wien wegscheuchten empfing er in vertraulicher Weise die Einladung sich in Innsbruck einzufinden, wo er mit der Bildung eines neuen Ministeriums betraut werden sollte. Stadion wandte mit Grund ein, daß er als Gouverneur ohne Vorwissen und Erlaubnis des Ministeriums seine Provinz nicht verlassen dürfe, es sei denn daß ein formeller Allerhöchster Auftrag ihm dies befehle. So erfolgte denn ein kaiserliches Handschreiben das man aber, allseits von beobachtenden Spürern umgeben, nicht wagte den gewohnten Wegen anzuvertrauen; eine Kammerdienerin der Erzherzogin Sophie, Frau Anna Hosp, mußte es ihrem bei der Wiener Polizei-Direction angestellten Sohne schicken, der es, unter irgend einem Vorwande Urlaub nehmend, unmittelbar nach Lemberg überbrachte. Nun konnte Stadion nicht zögern. Nachdem er in Eile und im engsten Vertrauen seine Vorkehrungen getroffen, den Grafen Gołuchowski als Vice-Präsidenten des Guberniums mit der einstweiligen Führung der Geschäfte, im steten Einverständnis mit dem Landes-Commandirenden F.-M.-L. Baron Hammerstein, betraut hatte, erhielt sein Präsidialist Fidler den Auftrag, unmittelbar beim Postmeister für sich eine Kutsche nach Kolomea wohin er einen Auftrag habe zu bestellen; Stadion erschien zur bestimmten Stunde in Fidler's Haufe, wo man sich einsetzte und in der Richtung gegen die Bukowina abfuhr, aber gleich hinter der Rogatka den Kutscher die gegen Jaworow einschlagen ließ, 4. Juni. In Krakau zeigte sich Stadion nur bei Schlick, der ihm sammt seinem Begleiter durch den Polizei-Commissär Gabriel einen auf einen gleichgiltigen Namen lautenden Paß ausstellen ließ, von dem er übrigens, bei der damaligen Wirkungslosigkeit fast aller Überwachungs-Vorschriften, auf seinem ganzen Wege keinen Gebrauch zu machen fand. Stadion's Entfernung aus Lemberg konnte nicht lang verborgen bleiben; trotz aller angewandten Vorsicht wußte man bald daß er nach Wien gereist sei, und ahnte daß er nicht wiederkommen werde. Seine kurzsichtigen Feinde jubelten, aber Betrübnis und bange Sorgen für die Zukunft bemächtigten sich der Einsichtsvollen aus allen Classen der Bevölkerung. Denn sie sahen in ihm den Mann scheiden dem es gelungen war in einer Zeit, wo man fast allenthalben von Aufständen, von Gebrauch der Feuerwaffe, von Blutvergießen zu erzählen hatte, und

3*

schlug sich ohne besonderes Aufsehen. Stabion, der inzwischen beim Mi=
nisterium um Urlaub angesucht hatte und bald darauf um Enthebung
von seinem Gouverneurs=Posten bat, besuchte für's erste seine Familie
in Chodenschloß in Böhmen und ging dann über Prag nach Wien
zurück. Neuerdings empfing er hier eine Einladung in's Ministerium
zu treten, und zwar von Pillersdorff selbst; Pillersdorff wollte, wie es
scheint, in ihm einen „Complicen" haben. Stabion lehnte es ab. Als er
Pillersdorff von der Nothwendigkeit ernster Maßregeln sprach und jener
davon nichts wissen wollte, weil dieß „ohne Blutvergießen" nicht ab=
laufen würde, entgegnete Stabion wie damals im März in Lemberg:
„Sie scheuen jetzt vor thatkräftigem Einschreiten zurück?! Sie werden
bald Ströme von Blut zu vergießen haben!" Noch bevor Stabion
Galizien verlassen, hatte er die Versicherung erhalten für den bevor=
stehenden constituirenden Reichstag in zwei oder drei Landbezirken ge=
wählt zu werden; er nahm die Wahl für Rawa an und benützte die
Zeit bis zur Eröffnung der Sitzungen zu einem kurzen Ausfluge nach
Pest=Ofen.

Im Reichstage nahm Stabion seinen Sitz im Centrum; ihm zur
Rechten saß ein roher oberösterreichischer Kleinbürger von dem der arme
Graf täglich die impertinentesten Dinge zu hören bekam. „Aber Herr
Herndl" — so hieß der Edle —, sagte Stabion eines Tages gelassen
zu ihm, „wenn Ihnen meine Nachbarschaft so zuwider ist, warum vertau=
schen Sie nicht Ihren Sitz mit einem anderen?" „„Das hab' ich eh'
schon versucht; fünf Gulden hab' ich hergeben wollen; aber glauben S'
denn, 's geht mir Einer?"" Was der Volksmann von Grein in solcher
Weise sprach, war jedenfalls bezeichnend für die Stellung die Stabion
zu jener Zeit in Wien einnahm. Wohl zählte er unter seinen jetzigen
Berufsgenossen mehr als einen warmen Verehrer; es waren seine Ge=
treuen aus Triest, aus Görz und Istrien, die ihn hier wiederfanden,
die mit Begeisterung von seinem kraftvollen freisinnigen Wirken in
ihrem Heimatland zu erzählen wußten, die auf ihn blickten wie sie Jahre
hindurch auf ihn und sein mannhaftes Thun zu blicken gewohnt waren.
Doch viel größer als dies Häuflein war die Zahl seiner erbitterten Feinde,
und viel rühriger unermüdlicher unerschöpflicher an Hilfsmitteln als
jene waren die Anderen, die ihm mit ihrem Hasse aus Galizien in den
Reichstagssaal gefolgt waren; die ihn höhnten, die ihn auslachten wenn
er sprach, ihn dem allerdings Beredsamkeit nicht gegeben war; die ganze

Register von Beschuldigungen gegen ihn vom Stapel laufen ließen, auf
seine Absetzung als Gouverneur drangen, ja ihn durch den Mund des
breitschulterigen Sierakowski sogar in Anklagestand versetzt wissen wollten.
Die ganze Presse war von ihnen gewonnen, in allen Witzblättern war
er eine stehende Figur, alle Kannegießer von Wien sprachen eifrig nach
was ihnen täglich vorgesagt und vorgemahlt wurde. Was war ihnen
Stadion? Vernehmen wir darüber das Echo der „Reichstags-Galerie":
„Ein starrer Aristokrat und Bureaukrat, der in dem breitgetretenen Geleise der Metternich'schen Politik seine Wege ging. Er hat aus dem
alten Systeme das Renommée eines Staatsmannes mit in die neue Zeit
herübergebracht, etwa wie man einen Aussatz mitbringt aus unreiner
Gesellschaft. In Triest hat er für einen sogenannten erleuchteten Administrator gegolten; Galizien hat ihm selbst diesen, wiewohl sehr werth-
losen Nimbus abgestreift. Er ist seicht, ohne den geringsten Anflug von
Geistesfrische und Genialität; er reicht mit seinem Wissen nicht über die
Gränzen der Statistik und des Formelthums u. s. w."[21]). Unter solchen
Umständen gehörte immerhin einiger Muth dazu, sich mit dem „Abgeordneten Stadion" zu oft im Gespräch oder Verkehr ertappen zu lassen;
man gerieth dabei stets in einen gewissen reactionären Geruch, und das
war zur Zeit der ärgste Mackel der jemand anhaften konnte. Der
größere Muth aber war sicher auf Stadion's Seite, der sich durch all'
das nicht abhalten ließ auf seinem Platze auszuharren, all' seinen Verpflichtungen als Abgeordneter auf das pünktlichste nachzukommen; er fehlte
in keiner Sitzung, in keiner Abtheilungs-Berathung — in einen Ausschuß wurde der Verrufene kaum gewählt —, in keiner Partei-Versamm-
lung, deren in wichtigeren Angelegenheiten manche außerordentliche abgehalten wurden; er kneipte auch allenfalls, wenn es darauf ankam, mit
den Anderen. Allmälig bildete sich ein engerer Kreis um ihn, wozu
insbesondere die Triestiner, Professor Leopold Neumann u. a. gehörten; den Abgeordneten für Tachau in Böhmen Dr. Helfert wußte er,
seit dessen erfolgreichem Auftreten in der Entschädigungs-Frage, immer
näher an sich zu ziehen. Auch sonst schien sich Stadion die Bedingungen für ein künftiges Wirken zurechtzulegen. Er hatte überall den Blick,
in vielen Dingen auch die Hand. Vor allem war es ihm darum zu
thun ein größeres Blatt für seine Ideen zu gewinnen; er faßte den
Plan, das „Journal des österreichischen Lloyd" und für dessen Leitung
den federgewandten Eduard Warrens uud J. Löwenthal aus Triest nach

Wien zu ziehen. Um für den ersten Anfang einen Fond zusammenzubringen, wurde Stadion Bettler und sandte Bettelbriefe aus. Unter seinen Werbern für diesen Zweck war auch Graf Heinrich Märtinic der sich um diese Zeit mit Urlaub in Prag befand, wo einzelne Häupter der böhmischen Aristokratie ganz namhafte Summen spendeten.

Bei dieser Gelegenheit war es, wo Windischgrätz zuerst mit Stadion anknüpfte. Bei seiner Abreise nach Wien empfing Martinic ein Schreiben des Fürsten, das Stadion einlud behufs einer näheren Verständigung nach Prag zu kommen. Stadion antwortete am 30. Juli in einem Briefe, dessen schroffe Fassung sichtlich darauf berechnet war den Schreiber, falls das Blatt in unrechte Hände fiele, unter allen Umständen vor der Öffentlichkeit nicht bloszustellen: „er sei nicht in der Lage Wien ohne Aufsehen zu verlassen, da er für vierundzwanzig Stunden Abwesenheit eines Urlaubes vom Reichstags=Präsidium bedürfe; er müsse sich im vorhinein gegen jede Betheiligung an einem Schritte erklären worin irgendwie Hinneigung zu einer Reaction läge, die er für Unrecht, für unehrlich halten müßte; was der Kaiser gegeben dürfe nicht angetastet, der Rechtsboden nicht verlassen werden." Windischgrätz erwiederte am 2. August, etwas spitz, doch mit gewohnter Offenheit: „wenn man von Reaction spreche, so sei wohl erst die Frage wer denn eigentlich die Reactionäre seien, und ob diese Bezeichnung nicht vielmehr jenen gebühre die ihre Forderungen so weit trieben, daß sie es ganz unmöglich machen etwas nützliches und haltbares zu schaffen; wenn das gegenwärtige Ministerium nicht entspreche müsse man ein anderes bilden, wenn der Reichstag zu keinem Ziele komme ihn auflösen; über das was Recht oder Unrecht sei, werde wohl keiner von ihnen beiden von dem andern eine nähere Auseinandersetzung benöthigen." Damit war eine Verhandlung abgebrochen, die bei Windischgrätz nur unangenehme Eindrücke hinterlassen konnte. Fest und entschieden wie seit den Prager Juni=Tagen ein ernstes Ziel vor seinem Geiste stand, hielt er sich in seinem Vertrauen auf einen Mann auf den er vor Vielen gezählt hatte grausam getäuscht; Stadion's Erwiederung erschien ihm in dem Lichte einer bedauerlichen Haltlosigkeit, Unschlüssigkeit; das Zurückweisen der Hand die er ihm zu gemeinschaftlichem Handeln geboten, beleidigte auf's empfindlichste seinen Stolz. Dessenungeachtet hat Windischgrätz, wie wir sehen werden, im entscheidenden Zeitpunkte nicht sein verletztes Gefühl, sondern seine ruhige Überzeugung walten lassen und nicht gegen Stadion sondern für ihn gesprochen.

Mittlerweile waren die Kosten für die Übersiedlung des „Lloyd"
gedeckt, Warrens und Löwenthal kamen nach Wien, wo am 26. Sep=
tember das erste Blatt (des ganzen Jahrganges Nr. 223) ausgegeben
werden konnte. Wie früher in Triest und in Lemberg, so gedachte
der Graf auch jetzt in Wien sich einen Salon zu bilden; es sollten da
insbesondere die leitenden Gedanken seines neuen Organs besprochen
werden, welche dann die gewandte Feder Warrens' ins journalistische
zu übersetzen hatte. Hagenauer, Catinelli, Neumann, Helfert bildeten
den ersten bescheidenen Anfang dieser gesellschaflichen Abende, die aber
mit dem Ausbruch der October=Ereignisse ein schnelles Ende nahmen.
Die böhmische Rechte zog sich vom Reichstage zurück, in Wien begannen
Terrorismus und Anarchie ihr unheimliches Treiben, Stabion's Name
stand einer der ersten auf den Proscriptions=Listen, deren eine noch am
Abend des 6. October in Reichstagskreisen umherlief. Stabion war an
diesem Tage in der Stadt, aber nicht in der Sitzung des Reichstags
die gegen Abend gehalten wurde; einen Theil des Tages brachte er in
der Wohnung des amerikanischen Consuls Schwarz zu. Am 7. Vormit=
tags begab er sich in die Winter=Reitschule. „Gestern war eine außer=
ordentliche Sitzung", sagte er zu dem jungen Martinic, „die ich ver=
säumen konnte; heute muß ich hinein, ich will zeigen daß ich keine Furcht
habe." Allein er hatte kaum seinen gewöhnlichen Sitz im Reichstagssaale
eingenommen, als er — alle Vermuthungen sprachen dafür, aus dem
Lager seiner galizischen Widersacher selbst — die vertrauliche Warnung
erhielt auf sein Heil bedacht zu sein. Zur selben Zeit hatte auch Graf
Martinic, der ihn aus seiner Wohnung begleitet hatte, die dringende
Mahnung erhalten Stabion fortzubringen: „es werde auf der Aula
schon der Strick gedreht, an dem er das Ende Latour's finden solle."
Auf dies Experiment mochte es der edle Graf doch nicht ankommen
lassen, sondern verließ den Saal, entkam in einer Verkleidung, die er
sich in der Eile irgendwo verschafft hatte, aus der Stallburg und machte
sich noch denselben Abend in aller Stille aus der Stadt fort.

Stellen wir, nicht um des alten Plutarch willen, sondern weil es
sich wie von selbst ergibt, die beiden Männer, deren Bild wir zu zeich=
nen versucht, vergleichsweise einander gegenüber, so fallen schon in ihrer
äußern Erscheinung einige zusammentreffende Züge auf. Beide waren
hohe Gestalten die man unter Anderen nicht übersehen konnte, nur daß

Schwarzenberg sich soldatisch gerade hielt, während Stadion mit dem
Oberkörper kaum merklich nach vorn neigte. Beide schlank; Fürst Felix
wäre es vermuthlich bis in sein hohes Alter geblieben, bei dem Grafen
Franz hätte sich vielleicht mit den Jahren Fettleibigkeit angesetzt. Beide
waren von ausgesprochen vornehmem Gepräge, nur daß dieses bei dem
einen zumeist in der feinen Gesichtsbildung, bei dem anderen mehr in
der sorgfältig gepflegten Hand zum Vorschein trat. Im Ganzen waren
Beide Erscheinungen an denen man das Auge, sobald es sie einmal er=
faßt, nicht achtlos konnte vorübergleiten lassen; allein Feinde jedes eitlen
Scheins, haben beide sich gesträubt der Nachwelt ein Abbild davon zu
hinterlassen. Stadion hat seinen Willen durchgesetzt; mindestens gibt es,
so viel uns bekannt, kein Portrait von ihm das vervielfältigt der Öffent=
lichkeit übergeben worden wäre. Vom Fürsten Felix existirt ein Aquarell
von Kriehuber aus dem Jahre 1836 im Besitze der Fürstin Mathilde,
und ein anderes gleichfalls von Kriehuber aus Schwarzenberg's letzten
Jahren im Besitze Seiner Majestät des Kaisers; auch ließ er sich, um
für sein Regiment ein Oelbild anfertigen zu lassen, dahin bringen einige
Augenblicke einem Photographen zu sitzen. Dies Bildchen und eine Zeich=
nung die seiner entseelten Hülle abgenommen wurde, mußten als An=
haltspunkte zu jenem Portrait im Stahlstich dienen das die Berger'sche
Biographie des Verewigten ziert. Von Äußerlichkeiten ist noch zu er=
wähnen, daß Schwarzenberg wie Stadion zu einer Classe Menschen ge=
hörten die allmälig im Aussterben begriffen zu sein scheint: sie waren
beide Schnupfer und führten in zierlichen Döschen die sie in der Westen=
tasche trugen die feinsten Mischungen bei sich. Schwarzenberg hatte diese
Gewohnheit schon als Cadet angenommen, zum großen Mißvergnügen
seines schwägerlichen Obersten, der, wenn jener in Uniform vor ihm
erschien, häufig dessen eng anliegendes Collet von außen abtastete und,
wenn er die Tabaksdose fühlte, dieselbe aus dessen Innentasche heraus=
zog und zum Fenster hinauswarf. Schwarzenberg und Stadion opferten
übrigens dem edlen Tabakskraute „sub utraque", das heißt, ohne
Blume: sie genoßen es nicht blos in pulverisirtem Zustand, sondern
auch in gerolltem, in der Gestalt eben so feiner als starker Cigarren.

Den Werth des Geldes kannten Beide nicht, auf Titel und Prunk,
auf irdische Glücksgüter war nie ihr Sinn gestellt. Stadion hatte sein
Erstgeburtsrecht dahin gegeben um dieser Sorge los zu sein [22]), und
Schwarzenberg, ein jüngerer Sohn, konnte mit liebenswürdiger Heiter=

keit darüber scherzen wenn sich wohl mancher ihn, einen S ch w a r z e n -
b e r g, nicht anders denn als Besitzer ausgedehnter Herrschaften denken
konnte. Beide gaben gern und leicht so lang sie etwas hatten, liebten
es Gäste an ihrer Tafel zu sehen, waren gefällige und aufgeweckte
Wirthe deren liebenswürdiges Wesen den Tischgenossen jeden Zwang benahm. Allein mit eben so wenig Mühe trugen Beide Entbehrungen die
ihnen der Drang der Umstände zeitweilig auferlegte. „Mit der größten
Leichtigkeit", erzählt der Biograph Schwarzenberg's, „vertauschte er die
feinsten Genüsse und den weichsten Pfuhl mit dem kargen Mahl und
dem harten Strohlager des armen Landmanns", und jener Stadion's
berichtet, wie sich der erlauchte Graf wochenlang in einem ärmlichen
Städtchen Istriens einnistete um von da aus für seine Gemeinde=Ideen
Studien zu machen und Proselyten . zu werben. Wir selbst werden nie
den Eindruck vergessen, wie Stadion im October 1848 nach seiner eili-
gen Entfernung aus Wien in einem schäbigen Studenten=Mäntelchen in
Prag erschien und daselbst, ganz unbekümmert um seine eigene nächste
Zukunft, nur Gedanken für die große Bedrängnis des Reiches hatte;
oder wie er dann in Olmütz, als Hausherr gewohnt sich und seine
Gäste aus seiner Küche und ausgewähltem Keller bedienen zu lassen, die
nicht sehr leckere Kost in tabakdampfender Gasthausstube sich munden ließ.

Schwarzenberg und Stadion waren Beide grundsätzliche Feinde des
Ehestandes und gingen hierin so weit, das gleiche auch ihren Beamten
zuzumuthen. Stadion beneidete Schwarzenberg um den Vortheil, an der
Spitze einer Branche zu stehen die wenigstens von den unteren Stufen
bis zum Gesandten das Cölibat forderte; Schwarzenberg hingegen bedauerte, das strenge Gesetz nicht noch über den Botschafter hinaus wirken
lassen zu können. „Was man ist", sagte Stadion, „muß man ganz und
gar sein", und ein verheirateter Beamter war ihm eben kein ganzer
Staatsdiener; die lebenslängliche Kettung an ein Weib war ihm nur ein
Hemmnis für jedes ernste Geschäft. Denn einer wie der andere, hinge=
geben dem „Dienst" in des Wortes edelster Bedeutung, kannten für
ihren Monarchen, für den Staat, für das allgemeine Beste nur ihre
Pflicht. Aufopfernd wenn es galt in ihrer eigenen Thätigkeit, forderten
sie dasselbe von ihren untergeordneten Organen; unerbittlich und rück=
sichtslos gegen sich selbst, waren sie es wo Noth am Mann war auch .
gegen Andere. Belohnungen und Auszeichnungen dafür strebten sie weder
für sich an, noch hielten sie solche, selbst bei der angestrengtesten Thätig=

keit die sie ihnen zumutheten, für ihre Beamten für nothwendig: sie selbst und ihre Untergebenen, so meinten sie, seien dazu da ihre Pflicht zu thun und ihre Kräfte nicht zu schonen. Protectionswesen und Patronanzen waren Beiden gleich verhaßt; bei Schwarzenberg ging das so weit, daß ein Fürwort selbst von dem nächsten seiner Angehörigen dem Empfohlenen mehr schadete als irgend ein Makel der sich in dessen Vorleben entdecken ließ. Bei all ihrem Thun hatten sie nur das Große im Auge und strebten es mit ehrlichen Mitteln an; kleine Künste waren ihnen fremd. Sie gingen mit offenem Visir auf ihr Ziel los, sie verschmähten es mit Winkelzügen an es heranzuschleichen. Schwarzenberg war ein Diplomat im Style Bubna's, von dem Napoleon I. sagte, daß mit ihm am schwersten zu unterhandeln sei weil er gerade heraus sage wie weit er gehen wolle und von da keinen Schritt zurückweiche; und Stadion trat den tückischen Anklagen seiner galizischen Feinde mit dem stolzen Worte entgegen: „Was ich wollte und wie ich die Zwecke der Regierung zu erreichen hoffte, daraus habe ich nie ein Geheimnis gemacht; was ich that that ich offen, und ermüdete nicht selbst dem geringsten aus dem Volke die Gründe meines Handelns darzulegen." Beide Aristokraten vom Scheitel bis zur Sohle, alles Gemeine von sich in unwillführlich scheue Entfernung-bannend, waren doch beide gleich frei von dünkelhaftem Hochmuth und kannten nicht die geringste Rücksicht für sogenannte Standes=Interessen. Zur selben Zeit wo es im Publicum allgemein auffiel daß die Organe des Fürsten Windischgrätz bei Verkündigung der Strafurtheile durch die „Wiener Zeitung" eine einzige Ausnahme in einem Falle machten wo der kriegsgerichtliche Spruch den Sprossen einer alten Adels=Familie traf, mußte vor dem Olmüzer Tribunale ein hochgeborner Gouverneur für den Fehler eines schwachen Augenblickes Rede stehen und, schuldig befunden, ohne Gnade von seinem Posten weichen; und gewiß waren es die ersten Bürgerlichen in Österreich, welche die gräfliche Erlaucht des Ministers des Innern auf einen Statthalter=, und die fürstliche Durchlaucht des Ministers des Außern auf einen Botschafter=Posten sandte [23]).

Felix Schwarzenberg und Franz Stadion waren Beide Österreicher und Patrioten in vollem Sinne des Wortes. Beide haben, wo in ihrer früheren oder späteren Dienstleistung Anlaß dazu geboten war, das Banner Österreichs hoch und stolz emporgehalten. Jenes ewige Rücksichtnehmen auf andere Mächte die für uns, wenn ihnen etwas in

er Punkt für Punkt die gegen seine Beamten geschleuderten Anklagen
beleuchtete, in schlagender Weise ihren Ungrund nachwies und zuletzt nur
das eine verlangte, daß, wie das Memorandum der „sogenannten"
Deputation durch den Druck veröffentlicht worden, dasselbe mit seiner
Antwort geschehe; denn „mit voller Ruhe könne er an das Urtheil
des ganzen Landes appelliren und würde, wenn ihm nur die Wahl
bliebe auf der Bank des Angeklagten oder auf jener von Anklägern wie
den Memorandums=Fertigern zu sitzen, mit Stolz sich auf der ersteren
niederlassen" [17]). Er mußte wohl, daß von allen Dingen die man ihm
vorrückte vorzüglich z w e i es waren die ihm den unversöhnlichen Haß
der Bewegungs=Partei zuzogen, und gerade hinsichtlich dieser war seine
Rechtfertigung die leichteste: die Aufhebung der Robot und unterthänigen
Leistungen durch die Regierung, und die „Erfindung der Ruthenen". Die
erstere Maßregel ward seinem Einflusse in dem Sinne zugeschrieben als
ob er damit nichts anderes beabsichtigt habe, als der nationalen Partei
das letzte Mittel sich die Sympathien des Bauernstandes zu gewinnen
aus den Händen zu winden; in Wahrheit aber war sie von ihm als
eine Art Nothwehr ergriffen worden, da der Bauer in seinem tiefen
Mistrauen und Groll gegen die „Herren" von einer Schenkung durch
diese nichts wissen wollte, ja in dem Entgegenkommen seiner ehemaligen
Gebieter nur eine neue Falle witterte. Und wenn, was die Ruthenen
betraf, in einer Zeit die alle Fesseln abstreifte das National=Gefühl
dieses lang verkannten und verwahrlosten Volksstammes neues Leben
gewann, wenn die Russinen, seit Jahrhunderten von den Polen verachtet
gehaßt mit systematischer Bedrückung verfolgt, sich vertrauensvoll an die
Regierung schlossen, war sich darüber zu wundern? Daß aber Stadion,
den Stand der Dinge schnell durchblickend, den Vertrauenden Schutz und
Unterstützung gewährte, daß er sie gegen die Angriffe eines fanatischen
Polenthums vertheidigte, daß er ihnen die Aussicht auf gleiche Theil=
nahme an den neuen Errungenschaften eröffnete: das allein war jenes
Verbrechen um dessenwillen die revolutionäre Propaganda ihn in allen
Zeitungen Europa's verlästerte, ihn einen „Verräther", einen „zweiten
Suvarov", einen „gewissenlosen Macchiavell", einen „politischen Tartufe"
schmähte, „der lange den Liberalen gespielt um sich zuletzt als würdiger
Schüler Metternich's zu entpuppen". Der eigentliche Grund ihrer Wuth
lag aber darin, daß die unerwartete Erhebung der Ruthenen, welche die
polnischen Revolutionäre bereits vollständiger Versunkenheit und Selbst=

vergessenheit preisgegeben wähnten, ein ueues Bollwerk bildete das sich ihren Trennungsgelüsten von Österreich in den Weg stellte.

Doch Stadion's Tage in Galizien waren gezählt. Unmittelbar nach den Maitagen die den Hof von Wien wegscheuchten empfing er in vertraulicher Weise die Einladung sich in Innsbruck einzufinden, wo er mit der Bildung eines neuen Ministeriums betraut werden sollte. Stadion wandte mit Grund ein, daß er als Gouverneur ohne Vorwissen und Erlaubnis des Ministeriums seine Provinz nicht verlassen dürfe, es sei denn daß ein formeller Allerhöchster Auftrag ihm dies befehle. So erfolgte denn ein kaiserliches Handschreiben das man aber, allseits von beobachtenden Spürern umgeben, nicht wagte den gewohnten Wegen anzuvertrauen; eine Kammerdienerin der Erzherzogin Sophie, Frau Anna Hosp, mußte es ihrem bei der Wiener Polizei-Direction angestellten Sohne schicken, der es, unter irgend einem Vorwande Urlaub nehmend, unmittelbar nach Lemberg überbrachte. Nun konnte Stadion nicht zögern. Nachdem er in Eile und im engsten Vertrauen seine Vorkehrungen getroffen, den Grafen Gołuchowski als Vice-Präsidenten des Guberniums mit der einstweiligen Führung der Geschäfte, im steten Einverständnis mit dem Landes-Commandirenden F.-M.-L. Baron Hammerstein, betraut hatte, erhielt sein Präsidialist Fidler den Auftrag, unmittelbar beim Postmeister für sich eine Kutsche nach Kolomea wohin er einen Auftrag habe zu bestellen; Stadion erschien zur bestimmten Stunde in Fidler's Hause, wo man sich einsetzte und in der Richtung gegen die Bukowina abfuhr, aber gleich hinter der Rogatka den Kutscher die gegen Jaworow einschlagen ließ, 4. Juni. In Krakau zeigte sich Stadion nur bei Schlick, der ihm sammt seinem Begleiter durch den Polizei-Commissär Gabriel einen auf einen gleichgiltigen Namen lautenden Paß ausstellen ließ, von dem er übrigens, bei der damaligen Wirkungslosigkeit fast aller Überwachung's-Vorschriften, auf seinem ganzen Wege keinen Gebrauch zu machen fand. Stadion's Entfernung aus Lemberg konnte nicht lang verborgen bleiben; trotz aller angewandten Vorsicht mußte man bald daß er nach Wien gereist sei, und ahnte daß er nicht wiederkommen werde. Seine kurzsichtigen Feinde jubelten, aber Betrübnis und bange Sorgen für die Zukunft bemächtigten sich der Einsichtsvollen aus allen Classen der Bevölkerung. Denn sie sahen in ihm den Mann scheiden dem es gelungen war in einer Zeit, wo man fast allenthalben von Aufständen, von Gebrauch der Feuerwaffe, von Blutvergießen zu erzählen hatte, und

3*

in einem Lande von folch leidenschaftlicher Parteiung und Aufregung wie
Galizien, ohne Gewalt Ordnung und Ruhe aufrecht zu halten. Er selbst
soll gesagt haben: „Man wird mein Wirken in Galizien anders beurthei=
len, wenn mein Nachfolger nicht zu verhüten wissen wird, was ich ver=
hütet habe!" Auch in Wien blieb seine Ankunft nicht lange Geheimnis.
Sprach man doch hier schon gleich nach der Abreise der kaiserlichen
Familie von seiner beabsichtigten Berufung in's Ministerium und machte
darüber seine misfälligen Glossen.   Denn die öffentliche Meinung war
durch Stabion's Widersacher, insbesondere durch die Mitglieder der pol=
nischen Deputation, die seit Monaten in Wien kaum ein anderes Ge=
schäft trieben als dieses, so gründlich gegen ihn bearbeitet worden, daß
derselbe Mann den alle Vorwärtsstrebenden in Österreich seit Jahren
als „Minister der Zukunft" bezeichnet hatten nun als das gefährliche
Werkzeug des Absolutismus, der Reaction, der Camarilla wie vervehmt
war [18]). Kaum durfte man feinen Namen mehr laut aussprechen, viel
weniger für ihn in die Schranken treten [19]).   Nur verstedt und anonym
kamen ihm Schreiben zu, worin man ihn beschwor „sich dem Dienste
des Vaterlandes nicht zu entziehen; nur er sei es, der in einem Augen=
blicke wo alles in die Brüche zu gehen drohe berufen erscheine das Ruder
zu ergreifen und Rettung zu bringen"; während es allerdings wieder
Andere gab, die ihm wohlmeinend abriethen sich jetzt verwenden zu
laffen, „seine Zeit sei noch nicht gekommen".

Nachdem sich Stabion in kurzem Aufenthalte die Dinge in Wien
angesehen, eilte er an das kaiserliche Hoflager, wo Rathlosigkeit und Zer=
fahrenheit an der Tagesordnung waren und die verschiedensten Einflüsse
in raschem Wechsel die Oberhand gewannen.   Während der erste Prinz
des Hauses, Erzherzog Franz Karl, ihn sehnlichst erwartete und bis zum
letzten Augenblicke sich der Hoffnung hingab daß es Stabion gelingen
werde „ein neues kräftiges Ministerium zu bilden" [20]), war Erzherzog
Johann der Berufung des Grafen sichtlich abhold und warb für Dobl=
hoff.   Stabion traf am 11. Juni in Innsbruck ein, wo er nur so lang
verweilte um seinen bestimmten Willen zu erklären, die ihm zugedachte
Aufgabe n i c h t zu übernehmen; „er habe sich in Wien überzeugt daß
das Ministerium Pillersdorff daselbst populär, und das einzige sei das
unter den gegenwärtigen Umständen zu wirken vermöge".   Bei dem
Zwiespalt der Meinungen der in den Hofkreisen herrschte scheint man in
den Ablehnenden nicht weiter gedrungen zu haben, und die Sache zer=

schlug sich ohne besonderes Aufsehen. Stadion, der inzwischen beim Mi=
nisterium um Urlaub angesucht hatte und bald darauf um Enthebung
von seinem Gouverneurs=Posten bat, besuchte für's erste seine Familie
in Chodenschloß in Böhmen und ging dann über Prag nach Wien
zurück. Neuerdings empfing er hier eine Einladung in's Ministerium
zu treten, und zwar von Pillersdorff selbst; Pillersdorff wollte, wie es
scheint, in ihm einen „Complicen" haben. Stadion lehnte es ab. Als er
Pillersdorff von der Nothwendigkeit ernster Maßregeln sprach und jener
davon nichts wissen wollte, weil dieß „ohne Blutvergießen" nicht ab=
laufen würde, entgegnete Stadion wie damals im März in Lemberg:
„Sie scheuen jetzt vor thatkräftigem Einschreiten zurück?! Sie werden
bald Ströme von Blut zu vergießen haben!" Noch bevor Stadion
Galizien verlassen, hatte er die Versicherung erhalten für den bevor=
stehenden constituirenden Reichstag in zwei oder drei Landbezirken ge=
wählt zu werden; er nahm die Wahl für Rawa an und benützte die
Zeit bis zur Eröffnung der Sitzungen zu einem kurzen Ausfluge nach
Pest=Ofen.

Im Reichstage nahm Stadion seinen Sitz im Centrum; ihm zur
Rechten saß ein roher oberösterreichischer Kleinbürger von dem der arme
Graf täglich die impertinentesten Dinge zu hören bekam. „Aber Herr
Herndl" — so hieß der Edle —, sagte Stadion eines Tages gelassen
zu ihm, „wenn Ihnen meine Nachbarschaft so zuwider ist, warum vertau=
schen Sie nicht Ihren Sitz mit einem anderen?" „„Das hab' ich eh'
schon versucht; fünf Gulden hab' ich hergeben wollen; aber glauben S'
denn, 's geht mir Einer?"" Was der Volksmann von Grein in solcher
Weise sprach, war jedenfalls bezeichnend für die Stellung die Stadion
zu jener Zeit in Wien einnahm. Wohl zählte er unter seinen jetzigen
Berufsgenossen mehr als einen warmen Verehrer; es waren seine Ge=
treuen aus Triest, aus Görz und Istrien, die ihn hier wiederfanden,
die mit Begeisterung von seinem kraftvollen freisinnigen Wirken in
ihrem Heimatland zu erzählen wußten, die auf ihn blickten wie sie Jahre
hindurch auf ihn und sein mannhaftes Thun zu blicken gewohnt waren.
Doch viel größer als dies Häuflein war die Zahl seiner erbitterten Feinde,
und viel rühriger unermüdlicher unerschöpflicher an Hilfsmitteln als
jene waren die Anderen, die ihm mit ihrem Hasse aus Galizien in den
Reichstagssaal gefolgt waren; die ihn höhnten, die ihn auslachten wenn
er sprach, ihn dem allerdings Beredsamkeit nicht gegeben war; die ganze

Register von Beschuldigungen gegen ihn vom Stapel laufen ließen, auf
seine Absetzung als Gouverneur drangen, ja ihn durch den Mund des
breitschulterigen Sierakowski sogar in Anklagestand versetzt wissen wollten.
Die ganze Presse war von ihnen gewonnen, in allen Witzblättern war
er eine stehende Figur, alle Kannegießer von Wien sprachen eifrig nach
was ihnen täglich vorgesagt und vorgemahlt wurde. Was war ihnen
Stadion? Vernehmen wir darüber das Echo der „Reichstags-Galerie":
„Ein starrer Aristokrat und Bureaukrat, der in dem breitgetretenen Geleise der Metternich'schen Politik seine Wege ging. Er hat aus dem
alten Systeme das Renommée eines Staatsmannes mit in die neue Zeit
herübergebracht, etwa wie man einen Aussatz mitbringt aus unreiner
Gesellschaft. In Triest hat er für einen sogenannten erleuchteten Administrator gegolten; Galizien hat ihm selbst diesen, wiewohl sehr werth-
losen Nimbus abgestreift. Er ist seicht, ohne den geringsten Anflug von
Geistesfrische und Genialität; er reicht mit seinem Wissen nicht über die
Gränzen der Statistik und des Formelthums u. s. w." [21]). Unter solchen
Umständen gehörte immerhin einiger Muth dazu, sich mit dem „Abgeordneten Stadion" zu oft im Gespräch oder Verkehr ertappen zu lassen;
man gerieth dabei stets in einen gewissen reactionären Geruch, und das
war zur Zeit der ärgste Mackel der jemand anhaften konnte. Der
größere Muth aber war sicher auf Stadion's Seite, der sich durch all'
das nicht abhalten ließ auf seinem Platze auszuharren, all seinen Verpflichtungen als Abgeordneter auf das pünktlichste nachzukommen; er fehlte
in keiner Sitzung, in keiner Abtheilungs-Berathung — in einen Ausschuß wurde der Verrufene kaum gewählt —, in keiner Partei-Versamm-
lung, deren in wichtigeren Angelegenheiten manche außerordentliche abgehalten wurden; er kneipte auch allenfalls, wenn es darauf ankam, mit
den Anderen. Allmälig bildete sich ein engerer Kreis um ihn, wozu
insbesondere die Triestiner, Professor Leopold Neumann u. a. gehörten; den Abgeordneten für Tachau in Böhmen Dr. Helfert wußte er,
seit dessen erfolgreichem Auftreten in der Entschädigungs-Frage, immer
näher an sich zu ziehen. Auch sonst schien sich Stadion die Bedingungen für ein künftiges Wirken zurechtzulegen. Er hatte überall den Blick,
in vielen Dingen auch die Hand. Vor allem war es ihm darum zu
thun ein größeres Blatt für seine Ideen zu gewinnen; er faßte den
Plan, das „Journal des österreichischen Lloyd" und für dessen Leitung
den federgewandten Eduard Warrens und J. Löwenthal aus Triest nach

Wien zu ziehen. Um für den ersten Anfang einen Fond zusammenzu=
bringen, wurde Stadion Bettler und sandte Bettelbriefe aus. Unter
seinen Werbern für diesen Zweck war auch Graf Heinrich Mártinic der
sich um diese Zeit mit Urlaub in Prag befand, wo einzelne Häupter der
böhmischen Aristokratie ganz namhafte Summen spendeten.

Bei dieser Gelegenheit war es, wo Windischgrätz zuerst mit Stadion
anknüpfte. Bei seiner Abreise nach Wien empfing Martinic ein Schrei=
beu des Fürsten, das Stadion einlud behufs einer näheren Verständigung
nach Prag zu kommen. Stadion antwortete am 30. Juli in einem
Briefe, dessen schroffe Fassung sichtlich darauf berechnet war den Schrei=
ber, falls das Blatt in unrechte Hände fiele, unter allen Umständen vor
der Öffentlichkeit nicht bloszustellen: „er sei nicht in der Lage Wien ohne
Aufsehen zu verlassen, da er für vierundzwanzig Stunden Abwesenheit
eines Urlaubes vom Reichstags=Präsidium bedürfe; er müsse sich im
vorhinein gegen jede Betheiligung an einem Schritte erklären worin
irgendwie Hinneigung zu einer Reaction läge, die er für Unrecht, für
unehrlich halten müßte; was der Kaiser gegeben dürfe nicht angetastet,
der Rechtsboden nicht verlassen werden." Windischgrätz erwiederte am
2. August, etwas spitz, doch mit gewohnter Offenheit: „wenn man von
Reaction spreche, so sei wohl erst die Frage wer denn eigentlich die
Reactionäre seien, und ob diese Bezeichnung nicht vielmehr jenen gebühre
die ihre Forderungen so weit trieben, daß sie es ganz unmöglich machen
etwas nützliches und haltbares zu schaffen; wenn das gegenwärtige Mi=
nisterium nicht entspreche müsse man ein anderes bilden, wenn der
Reichstag zu keinem Ziele komme ihn auflösen; über das was Recht
oder Unrecht sei, werde wohl keiner von ihnen beiden von dem andern
eine nähere Auseinandersetzung benöthigen." Damit war eine Verhand=
lung abgebrochen, die bei Windischgrätz nur unangenehme Eindrücke
hinterlassen konnte. Fest und entschieden wie seit den Prager Juni=Tagen
ein ernstes Ziel vor seinem Geiste stand, hielt er sich in seinem Ver=
trauen auf einen Mann auf den er vor Vielen gezählt hatte grausam
getäuscht; Stadion's Erwiederung erschien ihm in dem Lichte einer be=
dauerlichen Haltlosigkeit, Unschlüssigkeit; das Zurückweisen der Hand die
er ihm zu gemeinschaftlichem Handeln geboten, beleidigte auf's empfindlichste
seinen Stolz. Dessenungeachtet hat Windischgrätz, wie wir sehen werden,
im entscheidenden Zeitpunkte nicht sein verletztes Gefühl, sondern seine ruhige
Überzeugung walten lassen und nicht gegen Stadion sondern für ihn gesprochen.

Mittlerweile waren die Kosten für die Übersiedlung des „Lloyd"
gedeckt, Warrens und Löwenthal kamen nach Wien, wo am 26. Sep=
tember das erste Blatt (des ganzen Jahrganges Nr. 223) ausgegeben
werden konnte. Wie früher in Triest und in Lemberg, so gedachte
der Graf auch jetzt in Wien sich einen Salon zu bilden; es sollten da
insbesondere die leitenden Gedanken seines neuen Organs besprochen
werden, welche dann die gewandte Feder Warrens' ins journalistische
zu übersetzen hatte. Hagenauer, Catinelli, Neumann, Helfert bildeten
den ersten bescheidenen Anfang dieser gesellschaftlichen Abende, die aber
mit dem Ausbruch der October=Ereignisse ein schnelles Ende nahmen.
Die böhmische Rechte zog sich vom Reichstage zurück, in Wien begannen
Terrorismus und Anarchie ihr unheimliches Treiben, Stadion's Name
stand einer der ersten auf den Proscriptions=Listen, deren eine noch am
Abend des 6. October in Reichstagskreisen umherlief. Stadion war an
diesem Tage in der Stadt, aber nicht in der Sitzung des Reichstags
die gegen Abend gehalten wurde; einen Theil des Tages brachte er in
der Wohnung des amerikanischen Consuls Schwarz zu. Am 7. Vormit=
tags begab er sich in die Winter=Reitschule. „Gestern war eine außer=
ordentliche Sitzung", sagte er zu dem jungen Martinic, „die ich ver=
säumen konnte; heute muß ich hinein, ich will zeigen daß ich keine Furcht
habe." Allein er hatte kaum seinen gewöhnlichen Sitz im Reichstagssaale
eingenommen, als er — alle Vermuthungen sprachen dafür, aus dem
Lager seiner galizischen Widersacher selbst — die vertrauliche Warnung
erhielt auf sein Heil bedacht zu sein. Zur selben Zeit hatte auch Graf
Martinic, der ihn aus seiner Wohnung begleitet hatte, die dringende
Mahnung erhalten Stadion fortzubringen: „es werde auf der Aula
schon der Strick gedreht, an dem er das Ende Latour's finden solle."
Auf dies Experiment mochte es der edle Graf doch nicht ankommen
lassen, sondern verließ den Saal, entkam in einer Verkleidung, die er
sich in der Eile irgendwo verschafft hatte, aus der Stallburg und machte
sich noch denselben Abend in aller Stille aus der Stadt fort.

Stellen wir, nicht um des alten Plutarch willen, sondern weil es
sich wie von selbst ergibt, die beiden Männer, deren Bild wir zu zeich=
nen versucht, vergleichsweise einander gegenüber, so fallen schon in ihrer
äußern Erscheinung einige zusammentreffende Züge auf. Beide waren
hohe Gestalten die man unter Anderen nicht übersehen konnte, nur daß

keit darüber scherzen wenn sich wohl mancher ihn, einen Schwarzen=
berg, nicht anders denn als Besitzer ausgedehnter Herrschaften denken
konnte. Beide gaben gern und leicht so lang sie etwas hatten, liebten
es Gäste an ihrer Tafel zu sehen, waren gefällige und aufgeweckte
Wirthe deren liebenswürdiges Wesen den Tischgenossen jeden Zwang be=
nahm. Allein mit eben so wenig Mühe trugen Beide Entbehrungen die
ihnen der Drang der Umstände zeitweilig auferlegte. „Mit der größten
Leichtigkeit", erzählt der Biograph Schwarzenberg's, „vertauschte er die
feinsten Genüsse und den weichsten Pfuhl mit dem kargen Mahl und
dem harten Strohlager des armen Landmanns", und jener Stadion's
berichtet, wie sich der erlauchte Graf wochenlang in einem ärmlichen
Städtchen Istriens einnistete um von da aus für seine Gemeinde=Ideen
Studien zu machen und Proselyten zu werben. Wir selbst werden nie
den Eindruck vergessen, wie Stadion im October 1848 nach seiner eili=
gen Entfernung aus Wien in einem schäbigen Studenten=Mäntelchen in
Prag erschien und daselbst, ganz unbekümmert um seine eigene nächste
Zukunft, nur Gedanken für die große Bedrängnis des Reiches hatte;
oder wie er dann in Olmüz, als Hausherr gewohnt sich und seine
Gäste aus seiner Küche und ausgewähltem Keller bedienen zu lassen, die
nicht sehr leckere Kost in tabakdampfender Gasthausstube sich munden ließ.

Schwarzenberg und Stadion waren Beide grundsätzliche Feinde des
Ehestandes und gingen hierin so weit, das gleiche auch ihren Beamten
zuzumuthen. Stadion beneidete Schwarzenberg um den Vortheil, an der
Spitze einer Branche zu stehen die wenigstens von den unteren Stufen
bis zum Gesandten das Cölibat forderte; Schwarzenberg hingegen be=
dauerte, das strenge Gesetz nicht noch über den Botschafter hinaus wirken
lassen zu können. „Was man ist", sagte Stadion, „muß man ganz und
gar sein", und ein verheirateter Beamter war ihm eben kein ganzer
Staatsdiener; die lebenslängliche Kettung an ein Weib war ihm nur ein
Hemmnis für jedes ernste Geschäft. Denn einer wie der andere, hinge=
geben dem „Dienst" in des Wortes edelster Bedeutung, kannten für
ihren Monarchen, für den Staat, für das allgemeine Beste nur ihre
Pflicht. Aufopfernd wenn es galt in ihrer eigenen Thätigkeit, forderten
sie dasselbe von ihren untergeordneten Organen; unerbittlich und rück=
sichtslos gegen sich selbst, waren sie es wo Noth am Mann war auch
gegen Andere. Belohnungen und Auszeichnungen dafür strebten sie weder
für sich an, noch hielten sie solche, selbst bei der angestrengtesten Thätig=

keit die sie ihnen zumutheten, für ihre Beamten für nothwendig: sie
selbst und ihre Untergebenen, so meinten sie, seien dazu da ihre
Pflicht zu thun und ihre Kräfte nicht zu schonen. Protectionswesen
und Patronanzen waren Beiden gleich verhaßt; bei Schwarzenberg
ging das so weit, daß ein Fürwort selbst von dem nächsten seiner
Angehörigen dem Empfohlenen mehr schadete als irgend ein Mackel
der sich in dessen Vorleben entdecken ließ. Bei all ihrem Thun hatten
sie nur das Große im Auge und strebten es mit ehrlichen Mitteln an;
kleine Künste waren ihnen fremd. Sie gingen mit offenem Visir auf ihr
Ziel los, sie verschmähten es mit Winkelzügen an es heranzuschleichen.
Schwarzenberg war ein Diplomat im Style Bubna's, von dem Napoleon I. sagte, daß mit ihm am schwersten zu unterhandeln sei weil er
gerade heraus sage wie weit er gehen wolle und von da keinen Schritt
zurückweiche; und Stadion trat den tückischen Anklagen seiner galizischen
Feinde mit dem stolzen Worte entgegen: „Was ich wollte und wie ich
die Zwecke der Regierung zu erreichen hoffte, daraus habe ich nie ein
Geheimnis gemacht; was ich that that ich offen, und ermüdete nicht
selbst dem geringsten aus dem Volke die Gründe meines Handelns darzulegen." Beide Aristokraten vom Scheitel bis zur Sohle, alles Gemeine von sich in unwillkührlich scheue Entfernung-bannend, waren doch
beide gleich frei von dünkelhaftem Hochmuth und kannten nicht die geringste Rücksicht für sogenannte Standes-Interessen. Zur selben Zeit wo
es im Publicum allgemein auffiel daß die Organe des Fürsten Windischgrätz bei Verkündigung der Strafurtheile durch die „Wiener Zeitung"
eine einzige Ausnahme in einem Falle machten wo der kriegsgerichtliche
Spruch den Sprossen einer alten Adels-Familie traf, mußte vor dem
Olmüzer Tribunale ein hochgeborner Gouverneur für den Fehler eines
schwachen Augenblickes Rede stehen und, schuldig befunden, ohne Gnade
von seinem Posten weichen; und gewiß waren es die ersten Bürgerlichen
in Österreich, welche die gräfliche Erlaucht des Ministers des Innern
auf einen Statthalter-, und die fürstliche Durchlaucht des Ministers des
Außern auf einen Botschafter-Posten sandte [23]).

Felix Schwarzenberg und Franz Stadion waren Beide Österreicher
und Patrioten in vollem Sinne des Wortes. Beide haben, wo in ihrer
früheren oder späteren Dienstleistung Anlaß dazu geboten war, das
Banner Österreichs hoch und stolz emporgehalten. Jenes ewige Rücksichtnehmen auf andere Mächte die für uns, wenn ihnen etwas in den

Kram taugt, nie eine Rücksicht kennen; jenes ängstliche Umherblicken um
ja nach keiner Seite hin, etwa gegen England oder gegen Preußen oder
gar gegen Rußland, irgendwie anzustoßen; mit einem Wort jene Politik
der Feigheit und Schmach von der sich aus früheren und späteren Tagen Beispiele anführen ließen, haben weder Schwarzenberg noch Stadion
gekannt. Und dürfen wir, vorgreifend in ihr ferneres Los, noch eines
beifügen, so ist es dies: Schwarzenberg und Stadion, der Eine durch
vieljährigen äußeren Dienst den gerade gegen die Mitte unseres Jahrhunderts sich so eigenthümlich entwickelnden inneren Zuständen der Monarchie entrückt, der Andere im Verfolg seiner Gemeinde = Gestaltungs=
Pläne auf die verunglückte Idee einer allmäligen Zerlegung des Kaiserstaates in gleichmäßige Departements geführt, haben beide in der Auffassung des österreichischen Staatswesens vielfach theils geschwankt theils
geirrt, haben beide namentlich in ihren Ausgangspunkten entschieden fehlgegriffen. Aber keinem von ihnen war ein länger dauerndes Wirken beschieden, und niemand kann sagen was und wie viel sie mit der Zeit
etwa von ihren Irrthümern abgelegt haben, zu welch heilsamer Klärung
ihrer Begriffe über Östereichs Sein und Wesen sie gelangt sein würden.
Das eine aber dürfte sich jedenfalls behaupten lassen, daß, wenn
Österreich das Glück gehabt hätte dies leuchtende Paar staatsmännischer
Dioskuren länger zu behalten, unsere Monarchie vielleicht neue Provinzen gewonnen, aber gewiß keine feiner alten verloren haben würde.

3.

Der gewaltige Mann auf dem Hradschin zu Prag hatte, seit die
kaiserliche Familie so ausgedehnte Vollmacht in feine Hände gelegt, lang
vor dem October nicht blos in militärischer Hinsicht seine Vorbereitungen getroffen: es war bei ihm auch das andere, die seinerzeitige oberste
Leitung der Staatsgeschäfte, nicht außer acht geblieben, und Felix Schwarzenberg, Franz Stadion, in erster Linie aber Kübeck waren die Männer
auf die er für den eintretenden Fall die Aufmerksamkeit des Hofes lenkte.
Wie er mit den ersteren beiden im Laufe des Sommers persönlich anzu-
knüpfen suchte und welcher Bescheid ihm von diesen Seiten wurde, haben

wir bereits erzählt. Daß ähnliches auch mit Kübeck geschah, möchten wir bezweifeln, da Kübeck gerade im Sommer 1848 eine lebensgefährliche Krankheit durchmachte und, sobald er konnte, jedenfalls vor dem October, sich auf sein Gut Lechwitz in der Nähe von Znaim zurückzog um daselbst in abgeschiedener Ruhe seine stark erschütterte Gesundheit herzustellen.

Als daher der Aufstand in Wien losbrach befand sich der Hof in keiner Beziehung ohne Fingerzeig, und wie unmittelbar nach der Abreise von Schönbrunn Graf Moriz Pálffy nach Prag gesandt wurde, so erhielt am 8. in Herzogenburg Graf Grünne, Kammer=Vorsteher bei Erzherzog Franz Joseph, den Auftrag den Fürsten Schwarzenberg an das kaiserliche Hoflager zu berufen. Das bezügliche Schreiben an seine Adresse zu bringen, was in der damaligen Lage durchaus keine Kleinigkeit war, übernahm ein junger Officier, Conte Baldasseroni, der als Proletarier verkleidet am 9. October glücklich in den Schwarzenberg=Garten gelangte. Fürst Felix hatte kurz zuvor einen Hilferuf an seinen Schwager nach Prag abgehen lassen; er hoffte auf Verstärkungen die Fürst Reuß aus Mähren senden könne, vorzüglich aber auf Jelačić den man in Ungarisch=Altenburg wußte; bis dahin war das Lager einerseits nach der Stadt hin andrerseits von der Seite des Belvedere gegen jeden Angriff zu halten. Unter solchen Umständen war es nur zu gerechtfertigt daß Schwarzenberg seinen Posten nicht ohne weiters verlassen wollte, sondern an seinerstatt den Legations=Rath Hübner als „Mann seines Vertrauens" mit der Entschuldigung sandte, er selbst könne für den Augenblick von Wien nicht abkommen.

Stadion hatte sich, nachdem er am 7. Abends Wien verlassen, nach Stráznic in Mähren, einer Herrschaft seines Schwagers Grafen von Magnis, begeben, wo er sich vor aller Welt verborgen und verschlossen hielt. In der Nacht vom 8. zum 9. kamen ihm Warrens und Graf Clam=Martinic dahin nach; sie hatten ihm, von Öttel abgesandt, die Nachricht von der Reise des Hofes nach Olmütz und von der beabsichtigten Bildung eines Ministeriums, woran er sich zu betheiligen habe, zu überbringen. Die beiden Reisenden fanden im Schlosse zu Stráznic erst keinen Einlaß; die Hausleute argwohnten in ihnen Wiener Serblinge oder Kundschafter und wollten von einem Grafen Stadion gar nichts wissen; erst als Martinic dem Schloßherrn vorgestellt zu werden verlangte kam der Gewünschte aus seinem Versteck hervor. Wir führen diese Einzelnheiten an, weil sie Streiflichter auf den Charakter jener

seltsam bangen und erregten Tage werfen, deren Eindrücke unsere leicht=
lebige Zeit bereits verwischt zu haben scheint. Stadion hatte in seiner
selbst gewählten Abgeschiedenheit den Entschluß gefaßt sein Mandat als
Abgeordneter zurückzulegen, die bezügliche Erklärung war bereits aufge=
setzt; auf Warrens' Vorstellungen unterließ er den Schritt. Am 9. kehrte
Warrens nach Wien zurück; Stadion und Martinic fuhren zunächst nach
Eisgrub, wo Fürst Liechtenstein näheres über die Richtung anzugeben
wußte die der Hof eingeschlagen, und von da weiter nach Pulkau wo
sie am 10. eintrafen. Hier fanden Besprechungen zwischen Stadion,
Joseph Lobkovic und Grünne statt, in Folge deren Stadion mit seinem
jungen Begleiter sich auf den Weg nach Lechwitz machte; Hübner, der
mittlerweile auch in Pulkau eingetroffen war, kam ihnen nachgefahren.
Kübeck wollte, um jedes Aufsehen zu vermeiden, die Herren nicht in seinem
Schlosse empfangen; er fürchtete den Postmeister im Orte, einen Haupt=
Radicalen der, wie es hieß, erst jüngst am 6. October in Wien gewesen;
so wurde denn ein Ort im Walde bestimmt wo man am 11. Morgens
unter freiem Himmel berathschlagte. Kübeck lehnte mit Berufung auf seine
noch immer geschwächte Gesundheit jede Übernahme eines Portefeuilles
für seine Person ab, war aber im allgemeinen damit einverstanden, daß
für's erste nur ein Übergangs=Ministerium zu bilden wäre dem die Auf=
gabe zufiele die Ordnung herzustellen; erst bis der Wiener Aufstand be=
siegt und, wie man meinte, die Nothwendigkeit von Ausnahmszu=
ständen behoben sein würde, sollte die Zusammensetzung eines Ministe=
riums mit Schwarzenberg und Stadion an der Spitze nachfolgen. Übri=
gens hatte diese Besprechung, sowie die anderen die ihr vorhergingen oder
unmittelbar auf sie folgten, einen bloß vorläufigen Charakter; für ent=
scheidende Entschlüsse wurde auf das Eintreffen des Fürsten Windisch=
grätz aus Prag gewartet. Inzwischen hatte der Lechwitzer Postmeister
gegen Stadion und dessen jungen Begleiter die in seinem Gasthause ein=
gekehrt waren Verdacht geschöpft, sei es daß er Stadion erkannte oder
daß ihm ihre Ankunft in später Nacht aufgefallen war, und er traf
allerhand Anstalten sich ihrer Personen zu versichern. Man sieht daß
die Postmeister nicht blos in der französischen Revolution sondern auch in
unserer österreichischen ihre Rolle zu spielen hatten, wenn auch hier mit
weniger Erfolg; denn die Gegenkünste des Grafen Martinic wußten
alle Bemühungen des heimtückischen Wirthes zu vereiteln. Als man sich
glücklich auf der Straße nach Znaim befand sagte Stadion lachend zu

feinem Reisegefährten: „Meinen Sie daß es Amtsmisbrauch wäre, wenn ich, Minister geworden, dem Kerl es entgelten ließe?" In Znaim traf man am 11. Abends noch einmal mit dem Hofe zusammen, der am 12. seine Reise nach Selovic fortsetzte; Stadion dagegen fuhr nach Prag, trat daselbst mit den böhmischen Abgeordneten in Berührung und suchte Helfert auf, dem er die ersten Vorschläge in das Ministerium zu treten machte.

Während der mährischen Kreuz= und Querzüge Stadion's befand sich Schwarzenberg noch immer im Lager zu Wien. Es sagte ihm gar nicht zu ohne weiters den Degen mit der Feder zu vertauschen; als ihn General Mertens bei einem Anlasse an die Herzogenburger Einladung mahnte, gab er zurück: „Pah, so etwas muß man sich zweimal sagen lassen!" Es wurde ihm auch bald darauf zum zweitenmal gesagt. Von Prag war Moriz Pálffy mit der Botschaft des Fürsten Windischgrätz zurückgekehrt: er werde demnächst in Olmüz eintreffen, inzwischen möge der Hof Felix Schwarzenberg aus Wien berufen und in allem dessen Rath hören. So ging denn an den letzteren eine zweite bringendere Einladung ab, und nun durfte er nicht länger säumen. Schwarzenberg hatte den Ruf etwa am 11. Nachmittags erhalten; in der Nacht vom 12. zum 13. traf er in Selovic ein, wo er sich zur Noth bei dem Grafen Grünne einquartierte, und ging Tags darauf nach Olmüz voraus, immer noch in der Meinung sobald als möglich wieder zur Armee gehen zu können.

In Olmüz trafen der Hof, Wessenberg und Schwarzenberg von neuem zusammen: Wessenberg der bisherige Minister=Präsident der zu-rückzutreten wünschte, und Schwarzenberg, der von Windischgrätz be-zeichnete Minister=Präsident der nicht annehmen wollte. Des Ersteren Verlangen war begreiflich. Was Schwarzenberg betraf, so meinte er nicht blos für den Augenblick bessere Dienste im Felde leisten zu können als im Cabinet, es sagte dies auch seinen jetzigen Neigungen mehr zu. Er war in seinen jüngeren Jahren thatsächlich nur kurze Zeit Soldat gewesen; er hatte es, als er die diplomatische Laufbahn betrat, nur bis zum Escadrons=Commandanten gebracht, war in alle weiteren Grade bis zum General hinaufgerückt ohne auch nur bei einer Parade den Degen aus der Scheide zu ziehen; er hatte also durchaus keine Gele-genheit gehabt seine nicht sehr ausgebreiteten Rittmeister=Erfahrungen zu befestigen, zu vermehren, zu erweitern, und so zeigten sich in der That,

als er im Frühjahr 1848 im Felde auftrat, Lücken in seinem militäri=
schen Wissen mitunter in ganz einfachen Dingen. Allein er besaß Geist,
er hatte Muth, und auch das Glück war ihm bis zum Tage seiner Ver=
wundung bei Goito entschieden hold. So konnte sich in ihm die Mei=
nung festsetzen, die Gunst des Augenblicks mache im Kriege alles, die
Sache gehe wenn man sie nur keck anzufassen wisse eigentlich von selbst;
er getraute sich einen mindestens eben so guten General als Diplomaten
abgeben zu können, und als sein Schwager in Olmütz eintraf verlangte
er nichts dringender als ein Commando unter dessen Befehle. Doch
Windischgrätz dachte anders. Was er für die glückliche Durchführung
seiner Pläne brauchte, waren vor allem vertrauenswürdige Räthe der
Krone in seinem Rücken, kein Übergangs=Ministerium, sondern ein end=
giltiges, und Schwarzenberg sollte ihm dies bilden. Alle Einwendungen
des letzteren blieben ohne Erfolg, und es war darum ein wahres Opfer
von seiner Seite, als Fürst Felix zuletzt nachgab und sich bereit erklärte
die Bildung eines neuen Ministeriums unter der Voraussetzung auf sich
zu nehmen, daß weder Wessenberg noch Kraus ein solches zustande zu
bringen vermöchten. Am 19. October ging Windischgrätz zur Armee ab,
und von demselben Tage datirte das Allerhöchste Handschreiben, das
Schwarzenberg mit dem Auftrage betraute unter seinem Präsidium ein
Cabinet zu bilden. Eine Publicirung erfolgte nicht; im Gegentheil wurde
alles mit einer Geräuschlosigkeit und als eine Sache engsten Vertrauens
betrieben, so daß außer den Eingeweihten — zu denen, wie es scheint, nicht
einmal Wessenberg gehörte — in Olmütz, geschweige denn in Wien,
niemand eine Ahnung hatte daß bereits der Mann am Webstuhle der
Geschicke Österreichs sitze der die schwierigste aller Aufgaben zu lö=
sen hatte.

Stadion befand sich bereits seit mehreren Tagen in Olmütz und
bewegte sich fast ausschließlich in den Kreisen der Abgeordneten, die
sich um diese Zeit theils mit Botschaften aus Prag oder aus Wien
theils als Reichstagsflüchtige daselbst befanden. Es bildete sich auf diese
Art neben dem Rumpf=Parlament zu Wien und dem Secessionisten=Lager
zu Prag eine dritte Gruppe, eine Art ephemeren Winkel=Parlaments
zu Olmütz, das seine zu= und abgehenden Theilnehmer bis auf wenige
Stammgäste fortwährend wechselte und wo mitunter die wichtigsten Fra=
gen berathen wurden. Von da nahm das kaiserliche Manifest vom 19.,
das an die Stelle jenes vom 16. gesetzt wurde, seinen Ausgang; hier

stießen die Meinungen über das Schicksal Wien's in heftigem Anprall
aneinander; hier kamen selbst die großen Gestaltungsfragen der Mon=
archie zur Sprache. In entscheidenden Wendepunkten, wie namentlich
in der Manifest=Frage, machte Stadion den Vermittler zwischen den
Abgeordneten und dem Fürsten Schwarzenberg, der dann gelegenheitlich
mit dem Olmüzer Winkel=Parlament oder mit Einzelnen aus dessen
Mitte in Berührung kam. Sonst war Schwarzenberg meist um den
Hof beschäftigt und empfing Jene, an die nun der Reihe nach die Be=
rufung nach Olmüz erging, in seiner bescheidenen Wohnung in der
Festungs=Commandantur. Stadion war viel um ihn, doch ohne eine
ausgesprochene Bestimmung zu haben; er schien dem Hofe nicht näher
zu stehen als irgend einer der Andern und lehnte die Andeutungen, die
ihm von Seite seiner Reichstags=Collegen wegen seines Eintrittes in das
Ministerium gemacht wurden, beharrlich ab: „die Zeit für ihn sei noch
nicht gekommen."

In der That war es nicht Stadion an den Schwarzenberg für das
Portefeuille des Innern in erster Linie dachte, sondern Bach in den man
auch bei Hof seit dessen wiederholtem entscheidenden Auftreten in der
Winter=Reitschule großes Vertrauen setzte; allein Bach war zur Stunde
noch nicht aufzufinden. Inzwischen ergingen auf Stadion's Empfehlung
Telegramme nach Prag an Helfert, nach Frankfurt an Bruck, nach Wien
an General Mertens welch' letzteren Fürst Felix in den Lager=Tagen
des Schwarzenberg=Gartens näher kennen gelernt hatte. Auch Kraus
wurde an das kaiserliche Hoflager berufen, um wegen der Bildung des
Ministeriums mit ihm zu unterhandeln. Doch stieß man anfangs fast
überall auf Einwendungen oder geradezu Ablehnungen. General Mertens
dem das Kriegs=Ministerium zugedacht war berief sich darauf daß ihn
der Feldmarschall für den Posten seines General=Adjutanten ausersehen
habe, was von Windischgrätz' Seite bestätigt wurde. Bei dieser Ge=
legenheit scheint die Frage zum erstenmal zur Sprache gekommen zu
sein, ob es denn nothwendig ein Militär sein müsse dem die Leitung des
Kriegswesens anzuvertrauen wäre; Stadion verfocht das britische System
wo man dieses Departement gleich allen anderen als eine bloße Ver=
waltungssache ansehe. Diese Ansicht entsprach auch vollkommen den An=
schauungen des Fürsten Windischgrätz der schon in den April=Tagen dar=
auf gedrungen hatte, die Armee=Verwaltung die allein Gegenstand der
constitutionellen Thätigkeit des Ministeriums sein könne, von dem

Armee-Oberbefehl „als einer dem Souverain allein vorzubehaltenden Prärogative" zu trennen. So verfiel man auf den Hofrath im Kriegs-Ministerium Johann Ritter v. Schöllhaimb, der den Ruf eines tüchtigen militärischen Administrateurs hatte und der auch, nach Olmütz berufen, keine Schwierigkeiten machte den ihm zugedachten Posten anzunehmen. Indessen wurde ein endgiltiger Entschluß über diesen Punkt vorderhand nicht gefaßt.

Auch Dr. Helfert aus Prag hatte sich bereits eingefunden. Es war ihm zuerst das Portefeuille der Justiz und daneben eine Rolle, die man heute als die eines Sprech-Ministers zu bezeichnen pflegt, zugedacht, weil er den doppelten Ruf eines ausgezeichneten Juristen und eines ausgezeichneten Redners genoß. Beides ohne rechten Grund. Er hatte allerdings mehrere Abhandlungen veröffentlicht, die aus verschiedenen Gründen in juristischen Kreisen einiges Aufsehen erregten; allein es waren Lampen-Arbeiten. Er hatte im Wiener Reichstagssaale ein paarmal Reden gehalten, die in einigen wichtigeren Momenten die Entscheidung herbeiführten; allein es waren in der Regel keine schlagfertigen Eingebungen im Augenblick des Bedarfes, was eigentlich den Redner bekundet; gerade die bedeutendste derselben war eine Tage lang vorbereitete, mit Muße ausgearbeitete. Dabei war er jung, kaum achtundzwanzig Jahre alt, und ohne alle geschäftliche Erfahrung; ein paar Jahre lässigen Amtirens beim Prager Fiscal-Amte und bei der Wiener Hofkammer-Procuratur und acht Monate suppletorischer Professur in Krakau waren seine ganze Lehrzeit. Endlich brachte er eine Eigenschaft mit, die einem neu zu bildenden Ministerium kaum Vortheil bringen konnte: sein Name trug den ausgesprochenen Stempel dessen was zu jener Zeit unter dem Schlagwort „reactionär" als der schlimmste Makel galt der einem öffentlichen Charakter ankleben konnte. Seine Anträge hatten in der Entschädigungs- und in der ungarischen Deputations-Frage zum großen Verdruße der Linken den Ausschlag gegeben, und vielleicht mehr noch als dies war es die Schärfe seines Auftretens in der Journalisten-Logen-Frage, was ihn bei der radicalen Partei in einem Grade verhaßt machte, daß von ihr mit Schadenfreude jede passende Gelegenheit ergriffen wurde sein Wirken in möglichst ungünstigem Lichte erscheinen zu lassen. Allein Stadion hatte großes Vertrauen zu ihm gefaßt und auch Schwarzenberg, ohne Zweifel durch jenen beeinflußt, drang wiederholt in ihn. Helfert erbat sich Bedenkzeit, die er dazu benützte nach Prag zurück-

zukehren und sich mit seinen böhmischen Reichstags-Collegen in's Ein=
vernehmen zu setzen [24]).

Der erste von den neuen Männern der dem Cabinete gewonnen
wurde war Karl Ludwig von Bruck. Am 18. October 1798 zu Elber=
feld in Rhein=Preußen geboren, eines Buchbinders Sohn, war er für
die Handlung erzogen und machte nebstbei den Landesgesetzen gemäß den
einjährigen Freiwilligen=Dienst in einem Uhlanen=Regimente durch. Reich
begabt, kühnen Geistes, von romantischer Thatenlust getrieben, hatte er
es 1820 versucht bei der britisch=ostindischen Compagnie Verwendung zu
finden, und als es damit nicht ging, den Entschluß gefaßt sich den Reihen
der Philhellenen anzuschließen und für die Befreiung classischen Bodens
von der Oberherrschaft des türkischen Halbmondes in den Kampf zu
gehen. In solcher Absicht kam der kaum dreiundzwanzigjährige Jüng=
ling nach Triest, wo die griechischen Ereignisse alle Kreise bewegten. In
Triest selbst lebten viele griechische Familien. Dazu zahlreiche Flücht=
linge, oft mehrere Schiffe angefüllt mit solchen die dem Blutbade von
Smyrna (Juni 1821), der furchtbaren Metzelei von Scio (Mai 1822)
entronnen waren und nun die Stadt mit der Schilderung dieser Schreckens=
und Jammer=Scenen erfüllten. Auch der Seehandel litt empfindlich durch
die Blokade, welche die „Insurgenten" auf alle otomannischen Küsten
ausdehnten, und die traditionelle Seeräuberei die sie nebenher trieben.
Unter solchen Umständen mußte der junge Rheinländer längere Zeit auf
eine Gelegenheit zur Überfahrt warten, bis ihn der preußische Consul
des Ortes, ein Herr von Brandenburg, beredete zu seiner ursprünglichen
Bestimmung zurückzukehren. „Reich an Hoffnungen aber ziemlich arm
an Mitteln", dabei tüchtig verläßlich unverdrossen im Geschäfte, begann
er seine Triester Laufbahn mit der bescheidenen Stelle in einem kauf=
männischen Comptoir. Bald weiß er sich geltend zu machen, verschiedene
Blicke richten sich auf den vielbegabten dabei kräftigen und schönen jun=
gen Mann, und nach acht Jahren, Secretär der Azienda assicuratrice,
ist er in der Lage um die Hand der Tochter eines der angesehensten
Triestiner Kaufherrn, Buschek, zu werben. Von da an sehen wir sein
Gestirn in raschem Aufsteigen begriffen. Im Jahre 1833 ist er Be=
gründer einer anfangs unansehnlichen Einrichtung. Nach dem Vorbilde
und Namen des stolzen Londoner „Lloyd" richtet er ein bescheidenes
Zimmer im Hause Vivante (Contrada del Canale piccolo) zu einem
Mittelpunkte ein, wo die für die verschiedenartigen Geschäfte des Platzes

wichtigen Schiffahrts= und Handels=Nachrichten zusammenlaufen; ein=
fache Bleistift=Notizen vertreten die Stelle kaufmännischer Bulletins.
Unter Bruck's schöpferischem Walten gewinnt die junge Anstalt von Jahr
zu Jahr an Bedeutung, an Kräften und Mitteln. Fürst Metternich, der
einen lebhaft entwickelten Sinn für den Aufschwung der materiellen In=
teressen besaß, nimmt sich ihrer mit Wärme an, wird Schutzherr der=
selben („Protettore del Lloyd Austriaco") und ihr mächtiger Für=
sprecher beim Monarchen. Der Lloyd richtet sich eine Druckerei ein und
begründet 1834 ein eigenes Journal, das anfangs blos Handels= und
Schiffahrts=Nachrichten bringt, bis es mit dem Eintritte R. Löwenthal's
in die Redaction zugleich in national-ökonomischer Richtung zu wirken
versucht. Im Jahre 1836 eröffnet der Lloyd ein zweites weiteraus=
sehendes Gebiet seiner Thätigkeit: es bildet sich eine Dampfschiffahrts=
Gesellschaft. Das Gründungs=Capital wird anfangs auf eine Million
Gulden beschränkt und durch den Einfluß des Fürst=Staatskanzlers das
Bankhaus Rothschild in Wien gewonnen, durch den Credit seiner be=
rühmten Firma die Gelder herbeizuschaffen. Im August entsendet der
Verwaltungsrath der nunmehr constituirten Gesellschaft den kaiserlichen
Hauptmann Philipp Reyer (L.=Inf.=Reg. Nr. 22) in Begleitung eines
erfahrenen See=Capitäns in die Levante, um in den verschiedenen Häfen
die Verhältnisse zu erforschen, Agenten zu werben, Verbindungen anzu=
knüpfen, praktische Beobachtungen nach jeder Richtung zu sammeln. Im
April 1837 trifft das erste in London erbaute Dampfschiff, der „Erz=
herzog Ludwig", in Triest ein und beginnt am 16. Mai seine erste Fahrt
über Ancona Corfu Patras Piräus Syra und Smyrna nach Con=
stantinopel. Noch im selben Jahre laufen in Triest selbst der „Fürst
Metternich" und der „Graf Kolovrat" vom Stappel und unternimmt der
letztere eine Fahrt nach Alexandrien. Zur selben Zeit hat sich unter den
Auspicien des Erzherzogs Johann in Grätz ein Verein zur Beförderung
der Industrie und der Gewerbe in Inner=Österreich gebildet; auf Ver=
anlassung des kaiserlichen Prinzen treten in Triest die Kaufherren Ignaz
Walland, Thaddäus v. Reyer und Bruck zusammen und es entsteht eine
Actien=Gesellschaft behufs Förderung der Ausfuhr aller Arten von Natur=
und Kunst=Producten aus Steiermark und Illyrien über Triest. Im
Schoße dieser Gesellschaft wird der Gedanke einer Eisenbahn=Verbindung
zwischen der kaiserlichen Hauptstadt und dem ersten Hafenplatze des
Reiches angeregt; unter Mitwirkung der steirischen Stände werden Pläne

Karten Ausarbeitungen dafür geliefert. Am 19. September 1838 hält
der neue Verein im großen Saale des Börsengebäudes seine erste
General-Versammlung; Erzherzog Johann eröffnet sie mit einer Ansprache, die Bruck als Director des Lloyd mit Worten tiefgefühlten
Dankes für den hohen Gönner erwiedert. So finden wir Bruck's Namen
mit allem verflochten was den Aufschwung seiner zweiten Vaterstadt zu
fördern im Stande ist. Im Jahre 1839 bildet sich als weitere Abtheilung des Lloyd eine Actien-Gesellschaft zur Aufführung eines Vereins-
Gebäudes und 1840 beginnt auf dem Börsen-Platze gegenüber der Börse
das „Tergesteum" aus dem Boden zu steigen, ein Prachtbau der nun
in großartigem Maßstabe wird was wenige Jahre früher das einfache
Gelaß in der Casa Vivante gewesen war. In demselben Jahre 1840
wird in Triest nach dem Beispiele anderer Metropolen ein „Kunst-Ver-
ein" begründet; unter seinen ersten Directoren befindet sich Bruck.

Hatten Bruck's weit aussehende Pläne oft genug mit bureaukratischen Hemmnissen und Schwierigkeiten zu kämpfen gehabt, so gewann
alles freieren Fluß als mit Stadion ein Mann selbstseigener Schaffens-
luft an die Spitze der politischen Verwaltung des Küstenlandes trat.
Stadion veranlaßte daß die österreichischen Consular-Berichte, bis dahin
fast unbenützt in den Archiven der Wiener Staatskanzlei begraben, regelmäßig dem küstenländischen Gubernium mitgetheilt wurden, das sie dem
„Journal des österreichischen Lloyd" zur Veröffentlichung übergab. Auch
dadurch erhöhte Stadion die Bedeutung dieses Journals, in dessen Redaction von ihm Ernst v. Schwarzer gezogen wurde, daß er einsichtsvolle
Kaufleute aufmunterte ihre Ansichten und Erfahrungen in den Spalten
dieser Zeitschrift zu gemeinem Nutzen bekannt zu geben. Seine neuen
Schulbücher übergab er der Druckerei des Lloyd, die dadurch eine
dauernde gewinnbringende Beschäftigung erhielt. Stadion lenkte das Augenmerk der Börsen-Deputation auf die Anbahnung unmittelbarer Verbindungen mit Ost-Indien und China und bewog sie zur Ausrüstung einer
Mission dahin, mit der 1842 ein gewandter Geschäftsmann Peter Erichson
in Begleitung eines jüngeren Industriellen A. G. Conighi betraut wurde.
Alle Unternehmungen des Lloyd wurden wie neu belebt; er entfaltete
täglich einen weitern Wirkungskreis, gebot über stets reichere Hilfsmittel.
Durch die Übernahme der zu den Reisen nach dem Schwarzen Meere
bestimmten Dampfschiffe der Donau-Gesellschaft kam er in die Lage seine
Fahrten, die mit der regelmäßigen Seeverbindung nach Venedig begonnen,

allmälig die dalmatinischen Küstenstädte, die jonischen Inseln, Griechen-
land und den Archipelagus, Constantinopel in ihren regelmäßigen Verkehr gezogen hatten, bis Alexandrien, Syrien und die Donau-Mündungen
auszudehnen und in dieser Weise die Küsten dreier Welttheile in geordnete
Berührung zu bringen. So war der Lloyd in dem Zeitraume weniger Jahre
zu einem weltgebietenden Institute geworden, als die Versuche des britischen
Lieutenants Thomas Waghorn, der indischen Überlandpost eine kürzere Linie
über Triest zu verschaffen, die ganze commercielle Welt von Calcutta bis
London in Bewegung setzten. Es war wohl der großartigste Wettlauf den
die Weltgeschichte kennt, als die Träger der beiden ost-indischen Post-
Felleisen am 1. October 1845 aus dem Hafen vom Bombai ausliefen,
gemeinschaftlich bis Alexandrien fuhren und von da der eine die Richtung
von Marseille, der andere, Lieutenant Waghorn, die von Triest einschlu-
gen. In einer der finstersten October-Nächte harrten Stadion, Bruck und
die Elite der Triester Kaufmannschaft der Ankunft des letzteren in dem
um zwölf englische Meilen London näher gelegenen Duino; nur die
Raketen, welche die Triestiner vom Ufer aufsteigen ließen, dienten Waghorn zur Leuchte, der in Duino aus den Händen des Gouverneurs einen
auf kaiserlichen Befehl für Oesterreich Bayern Baden Preußen und
Belgien ausgefertigten, von den Gesandten dieser Länder in Wien mit-
unterzeichneten Paß empfing und sodann rasch seine Reise nach Ostende
fortsetzte. Auch mit den weitern Probefahrten Waghorn's im Herbst 1846
und im Winter 184⁶/₇ waren die Organe des österreichischen Lloyd und
namentlich Bruck's erfinderische Thätigkeit auf das innigste verbunden;
und wenn sich aller Anstrengungen ungeachtet zuletzt das ganze Project
zerschlug, so war das eben so wenig seine Schuld als sein Nachtheil.
Denn der Name des thatkräftigen Bevollmächtigten des Triester Lloyd
war dabei in allen deutschen Kreisen zu einer Bedeutung gelangt, die
nicht ohne Folgen bleiben sollte.

Daß der Mann in seinem Charakter nichts von einer Wetterfahne
hatte, bewies er in den Tagen, wo mit dem Eintritt der achtundvierziger
Ereignisse plötzlich eine neue gewaltige Strömung alles vordem Geachtete
und in Ehren Gehaltene hinwegzuschwemmen drohte. Bruck befand sich
im Tergesteum in dessen Lesesaal ein großes Bildnis Metternich's, eine
gelungene Copie des Lawrence'schen Originals, aufgehängt war, als ein
wilder Schwarm hereinstürzte um es von der Wand zu reißen und durch
die Straßen zu zerren. Bruck stellte sich allein den Stürmenden entgegen,

hielt ihnen vor, dies sei das Bild eines Mannes dem die wichtigste
Anstalt der Stadt einen großen Theil ihres Aufschwungs verdanke, und
brachte sie dahin von ihrem Vorhaben abzulassen. Nachdem sie fort waren,
sorgte er allerdings dafür das Bild herunternehmen und an einem sichern
Ort in Verwahrung bringen zu lassen; eine bald darauf neuerdings ein=
dringende Rotte fand sich überrascht, statt dem Bildnisse des gestürzten
Staatskanzlers, jenem des Kaisers gegenüber, vor dem sie in die Kniee
sank und entblößten Hauptes die Volks=Hymne anstimmte. Ein paar
Tage später ereignete sich ein anderer Vorfall. Venedig hatte seine Un=
abhängigkeit verkündet; in Triest tauchte wie über Nacht eine ungemein
rührige Partei auf, die sehnsuchtsvolle Blicke, schwülstige Sympathie=
Adressen nach der „Schwesterstadt" hinübersandte; Gasthöfe Kaffeehäuser,
die Schaufenster der Läden schmückten sich mit tendenziösen Inschriften,
mit Bildnissen italienischer Freiheitshelden, als Bruck in Nationalgarde=
Kleidung an einem dieser Orte, wo das Schild „Café Tommaseo" frisch
aufgehängt war, vorüberging und es in aufwallendem Zorn mit dem
Bajonnet herunterschlug. Es entstand augenblicklich ein Auflauf, vor
dessen Zornausbrüchen sich Bruck nur durch eilige Entfernung retten konnte.
Sein Leben war für den Augenblick nicht sicher in Triest und er ging
auf einige Zeit nach Wien. Allein ein Beispiel persönlichen Muthes war
gegeben, Bruck's gewaltige Persönlichkeit hatte die Plane der Italianissimi
durchkreuzt, die deutsch=österreichische Partei schaarte sich um ihn. In
Deutschland war er nicht vergessen. Sein Name befand sich in der Reihe
jener sechs Österreicher, die zu dem Vor=Parlament in Frankfurt einge=
laden wurden; als es dann zur Beschickung der National=Versammlung
kam, setzte die österreichische Partei in Triest seine Wahl in erster Reihe
durch. Ein paar Wochen später bei Bildung des Ministeriums Wessen=
berg=Doblhoff kam bereits Bruck's Name für das Portefeuille des Han=
dels in Frage; der Posten wurde zuletzt anderweitig besetzt, für Bruck
fand sich einstweilen eine Verwendung am Sitze der deutschen Central=
Gewalt. Preuße von Geburt aber Österreicher durch Wahl und Bestim=
mung, Deutscher von Abstammung aber Bürger einer national gemischten
Stadt, war Bruck die geeignetste Persönlichkeit, für Österreichs politische
und commercielle Interessen am adriatischen Meerbusen in die Schranken
zu treten, und sicher war es nicht blos landsmannschaftliche Vorliebe zu
nennen was den damaligen Wiener Arbeits=Minister Schwarzer bewog,
Bruck zum Bevollmächtigten der kaiserlichen Regierung in Frankfurt vor=

zuschlagen. In dieser Stellung befand er sich, als ihn im letzten Drittel
des October ein Telegramm Wessenberg's nach Olmüz rief, und mit
gehobenem Selbstgefühl folgte er einer Einladung die ihm, dem bürger=
lichen Kaufmann und Schiffsherrn, einen Platz in dem obersten Rathe der
Krone brachte, die oberste Leitung der Handels=Interessen von ganz
Österreich in seine Hände legte [25]).

Die Wahl war eine vortreffliche zu nennen. Es läßt sich ohne
Übertreibung sagen, daß kein Mann in Österreich auch nur annäherungs=
weise die Eigenschaften besaß die Bruck für den ihm zugedachten Posten
mitbrachte. Selbstbegründer seines Glücks und seiner Größe, geistiger
Schöpfer und Förderer der weitest aussehenden Unternehmungen eines
Platzes von Triests mercantiler Bedeutung, vereinte er praktischen Blick
und reiche Erfahrung mit vorurtheilsfreier Entschlossenheit, erprobter
Thatkraft und Ausdauer, um den vielfach verwahrlosten, von den Ban=
den abgenützter Herkömmlichkeiten befangenen Zuständen des österreichi=
schen Handels und Gewerbes neues Leben einzuhauchen und ihnen einen
Aufschwung zu geben, wie ihn die reichen Hilfsmittel und die geogra=
phische Lage dieses Staates ermöglichten. Bruck kannte seine Leute und
kannte seine Zeit. „Die Triestiner", äußerte er gesprächsweise einmal in
Frankfurt, „sehen ihren Vortheil vor allem in der Aufrechthaltung ihrer
alten Privilegien und Freiheiten und wollen nicht begreifen daß die
Freiheit alle Freiheiten entbehrlich, alle Privilegien unmöglich macht.
Von gleich beschränkter Auffassung sind die meisten unserer Industriellen
und Fabricanten, die in dem Fallen der Zollschranken auch das Fallen
ihres Wohlstandes, eine bedrohliche Erschütterung des Handels und der
Gewerbe erblicken würden. Sie begreifen nicht daß jede Übergangs=Periode
Opfer erheischt, oder sie schlagen diese Opfer höher an als die Vortheile
die ihnen in Zukunft daraus erwachsen würden. Im Princip sind diese
Leute entschieden im Unrecht, allein in der Praxis kann man nicht umhin
den thatsächlichen Umständen, selbst wenn sie auf Irrthümern beruhen,
gebührende Rechnung zu tragen" [26]). Wahrlich, Bruck hatte staatsmänni=
schen Blick und Geist bevor ihm die Rolle eines Staatsmannes beschie=
den war, er hatte den Verstand früher als das Amt. „Quod sis, esse
velis", nahm er zu seinem Wahlspruch, und die Monarchie sollte in ihm
einen Minister bekommen, der wußte was sein Posten verlangte, der,
was er wußte, wollte und, was er wollte, that. —

Die Verhandlungen mit den genannten Männern fanden in Olmüz ſtatt während an der Donau die Würfel noch im Rollen waren, und in kaum geringerem Maße als von der Belagerung Wien's ſehen wir den Fürſten Windiſchgrätz von dem Zuſtandekommen des neuen Miniſteriums in Anſpruch genommen. Kaum im Lager eingetroffen wird er gleichzeitig, 21. October, von Weſſenberg und von Schwarzenberg beſtürmt „den künftigen Kriegs=Miniſter" General Mertens „von einem kleinen Kanzlei= Perſonale begleitet" unverzüglich nach Olmüz zu ſchicken. Zwei Tage ſpäter klagt ihm Weſſenberg, „noch ſei keiner von den projectirten Miniſtern zu Olmüz eingetroffen und doch rücke der Zeitpunkt wo eine compacte Regierung fertig daſtehen müſſe immer näher heran"; zugleich überſendet er eine Aufforderung an den Miniſter Kraus nach Olmüz zu kommen „falls der Feldmarſchall deſſen Anweſenheit in Wien nicht für nothwendiger erachten ſollte". Am 25. beſpricht Weſſenberg abermals die Nothwendigkeit ein Miniſterium zuſtande zu bringen „das zu adminiſtri= ren verſteht"; ob er dies im Stande ſein werde ſcheine ihm noch ſehr zweifelhaft, daher er wünſche „daß ſich ein mit den inneren Verhältniſſen der Monarchie mehr vertrauter Staatsmann fände welcher die Löſung der Aufgabe übernehmen wollte". Am 27. folgt die Mittheilung, daß weder er Weſſenberg noch Kraus noch ſonſt ein Mitglied des letzten Miniſteriums, ſondern allein Fürſt Felix Schwarzenberg im Stande ſei ein Miniſterium zu bilden das zugleich den Intereſſen der Dynaſtie und den Bedürfniſſen des Staates entſpräche; „dieſe große Aufgabe muß bald gelöſt werden, ſoll nicht die ganze Maſchine in's Stocken gerathen." Dem müden und erſchöpften alten Herrn brannte der Olmüzer Boden unter den Füßen; er ſehnte ſich nach Entbindung von allen Geſchäften um in ſeine Heimat zurückkehren zu können. Noch denſelben 27. October ſcheint er ſich hingeſetzt und ſein Entlaſſungsgeſuch niedergeſchrieben zu haben, das er Tags darauf, 28., in die Hände ſeines Monarchen legte und dabei auf den Fürſten Felix hinwies, dem die Bildung eines neuen Cabinets und die Präſidentſchaft darin zu übertragen wäre. Der letztere machte hievon ſogleich ſeinem Schwager Mittheilung und wendete alles an, den Schritt Weſſenberg's wo nicht rückgängig zu machen, b zum mindeſten aufzuhalten: „er, Schwarzenberg, habe b niſterium zu bilden wohl übernehmen können, allein den gegenwärtigen Umſtänden nicht auszuführen, nig bekannt ſei um die geeigneten Leute zu fin

habe eine gewisse Geltung beim constitutionellen Publicum, und habe Wessenberg einmal die Personen gefunden, dann sei es eher möglich daß sich diese bei näherer Bekanntschaft mit seinen, Schwarzenberg's, Ideen befreunden; wenn sich Wessenberg nicht bewegen lasse wenigstens vierzehn Tage noch auszuhalten, so wisse er in der That nicht wie man die Geschäfte führen, und noch minder wie man dem in vierzehn Tagen sich versammelnden Reichstage entgegentreten könne." Wessenberg seinerseits beharrte auf seinem Begehren und wiederholte es auf's dringendste; „er sei bereits so erschöpft", schrieb er am 31. nach Hetzendorf, „daß er bettlägerig geworden."

Durch das lange Ausbleiben Bach's wurde eine der Hauptfragen für die Zusammensetzung des künftigen Cabinets, die Besetzung des Ministeriums des Innern noch immer in der Schwebe gehalten. Ehe wir darum in unserem Berichte fortfahren, glauben wir uns mit der Persönlichkeit etwas vertrauter machen zu müssen, die wir nun wieder auf dem Schauplatze der Begebenheiten werden erscheinen sehen.

Alexander Bach, am 4. Jänner 1813 zu Loosdorf in Niederösterreich geboren, kam frühzeitig nach Wien, wohin sein Vater Michael, als ihm die Stelle eines Hof- und Gerichts-Advocaten zutheil wurde, übersiedelte. Sprosse einer Familie deren Zusammenleben die edelste Häuslichkeit und deren sämmtliche Glieder die vielseitigste Begabung charakterisirte, wuchs er in Verhältnissen auf, welche die Entwicklung seiner überaus glücklichen Anlagen nach jeder Richtung begünstigten. Scharfer Verstand und Klarheit des Blickes, ein treues Gedächtnis für Personen und Dinge, Leichtigkeit in Aneignung fremder Sprachen, ein gewinnendes heiteres Wesen gepaart mit einem gewissen vornehmen Zug der alles niedrige abwies, hoben schon in frühen Jahren den jungen Mann über die Köpfe seiner Mitgenossen hinaus, wenn auch mancher der letzteren nach der Elle gemessen höher rangirte. Neben der Juristerei worin er sich durch mehrjährigen Dienst bei der k. k. Hof- und n. ö. Kammer-Procuratur praktisch ausbildete, blieb er auch den schönen Künsten, deren einzelne Zweige in mehreren seiner Geschwister befähigte Vertreter fanden, nicht völlig fremd. Er war eifriges Mitglied von einer Art Shakespeare-Club, wo die Stücke des großen Briten gelesen und erläutert wurden; er nahm gern Theil an den geselligen Abenden der „Concordia", wobei er, der weder Schriftsteller noch ausübender Künstler war, bescheiden erklärte: „er sehe wohl ein daß er hier nur ein Geduldeter sei" [27]). Weite Reisen

durch den größten Theil von Europa, darunter nach Athen und Constan=
tinopel, erweiterten eben so sehr den Kreis seiner Anschauungen wie den
seiner persönlichen Berührungen und blieben nicht ohne Einfluß auf sein
späteres Wirken. Bach's selbständige Laufbahn nahm ihren Anfang mit
dem Jahre 1843. Als er da nach dem Tode seines Vaters († 20. De=
cember) dessen hinterlassene Kanzlei, eine der ersten Wiens, übernahm,
war es als ob alle Geschäfte eine neue Gestalt gewönnen, als ob ihnen
jetzt ein anderer Geist eingehaucht wäre. Immer zur Arbeit bereit, überall
gegenwärtig und selbstthätig, gewandt im Rath und flink zur That, er=
oberte er im Sturm das Vertrauen der von seinem Vater übernomme=
nen Clienten und gewann dazu stets neue aus allen Kreisen der Residenz,
die ihre Angelegenheit nicht gehörig versorgt zu haben meinten wenn sie
sie nicht unmittelbar den Händen des jungen Chefs anvertrauten. Auch
außerhalb seiner Advocaten=Kanzlei war Bach in der verschiedensten Art
thätig, und überall wo er eingriff war es sein überlegener Geist dem
sich bewußt oder unbewußt die Anderen fügten. Insbesondere war dies
im juridisch=politischen Leseverein der Fall, jenem „Herde der Revolution"
dessen Mitgliedern der Polizei=Minister Sedlnicky voraussagte daß sie sich
darin „zu Verbrechern lesen" würden. In der That kamen hier, wo nebst
Bach eine Reihe aufstrebender Männer meist jüngeren Alters, Sommaruga
Sohn, Mühlfeld, Würth, Wildner, Hye aus und eingingen, mitunter
Dinge zur Sprache die man im ganzen übrigen Österreich nicht wagen
durfte auf's Tapet zu bringen, und mancher von ihnen begann eine po=
litische Rolle zu spielen noch ehe es in der Monarchie eine politische
Bühne gab. Schon damals wurde unserem Manne von bewundernden
Freunden das Horoskop gestellt daß er, wenn je in Österreich ein Um=
schwung einträte, zu großen Dingen berufen sei. Der Umschwung trat
ein ehe man sich's vermuthete, und nun sehen wir Bach in der rastlose=
sten Thätigkeit. Schon in den ersten März=Tagen des Jahres 1848 bil=
det seine Wohnung in der Singerstraße den Sammelpunkt von gleich=
gesinnten Männern, die mit Fieberglut in den Adern die Mittel und
Wege berathen ihren von Tausenden getheilten politischen Wünschen Ge=
hör und Geltung zu verschaffen. Die Eröffnung der Sitzungen der nie=
der=österreichischen Stände steht bevor: eine Ansprache von Wiener Bür=
gern an dieselben erscheint als das nächstliegende Mittel seinen Zweck zu
erreichen. Bauernfeld wird dazu erkoren die Adresse zu entwerfen, in
Bach's Wohnung wird sie besprochen und berathen. Veröffentlichung des

Staatshaushaltes, gemeinsame ständische Vertretung mit Steuerbewilligung
und Theilnahme an der Gesetzgebung, Öffentlichkeit des Gerichtsverfah-
rens, Repressiv-Maßregeln gegen die Presse an Stelle der Präventiv-
Censur, sind die Hauptpunkte in denen sich alle Wünsche vereinigen.
Auch die große Lebensfrage Österreichs kommt dabei zur Sprache. Bach
erklärt es für gedankenlose Schwärmerei, wenn man Österreich in Deutschland aufgehen lassen und dabei doch als Österreich erhalten wolle; „gegen
die deutsch-nationalen Bestrebungen müsse Österreich eben so auf seiner
Hut sein wie gegen die ungarischen, der Schwerpunkt der Monarchie
dürfe weder in Frankfurt am Main noch in Buda-Pest liegen; die Um-
bildung Österreichs in einen centralisirten, durch demokratische Institutionen befestigten Einheitsstaat sei das Ziel auf das man lossteuern müsse" [28]).
Bei einer zweiten Zusammentretung am 9. wird die Adresse angenommen
und von den Anwesenden unterzeichnet; am 10. werden im Leseverein,
im Gewerbeverein, im Handels-Casino, in der „Concordia" Unterschriften gesammelt; am 11. wird sie dem nieder-österreichischen Landesaus-
schuße im Ständegebäude übergeben. Um zwei Stunden zu spät erscheint
Polizei-Ober-Commissär Felsenthal in Bach's Wohnung, dem gefährlichen
Actenstücke nachzuspüren. Am 13. 14. 15. März finden wir Bach's
Namen mit allen bedeutenderen Ereignissen verflochten. Er ist auf der
Straße, auf der Universität, im juridisch-politischen Leseverein, im Magistrats-Gebäude, im städtischen Unter-Kammeramt, in der Wohnung
Czapka's, in der kaiserlichen Burg, im Bureau Kolovrat's, Pillersdorff's ꝛc.
Er schürt hier, er wirbt da, er drängt dort. Er ist für eine „Revolution
im großen Styl"; er verlangt eine verantwortliche Regierung die der
krankhafte Zustand des Kaisers nothwendig mache; er warnt davor daß
man sich mit „Abschlagszahlungen" abfinden lasse. Man ist erstaunt über
die schonungslose Sprache deren er sich bedient; es ist ein rother Demokrat den man zu hören glaubt [29]). Eine der Deputationen am 14., an
der er sich betheiligt und die Preßfreiheit und Entfernung des Fürsten
Windischgrätz zu verlangen hat, wünscht vor den Kaiser vorgelassen zu
werden; es wird ihr verweigert: „der Kaiser fühle sich unwohl"; die
Einen bestehen auf ihrem Begehren, die Andern auf ihrer Weigerung;
zuletzt wollen Jene ohne weiters sich den Weg zum Kaiser freimachen, so
daß sich die dienstthuenden Hofbeamten mit gezogenem Degen zwischen
sie und die Thüre werfen müssen [30]). Am 15. morgens beruft Czapka
eine Anzahl von Männern des allgemeinen Vertrauens, darunter Bach,

in fein Bureau, mit denen als einem provisorischen Bürger-Ausschuß er
sich umgeben will; allein Bach ruft: „Von Bürgermeisters Gnaden wird
doch niemand dies Amt annehmen?!" Er bringt auf freie Berufung von
einundzwanzig Männern die sich als Bürger-Comité zu constituiren haben;
aus dem Advocaten-Collegium trifft die Wahl ihn und Seiller. An diesem Tage ist es das große Wort „Constitution" das man von den Lippen des Kaisers vernehmen will; nachdem die Forderung erfüllt, wird
Bach unter jene neun gewählt die dem „constitutionellen" Kaiser eine
Huldigungs-Adresse zu überreichen haben.

Das Wesen dessen ist erreicht was die vormärzlichen Liberalen Österreichs angestrebt, und nun scheint Bach mit eins ein anderer geworden;
wir treffen seinen Namen nicht mehr dort wo gedrängt, sondern überall
da wo gedämmt wird. Er ist für zeitgemäße Umstaltung des Gemeindewesens, für Regelung der bäuerlichen Verhältnisse, des Systems der
Besteuerung, des Rechtszustandes der verschiedenen Confessionen, für Verbesserung des allgemeinen Unterrichts, für Öffentlichkeit und Mündlichkeit
der Gerichtspflege (Programm des provisorischen Bürger-Ausschußes vom
18. März); aber nicht durch eine „Revolution im großen Styl", sondern
auf dem Wege der Reform soll all das erreicht werden. Als im juridisch-
politischen Leseverein die heftigen Auseinandersetzungen über „Staatenbund
oder Bundesstaat" entbrennen, steht Bach entschieden auf der Seite eines
einheitlichen Österreich; ja es entschlüpft ihm eines Tages der Zweifel,
„ob die Monarchie anders als durch einen aufgeklärten Absolutismus
zusammengehalten werden könne?" Mit dem allgemeinen Gange oder,
besser gesagt, Sturm der Ereignisse ist er durchaus nicht einverstanden,
eben so wenig mit der Haltung der obersten Regierungskreise; als ihm
Pillersdorff am 7. Mai ein Portefeuille anträgt, erwiedert er: „Ein
Ministerium brauchen wir, nicht diesen oder jenen Minister!" In der
darauf folgenden Barricaden-Zeit ist es nicht Dr. Alexander's sondern
seines Bruders Dr. August Bach's Name, dem wir in dem neugebildeten
Sicherheits-Ausschuße begegnen; ja selbst dieser zieht sich allmälig zurück
und tritt zuletzt unter dem Vorwand von „Gesundheits-Rücksichten"
gänzlich aus [31]).

Am 27. Juni trat Alexander Bach als Bewerber um eine Abgeordnetenstelle für den constituirenden Reichstag auf. Die Rede die er
an die Wahlmänner von Mariahilf hielt, war kurz aber bezeichnend —
bezeichnend hauptsächlich wegen der Behutsamkeit mit der er die

Schlagworte des Tages mit seinen gemäßigteren Ansichten zu verschwi=
stern wußte. Er verlangte den „Fortschritt", er verlangte ihn „vollständig,
ganz; aber keinen Umsturz." Er verlangte ein „freies demokratisches
Österreich"; aber er verlangte zugleich daß das Wesen Österreichs von
dessen „eigenthümlichem Standpunkte aufgefaßt" werde. Er verlangte ein
„deutsches Österreich"; aber dabei ein „einiges Österreich, keine Unter=
drückung der Nationalitäten, die Zusammenfassung derselben in eine
Föderation, die Achtung aller." Dieser letztere Gedanke, die föderative
Gestaltung Österreichs, war der einzige den er ausführlicher entwickelte
und sowohl aus der Geschichte Österreichs, aus den jedesmal gescheiterten
„unitarischen Tendenzen", wie andrerseits aus den auf Österreich ganz
unanwendbaren Verhältnissen Frankreichs nachzuweisen suchte. Den Schluß
machte wieder ein liberaler Appell: „Meine Gesinnungen sind Ihnen be=
kannt, ich bin kein Freisinniger von gestern; vor den März=Tagen waren
meine Ansichten dieselben wie jetzt und ich hoffe, sie werden mich bis
zur Grube begleiten." Großer Beifall und darnach einstimmige Wahl zum
Abgeordneten waren der siegreiche Erfolg seiner Ansprache [32]. Großer
Beifall von den Bänken der Linken wo die Fischhof, die Füster, die
Goldmark und Violand saßen, war es denn auch in der Wiener Winter=
Reitschule am 19. Juli, als der Alters=Vice=Präsident Weiß bei Mit=
theilung des Zustandekommens des neugebildeten Ministeriums den Namen
des Dr. Alexander Bach herablas. Und großer „anhaltender" Beifall
war es noch einmal in derselben Sitzung, als der neue Justiz=Minister
aus Anlaß einer dem Abgeordneten Rieger vom Wiener Straßenpöbel
zugefügten Beleidigung den Grundsatz der Heiligkeit und Unverletzlichkeit
der Person der Abgeordneten vertrat und dabei mit Emphase ausrief:
„Die Majestät des Volkes wie die Majestät des Thrones steht auf
gleicher Höhe" [33]. Auch bei spätern Anlässen erscholl von jener Seite
des Hauses, wenn Bach sich erhob, Händeklatschen und Zuruf, doch nicht
mehr als Zeichen zustimmenden Beifalls, sondern als Ausdruck bitter
ergrimmten Hohnes der dann wohl auch in Zischen und tobenden Lärm
umschlug. Waren es doch später ganz andere Worte die sie zu hören
bekamen, als die sie aus dem Munde des beliebten Volksmannes der
Märztage zu erwarten sich berechtigt hielten. „Meine Herren", sprach er
im Namen des Ministeriums, als am 22. August im Reichstagssaale die
Arbeiter=Unruhen zur Sprache kamen, „wir werden das Recht der Association
und der freien Vereinigung in jeder Hinsicht respectiren, aber wir werden

auch jedem Misbrauche dieses Rechtes entschieden entgegenzutreten wissen; wir sprechen es offen aus, daß wir auf constitutionell=monarchischem Boden stehen und daß wir anarchische und republicanische Bewegungen nicht dulden werden." Nach den terroristischen Auftritten des 13. und 14. September hob er den Handschuh auf den Löhner dem Ministerium hin= geworfen, und sagte am Schluße einer kraftvollen Erwiederung mit er= höhter Stimme: „Seit drei Wochen wird die Majorität dieses Hauses und mit ihr das Ministerium als volksfeindlich verdächtigt. Ich frage ob das der wahre constitutionelle Boden ist, wenn die Minorität sich über die Majorität stellen, für sich den Ausdruck des Gesammtwillens usur= piren will? Ich weiß daß die Worte die ich hier spreche Gift sind für die Feinde der Freiheit; aber ich fürchte sie nicht. So lang ich athme, werde ich für die Freiheit und das Recht, aber auch für die gesetzliche Ordnung in die Schranken treten!" Empfindlicher aber noch als bei diesen mehr thatsächlichen Anlässen fühlte sich die radicale Partei ge= troffen, als Bach bei der Frage der Kundmachung der vom Reichstage beschlossenen Grundentlastung das Traumgebilde der „Souverainetät" des letzteren zerstörte und den Grundsatz aufstellte: „Die vom Reichstage gefaßten Beschlüsse sind durch das Ministerium der Sanction des Mon= archen zu unterziehen; die Kundmachung der Gesetze kann nicht unmit= telbar von der hohen Kammer ausgehen, sondern nur durch die Or= gane der`Regierung veranlaßt werden". „Herr Bach vernichtet also die Revolution vom 15. Mai", rief der „Radicale", „wie ein Kind ein kostbares Juwel zugrunde richtet weil es dessen Werth nicht kennt; Herr Bach vernichtet den 15. Mai weil er keine Ahnung von dessen unzer= störbarem Kern und Gehalt hat; Herr Bach vernichtet den 15. Mai weil ihm die große europäische Revolution ganz unverständlich ist". Bach hatte die Gunst der Radicalen für immer verscherzt. Schon am 26. August hatte der „Wiener Charivari" in Abbildung einen Gänsemarsch der Minister und darunter die Erklärung gebracht: „Bach (im Juni:) Es lebe die Demokratie! (Im Juli:) Es lebe die volksthümlich=consti= tutionelle Monarchie! (Im August:) Es lebe der Absolutismus! (Trocknet aus)." Von da an nahm die Abneigung gegen ihn in fort= währender Steigerung zu bis sie sich zum tödtlichsten Hasse gestaltete. Der „vertrocknende", der „in Sand verrinnende" Bach war ein ste= hender Witz, die „ewig lächelnde Miene" des Justiz=Ministers bildete ein stereotypes Stichwort im Munde und in den Schriften seiner Feinde.

Er galt ihnen als ein Abtrünniger, als einer der in's Lager der Gegner übergelaufen war; aus dem Liberalen der März=Tage sei ein Reactionär, ein Diener der Camarilla geworden; er habe das Volk vergessen auf dessen Schultern er emporgestiegen [34]).

Aber auch ernstere Männer haben es nicht unterlassen, Bach diese Sinnesänderung wie sie es nannten mahnend vorzurücken, daran zu er= innern wie er vordem ein ganz anderer gewesen und wie ihm daher auch jetzt nicht sicher zu trauen sei. Allein es sollte doch, so meinen wir, wenn gegen einen der begabtesten unter den lebenden Staatsmännern Öster= reichs Bedenken solcher Art angeregt werden, nicht außer Beachtung bleiben daß der Umschwung in Bach's öffentlichem Auftreten — der Um= schwung in seinen Anschauungen datirte schon viel früher, wohl schon aus den letzten März=Tagen her — keineswegs in eine Zeit fiel wo es Gewinn und Vortheil brachte für die Wahrung der Krone, für die Gerechtsame und Befugnisse der legitimen Souverainetät einzustehen, vielmehr in eine Zeit wo die oberste Macht im Staate thatsächlich n i c h t bei der Regie= rung war, wo Muth und Entschlossenheit dazu gehörte mitten im ba= chantischen Taumel der entfesselten politischen Leidenschaften die Sache der Ordnung, des Rechtes, der Gesetzlichkeit zu vertreten. Und nicht eine Gesinnungs=Änderung sondern eine Überzeugungs=Klärung möchten wir es nennen was bei Bach vorgegangen war, einen Proceß den in Zeiten des Umschwunges und Überganges gerade die bedeutendsten Männer durchzumachen pflegen, ohne daß sie darum von Billigdenkenden eine Be= mäckelung ihres Charakters erfahren müßten. Von dem Augenblicke da in Bach's Hände ein wichtiger Theil der Executive gelegt war, hat er seinen Standpunkt nie verläugnet. Als er im Laufe der hitzigen Jänner=De= batten 1849 aus dem Munde des Abgeordneten für Eisenbrod einen An= griff in der erwähnten Richtung erfahren mußte, hatte er vollen Grund darauf hinzuweisen: das Ministerium, dem er früher anzugehören die Ehre gehabt, sei es gewesen „das den Muth hatte jenen Tendenzen, die zum Untergange nicht blos Österreichs, die zum Untergange der Gesell= schaft führen müßten, entschieden und offen entgegenzutreten und das, als die Tagesmeinung dahin drängte die Krone in Schatten zu stellen, sie wegzudrängen von dem gesetzlichen, urkundlich verbrieften Rechtsboden auf welchem allein das Werk der Verfassungseinigung zustande kommen kann, den Muth hatte sich unpopulär zu machen." Würden es die Regeln der Bescheidenheit gestattet haben, so wäre Bach der Wahrheit näher ge=

kommen wenn er statt: „das Ministerium" sei es gewesen, sagte: „ich bin es gewesen." Denn in der That, in allen wichtigeren Momenten, wo es darauf ankam den Standpunkt einer sich ihrer Aufgabe bewußten Regierung den Bestrebungen des Unverstandes oder des Umsturzes gegen= über zu vertreten, war es jederzeit der Minister Bach der es auf sich nahm den Sturm zu beschwören. Er war es der in der Robot=Aufhebungs= Frage den Grundsatz einer billigen Entschädigung der Beraubten zur Cabinets=Frage erhob; er war es der, als die magyarische Deputation Einlaß begehrend an die Pforten des Hauses klopfte, mit den Geschichts= rollen der pragmatischen Sanction in der Hand die Rednerbühne bestieg. Wohl wurde er in beiden diesen Fällen, und dessen war er sich wohl bewußt, von einer eben so muthvollen Majorität im Hause getragen; aber in den Tagen jenes Stürmens und Drangens diese Majorität her= ausgefunden, das Ministerium ihr und sie dem Ministerium gewonnen zu haben, war eben wieder nur das Werk von Bach's Klugheit Ge= wandtheit Entschlossenheit. Es ist nicht zu viel gesagt: Bach war die Seele, das geistige Princip, die pulsirende Lebensader des Ministeriums das den Namen zweier Anderer trug; er versah das Departement der Justiz, aber er war eben so wohl in jenem des Innern zu Hause, er trieb den nachgiebigen Kriegs=Minister an, er war, wenn etwa dem seit Jahrzehnten österreichischen Verhältnissen entrückten Minister des Äußern etwas menschliches zustieß, sogleich bei der Hand den Fehler wieder gut zu machen. Ebenso war es in der letzten Zusammentretung des Mini= steriums Wessenberg=Doblhoff, am 6. October, in erster Linie Bach, der den kecken Deputationen der Nationalgarden nnd Studenten mit offener Stirn entgegentrat und das Ansehen der Regierung bis zum letzten Augenblicke zu wahren suchte.

Als dann mit eins alle Bande gelöst, die Räume des Hoffkriegs= raths=Gebäudes von einer wüthenden Meute überfluthet wurden, mußte Bach auf seine Rettung bedacht sein; denn nebst Latour war ihm und sogar dem alten guten Wessenberg der Tod geschworen. Nachdem er erst Frauenkleider versucht, wählte er einen Dieneranzug in dessen Maske er, von zwei muthigen Getreuen in die Mitte genommen, glücklich aus dem Hoffkriegsraths=Gebäude in jenes der Staatskanzlei gelangte. Von da entkam er gegen Abend auf das Glacis zu dem dort aufgestellten Militär, bestieg ein Pferd und trat an Felix Schwarzenberg's Seite — es war dies die erste Begegnung der beiden Männer — im Geleite

zuschlagen. In dieser Stellung befand er sich, als ihn im letzten Drittel
des October ein Telegramm Wessenberg's nach Olmüz rief, und mit
gehobenem Selbstgefühl folgte er einer Einladung die ihm, dem bürger=
lichen Kaufmann und Schiffsherrn, einen Platz in dem obersten Rathe der
Krone brachte, die oberste Leitung der Handels=Interessen von ganz
Österreich in seine Hände legte [25]).

Die Wahl war eine vortreffliche zu nennen. Es läßt sich ohne
Übertreibung sagen, daß kein Mann in Österreich auch nur annäherungs=
weise die Eigenschaften besaß die Bruck für den ihm zugedachten Posten
mitbrachte. Selbstbegründer seines Glücks und seiner Größe, geistiger
Schöpfer und Förderer der weitest aussehenden Unternehmungen eines
Platzes von Triests mercantiler Bedeutung, vereinte er praktischen Blick
und reiche Erfahrung mit vorurtheilsfreier Entschlossenheit, erprobter
Thatkraft und Ausdauer, um den vielfach verwahrlosten, von den Ban=
den abgenützter Herkömmlichkeiten befangenen Zuständen des österreichi=
schen Handels und Gewerbes neues Leben einzuhauchen und ihnen einen
Aufschwung zu geben, wie ihn die reichen Hilfsmittel und die geogra=
phische Lage dieses Staates ermöglichten. Bruck kannte seine Leute und
kannte seine Zeit. „Die Triestiner", äußerte er gesprächsweise einmal in
Frankfurt, „sehen ihren Vortheil vor allem in der Aufrechthaltung ihrer
alten Privilegien und Freiheiten und wollen nicht begreifen daß die
Freiheit alle Freiheiten entbehrlich, alle Privilegien unmöglich macht.
Von gleich beschränkter Auffassung sind die meisten unserer Industriellen
und Fabricanten, die in dem Fallen der Zollschranken auch das Fallen
ihres Wohlstandes, eine bedrohliche Erschütterung des Handels und der
Gewerbe erblicken würden. Sie begreifen nicht daß jede Übergangs=Periode
Opfer erheischt, oder sie schlagen diese Opfer höher an als die Vortheile
die ihnen in Zukunft daraus erwachsen würden. Im Princip sind diese
Leute entschieden im Unrecht, allein in der Praxis kann man nicht umhin
den thatsächlichen Umständen, selbst wenn sie auf Irrthümern beruhen,
gebührende Rechnung zu tragen" [26]). Wahrlich, Bruck hatte staatsmänni=
schen Blick und Geist bevor ihm die Rolle eines Staatsmannes beschie=
den war, er hatte den Verstand früher als das Amt. „Quod sis, esse
velis", nahm er zu seinem Wahlspruch, und die Monarchie sollte in ihm
einen Minister bekommen, der wußte was sein Posten verlangte, der,
was er wußte, wollte und, was er wollte, that. —

Die Verhandlungen mit den genannten Männern fanden in Olmüz ſtatt während an der Donau die Würfel noch im Rollen waren, und in kaum geringerem Maße als von der Belagerung Wien's ſehen wir den Fürſten Windiſchgrätz von dem Zuſtandekommen des neuen Miniſteriums in Anſpruch genommen. Kaum im Lager eingetroffen wird er gleichzeitig, 21. October, von Weſſenberg und von Schwarzenberg beſtürmt „den künftigen Kriegs-Miniſter" General Mertens „von einem kleinen Kanzlei= Perſonale begleitet" u n v e r z ü g l i c h nach Olmüz zu ſchicken. Zwei Tage ſpäter' klagt ihm Weſſenberg, „noch ſei keiner von den projectirten Miniſtern zu Olmüz eingetroffen und doch rücke der Zeitpunkt wo eine compacte Regierung fertig daſtehen müſſe immer näher heran"; zugleich überſendet er eine Aufforderung an den Miniſter Kraus nach Olmüz zu kommen „falls der Feldmarſchall deſſen Anweſenheit in Wien nicht für nothwendiger erachten ſollte". Am 25. beſpricht Weſſenberg abermals die Nothwendigkeit ein Miniſterium zuſtande zu bringen „das zu adminiſtri= ren verſteht"; ob e r dies im Stande ſein werde ſcheine ihm noch ſehr zweifelhaft, daher er wünſche „daß ſich ein mit den inneren Verhältniſſen der Monarchie mehr vertrauter Staatsmann fände welcher die Löſung der Aufgabe übernehmen wollte". Am 27. folgt die Mittheilung, daß weder er Weſſenberg noch Kraus noch ſonſt ein Mitglied des letzten Miniſteriums, ſondern allein Fürſt Felix Schwarzenberg im Stande ſei ein Miniſterium zu bilden das zugleich den Intereſſen der Dynaſtie und den Bedürfniſſen des Staates entſpräche; „dieſe große Aufgabe muß bald gelöſt werden, ſoll nicht die ganze Maſchine in's Stocken gerathen." Dem müden und erſchöpften alten Herrn brannte der Olmüzer Boden unter den Füßen; er ſehnte ſich nach Entbindung von allen Geſchäften um in ſeine Heimat zurückkehren zu können. Noch denſelben 27. October ſcheint er ſich hingeſetzt und ſein Entlaſſungsgeſuch niedergeſchrieben zu haben, das er Tags darauf, 28., in die Hände ſeines Monarchen legte und dabei auf den Fürſten Felix hinwies, dem die Bildung eines neuen Cabinets und die Präſidentſchaft darin zu übertragen wäre. Der letztere machte hievon ſogleich ſeinem Schwager Mittheilung und wendete alles an, den Schritt Weſſenberg's wo nicht rückgängig zu machen, doch zum mindeſten aufzuhalten: „er, Schwarzenberg, habe den Auftrag ein Mi= niſterium zu bilden wohl übernehmen können, allein er vermöge ihn unter den gegenwärtigen Umſtänden nicht auszuführen, da er im Lande zu we= nig bekannt ſei um die geeigneten Leute zu finden; die Firma Weſſenberg

habe eine gewisse Geltung beim constitutionellen Publicum, und habe
Wessenberg einmal die Personen gefunden, dann sei es eher möglich daß
sich diese bei näherer Bekanntschaft mit seinen, Schwarzenberg's, Ideen
befreunden; wenn sich Wessenberg nicht bewegen lasse wenigstens vierzehn
Tage noch auszuhalten, so wisse er in der That nicht wie man die Ge=
schäfte führe, und noch minder wie man dem in vierzehn Tagen sich
versammelnden Reichstage entgegentreten könne." Wessenberg seinerseits
beharrte auf seinem Begehren und wiederholte es auf's dringendste; „er
sei bereits so erschöpft", schrieb er am 31. nach Hetzendorf, „daß er
bettlägerig geworden."

Durch das lange Ausbleiben Bach's wurde eine der Hauptfragen
für die Zusammensetzung des künftigen Cabinets, die Besetzung des Mi=
nisteriums des Innern noch immer in der Schwebe gehalten. Ehe wir
darum in unserem Berichte fortfahren, glauben wir uns mit der Persön=
lichkeit etwas vertrauter machen zu müssen, die wir nun wieder auf dem
Schauplatze der Begebenheiten werden erscheinen sehen.

Alexander Bach, am 4. Jänner 1813 zu Loosdorf in Nieder=
Österreich geboren, kam frühzeitig nach Wien, wohin sein Vater Michael,
als ihm die Stelle eines Hof= und Gerichts=Advocaten zutheil wurde,
übersiedelte. Sproße einer Familie deren Zusammenleben die edelste Häus=
lichkeit und deren sämmtliche Glieder die vielseitigste Begabung charakte=
risirte, wuchs er in Verhältnissen auf, welche die Entwicklung seiner über=
aus glücklichen Anlagen nach jeder Richtung begünstigten. Scharfer Ver=
stand und Klarheit des Blickes, ein treues Gedächtnis für Personen und
Dinge, Leichtigkeit in Aneignung fremder Sprachen, ein gewinnendes hei=
teres Wesen gepaart mit einem gewissen vornehmen Zug der alles niedrige
abwies, hoben schon in frühen Jahren den jungen Mann über die Köpfe
seiner Mitgenossen hinaus, wenn auch mancher der letzteren nach der
Elle gemessen höher rangirte. Neben der Juristerei worin er sich durch
mehrjährigen Dienst bei der k. k. Hof= und n. ö. Kammer=Procuratur
praktisch ausbildete, blieb er auch den schönen Künsten, deren einzelne
Zweige in mehreren seiner Geschwister befähigte Vertreter fanden, nicht
völlig fremd. Er war eifriges Mitglied von einer Art Shakespeare=Club,
wo die Stücke des großen Briten gelesen und erläutert wurden; er nahm
gern Theil an den geselligen Abenden der „Concordia", wobei er, der
weder Schriftsteller noch ausübender Künstler war, bescheiden erklärte:
„er sehe wohl ein daß er hier nur ein Geduldeter sei" [27]). Weite Reisen

durch den größten Theil von Europa, darunter nach Athen und Constan=
tinopel, erweiterten eben so sehr den Kreis seiner Anschauungen wie den
seiner persönlichen Berührungen und blieben nicht ohne Einfluß auf sein
späteres Wirken. Bach's selbständige Laufbahn nahm ihren Anfang mit
dem Jahre 1843. Als er da nach dem Tode seines Vaters († 20. De=
cember) dessen hinterlassene Kanzlei, eine der ersten Wiens, übernahm,
war es als ob alle Geschäfte eine neue Gestalt gewönnen, als ob ihnen
jetzt ein anderer Geist eingehaucht wäre. Immer zur Arbeit bereit, überall
gegenwärtig und selbstthätig, gewandt im Rath und flink zur That, er=
oberte er im Sturm das Vertrauen ·der von seinem Vater übernomme=
nen Clienten und gewann dazu stets neue aus allen Kreisen der Residenz,
die ihre Angelegenheit nicht gehörig versorgt zu haben meinten wenn sie
sie nicht unmittelbar den Händen des jungen Chefs anvertrauten. Auch
außerhalb seiner Advocaten=Kanzlei war Bach in der verschiedensten Art
thätig, und überall wo er eingriff war es sein überlegener Geist dem
sich bewußt oder unbewußt die Anderen fügten. Insbesondere war dies
im juridisch=politischen Leseverein der Fall, jenem „Herde der Revolution"
dessen Mitgliedern der Polizei=Minister Sedlnicky voraussagte daß sie sich
darin „zu Verbrechern lesen" würden. In der That kamen hier, wo nebst
Bach eine Reihe aufstrebender Männer meist jüngeren Alters, Sommaruga
Sohn, Mühlfeld, Würth, Wildner, Hye aus und eingingen, mitunter
Dinge zur Sprache die man im ganzen übrigen Österreich nicht wagen
durfte auf's Tapet zu bringen, und mancher von ihnen begann eine po=
litische Rolle zu. spielen noch ehe es in der Monarchie eine politische
Bühne gab. Schon damals wurde unserem Manne von bewundernden
Freunden das Horoskop gestellt daß er, wenn je in Österreich ein Um=
schwung einträte, zu großen Dingen berufen sei. Der Umschwung trat
ein ehe man sich's vermuthete, und nun sehen wir Bach in der rastlose=
sten Thätigkeit. Schon in den ersten März=Tagen des Jahres 1848 bil=
det seine Wohnung in der Singerstraße den Sammelpunkt von gleich=
gesinnten Männern, die mit Fieberglut in den Adern die Mittel und
Wege berathen ihren von Tausenden getheilten politischen Wünschen Ge=
hör und Geltung zu verschaffen. Die Eröffnung der Sitzungen der nie=
der=österreichischen Stände steht bevor: eine Ansprache von Wiener Bür=
gern an dieselben erscheint als das nächstliegende Mittel seinen Zweck zu
erreichen. Bauernfeld wird dazu erkoren die Adresse zu entwerfen, in
Bach's Wohnung wird sie besprochen und berathen. Veröffentlichung des

Staatshaushaltes, gemeinsame ständische Vertretung mit Steuerbewilligung
und Theilnahme an der Gesetzgebung, Öffentlichkeit des Gerichtsverfah=
rens, Repressiv=Maßregeln gegen die Presse an Stelle der Präventiv=
Censur, sind die Hauptpunkte in denen sich alle Wünsche vereinigen.
Auch die große Lebensfrage Österreichs kommt dabei zur Sprache. Bach
erklärt es für gedankenlose Schwärmerei, wenn man Österreich in Deutsch=
land aufgehen lassen und dabei doch als Österreich erhalten wolle; „gegen
die deutsch=nationalen Bestrebungen müsse Österreich eben so auf seiner
Hut sein wie gegen die ungarischen, der Schwerpunkt der Monarchie
dürfe weder in Frankfurt am Main noch in Buda=Pest liegen; die Um=
bildung Österreichs in einen centralisirten, durch demokratische Institutio=
nen befestigten Einheitsstaat sei das Ziel auf das man lossteuern müsse" [28]).
Bei einer zweiten Zusammentretung am 9. wird die Adresse angenommen
und von den Anwesenden unterzeichnet; am 10. werden im Leseverein,
im Gewerbeverein, im Handels=Casino, in der „Concordia" Unterschrif=
ten gesammelt; am 11. wird sie dem nieder=österreichischen Landesaus=
schuße im Ständegebäude übergeben. Um zwei Stunden zu spät erscheint
Polizei=Ober=Commissär Felsenthal in Bach's Wohnung, dem gefährlichen
Actenstücke nachzuspüren. Am 13. 14. 15. März finden wir Bach's
Namen mit allen bedeutenderen Ereignissen verflochten. Er ist auf der
Straße, auf der Universität, im juridisch=politischen Leseverein, im Ma=
gistrats=Gebäude, im städtischen Unter=Kammeramt, in der Wohnung
Czapka's, in der kaiserlichen Burg, im Bureau Kolowrat's, Pillersdorff's 2c.
Er schürt hier, er wirbt da, er drängt dort. Er ist für eine „Revolution
im großen Styl"; er verlangt eine verantwortliche Regierung die der
krankhafte Zustand des Kaisers nothwendig mache; er warnt davor daß
man sich mit „Abschlagszahlungen" abfinden lasse. Man ist erstaunt über
die schonungslose Sprache deren er sich bedient; es ist ein rother Demo=
krat den man zu hören glaubt [29]). Eine der Deputationen am 14., an
der er sich betheiligt und die Preßfreiheit und Entfernung des Fürsten
Windischgrätz zu verlangen hat, wünscht vor den Kaiser vorgelassen zu
werden; es wird ihr verweigert: „der Kaiser fühle sich unwohl"; die
Einen bestehen auf ihrem Begehren, die Andern auf ihrer Weigerung;
zuletzt wollen Jene ohne weiters sich den Weg zum Kaiser freimachen, so
daß sich die dienstthuenden Hofbeamten mit gezogenem Degen zwischen
sie und die Thüre werfen müssen [30]). Am 15. morgens beruft Czapka
eine Anzahl von Männern des allgemeinen Vertrauens, darunter Bach,

in fein Bureau, mit denen als einem proviforifchen Bürger=Ausfchuß er
fich umgeben will; allein Bach ruft: „Von Bürgermeifters Gnaden wird
doch niemand dies Amt annehmen?!" Er bringt auf freie Berufung von
einundzwanzig Männern die fich als Bürger=Comité zu conftituiren haben;
aus dem Advocaten=Collegium trifft die Wahl ihn und Seiller. An die=
fem Tage ift es das große Wort „Conftitution" das man von den Lip=
pen des Kaifers vernehmen will; nachdem die Forderung erfüllt, wird
Bach unter jene neun gewählt die dem „conftitutionellen" Kaifer eine
Huldigungs=Adreffe zu überreichen haben.

Das Wefen deffen ift erreicht was die vormärzlichen Liberalen Öfter=
reichs angeftrebt, und nun fcheint Bach mit eins ein anderer geworden;
wir treffen feinen Namen nicht mehr dort wo gedrängt, fondern überall
da wo gedämmt wird. Er ift für zeitgemäße Umftaltung des Gemeinde=
wefens, für Regelung der bäuerlichen Verhältniffe, des Syftems der
Befteuerung, des Rechtszuftandes der verfchiedenen Confeffionen, für Ver=
befferung des allgemeinen Unterrichts, für Öffentlichkeit und Mündlichkeit
der Gerichtspflege (Programm des proviforifchen Bürger=Ausfchußes vom
18. März); aber nicht durch eine „Revolution im großen Styl", fondern
auf dem Wege der Reform foll all das erreicht werden. Als im juridifch=
politifchen Lefeverein die heftigen Auseinanderfetzungen über „Staatenbund
oder Bundesftaat" entbrennen, fteht Bach entfchieden auf der Seite eines
einheitlichen Öfterreich; ja es entfchlüpft ihm eines Tages der Zweifel,
„ob die Monarchie anders als durch einen aufgeklärten Abfolutismus
zufammengehalten werden könne?" Mit dem allgemeinen Gange oder,
beffer gefagt, Sturm der Ereigniffe ift er durchaus nicht einverftanden,
eben fo wenig mit der Haltung der oberften Regierungskreife; als ihm
Pillersdorff am 7. Mai ein Portefeuille anträgt, erwiedert er: „Ein
Minifterium brauchen wir, nicht diefen oder jenen Minifter!" In der
darauf folgenden Barricaden=Zeit ift es nicht Dr. Alexander's fondern
feines Bruders Dr. Auguft Bach's Name, dem wir in dem neugebildeten
Sicherheits=Ausfchuße begegnen; ja felbft diefer zieht fich allmälig zurück
und tritt zuletzt unter dem Vorwand von „Gefundheits=Rückfichten"
gänzlich aus [31]).

Am 27. Juni trat Alexander Bach als Bewerber um eine Abge=
ordnetenftelle für den conftituirenden Reichstag auf. Die Rede die er
an die Wahlmänner von Mariahilf hielt, war kurz aber bezeichnend —
bezeichnend hauptfächlich wegen der Behutfamkeit mit der er die

Schlagworte des Tages mit seinen gemäßigteren Ansichten zu verschwistern wußte. Er verlangte den „Fortschritt", er verlangte ihn „vollständig, ganz; aber keinen Umsturz." Er verlangte ein „freies demokratisches Österreich"; aber er verlangte zugleich daß das Wesen Österreichs von dessen „eigenthümlichem Standpunkte aufgefaßt" werde. Er verlangte ein „deutsches Österreich"; aber dabei ein „einiges Österreich, keine Unterdrückung der Nationalitäten, die Zusammenfassung derselben in eine Föderation, die Achtung aller." Dieser letztere Gedanke, die föderative Gestaltung Österreichs, war der einzige den er ausführlicher entwickelte und sowohl aus der Geschichte Österreichs, aus den jedesmal gescheiterten „unitarischen Tendenzen", wie andrerseits aus den auf Österreich ganz unanwendbaren Verhältnissen Frankreichs nachzuweisen suchte. Den Schluß machte wieder ein liberaler Appell: „Meine Gesinnungen sind Ihnen bekannt, ich bin kein Freisinniger von gestern; vor den März-Tagen waren meine Ansichten dieselben wie jetzt und ich hoffe, sie werden mich bis zur Grube begleiten." Großer Beifall und darnach einstimmige Wahl zum Abgeordneten waren der siegreiche Erfolg seiner Ansprache [32]. Großer Beifall von den Bänken der Linken wo die Fischhof, die Füster, die Goldmark und Violand saßen, war es denn auch in der Wiener Winter-Reitschule am 19. Juli, als der Alters-Vice-Präsident Weiß bei Mittheilung des Zustandekommens des neugebildeten Ministeriums den Namen des Dr. Alexander Bach herablas. Und großer „anhaltender" Beifall war es noch einmal in derselben Sitzung, als der neue Justiz-Minister aus Anlaß einer dem Abgeordneten Rieger vom Wiener Straßenpöbel zugefügten Beleidigung den Grundsatz der Heiligkeit und Unverletzlichkeit der Person der Abgeordneten vertrat und dabei mit Emphase ausrief: „Die Majestät des Volkes wie die Majestät des Thrones steht auf gleicher Höhe" [33]. Auch bei spätern Anlässen erscholl von jener Seite des Hauses, wenn Bach sich erhob, Händeklatschen und Zuruf, doch nicht mehr als Zeichen zustimmenden Beifalls, sondern als Ausdruck bitter ergrimmten Hohnes der dann wohl auch in Zischen und tobenden Lärm umschlug. Waren es doch später ganz andere Worte die sie zu hören bekamen, als die sie aus dem Munde des beliebten Volksmannes der Märztage zu erwarten sich berechtigt hielten. „Meine Herren", sprach er im Namen des Ministeriums, als am 22. August im Reichstagssaale die Arbeiter-Unruhen zur Sprache kamen, „wir werden das Recht der Association und der freien Vereinigung in jeder Hinsicht respectiren, aber wir werden auch jedem Misbrauche dieses Rechtes entschieden entgegenzutreten wissen; wir sprechen es offen aus, daß wir auf constitutionell=monarchischem Boden stehen und daß wir anarchische und republicanische Bewegungen nicht dulden werden." Nach den terroristischen Auftritten des 13. und 14. September hob er den Handschuh auf den Löhner dem Ministerium hin= geworfen, und sagte am Schluße einer kraftvollen Erwiederung mit er= höhter Stimme: „Seit drei Wochen wird die Majorität dieses Hauses und mit ihr das Ministerium als volksfeindlich verdächtigt. Ich frage ob das der wahre constitutionelle Boden ist, wenn die Minorität sich über die Majorität stellen, für sich den Ausdruck des Gesammtwillens usur= piren will? Ich weiß daß die Worte die ich hier spreche Gift sind für die Feinde der Freiheit; aber ich fürchte sie nicht. So lang ich athme, werde ich für die Freiheit und das Recht, aber auch für die gesetzliche Ordnung in die Schranken treten!" Empfindlicher aber noch als bei diesen mehr thatsächlichen Anlässen fühlte sich die radicale Partei ge= troffen, als Bach bei der Frage der Kundmachung der vom Reichstage beschlossenen Grundentlastung das Traumgebilde der „Souverainetät" des letzteren zerstörte und den Grundsatz aufstellte: „Die vom Reichstage gefaßten Beschlüsse sind durch das Ministerium der Sanction des Mon= archen zu unterziehen; die Kundmachung der Gesetze kann nicht unmit= telbar von der hohen Kammer ausgehen, sondern nur durch die Or= gane der Regierung veranlaßt werden". „Herr Bach vernichtet also die Revolution vom 15. Mai", rief der „Radicale", „wie ein Kind ein kostbares Juwel zugrunde richtet weil es dessen Werth nicht kennt; Herr Bach vernichtet den 15. Mai weil er keine Ahnung von dessen unzer= störbarem Kern und Gehalt hat; Herr Bach vernichtet den 15. Mai weil ihm die große europäische Revolution ganz unverständlich ist". Bach hatte die Gunst der Radicalen für immer verscherzt. Schon am 26. August hatte der „Wiener Charivari" in Abbildung einen Gänsemarsch der Minister und darunter die Erklärung gebracht: „Bach (im Juni:) Es lebe die Demokratie! (Im Juli:) Es lebe die volksthümlich=consti= tutionelle Monarchie! (Im August:) Es lebe der Absolutismus! (Trocknet aus)." Von da an nahm die Abneigung gegen ihn in fort= während Steigerung zu bis sie sich zum tödtlichsten Hasse gestaltete. Der „vertrocknende", der „in Sand verrinnende" Bach war ein ste= hender Witz, die „ewig lächelnde Miene" des Justiz=Ministers bildete ein stereotypes Stichwort im Munde und in den Schriften seiner Feinde.

Er galt ihnen als ein Abtrünniger, als einer der in's Lager der Gegner
übergelaufen war; aus dem Liberalen der März-Tage sei ein Reactionär,
ein Diener der Camarilla geworden; er habe das Volk vergessen auf
dessen Schultern er emporgestiegen [34]).

Aber auch ernstere Männer haben es nicht unterlassen, Bach diese
Sinnesänderung wie sie es nannten mahnend vorzurücken, daran zu erinnern wie er vordem ein ganz anderer gewesen und wie ihm daher auch
jetzt nicht sicher zu trauen sei. Allein es sollte doch, so meinen wir, wenn
gegen einen der begabtesten unter den lebenden Staatsmännern Österreichs Bedenken solcher Art angeregt werden, nicht außer Beachtung
bleiben daß der Umschwung in Bach's öffentlichem Auftreten — der Umschwung in seinen Anschauungen datirte schon viel früher, wohl schon aus den
letzten März-Tagen her — keineswegs in eine Zeit fiel wo es Gewinn
und Vortheil brachte für die Wahrung der Krone, für die Gerechtsame
und Befugnisse der legitimen Souverainetät einzustehen, vielmehr in eine
Zeit wo die oberste Macht im Staate thatsächlich n i c h t bei der Regierung war, wo Muth und Entschlossenheit dazu gehörte mitten im ba-
chantischen Taumel der entfesselten politischen Leidenschaften die Sache der
Ordnung, des Rechtes, der Gesetzlichkeit zu vertreten. Und nicht eine
Gesinnungs-Änderung sondern eine Überzeugungs-Klärung möchten wir
es nennen was bei Bach vorgegangen war, einen Proceß den in Zeiten
des Umschwunges und Überganges gerade die bedeutendsten Männer
durchzumachen pflegen, ohne daß sie darum von Billigdenkenden eine Be-
mäckelung ihres Charakters erfahren müßten. Von dem Augenblicke da in
Bach's Hände ein wichtiger Theil der Executive gelegt war, hat er seinen
Standpunkt nie verläugnet. Als er im Laufe der hitzigen Jänner-De-
batten 1849 aus dem Munde des Abgeordneten für Eisenbrod einen Angriff in der erwähnten Richtung erfahren mußte, hatte er vollen Grund
darauf hinzuweisen: das Ministerium, dem er früher anzugehören die
Ehre gehabt, sei es gewesen „das den Muth hatte jenen Tendenzen, die
zum Untergange nicht blos Österreichs, die zum Untergange der Gesellschaft führen müßten, entschieden und offen entgegenzutreten und das, als
die Tagesmeinung dahin drängte die Krone in Schatten zu stellen, sie
wegzudrängen von dem gesetzlichen, urkundlich verbrieften Rechtsboden auf
welchem allein das Werk der Verfassungseinigung zustande kommen kann,
den Muth hatte sich unpopulär zu machen." Würden es die Regeln der
Bescheidenheit gestattet haben, so wäre Bach der Wahrheit näher ge-

kommen wenn er statt: „das Ministerium" sei es gewesen, sagte: „ich bin es gewesen." Denn in der That, in allen wichtigeren Momenten, wo es darauf ankam den Standpunkt einer sich ihrer Aufgabe bewusten Regierung den Bestrebungen des Unverstandes oder des Umsturzes gegen= über zu vertreten, war es jederzeit der Minister Bach der es auf sich nahm den Sturm zu beschwören. Er war es der in der Robot=Aufhebungs= Frage den Grundsatz einer billigen Entschädigung der Beraubten zur Cabinets=Frage erhob; er war es der, als die magyarische Deputation Einlaß begehrend an die Pforten des Hauses klopfte, mit den Geschichts= rollen der pragmatischen Sanction in der Hand die Rednerbühne bestieg. Wohl wurde er in beiden diesen Fällen, und dessen war er sich wohl bewust, von einer eben so muthvollen Majorität im Haufe getragen; aber in den Tagen jenes Stürmens und Drängens diese Majorität her= ausgefunden, das Ministerium ihr und sie dem Ministerium gewonnen zu haben, war eben wieder nur das Werk von Bach's Klugheit Ge= wandtheit Entschlossenheit. Es ist nicht zu viel gesagt: Bach war die Seele, das geistige Princip, die pulsirende Lebensader des Ministeriums das den Namen zweier Anderer trug; er versah das Departement der Justiz, aber er war eben so wohl in jenem des Innern zu Hause, er trieb den nachgiebigen Kriegs=Minister an, er war, wenn etwa dem seit Jahrzehnten österreichischen Verhältnissen entrückten Minister des Äußern etwas menschliches zustieß, sogleich bei der Hand den Fehler wieder gut zu machen. Ebenso war es in der letzten Zusammentretung des Mini= steriums Wessenberg=Doblhoff, am 6. October, in erster Linie Bach, der den kecken Deputationen der Nationalgarden und Studenten mit offener Stirn entgegentrat und das Ansehen der Regierung bis zum letzten Augenblicke zu wahren suchte.

Als dann mit eins alle Bande gelöst, die Räume des Hofkriegs= raths=Gebäudes von einer wüthenden Meute überfluthet wurden, mußte Bach auf seine Rettung bedacht sein; denn nebst Latour war ihm und sogar dem alten guten Wessenberg der Tod geschworen. Nachdem er erst Frauenkleider versucht, wählte er einen Dieneranzug in dessen Maske er, von zwei muthigen Getreuen in die Mitte genommen, glücklich aus dem Hofkriegsraths=Gebäude in jenes der Staatskanzlei gelangte. Von da entkam er gegen Abend auf das Glacis zu dem dort aufgestellten Militär, bestieg ein Pferd und trat an Felix Schwarzenberg's Seite — es war dies die erste Begegnung der beiden Männer — im Geleite

5

der Truppen den Marsch in den Schwarzenberg=Garten an. Am andern
Tage eilte Bach aus Wien fort. Von da an wußte man lang nichts von
ihm [35]), bis in den ersten November=Tagen ein „Herr Wagner", der
einige Zeit in größter Zurückgezogenheit in Salzburg geweilt hatte, in
Prag erschien, sich einem vertrauteren Kreise der böhmischen Abgeordneten
als Dr. Alexander Bach enthüllte und gleich darauf nach Olmüz reiste,
wo er es nicht für nöthig fand sein vierwöchentliches Incognito weiter
beizubehalten.

Vom 3. November datirte ein Schreiben Schwarzenberg's an den
Feldmarschall nach Hetzendorf das sich in den größten Lobpreisungen des
früheren Justiz=Ministers erging. „Bach brauchen wir nothwendig", hieß
es; „seine constitutionelle aber streng monarchische Gesinnung, sein ent=
schieden parlamentarisches Talent, sowie sein vollkommener Privat=Cha=
rakter stempeln ihn zu einem nothwendigen Mitgliede des neuen Mini=
steriums. Seinem Mangel an Kenntnissen über manche innere Verhält=
nisse der Provinzen wird durch die Wahl einiger gut informirter und
verläßlicher Staats=Secretäre abgeholfen. Sein natürliches Talent, seine
Energie werden das übrige thun. Wenn Bach's Ernennung Aufregung
verursachen sollte, so müssen wir es hinnehmen und ihr zu begegnen
trachten. Schmerling ist ultra=deutsch und, so viel ich weiß, viel zu sehr
der Mann des Erzherzogs Johann um der unsrige sein zu können; übri=
gens weiß er von den Provinzen auch nichts. Stadion sollte meiner An=
sicht nach noch geschont werden; er selbst scheint es zu wünschen; er kann
uns für den Augenblick in seiner jetzigen Stellung mehr nützen als wenn
er Minister wäre." Zur Zeit da Schwarzenberg so schrieb, hatte sich
Bach in Olmüz noch nicht gezeigt. Mittlerweile wurde für das Porte=
feuille der Justiz der geeignete Mann gesucht; von Abgeordneten kamen
Lasser, Mayer vorübergehend in Frage; außerhalb der reichstäglichen
Kreise suchte man den nied.=österr. Landrath Grafen Ludwig Breda, der
sich in der neuen Ära durch sein nachsichtiges Vorgehen als Vorsitzender
des Preßgerichtes in den betreffenden Kreisen Sympathien erworben hatte,
zu gewinnen; als er Bedenken trug sich zu erklären [36]), wurde sein
Collega Georg Ritter v. Mitis nach Olmüz berufen. Die größte Schwie=
rigkeit bot das Finanz=Department; man nahm einigen Anstand den
Minister des October=Reichstages sein Amt fortführen zu lassen, und
man hatte doch keinen andern an den man sich wenden mochte.

Am 5. November wurde Bach in Olmüz sichtbar, und seine Ab=
neigung ein Portefeuille anzunehmen würde Schwarzenberg nicht abgehal=
ten haben auf seinem Eintritte zu bestehen; denn mehr als je hielt er
Bach's Mitwirkung für unerläßlich. „Bach's Ansichten über die Stellung
der Armee, über die Adelsfrage seien so correct als möglich", schrieb er
am 5. nach Hetzendorf, offenbar um den Marschall für seine Meinung
zu gewinnen. Doch zwei Umstände waren es, die Schwarzenberg endlich
bewogen auf den Mann zu greifen der in seiner unmittelbaren Nähe
weilte und der wie kein anderer die Eignung für den Posten mitbrachte
um dessen Besetzung es sich handelte. Einmal drängte Wessenberg mit
seinen Entlassungsgesuchen; am 5. November war es bereits das vierte
das er dem Kaiser überreicht hatte; er wollte sich nicht länger halten
lassen, man mußte zu einem Entschlusse kommen. Andrerseits sprach sich
der Feldmarschall in der entschiedensten Weise für Stadion aus; er un=
terschätze nicht im geringsten die Fähigkeiten Bach's und zweifle eben so
wenig an dessen Gesinnungen; allein für den Posten eines Ministers des
Innern, meinte Windischgrätz mit Recht, sei Bach denn doch zu sehr
Wiener, während Stadion durch seine Dienstleistung in mehreren Pro=
vinzen die verschiedensten Theile des Reiches kennen gelernt habe. So gab
denn zuletzt Schwarzenberg nach. Stadion erhielt den förmlichen Antrag
das Portefeuille des Innern zu übernehmen und sagte zu, und am 7.
machte bereits das frohe Losungswort: „Stadion hat angenommen!" die
Runde durch alle Olmüzer Kreise. Schon war man hier auf allerhand
Mistrauen und Befürchtungen verfallen; man konnte es nicht begreifen
wie man Stadion so lang ohne feste Bestimmung lassen könne, und
hatte zuletzt keine andere Erklärung dafür als: Eifersucht zwischen ihm
und Schwarzenberg, von denen jeder die erste Rolle spielen wolle, trage
die Schuld daß die beiden Männer nicht längst so stünden wie sich's für
sie schickte und wie es das gemeine Wohl verlangte, nämlich n e b e n =
e i n a n d e r [37]).

Die Vervollständigung des Ministeriums machte nun rasche Fort=
schritte. Bach wurde jetzt das Ministerium der Justiz, das er in dem frühe=
ren Cabinete geführt, vorbehalten. Das Portefeuille war frei, da Mitis,
der bereits zugesagt, über Nacht anderen Sinnes geworden war; es war
ihm der ganze Ernst der allgemeinen Lage und der darin von ihm zu
übernehmenden Aufgabe mit solch überwältigender Macht zu Kopf ge=
stiegen daß er davon völlig schwindlig wurde und eine hitzige Krankheit

5*

zu befürchten hatte wenn er sich nicht schnell wieder losmachte [38]). . Auch
Bach sträubte sich zwar noch, allein man durfte die Hoffnung nicht auf=
geben seinen Widerstand zu besiegen. Stadion, der auf seinen Eintritt
keinen geringern Werth legte als Schwarzenberg, mußte eine der Ein=
wendungen Bach's nach der andern zu widerlegen und ihn auf diese Art
mit ausdauerndem Drängen auf den Punkt zu bringen von wo er zuletzt
nicht mehr heraus konnte. Was die Besetzung des Kriegs=Ministeriums
betraf, so kam man von dem früheren Gedanken es einem bloßen Ver=
waltungsmanne anzuvertrauen wieder zurück: General Cordon, der be=
liebte Stadt=Commandant von Wien, wurde für den Posten ausersehen.
Auch dieser machte anfangs Einwendungen; in militärische Subordinations=
Begriffe eingelebt, wollte es ihm nicht einleuchten wie er, der einfache
Generalmajor, höher gestellten Feldmarschall=Lieutenants und Feldzeug=
meistern solle zu gebieten haben; es war eben die Armee=Verwaltung die
in den Wirkungskreis des Ministers fällt, und der seine besondern Wege
gehende Armee=Oberbefehl, die er mit einander verwechselte. Zuletzt sagte
er zögernd zu. Dr. Helfert wurde für den öffentlichen Unterricht in's
Auge gefaßt; abermals aus Prag berufen lehnte er es wie früher ab
in das Ministerium zu treten, erklärte sich aber bereit unter Stadion's
Ägide in der Stellung eines Unter=Staats=Secretärs die Leitung der
bezüglichen Geschäfte für so lange zu übernehmen bis der rechte Mann
gefunden sein würde. Da aber Schwarzenberg und Stadion dieses Arran=
gement nur als ein vorläufiges gelten ließen indem er sich, wie sie
meinten, früher oder später eines andern besinnen werde, so wurde Hel=
fert von da an gleich den Andern regelmäßig zu den Minister=Bera=
thungen beigezogen. Auch über die Vergebung des Portefeuilles für die
Finanzen war man schon einig geworden. Das Bedenken den bisherigen
Minister dieses Faches beizubehalten, entsprang weniger aus der zwei=
deutigen Stellung in die Kraus durch sein Ausharren während der Octo=
ber=Ereignisse bei vielen der Festgesinnten gerathen war, während aller=
dings Andere das Opfer zu würdigen wußten das er dabei eben so sehr
seiner Überzeugung als dem öffentlichen Dienste gebracht hatte [39]); als
vielmehr aus der Unvereinbarlichkeit Kraus in einem und demselben
Cabinete mit Wessenberg sitzen zu lassen, die beide in der letzten Zeit
einen mindestens äußerlich so ganz verschiedenen Standpunkt eingenommen
hatten. Nachdem es aber einmal ausgemacht war daß Wessenberg zurück=
treten würde, entfiel dieses Bedenken und Kraus blieb in seiner Stellung.

Von Seite der böhmischen Reichstags-Partei die in dieser ganzen
Olmüzer Zeit keine unwichtige Rolle spielte, hatte man von Anfang auf
ein sogenanntes „Coalitions-Ministerium" hingearbeitet, worin die verschiedenen Ländergruppen und die verschiedenen Volksstämme des Reiches
ihre gleichmäßige Vertretung finden sollten. Damit hatte es aber seine
großen Schwierigkeiten; denn die Hauptsache mußte immer die Einigkeit
im Programme sein, sollte nicht das neue Cabinet den Keim inneren
Zerfalls mit auf die Welt bringen. Diesen letzteren Standpunkt hatten
denn auch Schwarzenberg und Stadion bei der Auswahl der Personen,
die einen Posten im obersten Rathe der Krone einnehmen sollten, auf
das entschiedenste festgehalten. Doch hatten sie den böhmischen Vorschlag
nicht ganz und gar abgewiesen und in der That bildeten die von ihnen
gewonnenen Männer eine Zusammensetzung, bei der, wenn auch nicht die
verschiedenen Nationalitäten, doch jedenfalls die verschiedenen Länder-
Gruppen des Reiches vertreten waren. Von Schwarzenberg und Stadion
abgesehen in denen man sich mehr die gesammt-österreichische Idee ver-
körpert denken konnte, war Bach den Kreisen der Reichshauptstadt entsprossen und gehörten nach ihrer Abstammung und einem großen Theile
ihres Vorlebens Kraus dem galizischen, Helfert dem böhmischen Länder-
gebiete an, während Bruck aus dem Küstenländischen kam; Cordon, obwohl in Wien geboren, war als Soldatenkind eigentlich überall im Umfange der Monarchie zu Hause. So waren es nur die inner-österreichi-
schen Länder auf die man noch Rücksicht zu nehmen hatte; von ihren
Abgeordneten konnte, da sich Graf Gleisbach durch seine Stellung im
October-Reichstage für den Augenblick unmöglich gemacht hatte, nur
Ferdinand Edler von Thinnfeld in Frage kommen. Aus einem steirischen Geschlechte entsprossen, hatte Thinnfeld auf Reisen und während
eines längeren Aufenthaltes in England mancherlei Kenntnisse und freiere
Anschauungen gewonnen, die er in seinem Heimatlande sowohl als Land-
wirth und Bergmann für seine eigenen Interessen, wie als Stände-Mit-
glied im Schoße der steirischen Landesvertretung vielfach zu verwerthen
wußte. Im Reichstage hatte er selten das Wort ergriffen, aber dabei
jedesmal Sachkenntnis, ruhige und verständige Auffassung bekundet.
Bald nach Ausbruch des October-Aufstandes hatte er Wien verlassen
und von seinem Besitze Feistritz oberhalb Grätz eine mannhafte Ansprache
an seine Wähler gerichtet, denen er die Beweggründe darlegte warum
er „zeitweise" den Reichstag gemieden [40]). Thinnfeld erklärte sich bereit

einem Rufe in das Ministerium zu folgen und es wurde für ihn aus
den Ressorts mehrerer anderer Ministerien ein neues: „für Landes=Cultur
und Bergwesen" geschaffen.   .

<h2 style="text-align:center">4.</h2>

Während in solcher Weise in Olmüz das neue Ministerium all=
mälig zustande kam, Wessenberg aller Verantwortlichkeit entbunden zu
sein strebte, Schwarzenberg selbe auf seine Schultern zu nehmen noch nicht
in der Lage war, befanden sich in allen Theilen des Reiches die Dinge
ebenfalls in einem Stadium von Vorbereitung, eines Überganges zu mehr
oder minder ungewissen Gestaltungen. Es war eben das große Ereignis
von Wien, dessen folgenreiche Schwere sich nach allen Richtungen fühlbar
machte, hier eine Art Betäubung hervorrief dort zu neuer Sammlung
der Kräfte anspornte, überall zu thun und zu sorgen gab. Daß nach
Wien die Reihe an Pest kommen werde wußte oder fühlte die ganze
Welt, und so war es denn die ungarische Frage an die man als die
wichtigste und dringendste sowohl im Haupt=Quartier vor Wien als
am kaiserlichen Hoflager zu Olmüz alle Augenblicke wieder gemahnt
wurde. Dort gab Windischgräz die Parole aus, hier führten Schwarzen=
berg und Wessenberg bald gemeinschaftlich das Wort bald jeder für sich; ·
denn so wenig noch Fürst Felix vor der Öffentlichkeit als Leiter der
österreichischen Angelegenheiten erschien, so sehr war er es der That nach
von dem Zeitpunkte an, wo er sich entschlossen hatte dem Drängen seines
Schwagers nachzugeben und sich mit der Leitung des neuen Cabinets zu
beschäftigen.

Nach der Einnahme Wien's waren es drei Mitglieder des ungari=
schen Repräsentanten=Hauses, Paul Szirmay, Ferdinand Ragályi, Vin=
cenz Hettyei, die gleich am 2. November der neuen Macht in die Hände
fielen; Stephan Varga, Secretär des ungarischen Ministeriums am
kaiserlichen Hoflager, wurde am 5. Abends in der ungarischen Hofkanzlei
aufgehoben, durch Soldaten abgeführt, die Amts=Räumlichkeiten versiegelt.
Einem gefährlicheren Individuum, dem geheimen Sendboten Beszter
Sándor, gelang es am Abend des 6. November aus der „Stadt London"

zu entkommen; wenig Stunden früher hatten in demselben Hotel
Stúr und Hurban „mit einigen anderen Galgenvögeln", wie sich Beszter
in dem Berichte über sein Entkommen ausdrückt, Platz genommen.
Nur Georg Bartal und Michael Plathy, Staatsräthe des ungarischen Ministeriums, blieben für's erste noch unangefochten in der
Stadt. Erst am 12. November kam ihnen der Befehl des Feldmarschalls
zu, alle Amtsverrichtungen einzustellen und sich binnen 24 Stunden aus
Wien zu entfernen; General Cordon an den sie sich mit Vorstellungen
wandten erklärte ihnen rundweg keine Einsprache annehmen zu können,
und so reisten sie denn am 13. ab und kamen „nach manchen Hindernissen" in Ödenburg an [41]). Zur selben Zeit war zwischen Windischgrätz
einerseits und den maßgebenden Persönlichkeiten in Olmüz andererseits
der Meinungs-Austausch über die vorläufige Behandlung der ungarischen
Angelegenheiten bereits in lebhaftem Gange, und zwar zeigte man sich
im diplomatischen Lager ungleich strammer und absprechender als im
militärischen.

Vom 20. bis 28. October hatte in Pest unter Vorsitz des Cultus-Mini-
sters Stephan Bezerédy eine Conferenz der katholischen Kirchenfürsten Ungarns
stattgefunden, wo die allgemeine Lage des Landes berathen wurde; die
beiden neuernannten Bischöfe, der Geschichtschreiber Michael Horváth
für Csanád, und Kossuth's Vertrauter Vincenz v. Jekelfalusy für die Zips,
beide der ungarischen Erhebung zugethan, hatten daran theilgenommen.
Eine Sendschaft an den König und eine Ansprache an das Volk waren
beschlossen worden: letztere, die in der Form eines Hirtenbriefes erst am
14. November erschien, war eine verblümte in die frommsten Worte und
salbungsvollsten Redensarten gekleidete Aufforderung „im heiligen
Kampfe für das bedrängte Vaterland unverdrossen auszuharren, nicht
auf die Einflüsterung aufwieglerischer Parteigänger zu hören, aus
freiem Willen die auf die Vertheidigung des Vaterlandes abzielenden
Verordnungen zu befolgen" 2c.; erstere eine gleisnerische Verdrehung
der Thatsachen, als ob an all dem Jammer, all dem Unglück und
Schaden, worunter das Land seufze und blute, „nur die stets allgemeiner
sich verbreitende Meinung Schuld trage daß seine Majestät darauf aus-
gehe, im Widerspruch mit dem geheiligten Eid den Er bei Seiner Krönung
im Angesichte Gottes geleistet, die Rechte und Freiheiten Ungarns zu
verletzen, ja zu vernichten, das Land in ein knechtisches Joch zu zwingen
und zur Provinz zu erniedrigen, daher sie Seine Majestät beschwören

müßten die schreckliche Verantwortlichkeit, die ein grausamer Bürgerkrieg
auf Seinen Thron wälze, von seiner hohen Person fern zu halten und,
den Truggeweben böser Räthe sich entwindend, die Ruhe und den Frieden
im Vaterlande auf gesetzlichem Wege je eher herzustellen" [42]). Erzbischof
Lonovics von Erlau und der Titular-Bischof von Scutari, Michael von
Fogarassy, waren bestimmt worden die Adresse zu den Stufen des
Thrones in Olmüz niederzulegen, wo sie in der ersten November-Woche
eintrafen. Lonovics fühlte sich in der Atmosphäre, in die er sich da versetzt sah, bald unbehaglich und reiste ab ohne eine Audienz abzuwarten; Fogarassy hielt aus, wurde zuletzt vorgelassen, aber kalt empfangen und,
ohne daß es ihm vergönnt wurde über die Angelegenheit die er vertreten sollte ein Wort einzumischen, ungnädig entlassen.

Aber selbst Persönlichkeiten von erprobter Lehenstreue und Ergebenheit, denen um das Schicksal ihres schwergeprüften Vaterlandes bangte
und deren Mahnungen im Haupt-Quartier des Feldmarschalls nicht ohne
Eindruck blieben, fanden in Olmüz nur zweifelhaftes Gehör. Es waren
das Männer jener Richtung die man nachmals mit dem Namen des
ungarischen Alt-Conservatismus bezeichnet hat. Die Partei war in der
vormärzlichen Zeit aus dem Bestreben hervorgegangen, an die Stelle der
mehr abwehrenden Haltung der Regierung ein den unläugbaren Bedürfnissen der Zeit entsprechendes Vorgehen derselben, ein Programm mit
festen Zielpunkten zu setzen. In' der Magnaten-Tafel standen der gefeierte Aurel Dessewffy, Baron Jósika, Georg von Majláth an ihrer
Spitze. Nachdem der erstere durch vorzeitigen Tod seinem Vaterlande
entrissen, der zweite, mit der siebenbürgischen Kanzlerwürde betraut, dem
ungarischen Landtage entfremdet worden, Majláth als Judex Curiä dem
Partei-Getriebe entzogen war, wurde Graf Anton Szécsen, ein junger
Mann mit schönen und vielseitigen Kenntnissen, voll Geist und Leben,
wenn nicht ihr Haupt doch ihr beredtes Organ. Ungarische Patrioten,
festhaltend an der Geschichte und dem Staatsrechte ihres Landes, hielten
sie gleichzeitig die österreichische Staats-Idee im Auge und traten für
keine Maßregel in die Schranken, ohne die Rückwirkung die sie auf den
Verband mit den übrigen Ländern der Monarchie haben müßte in all'
ihren Consequenzen zu erwägen; so wirkte z. B. schon damals Emil
Dessewffy, Bruder Aurel's, für Auflassung der österreichisch-ungarischen
Zwischen-Zoll-Linie. In den Augen der reichstäglichen Opposition waren
sie Aristokraten, Männer des Privilegiums; die radicale Publicistik sparte

die grundlosesten Verläumdungen nicht, nannte sie servile Werkzeuge, wo
nicht gar erkaufte Schleppträger der Regierung [43]). Einzelne jener die
man später ohne Unterschied zu den Alt=Conservativen zählte waren aller=
dings von absolutistischen Hintergedanken, mindestens was die nicht=
ungarischen Länder betraf, nicht frei zu sprechen; allein die geistvolleren
von ihnen hielten fest an der constitutionellen Idee, die sie mit der Zeit
auch im außer=ungarischen Österreich verwirklicht zu sehen wünschten.
An der achtundvierziger Bewegung hatten sie entweder von allem An=
fang keinen Theil oder sie zogen sich, als sie das Abschüßige der Bahn
auf welche dieselbe gerieth erkannten, bei Zeiten von ihr zurück. Einige
von ihnen gingen aus dem Lande und näherten sich im Spätsommer dem
Hofe, von dem sie, als Persönlichkeiten nicht als Partei=Organe, über
einzelne Fragen und Schritte in's Vertrauen gezogen wurden. So war
unter anderm der Entwurf zu dem Schönbrunner Manifeste vom 22.
September, das, ohne den Bestand der neuen ungarischen Gesetze in
Frage zu stellen, nur der Ausbeutung derselben im Geiste der Revolu=
tion und des Separatismus mit ernster Entschiedenheit in den Weg
trat, aus der Feder Szécsen's geflossen. Zu jener Zeit befanden sich
auch Emil Dessewffy, Joseph Ürményi, Eduard von Zsedényi in Wien
und standen im häufigen Verkehr mit dem Hofrath Hummelauer, der
sich, seit er mit seinem lombardischen Mai=Vorschlage und seiner darauf
bezüglichen Mission nach London Schiffbruch gelitten, dem Hofe in
Innsbruck zur Verfügung gestellt hatte, ihm von da nach Schönbrunn
gefolgt war und von demselben in jener rathlosen Zeit auch über unga=
rische Fragen gehört zu werden pflegte; ein Acten=Mann, trocken und
langweilig, aber sehr ergeben, muthig, ein selbständiger und scharfer aber
schrullenhafter Denker. Nach der Einnahme Wien's fand sich auch der
frühere siebenbürgische Hofkanzler Baron Jósika wieder ein; er hatte im Mai
und Juni einige Wochen in Prag zugebracht und war dann nach Salz=
burg gegangen die Entwicklung der Dinge abzuwarten. Hummelauer,
Jósika, Dessewffy, Zsedényi fanden bald Zutritt im Haupt=Quartier des
Fürsten Windischgrätz; Graf Szécsen, der sich den October hindurch in
Ischl befunden, wurde durch einen über Berg und Thal abgeschickten
Boten eilends nach Olmüz berufen, wo er am 2. November früh an=
kam. Allein während jene bei dem Feldmarschall williges Gehör fanden,
Hummelauer eine Denkschrift über die Behandlung der ungarischen Frage
abfaßte, Jósika mit dem Entwurfe eines neuen kaiserlichen Manifestes

„an die Völker Ungarns Kroatiens Slavoniens Siebenbürgens und
der Militär-Gränze" betraut war, fand Szécsen in Olmütz fast keine
Arbeit, sondern wurde nur für nebensächliche Dinge in Anspruch genommen, wie um den Schein zu vermeiden als ob man ihn unüberlegt
für nichts und wieder nichts habe kommen lassen. So war es auch.
Zwischen der Berufung Szécsen's nach und seiner Ankunft in Olmütz
hatten sich in den dortigen maßgebenden Kreisen die Ansichten über die
Behandlung der ungarischen Wirren wesentlich geändert, eine Wandlung
die sich am kürzesten in die Worte zusammenfassen läßt: man wollte
diese Wirren nicht mehr lösen, man wollte sie einfach abthun. Für
jenes bedurfte man des Beirathes von Kennern der ungarischen Zustände
und Verhältnisse, für dieses war solcher Beirath nicht blos überflüssig,
er hinderte nur und hielt auf.

Am 5. November traf Hummelauer mit dem vom Feldmarschall gut-
geheißenen Entwurfe des neuen kaiserlichen Manifestes an die Völker
Ungarns ꝛc. sammt einer kürzeren für die Fassungskraft des gemeinen
Mannes berechneten Ansprache in Olmütz ein. Schwarzenberg fand ersteren
zwar „zu staatsrechtlich, etwas lang und schwer verständlich", legte ihn
aber dennoch dem Kaiser zur Genehmigung vor; an Stelle der zweiten
wünschte er eine andere gesetzt zu sehen „die vielleicht für den Bauer
zweckmäßiger sein dürfte" und sandte sie, gleichfalls mit der kaiserlichen
Unterschrift versehen, nach Schönbrunn; sollte der Feldmarschall damit
nicht einverstanden sein, so möge er das Exemplar einfach vernichten.
Allein zugleich mit diesen beiden Schriftstücken empfing Fürst Windischgrätz die eindringlichsten Vorstellungen seines Schwagers, sich mit seinen
Rathgebern nicht zu tief einzulassen. „Er fürchte", schrieb Fürst Felix am 6.,
„daß das ganze Werk viel zu sehr im ungarischen Sinne gemacht
und man aus den gegenwärtigen Umständen nicht die Vortheile für die
Gesammt-Monarchie ziehen werde die für das allgemeine Beste daraus
abzuleiten wären. Jene Rathgeber seien zwar Feinde Kossuth's doch im
Herzen Stock-Magyaren, und gäben durchaus keine Bürgschaft für
eine mehr österreichische Richtung die jetzt mit Vortheil zu verfolgen
wäre; der Mittelsmann Hummelauer sei durchaus nicht dazu geeignet
diesem Übelstande abzuhelfen oder vorzubeugen; man müsse nothwendig
einige vernünftige und wohlgesinnte Kroaten Slovaken Siebenbürger
Slavonier Walachen Serben und Österreicher mithören. Jelačić", schloß
Schwarzenberg, „ist ehrlich genug um über diesen Gegenstand zu Rathe

gezogen zu werden, und so unpopulär er als Kroaten=Führer ist, so
nothwendig dürfte es doch sein sich mit ihm in's Einvernehmen zu setzen."
Schon Tags darauf folgt eine neue eben so eindringliche Mahnung.
Schwarzenberg beschwört den Feldmarschall, in allem was die Reorganisa=
tion Ungarns betreffe mit der größten Vorsicht vorzugehen und seine
Rathgeber aus jenem Lager nicht allein oder zu viel walten zu lassen:
„Ihnen liegt nur daran wieder ein Ungarn zu haben in dem sie existiren
und regieren können. Von der günstigen Gelegenheit Ungarn mit der
Gesammt=Monarchie in einen näheren dem Ganzen nothwendigen Nexus
zu bringen, haben sie gewiß nicht die Absicht zu profitiren. Der Magya=
rismus wie er von 1825 bis 1847 grassirte, steckt in allen ihren Köpfen.
Ungarn muß anders constituirt werden, und jetzt oder nie kann es zum
Heile der Gesammt=Monarchie geschehen. Dazu brauchen wir die Mit=
wirkung der verschiedenen Nationalitäten; wie diese zur Theilnahme bei=
gezogen werden sollen, wird sich bald finden." Wahrscheinlich unmittel=
bar nach Empfang des ersteren dieser beiden Schreiben hatte Fürst
Windischgrätz am 8. November in Schönbrunn eine lange Unterredung
mit Jósika und Zsedényi; er setzte den beiden Herren auseinander daß
von „Separatismus" fortan keine Rede mehr sein könne, daß an diesem
Grundsatze im Interesse sowohl der Gesammt=Monarchie als Ungarns
unabänderlich festgehalten werden müsse. Das Ergebnis der Verhand=
lung war daß sich, wie Windischgrätz mit Befriedigung nach Olmütz
schrieb, sowohl Jósika als Zsedényi in der Hauptsache mit dem Fürsten
einverstanden erklärten.

Letzteres schien auch, wie sich nach diesem Vorfall annehmen ließ,
im Verhältnisse Windischgrätz' und Schwarzenberg's der Fall zu sein.
Als es sich aber im weiteren Verlauf um die Behandlung einzelner
Fragen handelte, wurde sogleich klar wie sehr die Grundanschauungen
dieser beiden maßgebenden Persönlichkeiten von einander verschieden waren.
Die Geschicke unserer Monarchie würden sich ganz anders, und in wei=
terer Folge wahrscheinlich günstiger, entwickelt haben wenn nicht, wie wir
in der Folge sehen werden, der Feldmarschall dem Minister=Präsidenten,
sondern umgekehrt dieser jenem nachgegeben hätte.

In dem einen Punkte war jedenfalls alle Welt einig, daß zur
Beilegung der ungarischen Wirren vorläufig nichts übrig bleibe als es
auf das Spiel der Waffen ankommen zu lassen. Auch standen sich in

der That seit der Entscheidung vor Wien die beiderseitigen Streitkräfte
wie zum Kampfe gerüstet gegenüber.

Nach der Niederlage bei Schwechat hatte General Moga, auch kör=
perlich verletzt, den Oberbefehl über die Donau=Armee niedergelegt, den
Kossuth dem jungen Obersten Görgei anvertraute. Görgei hatte sich
gegen das Unternehmen von Schwechat ausgesprochen, er hatte das
Scheitern desselben vorausgesagt[44]), er hatte während und nach der
Schlacht die Vorzüge eines klaren Kopfes und eines entschiedenen Wil=
lens zur Geltung gebracht; er schien durchaus der Mann zu sein wie
man ihn bei den vorhandenen Umständen brauchte. In Presburg wurde
es jetzt lebendiger als je. Görgei und der Ober=Landes=Commissär Csányi
boten alles auf, die Stadt in Vertheidigungszustand zu setzen, die Armee
schlagfertig zu machen. In der Au, auf dem Calvarien=Berge, gegen
Neudorf und Theben wurden Verschanzungen aufgeworfen wie im Jahre
1809 gegen die Franzosen. Die Stadt wurde von vielen Bewohnern
verlassen, die sich in die Dorfschaften flüchteten. Überall wimmelte es
von Nationalgarden und Honvéds die Görgei fleißig in den Waffen üben
ließ; auf den Wiesen von Kittsee konnte man seine Bataillone täglich
marschiren und manoeuvriren sehen.

Die Nähe der kaiserlichen Truppen trieb zu eben so großer Eile als
Vorsicht. Während General Simunič von Norden her Presburg be=
drohte, hatte Windischgrätz seine nach der Einnahme Wien's verfügbar
gewordenen Truppen gegen die ungarische Gränze vorgeschoben; am äußer=
sten linken Flügel, den Truppen Simunič' zunächst, stand die Brigade
Wyß in Angern, Fürst Jablonowski mit der seinigen hielt Schloßhof
und den Eisenbahndamm bei Marcheck besetzt, Abtheilungen vom Armee=
Corps des Banus und die Cavallerie=Division Liechtenstein lagerten an
der unteren Leitha; Oberst Horváth, der in Wiener=Neustadt mit acht
Compagnien und zwei Schwadronen den äußersten rechten Flügel der
kaiserlichen Aufstellung bildete, hielt mit seinen Vorposten die Straße
nach Ödenburg im Auge. Am anderen Ufer des Gränzflußes, stellen=
weise kaum auf 300 Schritte Entfernung, bildeten Husaren die Gränz=
wacht der Ungarn, von denen mitunter einzelne näher heranritten, eine
Pistole in die Luft feuerten und dann schnell wieder davon sprengten.
Kleine Balgereien kamen fast täglich vor und auch an Gränzverletzungen
fehlte es nicht, wo es dann ohne einiges Blutvergießen nicht ablief. Doch
trug alles mehr das Gepräge von Muthwillen und ungezügelter Kampf=

luft; eigentliche Erbitterung war im allgemeinen nicht wahrzunehmen.
So gab es denn mitunter Auftritte von ganz humoristischem Anstrich.
Als eines Tages in der Nähe von Bruck a. d. L. die kaiserlichen Vorposten von neu angekommenen Uhlanen bezogen wurden, sandten die
Ungarn die das sogleich bemerkten einen der ihrigen aus, der jene erst
polnisch, dann böhmisch, zuletzt deutsch anrief und ihnen die unglaub-
lichsten Dinge versprach wenn sie auf die ungarische Seite herüber-
kommen wollten; als die Uhlanen darauf nichts gaben, pfiff und tanzte
er sich und ihnen mitten auf der Straße eine Mazurka vor und machte
sich dann wieder fort [45]).

Der Verkehr von und mit Ungarn war streng abgesperrt. Von
österreichischer Seite wurde „die Ausfuhr von Montourstückern Fußbe-
kleidungen Waffen und Munition in das im Aufstande begriffene
Ungarn" auf das schärfste verboten [46]). Die kaiserlichen Truppen längs
der Gränze hatten gemessenen Befehl, niemand nach Ungarn passiren zu
lassen; wer herüber kam durfte nicht wieder zurück. Die Hainburger
Fähre war in Beschlag genommen, kein Fischernachen kam von einem
Ufer an das andere, wenn nicht etwa bei Nacht und Nebel so etwas
gelang [47]). Noch umfassender waren die Vorsichten auf ungarischer
Seite. Die Ausfuhr von Getreide war verboten, die Regierung ließ
alle Vorräthe in den Schüttkästen consigniren. Am 5. November machte
Csányi bekannt, daß „niemand die Gränze des Vaterlandes überschreiten
und diesfalls Pässe ansuchen" dürfe. „Wir sind leider von Österreich
ganz abgesperrt", hieß es in einem Schreiben aus Tyrnau von Anfang December, „und nur einzelnen Waghälsen gelingt es die Gränze
zu passiren". Aus dem Innern des Landes auf dieser Seite herauszukommen stieß an die Unmöglichkeit. Abgesehen davon daß man, je näher
man gegen Österreich kam, immer weniger Fuhrwerk und endlich gar
keine Pferde erhielt, so waren diese kaum zu gebrauchen da Straßen und
Wege längs der Gränze von 30 zu 30 Schritten durch Abgrabungen
und Aufwürfe unfahrbar gemacht waren. Weiter gegen das Innere des
Landes waren die Straßen blos zur Hälfte abgegraben, so daß die zu
Markt fahrenden Wagen mindestens einzelnweis hinüberkonnten. Briefe
und Botschaften in das südliche Ungarn, in die Militärgränze, nach
Siebenbürgen oder von dorther nach Wien mußten weite Umwege machen,
so daß sie erst nach zehn bis vierzehn Tagen am Orte ihrer Bestimmung
ankamen; Puchner schickte seine Couriere entweder durch die Walachei

und Serbien nach Semlin und von da durch Slavonien Kroatien und
Steiermark, oder über Bistritz und Czernowitz durch Galizien.

Die so zu sagen hermetische Absperrung der Gränze war jedoch von
ungarischer Seite mindestens eben so sehr eine politische wie eine mili=
tärische Maßregel. Es scheint daß der kühne Einmarsch des Banus an
der Spitze kaiserlicher Truppen es war, der Vielen in Pest zuerst die
Augen öffnete wohin die unglückselige Verwicklung führen könne, und sie
antrieb sich bei Zeiten aus dem Staub zu machen. Höhergestellte Offi=
ciere reichten Entlassungsgesuche ein und gingen, sobald sie den gewünsch=
ten Bescheid in der Tasche hatten, über die Gränze; andere erbaten sich
Urlaub auf einige Tage und Wochen und ließen sich's, nachdem die Frist
abgelaufen, nicht beifallen zu ihrer Truppe wieder zurückzukehren. Selbst
einzelne Reichstags=Mitglieder gaben ihre Sitze im Abgeordnetenhause
auf und verließen Stadt und Land [48]). Das ärgerlichste Aufsehen aber
hatte in Pest das Auftreten des Grafen Moriz Pálffy gemacht, der sich
am 6. October dem Hofe von Schönbrunn zur Verfügung stellte und
einen Monat später eine Erklärung veröffentlichte, worin er allen „hoch=
und landesverrätherischen Gaunern wie Kossuth und Madaraß" seinen
Handschuh hinwarf und seine bethörten Landsleute aufforderte „endlich
das schmähliche Joch der ungarischen Raub= und blutgierigen Tyrannen
abzuschütteln" [49]). Es drohte eine förmliche Auswanderung. Im Lande
selbst d. h. in den vom Magharismus besetzten oder beherrschten Ge=
bieten waltete ein solcher Terrorismus daß eine von der großen Strö=
mung abweichende Meinung oder Haltung fast zur Unmöglichkeit wurde,
und daß man sich auswärts staunend fragen mußte wohin die conserva=
tive Partei von ehedem mit einmal gerathen sei ; ob wirklich ganz Ungarn
umgewandelt nur eine politische Farbe trage und ungetheilt in den
Fußstapfen Kossuth=Batthyányi's einhergehe, oder ob über die Magnaten
und Mitglieder der dynastischen Partei eine derartige Feigheit gekommen
sei daß sie ihre Stimme nicht zu erheben wagten [50]). In der That hatte
das Blutgericht auf der Insel Csepel unter letzteren einen solchen Schrecken
verbreitet, daß ihnen, wollten sie ihren loyalen Gefühlen treu bleiben,
kein anderer Ausweg offen schien als aus dem Lande zu gehen und jen=
seits desselben für ihre Überzeugung zu wirken. Solch bösen Beispielen
nun meinte die revolutionäre Partei ein für allemal ein Ende machen
zu müssen. Ehemalige k. k. Militärs wurden aufs schärfste bewacht und
ihnen, wenn sie Miene machten auszureißen, nachgesetzt; man erzählte

von einem Officier der, nachdem er in Pest seinen Austritt angemeldet hatte, auf dem Wege nach Wien aufgegriffen und vom Leben zum Tode gebracht wurde. Gegen Ende November wurde in Presburg allen pen=sionirten Officieren der Eid auf die Verfassung zur Pflicht gemacht; sechs „Schwarzgelbe" die sich dessen weigerten wurden, wie sich die „Oppoſi=tion" ausdrückte, „zu einer Bekanntschaft mit der Komorner Jungfrau eingeladen und alsbald dahin expedirt". Gleiches geschah mit einigen Civil=Personen: dem Post=Verwalter Frabelli, dem ehemaligen Censor Drescher u. a.

Wenn aber in solcher Weise die Gränzsperre dazu diente, den zahlreichen Elementen der Unzufriedenheit, des Unmuths und Abfalls den Austritt aus dem Lande zu verwehren, so hatte sie zugleich die entge=gengesetzte Bestimmung: Nachrichten über den wahren Stand der jenſei=tigen Dinge, kaiserlichen Manifesten, Aufrufen der Wiener Regierung u. dgl. den Eintritt in das Land unmöglich zu machen. Zwar die Einnahme Wien's ließ sich in Buda=Pest nicht verhehlen; aber schon über den Aus=gang der Schlacht bei Schwechat blieb das ungarische Publicum wochen=lang im Dunkeln; noch am 9. November konnte Kossuth den Deputirten vorlügen, man habe nicht eine Kanone und nicht einen Gefangenen ver=loren und das Treffen sei daher „eher zu unseren gewonnenen als ver=lorenen Schlachten zu rechnen". Um so genauer mußten die Pester Regierungs=Blätter über Vorfälle zu berichten die sich sonst nirgends als in ihren Spalten zutrugen: bald war in Wien ein neuer blutiger Auf=stand ausgebrochen und man hörte andauerndes Kanonengebrüll von dort; bald gab es in Prag heftigen Zusammenstoß zwischen Civil und Militär und mußte sich letzteres aus der Stadt hinaustreiben lassen; bald hatte sich die ganze Lombardei gegen Radecky erhoben [51]). Eines Tages war sogar ein angeblich dem „Diario di Roma" entnommenes päpstliches Breve zu lesen, das gegen den Kaiser, die Erzherzogin Sophie mit der gesammten Camarilla (madonna Sofia del Bavaria con tutta sua infamioza camarilla), gegen Windischgrätz und Jelačić (il furbone J. questo grande bandita), gegen Hurban und Baron Jósifa, gegen die Generale Berger Bechtold Rukavina Urban und Mayerhofer den Bann schleuderte; das Machwerk war elend zusammengestoppelt und voll sprachlicher und orthographischer Fehler, that aber, von den ungari=schen Behörden in halbamtlicher Weise bis nach Kroatien hinein ver=breitet, bei Unwissenden gleichwohl seine Wirkung. Blätter, aus denen

das Publicum richtigere Nachrichten schöpfen konnte, wurden unterdrückt
oder gar nicht in's Land gelassen. Die „Augsburger Allgemeine" wurde
in einer „Aufforderung" vom 8. November förmlich vervehmt, sie sei „eine
Unmöglichkeit geworden für jeden ehrliebenden Ungar"; man möge „ge-
sinnungstüchtige" Blätter wie die Weser-Zeitung, die Breslauer Oder-
Zeitung, die „Rheinische" lesen [52]). Exemplare der „Wiener Zeitung"
waren in ganz Buda-Pest nirgends aufzutreiben, und dasselbe war mit
allen Aufrufen und Kundmachungen der Fall die aus dem kaiserlichen
Lager an das Heer oder an die Bevölkerung gerichtet waren. Der Pester
Polizei-Director Hajnik verbot unter Androhung des Standrechts sämmtlichen Postämtern, Proclamationen des Fürsten Windischgrätz oder Manifeste des Kaisers die mit der Post eintreffen sollten weiter zu befördern.
So konnte es geschehen, daß es kaiserliche Officiere in Ungarn gab die
von der Aufforderung des Feldmarschalls sich unter seine Befehle zu
stellen nie etwas zu Gesicht bekommen, nie etwas verläßliches vernom-
men hatten. Selbst in dem nahen Presburg war man vollständig im
Dunkel über das was jenseits Hainburg und der Leitha vorging. Auf
der Post wurden alle Briefe erbrochen, die arglosefte Rede Haltung oder
Kleidung konnte in den Verdacht der Spionage bringen und das Leben
gefährden; das Denuncianten-Wesen stand in eckelhafter Blüthe [53]). In
Stampfen wurden am 11. mehrere Ferdinand Pálffy'sche Beamte wegen
Einverständnisses „mit der feindlichen Partei" aufgehoben, unter Husaren-
Escorte in das Presburger Comitats-Haus gebracht und am anderen
Tage nach Pest abgeführt. Trotz dieser Vorsichts- und Gewaltmaßregeln
mehrten sich die schlimmen Wahrzeichen. Selbst in den Reihen der Führer
herrschte Mangel an Zuversicht. So eifrig in Presburg gearbeitet und gerüstet wurde, waren sie darüber einig daß die Stadt gegen einen ernstlichen
Angriff der kaiserlichen Truppen nicht zu halten sei. Görgei konnte sich nicht
verhehlen daß auf die nächst gelegenen Comitate: Presburg Trenčin Neitra
Ödenburg Wieselburg, kein Verlaß sei; er klagte Kossuth in einem Schreiben bitter daß das Landvolk zu ihrer Sache nicht halte, „dem verschmach-
tenden Landsmanne seine Thüre verschließe" [54]). Die Palatinus-Witwe
sah im Geiste schon die kaiserlichen Truppen nach Ungarn, vor Ofen
und Pest rücken, und bat deren Führer in flehentlichem Tone um Schonung für das „hoffnungsvolle Land das neunundzwanzig Jahre seines
Herrn Antlitz nur an der Gränze sah", beschwor ihn „beim Anblick der
theueren Städte, wo der treueste Beamte des Kaisers, der durch zwei-

undfünfzig Jahre dem Lande vorstand, bei seinen und ihren Kindern ruhe, in dankbarer Anerkennung seiner Dienste zu gedenken" [55]).

Tiefer im Lande war die Stimmung allerdings keine so gedrückte, und manche Classen der Bevölkerung befanden sich überhaupt ganz wohl. Der Mangel an klingender Münze wirkte allerdings in mehr als einer Richtung in empfindlicher Weise; allein um so fleißiger arbeitete Kossuth's Banknoten=Presse. Es folgte eine vortheilhafte Lieferung von Naturalien und Manufacten auf die andere und die Regierung ließ mit der Zahlung, freilich nur in Papier, nicht auf sich warten; es wäre denn daß es eine Abfuhr von Hunderten von Centnern von Lumpen galt, wo der Finanz= Minister den Händler mit der Auszahlung vertrösten mußte bis — die Habern verarbeitet wären. Dem von den österreichischen und böhmischen Industrie=Bezirken abgeschnittenen Kaufmann kam die Waare sehr theuer zu stehen, allein er setzte sie noch theuerer ab, natürlich wieder in Papier; es wurden mitunter prächtige Geschäfte gemacht. In den getreidereichen Gegenden schloß der Bauer die günstigsten Verkäufe ab und hatte über harte Zeiten nicht zu klagen. Selbst im Kleinhandel gab es, besonders in den Nachbargegenden des Kriegsschauplatzes, reichlichen Verdienst. Bücher „aus denen man das Kriegführen lernen kann", Fäustlinge Fuß= bekleidung Pfeifen u. dgl. wurden da großmüthig ohne viel zu feilschen in Papier bezahlt. Konnte man statt der neugeschaffenen Kossuth=Noten altbewährte österreichische erhaschen, so griff man allerdings, trotz des Geschreis von „Reaction", mit Vorliebe zu diesen. Die Lebensmittel wa= ren, weil es keine Ausfuhr gab, im Klein=Verkehr spottwohlfeil; wer auf ein bestimmtes Gehalt angewiesen war, kam damit besser aus als je. War es zu wundern wenn sich der Stock=Maghyar, der von der ganzen übrigen Welt nichts wußte, seinen Kossuth als einen Halbgott einreden ließ?

Am meisten klingende Münze, insbesondere neue Ducaten, sah man noch in der Hauptstadt, wo überhaupt, trotz der Cholera die hier den November hindurch wüthete [56]), ein sorgenloses leichtsinniges Leben vor= waltete. Hier war es auch wo sich das revolutionäre Treiben wie in einem Brennpunkte sammelte. Zu den früheren Hauptarbeitern in dieser Richtung waren seit dem Wiener October=Aufstande viele Flüchtlinge ge= kommen die hier ein neues Feld ihrer Thätigkeit suchten: Tausenau, Ludwig Hauck, Hrczka Mitarbeiter der „Constitution", Ernst Preßlern v. Sternau Bruder des Wiener Mobilgarde=Commandanten, General

Bem u. a. Die Bedrängnis, die Leiden, die Demüthigung Wien's, in deren übertriebener Schilderung sie einander überboten, gaben den Pamphletisten erwünschten Stoff zu den erbittertsten Ausfällen gegen die Dynastie, zur Aufstachelung des Volkes zu rächender Erhebung: „Auf jetzt Ungarn, gewiß ist dein Sieg oder es gibt keinen Gott! Auf aus euren Gräbern ihr tapfern Hunnen, sammelt euch ihr Gebeine mit eurer Riesenkraft, zu vernichten die Mörder der Freiheit eurer Enkel! Mögen sich die Arme aller Getreuen vervielfältigen, mögen die Kieselsteine der Donau in eben so viele Kämpfer sich verwandeln!" [57]) Die deutsche „Pester Zeitung" von Glatz brachte „politische Rhapsodien" eines gewissen (oder pseudonymen) Martin, die es an frecher Verhöhnung der rechtmäßigen Regierung den wüthendsten magyarischen Blättern wo möglich noch zuvorthaten: „Das Haus Österreich hat sich der Reformation und hat sich der Revolution entgegengeworfen mit seinen bezahlten Schaaren katholischer und politischer Jesuiten. Die Rache wird kommen und ein altes Haus der Frevel stürzen, über dessen Trümmern die Ori-Flamme der ungarischen und deutschen Freiheit siegprangend hinflattern wird. Wie Dunsinans Wald auf Macbeth, so wird Europa sich endlich gegen seine Henker wälzen . . . . vor dem ewigen Frieden der Freiheit der letzte blutige, aber heilige Sieg der Waffen!" [58]) Auf die Lossagung von der Dynastie wurde ganz offen hingewiesen: „Windischgrätz erklärt uns für Rebellen, jetzt ist's gleichviel ob wir einen Schritt mehr oder weniger vorwärts thun. Wir müssen untergehen als Rebellen, oder siegen und dann sind wir gerechtfertigt. Einzulenken ist es zu spät, nachdem das ominöse Wort gefallen ist." In einem Placat vom 20. November hieß es zum Schluße im Styl von 1648 und 1792: „Herr Ferdinand Habsburg-Lothringen hat sich vermessen unsere gesetzliche Regierung und unsere gesetzliche National-Versammlung in die Acht zu erklären: Regierung und National-Versammlung werden sich darüber kein graues Haar wachsen lassen" [59]).

Das neue kaiserliche Manifest vom 6. November und die am 7. unterzeichnete kaiserliche Proclamation an das Landvolk erschienen in der „Wiener Zeitung" erst am 21. Ihnen voran ging eine abermalige Kundmachung der kaiserlichen Manifeste vom 22. und 25. September und ein Abdruck desjenigen vom 20. October. Das Manifest vom 6. November erging sich, gleich den früheren vom 22. September und vom 20.

October, in einer ausführlichen Darlegung der Ungesetzlichkeiten die sich
im Laufe der letzten Monate die Pester Regierung und Volksvertretung
erlaubt habe; verbot jede fernere Emission von Papiergeld, alle weitern
Werbungen, Aufbieten des Landsturms, Verwendung der Nationalgarde
zum Kriegsdienst; erklärte alle nicht sanctionirten Beschlüsse des durch
königliches Rescript vom 3. October aufgelösten Reichstages „für jetzt
und alle Zukunft als gesetzwidrig kraftlos und nichtig", den „Ludwig
Kossuth und die Genossen des durch ihn angezettelten Aufruhrs als
Hoch- und Landesverräther", und befahl „daß dieselben der verdienten
Strafe unterzogen, zugleich alle die diesen Aufrührern gehorchen oder wie
immer hilfreiche Hand leisten der strengsten Ahndung unterworfen werden"; es sei der „unerschütterliche" königliche Wille, die zur ungarischen
Krone gehörigen Länder aus ihrem trostlosen Zustande zu befreien, und
ergehe daher an alle „wie immer Namen habenden Obrigkeiten" der ge-
messene Auftrag „dem zur Bekämpfung des ungarischen Aufruhrs entsendeten Feldmarschall Fürsten zu Windischgrätz unbedingten Gehorsam
um so sicherer zu leisten, als ansonst die dawider Handelnden die unausbleiblichen Folgen ihrer Widersetzlichkeit nur sich selbst zuzuschreiben
haben werden." Die Ansprache „an die Landbewohner der Länder der
ungarischen Krone" enthielt in wenigen und kurzen Absätzen eine Warnung vor den „frechen Umtrieben Ludwig Kossuth's und seiner Genossen",
eine Versicherung daß „die Befreiungen von der Robot und dem
Zehent" unangetastet bleiben sollen, und die Aufforderung sich den in's
Land ziehenden Truppen anzuschließen, sie „im Werke der Herstellung
der Ordnung" zu unterstützen und dabei „die Rechte und das Eigenthum eines Jeden" zu achten. Im Anschluße an dies königliche Wort
richtete auch Fürst Windischgrätz einen Aufruf an die „Bewohner Ungarns
und Siebenbürgens", denen er seine Ankunft an der Spitze „einer tapferen und treuen Armee" ankündigte „nicht mit feindlichen Absichten, sondern um den Aufruhr zu bewältigen und dem von Parteien zerrissenen
Lande den Frieden wiederzugeben." Schließlich erfolgte eine abermalige
Aufforderung des Feldmarschalls „an den Herrn F.-M.-L. Moga und
sämmtliche in Ungarn befindliche k. k. Generale, Stabs- und Ober-
Officiere", zu ihrer Pflicht und zu der Fahne der sie ewige Treue geschworen zurückzukehren, wozu er ihnen eine Verlängerung der früher
anberaumten Frist „noch auf vierzehn Tage nämlich bis zum 26. November" gewährte; die diese Frist unbenützt verstreichen ließen müsse er

„sodann als Verräther und Rebellen betrachten und im Betretungsfalle als solche nach der Strenge der Kriegsgesetze behandeln lassen." Die beiden Kundmachungen des Fürsten Windischgrätz waren datirt aus dem Haupt=Quartier Schönbrunn 12. und 13. November.

Als der Inhalt dieser Schriftstücke in den ungarischen Regierungs= kreisen und in der ihnen dienstbaren Publicistik bekannt wurde, erreichte die Leidenschaft, die wüthende Erbitterung der Partei ihren höchsten Gipfel. Der Feldmarschall hatte die Proclamationen an die benachbar= ten ungarischen Comitate mit dem Auftrage geschickt für deren weitere Verbreitung zu sorgen. Auf diesem Wege gelangten dieselben in Pres= burg zur Kenntnis Görgei's und Csányi's, die darauf am 26. November mit einer Gegen=Proclamation antworteten. „Bis jetzt", hieß es darin zum Schluße, „können wir einzig und allein in den Repräsentanten des Volkes jene Macht erkennen die gesetzmäßig zur Leitung des constitutio= nellen Ungarn berufen ist; daher erklären wir den Landesvertheidigungs= Ausschuß, das Organ dieser Macht, für unsere vollkommen gesetzmäßige Regierung, seine Anordnungen für den Ausspruch der Nation, und sind stolz in der Überzeugung die Befehle dieser Regierung treu befolgt zu haben. Unser Wahlspruch ist: Constitutionelles Recht und Freiheit. Unter dieser Ägide werden wir kämpfen bis zum letzten Tropfen unseres Blutes. Unter ihrem Schilde und mit Gott hoffen wir zu siegen gegen jede gesetzwidrige Macht, gegen jede Arglist und Niederträchtigkeit" [60]). An den Pester Landesvertheidigungs=Ausschuß und von diesem an das Repräsentanten=Haus kamen die königlichen Manifeste um den 20. durch die Ödenburger Comitats=Behörde. Die Kammer der Volksvertreter wies sie zur Begutachtung an einen Ausschuß, in dessen Namen Gorové am 27. beantragte mit Proclamationen an die Völker Europa's und an die Bewohner Ungarns zu antworten. Madarasz Laszlo hielt eine stundenlange Rede über die „Niederträchtigkeiten, die Widersprüche und die Lügen" der Manifeste. „Dümmere Machwerke sind noch selten gehört worden", berichteten die Pester Blätter über die Sitzung; „sie wurden auch nach Gebühr verlacht; eine allgemeine Heiterkeit herrschte im Hause, und beim Vorlesen der Worte ‚Kossuth und Consorten' brach das Haus in einen begeisterten Jubelruf aus." Gorové's Antrag fand all= gemeine Billigung. Am 29. November erschien das Gegen=Manifest der „National=Vertreter und des Oberhauses an die Völker Ungarns", ein sehr weitläufiges Schriftstück worin die Leiden „des verrathenen

gemeinsamen Vaterlandes, welches die den König umgebenden Cabalen=
Schmiede mit einem schändlichen Gewebe umsponnen haben", in den
schwärzesten Farben geschildert und die Bewohner des Landes „Ungarn
Deutsche Slovaken Walachen Kroaten Raitzen" angeeifert werden „sich
selbst und dem Vaterlande treu zu bleiben." An allem was jetzt Ungarn
zu leiden habe trügen nur „die den König umgebenden bösen Räthe"
Schuld: „die Kroaten haben sie aufgehetzt, ihnen Geld Kanonen Waffen
Schießpulver zugeschickt, während sie mit Worten verkündigten daß der
König den Aufstand misbillige; auf ähnliche hinterlistige Weise wurden
die Raitzen zur Empörung gebracht und aus dem benachbarten Serbien
Räuberhorden in das Land gelockt, in Wien von nichtswürdigen Rebellen
aus den oberen slavischen Gegenden Söldner geworben zur Aufwiegelung
der slavischen Comitate; den landesverrätherischen Jelačić ernannten sie
zum bevollmächtigten königlichen Statthalter und machten so den An=
führer der rebellischen Raitzen und Kroaten zum Herrn über Leben und
Tod in ganz Ungarn; Simunić mit seinen Räubern wurde losgelassen,
dem grausamen Windischgrätz der Oberbefehl gegeben, daß er auf's neue
in das Land einbreche und es unterjoche. So viel über eine Nation zu
häufen, so gottlos alle Gesetze zu verletzen, so meineidig alle Schwüre
zu brechen, alles was heilig mit Füßen zu treten, und dann noch den
Verfolgten, den zur Gegenwehr Gezwungenen der Empörung anzuklagen,
ist eine Sünde für welche die menschliche Sprache keinen Ausdruck hat.
Darum erklärt die National=Versammlung die aus Olmütz vom 6. und
7. November datirten Schriftstücke, da sie von keinem Minister contra=
signirt und überhaupt gegen alles göttliche und menschliche Recht sind,
für ungesetzlich und ungiltig; sie erklärt daß die Nation, wenn Windisch=
grätz oder ein anderer Feind unser Vaterland anzugreifen wagt, mit ihm
wie mit einem Rechtlosen verfahren wird; sie erklärt endlich daß der=
jenige, der die zur Besiegung dieses Feindes von unserer Armee zu er=
greifenden Maßregeln zu unterstützen unterläßt oder ihnen sogar hinderud
in den Weg tritt, sich des Landes=Verrathes schuldig macht" [61]). Noch
maßloser als die Sprache dieser öffentlichen Organe war jene der pri=
vaten Publicistik. Am 29. November erschien ein Placat Gustav
Zerffi's: „Das Standrecht muß eine Wahrheit werden!", von Anfang
bis zu Ende nichts als Pulver und Blei: „Wer ungünstige Nachrichten
eifrig verbreitet, wird erschossen. Wer von Unterwerfung spricht, wird
erschossen. Wer Zweifel gegen authentische günstige Nachrichten zu er=

regen sucht, wird erschossen" 2c. 2c. „Man muß die Verräther erschießen",
fügte er mit satanischem Humor erläuternd hinzu; „Galgen sind zu kost=
spielig und die Bäume im Stadtwäldchen, die uns durch ihre Schatten
im Sommer erquicken, verdienen einen besseren Dank als daß man
Schwarzgelbe als Obst daran hänge." In einem spätern Flugblatt: „Der
erneuerte Treubruch Ferdinand V. an seiner Krone" verlangte derselbe
Zerffi: „von der National=Versammlung sei sogleich ein Kronhüter zu
wählen und durch diesen Ferdinand V. König von Ungarn aus dem
Familien=Stamm Habsburg=Lothringen des Treubruchs und des Ver=
rathes an der ungarischen Krone und ihren angestammten Ländern vor
dem legalen obersten Richterstuhle einer jeden Nation, dem Repräsentan=
ten=Hause anzuklagen". Die „Pester Zeitung" brachte eine Correspondenz
aus Wien vom 30., worin es hieß: „So wie einst Gott sprach:
‚Mensch, du sollst den Weg alles Fleisches gehen', so spricht nun das
Volk: ‚Ihr Tyrannen vom höchsten bis zum niedersten, ihr sollt den
Weg gehen — Lamberg's und Latour's!'" Und dergleichen mehr [62]).

Einer Stimmung gegenüber, die sich in derartigen Ausbrüchen der
Leidenschaft Luft machte und die für den Augenblick einen großen Theil
des Landes beherrschte, mußten besonnene ehrliche Vaterlandsfreunde ihre
Arme sinken lassen. Sie konnten sich je länger je mehr der Überzeugung
nicht verschließen daß gegen solch unglückselige Verblendung, die den
Ränken, der Verstocktheit, der maßlosen Eitelkeit und Selbstsucht einiger
Führer dienstwillige Werkzeuge in die Hände lieferte, nur die Schneide
des Schwertes in Anwendung kommen könne, und daß die Zerrüttung
der Verhältnisse in ihrem von allseitigem Verderben heimgesuchten Vater=
lande Maßregeln durchgreifender Art und in verschiedenster Richtung
als unerläßlich werde erscheinen lassen, denen sie selbst sich würden mit
der Zeit fügen müssen, deren Verantwortung aber ihren Mitbürgern
gegenüber auf sich zu nehmen ihnen nicht zuzumuthen war [63]).

5.

Die Waffen ruhten, obgleich bei der herannahenden Winterzeit
nichts entscheidendes vorfiel, den ganzen November auf keinem der unga=

rischen Kriegsschauplätze; ja bis in die unmittelbare Nähe der Eisenbahn-
strecke die Olmüz mit Wien verband zog sich einige Tage der Kampf,
und die Männer des in der Bildung begriffenen neuen Ministeriums
die sich gerade um diese Zeit unter Wegs befanden liefen Gefahr sammt
und sonders aufgehoben zu werden ehe sie noch ein Lebenszeichen ihres
Wirkens hatten geben können.

Wir haben den tapferen Simunić, den „Räuberhauptmann" wie
ihn Pester Blätter und Kammer=Redner betitelten, nach dem siegreichen
Gefechte von Kostolna auf dem Wege gegen Tyrnau verlassen. Er hatte
keine Kenntnis wie es augenblicklich mit den Dingen vor Wien stand --
Boten brauchten im besten Falle zwei bis dritthalb Tage —, und eben
so befand er sich in völliger Unkenntnis über die Stellung und Stärke,
die Bewegungen des ihm gegenüber stehenden Feindes. Das System der
Einschüchterung, das die magyarische Gewaltherrschaft gegen das von
Natur demüthig=schüchterne Völklein der Slovaken in Anwendung brachte,
wirkte so nachhaltig, daß sich kein Eingeborener vor dem kaiserlichen
General ohne Zeugen zu erscheinen getraute und auf alle an ihn gestellte
Fragen mit einem „das weiß ich nicht" antwortete. Nur gerüchtweise
ließ sich hören daß Tyrnau stark besetzt sei, und Simunić versäumte
darum keine der gebotenen Vorsichten, als er am 30. October von
Bohuslavic über Neustadt a. d. W. nach Stráža, am 31. nach Groß=
Kostolan, am 1. November gegen Tyrnau vorrückte. Allein hier hatte
der ungarische Regierungs=Commissär Mérey die Stadt bereits verlassen
und sich nach Szered geflüchtet; die Einwohner pflanzten die weiße
Fahne auf, und ohne Hindernis erfolgte der Einmarsch der kaiserlichen
Truppen denen endlich, am 2. November, der erste ungestörte Rasttag
gegönnt werden konnte.

Die Kunde von der Einnahme Tyrnaus verbreitete Bestürzung und
Schrecken in den Reihen der Insurgenten. Das nahe Presburg war auf
das äußerste bedroht und die vorausgegangene Niederlage von Schwechat
war in dieser Lage ein wahres Glück; denn es stand dadurch eine aus=
reichende Macht zu Gebote dem „österreichischen Parteigänger" Simunić
die Spitze zu bieten. Bei Kossuth stand es fest, dem „feindlich in's Land
gedrungenen" kaiserlichen Heerführer das Loos der Generale Roth und
Philippović zu bereiten und dadurch zugleich die in Folge der Schlappe
vom 30. October etwas herabgestimmte Begeisterung im Lande wieder
anzufachen [64]). Zum Führer der Unternehmung wählte er den National=

garde=Major Guyon, den „Helden von Mannswerd", wie es scheint ge=
gen das Abrathen Görgei's der von allem Anfang in Guyon's militä=
rische Fähigkeiten Mistrauen setzte. Drei Bataillone regulärer Truppen,
drei Honvéd=, zwei Pester Freiwilligen=Bataillone, acht Schwadronen
Husaren, zusammen über 10.000 Mann, bei 1.600 Pferde und 35 Ge=
schütze [65]) wurden unter seine Befehle gestellt, während Beniczky mit sei=
nen auserlesenen 1.250 Mann und 4 Geschützen von Norden her Simunić
nachzog und Ordódy mit ungefähr 1.000 Mann von Leopoldstadt an=
rückte. Ein Theil der Truppen Guyon's verließ noch vor Tagesanbruch,
die übrigen im Laufe des 1. November Presburg; Beniczky befand sich
zur selben Zeit erst über Neustadt a. d. W. hinaus. Simunić der im
Ganzen nur über fünf Bataillone, zwei Escadrons und zwei Batterien
verfügte, hatte über das Anrücken dieser verschiedenen Heerhaufen keine
nähere Kenntnis; nur allerhand Gerüchte und die Aussage einzelner von
den Vorposten eingebrachter Gefangenen, endlich die Kühnheit eines an=
geblichen Parlamentärs der ihm die Zumuthung stellte, entweder die
Waffen zu strecken und seine Mannschaft unangefochten nach Mähren zu
führen oder der ungarischen Regierung den Eid zu leisten, ließen ihm
keinen Zweifel daß man es auf einen Hauptschlag gegen ihn abgesehen
habe. Sein Entschluß war rasch. Wieder, wie vor seinem Einmarsche
nach Ungarn, mußte er den Feind auf eine falsche Fährte zu bringen.
Während er am 2. alle Vorbereitungen traf Guyon entgegenzuziehen,
seine Truppen in einem Tagesbefehle auf den Marsch gegen Presburg
vorbereitete, führte er am 3. Morgens seine Streitmacht in nordwestli=
cher Richtung zur Stadt hinaus, vor der wenige Stunden später Guyon
seine Kräfte zu entfalten begann und zu spät erkannte wie arg er ge=
täuscht worden. Allerdings traf er nun eilige Anstalten zur Verfolgung
seines Gegners auf der mährischen Straße, während Ordódy über Bo=
hunic und Jokö zur Besetzung des wichtigen Defilés von Jablonic, Be=
niczky nach Petöfalva zur Abschneidung der Rückzugs=Linie bei Senic
aufbrachen, und erschien Bem von Kossuth abgesandt im Lager Guyon's;
allein Bem sah auf den ersten Blick daß nichts wesentliches mehr zu thun
sei und kehrte verdrossen nach Presburg zurück. Simunić hatte seinen
mehrstündigen Vorsprung trefflich benützt. Seine Truppen waren bei einem
von eisigem Nordwind gepeitschten Regen bereits drei Stunden unterwegs,
als sich im Rücken der Nachhut, die eben mit dem Aufladen des von der
Avantgarde in den Ortschaften bestellten Brodes beschäftigt war, die er=

ſten Huſaren zeigten, die mit Schüßen empfangen und mit Verluſt von
4 Mann und 5 Pferden zurückgejagt wurden. In Nádas, dem wichtigen
Punkte von wo die weißen Karpathen zu überſchreiten waren, wurde
Nachtlager gemacht. Zwei Stunden vor Tagesanbruch am 4. ließ Simunić einen Theil ſeiner Truppen mit dem geſammten Gepäck aufbrechen,
die in Jablonic, am Ausgange des Gebirges, noch zur rechten Zeit eintrafen um einige hundert ſeit drei Stunden mit Zerſtörung der Brücke
über die Miava beſchäftigte Nationalgarden davon zu treiben, die Brücke
in Eile wieder herzuſtellen und das Fuhrwerk glücklich hinüber zu ſchaffen,
während die Haupt=Truppe, die bei Nádas ein heftiges Waldgefecht mit
überlegenen feindlichen Kräften zu beſtehen hatte, unter fortwährenden
Nachhut=Plänkeleien die weißen Karpathen durchzog und mit geringen
Verluſten in Jablonic eintraf, die Miava überſetzte und gleich darauf
die Brücke ſchneller als es die Feinde vermocht hatten abbrach. Der Vortrab marſchirte ohne Aufenthalt weiter gegen Holič, auf ſeinem Marſche
mehrere zerſtörte Brücken herſtellend; die Haupt=Truppe folgte, während
ſich zur Seite bereits die Colonnen Ordódy's und Beniczky's zeigten,
auf demſelben Wege nach; die Nachhut wehrte auf der Höhe von Su-
rovina eine Abtheilung nacheilender Guyon'ſchen Reiter ab, wies zwiſchen
Senic und Rybky einen von Kanonen=Feuer unterſtützten feindlichen Angriff zurück, bis die ſinkende Nacht allen weiteren Kämpfen ein Ende
machte. Simunić gönnte ſeinen Soldaten keine Ruhe; um Mitternacht
vom 4. zum 5. November, nach einem faſt achtzehnſtündigen theilweiſe
durch erbitterte Kämpfe unterbrochenen Marſche, machte er auf mähriſchem
Boden in Göding Halt. Sein Verluſt betrug an Todten 7, an Verwundeten 11 Mann; ein Officier war während der mehrſtündigen Waldge-
ſechte in den weißen Karpathen in Gefangenſchaft gerathen, mehr als
vierzig Mann wurden vermißt, von denen aber viele, die während des
Nachtmarſches zurückgeblieben waren und ſich abſeits der Straße den
Blicken des verfolgenden Feindes zu entziehen mußten, in den Tagen
darauf wieder eintrafen [66]).

Guyon Beniczky und Ordódy hatten das Nachſehen, und konnten
ihren Zorn nur an den armen Slovaken auslaſſen über die jetzt wieder
ſchwere Tage kamen. In allen Comitaten des nordweſtlichen Ungarn
waren ſeit Wochen die Statarial=Gerichte in unausgeſetzter Thätigkeit.
In Gömör rettete der milder geſinnte Regierungs=Commiſſär Karl v.
Szentiványi drei junge ſlovakiſche Patrioten, Franciſci Daxner und Va-

kuliny, nur dadurch von der Hinrichtung für die schon alle Vorbereitun=
gen getroffen waren, daß er ihre Angelegenheit, die er für das stand=
rechtliche Verfahren nicht geeignet fand, den ordentlichen Gerichten über=
wies. Um so erbarmungsloser trieb es Baron Johann Jeszenák, Oberge=
span von Neutra, im Trenciner und Presburger Comitate. Er hatte
seinen Sitz im Bergschlosse der kaiserlich gesinnten Gräfin Erdödy bei
Freistadtl aufgeschlagen und sandte von da seine Blutbefehle aus. Er
stellte es in den Willen gefangener Studenten — denn diese wurden als
die Hauptförderer der nationalen Sache angesehen —, ob sie ihre sla=
vische Gesinnung abschwören und frei sein oder an den Galgen kommen
wollten: sie wählten das letztere und starben freudigen Muthes. Gern
wäre man dem Bruder Stúr's in Modern an den Leib gegangen, wenn
ihn nicht seine Pfarrkinder bewacht und beschützt hätten. Es kam den
magyarischen Wüthrichen auch nicht darauf an, harmlose böhmische und
mährische Wandergesellen festzunehmen und in's Gefängnis zu werfen
oder gar aufzuknüpfen, die keine andere Schuld traf als: slavischer Ab=
kunft und folglich, nach magyarischer Terminologie, „Panslavisten" zu
sein [67]).

· Das Erscheinen der Ungarn an der mährischen Gränze verbreitete
weithin durch Mähren und Nieder=Österreich jähen Schrecken. Der Kreis=
hauptmann von Hradiš traf Vorkehrungen daß, wenn Gefahr einträte,
durch Feuer= und Rauch=Signale schnell die Kunde davon weiter getra=
gen werde [68]). Bis nach Prag kam die Hiobs=Post eines Einfalls der
Magyaren in das unbeschützte mährische Land und Baron Mecséry sah
sich veranlaßt telegraphisch darüber bei Wessenberg anzufragen, dessen
beruhigende Antwort er nicht säumte den Bewohnern der böhmischen
Hauptstadt schnellstens bekannt zu geben. Indeß begnügten sich die Un=
garn, mit den längs der March aufgestellten Vorposten Simunic' ein=
zelne Schüsse zu wechseln und am 6. ihre Kanonen über die Gränze
hinüberfeuern zu lassen, um sich schon am 7. auf Senic, und dann wei=
ter hinter Jablonic und die weißen Karpathen zurückzuziehen. Bereits
hatte der Feldmarschall zu Simunic' Unterstützung die Brigade Wyß nach
Göding abgeordnet, die sofort im Verein mit der wackern Nationalgarde
des Ortes längs der March Vorposten ausstellte, während Simunic sich
am 9. von neuem in Marsch setzte und Tags darauf in Senic einrückte.
In den Gefängnissen daselbst schmachteten mitunter seit langen Wochen
slovakische Geistliche Ortsvorsteher Bauern, die Simunic bei seinem

raschen Durchzuge am 4. nicht hatte befreien können; jetzt rief er sie
heraus und ließ ihnen vor seinen Augen die Ketten abnehmen; einige,
kreuzweise geschlossen, mußten von den Soldaten an das Tageslicht ge=
tragen werden um sich da die Eisen abschmieden zu lassen. Sodann be=
gab sich der General auf den Richtplatz und betrachtete entblößten Haup=
tes, wie in stilles Gebet versunken, die Gräber der Unglücklichen die· ein
Opfer ihrer Stammestreue geworden waren. Er ließ ihre Leiber aus=
graben und in geweihter Erde bestatten. In die Kerker aus denen man
schuldlose Slovaken befreit hatte wanderten jetzt Solche, die noch vor
wenig Tagen ihre unbarmherzigen Richter abgegeben hatten [69]. Simunić
behielt vorläufig Senic als Mittelpunkt seiner Aufstellung, schob seine
Vorposten bis Jablonic vor und hielt durch ausgesandte Streif=Com=
mandos die umliegende Gegend in Ordnung. Ihm gegenüber stand Or=
dódy mit der· ersten Brigade des Görgei'schen Armee=Corps in Nádas,
von wo aus kleinere Abtheilungen die Ausgänge der weißen Karpathen
am linken Miava=Ufer besetzt hielten. Fast täglich gab es Geplänkel
zwischen den beiderseitigen Vorposten die bei der schlechten Witterung
schweren Dienst hatten; zeitweilig führten Streifungen Scharmützel her=
bei. Die arme Bevölkerung befand sich wie zwischen Hammer und Am=
bos. Die slavische Masse derselben war gut österreichisch, die meist un=
garischen Beamten hielten zu Kossuth und Görgei; jene hatten bei jedem
Anlasse die Rache der Magyaren zu fürchten, diesen drohten Untersu=
chung und Strafe von Seite der Kaiserlichen. Simunić suchte durch
die Orts=Obrigkeiten und die Geistlichkeit die Olmüzer Proclamationen
zu verbreiten, befahl sie an die Kirchenthüren anschlagen zu lassen, von
den Kanzeln zu verkündigen, drohte jeden der dem Gebot nicht nachkomme
zu strengster Verantwortung zu ziehen. Einzelne Magyaronen setzten da=
von insgeheim Ordódy und dessen Officiere in Kenntnis, von denen
Einsprache gegen „solch niedrige Mittel der Aufwieglerei" erhoben
wurde [70], oder brachten ihnen vertraute Botschaft wenn etwa Abthei=
lungen vom Corps Simunić auf Beischaffung von Lebensmitteln u. dgl.
abgeschickt wurden, die sich dann, wie am 16. in Sandorf, am 17. in
Hradišté gegen unerwarteten Überfall zu wehren hatten, wogegen es am
19. wieder den Kaiserlichen gelang, in der Faitak'schen Mühle einen
feindlichen Posten aufzuheben. Im Rücken der kaiserlichen Aufstellung
suchte der Honvéd=Major Balogh [71] den Landsturm zu organisiren; er
·mußte aber bald das weite suchen, als Simunić die bedrohten Gegenden

durch Infanterie- und Cavallerie-Commandos durchstreifen und jedem mit
dem Tode drohen ließ, der sich mit den Waffen in der Hand gegen seine
Truppen erheben würde. Den ohne Zweifel von Balogh gewonnenen
Stadtrath von Skalic, der eine Aufforderung 15.000 Portionen Brod
und 1.500 Portionen Heu an das kaiserliche Militär gegen Vergütung
zu liefern abgelehnt hatte, zwang das Erscheinen einer Abtheilung Soldaten und der Eifer der kaiserlich gesinnten Bevölkerung das Doppelte
des ursprünglich geforderten Ausmaßes beizustellen, 22. November. Am
28. hatten es die Ungarn auf die Windischgrätz'sche Besitzung Liesko abgesehen, wurden aber mit Verlust zurückgeschlagen.

Von Presburg her blieb Simunić unbehelligt. Dort hatte man genug mit den am untersten Laufe der March von Angern bis Theben
aufgestellten Truppen der Kaiserlichen zu schaffen. Bald führten die letzteren eine Streifung von Schloßhof auf das linke Ufer der March aus,
bis sie sich, auf stärkere feindliche Kräfte stoßend, in Ordnung wieder
zurückzogen, 20. November; bald unternahmen Görgei und Koßtolányi
eine größere Recognoscirung, jener gegen Stampfen, dieser gegen Neudorf
und die von den Kaiserlichen in Vertheidigungsstand gesetzte steinerne
Eisenbahn-Brücke: gegenseitige Kanonade, Neudorf mit Granaten beworfen, eiliger Rückzug der Ungarn, 23. November; oder es machte Kosztolányi von Laab einen Ausfall gegen Magyarfalú, der zu einem
lebhaften Scharmützel mit Verlusten auf beiden Seiten führte, 1.
December [71.b]).

Die Gegenden des obern Waagthales, das Simunić im letzten
Drittel October siegreich durchzogen, waren längst wieder in der Gewalt
seiner Feinde. Ungarischer Landsturm aus dem Honter und Torontaler
Comitat, „Bursche in Bauernkitteln mit weiten Gatjen", und die magyarisch gesinnte Nationalgarde von Sillein hielten die Gegend von Bi-
stric bis Predmir in ihrer Gewalt. In und um Čaca hatten einzelne
Häuser bis zu fünfzehn Mann Einquartirung; bemittelte Einwohner
waren beizeiten darauf bedacht, werthvollere Besitzthümer über die Gränze
in Sicherheit zu bringen. Auch Balogh, aus der Gegend von Miava
verscheucht, machte sich jetzt im obern Waagthal zu schaffen. Jenseits des
Engpasses von Jablunka, im Teschner Kreise Schlesiens, sammelte Oberst-
Lieutenant Frischeisen eine bewaffnete Macht, der sich unter Bloudek's
Führung slovakische Freischaaren anschließen sollten.

Auch auf den süd-ungarischen Kriegsschauplätzen gab es verschiedene Kämpfe, obgleich es auf keinem derselben zu irgend einer Entscheidung kam.

Nächst der Mur-Insel commandirte Moriz Perczel, dem es unter allen ungarischen Heerführern an Wichtigthuerei keiner zuvorthat. Er hatte, wie es scheint, stets einen Lager-Panegyriker an seiner Seite; für den Augenblick verwaltete dies Amt Johann Bangya der von des Generals Entwürfen und Großthaten dithyrambische Berichte in die Pester Zeitungen sandte. An Ort und Stelle war von diesen Großthaten nichts wahrzunehmen. Am 8. November brach Perczel bei dunkler Nacht mit der Hälfte seiner Streitmacht und zwölf Geschützen auf und drängte die kaiserlichen Vor-Truppen von der steirischen Gränze über Polstrau bis hinter Friedau zurück; es gab beiderseits einige Todte und Verwundete. Während das lockere Volk das sich in Perczel's Heerschaar ziemlich zahlreich befand — ungarische Landstürmler, weggelaufene Wiener, Amazonen — in dem Städtchen allerhand Unfug trieb, sammelte der kais. General Baron Burich 18 Compagnien und 2 Schwadronen mit 2 Geschützen bei Groß-Sonntag; allein schneller als er gekommen, zog Perczel seine Truppen wieder ein und führte sie mit fluchtähnlicher Eile über die Gränze zurück [72]. Der Husaren-Major Gáspár soll diesmal Perczel's rettender Engel gewesen sein und ihn auf die Falle aufmerksam gemacht haben die ihm gestellt sei: denn schon befand sich F. M. L. Dahlen von Kroatien her im Anzug; wenn sich Perczel durch Burich festhalten ließ, war er umzingelt.

Am 12. November führte General Thodorović die ersten Truppen Dahlen's von Warasdin aus über die Drau; Perczel räumte in Eile Čakaturn und zog sich gegen Letenje über die Mur zurück. In Nedelić stellte Thodorović die Verbindung mit den steirischen Truppen, die unmittelbar nach Perczel's Rückmarsch ihre früheren Stellungen bezogen hatten, sowie den Post-Verkehr mit Steiermark und Kroatien her. Nachdem die Kaiserlichen die Mur-Insel in ihrer ganzen Ausdehnung durchstreift, einige Rädelsführer der magyarischen Partei aufgehoben und nach Warasdin abgeführt hatten [73], gingen sie in der zweiten Hälfte November wieder über die Drau zurück und nahmen am rechten Ufer des Flußes mit Warasdin als Mittelpunkt Stellung. In Süd-Steiermark bildete sich an der Drau ein Beobachtungs-Corps, das FZM. Graf Nugent von Pettau aus commandirte; G. M. Burich stand bei Friedau.

Bei letzterem Orte wurden Verschanzungen aufgeworfen, die Schlösser Ober-Pettau und Riegersburg in Vertheidigungsstand gesetzt. Dasselbe geschah mit dem Grätzer Schloßberg; die bereits begonnene Ausfüllung der Stadtgräben wurde eingestellt, die Garnison der Hauptstadt verstärkt. Doch erfolgte von ungarischer Seite kein weiterer Angriff; außer daß am 28. November Perczel aus seinem Lager aufbrach und vom linken Ufer der Mur von 11 Uhr V. M. bis 4 Uhr N. M. auf die kroatischen Verschanzungen bei Legrad und Gjelekovec hinüber kanonirte. Ein Versuch der Division Zrinyi über den Fluß zu setzen wurde blutig zurückgewiesen; am Abend zog sich Perczel zurück und befand sich am 29. wieder in seinem Haupt-Quartier zu Letenje [74]).

Die Festung Essegg hielt General Trebersburg im Auge; er stand in Valpovo am rechten Ufer der Drau und hatte Abtheilungen nach Petrievci und Kravica vorgeschoben. Das Commando in der Festung war von der Pester Regierung dem General Eder von Eichenheim anvertraut, die eigentliche Seele aber war der magyarische Regierungs-Commissär Graf Kasimir Batthyányi. Unter den Truppen herrschte mancher Zwiespalt. Die Garnisons-Artillerie unter ihrem Hauptmann Joseph Neubauer war noch immer gut kaiserlich und weigerte sich, bei einer für diesen Zweck veranstalteten Ausrückung, der ungarischen Regierung den Eid zu leisten; Batthyányi war auf's höchste aufgebracht, aus den Reihen der Honvéds ertönten Rufe: „alle erschießen!" Eder brachte die Kanoniere, unter dem Vorwand sie in den Kasematten gefangen zu setzen, unbehelligt vom Platze; später wurden einige von ihnen unter die Honvéd-Artillerie gesteckt. Nach außen hin geschah unbedeutendes. In der ersten Hälfte November besetzten etwa 400 Warasdiner und Serben das deutsche Dorf Sarvaš, um einen für Karlovic bestimmten in Dalja aufgestappelten Getreidevorrath von 6.000 Metzen zu decken; Batthyányi rückte am 15. mit überlegener Macht gegen sie heran und warf sie nach kurzem Kampfe, nachdem ihr Führer der Serbianer Luka Stefanović verwundet und ihr Geschütz unbrauchbar geworden, aus Sarvaš hinaus [75]).

Im übrigen Kroatien und Slavonien war nichts zu fürchten. Man wollte zwar wissen daß der Graf von Turopolja in türkischer Verkleidung über die Save gegangen sei, die Bosnier zur Erhebung gegen das benachbarte österreichische Gebiet aufzustacheln; auch war es begreiflich, daß man türkischerseits die zahlreichen Hilfszüge der Serbianer auf österreichisches Gebiet nicht gleichgiltig ansah. Indessen blieb von türkischer

Seite alles ruhig. Vielleicht gab jenes Gerede über die Mission Josipo=
vić' den Anlaß daß der Ausschuß der Agramer Župa am 29. November
den Beschluß faßte, die Güter der aus ihrer Heimat entwichenen und
gegen selbe agitirenden „Magyaronen" mit Beschlag zu belegen und de=
ren Einkünfte für Landeszwecke zu verwenden. Überhaupt wurde in dieser
Zeit Solchen, die des Einverständnisses mit den Ungarn, besonders mit
dem Corps Perczel's verdächtig waren, scharf zugesetzt. Advocat Borovnjak,
Kaufmann Hekfch, Wagnermeister Maraković saßen zu Agram in stillem
Gewahrsam; vier andere, Med. Dr. Weiß, Apotheker Zillinger, Jakšić,
Kann, die man um der gleichen Beschuldigung willen festgenommen hatte,
wurden zu Anfang December auf Anordnung des Vice=Banus Mirko
von Lentulaj ihrer Haft entlassen.

Fiume war ruhig und hatte eine ausreichende Garnison; man liebte
zwar nicht die kroatische Herrschaft, aber man erkannte sie an; wenn
einzelne Strolche die kroatischen Farben am Dreißigst=Amte oder am Molo
nächtlicher Weile besudelten, so hatte das wenig auf sich.

Mit Menschenleben ging die magyarische Partei Kroatien gegenüber
ziemlich schonend zu Werke; mindestens war hier von Grausamkeiten,
die sie sich in andern Gegenden erlaubte, nichts zu hören. Es war als ob
die Pester Regierung die Erhebung der Kroaten in anderem Lichte er=
blickte als jene der Romanen und Serben, die ihnen einfach als Empö=
rung und Landesverrath galt und gegen die sie mit Strick und mit Pul=
ver vorzugehen befahl. Gegen Ende October entsandte der erste Vice=Gespan
des Arader Comitates Anton Vörös den N. G. Major Ladislaus Gál
nach Vilagos, der daselbst und in den Nachbar=Orten Kövaszincz Galfa
Muszka Pankota binnen fünf Tagen 14 Personen an Ort und Stelle
aufknüpfen oder erschießen ließ, 15 verbannte, ihre Habe in Beschlag
nahm, ihre Häuser zerstörte, 3 andere mit sich schleppte um sie den Ge=
richten zu überliefern [76]). In solchem Grade wurde in diesem unmensch=
lichen Bruderkampfe alles was unter gewöhnlichen Verhältnissen Achtung
fordert beiseite gesetzt, daß die Ungarn sich nicht im geringsten bedachten
die Ketten eines der berüchtigsten Räuber zu lösen und das Volk von
Szegedin über diese Großthat seiner Regierung jubelte, gleich dem Volk
von Jerusalem als ihm der Landpfleger Pontius Pilatus den Mörder
Barabbas herausgab [77]). Der wilde Damianich nahm keinen Anstand,
Rósza Sándor und das verbrecherische Gesindel an dessen Spitze man

ihn stellte in die Reihen seiner Soldaten aufzunehmen; es entspann sich
hieraus die erste Mishelligkeit mit Vetter — der jetzt an Kiß' Stelle im Banat den Oberbefehl hatte [78]) — die später zu dauerndem Unfrieden zwischen
beiden führte. Am 7. November überfiel Damianich von Werschetz und Weißkirchen aus das Serben-Lager bei Lagerdorf, erstürmte es und richtete unter
den Überwundenen ein grausames Blutbad an; viele der Flüchtigen fanden
ihr Grab in den Wellen der Karas; Waffen Kriegsbedarf Pferde
Rinder- und Schafheerden fielen in die Hände der Sieger. Rósza und
seine Schaar waren die Helden des Tages; Damianich konnte in seinem
amtlichen Berichte „die freiwilligen Männer" nicht genug preisen:
„Alexander Rósza hat mit seinen Waffen allein zwölf Feinde erlegt" [79]).
Die weitere Folge des Sieges bei Lagerdorf war neues Wüthen der
Magyaren gegen Serben und Romanen. Der von seiner Gemeinde
hochgeachtete gr. n. u. Pfarrer Novak Stefanović aus Carnabara, der
Pfarrer Schivoin Petrović von Klein-Sz. Miklos wurden hingerichtet,
der Pfarrer Basilius Popeskul von Alyos auf Befehl des Vice-Gespans
Kulterer in Fiskut ohne Gericht und Urtheil an der Leiter seines eigenen
Wagens aufgeknüpft. In Piros bei Neusatz wüthete der calvinische
Pastor gegen die Serben, ließ sie in ihren Häusern aufgreifen, zu Tode
prügeln, niedermachen [80]). Zur selben Zeit wo solche Dinge geschahen
hielt die Regierung in Pest die Maske der Milde und Versöhnlichkeit
vor, als ob ihr nichts mehr am Herzen liege als sich auf friedlichem
Wege mit den „Raizen" zu versöhnen. Eine „Proclamation an die
Serben", unterzeichnet: „St. Markovics ein aufrichtiger Serbe", war
voll freundlicher Worte und gewinnender Versprechungen für das Volk;
sein Fluch traf nur dessen Verführer Rajačić der sich „mit dem Geld
das er aus der National-Casse gestohlen" die Metropolitan-Würde erkauft, den „Würger der Völker" der „dem Teufel und der Camarilla"
dient, den „Verräther an Nation und Vaterland" der „wie ein gemeiner Räuber den National-Schatz auf Karten vergeudet" [81]). Kossuth
aber sagte am 9. November im Abgeordnetenhause: „Mit den armen
verführten Raizen werden wir eine Aussöhnung versuchen, aber nur um
des Volkes willen — die Aufrührer müssen bestraft werden — und damit nicht das ganze Banat zugrunde gehe und kommenden Jahres eine
Hungersnoth eintrete. Wollen die Raizen nicht pacificiren, nun so beginne der Ausrottungskrieg; denn man hat auch uns systematisch auszurotten begonnen." Wie es die Pester Regierung und ihre Sendlinge mit

der „Bestrafung der Aufrührer" meinten haben wir gesehen, von einer
ernstlich versuchten „Pacificirung" des Volkes ist uns nichts bekannt.

Viele der oben geschilderten Unthaten geschahen in der nächsten
Nähe der Festung Arad und wenige Stunden von Temesvár, den beiden
Hauptstützpunkten der kaiserlichen Partei im Banat. Der in Temesvár
unter dem Vorsitz des F.-M.-L. Ludwig Freiherrn v. Piret versammelte
k. k. Kriegsrath erklärte wiederholt, wenn jenen Gräuelthaten kein Einhalt geschähe, die zwecklose Vertilgung ganzer Ortschaften, die Räubereien
und Morde nicht aufhörten, Repressalien nehmen zu wollen, alle derlei
„Terroristen" standrechtlich zu behandeln, ihre Güter und Besitzthümer
mit Beschlag zu belegen. Sabbas Bukovics der nicht ermüdete von
Szegedin aus Proclamationen an das Volk zu erlassen, und „Ignaz
Kulterer alias Murányi" wurden für „vogelfrei und außer dem Gesetze"
erklärt, für die Einbringung des ersteren „todt oder lebendig" 100 Stück
Ducaten als Belohnung ausgesetzt. An die Bürger der Stadt und der
Vorstädte von Temesvár aber richtete der vereinigte Kriegsrath einen
Aufruf, „ihre Kräfte mit denen des Militärs zu vereinigen um in
entschiedener Weise dem anarchischen Treiben der Magyaren entgegenzutreten, die Freiheit zu beschützen, Ruhe Ordnung und Sicherheit
zurück zu erkämpfen". Zahlreich eilten die Bewohner in das vom Kriegs-
rathe bestimmte Locale wo sie zum Dienste eingeschrieben und in Eid
genommen wurden, der so lang bindend sein sollte bis die Herrschaft
des Gesetzes im Vaterlande hergestellt sein würde [82]). Temesvár lag
mitten im feindlichen Land und hielt sich nur mit Mühe auf wenige
Stunden im Umkreise frei. Als am 6. November eine Abtheilung aus
Temesvár bis Jécsa rückte um da Recruten zu werben und Aufrufe zu
vertheilen, eilte Nagy-Sándor aus Hatzfeld herbei, trieb sie in die
Festung zurück und jagte ihr einen Leiterwagen ab; fünf Gemeine von
Sivkovich-Infanterie, die sich in Klein-Jécsa im Hause des Richters
verschanzten, wurden durch Übermacht bezwungen; vier fielen im Kampfe,
der letzte der sich bei Erstürmung des Hauses in den Keller geflüchtet,
wurde aus seinem Versteck herausgezerrt und niedergemacht.

In Arad hielt der greife Berger wacker aus und machte den Belagerungs-Truppen Mariássy's fortwährend zu schaffen. Am 5. November
beschoß er Alt-Arad wo das Cameral-Holz-Depot und die f. g. Pixen-
Caserne in Brand geriethen; ein gleichzeitiger Ausfall der in Zsigmond-
háza liegenden Schwarzenberg-Uhlanen wurde durch Mariássy's Frei-

7

willige zurückgeschlagen. In der Nacht darauf ließ Mariássy an die erst
vor wenig Jahren schön und kostspielig erbaute Holzbrücke über die
Maros unter den Kanonen der Festung Feuer legen; sie brannte drei
Nächte und zwei Tage. Am 10. abermaliges Bombardement; von ½10
Uhr Abends bis 2 Uhr Nachts flogen 300 Bomben und Granaten in
die Stadt. Um 7 Uhr morgens am 11. neue Beschießung. Die Haupt=
sache für die Festung aber blieb immer die Verbindung mit Temesvár
herzustellen und den Weg nach Siebenbürgen frei zu machen, welch letz=
teren abzusperren Mariássy den Hauptmann Zurich nach Lippa entsendet
hatte. Eine schwächere Colonne der Kaiserlichen die am 11. aus Temes=
vár gegen Lippa anrückte, mußte sich nach kurzem Gefecht auf Kövesd
zurückziehen. Am 12. kam eine größere Abtheilung — 4 Bataillone, 4
Schwadronen, 2 Batterien und mehrere 1000 Landstürmler — geführt
von den Majoren Eisler und v. Anthoine nach; aber auch Zurich er=
hielt Verstärkungen die ihm Mariássy in Person aus Neu=Arad zuführte.
Am 13. morgens griffen die Kaiserlichen Lippa von drei Seiten an,
während der romanische Landsturm die nächsten Höhen besetzt hielt und
die kaiserlichen Geschütze die Straßen von Traunau und von Hoszuszo
bestrichen. Bald war das Gefecht auf der ganzen Linie entbrannt. Erst
gegen 7 Uhr Abend räumte Mariássy den Ort und führte seine Truppen
über die Maros, die Brücke hinter sich abbrennend, nach Maria=Radna
hinüber und von da nach Neu=Arad zurück. Den größten Antheil an
dem Erfolge bei Lippa hatten die wackeren Schwarzenberg=Uhlanen die
von diesem Tage in der ganzen Gegend bei den Einen berühmt, bei den
Anderen gefürchtet waren. Das Maros=Thal war frei für die Kaiser=
lichen, die längs des Flußes bis an die siebenbürgische Gränze den
romanischen Landsturm aufboten [83]). Zwei Tage später, 15. November,
brach General Appel mit einem Bataillon Banater Gränzer, einer
Batterie und romanischem Landsturm von Karansebes auf, überfiel
Deutsch=Bogsan wo Major Ludwig Asboth bei 500 Mann Honvéds
und Nationalgarde mit vier Geschützen commandirte, und schlug sie nach
mehrstündigem Kampfe in die Flucht.

In Karlovic wirkten Metropolit Rajačić, in Pančova General Šup=
likac. Der Archimandrit Popesko wurde von Karlovic in das Banat
entsandt die Romanen zu gemeinsamem Handeln mit den Serben auf=
zustacheln, in Syrmien fleißig geworben, in Semlin und Bukovar sammelten
sich Waffen und Waffenfähige. Die Nachricht von dem Falle Wiens, die um

den 20. in der Bačka und im Banate bekannt und mit Freuden-Salven aus den Karlovicer Schanzen begrüßt wurde, ein kaiserliches Hand-Billet und zwei Schreiben des Fürsten Windischgrätz und des Banus Jelačić, die den Metropoliten zur Ausdauer in seinem Unternehmen aneiferten, brachten neues Leben. Rajačić forderte unter Beilegung der letzten kaiserlichen Proclamationen den Commandirenden Blagoević in Peterwardein auf, sich bestimmt zu erklären ob er Freund des Kaisers und der Serben sei, und drückte dem Pester Regierungs-Commissär Beöthy sein Bedauern aus, auf die von demselben vorgeschlagene Einstellung der Feindseligkeiten nicht eingehen zu können. Ähnliches that Suplikac, indem er aus dem Karaßer Lager einen eigenen Boten nach Weißkirchen sandte; allein der die kaiserlichen Proclamationen enthaltende Umschlag kam wieder versiegelt und mit der schriftlichen Bemerkung von der Hand des Commandanten Maderspach zurück: „Wer sich nochmals unterfängt derlei aufrührerische Schriften in die Stadt Weißkirchen zu senden, setzt seinen Boten der Gefahr aus gehangen zu werden". Einige Tage später erfolgte von ungarischer Seite eine noch bezeichnendere Antwort. Nach einem von General Vetter entworfenen Plane wurden am 30. November gleichzeitig alle Serben-Lager angegriffen. Während in der Bačka von Verbaß aus Szent-Tamás beschossen, von Becse aus unter Major Komlósy der verschanzte Calvarienberg bei Földvár mit stürmender Hand genommen, dagegen die kleine von nur 250 Serben besetzte Verschanzung bei Sireg trotz blutiger Anstrengung vergebens berannt wurde, rückten im Banat Oberst-Lieutenant Maderspach aus Weißkirchen gegen Palanka und Major Kiß Pál aus Werschetz gegen Karlsdorf vor. Letzterer passirte ohne Widerstand das Dorf Nikolincze und trieb nach zweistündigem Kampfe die Serben aus Karlsdorf heraus, fand es aber, als gegen Mittag Verstärkungen von Alibunar anrückten, gerathen sich wieder nach Werschetz zurückzuziehen. Glücklicher war Maderspach an der Karaš deren Ufer er unter dem Schutz eines dichten Nebels unangefochten erreichte; um 7 Uhr morgens entspann sich der Kampf an der zum Theil verrammelten Teufelsbrücke, die zuletzt trotz empfindlichen Kartätschen-Feuers der Serben von den Honvéds bezwungen wurde; bald waren auch die Schanzen erstürmt, die Serben, von ihrem Commandanten Bobalić vergebens ermahnt und angespornt, flohen bis Deliblat und ließen bei 100 Todte und Verwundete in den Händen der Ungarn zurück. Als das Hauptziel dieser vereinten Angriffe aber galt die Erstürmung des

7*

Brückenkopfs bei Tomašovac, wo der Serbianer Knićanin commandirte; allein die ungarische Colonne, die von Groß-Becskerek ausrückte, gerieth in dem undurchdringlichen Nebel in solche Verwirrung, daß einzelne Abtheilungen sich gegenseitig beschossen und das ganze Unternehmen scheiterte.

6.

In Siebenbürgen bildeten Klausenburg und Maros-Vásárhely noch immer die beiden Stütz= und Sammelpunkte der magyarischen Union.

In Klausenburg befand sich die politische Verwaltung Kossuth's mit Baron Bay an der Spitze, von dort ging die Organisation der magyarischen National=Armee aus. Oberst Baldacci, auf dessen Entsetzung das kaiserlich gesinnte Officiers=Corps von Karl=Ferdinand=Infanterie gedrungen hatte, war inzwischen vom Pester Ministerium zum General befördert worden. Er war von der kaiserlichen Sache abgefallen ohne doch mit ganzer Seele an der des ungarischen Agitators zu halten; er war ungarischer Patriot, doch es steckte, wie ihm von dieser Seite vorgeworfen wurde, noch zu viel vom alten österreichischen Soldaten in ihm [84]). Er hoffte die Bestätigung seines neuen Ranges von Sr. Majestät zu erhalten und übertrug sein bisheriges Regiments=Commando an Oberst=Lieutenant Anton Doraszile. Wie die Officiere von Karl Ferdinand, so blieben auch die von Max=Chevauxlegers ihrem Fahnenschwur treu und ergeben. Bay machte gegen Ende October noch einen Versuch die letzteren auf ungarische Seite zu bringen; während sie seinen Antrag zurückwiesen, 27., wurden ihre theils in der städtischen Caserne theils im benachbarten Szamosfalva untergebrachten Soldaten von Nationalgarden, Honvéds, Mátyás=Husaren überfallen, ihrer Pferde und Ausrüstung beraubt; die Leute selbst ließ man zu Fuß und ohne Waffen nach Mühlenbach abrücken. In den bedeutenderen Orten um Klausenburg, in Kolosz, Gyalu, Bánffy=Hunyad wurden Volksversammlungen zur Aufbietung des Landsturmes gehalten, zum Theil unter den Auspicien des Kossuth'schen Regierungs=Commissärs Karl Zeyk; täglich sah man Schaaren aus der Umgegend mit Fahnen an der Spitze in Klausenburg ihren Einzug halten und vor dem Rathhause den Eid der Treue schwören. Mátyás-

Husaren, theilweise in Montours=Stücke der entwaffneten Chevauxlegers gekleidet, unternahmen bewaffnete Ausflüge, überfielen walachische Dör= fer, richteten darin Schaden und Verwirrung an, schleppten romanische Patrioten mit sich fort. Ein Reisender der am 2. November durch Klausenburg kam sah den romanischen Erzpriester Turk am Galgen hängen, vier andere Romanen an Pfähle gebunden ihres Schicksals ge= wärtig; vier walachische Dörfer in der Nähe waren niedergebrannt. Im nordöstlichen Ungarn sammelten Graf Teleki Sándor, „General" Katona Miklos und Joseph v. Jeney eine nationale Streitmacht um den Freun= den in Siebenbürgen Verstärkungen zuzuführen: eine Division Koburg= Husaren, das 4. Honvéd=Bataillon, Nationalgarden aus Szathmár, Bihar, Szabolcz, Marmaros, dazu einige hundert Wiener Legionäre, bil= deten ein Corps von beiläufig 10.000 Mann zum Aufbruch nach Sie= benbürgen bereit. Im Südwesten von Klausenburg war das Land größ= tentheils in der Gewalt des romanischen Landsturms. Gegen Ende October drang derselbe längs der weißen (Féjér=)Körös bis an die Gränze von Ungarn bei Guravoj vor, als Major Buzko (Botzko?) mit einem Honvéd=Bataillon, einer Schwadron Husaren und zwei Ge= schützen erschien, die Siebenbürger auf Körösbánya zurückwarf und Nagy=Halmágy besetzte, 28. October, wo acht Romanen, darunter der Tribun Cândi und der Pfarrer Eutimin aufgeknüpft wurden. Lieutenant Clima, der mit einer kleinen Truppe Gränzer die Einbruchs=Station Zám besetzt hielt, sammelte mit den Tribunen Tellecchi und Nemesiu neuerdings den Landsturm, rückte aber so sorglos vor, daß er sich im engen Thale von Ternava am hellen Tage überfallen ließ und Schrecken Furcht und Verwirrung seinen ganzen Haufen auseinanderstäubten, 3. November; Clima selbst mit sieben Gränz=Soldaten kam in einem bren= nenden Gebäude elendiglich um, ganz Ternava sank in Asche. Zám war ohne Besatzung, das Maros=Thal stand jedem Einfall von ungarischer Seite offen. Buzko nahm Körösbánya ein und rückte bis Brád, 4. November. Als ihm das Herannahen verstärkter romanischer Haufen aus Déva und Abrudbánya gemeldet wurde, räumte er Brád, ließ in Körösbánya in Eile zehn Romanen aufknüpfen — der Tribun Nemesiu und der Vater des romanischen Ortspfarrers, ein sechsundsiebenzigjähriger Greis, büßten zu dieser Zeit mit dem Leben — und zog sich wieder nach Ungarn zurück. Nun besetzten die Romanen Brád und Körösbánya von neuem, nahmen die Leichname ihrer unglücklichen Stammesgenossen vom Strange, bestatteten sie und warfen sich dann auf die magyarischen Bewohner des Ortes, von denen zur Wiedervergeltung sechs an Ort und Stelle gehängt wurden [85]).

In Maros=Vásárhely stand die Hauptmacht der Szekler, Infanterie und Husaren, dann Freiwillige (önkéntes) Honvéds und Nationalgarde, gegen 12.000 Mann stark, über die Alexander Sombori als erwählter szeklerischer „Landes=General" den Oberbefehl führte. Gegen sie war Oberst=Lieutenant Urban von Norden im Anzug, während General Gedeon sich südwärts heranbewegte. Urban hatte sich in Sächsisch=Reen (Szász= Régen) festgesetzt und suchte seine kleine Streitmacht, zwischen 1100 bis 1200 Mann, durch die in sechs schwache Compagnien getheilte Bürger= wehr des Marktes zu verstärken. Am 28. October erhielt der Magistrat ein vom 27. aus Nagy=Vaja=Rét datirtes, vom Oberst=Lieutenant Dorsner gezeichnetes Schreiben, worin ihm aufgetragen wurde das kaiserliche Militär aus dem Markte zu vertreiben. Eine Deputation verfügte sich zu Urban ihn zu bitten daß er, um großes Unheil von ihrer Gemeinde abzuwenden, Reen verlassen möge; Urban antwortete: „Wenn Sie mich nicht als Freund wollen, werde ich als Feind bleiben". Er übertrug den Oberbefehl über die Bürgerwehr seinem Hauptmann Schrott, 30., und rückte an der Spitze der regulären Truppe den Szeklern entgegen. Auf der Wegmitte zwischen Reen und Vásárhely bei Sárpatak stieß seine Vorhut auf überlegene feindliche Streitkräfte und zog sich in regelloser Flucht hinter Vaida=Szent=Ivány zurück wo sie sich wieder sammelte, 31. October. Urban nahm jetzt am Südende des Marktes beim Maga= zinsgäßer=Thor Stellung und ließ die Bürgerwehr=Compagnien auf den die Maros einsäumenden Höhen sich ausbreiten, als diese im Vorrücken, von einem Punkte wo sie vorwärts hinabblicken konnten, plötzlich die Hauptmacht der Szekler, die ganze Breite des Thales füllend, her= anmarschiren sahen. Hauptmann Schrott, die Unmöglichkeit eines Widerstandes erkennend, gab den beiden Compagnien an deren Spitze er sich befand den Befehl zum Rückzug und eilte Urban von dem Erfahrenen zu unterrichten, während die andern Abtheilungen der Bürgerwehr, als sie sich den anreitenden Szekler=Husaren gegenübersahen, schleunig für ihre Sicherheit sorgten. Eine Division Romanen=Gränzer und die Cor= don=Soldaten Urban's drangen stürmend gegen die Szekler vor, mußten aber, an den Flügeln entblößt, bald davon ablassen. Urban führte seine Truppen nach Reen und von da weiter über Nagy=Sajó bis Walters=

dorf zurück, wo er die Ankunft General Wardener's aus der Bukowina abwarten wollte, 1. November [86]). Kaum mit dem nothwendigsten versehen, hurtig das werthvollste zusammenraffend, eilt die Mehrzahl der deutschen Bevölkerung jammernd und wehklagend den Abziehenden nach. Die Zurückbleibenden aber trifft ein schreckliches Los. Drei Bürger reiten als Selbst-Deputirte, weiße Servietten an Bohnenstangen in der Hand, den Szeklern entgegen. Oberst-Lieutenant Dorsner will nichts von ihren Bitten und Ausreden hören: „er sei Soldat und habe sich in keine Erörterung einzulassen wie weit Szász-Régen schuldig sei oder nicht; er habe Befehl von der Gemeinde bis auf weiteres zu verlangen: 50.000 fl. binnen einer halben Stunde, Auslieferung aller Waffen binnen sechs Stunden, Auslieferung der Hauptaufwiegler binnen weiterer sechs Stunden!" Bestürzt kehren die drei Parlamentärs in den Markt zurück. Eine zweite Deputation wird an Berzenczei abgeschickt, den sie hoch zu Roß umgeben von zahlreichem Gefolge, Officieren und Edelleuten der Umgegend, an der Brücke über den „Seifengraben" trifft. Der Advocat Szabó Samu macht den Sprecher. Er war Ungar; wegen verdächtigen Briefwechsels hatte ihn Urban gefangen setzen und beim Abmarsch mitnehmen lassen, bis es ihm, nicht ohne Mißhandlungen von Seite der Romanen-Gränzer, gelungen war zu entkommen. Er hat um Erstreckung der Frist zum Erlag der Straf-Summe bis zum nächsten Tage zu bitten. Berzenczei hört ihn von Anfang bis zu Ende an und spricht sodann: „Szász-Régen ist ein Nest von Aufwieglern, von Anhängern der Reaction und Camarilla; ein solches Nest soll auf Gottes Erdboden nicht bestehen, es muß ohne Schonung und Barmherzigkeit damit verfahren werden!" Zu den übrigen Forderungen stellt er noch die, für den Unterhalt von 20.000 Mann zu sorgen. Dorsner's Schaaren rücken ein und bald ist der ganze Markt von Bewaffneten überschwemmt, die in die Wohnungen bringen und wegnehmen was sie finden; in zwei oder drei Häusern bricht Feuer aus, das aber bald gehemmt oder gelöscht wird. Gegen Abend werden die regulären Truppen aus dem Markte hinaus beordert und nun erst beginnt das Wüthen. Kirchen und Häuser, Gewölbe und Keller werden ausgeraubt, Leute ohne Unterschied von Alter und Geschlecht niedergestochen oder grausam mißhandelt, siebenzehn Kranke und Verwundete von Karl-Ferdinand im Militär-Spital hingeschlachtet, einzelne nachdem man ihnen früher die Augen ausgestochen. Major Zeyk Domokos ertheilt dem wüsten Haufen den Befehl: „Wo noch nicht ge-

plündert worden, raubet aus; wo es noch nicht brennt, zündet an!"
Um 2 Uhr Morgens am 2. November brennt es an mehreren Orten,
und bald ist es e i n Flammenmeer das sich über den blühenden Ort
hinwälzt und zwei Tage fortwüthet. „Die Glut", sagt ein gleichzeitiger
Bericht, „war so stark daß die Tauben verbrannt aus der Luft fielen".
Nur einige von Magyaren bewohnte Häuser am äußersten Ende des
Ortes blieben verschont; das übrige waren lange Reihen von Brandstätten, dazwischen öde menschenleere Gassen; was sich von den Bewohnern fortschleppen konnte, war in die benachbarten sächsischen Orte geflohen. Das war der Unglückstag von Sächsisch-Reen, dem die magyarische Partei, um allem was sich der Union nicht anschließen wollte ein
abschreckendes Beispiel zu geben, schon Wochen zuvor den Untergang geschworen hatte. Schon im October schrieb „Kossuth Hirlapja": „Wenn
Szász-Régen nicht das Schicksal von Sodoma und Gomorha ereilt,
gibt es keine Gerechtigkeit auf Erden!" Der Löwe des szeklerischen
Landsturms sollte Blut lecken und sich am Zerfleischen weiden, um Lust
zu weiterem Wüthen zu finden [87]). Mit einem langen Zuge schwer be-
ladener Wagen trafen die Plünderer am 3. November in Maros-Vásárhely wieder ein, wo sie sich indeß ihres Sieges nicht lang erfreuen
sollten.

Am selben Tage nämlich befand sich General Gedeon in Gálfalva;
ihm zur linken rückte Rittmeister Armin von Kalchberg über Oláh-Koc-
sárd gegen Radnot, zur rechten Major Klokocsan auf der Straße von
Balavásár heran — in allem 20 Compagnien, 4½ Escadrons, 2 Batterien und etwas Landsturm —, während südwestlich von ihnen eine
kleinere Abtheilung unter Rittmeister Baron Heydte bei Uj-Székely einen
Haufen magyarischen Landsturms und Máthyás-Husaren auseinandertrieb
und Székely-Keresztur besetzte, und Hauptmann Steinburg mit dem sächsischen Landsturm von Reps, 700 Mann stark, über Sz. Peter auf
Udvarhely losging. Am 5. stand die Hauptmacht der Kaiserlichen in der
Nähe von Maros-Vásárhely; Oberst Sombori ordnete in der Eben
seine Streitkräfte in zwei Treffen, mit der Stadt im Rücken, an deren
Eingang sich Cavallerie und Nationalgarde als Reserve befanden. Gedeon
sandte einen Dragoner-Lieutenant als Parlamentär mit der Aufforderung:
sich der rechtmäßigen Sache des Kaisers und Königs anzuschließen oder
sich zu ergeben. Sombori ließ antworten: „Die Waffen mögen entscheiden". Sie entschieden schnell genug. Kaum daß die Geschütze Gedeon's

ihr Feuer eröffnet hatten, machten die Önkentes in großer Verwirrung
kehrt; Major Gál mit dem 12. Honvéd=Bataillon und einer Abtheilung
Huſaren unternahm einen muthigen Angriff gegen die kaiſerlichen Batterien, der aber blutig zurückgeſchlagen wurde. Bald war alles wilde Flucht,
die Mátyás=Huſaren voran in ſchönem Galopp bis nach Paraid; Berzenczei, der ſzekleriſche Landadel, viele Damen, kaum mit dem nothdürf-
tigſten verſehen, eilten in die abgeſchiedenen Thäler der Eſik und Háromſzék; der Landſturm zerſtob nach allen Richtungen. Gedeon warf einige
Granaten in die Stadt, ein paar Häuſer geriethen in Brand, eine Deputation der Bürgerſchaft mit weißer Fahne bot unbedingte Unterwerfung; mit wehenden Fahnen und klingendem Spiel hielten die Kaiſerlichen ihren Einzug. Zur ſelben Zeit hatte Kalchberg das Szekler=Lager
bei Radnot angegriffen und nach kurzem Gefechte auseinandergeworfen;
3 Officiere und 120 Mann wurden' gefangen, die übrigen flohen über
die Maros zurück und zerſtreuten ſich. Am Tage darauf, 6. November,
befand ſich Hauptmann Steinburg im Angeſichte von Bikafalva in der
Nähe von Udvarhely. Die Nationalgarde der Stadt etwa 300 Mann
war ihm bis dahin entgegengerückt, doch ohne Vorſatz zu kämpfen. Die
beiderſeitigen Führer traten angeſichts ihrer Truppen zuſammen und wurden bald einig, als aus der Mitte der Udvarheler Schüſſe fielen worauf
die Repſer, mehr als doppelt ſo ſtark und wohlbewaffnet, auseinanderflo-
gen und ihren Hauptmann im Stiche ließen, der nun gleichfalls, um
nicht gefangen zu werden, das weite ſuchen mußte; eine Anzahl Land-
ſtürmler — nach einer Nachricht 36 — die ſich in ihrer Angſt in Bikafalva verkrochen hatten, wurden aus ihrem Verſteck hervorgezogen und
bis auf vier von den Einwohnern erſchlagen. Auf die Nachricht von dieſem Vorfall zog Heydte Verſtärkungen aus Schäßburg an ſich und marſchirte gegen Bikafalva und Udvarhely um ſie für ihren Verrath zu
züchtigen; allein ſchon kam ihm eine Deputation, den Stadtpfarrer an
der Spitze, entgegen, bat die Herausforderung einiger unbeſonnenen Hitzköpfe nicht die Mehrheit der friedlich Geſinnten entgelten zu laſſen und
erklärte unbedingte Unterwerfung ihrer Stadt und ihres Stuhles. Am
9. hielt Heydte ſeinen Einzug in Udvarhely, deſſen Gebäude mit den
kaiſerlichen Farben geſchmückt waren [88]).

Die Freude der ſiebenbürger Sachſen über das was geſchehen war,
wurde gar ſehr getrübt durch die Erwägung deſſen was bei einigem

Muth und Fleiß geschehen konnte. Am 22. October hatte sich Fogaras
friedlich unterworfen, die Entwaffnung der magyarischen Bevölkerung in
dieser Gegend des Landes war ohne Schwierigkeit vor sich gegangen:
ein entschlossenes Anrücken gegen Maros-Básárhely, und die Erhebung
der Szekler war im Keime erstickt, das schöne Szász-Régen nie von so
furchtbarem Unheil heimgesucht. Aber General Gedeon hatte sich Zeit
gelassen; in langsamen Märschen, mit mehrtägigem Lagern unter freiem
Himmel, hatte er sich volle vierzehn Tage gegönnt ehe er vor dem Haupt-
und Sammelpunkte der szeklerischen Streitkräfte erschien. Nachdem er ohne
Mühe und Beschwerden seinen Sieg errungen blieb er eine volle Woche
unthätig in der eingenommenen Stadt. Nichts geschah zur Sühnung des
Raubzuges gegen Reen als daß den Einwohnern von Básárhely, die
daran vielleicht am wenigsten Schuld hatten, eine Kriegssteuer auferlegt,
aber auch diese nur sehr lässig eingetrieben wurde. Die Flüchtigen wurden
nicht verfolgt, von denen ein großer Theil mit der reichen Régener Beute
munter und guter Dinge nach Thorda gelangte und dort am 8. förmlich
Markt hielt; man konnte da Leinwand und Wäsche, Tücher und Katun,
Wein und Honig, Rinder und Wagen um Spottpreise erhandeln. Allein
die Mehrzahl der vom Lauf-Felde an der Maros Entkommenen waren
nicht westlich, sondern heimwärts in östlicher und südlicher Richtung geflohen und hatten weithin Schrecken und Achtung vor den kaiserlichen
Waffen getragen. Die Stimmung des ganzen Csiker Stuhles war umgewandelt; täglich erwartete man das Einrücken der kaiserlichen Truppen,
entschlossen denselben sich zu unterwerfen. Die Entwaffnung von Sz.
Keresztur, Udvarhely ꝛc. fand kein Hindernis; Heydte besetzte Parajd
und nahm die k. k. Salz-Casse in Empfang, Oberst-Lieutenant Dorsner
trat bereitwillig wegen Unterwerfung des Stuhles mit ihm in Verhandlung. Ja es wurde von den Csikern, um sich der Wühlereien aus der
benachbarten Háromszék zu erwehren, ein Cordon gegen diesen letzteren
Stuhl gezogen. Allein selbst hier, in dem südöstlichen Hauptherde des
Widerstandes, waren die Nachrichten von der Einnahme Básárhely's, von
der Zersprengung der Heerhaufen Sombori's, von der „Galoppade nach
Parajd", von den Fortschritten Heydte's nicht ohne mächtigen Eindruck
geblieben. Zwar gab es da noch immer heißblütiges Drängen und Treiben. In Sepsi-Szent-György wurde ein Blutgericht niedergesetzt, zum
Schrecken der Zaghaften und Nachgiebigen. Der junge Szekler-
Officier Gál Sándor und der protestantische Pfarrer von Réty trieben

unabläſſig zu Erhebung und Kampf. Die ganze männliche Bevölkerung wurde unter die Waffen gerufen, in Standlagern bei Kökös, bei Al Do= boly, bei Hidvég geſammelt, und die Weiber, wie bei ſolchen Gelegen= heiten immer, waren nicht die letzten bei der Hetze [89]). Allein die Mehr= zahl der Bevölkerung war doch nicht für den Krieg, äußerte im Gegen= theil nicht geringe Beſorgniſſe vor einem Einmarſch des Militärs, und von ihr gedrängt, vielleicht auch nur um Zeit für die eigenen Pläne zu gewinnen, ſandte der „permanente Ausſchuß des Háromſzéker Stuhles" eine vom Ober=Königsrichter Albert Horváth gefertigte Adreſſe an Puch= ner, dem er auf das feierlichſte verſicherte daß in ſeinem Bereiche „voll= kommene Ordnung, Gehorſam gegen die Civil= und Militär=Behörden" herrſche, ſo daß „durchaus kein Grund vorhanden ſei in die Mitte der Bürger dieſes friedlichen Stuhles Linien=Militär, um ſo weniger un= geordnete Haufen von Walachenvolk zu entſenden." Von Hermannſtadt kam der Beſcheid zurück daß ſich der Stuhl, ehe zu weitern Verhandlun= gen geſchritten werden könne, der Aufforderung vom 18. October zu un= terwerfen habe [90]).

In der That konnte man ſich in der Hauptſtadt der Hoffnung hin= geben, binnen kurzem die Herrſchaft des Geſetzes im ganzen Lande her= geſtellt zu ſehen. Des mittleren und weſtlichen Südens war man ſo ziemlich Herr. Die Sachſen hielten treu zur Regierung, die zweckmäßige Änderungen in der Landes=Verwaltung traf. Das Ober=Albenſer Comi= tat löſte man auf und theilte deſſen Ortſchaften den benachbarten ſächſi= ſchen Stühlen zu. Die im Kokelburger Comitate gelegenen ſächſiſchen Gemeinden wurden, wie ſie dies ſchon lang wünſchten, ausgeſchieden und zwiſchen den Mediaſcher und Schäßburger Stuhl aufgetheilt. Überhaupt entwickelte die Civil=Regierung des Landes mehr Energie und erfolgrei= chere Thätigkeit als die militäriſche Oberleitung, der man eben ſo ſehr Mattherzigkeit als Mangel an Befähigung vorzuwerfen hatte. Wie in den ſächſiſchen wurden auch in den romaniſchen Gegenden zweckdienliche Vorkehrungen getroffen. Nachdem der Landſturm organiſirt war ſchritt man an die Reorganiſirung der Officialate. Unzuverläſſige Comitats= Beamte wurden entfernt oder entfernten ſich ſelber, an ihre Stelle wur= den zur einſtweiligen Verſehung des Dienſtes und Überwachung des un= tergeordneten Beamten=Standes Männer des allgemeinen Vertrauens ein= geſetzt, dienende oder penſionirte Militärs, Geiſtliche, Bergwerks= und Theſauriats=Beamte, romaniſche Präfecte und Tribunen, Advocaten [91]).

Da auch der griechisch-katholische Bischof Leménŋ in den Verdacht kam
sich mit der Unionisten-Partei in Klausenburg zu tief eingelassen zu haben, enthob ihn Puchner seiner Amtsverrichtungen, belegte seine Einkünfte
mit Beschlag und bestellte in der Person des Domherrn Simeon Krainik
einen einstweiligen Bisthums-Verweser. Die Entwaffnung der maghari-
schen Bevölkerung machte immer weitere Fortschritte; wo Ungarn unter
Sachsen und Romanen wohnten, wurden sie gezwungen oder gütlich da-
hingebracht auf den Thürmen ihrer Kirchen und Bethäuser die kaiserliche
Fahne auszustecken, wie in Broos; die Rufe: „Keine Union mit Ungarn,
Treue dem Kaiser" erschollen von der Gränze der Háromszék bis zu der
des ungarischen Banats. Mehr gegen die Mitte des Landes waren allerdings die Schwierigkeiten größer. Anfangs November umlagerte romanischer und sächsischer Landsturm unter Jancu und dem kaif. Hauptmann
Gratze den Hauptsitz der siebenbürgischen Reformirten Nagy-Enyed. Die
Angreifer hatten Gründe zu besonderer Erbitterung gegen die Stadt und
deren Bewohner; denn es war bekannt daß sowohl kaiserliche Soldaten
als romanische Landstürmler in ihren Mauern gefangen gehalten wurden
und Unbild aller Art zu erdulden hatten. Am 9. November erschien eine
Deputation der Stadt und versprach unbedingte Unterwerfung und Ablieferung von 6,000 Stück Waffen; in der darauf folgenden Nacht aber
zogen Önkéntes, Mátyás-Husaren, Honvéd's und zahllose Kutschen mit
ungarischen Edelleuten in der Richtung von Thorda und Klausenburg ab.
Die zurückgebliebenen Einwohner sandten den evangelischen Pfarrer Keil
in das Lager Jancu's, gaben die zurückgehaltenen Gefangenen frei und
erklärten Unterwerfung auf Gnade und Ungnade mit der Bitte an den
Romanen-Führer die Stadt zu besetzen. Das geschah denn auch; aber
die Landstürmler, die in die geöffnete Stadt drangen, raubten und plün-
derten und trieben auch sonst allerhand Unfug [92]). Von Enyed ging der
Zug nach Felvincz das ein noch ärgeres Los traf; aufgereizt durch den
Anblick von Leichen der Ihrigen die einen martervollen Tod gefunden
hatten warfen sich die Romanen auf den Ort, der erst ausgeplündert,
dann in Asche gelegt wurde; die der Vernichtung entronnenen Einwohner
flüchteten sich unter den Schutz der kaiserlichen Officiere [93]). Um dieselbe
Zeit, 10. November, wurde vom romanischen Landsturm ein feindliches
Lager bei Nagy-Lak gesprengt. Auf die Nachricht von diesen Vorfällen
erzitterte Thorda und sandte den Landstürmlern eine Deputation entgegen
Schonung für ihre Stadt zu erbitten, an ihrer Spitze einen Greis mit

silberweißen Haaren, pensionirten Rittmeister dessen Söhne in der kais. Armee dienten. Mit den Abgesandten kam eine Anzahl Wagen die Lebensmittel in Menge und Güte enthielten, und es wurde versprochen andern Tags noch mehr nachzusenden. Hauptmann Gratze sagte Thorda seinen Schutz zu, und die Stadt blieb von einem Besuche der Landstürmler für diesmal verschont.

In Hermannstadt erregte die Nachricht von diesen Erfolgen große Freude. Es gab hier überhaupt zur selben Zeit eine Festlichkeit nach der andern und das General-Commando wie die Bevölkerung gaben sich der besten Hoffnung hin. Die Bürgerschaft hatte in den letzten Wochen nicht wenig zu tragen gehabt. In der zweiten Hälfte October waren 450 Mann Bürgerwehr als Bedeckung von Kanonen bis Girelsau commandirt worden, mit dem Bedeuten sich für vier Tage mit Mundvorrath zu versehen; allein von dort hatte man sie auf der Straße bis Fogaras geführt, von da nach Mediasch und dann wieder nach Maros-Vásárhely; aus den vier Tagen waren eben so viel Wochen geworden ehe sie gegen Ablösung nach Hause entlassen wurden. Sie hatten sich, unvorbereitet für einen solchen Marsch in regnerischem Herbstwetter, mit der Kleidung nicht gehörig vorgesehen, so daß mehrere eine Beute des Todes wurden. Auch zu Hause gab es zu thun. Seit Ende October hatte Hermannstadt fast kein Militär; alltäglich mußten bei hundert Mann Bürgerwehr den gesammten Garnisons-Dienst versehen. Aber die bewaffnete Hilfe, die sich jetzt von allen Seiten regte, schien die nahe vollständige Beruhigung des Landes zu verbürgen. Bald waren es die romanischen Landstürmler des Hermannstädter Stuhles, bald die Lanzenreiter von Resinar vom Rittmeister Grafen Alberti geführt, bald die Jäger-Freiwilligen aus dem Burzenland, die in feierlichem Aufmarsch, von kaiserlichen Officieren vor den Thoren eingeholt, ihren Einzug in Hermannstadt hielten. Dazu kam am 15. November die Nachricht von der Einnahme Wiens durch die Truppen des Fürsten Windischgrätz; am Abend war die Stadt festlich beleuchtet.

Wenige Tage später traf eine andere Kunde aus dem noch unbezwungenen Nordwesten Siebenbürgens in der Landeshauptstadt ein.

Am 5. November war General Wardener aus der Bukowina in Siebenbürgen eingerückt und hatte in Borgoprund seine Streitkräfte mit jenen Urban's vereinigt, welche von da an Wardener's Vortrab bildeten. Von Bistritz aus setzte man sich mit Maros-Vásárhely in Verbindung

wo jetzt G. M. Joseph Schurtter commandirte; es wurde Abrede ge=
troffen daß sich die Brigade des letztern auf der Straße längs der Ma=
ros in Bewegung setzen sollte, um gleichzeitig mit dem Nord=Corps vor
Klausenburg einzutreffen; den Vortrab Schurtter's — 3 Compagnien,
1 Escadron, 3 Dreipfünder und eine Abtheilung romanischen Landsturms —
sollte Oberst=Lieutenant von Losenau führen.

Am 9. November stand Urban mit 2 Bataillonen Romanen=Grän=
zer, 2 Compagnien Gränz=Cordon, 1 Escadron und 2 Geschützen vor
Dées, das nach einigen Kanonen=Schüßen seine Unterwerfung erklärte
und eine Brandsteuer von 10.000 Gulden in Silber zu entrichten über=
nahm [94]). In Dées wurde Oberst von Lilienberg mit 2 Compagnien und
einer Abtheilung Landsturm zurückgelassen; denn von dieser Seite drohte
der im benachbarten Ungarn vorbereitete Einfall Teleki's und Katona's.
Am 10. besetzte Urban die Armenier=Stadt Szamos=Ujvár deren Kauf=
leuten, fanatischen Unionisten, eine Brandschatzung von 40.000 Gulden
in Silber aufgelegt wurde, und schob seine Vorposten bis Dengeleg vor;
er wollte hier das Nachrücken Wardener's abwarten, als ihm am 12.
das Herannahen bedeutender feindlicher Streitkräfte gemeldet wurde.

In Klausenburg hatte man nicht anders gemeint, als daß sich Urban
bereits im Norden mit Teleki und Katona herumschlage; man hatte die
Bevölkerung mit einer Siegesnachricht nach der andern fanatisirt: „Urban
sei geschlagen, Hermannstadt, Kronstadt seien in den Händen der Szekler,
man handle ungarischerseits in allem nur nach den Allerhöchsten Befehlen
des Königs" u. dgl. Um so bitterer war die Enttäuschung als jetzt die
doppelte Nachricht kam: über Szamos=Ujvár ziehe Urban heran, während
von der anderen Seite Losenau, von Vásárhely kommend, ohne Schwert=
streich Nagy=Enyed, die Salzwerke von Maros=Ujvár, das ausgebrannte
Felvincz besetzt habe. In Eile wurde Kriegsrath gehalten, in Folge
dessen Baldacci und Mikes Kelemen mit mehr als 5.000 Mann, 300
Pferden und 6 Geschützen gegen Szamos=Ujvár aufbrachen. Urban nahm
hinter der Stadt Stellung; eine Division Sivkovich traf, von Wardener
gesandt, im rechten Augenblicke zu seiner Unterstützung ein. Die Klausen=
burger, frohlockend über den vermeintlichen Rückzug Urban's, drangen
im Sturmschritt durch die Stadt und mit dem Rufe: „Éljen a Magyar!"
gegen die Kaiserlichen vor, von denen sie mit Geschütz=Salven empfan=
gen wurden. Es dauerte nicht lang, so wandten die Nationalgarden
alles von sich werfend den Rücken und waren nicht zu halten, bis sie

mit dem Schreckensrufe „Urban jön“ (Urban kommt) in den Mauern
ihrer Vaterstadt anlangten. Bald wichen auch die Honvéds, die Husaren,
die Artillerie und jagten, Baldacci in einem Wagen mitten unter ihnen,
nach Klausenburg zurück. Dort wurde am 14. neuer Kriegsrath gehal=
ten. Baldacci wollte von nichts weiterem hören; „mit so erbärmlichen
Truppen, die auf den ersten Kanonenschuß davonliefen, könne er seine
militärische Ehre nicht beflecken.“ Doch Czetz, Mikes, Bethlen, Bánffy,
Zeyk drangen in ihn, der Stadtrichter betheuerte die Bürgerschaft sei
zum äußersten entschlossen, und zuletzt ließ sich der General herbei es
noch einmal zu versuchen, sammelte seine zersprengten Streitkräfte und
schob seine Vorposten bis Apahida vor. Als aber die Kaiserlichen am
16. herankamen, war es das alte Spiel; ein paar Schüsse, und mit dem
Ruf „Urban kommt“ floh alles nach Klausenburg zurück. In der Stadt
herrschte jetzt unglaubliche Verwirrung; die Trommeln schlugen Alarm,
die Sturmglocken läuteten, Mátyás-Husaren sprengten ziellos in den
Straßen herum, vollgetrunkene Landstürmler mit Hacken und Spießen
bewaffnet rannten aneinander, viele Einwohner trafen Anstalten zur
Flucht, alles hatte den Kopf verloren. Mitten in diesem Tumult gewah=
ren wir ein kleines Häuflein kaiserlicher Soldaten, dem es seit langen
Wochen zum erstenmal wieder vergönnt ist sich um ihre Fahne zu sam=
meln, in ruhiger Erwartung vor der Hauptwache Stellung nehmen: es
ist das 2. Bataillon Karl-Ferdinand dessen Oberbefehl, da Doraszile
nicht zu finden ist, Hauptmann Fackler übernimmt. Bald erscheinen
Sendlinge der magyarischen Partei, sprechen die Mannschaft an, drängen
sich in ihre Reihen, suchen sie durch feurige Reden zu entflammen, rufen
ihr: „Éljen a hazafi“ (Es lebe der Vaterlandssohn) aufforderud zu.
Alles vergebens; die Truppe auf ihre Officiere blickend steht unerschüttert,
während Fackler vor ihrer Front auf und ab reitet.

Gegen Abend hatte man sich in Klausenburg so weit ermannt, daß sich
die bewaffnete Macht am Eingange der Vorstadt sammelte und gegen Sza=
mosfalva Vorposten aufstellte. Schon zog General Wardener in drei Colon=
nen heran. Es war bereits dunkel als Urban an der Spitze der Plänkler
vorsichtig durch Szamosfalva ritt und unangefochten hinter das Dorf
kam, als auf einmal aus den Gräben zu beiden Seiten der Straße
Schüsse fallen, von einem wilden Geschrei begleitet. Die Plänkler Ur=
ban’s erwiedern das Feuer, wenden sich aber gleich darauf vor dem un=
sichtbaren Feind zur Flucht; hätten sie ahnen können daß jene Verborge=

nen, kaum daß sie ihre Gewehre abgedrückt, gleichfalls das Fersengeld
ergriffen, so würde es ihrem entschlossenen Führer, der um sich in der
Gegend auszukennen eine Hütte anzünden ließ, sicher gelungen sein sie
zum Stehen zu bringen[95]). Allein mittlerweile erschien Wardener im
Dorfe. Es war kurz zuvor die Meldung eingelaufen, General Schurtter,
der sich am 15. noch in Maros-Vásárhely befand, könne nicht vor dem
21. vor Klausenburg eintreffen, und nur durch die eindringlichsten Vorstellungen Urban's hatte sich Wardener bewegen laffen, ohne auf das
Süd-Corps zu warten feinen Marsch fortzusetzen. Als er aber jetzt von
dem Vorfall hinter Szamosfalva hörte gab er den Befehl zum Rückzug,
und führte feine Truppen in Eile bis Bálaßút ungefähr die Weghälfte
zwischen Klausenburg und Szamos-Ujvár zurück; nur Urban mit einigen
hundert Mann blieb in Apahida. Wardener hatte allerdings keine Vorstellung von den Zuständen die in der Stadt vor ihm herrschten. Die
Nacht vom 16. zum 17. wurde im Rathhause Kriegsrath gehalten, während auf den Straßen alles durcheinander wogte und Nationalgarden
alle Ausgänge besetzt hielten, weniger um die Kaiserlichen nicht hinein,
als um ihre eigenen Edelleute nicht flüchtig hinaus zu laffen. Baldacci
wollte sich mit einem Adjutanten aus der Stadt schleichen, wurde aber
erkannt und als „Landes-Verräther" auf das Stadthaus gebracht; von
feiner Führerschaft wollte niemand mehr etwas wiffen, er felbst am
wenigsten. Ein bewaffneter Haufe durchzog mit brennenden Fackeln
die Stadt sich einen Anführer zu suchen, ein anderer drang mit Geschrei und Lärmen in die Wohnung Bay's, riß ihn aus dem Bette,
zerrte ihn nur nothdürftig angekleidet auf die Straße und rief ihn
da zum Commandanten aus, bis er von einigen herbeieilenden Hon-
véd-Officieren in Schutz genommen wurde. Im Kriegsrath wurde
Übergabe der Stadt beschloffen, Stadtrichter Groiß trat auf den Balcon
hinaus dies kundzumachen; Schüffe fielen auf ihn, die Menge tobte von
neuem, bis sie sich allmälig verlief und die bewaffneten Haufen daran
dachten das Freie zu gewinnen. Am 17. trafen Graf Mikó, Stadtrichter Groiß und Hauptmann Fackler den General Wardener in Bálaszút, am 18. rückten feine ersten Truppen in Klausenburg ein. Das treu-
gebliebene Bataillon Karl-Ferdinand erwartete sie in Reih und Glied
aufgestellt, gegenseitige Grüße mischten sich in die Töne der Volks-
Hymne. Am 21. traf auch das Süd-Corps über Thorda in Klausenburg ein, das eine Brandschatzung von zwei Millionen entrichten sollte.

Allgemeine Entwaffnung wurde angeordnet, von den Beamten die Aner=
kennung der Proclamation vom 18. October gefordert; als einige vom
Gubernium Einwendungen erhoben, erklärte ihnen Oberst Urban kurz=
weg daß er sie mit Bedeckung in die Bukowina schicken werde. Er war
der einzige der rasche Thatkraft entwickelte. Sonst ging alles schläfrig
her; die Eintreibung der auferlegten Steuer wurde eben so läffig be=
trieben als die Durchführung der Entwaffnung. Wardener, von Haus
aus schwach, ließ sich von Personen die sich an ihn brängten und ihm
hofierten in jeder Weise beschwatzen, und arbeitete ohne es zu wissen den
Feinden seiner eigenen Sache in die Hände ⁹⁶). Um dem Adel der be=
zwungenen Stadt durch Einquartierung nicht zur Last zu fallen, wies er
feinen abstrapazirten halb erfrorenen Leuten leere Schulgebäude ohne
Holz Stroh ꝛc. an, bis sich Urban ihrer annahm und auf eigene Fauft
für beffere Unterkunft forgte.

Noch eine Aufgabe blieb Urban zu vollführen. Telcki und Katona
hatten mittlerweile bei Magyar Lápos und Nagy=Jlonda den Boden Sie=
benbürgens betreten, sengend und brennend, vor allem aber gegen die
unglücklichen Romanen wüthend; Dutzende ihrer Dörfer gingen in Flam=
men auf, hunderte ihrer Stammesgenoffen fanden den Tod. Flüchtige
Landleute aus dem Lápos=Thale brachten die Schreckenskunde von ihrem
Herannahen nach Déés. Oberst Lilienberg, der Übermacht nicht gewach=
sen, zog seine Truppen gegen Szamos=Ujvár zurück, während die Ungarn
mit Eljen=Rufen und reichlicher Bewirthung empfangeu als Sieger in
Déés Platz nahmen, 21. November. Allein am selben Tage war auch
Urban von Klausenburg wider sie aufgebrochen — er hatte 20 Compag=
nien, 2 Escadrons und 5 Geschütze — und stand am 24. 9 Uhr B. M.
vor Déés, das nach mehrstündigem Kampfe in feinem Besitz war; in
wilder Flucht über die Brücke und die gefrorene Szamos räumten die
Ungarn das Feld. Ohne feinen Truppen Rast zu gönnen eilte Urban
den Flüchtigen nach; verwüftete Dörfer, rauchende Trümmer, von Pfosten
und Bäumen herabhängende Romanen=Leichen bezeichneten den Weg den
jene genommen; sie selbft aber konnte Urban nicht erreichen. Er rückte
über die Gränze bis Nagy=Somkút, wo eine von Nagybánya entgegen=
gesandte Deputation ihm die Unterwerfung ihrer Stadt ankündigte, 30.
November. Doch gleichzeitig traf ihn ein Befehl von Wardener, eilig
nach Klausenburg zurückzumarschiren, wo er in forcirten Märschen am
3. December mit feinen abgemübeten und ausgehungerten Leuten wieder

8

eintraf. Er hatte binnen zwölf Tagen 36 deutsche Meilen zurückgelegt, ein sechsstündiges Gefecht geliefert, eine dreifache Übermacht gesprengt, eine feindliche Stadt bezwungen, eine andere zu demüthiger Unterwerfung gebracht. Nicht ohne Grund flößte sein Name den Feinden die größte Furcht ein[97]).

Während Urban gegen Décs heranzog, war Oberst-Lieutenant Losenau am 23. auf der Großwardeiner Straße von Klausenburg ausmarschirt, hatte eine vor Ghalu aufgestellte feindliche Abtheilung geworfen und war bis Bánffy-Hunyad vorgedrungen, von wo sich die Klausenburger Flüchtlinge unter dem Befehl des Majors Riczkó in den Engpaß von Csucsa zurückzogen, 27. Im benachbarten Ungarn herrschte Bestürzung. In Großwardein sah man schon die kaiserlichen Truppen heranziehen, füllte die um die Stadt laufenden Gräben mit Wasser, warf in den Weinbergen Schanzen auf, rief alle Waffenfähigen unter die Fahnen. Über den Fall von Klausenburg war man wüthend, man bezeichnete ihn als Landesverrath. Der Regierungs-Commissär Hodossy in Großwardein erließ ein Verbot den siebenbürgischen Maulhelden Lebensmittel zuzuführen, jagte ihre Flüchtlinge in den Csucsa-Paß zurück, ließ andere, darunter den Grafen Mikes János und den Baron Bay festnehmen, ernannte Riczkó zum Obersten und Befehlshaber an Baldacci's Stelle und befahl die etwa widerspänstigen Officiere mit Pulver und Blei hinzurichten. Im Pester Abgeordnetenhause wurde ein Bericht des Advocaten K. Minorich Mitgliedes des Klausenburger Vertheidigungs-Ausschusses verlesen, der Bay, Groiß, namentlich aber den Abgeordneten Mikes geradezu des Verrathes beschuldigte. „Bay", hieß es in einem Berichte über die Sitzung vom 23. November, „scheint uns so ziemlich der letzte Mohikaner der schwarzgelben Partei der mit einem bedeutenden Amte betraut wurde." Erst durch Couriere, die Czetz an Kossuth sandte, sah man in der Hauptstadt die Sache in anderem Lichte; Bay mußte freigegeben werden und blieb als Regierungs-Commissär bei den Truppen, deren Führung in die Hände Czetz's gelegt wurde[98]).

Auch im Osten des Landes schien die ungarische Sache an Boden zu verlieren. Bald nachdem die Unterhandlungen zwischen Heydte und Dorsner begonnen, überreichte die „Recensenten-Commission" des Csiker Stuhles die Erklärung ihrer Bereitwilligkeit sich „dem regierenden Kaiserhaus und jetzt Sr. Majestät Kaiser Ferdinand I. oder V. zu unterwerfen, Gut und Blut ihm zu opfern, allen seinen Befehlen zu gehor

chen", dafern ihnen nur ihre Waffen gelaſſen, keine auswärtigen k. k.
Truppen in ihr Land geſchickt, dagegen ihre eigenen auswärts verwende=
ten Truppentheile heimgeſandt würden [99]). Vom General=Commando
wurde aber dieſe Gegenforderung nicht angenommen ſondern bedingungs=
loſe Unterwerfung verlangt, die denn auch am 21. November erfolgte,
worauf mit der allgemeinen Entwaffnung begonnen werden ſollte.

So blieb es denn nur die Háromſzék, wo, obgleich auch hier der
Kern der Bevölkerung nach Frieden ſeufzte, die Partei der Unruhe die
Oberherrſchaft behielt. Ein Vorfall der ſich um die Mitte November in
Sz. György ereignete, legte davon ſchreckliches Zeugnis ab. Der Com=
mandant des Honvéd=Bataillons Hauptmann Balás, als ſchwarzgelb
verſchrien, hatte verſucht ſein Bataillon zur Unterwerfung und Nieder=
legung der Waffen zu ſtimmen; er wurde in Haft genommen und ſollte
vor das Blutgericht geſtellt werden. Allein ein Volksauflauf kam dem
Urtheilsſpruch zuvor; er wurde aus dem Kerker geriſſen und unter qual=
vollen Mishandlungen auf den Marktplatz gezerrt, wo ſie den Halb=
todten niederſchoßen und ſeine Leiche an den Galgen hingen. Die zum
Frieden geneigte Partei war vollſtändig entmuthigt, die Vorbereitun=
gen zum Kampfe wurden eifriger als je betrieben. Gemeinden mußten
ihre Glocken hergeben Kanonen daraus zu machen; im Eiſenwerk von
Füle (Folos) errichtete man eine Stuckgießerei; ein ehemaliger Artilleriſt,
Gábor Aron, arbeitete darin mit einigen Geſellen. Am 16 November
wurden die erſten zwei gegoſſenen Kanonen unter großem Jubel nach
Sz. György gebracht. In Kézdi=Váſárhely wurde eine Pulver= und Zünd=
Fabrik angelegt; den Schwefel lieferte Kováſzna, den Salpeter holte
man von Torja, die Kohlen aus der Gegend von Kis=Váſárhely. Er=
eigniſſen ſolcher Art gegenüber konnte zuletzt auch das Hermannſtädter
General=Commando ſich durch die zeitweiſen Friedensverſicherungen nicht
länger täuſchen laſſen. Am 19. erſchien F.=M.=L. Gedeon in Kronſtadt
und traf Anſtalten zur Sicherung des Burzenlandes. In Marienburg,
in Honigberg, in Bozau (Bodza) wurden größere und geringere Garni=
ſonen vertheilt, zuſammen 11½ Compagnien, 2½ Schwadronen, 2000
Mann Landſturm und eine Drei=Pfünder=Batterie; den Oberbefehl er=
hielt Oberſt Baron Stutterheim.

Im Süd=Weſten des Landes beim Austritt der Maros war nach
dem Erfolge der kaiſerlichen Waffen bei Lippa der Gränz=Poſten Zám
mit zwei ſchwachen Compagnien, die ein ehemaliger Waldbereiter be=

8*

fehligte, besetzt worden, 12. November [100]), der sich aber kaum vierzehn
Tage später neuerdings von der ungarischen Seite bedroht sah. Am 25.
und 26. rollte der Honvéd-Hauptmann Asztalos, mit drei Compagnien,
einem Zug Husaren und einem Geschütz von Mariássy aus Neu-Arad
entsandt, den romanischen Landsturm längs der Maros von Arad bis
Soborsin auf, verurtheilte die Häuptlinge, entwaffnete die Bewohner.
Am 2. December brach Asztalos zum zweitenmal aus dem Neu-Arader
Lager auf, erschien am Abend vor Zám wo man einen für die Festung
Arad bestimmten Salz-Transport angesammelt hatte, trieb die schwache
Besatzung, die alles im Stich ließ, bis Illye und Déva zurück, legte
das Schloß in Asche und zog mit seiner Beute längs der Maros
wieder ab.

7.

Im lombardisch-venetianischen Königreiche gab es einen Zustand der
sich weder Krieg noch Frieden nennen ließ. Die Nachricht von dem Einzuge der kaiserlichen Truppen in Wien hatte eine betäubende Wirkung
hervorgebracht. Leute die von Venedig kamen versicherten, die Niedergeschlagenheit sei selbst zur Zeit der überraschenden Triumphe Radecky's
nicht so groß gewesen. Welcher Mittel man sich bediente den gesunkenen
Muth der Bevölkerung etwas wieder aufzurichten, zeigte ein in der ersten
Hälfte November daselbst verbreitetes Bulletin des Inhalts: „Die Armee
Radecky's ist abgefallen, er selbst nach Wien abgereist um zu fragen was
er thun solle. Mantua ist in den Händen der Insurgenten und in
Triest ein furchtbarer Aufstand ausgebrochen".
So war es denn in der Lombardie den ganzen November hindurch
äußerlich ruhig. Seit der Züchtigung von Verceia und Chiavenna durch
General Haynau war man vom Canton Tessin aus nicht mehr bedroht:
gegen das Räuberunwesen, das als Nachspiel der vorausgegangenen Ereignisse hin und wieder im Lande noch spuckte, wurde mit Kraft eingeschritten, das Waffenverbot mit aller Strenge gehandhabt [101]). Auch von
der venetianer Seite fiel nichts bedeutendes vor. General Pepe in
Venedig hatte allerdings Lust, auf den glücklichen Ausfall gegen Mestre

und Fusina bald neue Kriegsthaten folgen zu laffen: die Stellung der Kaiferlichen bei Caorle war es, auf die er fein nächstes Augenmerk richtete. Allein es kamen Weifungen von den Triumviren daß höhere politifche Rückfichten jedes angriffsweife Vorgehen verböten, und fo blieb es den ganzen November und December hindurch ftille in Venedig, wenn nicht etwa eine oder die andere kleinere Auskundung oder irgend eine neue militärifche Vorkehrung eine wenig bedeutende Plänkelei herbei= führte; fo am 28. November, wo eine Abtheilung von 25 Mann unter Major Rabaelli die öfterreichifchen Vorpoften bei Dogaletto beunruhigte, bis diefe von Moranzana Verftärkung erhielten und die Angreifer vom Platze trieben; oder am 10. December, wo Pepe vor dem einem Über= falle mehr ausgefetzten Fort O (Eau) an der Südfeite von Malghera einen Damm aufwerfen ließ, wobei die Kaiferlichen, unter dem Schutz eines dichten Nebels und von Mauerwerk gedeckt, Flintenfchüffe herüber= fandten denen die Gefchütze von O und S. Giuliano in gröberem Tone antworteten [102]).

Übrigens ftand es um diefe Zeit fowohl mit den militärifchen als mit den finanziellen Kräften von San Marco nicht befonders günftig. In erfterer Hinficht machte man fich zwar allerhand zu fchaffen. Der Ober=Commandant war eben fo unermüblich in Organifations=Arbeiten, als er darauf bedacht war die Mannszucht aufrecht zu halten [103]). An= fangs November bildete er aus den „Jägern des Ober=Rhein" (caccia- tori dell' alto Reno), dem 1. und 2. Bataillon der „Italia libera" und zwei Compagnien aus Ancona eine neue fiebente Legion. Zwei vom Kriegs=Minifter Oberft Cavedalis unterzeichnete Decrete verfügten die Bildung einer Legion Alpen=Jäger (cacciatori delle Alpi) und einer dalmato=iftrifchen: für die erftere bildeten den Hauptftock zahlreiche Über= läufer, die fich nach dem Fall von Palmanuova und der Übergabe von Ofopo nach Venedig eingefchlichen hatten und die Gebiete von Cadore Belluno Feltre, der Sette Comuni zu ihrer Heimat hatten; für die letztere, der Giu. Mircovich als Commandant vorgefetzt wurde, bildete fich eine eigene Commiffion, die es nicht an Aufrufen fehlen ließ von der andern Seite der Adria waffenluftige Jünglinge herüberzulocken [104]). Es kam aber dabei nicht befonders viel heraus; und entfchiedenes Fiasco machte die fchon in der zweiten Hälfte October pomphaft angekündigte „ungarifche Legion", deren ftolzer Titel gar wenig zu dem Häuflein roher Gefellen ftimmte das man aus ungarifchen Gefangenen und Aus-

reißern zusammenstellte, in Schnürrock, knappe rothe Beinkleider und
Schnürstiefelchen steckte und den Befehlen eines eidbrüchigen k. k. Offi=
ciers unterordnete. Die Triumviren hatten offenbar auf zahlreichen
Übertritt ungarischer Soldaten aus dem Heere Radecky's gezählt; als
diese ausblieben, sahen sie sich genöthigt auch Nicht=Ungarn einzureihen
und waren sogar froh, wie der aufrichtige Debrunner erzählt, wenn sie
etwa ein aus Furcht vor Stockprügeln entlaufenes Kroätlein als Zu=
wachs erhielten. Mit all diesen Mitteln brachte man die sogenannte
„Legion" nicht auf den Stand einer halben Compagnie, 56 Mann,
Kerle die wegen ihrer Unsauberkeit, ihres wüsten Treibens, ihrer Un=
verträglichkeit und Händelsucht unter allen venetianischen Truppen ver=
rufen waren; sie stahlen wie die Raben, rauften und prügelten sich un=
aufhörlich untereinander, und waren dagegen im Feuer so unverläßlich
daß man sie gegen die Kaiserlichen nur, wo das Meer dazwischen lag,
verwenden konnte. Ihr Anführer Karl Winkler, der einzige Officier
des wackern Regimentes Kinsky der am 22. März seinen Degen einem
nebenstehenden Venetianer überreichend zu den Aufständischen übertreten
und von diesen als Hauptmann der Guardia civica einverleibt worden,
war ein liederlicher Geselle ohne Ansehen bei seinen Leuten, denen er
mehr als einmal den Monatssold nicht auszahlen konnte, weil er diesen
gleich nach Empfangnahme am Spieltisch verputzt hatte [105]). Diesem
Zuwachs der venetianischen Truppen von mitunter weniger als zweifel=
haftem Werthe standen nun aber höchst empfindliche Schäden und Ein=
bußen von anderer Seite gegenüber. Die sardinische Regierung hatte
endlich dem Andringen Österreich's auf Einhaltung der Waffenstillstands=
Bedingnisse nachgeben und den Admiral Albini von der Lagunen=Stadt
abberufen müssen; er erschien auf der Rhede von Triest, wo er die
weiße Flagge aufhissend mit unserem Marine=Ober=Commandanten
Kudriafsky friedliche Botschaft wechselte, und fuhr am 13. November
mit dem größten Theil seiner Flotte im Hafen von Ancona ein. In den
Gewässern von Venedig wurden jetzt wieder österreichische Schiffe sicht=
bar, die durch häufiges Kapern die Zufuhr von Lebensmitteln erschwer=
ten und denen das kleine venetianische Seegeschwader nicht überall die
Spitze bieten konnte. Die Ereignisse in Rom, die Zustände daselbst
nach der Flucht des Papstes, die der ewigen Stadt innen und von
außen drohenden Gefahren riefen dann in der ersten Hälfte Decem=
ber den größten Theil der Freischaaren aus dem Römischen von

Venedig ab, wo sie überdies durch Fieber viel gelitten hatten [106]). Denn wenn die Kaiserlichen über empfindliche Verluste ihrer im Bereiche der Lagunen verwendeten Truppen klagten, so war zu solchem Bedauern im Lager ihrer Gegner kaum weniger Grund vorhanden. Fieber Husten und Heiserkeit, geschwollene Füße, Wassersucht griffen besonders unter den von auswärts herbeigezogenen Truppenkörpern in den Winter-Monaten mit ungeahnter Heftigkeit um sich und füllten zum Übermaß alle für Spitals-Zwecke hergerichteten Räumlichkeiten der Stadt. Debrunner's urkräftige Schweizer waren so herabgekommen daß Pepe, dem bei einer Musterung ihre abgezehrten Gesichter, ihre matten Augen, ihre unsichern Bewegungen auffielen, sogleich den Befehl ertheilte sie blos zu den leichtesten Diensten zu verwenden. Es gab eine Zeit wo von den 96 Mann, welche die Compagnie im December zählte, nicht weniger als 71 krank darniederlagen; bis Neujahr 1849 war es der fünfzehnte Todtenzettel den Debrunner in seine Heimat sandte [107]).

Die gute Stadt Venedig hatte überhaupt viel zu tragen: übermäßig erhöhte Auflagen bei verminderten oder völlig stockenden Einnahmen, Militär-Dienst und Militär-Lasten, dazu innere Parteiung und politischen Hader. Ränkeschmiede und Maulhelden gaben im Circolo italiano zu schaffen und machten ihren Einfluß selbst in den Reihen des Heeres fühlbar, bis die provisorische Regierung einige der Hauptschreier verhaften ließ und jedem Militär bei Dienstentlassung oder Ausweisung den Besuch der Clubs untersagte. Unter den Besitzenden und Erwerbenden aber griff Unlust über die unsichern Zustände um sich, sie wünschten ein Ende herbei wie es auch kommen möge [108]). Die Glas-Fabrication auf Murano, die sonst die ganze Einwohnerschaft in gewinnbringender Thätigkeit erhielt, stand gänzlich still: Männer aus dem Volke waren froh durch Eintritt in die Mobilgarde kargen Broderwerb zu finden. Die vermöglicheren Einwohner litten an ihrer häuslichen Ruhe und Bequemlichkeit. Wer ein halbwegs verfügbares Zimmer hatte, mußte zur Schonung der öffentlichen Mittel unentgeltlich einen Officier aufnehmen; in jedem Sestiere war eine eigene Commission mit der Obsorge dafür betraut. Seit den acht bis neun Monaten des Bestandes der Republik hatten die Bewohner Venedigs an Gaben und Entäußerungen das unglaubliche geleistet; die einheimischen Schriftsteller wissen nicht genug zu erzählen, welch erhebende, welch rührende Gesinnungen sich dabei kundgaben. Arme opferten den besten Rock, ihre Bettdecke, ihr Bettzeug; Schulkinder ent-

zogen sich ihr Naschgeld um es dem Vaterlande zu weihen; eine junge
Dame beraubte sich ihres reichen schönen Haupthaares. Beamte und
Officiere ließen einen Theil ihrer Besoldung, einige, wie der Oberbe-
fehlshaber Pepe, die ganze im Staatsschatze zurück. Pepe widmete außerdem der Republik ein kostbares Gemälde von Leonardo da Vinci, ein
Geschenk seines Bruders Florestan, durch dessen Versteigerung, wie er
meinte, mindestens 100.000 Fr. eingehen mußten; die Republik zog aber
vor das Gemälde als werthes Andenken zu behalten und dankte dem
edlen Spender in einem ehrenvollen Schreiben [109]). Sammlungen aller
Art und in jeder Gestalt fanden stets freigebige Hände. Eines Tages
predigten Gavazzi und Laffi auf dem Marcus-Platze, vor dem Dome
war ein „Altar des Vaterlandes" aufgerichtet; Ringe Ohrgehänge Ge-
schmeide wurden in solcher Menge abgeliefert daß sich ganze Becken davon füllten. Am 15. November öffneten sich, zum erstenmal seit dem
22. März, die schönen Räume des Teatro Fenice für die elegante Welt:
Künstler und Kunstliebhaber veranstalteten eine musikalische Akademie „per
soccorrere alla patria" und erzielten ein Reinerträgnis von 14.618
Lire 34 Cent. Am 14. December erließ P. Giu. Roverin, von S.
Maria del Rosario genannt Gesuati, einen Aufruf an seine Pfarrlinge
sich am heil. Weihnachtstage zahlreich beim Hochamte einzufinden und
beim feierlichen Umgang um den Altar ein Almosen zu spenden für das
Vaterland, „quella nobilissima ed illustre poveretta" [110]). Selbst von
den armen Schiffs- und Fährleuten mußte der eifrige Padre Torniello
einige hundert Lire abzubetteln und der Regierung zur Verfügung zu
stellen.

Doch all das waren Tropfen in's Meer, und auch die erhöhten
Auflagen der Postgebühr für Briefe, des Tabaks, der Gebühr für Reise-
pässe, die Einführung eines Stempels von 50 Cent., einer Biersteuer
reichten für den Bedarf des Staatsaufwandes bei weitem nicht hin. Die
Republik bedurfte im Monat 2,500.000 bis 3,000.000 L. und ihre
monatlichen Einnahmen beliefen sich in allem und jedem auf nicht ganz
100.000 L. Um dem außerordentlichen Bedarf durch Credit-Operationen
zu Hilfe zu kommen, war eine Nationalbank gegründet worden an deren
Spitze Fürst F. Giovanelli stand. Mit Decret vom 19. September
wurde dieselbe zur Ausgabe von Noten zu 1, 2, 3, 5 L. im Gesammtbetrage von 3,000.000 L. ermächtigt, die durch den gleichen Betrag eines
freiwilligen Anlehens „opferwilliger Bürger" gedeckt war, daher das

Geld „moneta patriottica" genannt wurde. Am 12. October folgte in gleicher Weise ein zweites Anlehen von 2,000.000, am 15. November ein drittes von 1,000.000 L., diesmal in der Form eines zu fünf von hundert verzinslichen Zwangs-Anlehens (prestito forzoso). Die Vertreter der Gemeinde sowie einzelne Bürger hatten seit langem nicht ohne Grund darauf hingewiesen, daß die Sache für die es Opfer zu bringen gelte nicht Venedig allein sondern ganz Italien berühre, und daß man daher auch diese Opfer nicht Venedig allein sondern ganz Italien aufer= legen müsse [111]). Es war in diesem Sinne schon im August eine italie= nische Anleihe von 10,000.000 L. unter der gegenseitigen Bürgschaft der Lombardie und des Benetianischen und für den Zweck der Befreiung dieser Gebiete von der Fremdherrschaft ausgeschrieben, und es waren von Venedig Bürger ausgesandt worden die vorzüglichsten Städte der Halb= insel zu bereifen, Betheiligungen an der National-Anleihe zu werben, Agenten zum unausgesetzten Betriebe dieses Geschäftes zu bestellen. Als aber Mitte November drei jener Sendboten, Giovanelli Todros Gia= comini, von ihrer zweimonatlichen Rundreise heimkehrten, war es kaum eine halbe Million die sie mit aller Mühe an Subscriptionen zusammen= gebracht. Auf anderen Wegen waren aus ganz Italien vom März bis Ende October nicht mehr als 29.260 L. 18 C. eingelaufen, „poco più di un quarto del dispendio di un solo giorno"; im Laufe des No= vember nicht mehr als 24.999 L. 50 C., kaum die Hälfte dessen was in derselben Zeit Venedig allein beigesteuert hatte [112]). So sah sich denn Venedig zuletzt doch wieder auf seine eigenen Mittel angewiesen, die schon in der ganzen Zeit vorher in so hohem Grade in Anspruch ge= nommen waren. Mit Decret vom 22. November schrieben die Trium= viren eine außerordentliche Auflage von 12,000.000 L. unter Bürgschaft der Gemeinde aus, welche letztere die Summe durch einen Zuschlag auf das Erträgnis von Grund und Boden — „a carico di tutti gl'immobili compresi nei Comuni ora soggetti al Governo veneto" — im Laufe von zwanzig Jahren hereinzubringen ermächtigt wurde [113]). Der 1. De= cember 1848 wurde in Venedig mit besonderer Feierlichkeit begangen; wochenlang hatten Kundmachungen Anschlagzettel Zeitungs-Artikel auf diesen Tag hingewiesen und vorbereitet; den Morgen desselben begrüßten festliches Geläute und Kanonensalven; sodann folgten Ausrückungen, feierlicher Gottesdienst in S. Marco, Festpredigt des Patriarchen, am= brosianischer Lobgesang, dabei abermalige Kanonensalven; Abends musi=

kalische Akademie im Teatro Fenice: es galt der Gedächtnisfeier der
lombardischen Liga, die siebenhundert Jahre früher an diesem Tage gegen
den deutschen Friedrich abgeschlossen worden war und zur Befreiung des
italienischen Bodens von der Fremdherrschaft geführt hatte. An demselben
1. December begann nun auch die Ausgabe der neuen Comunal=Noten
(moneta del Comune di Venezia). An Papier hatte man auf solche
Art im Machtgebiete Manin's wie Kossuth's keinen Mangel. Die kaiser=
lichen „zvanzighe" wurden auch hier eine immer seltenere Erscheinung
und erhielten bedeutendes Agio; der Sold der Truppen wurde schon seit
1. October nicht mehr in klingender Münze ausgezahlt. Die Sorge der
provisorischen Regierung ging dahin, dem venetianischen Papiergeld An=
erkennung und Umlauf auch in den andern Gebieten von Italien zu ver=
schaffen; allein auch in diesem Punkte sah sie sich getäuscht. In Turin
geschah trotz des neuen „demokratischen" Ministeriums nichts, in Rom
setzte sich Bürger Buonaparte bei der neuen Regierung vergebens dafür
ein, und Guerrazzi in Florenz berief sich auf die Kammern vor deren
Zusammentritt und Zustimmung in einer so wichtigen Angelegenheit nichts
geschehen könne. Die Folge davon war daß man nirgends außerhalb
Venedig Papiere der Republik bei größeren Geschäften hinnehmen wollte;
ja in Venedig selbst sah man trotz des Krieges österreichische Banknoten
lieber, die denn auch bei den Wechslern höher im Preise standen.

Im Punkte des Geldes befand sich, der Venedig gegenüber stand,
in kaum minder bedrängter Lage. Berechnete man den monatlichen Be=
darf Venedigs auf 3,000.000 L., so brauchte Radecky für die Erhaltung
seiner Truppen wenigstens das doppelte und sah sich zur Bedeckung die=
ses Bedarfs, da die geschmälerten Finanzen des Reiches von andern Sei=
ten vollauf in Anspruch genommen waren, auf die eigenen Kräfte des
von ihm wiedereroberten Landes gewiesen. Dazu kam daß Manin an den
Patriotismus seiner Venetianer appellirend Papiergeld ohne Anstand in
Umlauf setzen konnte, während das ganze Land außerhalb der Lagunen,
seit jeher in diesem Punkte von der österreichischen Regierung verwöhnt,
von Banknoten und andern Werthzeichen nichts wissen wollte. Bereits
war die Grundsteuer von 3½ Percent des Anschlages auf 8 gestiegen,
noch höher die Gemeindesteuer aus deren Erträgnis die zerstörten Brücken
und Straßen herzustellen waren; kam noch massenhafte Einquartierung
dazu, so wurden wohl in einzelnen Städten die 2 Percent des gewöhn=
lichen Gemeindezuschlages bis auf das zehnfache erhöht. Dazu unter

allerhand Titeln außerordentliche Steuern, Steuer-Vorausnahmen, Zwangs-Anlehen. Alle diese und ähnliche Umlagen trafen die Gesammtbevölke-rung, daher sowohl jene Personen und Classen die den Aufstand herbei-geführt, gefördert, daran theilgenommen hatten, als die Anderen die dem-selben von Anfang abgeneigt und nur wider Willen in ihn hineingezogen waren. Ja viele der ersteren trafen jene Lasten sogar in minderem Grade als die letzteren, nämlich alle jene reichen und vornehmen Familien, die von der Milde der kaiserlichen Amnestie keinen Gebrauch machend nicht nur fortwährend im Auslande weilten, sondern auch, auf eine neue gün-stigere Erhebung bauend, im Auslande fortwühlten den Eifer der Feinde Österreichs im Zug zu erhalten, die Rüstungen für die Wiederaufnahme des Krieges zu beschleunigen suchten, wozu ihnen eben die reichen Ein-künfte die sie aus ihren im lombardisch-venetianischen Königreiche gele-genen Gütern zogen die Mittel boten. Radecky machte daher nur vom Rechte der Nothwehr Gebrauch, als er, um der gegen ihn offen und insgeheim wirkenden Macht die in seinem Bereiche befindlichen Hilfs-quellen zu entziehen, eine außerordentliche Kriegssteuer ausschrieb, die, im Verhältnis zu den Geldkräften jedes Einzelnen, nur jene treffen sollte die sich in hervorragender Weise an der Revolution betheiligt, dazu mit Rath und That, mit ihren geistigen und materiellen Mitteln beige-tragen hatten und die, indem sie im Auslande zu weilen und die Er-zeugnisse dieses Landes zu neuen Umtrieben zu benützen fortfuhren [114]), dadurch dem im Lande zurückgebliebenen Theile der Bevölkerung nur Lasten und Sorgen aufbürdeten, abermalige Gefahren und Einbußen be-reiteten. Die Kundmachung dieser Maßregel erfolgte am 11. November; vier Tage später, 15., wurde der Municipalität von Mailand ein er-stes Verzeichnis von Schuldpflichtigen mit dem Gesammtbetrage von 7,440.000 L., zahlbar bis längstens 23. December in Mailand, mitge-theilt; die Gesammtziffer einer zweiten etwas längeren Liste belief sich auf 8,040.000 L. Im Ganzen waren bis zum 24. November 209 Per-sonen mit einer Straf-Summe von mehr als 20,000.000 L. belastet; so Graf Vitaliano Borromeo und Herzog Antonio Litta, dann die Gräfin Ala-Pongini, die von Neapel aus ein Bataillon Crociati ausgerüstet und nach Mailand geschickt hatte, mit je 800.000 L., Herzog von Visconti mit 700.000, Graf Giulio Litta, Graf Renato Borromeo, die Erben des Grafen Mellerio mit je 400.000, Graf Casati, das Haupt der lombardischen Verschwörung, und Advocat Traversa mit 300.000 L. u. s. w.

Daß diese Maßregel Radecky's in allen Theilen Italiens einen
heillosen Sturm erregte; daß sie die Federn im auswärtigen Amte an
der Themse in erhöhte Thätigkeit versetzte; daß sie von allen Feinden
Österreichs als etwas gar nie dagewesenes ausgeschrien und verlästert
wurde, war begreiflich. Das piemontesische Ministerium beeilte sich eine
geharnischte Note an die Vertreter Frankreichs und Englands zu richten,
deren Vermittlung es in dieser unerhörten Angelegenheit anrief. Am 15.
November hielt der Secretär der Consulta Lombarda Achille Mauri in
der Turiner Abgeordneten-Kammer eine ausführliche Rede um die Un-
rechtmäßigkeit der Proclamation Radecky's nachzuweisen [115]), welchen Anlaß Brofferio benützte um wieder einmal mit vollen Backen in die
Kriegstrompete zu stoßen; zuletzt nahm das Haus den Antrag Berchet's
an: „das Ministerium einzuladen kräftige durch die Umstände gebotene
Maßregeln zu ergreifen um den Leiden der Lombarden abzuhelfen." Die
piemontesische Regierung entsprach dieser Aufforderung durch einen am
17. veröffentlichten königlichen Erlaß, der die Bestimmungen der Radecky'schen Proclamation vom 11. November für null und nichtig erklärte, und desgleichen für null und nichtig „jede Veräußerung oder Be-
sitzerwerbung von beweglichem oder unbeweglichem Gut die etwa im Sinne
jener Proclamation in der Lombardie oder im Benetianischen von den
österreichischen Behörden veranlaßt werden sollte." Die Folge all dieser
Schritte war keine andere, als daß am 22. Graf Wimpffen Militär-
Gouverneur in Mailand eine Erläuterung der Proclamation vom 11.
veröffentlichte, laut welcher die Geldauflage nur jene treffen sollte „die
zum Trotz der gewährten kaiserlichen Amnestie in der Theilnahme an
hochverrätherischen Anschlägen und Unternehmungen gegen die Ruhe und
Sicherheit des Staates verharren" und „die ungesetzlich auswärts weilen
und dadurch ihre Gesinnung kundgeben daß sie weit entfernt seien von
ihrem früheren Widerstande ablassen zu wollen"; und daß Radecky, um
namentlich in letzterem Punkte der Milde möglichst weiten Spielraum
zu lassen, mit Kundmachung vom 30. December noch den ganzen Monat
Jänner 1849 zur Rückkehr der sich in unerlaubter Weise Fernhaltenden
gestattete; erst nach Ablauf dieser Frist sollten die Bestimmungen der
§§. 7 und 26 des A. H. Patentes vom 24. März 1832 gegen diese
„ohne gesetzliche Bewilligung Ausgewanderte" in Wirksamkeit treten und
„ihr sowohl bewegliches als unbewegliches Vermögen unter Sequester
gestellt werden."

8.

Auch in den übrigen Theilen der Monarchie war die Lage der Dinge, der gegenüber Männer wie Schwarzenberg und Stadion sich entschlossen das Ruder in die Hand zu nehmen, durchaus keine tröstliche. Es ist für jenen, der die damaligen Zustände und Stimmungen in eigener Person durchgelebt, eine eben so schwierige Aufgabe sie in einer ihn selber befriedigenden Weise zur Darstellung zu bringen, als es dem spätern Leser, der sich zu seiner Unterhaltung oder Belehrung davon erzählen läßt, schwer fallen muß sich nur einigermaßen lebhaft in jene Verhältnisse hineinzudenken. Seit Börne's witzigem Ausspruch über das Fallen der Minister pflegt man sich auch wohl die Übernahme eines Portefeuilles als eine ganz angenehme Sache vorzustellen. In den Tagen von Olmüz aber waren die Aussichten ganz und gar nicht so beruhigend, und Männer, wie Laffer, Mayer, meinten damals sehr klug zu thun wenn sie den Kopf aus der Schlinge zogen die man nach ihnen ausgeworfen, und für's erste Andere „sich vor die Bresche stellen" ließen. Waren es doch kaum fünf Wochen her, daß ein kaiserlicher Minister canibalisch mit Säbeln Äxten und Knütteln zerfleischt worden, zwei andere nur mit schwerer Mühe auf Schleichwegen, in Verkleidungen, dem ihnen angedrohten Tode entgangen waren! Wie die jetzt Berufenen selbst ihre Stellung auffaßten zeigte ein launiges Wort Bruck's, als er vernahm Bach habe „provisorisch" angenommen: „Wozu?" sagte er; „es ist ja das ganze Ministerium nur provisorisch!"

Allerdings fehlte es überall nicht an Wahrzeichen, daß eine Regierung die mit Ernst und Kraft ihres Amtes walten würde der zustimmenden Billigung, der willfährigen Theilnahme und Unterstützung des weitaus größten Theiles der Bevölkerung gewiß sein könnte. Das aufständische Wien war bezwungen und besiegt, der Herd verzehrender Aufwieglung war umgestürzt und auseinandergeworfen, die Schürer des drohenden Brandes waren gefangen oder flüchtig oder zum Tode erschreckt. Nicht nur gab es Millionen die sich glücklich priesen von einer unabsehbaren Gefahr befreit zu sein: es waren auch viele Tausende die

den Muth hatten dies laut und vor aller Welt zu bekennen, in kirchlichen und militärischen Feierlichkeiten den gefallenen Opfern der guten
Sache dankende Erinnerung zu weihen, in Adressen an den Retter Österreichs, an die kaiserliche Regierung, an den gütigen und schwer geprüften
Monarchen ihren Dank, ihr wieder erwachtes Vertrauen, ihre Hoffnung
auf eine bessere Zukunft auszudrücken [116]). Theils aus Furcht vor möglichen schlimmen Folgen theils unter dem Drucke der die Oberhand gewinnenden allgemeinen Sehnsucht nach Ruhe und Ordnung traten an
vielen Orten Vereine und Genossenschaften, die Monate hindurch das
große Wort geführt, die gedankenlose Menge mit sich fortgerissen hatten,
vom Schauplatze ab. Kein Calabreser war in Brünn zu sehen, kein
„deutsches Vaterland" mehr zu hören; alle schwarzrothgoldenen Abzeichen
waren verschwunden, selbst die runden „Freiheitshüte" in Ruhestand versetzt. Die akademische Legion in Olmüz ließ sich die ärarischen Waffen,
die das Militär-Commando jetzt für kriegerische Zwecke nöthig zu haben
erklärte, ohne Widerspruch abnehmen, stellte ihr corps-mäßiges Auftreten
ein; die meisten Legionäre legten ihre Uniform ab. In jener von Prag
gab sich die gleiche Neigung kund, obgleich sie dem Namen nach fortbestand und auch ihre Abzeichen von einzelnen Studenten noch getragen
wurden. In Grätz aber löste sich die akademische Legion durch freiwilligen Beschluß bis zum Erscheinen eines neuen Nationalgarde-Gesetzes
auf. Am 18. rückte sie zum letztenmal von der Universität aus, tauschte
militärischen Gruß mit einer Abtheilung Gränzer die im selben Zeitpunkte die Herrngasse herab an ihnen vorbeikam, marschirte vor die
Hauptwache der Nationalgarde und kehrte mit der Universitäts-Fahne
unter Vortritt der Nationalgarde-Capelle, von berittenen Officieren der
Volkswehr begleitet, auf die Aula zurück, wo ihre Fahne beigesetzt und
ihre Waffen abgelegt wurden; der Nationalgarde-Commandant General
Purcker versicherte sie in einer Ansprache, daß er ihr das ehrenvolle
Zeugnis der Mäßigung sowie der Begeisterung für wahre Freiheit nie
versagen werde [117]). Der Grätzer „Sicherheitsausschuß" hatte gleich nach
der Einnahme Wiens sein Wirken eingestellt, der demokratische und der
Arbeiter-Verein folgten dem gegebenen Beispiele und kamen dadurch nur
dem Verlangen des ordnungsliebenden Theiles der Bürgerschaft nach,
die wiederholt und entschieden ihre Misbilligung dieser Auswüchse des
Associations-Rechtes ausgesprochen hatten [118]). Graf Schlick in Krakau
empfing am 13. November von einem großen Theile der Bürgerschaft

eine Vertrauens-Adresse, worin sie seinem „edlen Charakter", seinen „patriotischen Gesinnungen" ihre Huldigung darbrachten; „wenn Übelgesinnte
oder erkaufte Agenten Unruhen hervorrufen wollten, werden wir beweisen,
daß wir mit der Regierung zur Unterdrückung derselben Hand in Hand
gehen wollen" [119]). Auch in Lemberg empfand man dankbar die nach dem
wüsten Treiben von früher wieder gewonnene Ruhe und Ordnung.
Keine viereckigen Kappen, keine polnischen Farben und Wappen waren
mehr zu sehen, kein Klirren langer Säbel, kein Wirbeln von National-
garde-Trommeln auf den Plätzen der Vorstädte zu vernehmen; „man
hört nicht einmal drohen, was doch seit dem Jahre 1846 an der Tagesordnung war", hieß es in einem Privat-Schreiben vom 22. November [120]). Ein großer Theil der Bürgerschaft überreichte am 29. dem
Baron Hammerstein eine Adresse, dem sie, hinweisend auf die Schäden
die Lemberg durch das Bombardement erlitten, gleichwohl dankbar für
„die Rettung von einem noch größeren Unglück welchem die Stadt und
das Land ausgesetzt war" sich bezeigten, „indem die Bevölkerung von einer
wilden Ochlokratie befreit, der Ausbruch eines Bürgerkrieges verhindert,
das Ansehen der Regierung wieder hergestellt, dem Erwerb, den bürgerlichen Beschäftigungen, der öffentlichen und häuslichen Sicherheit neue
Bürgschaften geboten" seien. Andere gingen noch weiter, wollten die
Bitte stellen den Belagerungszustand bis zu dem Augenblicke zu verlängern wo für die Aufrechthaltung der Ordnung und Sicherheit auf
andern gesetzlichen Wegen gesorgt sein würde, und konnten zur Unterstützung derselben auf die zustimmenden Wünsche der Landbevölkerung
hinweisen, die ihre allem revolutionären Treiben abholde, ja erbittert
feindliche Gesinnung während der Lemberger Aufstandstage in so unzweideutiger Weise kundgegeben hatte und bei jedem sich darbietenden
Anlasse von neuem kundzugeben nicht verabsäumte [121]).

Von großer Bedeutung für die galizischen Zustände hätte es werden müssen wenn ein Umschlag in der Haltung der „Polen im Frack",
der um die Mitte November in Krakau beredten Ausbruck fand, allgemeiner
durchgegriffen hätte. Joseph Krzyżanowski zum Bürgermeister von Krakau
gewählt hatte sein Reichstags-Mandat zurückgelegt. Als es am 17. November
zur Vornahme einer neuen Wahl kam, stellte die Partei aus deren Mitte
Krzyżanowski hervorgegangen war einen Candidaten auf, welchem Dr.
Helcel von Sternstein gegenübertrat. In einer muthvollen Rede setzte er
die Grundsätze auseinander die er schon früher in einem gedruckten Pro-

gramme veröffentlicht hatte: „Das Ziel das die polnischen Abgeordneten
bisher verfolgt, sei ein verfehltes. Von dem böhmischen Prag, von dem
Slaven=Congresse dem er selbst als Theilnehmer beigewohnt, sei der
Warnungsruf ‚Habt acht, ihr Slaven!‘ ausgegangen und habe weit
und breit durch alle slavischen Gauen hingetönt. Er habe in Prag mit=
gewirkt einerseits eine Verbrüderung der österreichischen Slavenstämme
zu bewirken, andrerseits den Frieden zu vermitteln zwischen den Slaven
Ungarns denen die Polen durch Bande gleichen Blutes verbrüdert seien,
und der magyarischen Nation welche die geschichtliche Erinnerung natio=
naler Bündnisse an Polen knüpfe. Es gelte eine Verbindung der öster=
reichischen Slaven zum wechselseitigen Schutze ihrer Nationalität; es
gelte, Neu=Österreich von der für die Slaven schimpflichen deutsch=frank=
furter Oberherrschaft zu befreien.“ Zugleich mahnte Helcel den Ruthe=
nen brüderlich die Hand zu reichen „damit wir diese, die mit uns durch
die nächsten und unvordenklichsten Bande verbunden sind, durch Gerech=
tigkeit und wahre Gleichberechtigung dauernd und unzertrennlich mit uns
vereinigen.“ Helcel errang einen vollkommenen Sieg; von 79 Wählern,
die ein paar Monate früher einen Vertreter der polnischen Trennungs=
gelüste gewählt hatten, stimmten jetzt 74 für den Mann, der die Grund=
sätze der nationalen Gleichberechtigung und die Idee eines verjüngten
auf seine eigenen Kräfte angewiesenen Österreich verfechten zu wollen
erklärte. Das Auftreten Helcel's und der glänzende Erfolg desselben
machten in den österreichischen Slavenkreisen ungeheueres Aufsehen. Die
zweite Stadt Galiziens, in gewisser Hinsicht die erste Polens, schien mit
der bisherigen separatistischen Politik ihrer Abgeordneten, mit der aus=
gesprochenen Richtung ihrer dem Magyarismus und Frankfurtianismus
schmeichelnden Journale gebrochen zu haben. Die böhmisch=mährische Tages=
presse begrüßte das Ereignis als Anfang eines neuen politischen Lebens
in Galizien: „Was war es bisher? Ein abenteuerliches fahrendes Rit=
terthum! Jagend nach dem zur Zeit unerreichbaren Ideale des alten ver=
einigten Polen erfüllte es sich im westlichen Europa mit Theorien von
Freiheit, denen es in der Heimat durch gewaltsame Erschütterungen
Durchbruch zu verschaffen suchte.“ In gleichem Sinne schrieb der junge
„Czas“ unter der Redaction Lucyan Siemieński's: „Durch auswärtige
Einflüsse entfremdeten uns die Auserwählten der ‚Jutrzenka‘ unserem
Volke. Die Dinge kamen so weit, daß das Vaterland nach dessen Be=
freiung die Einen sehnlich verlangten, für die Andern zum Schreckge=

spenst wurde und daß im Munde unseres Volkes der Name ‚Pole' für uns zum Schimpfwort wurde." In der That hatte bei der Wahl Hel= cel's nicht die städtische Bevölkerung, unter welcher das österreich=feind= liche Element am meisten vertreten war, sondern die bäuerliche den Aus= schlag gegeben. „Jene sind nicht für uns", sagten die Bauern; „denn sie haben uns verrathen. Ihretwegen bombardirte man uns Krakau, stand Lemberg in Flammen. Wir verlangen uns einen Solchen in den Reichs= tag, der so handelt daß alles friedlich abläuft zu unserem Heil und zum Heil Aller." Nach vollzogener Wahl kamen die Bauern vor Helcel's Wohnung und dankten ihm daß er sich entschlossen für sie in den Reichs= tag zu gehen; sie würden ihn ehren wie einen Vater, wenn er in dem Sinne handeln werde wie er ihnen versprochen.

Die Furchtsamen Kleinmüthigen in allen Ländern zitterten, nachdem sie in den letzten Monaten so furchtbares erlebt und erfahren, vor dem leisesten Windhauch und mochten von allem was mit Politik zusammen= hing lieber gar nichts hören. Die Ruhigen und Besonnenen aber durch= drang das mächtige Gefühl daß es nun ein Ende haben möge mit feind= seligem Parteihader; daß man sich die Hände bieten solle zu aufrichtiger allseitiger Versöhnung; daß insbesondere in Ländern wo verschiedene Nationalitäten neben einander leben die Einsicht Raum gewinne, wie nicht gegenseitige Anfeindung sondern nur gegenseitige Anerkennung und Achtung ihr Wohl, das Heil des gemeinschaftlichen Vaterlandes zu sichern im Stande sei [122]).

Allein diesen Elementen der Verständigung, der Versöhnung, des Friedens standen fast allenthalben kaum minder einflußreiche der Auf= wieglung, der Anfeindung, des Zwiespaltes entgegen, die das Gewebe, von jenen mit Fleiß und Eifer gesponnen, fortwährend wieder aufzu= reißen bemüht waren. Durfte man auch voraussetzen, daß all das was durch mehr als acht Monate auf Platz und Straße, in Vereinen und in den Reihen bewaffneter Schaaren am Umsturz des Bestehenden ge= arbeitet hatte, mit eins verschwunden sei, sich zu vollständiger Ruhe be= geben habe?! Wo offen wie vordem für den Augenblick nichts zu thun war, da wurde um so eifriger im verborgenen geschürt und gehetzt. Von den Wiener Insurgenten waren nicht wenige entkommen, die nun flüchtig im Lande umherzogen, den Leuten die gehässigsten Dinge in's Ohr wis= pelten, die kaum besänftigten Gemüther mit neuem Mistrauen, mit Haß

9

und Erbitterung erfüllten [123]). Mit der Einnahme und militärischen Besetzung Wien's war der Schlange im Mittelpunkte des Reiches der
Kopf zertreten worden, aber sie hatte ihrer hundert andere in den Ländern die vom Belagerungszustande nicht getroffen waren. In Böhmen,
in Mähren und Schlesien, in der Steiermark wucherte die schlechte Presse
durch einzelne Wiener Flüchtlinge bereichert — wie z. B. der „Postillon",
der im November seinen Sitz in Brünn aufschlug — so üppig wie zuvor; die Vertreter derselben meinten den Ton, den sich jene in der
Hauptstadt bis in die zweite Hälfte October herausgenommen hatten,
nun auf eigene Faust fortsetzen zu müssen. Verläumdung und Verdrehung, höhnende Verdächtigung aller von der Regierung ausgehenden
Maßregeln waren da an der Tagesordnung; die letzten Wiener Vorfälle
boten ihnen unerschöpflichen Stoff zu boshaften Ausfällen, zu lügnerischen
Entstellungen und Übertreibungen. Insbesondere die bewaffnete Macht
erfuhr von dieser Seite um so heftigere Angriffe, je mehr dieselbe durch
ihre jüngsten Erfolge an Vertrauen und Ansehen bei der Bevölkerung
gewonnen hatte. Wenn dann das auf's empfindlichste gereizte militärische
Ehrgefühl bei der Unzulänglichkeit der gesetzlichen Schutzmittel hie und
da sich selbst Genugthuung verschaffte [124]), thätliche Reibungen zwischen
Soldaten und Leuten der untern Volks-Classen vorfielen, so gab das der
radicalen Presse nur neuen Anlaß Gift und Galle über die Männer vom
Säbel auszugießen. Die Verhängung des Belagerungszustandes in Wien
und Lemberg, eine durch außerordentliche Umstände herbeigeführte Maßregel, wurde als grundsätzliche Knechtung der Rede- und Preßfreiheit,
des Vereins- und Versammlungsrechtes, als Zurücknahme der glorreichen
Errungenschaften des März und Verletzung aller constitutionellen Rechte,
als Wiedereinführung des Metternich'schen Systems, der Sedlnicky'schen
Polizei und Censur ausgelegt [125]). Daneben allerhand Nachrichten, die
immer wieder Aufregung und Besorgnisse unter die Leute brachten. Hieß
es eines Tages in Triest, die sardinische Flotte um eine Winter-Station
verlegen werde den Hafen von Pola mit Gewalt einnehmen, oder in
Süd-Tyrol, Radecky habe in Folge eines neuen Aufstandes sich mit großem Verluste aus Mailand zurückziehen müssen: so erzählten sich zur
selben Zeit die Leute in Lemberg, Fürst Windischgrätz sei einem Dolch-
stiche erlegen, während Andere im Gegentheile ihn noch weiter wüthen,
Grätz in Belagerungszustand erklären, die unglückliche Stadt vom Schloß-
berge aus bombardiren ließen. Je kleiner das „Blattl" und der Ort

wo es erschien, desto größer der Unsinn den sich die Leute darin mußten auftischen lassen. Der in Königgrätz erscheinende „Polabský Slovan" brachte in der zweiten Hälfte November seinen Lesern die „schauderhafte" Mittheilung, daß eine Schaar hirnwüthiger Frankfurtisten von Reichen-berg gegen Münchengrätz ausgezogen sei und „das ganze Haus unserer berühmten Waldsteine von Chudoba grausam erschlagen" habe; „ewige Schmach und Verderben treffe diese Wütheriche", setzte der Einsender in frommer Entrüstung bei [126]). Keine Frage daß ein großer Theil solch abgeschmackten Geträtsches in Dummheit und gedankenloser Leichtgläubig-keit seinen Ursprung hatte; allein eben so viel war, jedenfalls bei der geschäftigen Verbreitung solcher Nachrichten, böswillige Berechnung die Gemüther aus einer Aufregung in die andere zu bringen dabei im Spiele.

Zu diesen in allen Ländern der Monarchie mehr oder minder vor-handenen Zündstoffen kamen in den meisten derselben noch besondere. In den südlichen Gebieten gaben die Italianissimi ihre Sache keineswegs verloren. In der „allezeit getreuen" Stadt Triest vergingen wenige Tage wo sie nicht irgend ein kleines Ärgernis versuchten, was dann allerdings Kundgebungen von der Gegenseite zur Folge hatte. Am 4. November dem Namenstage Karl Albert's wagte es der Genueser Grassi, entlassener Director des Lloyd, um Mittagszeit die italienische Tricolore auszustecken, bis sich ein Haufe Schiffsjungen und Facchini vor seinem Hause versammelte, ihm die Fenster einwarf und ihn zwang das Banner wieder einzuziehen. Die deutsch-österreichische Partei besaß seit der Über-siedlung des „Österreichischen Lloyd" nach Wien kein journalistisches Organ das sie diesen Wühlereien entgegensetzen konnte, bis mit dem 21. November der „Freihafen" in's Leben trat.

Was Triest in italienischem Sinne, das war gewissermaßen das steirische Grätz im deutschen. Nach dem Falle Wien's galt es als Hauptsitz des Radicalismus, ja dieser wollte von jenem Falle überhaupt nichts wissen; die Placate des Interims-Commandirenden über die Unterwer-fung Wien's wurden von den Mauern gerissen; im Bahnhofe sagte man den Leuten es sei nicht wahr daß Windischgrätz gesiegt habe, Spannocchi sei ein elender Lügner etc. Die militärischen Vorkehrungen gegen Ungarn, die Vermehrung der Garnison, die Befestigung des Grätzer Schloßberges erfuhren die gehässigsten Auslegungen; auf nichts anderes als ein steiri-sches Zwing-Uri habe man es abgesehen etc. Am 21. wurden auf Re-quisition des Wiener Kriegsgerichtes der Goldarbeiter Benedetti der drei

9*

Jahre in Paris gewesen und sich darum für einen Mann der Zeit hielt, dann der italienische Sprachlehrer Petritsch der in den Spalten der radicalen Blätter sein Unwesen trieb, aufgehoben und nach Wien zur Confrontation mit Dr. Emperger abgeführt. Das brachte die Wühler von neuem auf, gab aber zugleich der andern Partei einigen Muth so daß sie sich wieder zu rühren getraute; ließen sich jene an öffentlichen Orten die Marseillaise aufspielen, so verlangte diese mit noch lauterem Rufen die österreichische Volks-Hymne [127]).

Aus der fernen Bukowina liefen die ersten Nachrichten von der bedenklichen Aufregung ein, die der in seine Heimat zurückgekehrte Reichstagsabgeordnete Kobylica unter der bäuerlichen Bevölkerung daselbst hervorrief*), während ganz Galizien und Krakau noch unter den Nachwirkungen des letzten Aufstandsversuches fieberhaft zitterten. In Lemberg waren Haussuchungen wegen verheimlichter Waffen oder geheimer Unterkunft verdächtiger Personen an der Tagesordnung. Der Kaffeesieder Rudolf Nehr der am 2. November einen kaiserlichen Tambour erschossen haben sollte, der Professor Peter Groß Commandant der akademischen Legion, der Schuhmachermeister Alscher die Seele des bestandenen Sicherheitsausschußes, der Advocat Malisch u. a. wurden gefänglich eingezogen, letzterer jedoch bald wieder auf freien Fuß gesetzt. Viele der unruhigsten Köpfe hatte die wiedergewonnene Macht des Militärs und der Belagerungszustand über die Gränze nach Ungarn gescheucht, wo sich ihnen ein neuer Schauplatz für ihre Thätigkeit eröffnete. Allein ein großer Theil derselben war doch im Lande zurückgeblieben, und namentlich waren es die von Lemberg fortgeschafften Emigranten die nun, an der preußischen Gränze nicht weiter gelassen, in Krakau und in den westlichen Kreisen des Landes theils selbst ihr Unwesen trieben theils Anlaß oder Vorwand zu solchem wurden [128]). In Folge der letzten Ereignisse hatte F. M. L. Hammerstein die National-Räthe in allen Theilen des Landes aufgelöst; aber nur mit Groll und Murren fügten sich deren Mitglieder dem harten Gebote, ja legten an manchen Orten ausdrückliche Verwahrung dagegen ein, erhoben bei Kaiser und Reichstag über diese „Unterdrückung der constitutionellen Rechte und Schmälerung des Associations-Rechtes" Klage und erklärten sich als nicht aufgelöst, sondern nur als vertagt bis zur Austragung dieser Sache [129]). Die Hetze gegen die „ausländischen" Beamten — und als Fremder galt jeder

---

*) S. unseren II. Bd. S. 329 f.

Nicht=Pole — währte im verborgenen fort, und eben ſo wenig war
Ausſicht vorhanden den Frieden zwiſchen den beiden Nationalitäten im
Lande hergeſtellt zu ſehen. Der Gouverneur Zaleski ließ ſich unver=
kennbar von dem Beſtreben leiten nach beiden Seiten gerecht zu ſein.
Er begünſtigte im weſtlichen Theile das polniſche Element an den Gym=
naſien wie an der Univerſität, ſchickte den im Herbſt 1847 nach Krakau
berufenen „deutſchen" Profeſſoren ihre Entlaſſung zu — Makowiczka,
Schmidt=Göbel, Jonak, Helfert, welcher letztere übrigens mittlerweile
ſeine Ernennung zum Unter=Staats=Secretär erhalten hatte —, und be=
rückſichtigte in den öſtlichen Kreiſen in gleichem Grade die Ruthenen, be=
rief in Erwartung höherer Genehmigung den von ſeinen Stammesge=
noſſen ſelbſt hiefür bezeichneten Jacob Holowacky an die Lemberger
Univerſität, wies eines der beiden Lemberger Gymnaſien der ruthenischen
Nationalität zu, beſtellte an jedem derſelben Lehrer der ruthenischen
Sprache, Zukowski und Guszalewicz. Allein gereizt wie die Gemüther
gegen einander waren, verdarb er es mit ſolch wohlgemeinten Maßregeln
nur nach beiden Seiten: der einen wie der anderen that er für ſie zu
wenig, für die zweite zu viel. Die Polen ereiferten ſich über die grund=
loſe Begünſtigung einer, wie ſie ſagten, nur in der Einbildung beſtehen=
den Sprache und Nation; die Ruthenen dagegen, auf ihr numeriſches
Übergewicht im Oſten Galiziens pochend, erblickten in den Vorkehrungen
Zaleski's nur eine magere Abfindung während der eigentliche Gewinn
doch nur den Polen zufalle.

Die Stimmung in Böhmen war bis in die erſten November=Tage
eine entſchieden regierungsfreundliche geweſen. Die Entfernung der böh=
miſchen Abgeordneten aus dem Reichstage hatte in der ſlaviſchen Be=
völkerung durchaus, und vielfach ſelbſt in der deutſchen Beifall und Zu=
ſtimmung, ihre mancherlei Fährlichkeiten hatten die lebhafteſte Theilnahme
gefunden [130]). Die Prager Ergebenheits=Deputation war die erſte ge=
weſen die an dem kaiſerlichen Hoflager erſchienen. Fürſt Windiſchgrätz,
als er an der Spitze ſeiner Truppen gegen Wien zog, war eine Zeit
lang der volksthümlichſte Mann in Prag; in der Kirche der Urſuline=
rinnen wurden öffentliche Gebete für ihn gehalten; im Gaſthauſe Peter
Faſter's, des Ciceruacchio von Prag, konnte man ſein Bildnis ſchauen
von einem Lorbeerkranze gekrönt. So imponirend wirkten dieſe Kund=
gebungen auf die conſervativen Kreiſe Wiens, daß ſie im Geiſte ſchon
den Sitz des Reiches, wie zu den Zeiten Ferdinand I. und Rudolph II.,

auf die Höhe des Hradschin verlegt sahen.   Doch all das war in den
radicalen oder aus Popularitäts-Hascherei radicalisirenden Kreisen der
böhmischen Landeshauptstadt rasch umgewandelt, als die Geschicke Wiens
sich einer blutigen Entscheidung näherten. Die Monstre-Deputation nach
Olmüz war das erste Wahrzeichen dieser geänderten Stimmung [131]), ein
Schritt dem ohne Frage eben so viel Besorgnis für Prag als Theilnahme für Wien zu Grunde lag. War es doch dieselbe eiserne Faust,
der sich jetzt Wien beugen mußte und die fünf Monate früher die Hauptstadt Böhmens zu bedingungsloser Unterwerfung gezwungen hatte! Die
Erinnerung an die Prager Juni-Tage und an alles was damit zusammenhing, erwachte mit erneuerter Kraft. Aus verschiedenen Gegenden
des Landes vernahm man von Todtenfeiern „für die während der
Pfingst-Ereignisse für die Freiheit gefallenen Brüder"; Geistliche und Lehrer
waren nicht die letzten die sich daran betheiligten. Als um dieselbe Zeit Graf
Leo Thun sich um einen der erledigten Sitze im Reichstage bewarb, stießen die nationalen Heißsporne einen Schrei der Entrüstung aus: „ein
Mann von Thun's Vorleben könne es wagen sich vor ehrlichen Leuten
blicken zu laffen oder gar um die Stelle eines Volksvertreters zu be-
werben, noch dazu in Böhmen in dessen Geschichte sein Name für alle
Zeiten gebrandmarkt sei!" [132]) Ja gegen ihre eigenen gemäßigtern Parteigenossen machten sie Miene in die Schranken zu treten. Mit der Candi-
daten-Liste, welche die „Slovanská Lipa" für die erledigten Abgeord-
tenstellen veröffentlichte, schien sie eine selbständige von der Reichstags-
Rechten unabhängige Politik anbahnen zu wollen; in der That standen,
als es nach dem Rücktritte Hamerník's in Neuhaus zur Ergänzungs-
Wahl kam, der Candidat der „Slovanská Lipa" und jener Palacký's
einander gegenüber. Von deutscher Seite machte vorzüglich Reichenberg
zu schaffen; auf dem Hradschin argwohnte man, es seien Wiener Flüchtlinge die dort insgeheim wühlten. Khevenhüller berichtete wiederholt in
das Haupt-Quartier des Fürsten Windischgrätz von einer Zusammenkunft, welche die Mitglieder der Linken des Wiener Reichstages in Reichenberg veranstalten wollten um die jüngsten Ereignisse zu besprechen
und eine Verwahrung aufzusetzen; er ließ mobile Colonnen in der dortigen Gegend streifen. In Prag begann bei Wiedereröffnung der Universität Dr. Anton Springer vor einem dicht gedrängten Zuhörerkreise
Vorlesungen über die erste französische Revolution in den Hallen des
Clementinums wo, wie er im Eingang sich rühmte, vor noch nicht lan-

ger Zeit die Mauern eingestürzt sein würden wenn sich nur das Wort
„Revolution" hätte vernehmen laffen. Er verherrlichte ihre Thaten in
einer Zeit, wo es, wir wollen nicht fagen ftaatsmännifcher — wer wird
von einem jungen geiftvollen Feuerkopf fo etwas verlangen! — aber jeden=
falls h u m a n e r gewefen wäre ihre wahrhaft abfchreckenden Wirkungen in
den Vordergrund zu stellen und dadurch vom eigenen Heimatlande das
Gelüste einer möglichen Wiederauflage derfelben fernzuhalten. Er ver=
kündete als die charakteristischen Merkmale und die Zielpunkte der Gei=
sterbewegung die Demokratie, den Individualismus, die Confeffionslofig=
keit unter Verhältniffen, wo es, wie jeder Vernünftige einfah, im Gegen=
theile Noth that, am Faden der Geschichte vor den Auswüchfen und
Abirrungen des Negativismus in allen Richtungen zu warnen [133]).

In folcher Weife fchien Böhmen und insbefondere Prag neuerdings
zu einem Brennpunkte der gefährlichsten Elemente auserkoren· zu fein.
Der National=Hader zwifchen Deutfchen und Slaven im Lande gewann
neue Nahrung; der Zwiefpalt in der Prager Volkswehr wegen der
deutfchen oder böhmifchen Commando=Sprache trat abermals auf dem
Paradeplatze und in den Spalten der öffentlichen Blätter in der gehäffig=
ften Weife zum Vorfchein; die Harmonie zwifchen Volk und Soldaten,
die feit den Wiener October=Ereigniffen vollkommen hergestellt zu fein
fchien, war längst wieder gestört. Baron Mecséry, des fichern Rückhalts
an Windifchgrätz beraubt, fetzte feine ganze Staatskunst darein es mit
keiner der vielen Parteien zu verfchütten, und der Leiter des böhmifchen
General=Commando mußte mit feinen Kanonen drohen, wenn es ihm
nicht immer gelang mit einem beißenden Sarkasmus den Übermuth der
Hitzköpfe zu paaren zu treiben.

Aber damit es in einer Zeit .wo alles aus Rand und Band zu
kommen drohte auch an dem fchrofffften Widerfpiele nicht fehle, war es
in Tyrol der Fanatismus des Althergebrachten, der fich kaum minder
zügellos geberdete als in andern Ländern die Wuth des Umsturzes. In der
Sitzung des Innsbrucker Landtages vom 11. November trat ein Bäuer=
lein Namens Niederstetter (für Neumarkt bei Botzen) auf und las einen
Auffatz herab, worin es der Hauptfache nach hieß: „Das Volk fei durch
die Beforgnis in feinen heiligsten Interessen gefchädigt zu werden in eine
wahre Raferei verfetzt, und wenn nicht bald etwas gefchehe um es zu
beruhigen werde diefe Raferei in beklagenswerther Weife zum Ausbruch
kommen, der Bauer mit bewaffneter Hand fich Recht zu verfchaffen

wissen." Als auf diese Worte von mehreren Seiten der Ordnungsruf verlangt wurde, schrie ein anderer Bauer mit gewaltiger Stimme dazwischen: „Wenn man uns Bauern nicht hören will, braucht man uns nicht herzurufen." Der Sturm legte sich erst als Professor Aloys Flir sich zum Worte meldete; er war erst vor kurzem aus Frankfurt zurückgekehrt, eine liebens- und verehrungswürdige Persönlichkeit, ein Priester von der frommsten und gewissenhaftesten Strenge gegen sich selbst, aber von mildem duldsam-versöhnlichen Sinn gegen alle Andern. Er bestätigte mit Bedauern die Wahrheit dessen was Niederstetter vorgebracht: „es herrsche allerdings vielfach im Lande eine gefährlich gereizte Stimmung; aber die Schuld dessen treffe den Misbrauch der Presse, indem gewisse Blätter ohne Unterlaß das Volk im Geiste des wildesten Fanatismus bearbeiten, während es von der andern Seite in eben so rücksichtsloser Weise fortwährend angegriffen und gereizt werde"...

Zu der unaufhörlichen Aufregung und Gereiztheit die es allenthalben gab trugen auch die ungarischen Wirren das ihrige bei, namentlich in jenen Gegenden wo dortige Regimenter lagen. Schon im Sommer war vom Pester Landesvertheidigungs-Ausschuße an alle außer Ungarn weilenden Landessöhne insbesondere Militärs der Aufruf ergangen unverzüglich in ihre Heimat zurückzukehren; Besitzenden die nicht Folge leisten wollten wurde mit der Beschlagnahme ihres Vermögens gedroht und die Drohung in einzelnen Fällen wirklich ausgeführt, Hab und Gut der Widerstrebenden als National-Eigenthum erklärt [134]).

Mit den Husaren-Regimentern die in Italien lagen hatte es keine Gefahr: die Begeisterung für den Marschall und für die ehrenvolle Sache, für die sie an der Seite von Cameraden aller Stämme und aller Zungen fochten, waren zu mächtig als daß dort Verführungsversuche durchgreifen konnten. Anders stand es mit jenen die außerhalb Lombardo-Venetien in Festungen oder gar im offenen Lande lagen. Während der October-Ereignisse wurde es allerorts unter ihnen nicht recht geheuer; wo nicht die größte Vorsicht angewandt wurde, rissen ganze Schaaren unter Anführung irgend eines fanatisirten Corporals oder Wachtmeisters durch. In Steiermark fehlte es bekanntlich an einer kräftigen Leitung; weder der Gouverneur noch der Commandirende zeigten Umsicht und Entschlossenheit, und so verließ denn eine Escadron Husaren in einer schönen October-Nacht die Hauptstadt und trabte, ohne irgend

welche Beläftigung zu erfahren, ganz gemüthlich der ungarifchen
Gränze zu.

Minder leicht ging es in anderen Gegenden, wo es die Behörden
an Wachfamkeit nicht fehlen ließen und wo zudem die Bevölkerung die
Maßregeln derfelben unterftützte. Das Schickfal einer Escadron Preußen=
Hufaren, die am 23. October aus Tarnopol entwich, aber fchon am 25.
von kaiferlicher Infanterie und galizifchen Bauern in ihre Station zu=
rückgebracht wurde, haben wir fchon früher erzählt *). Einige Tage fpä=
ter brachen mehrere in der Nachbarfchaft von Lemberg ftationirte Ab=
theilungen Coburg=Hufaren aus Zolkiew und Kulików auf und fchlugen
den Weg durch den Samborer Kreis nach Ungarn ein. Auf die Kunde
davon fchwingt fich ihr Oberft der wackere Barco, felbft ein Magyar
von reinftem Blut, in den Sattel, nimmt in Grodek zwei Schwadronen
Kaifer=Chevauxlegers auf, jagt feinen abtrünnigen Soldaten nach, wirft fich
einer Abtheilung derfelben mit Gefahr feines Lebens entgegen und führt
fie halb durch feine bewegte Rede halb mit Drohungen zu ihrer Pflicht
zurück, während andere theils einzeln theils truppweife von den mit
Senfen u. dgl. bewaffneten Bauern angehalten und, mitunter in bluti=
ger Widerwehr überwältigt, nach Lemberg eingebracht werden. Die revo=
lutionäre Partei, fo wurde erzählt, hatte den Ausreißern auf ihrem
ganzen Wege Nahrungsmittel und Pferdefutter in Hülle und Fülle be=
reitgeftellt, was den Bauern als Mahnzeichen galt „daß die Polen etwas
gegen den Kaifer angezettelt haben" und fie zu erhöhter Thätigkeit
wachrief. Auch mehrere Uhlanen der Lemberger Nationalgarde, die fich
den Ausreißern behilflich angefchloffen, follen bei diefer Gelegenheit er=
griffen und gefangen nach Sambor abgeliefert worden fein [135]).

Eine ganze Reihe ähnlicher Vorfälle ereignete fich mit Palatinal=
Hufaren in Böhmen, und hier fowie im benachbarten Mähren war es
überall die Bevölkerung die entfchieden und werkthätig gegen die Eidbrüchi=
gen Partei ergriff. In diefen beiden Ländern war das Intereffe für eine
glückliche Bewältigung des ungarifchen Aufftandes fehr lebhaft; bei den
Slaven trat die begreifliche Theilnahme für das Schickfal der weft= und
füd=ungarifchen Bruderftämme hinzu. Seit Monaten wurde in allen
flavifchen Gegenden Böhmens für die „Kroaten und Serben" gefammelt;
Hawliček's „Národni Noviny" veröffentlichten regelmäßige Liften, in de=
nen die Namen von herrfchaftlichen Beamten und Forftmännern, Brau=

_____
*) Bd. I. S. 316.

meistern und Kaufleuten, Geistlichen und Lehrern, Bauern und Häus=
lern, aber auch von Invaliden, Witwen u. dgl. mit Beiträgen
bis zu 5 und 2 Kreuzern herab zu lesen waren. In Landstädten
veranstalteten Studierende kleine Unterhaltungen deren Rein=Erträgnis
„zum Besten des südslavischen Volksheeres" bestimmt war oder mildthätige
Sammlungen „für die hinterbliebenen Witwen und Waisen der gefalle=
nen Krieger". Die Slovaken=Führer suchten und fanden in Prag Unter=
stützung für die Ausrüstung ihrer Freischaaren, und die „Slovanská
Lipa" forderte durch öffentlichen Aufruf zu opferwilliger Theilnahme für
die bedrängten Stammesgenossen auf. Daß unter solchen Umständen
fahnenflüchtige Ungarn, die sich zur Armee der aufständischen Partei
durchschlagen wollten, keine Förderung ihrer Absichten finden konnten,
daß vielmehr die ganze Bevölkerung der Gegenden durch die sie ihren
Zug nahmen in die gewaltigste Aufregung gerieth, war begreiflich. Schon
um den 19. October vernahm man von einer Abtheilung Palatinal=
Husaren die, ohne Officiere deren Befehlen sie sich entzogen hatten, in
der Gegend von Leitmeriz und Budin gesehen worden. Mit Umgehung
von Prag gelang es ihnen den Süden von Böhmen zu gewinnen;
hier aber war bereits die ganze Bevölkerung alarmirt, Nationalgarde
und Landvolk auf den Beinen. Am 26. wurde ein Theil von
ihnen in der Gegend von Neuhaus gefangen. In der Nacht vom 27.
zum 28. hatten andere beim Dorfe Kolenec nächst Lomnic (Herrschaft
Wittingau) mit Nationalgarden ein Gefecht zu bestehen und entkamen
mit Zurücklassung eines Todten durch schnelle Flucht. Doch, wie es scheint,
nicht weit. Denn Ende October und Anfang November verging fast kein
Tag, wo nicht einzelne Gefangene in Prag eingebracht und in das Gar=
nisons=Stockhaus abgeliefert wurden. Um dieselbe Zeit tauchten, nach
Einigen etliche fünfzig, nach Andern mehr als hundert Husaren in der
Nähe von Königinhof auf. Dorthin war aber schon von Hořic aus
Kunde gedrungen; es wurden in Eile alle benachbarten Nationalgarden
zu Hilfe gerufen, die Brücke und alle Zugänge zur Stadt verrammelt,
die Tambours nach verschiedenen Richtungen vertheilt, die mit ihren fünf
Trommeln einen fürchterlichen Lärm schlugen, so daß die Flüchtlinge,
Militär im Orte vermuthend, nach dreimaligem Versuche, wo ihre Vor=
hut mit gezogenem Säbel und gespanntem Carabiner angeritten kam,
zuletzt rechtsum gegen Novoles machten und einen andern Übergang über
die Elbe suchten. Aber auch da stießen sie überall auf Haufen mit Sen=

sen Heugabeln Stangen bewaffneten Volkes, so daß es ihnen erst in
tiefer Nacht gelang bei Werdek auf schmalen Stegen den Fluß zu übersetzen; drei Mann und sieben abgearbeitete Pferde fielen in die Hände
ihrer Verfolger [136]). Über Trautenau gewannen bei fünfzig derselben
glücklich die Gränze; doch in der Gegend von Liebau, schon auf preußischem Boden, gewahrten sie eine berittene Schaar gegen sich heranrücken,
machten halt und rüsteten sich zur Gegenwehr: es waren preußische Kürassiere die man aus ihrem Standorte Erdmannsdorf eilig über Schmiede-
berg an die böhmische Gränze beordert hatte. Die Husaren schon ab-
gemüdet und kleinmüthig versuchten keinen Widerstand, streckten die Waffen und wurden auf ihren Pferden — die Waffen wurden auf Wägen
nachgeführt — in die Festung Schweidnitz abgeführt.

Anfang December drückte sich eine andere Schaar von Josephstadt
durch das Glätzische durch, an Neiße und Neustadt vorbei und betrat
bei Deutsch-Pavlovic nächst Hotzenplotz wieder österreichisches Gebiet.
Durch die größeren Orte ritten sie mit der Sack-Pistole in der Hand,
mit dem Säbel zwischen den Zähnen; sie bezahlten überall bar Speise
und Trank. Schon auf preußischem Gebiet hatten sie kleinere Kämpfe zu
bestehen und verloren einige Cameraden, so daß sie von da an mehrere
unberittene Pferde mit sich führten. So kamen sie über Zottig Maidel-
berg Liebenthal Röversdorf, wo sie Abends 10 Uhr fütterten und ihre
Pferde beschlagen ließen. Als sie wieder aufsaßen, wollten sich einige be-
herzte Leute in den Weg werfen; allein sie zogen vom Leder und zerstreuten leicht den Haufen; einen Führer den sie aufgenommen setzten sie
auf ein freies Pferd und gaben ihm einen ihrer Mäntel um. Von Ol-
bersdorf, wo die Nationalgarde sich nicht getraute sie aufzuhalten, schlugen sie sich wieder in die Berge, kamen am 3. December an Troppau
vorbei, zogen dann weiter durch Budišovic und Fulnek und gelangten am
6. bis Krasna und Walachisch-Mezeric, wo sich ihnen die Nationalgarde,
durch jene von Neutitschein verstärkt, entgegenstellte. Die Flüchtlinge
waren bereits in einem erbarmungswürdigen Zustande, Gesichter Kleidung Sattelzeug blutig, ihre Rosse zu Tode gehetzt. Der größte Theil
ergab sich und wurde in die Festungs-Casematten von Olmüz abgeführt;
einige entflohen [137]).

Erwähnen wir noch einer blutigen Schlägerei zwischen Husaren und
Bevölkerung in Klattau, 9. December, zu der gleichfalls die Desertions-
Lust des magyarischen Theils der Soldaten den Anlaß gegeben zu haben

scheint — die Husaren slovakischer Nationalität begaben sich unter den
Schutz der Nationalgarden, die am Morgen des 10., durch Zuzüge aus
Svihau Polin Bezděkau Janovic u. a. verstärkt, bei 1.200 Mann stark
die in ihre Caserne zurückgebrängten Husaren belagerten — und die mit
der gewaltsamen Entwaffnung der Meuterer endete [138]), so gibt uns das
im kleinen Rahmen ein neues Bild von jener tiefen Zerklüftung aller
Verhältnisse, jener Lockerung aller regelmäßigen Bande, in deren wüstem
Chaos der zum größten Theile aus neuen Männern berufene höchste
Rath der Krone die Aufgabe übernehmen sollte, Ruhe und Frieden herzustellen, Ordnung zu schaffen, Gesetz und Sitte wieder zu allseitiger
Achtung und Anerkennung zu bringen und als letztes Ziel aus den mor-
schen angefaulten Bestandtheilen des früheren in jeder Richtung gelocker-
ten, Einsturz drohenden staatlichen und gesellschaftlichen Baues den Grund
zu einem neuen, Heil und Dauer verbürgenden Gemeinwesen zu legen.

9.

Ehe man auf dieses Ziel lossteuern wollte, mußte man sich wohl
in erster Reihe klar machen wie es mit den sogenannten „Errungenschaften", die seit März 1848 eine so hervorragende Rolle spielten, fernerhin
zu halten sei. In der That war dies ein Punkt der von allem Anfang
zwischen Windischgrätz und Schwarzenberg zur Sprache, und auf den
man bei gegenseitigem Meinungsaustausche immer wieder zurück kam,
und wir wollen gleich hier den Anlaß benützen jenen durchgreifenden Gegensatz zu bezeichnen, der in ihren Anschauungen die beiden Männer von
einander schied in deren Hände jetzt die Geschicke der Monarchie gelegt
waren; jenen Gegensatz der in der ersten Zeit zu stets wiederkehrenden
kleinen Misverständnissen, im Laufe der Monate zu wachsender, von beiden Seiten nur schwer zu bemeisternder Spannung, zuletzt zu vollstän-
digem Bruche zwischen ihnen führte.

Windischgrätz war ein gerader offener Charakter, auch Schwarzenberg war das; in der gleichen Anlage verrieth sich das gleiche Blut.
Allein die militärische Laufbahn des einen, die diplomatische des andern
bildete jeden von ihnen mit der Zeit in anderer Richtung aus. Windisch-

gräß war ernster strenger Soldat und verläugnete diesen Charakter auch
als Staatsmann und Politiker nicht; bei Schwarzenberg schaute selbst
aus der Generals-Uniform die feinlächelnde Miene des Höflings heraus,
und es war bezeichnend daß ihn der kluge Radecky seinen „Feld-Diplo-
maten" nannte und als solchen in auszeichnender Weise zu verwenden
verstand. Nicht als ob jene kleinen Künste, jene krummen Wege worein
wohl manche das Wesen diplomatischer Gewandtheit setzen, es gewesen
wären durch die Schwarzenberg und Windischgräß sich unterschieden: die
vornehme Natur des Einen wie des Andern verschmähte derlei Mittel.
Aber wenn dieser in allen Fragen gerade, mit festem Aug und Schritt,
mit erkennbar ausgegebener Parole seinem Ziele zuschreiten zu müssen
meinte, so gab es bei jenem vielleicht schon damals Dinge über die er
sich seine geheimsten Gedanken vorbehielt, für die er seine Zeit abwarten
wollte und bei denen er sich darum für's erste auf's vorbauen und
behüten legte. Es betraf das namentlich solche Punkte über die Schwarzenberg selbst seine Meinung noch nicht festgestellt hatte. Denn auch das
bildete einen Unterscheidungspunkt zwischen beiden Männern und hilft
die Verschiedenheit ihres Auftretens in manchen Angelegenheiten erklären,
daß Windischgräß sich größtentheils auf einem ihm gewohnten, von ihm
längst erkundeten Gebiete bewegte, während Schwarzenberg in den meisten
Stücken erst seine Studien zu machen hatte. In jahrelangem auswärtigen
Dienst waren ihm manche Zustände und Verhältnisse seines Vaterlandes
fast fremd geworden, mit denen sein Schwager die ganze Zeit über in
unausgesetzter Berührung geblieben war; wir wissen daß der Brigadier,
Divisionär, Commandirende in Böhmen nie aufgehört hatte sich als
Mitglied der verfassungsmäßigen Stände zu fühlen, mit Interesse die
innern Zustände seines Vaterlandes zu verfolgen, einen unausgesetzten
mitunter polemischen Verkehr mit den maßgebenden Persönlichkeiten zu
unterhalten. Auch an der neuesten Wendung der österreichischen Geschicke
war Windischgräß von Anfang bis zuletzt unmittelbar betheiligt. Er hatte
bei den Gewährungen des März so zu sagen Pathe gestanden; er hatte
sich von den Wiener Geschäften zurückgezogen als er sie mit Beruhigung
in andere Hände übergeben zu können meinte; er hatte die schwere Schule
des Prager Juni-Aufstandes durchgemacht. Er hatte in all diesen Lagen
fast eben so sehr den Politiker und Administrator als den General und
Feldherrn zur Geltung bringen müssen; er hatte in den verschiedensten
Richtungen seine Erfahrungen gesammelt, sein Urtheil festgestellt. Bei

Schwarzenberg hatte bis zur October-Zeit, die nach langen Jahrzehenten beide Männer geschäftlich wieder zusammen führte, von alle dem das Gegentheil stattgefunden. Dem Losbrechen der italienischen Bewegung hatte er zwar nicht als Unbetheiligter, aber jedenfalls als Fremder gegenübergestanden; was zur selben Zeit in seinem österreichischen Vaterlande inhalts- und folgenschwer vor sich gegangen, hatte er großentheils nur aus der Entfernung gesehen; selbst die vielfach eigenthümliche, von jener in den übrigen Theilen der Monarchie verschiedene Entwicklung der Dinge in Lombardo-Venetien hatte er nur aus seinem Zelte beobachtend verfolgen können. Es war daher nicht zu wundern daß, während der Eine über die wichtigsten Lebensfragen der Monarchie mit seinem Urtheil, seinen Ansichten, seinem Endziel lang im reinen war, bei dem Andern während der kurzen für die Leitung der Geschicke Österreichs ihm beschiedenen Laufbahn selbst in Hauptfragen gewisse Schwankungen bemerkbar wurden. Windischgrätz war entschiedener Monarchist, Conservativer, wenn man will von sehr schroffen abgesperrten Grundsätzen, aber keineswegs Absolutist. Noch minder huldigte er allerdings dem Constitutionalismus nach der Schablone von 1830: das britische Staatswesen war es das ihm als nachahmungswürdiges Vorbild galt. Ihm schwebte eine Entwicklung des österreichischen Staatswesens aus dessen geschichtlichem Ursprung und Quellen vor; ihm galten als Grundsteine der Gesammt-Verfassung die Landtage und Landesordnungen der einzelnen Gebietstheile — den Ausdruck „Provinzen" liebte er nicht —; an der Spitze seines Systems stand das dynastische Princip und mit diesem als einer der Hauptpfeiler desselben die Aristokratie, auf deren Herabdrückung „die verbrecherische Tendenz der Revolutions-Partei" abziele, was aber der Monarch „um so weniger" zugeben dürfe „als die Erhaltung Seines Thrones und Seiner Dynastie wahrlich davon abhängt". Schwarzenberg im Gegentheil hatte von dem politischen Berufe seiner Standesgenossen als solcher eine sehr geringschätzige Meinung; der für Alle gleichartige Maßstab von „Besitz und Intelligenz" sollte für die Theilnahme an den Staatsgeschäften den Ausschlag geben. Der Gedanke einer politisch-historischen Gliederung der Monarchie, dem er anfangs nachhandeln zu wollen schien, hatte in seinem Geiste keine festen Wurzeln, und Stadion hatte keine schweren Kämpfe zu bestehen ihn für seine Departemental-Idee zu gewinnen, nach der die Kreise alles sein, die Statthalter für's erste noch als Figuranten bleiben, mit der

Zeit aber abgefchüttelt werden follten.   Überhaupt wußte Schwarzenberg
mit dem Confervatismus fo wenig etwas anzufangen, daß er ihn nur
zu bald mit dem Abfolutismus verwechfelte. Ob er gleich bei Übernahme
der Gefchäfte Hintergedanken in diefer Richtung hatte, ift wohl kaum zu
entfcheiden; daß fie fich nicht fehr lang darnach in ihm immer mächti=
ger emporarbeiteten, fcheint weniger einem Zweifel zu unterliegen.
Schwarzenberg und Windifchgrätz waren darüber einig, daß „Offenheit,
Confequenz und Energie" zum Regieren in ihrer Zeit unerläßlich feien.
Aber während diefer dabei in erfter Linie auf moralifche Befiegung
der Revolution es abgefehen hatte, nirgends, wo fie ihm aufftieß, der
Rechtsfrage aus dem Wege ging, gefchichtlich Gewordenes, fo weit es
fich in den geänderten Verhältniffen als brauchbar erwies, aufrecht zu
erhalten und weiterzubilden wünfchte, fchien fich bei erfterem alles mehr
und mehr zu einer Machtfrage zuzufpitzen, die demjenigen den Sieg
verhieß der den gefchickteften und ernfteften Gebrauch von den ihm dienft=
baren Mitteln zu machen wüßte [139]).

 Fürft Windifchgrätz hatte durch das ganze Jahr 1848 an dem
Grundfatze feftgehalten: was der Kaifer gegeben, an dem müffe man
halten. Aber wohlgemerkt: nur was er aus eigener Entfchließung und
freiem Willen gegeben, nicht auch was ihm durch Gewalt und unerlaubte
Mittel abgedrungen war. Er fchied in diefem Sinne fcharf die Ge=
währungen des März von den Abnöthigungen des Mai: an jene fei der
Kaifer gebunden, an diefe nicht [140]). Nach der Einnahme Wien's ließ
er fich alle, die „fogenannten Errungenfchaften" betreffenden kaiferlichen
Manifefte und Proclamationen in chronologifcher Ordnung zufammen=
ftellen und fand fich nach Durchlefung und Prüfung derfelben in feiner
Überzeugung beftärkt: „daß aus dem, was Se. Majeftät feit dem März
in Allerhöchft Ihrer Milde gewährten, von Seite der früheren Minifter
Folgerungen gezogen wurden die weder im Wortlaute noch im Sinne
der diesfälligen Manifefte liegen. Verrath und Schwäche der bisherigen
verantwortlichen Rathgeber des Kaifers haben uns an den Rand des
Abgrunds geführt an dem wir uns befanden, und größtentheils die
fchwierigen Verwicklungen hervorgerufen die noch zu überwinden find.
Die Rolle welche die öfterreichifchen Minifter feit der März=Revolution
gefpielt, ift eine höchft traurige. Statt die Räthe der Krone zu fein
waren fie ihre Verräther, und merkwürdig bleibt es daß faft fämmtliche
Minifter, die wenigen ehrlichen mit eingefchloffen, nicht das Intereffe

des Kaisers, der Dynastie und der Monarchie im Auge gehabt, sondern
consequent zu Gunsten der Revolution sophistisirt haben. Mit der in
Bildung begriffenen neuen Verwaltung werden gouvernementale Principien an die Stelle der bisherigen Grundsatzlosigkeit treten, an deren unglücklichen Folgen wir noch lang zu leiden haben werden" [141]). An die
Spitze dieser „gouvernementalen Principien" stellte der Feldmarschall
entschiedenes Brechen mit der Revolution, mit ihren ungesetzlichen Aus-
wüchsen, aber auch mit ihrem trügerischen „Jargon". Was sich nicht
klar als kaiserliches Zugeständnis nachweisen lasse und nur schwachmüthi-
ger Gestattung während der vorangegangenen Wirrnis seinen Ursprung
verdanke, sei nicht weiter zu dulden. „Sämmtliche politische Vereine
müssen im ganzen Umfange der Monarchie untersagt werden." Das
Petitions-Recht wäre zu beschränken und in feste Formen zu bringen. Dasselbe gelte von der Nationalgarde. Diese habe sich „durch
die Erfahrung als unzweckmäßiges Institut erwiesen", sei „jedoch als
eine von dem Kaiser ausgesprochene Concession und als eine der Tendenzen des Zeitgeistes wohl nicht zu umgehen", und müsse darum durch
ein kräftiges Gesetz „so viel als möglich unschädlich gemacht" werden.
Vor allem handle es sich um eine „nothwendige Beschränkung in Betreff
der beigezogenen Kategorien", und wäre der Grundsatz festzuhalten „daß
der Eintritt in die Nationalgarde, solle diese überhaupt von einigem
Nutzen sein, nur freiwillig sein" dürfe. Sodann wäre sie höchstens in
Orten zu gestatten die mehr als 2.000 Seelen haben; „der Nachtheil
jeden kleinen Ort mit einer Anzahl von Bewaffneten zu versehen, ist
gar nicht zu berechnen". Endlich wäre jede Vermengung der Nationalgarde mit der Armee sorgfältig hintanzuhalten [142]). „Die Presse muß
aller Orten derart beschränkt werden daß ihr verderblicher Einfluß nicht
mehr fortgesetzt werden kann; selbst bis zur Feststellung eines neuen
kräftigen Preßgesetzes müssen die politischen Behörden Mittel in der
Hand haben, um diesem gefährlichen Treiben wenigstens einigermaßen zu
steuern". Mauer-Anschläge seien nicht zu dulden. Vorzüglich die Prager
Presse war es auf deren „Bösartigkeit und Zügellosigkeit" der Feldmarschall die Minister wiederholt aufmerksam machte und deren „frechem
Treiben ein Ende gemacht werden müsse". Auch möge Graf Stadion
dem Vice-Präsidenten Mecséry „die Anweisung ertheilen, daß der Begriff
constitutioneller Lehrfreiheit nicht so weit ausgelegt werden dürfe, um
revolutionären der Jugend verderblichen Universitäts-Vorträgen Vorschub

zu leisten, die nun und nimmermehr in einem geordneten Staate geduldet werden können" [143]). Die Revolution und ihr verdecktes Wühlen, ihre geheimen Pläne, das über ganz Europa verzweigte Netz ihrer Verschwörung, so wiederholte Windischgrätz bei jeder Gelegenheit, könnten nur durch Offenheit und Ehrlichkeit bezwungen und gebändigt, die Lüge müsse durch Wahrheit besiegt werden. „Alle Erinnerungen an die Sturm-Petitionen und andere rohe Ausbrüche der Revolution müssen ferngehalten werden". Es war eine der ersten kleinen Verdrießlichkeiten zwischen Windischgrätz und den Männern von Olmüz, als jener fand daß in dem kaiserlichen Patente vom 10. November noch der Titel „constitutioneller Kaiser" angewendet worden. Windischgrätz bestand darauf, daß der traditionelle Beisatz „von Gottes Gnaden" in seine alten Rechte eingesetzt werde; „weder Frankreich noch Belgien haben je die Bezeichnung ,constitutionell' in den Titel ihres Monarchen eingefügt, es rührt dieselbe einzig aus dem Taumel der ersten Monate her". Zu seiner Umgebung aber äußerte er: „Wenn sie ,von Gottes Gnaden' nicht hören wollen, werden sie ,von Kanonen Gnaden' hören müssen!" Die im Grunde zu nichts verbindenden Vertröstungen, die man dem Kaiser in dem Handschreiben v. 28. October an Minister Kraus — „Ich wünsche daß die Rückkehr vollkommener Ordnung in Meiner Hauptstadt Wien bald gestatte, daß der Reichstag wieder in ihrer Mitte seine Berathungen fortsetze" — und in der Antwort an die Prager Deputation am 31. — „Ich hoffe daß der ausnahmsweise Zustand in welchen Wien getreten bald vorübergehen werde" — in den Mund legte, brachten Windischgrätz auf's höchste auf. Solche Versicherungen, schrieb er nach Olmüz, erschwerten seine Stellung, schüchterten die Gutgesinnten ein; „er müsse in vorhinein gegen jede ähnliche Störung seiner ihm Allerhöchsten Ortes aufgetragenen Amtshandlung feierlichst protestiren". Er bat wiederholt und dringend ihn „in der übernommenen schweren Aufgabe in keiner Weise zu beirren", es wäre denn daß man seinen Rücktritt wünsche [144]). Er bemerkte nachdrücklich, der Ausnahmszustand in Wien werde vor Monaten nicht aufgehoben werden können; ja es werde vielleicht nothwendig werden ihn auch über andere Orte zu verhängen. Als ihm Graf Nugent Anzeige von den bedenklichen Zuständen in Grätz machte und sich Vollmachten dafür erbat, beschied ihn der Feldmarschall, „daß bei dem nächst sich ergebenden Anlasse der Belagerungszustand ohne weiters auszusprechen und die damit verbundenen Folgen mit aller Strenge

10

durchzuführen" seien. Er theilte dies nach Olmüz mit und verlangte
daß „der neue Minister des Innern" einen Erlaß an sämmtliche Lan-
des-Gouverneure richte, „nach welchem der Belagerungszustand ohne Ver-
zug an jenen Orten, wo eine entstehende ernste Aufregung energisches
Auftreten erheischt, ausgesprochen werde". „Überhaupt", schrieb er bei
diesem Anlasse dem Fürsten Felix, „erlaube ich mir das Princip aufzustellen, daß von Seiten des Monarchen und seiner Minister keine wichtige Frage mehr zu umgehen ist, sondern alle entschieden zu behandeln
sind. Die Menschen müssen wissen wie weit die Regierung gehen will.
Nur mit Offenheit Consequenz und Energie kann jetzt regiert werden".
Auch müßten alle diese Maßregeln „noch vor- Zusammentritt des Reichstages und ohne Rücksicht auf denselben vorgenommen werden, weil im
entgegengesetzten Falle nicht allein eine kostbare Zeit verstreicht, aber auch
der Eindruck den die Wiener Ereignisse gemacht durch ein verspätetes
Einschreiten verloren geht. Der Standpunkt auf dem wir uns jetzt
durch den erfochtenen Sieg der guten Sache befinden muß, ich wiederhole es, zweckmäßig und consequent benützt werden; denn so viel ist gewiß, daß wir späterhin einen solchen Moment nicht zu erwarten
haben" [145]).

Windischgrätz hatte vor seinem Abgehen von Olmüz dem Fürsten
Schwarzenberg das Versprechen abgenommen, daß er „von allen in Bezug
auf Wien durch die Minister getroffenen Verfügungen allsobald in Kenntnis
gesetzt werden würde", und daß überhaupt „keine wichtige Entscheidung, ohne
daß sie ihm zur Kenntnis komme, ergriffen werden solle, weil er im entgegengesetzten Falle dem Kaiser zu dienen außer Stande sei". Er hatte
das gerechte Bewußtsein großes für die Monarchie geleistet zu haben,
und er äußerte wiederholt „er wolle, was durch ihn geschehen, nicht
umsonst gearbeitet haben". Er hatte darum von seinem Standpunkte
guten Grund, von Schwarzenberg „und den übrigen Rathgebern der
Krone" zu verlangen daß sie im fortwährenden Einverständnis mit ihm
handeln. Allein andrerseits war nicht zu verkennen, daß der Standpunkt dieser Rathgeber und die Lage in der sie sich befanden andere
waren als die seinigen. Für den General inmitten seiner siegbewußten
Truppen, für den Gebieter „von Kanonen Gnaden", war es ein einfach
Ding zu bestimmen was zu geschehen habe, was „noch vor Zusammentritt des Reichstages und ohne Rücksicht auf denselben" ausgeführt werden solle. Allein für die Minister, die eben dieses Reichstages Zusam-

mentritt zu gewärtigen, die vor demselben zu erscheinen und Rede zu
stehen, die mit einem Wort nicht blos zu handeln sondern, was sie
immer unternahmen, mit wohlgesetzter Rede zu vertheidigen und in ihrer
Stellung zu verantworten hatten, für diese war die Sache keine so
einfache, sondern eine schwierige, nach allen Seiten hin zu bedenkende.

Man ist in Zeiten politischer und socialer Aufregung nur zu sehr
geneigt, für die „allgemeine Stimme" die man nicht überhören dürfe
weniger die der Mehreren als vielmehr jene der Lauteren, als „öffent=
liche Meinung" der man Rechnung tragen müsse, nicht die der Einsichts=
volleren sondern jene der Gefährlicheren zu halten und auszugeben.
Die Stimme der überwiegend Mehreren und die unverkennbare Mei=
nung der Einsichtsvolleren war im Spätjahr 1848 für die Auflösung
des Reichstages: der Mehreren, weil sie seiner, rund herausgesagt, satt
waren und sich von ihm nichts ihren Zwecken dienliches mehr erwarte=
ten; der Einsichtsvolleren, weil sie die gegründete Überzeugung hatten
daß das große Werk, um dessen gedeihliche Zustandebringung es sich
handelte, jedenfalls mit diesem Reichstage nicht zu vollenden sei.
Allein obgleich sich dies so verhielt, obgleich das eine der Wahrspruch
der Urtheilsfähigeren, das andere die Stimme der großen Masse war,
vernahm man laut doch täglich und allerorts nichts anderes als: „die
Auflösung des Reichstages würde die allgemeine Meinung verletzen".

Wer war es dem damals an der Wiederaufnahme die Reichstags=
Verhandlungen lag? Vor allem die Mitglieder dieses Reichstages selbst.
Die beiden Abgesandten der Prager Secessionisten an das kaiserliche
Hoflager, Brauner und Helfert, waren es zuerst welche in der Dar=
bringung der treuen Ergebenheit ihrer Committenten die Nothwendigkeit
einer baldigen Einberufung des „unauflöslichen" constituirenden Reichs=
tages einfließen ließen. Sie fanden bald Bundesgenossen an ihren immer
zahlreicher aus Wien eintreffenden Collegen, Szabel Laffer Mayer
Fischer, und als vollends Stadion und theilweise selbst Schwarzenberg
mit ihnen in halb=amtlichen Verkehr traten, war der Fortbestand des
vertagten Reichstages so gut wie entschieden. Vor der Öffentlichkeit war
dieser Fortbestand niemals in Frage gekommen [146]), und dies erklärt es
auch daß fast gar nicht darum petitionirt wurde. Eine Adresse der beiden
süd=tyrolischen Kreise Trient und Roveredo, die sich aber um den öster=
reichischen Reichstag, von dem sie sonst nicht viel wissen mochten, wohl

10*

nur darum annahmen weil die deutschen Kreise des Landes g e g e n den=
selben waren, und eine zweite „der getreuesten Stadt" Triest, waren die
einzigen von denen in dieser Richtung etwas bekannt wurde. Allein trotz
dieses Schweigens läßt sich als sicher annehmen, daß alle politischen,
deutschen, Volks=Vereine die so laute Sympathien für den October=
Reichstag bezeugt hatten, und folglich ein nicht unbedeutender Theil der
Bevölkerung der Städte in deren Mitte jene ihren Sitz hatten, gegen
jede Auflösung des constituirenden Reichstages waren, wie sie sich schon
gegen dessen Aufschub und gegen die Verlegung seines Sitzes von Wien
weg fast einmüthig ausgesprochen hatten. Außerdem sind als Wahr=
zeichen bestehender Sympathien für den Reichstag vereinzelte Vertrauens=
und Dankes=Bezeugungen anzuführen, die mehreren Abgeordneten für
das Ausharren auf ihrem Posten als Abgeordnete zukamen [147]).

Allein diese Kundgebungen waren keineswegs unbestritten. Gegen
die von der Municipalität ausgegangene Triester Adresse erhoben der
slavische Verein und der deutsche Rede=Verein Einsprache, indem sie dem
Stadtrath die Befugnis abstritten in ihrem Namen zu reden. In vielen
Wahlkreisen wurden Stimmen laut, nicht sowohl gegen den Reichstag
überhaupt, als gegen ihren von einem Theile der Wähler mit einer Ver=
trauens=Adresse beglückten Deputirten; oder es wurde ganz ernstlich die
Frage aufgeworfen, ob man dem gewählten Vertreter nach seiner Hal=
tung in den abgelaufenen Monaten überhaupt das geschenkte Vertrauen
noch ferner belassen könne. So kam nun die Reihe an die Mistrauens=
Vota, die in den beiden letzten Monaten des Jahres eine so ärgerliche
Rolle spielen sollten. Das erste derselben wurde gegen Borrosch vorbe=
reitet, noch während des October, und man vergaß nicht ihn an den
Ausspruch zu erinnern den er selbst einmal im Reichstage gethan: daß
es sich nicht mit der Ehre eines Deputirten vertrage ferner seinen Sitz
in der Kammer beizubehalten, sobald ihm das Vertrauen seiner Wähler
entzogen worden [148]). Nachdem der schwere Alp der Wiener Schreckens=
herrschaft abgeschüttelt worden war, fing sich's auch in den niederöster=
reichischen Wahlbezirken zu regen an, in Schottenfeld und Breitenfeld
gegen Goldmark, in Mariahilf gegen Füster, in Korneuburg gegen
Violand. Als dennoch keiner der so offenkundig Verdächtigten Miene
machte der Aufforderung zum Austritte zu folgen, begann man aus
gröberem Tone zu ihnen zu sprechen, mit Argumenten von schwererem
Caliber ihnen an den Leib zu rücken: „Was anderes könne diese durch

das Verdict ihrer Mitbürger gebrandmarkten Herren an ihrem Sitze
festhalten als die Aussicht auf die monatlichen 200 Gulden, die sie in
Kremsier fortfahren wollten zu beziehen wie sie selbe in Wien bezogen
hatten? Allerdings", wurde höhnisch beigefügt, „müsse es schwer fallen
auf die so kostbaren Privilegien der neuen Aera zu verzichten: nebst der
persönlichen Unverletzlichkeit und Unverantwortlichkeit der schöne Gehalt
mit Quittungen ohne Stempel und ohne Abzug, die sich jeder andere
gemeine Erdenbürger, jeder andere vom Staate Besoldete in dieser Zeit
gefallen lassen müsse!" Von den Einzelnen gerieth man leicht auf das allgemeine, und das war die Seite von welcher der Wiener Versammlung
am empfindlichsten und am ausgiebigsten beizukommen war. Denn wenn
dieses oder jenes Mitglied seinen hohen Beruf verkannt, von der ihm
zugewiesenen Stellung Misbrauch gemacht hatte, so ließ sich durch die
Ausscheidung derselben die Mackellosigkeit des Ganzen wieder herstellen.
Daß aber diese selbe Versammlung als Ganzes das beispiellose Begehren der Amnestie für die Mörder Latour's gestellt; daß sie das kaiserliche Zeughaus wie zum Hohne sperren lassen, nachdem es geplündert und die kostbarsten Waffen herausgestohlen, die sie dem entfesselten
Proletariate in die Hände gab; daß sie sämmtlichen Eisenbahnen die
Beförderung kaiserlicher Truppen zu verbieten, das Einschreiten des vom
Kaiser beauftragten Feldherrn für ungesetzlich zu erklären sich unterfan-
gen; daß sie mit unerhörter Frechheit das Vorhandensein von Anarchie
in Wien, deren terroristisches Walten offen vor aller Welt Augen lag,
in amtlichen Kundgebungen wiederholt zu läugnen sich erdreistet; daß sie
endlich durch dies ihr Verhalten einem wahnsinnigen Aufstande in den
Augen tausender von gläubigen Kämpfern den Stempel einer gewissen
Legalität aufgedrückt, viele hunderte von ihnen, die um Recht und Gesetz zu streiten vermeinten, um Leben und gesunde Glieder gebracht: das
und anderes war es, was den Wiener October-Reichstag, der sich bis
zum letzten Augenblicke den Anschein gab und die Anerkennung verlangte
die wahre Vertretung der österreichischen Völker zu sein, um die Achtung
der Besserdenkenden aller Länder von Europa brachte, was ihn in seinem Vaterlande mit völliger Geringschätzung gepaartem Mistrauen an-
heimgab. „Und was hat denn dieser Reichstag", so sagte man weiter,
„der seine Vollmachten so sehr überschritt, in seinem eigentlichen Berufe
geleistet? Hat er in vier Monaten seines Beisammenseins auch nur seine
Geschäftsordnung zustande zu bringen vermocht? Ist er in der ihm aufge-

tragenen Verfassungsarbeit auch nur über das erste Stadium, die Berathung
der Grundrechte in den Abtheilungen, hinausgekommen? Hat man ihn in
dieser ganzen Zeit mit andern Dingen sich beschäftigen gesehen als mit
solchen die ihn nichts angingen, mit Interpellationen über die verschiedensten Allotria, mit Dringlichkeits-Anträgen und Behinderungen der
Executive wenn es auf der Straße einen Exceß zu bändigen gab, mit
versuchten Überschreitungen seiner eigenen, noch nicht einmal zu Ende
gebrachten Geschäftsordnung? Wann können wir, wenn dies in solcher
Weise fortgehen soll, die von uns Allen sehnlichst erwartete Zustandebringung des Verfassungswerkes aus den Händen einer solchen Versammlung zu erwarten haben? Etwa in ein paar Jahren!?" [149]).

Neben diesen Anklagen allgemeiner Art hatten einzelne Kreise noch
ihre besondern Beschwerden gegen den constituirenden Reichstag vorzubringen. Die mächtige Classe der Großgrundbesitzer machte geltend daß
nicht blos in einer sie betreffenden hochwichtigen Angelegenheit, der Ro-
bot-Ablösung, über sie ohne sie abgesprochen worden, sondern daß man
sich auch bei diesem Anlasse die ungerechtesten Vorwürfe Anschwärzungen
Verläumdungen an einem Orte erlaubt habe, wo jene die davon getroffen waren sich nicht rechtfertigen und jene Behauptungen zurückweisen
konnten [150]). Viele von den österreichischen und steirischen Gutsbesitzern,
deren Einkünfte fast ausschließend in Zinsungen bestanden und die nun
keinen Kreuzer erhielten, sahen sich, wie es in einer Denkschrift vom 31.
October an den Fürsten Windischgrätz hieß, „in einen wahrhaft verzweif-
lungsvollen Zustand versetzt, da sie dadurch dem Bettelstabe nahegebracht
und mehrere von dem unaussprechlichen Elend schon wahnsinnig geworden sind". Die städtischen Gemeinden Nieder-Österreichs empfanden
schwer das Übergewicht der bäuerlichen Wahlmänner. Aus Drosendorf
lief eine Petition beim Reichstage ein, „daß zu demselben auch Deputirte
aus dem Bürger- und Gewerbsstande beigezogen werden, weil diese
Stände ganz eigene von jenen des Bauernstandes verschiedene Interessen
haben". Ein ähnliches Begehren stellte der Handels- und Gewerbestand
von St. Pölten und berief sich dabei auf das Beispiel aller andern
constitutionellen Länder „wo diese Interessen jederzeit eine abgesonderte
Vertretung besäßen, während bei der bestehenden Wahlordnung stets nur
Bauern, die von den administrativen Einrichtungen, von den Gewerbs-
und Handels-Verhältnissen keine genügende Kenntnis hätten, aus der
Wahlurne hervorgingen". Auch aus den Reihen des Heeres ließ sich der

Wunsch vernehmen, „daß künftighin die Armee in den Reichstag ihre
Vertreter zu senden berechtigt werde, da niemand in dieser Versammlung
sitze der gründliche Kenntnisse von den Einrichtungen der Armee habe" [151]).
Allein der bei weitem größere Theil des Heeres wollte von dem constituirenden Reichstag überhaupt nichts wissen. Die schmachvolle Weise
womit er der ruhmvollen von ganz Europa bewunderten italienischen
Armee die Anerkennung verweigerte, die Hinschlachtung des Kriegs-Ministers, die Einnahme des Wiener Zeughauses und die Haltung die der
October-Reichstag diesen Vorgängen gegenüber eingenommen, hatten einen
Widerwillen, einen Abscheu hervorgerufen der sich mit soldatischer Derb-
heit laut kundzugeben keinen Anstand nahm [152]). Nicht geringere Erbitterung gegen die constituirende Versammlung herrschte aus andern Gründen im deutschen Antheile von Tyrol. Ein gegen Ende October zu Ster-
zing abgehaltener Congreß, vom Landvolk aus der Gegend von Botzen
und Meran, aus dem Passeier- und Wipp-Thal besucht, wo der Bauer
Joseph Laburner das große Wort führte, griff den Reichstag von Seite
seiner Unkirchlichkeit an, da derselbe sich herausgenommen den geistlichen
Zehent aufzuheben was giltig nur mit Gutheißung des Papstes geschehen
könne.   Der verstärkte November-Landtag in Innsbruck erklärte den
Reichstag, der sich im October als „unfrei und in offenem Zwiespalt
mit der Krone" gezeigt habe, geradezu für außer Stande die ihm vor-
geschriebene Aufgabe zu erfüllen, und stellte darum den Antrag: es solle
„der gegenwärtige in der Agonie begriffene Reichstag" nicht mehr einberufen, sondern mögen statt seiner vorerst Deputirte aller Provinzial-
Stände an das kaiserliche Hoflager eingeladen werden.   Man war auch
mit der Stellung des Reichstages den einzelnen Ländern gegenüber nicht
einverstanden. „Was nützt hier alles Berathen", rief der Bauer Niederstetter am 11. November, „wenn der Provinzial-Landtag das doch nicht
ausführen darf was er als den Wunsch des Landes erkennt? Das muß
anders werden! Das Anfragen und Bitten in Wien um Dinge die das
Tyroler Volk einmal entschieden wünscht und verlangt, muß endlich aufhören. Der Landtag muß selbständig werden".

Wie sich aus dem Vorstehenden ergibt, waren Zweifel Einsprache
Widerstreben vorzugsweise gegen den Fortbestand dieses Reichstages
gerichtet und wollte man im großen Durchschnitt keineswegs die Beseitigung jeder National-Versammlung überhaupt, die Rückkehr zu dem
früheren System des Regierens ohne Volksvertretung.   Die früher er-

wähnte Denkschrift steirischer Gutsherren formulirte ihre Wünsche in dieser Richtung: „daß vor allem dieser Reichstag der nichts als ein Revolutions-Tribunal ist, der sich des Verbrechens des Hochverraths schuldig gemacht hat, augenblicklich aufgelöst und daß für den nach Krem=sier ausgeschriebenen Reichstag neue Wahlen bestimmt werden". Der Feldmarschall selbst theilte im allgemeinen die Gesinnungen des Heeres gegen die Versammlung in der Winter=Reitschule; er war vom tiefsten Mistrauen gegen sie erfüllt und mahnte Stadion eindringlich „sich, selbst in Beziehung auf jene Partei des Reichstages die sich den Anschein gibt die Regierung zu unterstützen, keine Illusionen zu machen; diese Menschen werden immer eine ganz andere Tendenz verfolgen als die Regierung haben darf, und weiter gehen wollen als ihnen möglicher Weise zuge=standen werden kann" [153]). Allein für die Auflösung des Reichstages der das Wort seines Kaisers für sich hatte und mit dessen hervorragen=den Mitgliedern, wie er wohl wußte, Schwarzenberg und Stadion in Olmütz in fortwährendem Verkehr standen, war Windischgrätz vorläufig nicht; worauf er bestand war nur: daß keine weitere Ausschreitung ge=duldet, sondern beim ersten Anlasse, der auf einen Rückfall in die frühe=ren unheilvollen Bahnen schließen lasse, mit der Heimschickung seiner Glieder keinen Augenblick gezögert werde. Dies war, nur in letzterem Punkte in minder schroffer Weise, im allgemeinen auch die Ansicht der Männer die den künftigen Rath der Krone zu bilden hatten. Bei ihrem allmäligen Zusammentreten galt es als ausgemachte Sache daß es bei der Eröffnung des Reichstages in Kremsier sein Verbleiben habe. Sie bekundeten in all ihrem Reden und Thun ihren ernsten Willen, Hand in Hand mit den gewählten Vertretern des Volkes zu gehen und das große Werk, zu dessen Vollendung dieselben berufen waren, in offenem wohlgemeinten Einverständnisse mit ihnen glücklich und gedeihlich zum Abschluße zu bringen. Die vielseitigen Angriffe gegen den Reichstag, die Zumuthungen ihn auseinanderzujagen, mindestens neue Wahlen vorneh=men zu lassen, blieben nicht unbeachtet von ihnen; allein sie vermeinten denselben vorderhand kein Gehör schenken zu sollen. Neue Wahlen wurden ausgeschrieben, aber nur da wo Sitze durch freiwilligen Austritt einzel=ner Mitglieder erledigt waren; die Vorbereitungen, damit der Wieder=beginn der Sitzungen am festgesetzten Tage stattfinden könne, wurden auf das eifrigste und gewissenhafteste getroffen. Ob es gelingen sollte was sie ihrerseits nach bester Einsicht und Kräften zu fördern sich aufrichtig

bestrebt zeigten, hing allerdings nicht von ihnen allein ab: es kam mit
darauf an, wie der andere Theil seinen Beruf auffaßte und seine Auf=
gabe durchzuführen meinte. . . .

Das Ministerium Schwarzenberg=Stadion, das binnen kurzem ganz
Österreich durch die Versicherung entzücken sollte daß es sich von allen
inconstitutionellen Einflüßen freihalten wolle, begann seine Wirksamkeit
im Grunde in der aller=inconstitutionellsten Weise von der Welt. Fast
seit Mitte October gingen in Olmüz alle wichtigeren Maßregeln und
Entschließungen von den beiden genannten Männern aus; in der ersten
Hälfte November nahm die Rücksprache die sie mit ihren künftigen Colle=
gen pflogen mitunter die Gestalt förmlicher Minister=Berathungen an,
was sie von der Mitte November der That nach wurden, während
Wessenberg noch immer als Minister=Präsident fungirte und alle der
Öffentlichkeit übergebenen Acte als solcher unterzeichnete. Auch begann
man im Publicum jenes noch verdeckte Walten zu ahnen, wenn man
gleich über den eigentlichen Sachverhalt nicht im reinen war und na=
mentlich eine Fortdauer der Präsidentschaft Wessenberg's auch in der
neuen Combination voraussetzte. Die Männer die man von Olmüz nach
Wien und von da wieder zurück nach Olmüz, allenfalls mit einem Ab=
stecher in das noch ländlich stille Kremsier, fast ununterbrochen auf dem
Wege sah, galten schon lang als „die neuen Minister" ehe ihre endgil=
tige Ernennung ausgesprochen war und in die Öffentlichkeit gelangte.
Es wurde ihnen in jenen Tagen mitunter mehr zugute geschrieben als
wirklich von ihnen ausging. Von Stadion wollte man wissen, daß er
das Portefeuille nur unter der ausdrücklichen Bedingung angenommen
habe daß der Wiener Belagerungszustand längstens mit Ende December
ein Ende nehme. Wo immer dieses über der unglücklichen Stadt finster
und schwer hangende Gewölk sich zu zerreißen, einen mildernden Sonnen=
blick durchzulassen schien, da waren es Stadion oder Bach denen man
sich dafür zu Dank verpflichtet hielt.

Überhaupt war die Meinung, die dem in der Bildung begriffenen
Ministerium in der Öffentlichkeit die Wege ebnete, eine ungemein günstige
zu nennen. Selbst Persönlichkeiten der früheren Schule blickten den neuen
Männern, aus denen es zum größten Theile bestehen sollte, vertrauens=
voll entgegen [154]). Von Stadion erwartete man das beste: er habe, so
sagte man, bereits die Entwürfe vorbereitet die drei der wichtigsten,

nur durch ihre Ausartung gefährlichen Einrichtungen des conftitutionellen
Lebens in befriedigender Weise regeln sollten: die freie Preffe, die Volkswehr, das Vereinswesen. Was Bach betraf, so waren es merkwürdiger
Weise jetzt selbst Mitglieder der Wiener Linken denen sein Wiedereintritt
in das Ministerium nicht unwillkommen zu sein schien. So bittere Dinge
sie von ihm und er von ihnen in der letzten Zeit vor dem October zu
hören bekommen, brachte ihnen gleichwohl die Kunde, daß er sich entschlossen
habe ein Portefeuille anzunehmen, eine Art Beruhigung; „er ist ein
redlicher Mann und ein Wiener", hörte man sie sagen, „er wird seiner
Vaterstadt nicht zu hartes Leid widerfahren laffen". Und von beiden erzählte man sich, es sei ihnen bereits gelungen, den Hofrath Erb, den
Fürsten Lobkovic, den staatsräthlichen Referenten Pipitz aus der Umgebung des Kaisers zu entfernen, Männer, an die man damals in erster
Reihe dachte wenn man von „Camarilla" sprach; u. dgl. m.

Was aber außerhalb der Hauptstadt dem neuen Ministerium die
meisten Sympathien, das größte Zutrauen verschaffte, war, daß es nicht
gleich den früheren als ein ausschließlich oder doch vorwaltend wieneri-
sches, daß es vielmehr als ein wahrhaft österreichisches erschien
und auftrat. Als in der ersten Hälfte November eine Deputation aus
Siebenbürgen am kaiserlichen Hoflager erschien, die auch Schwarzenberg
und Stadion ihre Aufwartung machte, blieb der Empfang den sie bei
diesen Staatsmännern fanden kein Geheimnis. Beide gaben ihr die Versicherung: „daß sie für die Gleichberechtigung aller Nationalitäten des
Kaiserstaates seien; daß sie die freie Entwicklung und Verwaltung der
verschiedenen Provinzen durch eigene Parlamente und aller dieser durch
ein Central-Parlament in Wien anstrebten; daß sie nur auf diese Bedingung hin ihre Portefeuilles angenommen hätten". Die Worte wider-
hallten bis an die entferntesten Gränzen des Reiches, alle gedrückten oder
beengten Völkerschaften athmeten frei auf, und die im Kampfe waren,
sammelten unter dem Schutz und der Beihilfe einer wohlwollenden Regierung frische Kräfte, das seit Jahrhunderten auf ihnen lastende Joch
abzuwerfen.

II.

Belagerungszustand in Wien.

„Der Ton der Briefe die aus Wien kommen
ist seltsam verschieden. ‚Wir sind der Militär=
Herrschaft verfallen, die Freiheit ist vernichtet‘,
beginnt der eine; ‚wir sind aus den Tigertatzen
des Pöbels gerettet, Ordnung und Gesetz leben
wieder auf‘, ruft der andere“.

A. A. Ztg. Nr. 313 v. 8. Nov. S. 4931.

10.

Mit dem Einmarsch der kaiserlichen Truppen am Abend des 31.
October befand sich Wien in der Gewalt und unter der Herrschaft des
Militärs, dessen Mannschaft sich in den zahlreichen Casernen der Stadt
und der Vorstädte, aber auch in mehreren andern Gebäuden wie in der
Aula, im Stadt=Convicte, im Polytechnicum und Theresianum festsetzte
und theilweise auf offenem Platze lagerte. Auch die meisten Ortschaften
vor den Linien Wiens bis über Baden und Wiener=Neustadt hinaus,
dann weithin im Marchfeld sowie am rechten Ufer der Donau bis gegen
die ungarische Gränze hatten mehr oder minder starke Einquartierungen
von Truppen aller Waffengattungen, von Artillerie und Fuhrwerk.

Wenige Tage nach der Einnahme erfuhr man in Wien von eifri=
gen Herrichtungen im Schönbrunner Schlosse, und sogleich waren Leicht=
gläubige mit der Versicherung bei der Hand, der Hof werde, nachdem
in Wien nun wieder Ordnung gemacht, aus Olmüz dahin zurückkehren.
Jene Vorbereitungen galten aber, wie sich bald zeigte, nicht dem Hofe

sondern dem Fürsten Windischgrätz, der vom 4. zum 5. November sein
Haupt-Quartier aus Hetzendorf in das geräumigere und freier gelegene
Schönbrunner Schloß verlegte. Ein großes schwarzgoldenes Banner wehte
jetzt von der Höhe des Daches herab, nicht mehr die schwarz=roth=goldene
Tricolore der noch wenige Wochen zuvor der hartbedrängte Beherrscher
Österreichs sein müdes Haupt beugen mußte. Hinter dem Gitter stand
eine Batterie Geschütze, die mit ihren unheimlichen Mündungen gegen
die Brücke über den Wien=Fluß starrten; Munitions=Karren, Packwagen,
Pyramiden von Gewehren waren allenthalben zu schauen. Auch sonst
bot der geräumige Hof, besonders bei freundlicher Witterung, ein solda=
tisch bewegtes Bild; wenn die Zeit kalt und windig, waren die Soldaten
froh sich in das Innere zurückziehen und wärmen zu können. Dann
schritten wohl einzelne Officiere säbelklirrend und mit gehobenem Antlitz
durch den Hof, es jagte ein Reiter darüber hin oder es kam eine Kutsche
aus der Stadt angefahren, vor deren Insassen, einem General oder
höheren Commandanten, die Hauptwache präsentirend in's Gewehr trat.
Auf einmal entsteht ein reges Durcheinander, Befehlsrufe und Waffen=
lärm schallen von allen Seiten; der weite Hof füllt sich mit Truppen
die sich vom Portale bis zur großen Schloßstiege beiderseits in Parade
aufstellen, die Trommeln schlagen Generalmarsch, das Gitterthor öffnet
sich: ein Officier kommt den Säbel schwingend über die Brücke heran=
gesprengt, ein zweispänniger Hofwagen, ein Hoflakai und ein Husar hin=
ten auf dem Stehbrett, folgt ihm, hinter dem Wagen eine Anzahl be=
rittener Officiere in allen Uniformen und ein Geleite von etwa zwanzig
Kürassiren — es ist der Banus von Kroatien der dem Höchst=Comman=
direnden seine Aufwartung macht.

Der weilte im Innern des kaiserlichen Lustschlosses, der Gebieter
über das Schicksal Wiens, der Ober=Feldherr aller militärischen Kräfte
Österreichs mit Ausnahme der Armee Radecky's, der „Alter=Ego des
Kaisers", wie ihn wohl Manche damals nannten. Er zeigte sich nur
selten in der Öffentlichkeit, etwa wenn es eine militärische Ausrückung
gab, und das nicht nur weil er selbst — hierin das gerade Widerspiel
des leichtblütigen Commandanten seines ersten Armee=Corps — bloße
Schaustellungen nicht nach seinem Sinne fand, sondern auch weil es
seine Umgebung, die ihn mit ängstlicher Wachsamkeit hütete und überall
nur Höllen=Maschinen und gedungene Nachsteller witterte, in jeder Weise
zu verhindern suchte. Es gab da einen eifersüchtigen Wetteifer zwischen

den „Angestammten" die er aus Böhmen mitgebracht, und den Neuen
die er vor Wien vorgefunden hatte; sie wollten es einander an Beweisen
der Anhänglichkeit, der Verehrung, der Sorgfalt für ihren angebeteten
Führer zuvor thun [155]). Überhaupt ist es schwer sich einen Begriff zu
machen von der Begeisterung mit der damals die Armee an Windisch=
grätz hing, von der Bewunderung die man in den Kreisen derselben,
seiner Angehörigen und Standesgenossen für ihn hatte, von dem gränzen=
losen Vertrauen das man in ihn setzte. Von allen Seiten strömten ihm
Huldigungen, Dankesbezeugungen, Aufforderungen zu seine gewonnene
Macht nach andern Seiten hin fühlbar zu machen. Er galt als der
Retter der Monarchie, er galt aber auch als der Retter von Europa.
Forderte ihn eine Anzahl Besitzer Verwalter und Bevollmächtiger von
Herrschaften Gütern und Gülten in Steiermark auf, den jetzigen Zeit=
punkt zu benützen „um Sr. Majestät dem Kaiser und der Dynastie den
Thron für immer zu sichern und den Bewohnern des österreichischen
Kaiserstaates die verlorene Wohlfahrt wieder zu verschaffen", so empfing
er anderseits eine Zuschrift des preußischen Officiers=Corps mit der
Bitte um Mittheilung des Operations=Planes gegen Wien, „da sie in
die Lage kommen könnten in derselben Weise gegen Berlin vorzugehen",
und meinten noch Andere, nachdem er an der Donau fertig geworden
werde er am Main aufräumen [156]). „Die ganze italienische Armee",
schrieb Graf Clam=Gallas aus Como, „hat mit Jubel Eurer Durch=
laucht Siege begrüßt und mit Vertrauen blicken wir zu Ihnen als dem
Retter der Monarchie" [157]). Mit Bezug auf Jelačić und Radecky gra=
virten Officiere des österreichischen Heeres das berühmte W J R (auch
gedeutet als: „Weisheit — Jugendkraft — Ruhm") auf ihre Säbel.

Wenn diese Empfindungen Allen, bis zum gemeinen Soldaten herab
der ihn nur aus der Entfernung schaute und kannte, gemeinsam waren,
so wirkten dieselben in erhöhtem Maße bei Solchen die ihn in der Nähe
beobachten konnten. Zu der tiefen Schwermuth die seit dem Unglück, das
im Juni in Prag sein Familienleben zerstört hatte, über sein ganzes
Wesen ausgegossen war, gesellte sich eine gottesfürchtige Bescheidenheit
und Demuth die in demselben Grade zu wachsen schien in welchem die
äußern Erfolge und Anerkennungen seines Wirkens sich häuften [158]).
Als er erfuhr, daß seine Officiere für ihn um Zuerkennung des Groß=
kreuzes des Theresien=Ordens eingeschritten seien, ließ er dem Hofe sa=
gen: „wenn man aus irgend einem Grunde Anstand dagegen nehme,

möge man sich um seinerwillen nicht den geringsten Zwang auferlegen".
Damit stand es nun keineswegs im Widerspruch daß er an die Aufgabe,
die er als in seine Hände gelegt betrachtete und in deren Übernahme er
sich als Werkzeug der Vorsehung fühlte, mit gehobenem Selbstvertrauen
schritt und sein angeborner Stolz in diesem Gedanken immer neue
Nahrung fand.

In Wien walteten seine Generale und seine Gerichte. Der Militär=
Commandant F. M. L. Csorich hatte die von Wailand Kaiser Franz
bewohnten Zimmer in der Hofburg bezogen; zwei Mitglieder der Ge=
meinderaths=Permanenz, Khunn und Kaltenböck, waren ihm zur Dienst=
leistung zugewiesen; später, vom 15. November an, genügte einer, der
von 8 Uhr Morgens bis 8 Uhr Abends zu seiner Verfügung bleiben
mußte. In den Räumen der „Reichskanzlei" hatte sich der Stadt=Com=
mandant General Cordon einquartirt. Unter ihm stand die „Militär=
Central=Untersuchungs=Commission" mit G. M. Hipssich an der Spitze,
die eine „stadthauptmannschaftliche Section" zur Ausforschung und Ein=
bringung der Hauptschuldigen an den letzten Ereignissen zur Seite hatte.
Polizei=Ober=Commissär Felsenthal leistete hier seine Dienste; die Ge=
meinderäthe Hütter und Seiller waren der Central=Commission als Bei=
sitzer zugewiesen. Eine Anzahl von Purificirungs=Commissionen nahm
aus der großen Zahl von Verhafteten die Ausscheidung jener vor, für
die kein Grund zu kriegsrechtlicher Untersuchung und Strafe vorlag.
Das gerichtliche Verfahren mit den Beschuldigten hatten die Kriegs= und
Standrechts=Commissionen in den verschiedenen Theilen der Stadt durch=
zuführen. Das „permanente Stand= und Kriegsgericht" im Stabsstock=
hause nächst dem Neuthor bildeten zwei Gemeine, zwei Gefreite, zwei
Corporäle, zwei Feldwebel, zwei Lieutenants, zwei Hauptleute; als „Prä=
ses" fungirte Major Cordier, als Referenten mit „Votum informativum"
abwechselnd die Hauptmann=Auditore von Wolferom und Sauer von
Nordendorf, als Schriftführer ein „Qua=Actuar"; eine Anzahl Invali=
den standen als Zeugen abseits vom Richtertische; die Abstimmung über
das Urtheil erfolgte vom Gemeinen aufwärts. Bei den übrigen „Sectio=
nen" der Central=Untersuchungs=Commission saß von jeder der genannten
Kategorien nur ein Individuum zu Gericht. Den Vorsitz im Gefangen=
hause der Stadthauptmannschaft, s. g. Polizeihaus, führte Hauptmann
Terzaghi mit den Hauptmann=Auditoren Joannović und Mathes zur
Seite, in der Getreidemarkt=Caserne Major Lagusius mit den Auditoren

Mittlacher und Dostal. In der Alser-Caserne scheint der Hauptmann-Auditor Witting nur Vor-Untersuchungen gepflogen zu haben, und solches wird wohl noch anderwärts z. B. in der Salzgries-Caserne geschehen sein. Alle diese „Sectionen" der Central-Commission bildeten in strafgerichtlichem Verfahren die erste Instanz, die zweite war bei der Central-Commission selbst; nur wenn diese beiden über die Schöpfung des Urtheils nicht im Einklang waren, gelangten die Acten zum Chef der Stadt-Commandantur als der dritten Instanz. Für diese Zwecke standen dem General Hipssich der General-Auditor-Lieutenant Seemann, Cordon der Gen. Aud. Lieut. Linhart zur Seite. Die Bestätigung des Urtheils erfolgte entweder unmittelbar vom Feldmarschall oder „im Namen Seiner Durchlaucht" von Cordon oder Hipssich. Ersteres trat in der Regel nur dann ein wenn sich der Feldmarschall einen Fall vorbehalten hatte, wo sobann der dem Haupt-Quartier zugetheilte Hofrath Komers sein Rechtsgutachten abgab.

So liefen alle Fäden mit ihren Enden in Schönbrunn zusammen. In der Hand des Hochgebietenden lag die letzte Entscheidung aller Angelegenheiten; er hatte das Recht über Leben und Tod, er hatte die Macht der Begnadigung. Dorthin drängte daher alles was in letzter Instanz irgend ein Anliegen, irgend eine schwere Bitte hatte. Allein dahin zu kommen war nicht leicht; Personen vom Civil fanden im Schlosse nur gegen einen von den Wiener Militär-Behörden ausgestellten Urlaubschein Einlaß. Solcher gab es immer noch genug. Tag für Tag füllte ein buntes Gewühl die Einfahrtshalle, die Stiegen und Gänge des Schlosses: Deputationen aus der Stadt, Beamte und Abgesandte von den Ministern, Ordonanz-Officiere die Berichte zu überbringen oder Verhaltungsbefehle zu holen kamen; dazwischen scheue Gruppen von Bittstellern: Bauern und Grundwirthe die Entschädigung verlangten für ihre verwüsteten Felder, für ihre im Rauch aufgegangenen Vorräthe, gebeugte Frauen welche die Freiheit oder das Leben für einen bedrohten Sohn oder Vater, Gatten oder Bräutigam erflehen wollten 2c. Alle Seiten und Verhältnisse des Belagerungszustandes, der die bezwungene Stadt in seinen eisernen Banden hielt, spiegelten sich in den Gruppen ab, die in den Hallen des kaiserlichen Lustschlosses zu schauen waren.

11.

Ein stärkerer Gegensatz als das Aussehen Wiens zu Anfang No=
vember 1848 zu dem Bilde, das die Stadt in den vorausgegangenen
Sommermonaten und noch in den letzten Tagen vor der Einnahme ge=
boten hatte, ließ sich kaum vorstellen. Verschwunden war das bunte
Gemische von National=Farben jeder Art, die schwarz=roth=goldenen Ab=
zeichen voran, die in Bändern von der Achsel herab, in Schleifen auf
Hut und Kappe, als Fahnen von Häusern und Thürmen geprangt hat=
ten: das kaiserliche Schwarz=Gold und allenfalls daneben das friedliche
Weiß beherrschten den Platz; auch vom Monument Kaiser Joseph's und
von der ausgestreckten Hand des Kaisers Franz wehten schwarz=goldene
Banner herab. Verschwunden waren die Uniformen des Nationalgarden,
des Legionärs, die phantastischen Trachten des Krakusen, des Mobi=
len, der Amazonen, mit ihren verschiedenen Kopfbedeckungen: dem Czako,
dem Calabreser, der Konföderatka, dem deutschen Hut, dem „feschen"
Kappel, dem Barricaden=Strohhut; an Mannigfaltigkeit der Equipirung
fehlte es auch jetzt nicht, doch gehörte sie ausschließend Bevölkerungs=
Classen an die in der Sommerszeit nur schüchtern und schütter, in den
Octobertagen gar nicht vertreten waren: dem k. k. Militär und der k. k.
Polizei=Mannschaft. Verschwunden war die stolze Zierde des Mannes=
antlitzes, der Vollbart und „die nacken=umwallenden Nazarener=Locken
der Schmuck so mancher jungen und die Eitelkeit selbst vieler bemoosten
Häupter" 159): ein philisterhaft bescheidener, höchstens durch den spie=
gelnden Glanz seiner Neuheit auffallender Cylinder beschattete das kurz=
haarig umrahmte Gesicht mit dem frisch geglätteten Kinn. Verlassen war
die Aula von ihren jugendlich stürmischen Bewohnern: Windischgrätz'sche
Grenadiere hielten sie besetzt; still und öde war es um die Eingänge
der Winter=Reitschule: soldatische Wachposten schulterten vor ihnen das
Gewehr; eine Stätte der Verwüstung stand das Odeon, oder vielmehr
standen seine kahl ausgebrannten, mit Schutt bedeckten, des schützenden
Daches beraubten Räume da. Keine Alarmtrommel, kein donnerndes
Pochen an den Hausthoren um harmlose Schläfer unter die Waffen zu
rufen, durchbrach mehr die Stille der Nacht; kein Gedränge oder
wildes Jagen erfüllte mehr bei Tage Gassen und Plätze. Kein Geschrei,
keine herausfordernden Rufe, keine Standreden auf offener Straße; kein

unruhiges Treiben, kein politisches Gezänke, kein Reißen um die Zeitungen
in den Kaffeehäusern; keine hockenden oder wandelnden Flugblatt=Ver=
käuferinnen. Keine bunt=farbigen und bunt=inhaltlichen Anschlagzettel an
den Straßenecken; wo sich der letzteren fanden, gehörten sie allein den
herrschenden oder geduldeten Gewalten an: dem kaiserlichen Haupt=
Quartier oder der Stadt=Commandantur, dem Gemeinderathe oder der
— Militär=Central=Untersuchungs=Commission.

Nun gab es in der Stadt, wie nach der gewaltigen halb zur Gewohnheit gewordenen Aufregung der vorausgegangenen Monate nicht
anders zu erwarten stand, allerdings nicht Wenige denen es um die
frühere Ungebundenheit aufrichtig leid that. „Wo ist das fröhliche
Wien", klagten sie, „da muntere Musik der Nationalgarden die Straßen
jeden Augenblick durchzog, da jeder Tag eine Kette von Ereignissen
brachte, bald ein neues Zeitungsblatt, einen Reichstagsbeschluß, eine
Parade, eine Garde=Revue, bald ein Preß=Gericht, einen Zeitungs=Artikel,
eine Katzenmusik? Wo ist das Wien mit seinen schwarz=roth=goldenen
Fahnen, seinen Fackelzügen, seinen Volksversammlungen, seinen Stürmern
und Fahnenweihen?" [160]) Leute solchen Schlages, zu denen auch einzelne
Correspondenten der A. A. Ztg. gehörten [161]), mahlten das Bild der
Stadt unter dem Walten der Militär=Herrschaft in den düstersten Far-
ben. Sie reden zu hören, lag über ganz Wien eine unheimliche gedrückte
Stimmung, alles war in Angst, in Zweifel und Besorgnis versetzt —

> „Anbricht der Tag — doch trüb ist seine Sonne —
> Zurückgeblieben scheint das Grau'n der Nacht —
> Gestalten wallen — doch kein Gruß der Wonne
> Aus all' den blassen Trauermienen lacht!" [162])

Möglich daß sich, die derlei Klagen anstimmten, nur in solchen Kreisen bewegt haben wo es wirklich Grund zur Klage gab. Denn wohl
waren in Folge der letzten Ereignisse hunderte von Familien in tiefe Betrübnis versetzt. Unmündige Waisen beklagten den im Kampfe gefallenen
Vater, Ältern bebten für den flüchtig umherirrenden Sohn; Weiber aus
dem Volke die ihre Männer, Mütter die ihre Söhne noch nicht zurückerhalten hatten, zitterten mit ängstlichem Bangen der Lösung ihrer Zweifel
entgegen. Einzelne unterlagen gar der peinlichen Ungewißheit solcher
Stimmungen. In der Wollzeile auf der Treppe eines ihm fremden
Hauses machte ein Legionär durch einen Pistolenschuß seinem Leben ein
Ende; in der Stadt verbreitete sich aus diesem Anlasse das Gerücht, der
Legions=Commandant Aigner habe sich erschossen. Im Haupt=Quartier

11

zu Schönbrunn erschien eines Tages ein wohlgekleideter junger Mann
mit einem Bündel Äpfel, der unter fortwährenden Bekreuzigungen vor
den Feldmarschall geführt zu werden verlangte; Wahnsinn umflorte seine
Sinne [163]). Dazu jene zahlreichen Unglücklichen in verschiedenen Theilen
der Stadt deren Gebäude ausgebrannt oder zerstört, deren Wohnungen
ausgeraubt, Hab und Gut vernichtet waren.   Tage hindurch wurde der
auf den Nordbahnhof eilende Reisende am Ende der Leopoldstadt inmitten
der stummen Denkmäler der Verwüstung von Kindern angehalten, die
mit Tellern oder Becken in der Hand um einen Nothpfennig für ihre
verunglückten Ältern bettelten. Aber auch jene ärmeren Familien die unmittelbar kein Schade getroffen, hatten schwere Tage. In der ersten
Zeit nach der Einnahme machte sich Mangel an gewissen Gattungen von
Lebensmitteln noch immer fühlbar. Milch und „Obers" waren, obwohl
die Zufuhr in dieser Hinsicht nicht mehr gehemmt war, an vielen Orten
nur sehr schwer zu bekommen, das Viertelpfund schlechter Butter noch am
2. November unter 40 Kreuzern W. W. nicht zu kaufen. Der Preis des
Holzes, von dem so viele hundert Klafter nutzlos verbrannt worden, war
in fortwährendem Steigen und der Winter stand vor der Thüre. Bei
Nacht war es unheimlich in der sonst so freundlichen Weltstadt. Der
Gasometer am Erdberg war ausgebrannt, und trotz des Gebotes vor
jedem zweiten Haus eine brennende Lampe anzubringen, lief man in
Straßen wo noch Reste des October-Schuttes lagen bei einbrechender
Dunkelheit Gefahr Arme und Beine zu brechen. In den Räumen der
ersten Gast- und Kaffeehäuser, deren Spiegel den tageshellen Glanz zahlreicher Gasflammen zurückzustrahlen pflegten, verbreiteten jetzt düster
brennende Kerzen ein spärliches Licht. Selbst bei Tage sah es an vielen
Orten wüst und traurig, oder ernst und drohend aus. Viele Straßen
waren fast ungangbar; hunderte von Pflasterern wimmelten klopfend und
hämmernd auf dem Boden, dessen Schäden auszubessern und die geebnete
Bahn mit neuen Granit-Würfeln zu belegen. Die Basteien um die
Stadt, der beliebte Spaziergang aller Arten von Staats-Hämorrhoidarien,
bekamen ein martialisches Ansehen: es wurde da an allen Punkten fleißig
gearbeitet um, wie die Radicalen höhnisch sagten, die „Belagerungs-
Toilette" Wiens auf das sorgfältigste auszustatten. Über dem Kärntner-
thor blickten 4 Kanonen gegen die Wieden, ober dem Schottenthore 1
gegen die Josephstadt, von der Elend-Bastei vor dem Stabsstockhause 4
gegen die Alser-Vorstadt und Rossau, von der Gonzaga-Bastei 3 gegen

die Leopoldstadt 2c. Auch auf dem Stephansplatze standen durch die
ersten vierzehn Tage einige Geschütze. Das Bivouakiren kleinerer Trup=
pen-Abtheilungen währte an einzelnen Punkten der Stadt wochenlang
fort; einen der letztern bildete das f. g. Riesenthor der Stephanskirche,
dessen geräumige Halle den dort postirten Soldaten zum Anmachen des
Feuers, zum Schutz beim Regen, zur Schlafstelle bei Nacht, zum Waffen=
Depositorium diente. Die beiden Kartätschen-Kästen vor dem Hofkriegs=
rathsgebäude, seit dem 6. October außer Dienst, wurden wieder in Stand
gesetzt und mit je 6 Ladungen gefüllt; einen größeren Vorrath von letz=
tern hielt man in eiserner Truhe in einem Kellerraum des Gebäudes in
Bereitschaft. Zu allen Stunden bei Tag und bei Nacht gingen Streif=
wachen ihre Runde ab; wo zwei aufeinanderstießen, schritten von jeder
ein Mann mit quer vor der Brust gehaltener Muskete auf einander zu,
wechselten die Losung und gingen dann jede wieder ihres Weges weiter.

Die Verhängung des Belagerungszustandes schloß selbstverständlich
die Auflösung aller bewaffneten Corps und die Ablieferung sämmtlicher
Waffen und Munition an das Militär in sich. Dies Gebot war bereits
mittelbar in der Lundenburger Proclamation vom 20., dann ausdrücklich
im 1. und 2. Punkte jener aus Hetzendorf vom 23. Oktober, endlich in
den §§. 2 und 3 der Kundmachung vom 1. November enthalten. In
der That waren schon bei Besetzung der Vorstädte in den letzten Octo=
bertagen tausende von Gewehren auf die Gemeindehäuser, namentlich der
Rossau und Wieden, gebracht, vom Militär auf Wagen geladen und
theils vorläufig nach Nußdorf geführt theils in das Neugebäude auf
der Simmeringer Heide, das zum eigentlichen Waffen-Depot bestimmt
wurde, geschafft worden. Unzählige weggeworfene Waffen aller Art
waren dann bei Einnahme der innern Stadt von der Straße aufgelesen
und von den Militär-Behörden in Empfang genommen worden. Noch
in den Tagen darauf wurden viele in den Häusern vorhandene Waffen
Nachts zum Fenster hinaus auf die Gasse geworfen, am andern Mor=
gen von den Soldaten gesammelt, in Haufen zusammengelegt und auf
zweispännige Wagen geladen, deren ohrenzerreißendes Klirren, wie sie
über das vielfach aufgerissene Pflaster langsam dahin humpelten, den
Misvergnügten immer neuen Stoff zu Klagen und boshaften Auslassun=
gen bot. Immer steckte aber vieles noch in den Häusern; geheime An=
zeigen von da und dort verborgen gehaltenen Waffen liefen täglich ein;
auch von großen Pulvervorräthen wollten einzelne Angeber wissen, was

11*

sich freilich mit der von Messenhauser schon am 28. October beklagten
Erschöpfung aller Munition schwer zusammenreimen ließ. Der Gemeinderath mahnte, die Stadt-Commandantur drohte. Es ergingen dringende
Aufforderungen an alle Hausherren und Haus-Administratoren, alle
Räumlichkeiten vom Boden bis zum Keller, „insbesondere die Magazine"
auf das sorgfältigste untersuchen und das Gefundene „bei eigener Verantwortung" an die Direction des k. k. Zeughauses abliefern zu lassen
(3. Nov.). Auch das Tragen der Nationalgarden-Uniform wurde als
mit dem Belagerungszustande unverträglich erklärt. General Cordon
betrachtete alle bewaffneten Corps als einfach aufgelöst; von Versammlungen, von amtlichen Correspondenzen oder sonstigen Acten, wodurch sie
sich, wenn auch waffenlos, noch fortwährend als constituirt ansahen,
durfte keine Rede sein. Er richtete einen amtlichen Erlaß an den Gemeinderath (9. Nov.) worin er alle Vorgänge solcher Art „mit allem
Ernste" untersagte: „die Dawiderhandelnden werden verhaftet und vor
ein Militär-Gericht gestellt werden". *)

Nicht wenig Verdruß und Unbequemlichkeit verursachte die strenge
Abschließung der innern Stadt. In der ersten Nacht und am darauffolgenden Tage wurde gar niemand aus und ein gelassen, was für Solche
die ihre Wohnung und Familie in der Vorstadt hatten mitunter zu un-
angenehmen Verwicklungen führte. Unter den auf solche Art Abgesperrten befand sich Schuselka, der ein Gassen-Zimmer im dritten Stocke der
„Stadt London" miethete. Aber nicht Allen die sich in gleicher Lage
befanden erging es so gut. Wer halbwegs anrüchig war oder schien,
weil er dem Reichstage, der Legion, der Journalistik angehörte, fand fast
überall wo er anklopfte verschlossene Thüren, mindestens verlegene Mienen
aus denen der dringende Wunsch, ihn bald weiter zu wissen, herauszu-
lesen war. Der Redacteur der „Allg. Straßen-Zeitung" Wilhelm Ehrlich brachte die regnerische Nacht vom 1. zum 2. November in dem
wenig belebten „Ofenlochgäßchen" zu; manchmal wagte er sich aus seinem
Schlupfwinkel einige Schritte vorwärts, zog sich aber, wenn der Schein
einer Hand-Laterne in seine Nähe kam oder unter den „Tuchlauben"
(Geschütze und Soldaten patrouillirend vorüberzogen, behutsam wieder
zurück [164]). Andere die so glücklich waren eine Wohnung in der innern
Stadt zu haben, getrauten sich aus ihr nicht hinaus; so Messenhauser
der, ohne seinen wahren Namen und Stand zu verrathen, erst kurz zu-

*) Vgl. unsern I. Bd. Anm. 293).

vor im vierten Stocke eines im engen „Mariengäßchen" gelegenen Hau=
ses ein Quartier gemiethet hatte. · Blum und Fröbel, die im zweiten
Stockwerke der „Stadt London" eine Hof=Wohnung innehatten, zeigten
sich den ersten Tag nach Einmarsch der Truppen außerhalb derselben; noch
am 2. schrieb Blum an seine Frau: dem Vernehmen nach gingen die
Posten wieder ab, „hoffentlich folgt diesem Schreiben bald auch die Mög=
lichkeit reisen zu können, und ich komme dann nach Haus". Da sie aber,
wie Fröbel erzählt, von den in der Stadt verübten „Greueln" hörten
„und man Gefahr laufen konnte massacrirt zu werden wenn man eine
Physiognomie hatte die den Soldaten nicht gefiel", beschloßen sie nicht
mehr auszugehen [165]).

Am 2. November erfolgte die erste Erleichterung bezüglich der „un=
bedenklichen Frauenzimmer" die beim Rothenthurm= und Kärntnerthor
hinausgelassen wurden*). Sothane „Unbedenklichkeit" aber zu constatiren
wurden alle, die sich bei einem dieser Ausgänge in Weiberröcken zeigten,
scharf in's Auge genommen, auch einige Worte mit ihnen gewechselt um
das Organ zu prüfen. Denn man wollte vorbeugen daß nicht als
Frauenzimmer angethane Männer entwischten, wie denn in der That
Verkleidungen aller Art an der Tagesordnung waren; „man sah", heißt
es in einem zeitgenössischen Berichte, „manchen Studenten wie eine Dame
stattlich geputzt am Arm eines bejahrten solid aussehenden Mannes durch
die Gassen schreiten". Am 3. November verkündete der Gemeinderath
„im Auftrage des k. k. Militär=Ober=Commandos", daß von nun an
von 10 Uhr V. M. das Burg=, alte Kärntner=, Rothenthurm= und Schot=
tenthor, die St. Marxer, Matzleinsdorfer, Mariahilfer, Lerchenfelder und
Nußdorfer Linie dem Verkehr eröffnet seien; gemischte Commissionen
wurden an jedem dieser Punkte aufgestellt, vor denen sich der Ein= und
Austritt Begehrende mit seinem vorschriftmäßig ausgestellten Passier=
Scheine auszuweisen hatte. Desgleichen wurde von der Militär=Behörde
„sämmtlichen Land=Parteien und Markt=Victualien=Händlern vom Lande"
die ordnungsmäßige „Richterzettel" vorzuzeigen vermöchten „der Besuch
der in den Vorstädten Wiens befindlichen gewöhnlichen Marktplätze", der
Eingang in die innere Stadt beim Schotten=, Kärntner= und Rothen=
thurmthor gestattet, der Heu=, Stroh= und Körner=, dann der Schlacht=
und Jungvieh=Markt dem gewöhnlichen Verkehr freigegeben; nur hatten
sich die Marktfahrer beim Wiederaustritt aus der Stadt „allfälliger"

---

*) Siehe Bd. I. S. 426.

Unterſuchung zu unterziehen.« Von dieſem Augenblicke an gab es auf
allen Punkten in und außerhalb der Stadt ein allgemeines Drängen und
Eilen. In den Gebäuden um Wien, wo hunderte von Parteien ſeit
Wochen von ihrer Ausſchreitung ausgeſperrt waren, befanden ſich nur
wenige Glückliche, denen es am erſten Tage möglich wurde mittelſt Aus=
weis, ſeitweiliger Polizei-Erklärung Protection und letzter Unterſchrift von
der Militär-Behörde innerhalb die Linien zu gelangen. Geſchäftsleute
die von weither kamen und von den jüngſt erlaſſenen Vorſchriften keine
Kenntniß hatten, mußten vor dem Linien=Thor umkehren und die Gnade
der noch befindlichen Grundgerichte und Polizei-Commiſſariate anrufen
um nur in eine der Vorſtädte zu gelangen, wo ſie jedoch, wenn ſie in
die innere Stadt wollten, neue Mühen vor ſich hatten und zuletzt froh
ſein mußten, etwa durch die Bekanntſchaft oder Freundlichkeit eines Offi=
ciers für die hereinbrechende Nacht irgend eine Unterkunft zu finden.
Bei den Grundgerichten in den Vorſtädten und bei den leitenden Mili=
tär-Behörden in denſelben ging es nicht minder aufgeregt zu als vor den
Linien. Der Andrang an manchen Orten war ſo ſtark, daß es einen Auf=
wand von ſieben bis acht Stunden bedurfte um den erſehnten Geleit=
ſchein zu erhalten; und nicht weniger als das Publicum konnten die be=
treffenden Beamten und Officiere klagen, die vom Morgen bis zum
Abend wahre Stürme zu beſtehen hatten. Um nicht neue Verwicklungen
hervorzurufen, durften ſie ſich in der Farbe der Paſſier=Scheine nicht
irren; jene zwiſchen Stadt und Vorſtädten waren auf weißem, die für
die Überſchreitung der Linien auf gelbem oder rothem Papier. Am ärg=
ſten war wohl das Treiben in der innern Stadt wo in Folge der Ab=
ſperrung in den letzten Tagen Tauſende des Augenblicks harrten, in ihre
in den Vorſtädten oder außer der Linie gelegenen Wohnungen, zu ihrem
darnieder liegenden Geſchäfte, in den Schoß ihrer mit banger Sehnſucht
wartenden oder erwarteten Familien kommen zu können. Wenn ſie nach
ſtundenlangem Drängen und Drücken und Treiben in das Amtszimmer
des Stadthauptmannſchaftlichen Bezirks=Commiſſariates gelangten, mußten
ſie da ein förmliches Verhör beſtehen um die Identität ihrer Perſon
nachzuweiſen. Hatten ſie dieſe Prüfung überſtanden, ſo war dieſelbe
hierauf bei dem k. k. Militär=Platz=Commando durchzumachen, das für
ſolchen Zweck die Räumlichkeiten der früheren Reichstagswache am
Stephansplatz eingerichtet hatte. Da lagerte oder vielmehr da balgte ſich
vom frühen Morgen ein wirres Durcheinander. Die wachhabende In=

fanterie Galizianer, die Cavallerie Italiener, der deutschen Sprache nicht
kundig, hatten keine mahnenden Worte sondern nur handgreifliche Zu=
rechtweisung für die meist aus Leuten der niedrigsten Volks=Classen be=
stehende Menge, die in schreiendem schimpfenden fluchenden Gedränge
um den Eingang sich zwängte, so daß hunderte besser gekleideter Personen
lieber unverrichteter Dinge fortgingen als sich in diesem Getümmel den
ärgsten Unannehmlichkeiten auszusetzen. Hatte man aber zuletzt das
Innere gewonnen, durch viele Thüren und noch mehr Augen in Reih
und Glied das Ziel erreicht, dann war nicht weiter zu klagen; die dienst=
thuenden Officiere entwickelten eine Geduld, ja Zuvorkommenheit, die
gegen Scenen wie sie draußen am Platze den ganzen Tag über sich ab=
spielten in der vortheilhaftesten Weise abstach. Der glückliche Besitzer
eines Geleitscheines hatte jetzt nur noch beim Austritt aus der Stadt
eine Musterung von einem Dutzend Aufpasser, die jeden halbwegs Ver=
dächtigen in die Wachstube abtreten ließen, zu bestehen; wenn ihn seine
Bestimmung vor die Linie rief, mußte er weiter bei dem betreffenden
Thor=Commandanten sich melden und vor dessen prüfendem Auge Gnade
finden. Für Reisen über den Belagerungs=Rayon hinaus bedurfte man
nebst dem Passier=Schein eines Reisepasses mit der Unterschrift des
Militär=Commandanten F. M. L. Csorich; in der Leopoldstadt unter=
zeichnete F. M. L. Ramberg.

Mit der strengen Abschließung und der scharfen Überwachung der
Stadt waren begreiflicherweise manch anderweitige Unannehmlichkeiten
verbunden. Je weniger man verläßliche Nachrichten von dem hatte wie
es außerhalb des militärisch abgesperrten Gebietes aussah, desto mehr
häuften sich Gerüchte, mitunter der abenteuerlichsten Art. Bis zum 3.
hatte man gar keine neuen Zeitungen; an diesem Tage erschien zum
erstenmal die „Wiener Zeitung", ohne jedoch anderes als amtliche Kund=
machungen zu bringen; darunter eine der „k. k. Central=Commission der
Stadt=Commandantur" wodurch „sämmtliche von Wien abwesende öffent=
liche Beamte bei strengster Verantwortung" aufgefordert wurden „un=
verzüglich auf ihren Posten zurückzukehren und sich bei ihren respectiven
Amtsvorständen zu melden, indem dem Wiederantritt ihrer Functionen
kein Hindernis mehr im Wege" stehe; von politischen Nachrichten aus
dem In= und Auslande kein Sterbenswörtchen. Die Ausgabe der Briefe
und auswärtigen Journale, wovon nach dem Ausmarsch der Truppen
ganze Waarenladungen auf die Post gelangt waren, befand sich noch

immer nicht in geregeltem Gange, was bei der Riesenarbeit die nun
ihren Beamten oblag keinen Billigdenkenden Wunder nehmen konnte. Es
dachten aber eben nicht Alle billig, sondern Viele bereiteten sich das
Vergnügen, herzergreifende Klagen über eine solche Geistesknechtung, die
nun im Gefolge des Belagerungszustandes wieder auftrete, nach allen
Weltgegenden hinauszusenden [166]).

So war denn aus dem frühern „Wühler" im Umschwung der
Dinge ein „Heuler" geworden. Die Radicalen hatten so lang gegen
das Hereinbrechen eines eingebildeten Rückschlages in das Horn gestoßen,
bis dieser in leibhaftiger Gestalt vor ihnen stand und ihnen nichts übrig
blieb als ohnmächtiges Wehklagen und im besten Falle nutzloses Bedauern über ihren eigenen frühern Unsinn [167]). Jetzt jammerten sie über
das Hausen der „fremden" Soldaten in der „deutschen" Stadt — die
slavischen magyarischen und romanischen Regimenter im Heere Radecky's,
dessen „deutsche" Siege eine Frankfurter Adresse in den Himmel erhob,
waren wohl keine „fremden" Soldaten? — und grinsten über die
„Kroaten", diese „soldaten=ähnlichen Gestalten" mit den „wechselfiebergel=
ben Gesichtern", die in grauen abgetragenen Commiß=Mänteln, mit
Beinkleidern aller Farben und Formen, Holzkappen und Sandalen und
altem schwarzen Riemzeug alle Straßen und Plätze, wie jene klagten,
alle Thorwachen und Durchfahrten unsicher machten.

Leider hatte sich auch auf der andern Seite das Blatt gewendet:
die ehemaligen Heuler wurden jetzt ganz eigentlich Wühler. Von dem
ersten Augenblicke da der Soldat Herr des Gebietes war, stand das
Denunciantenthum in üppigster Blüthe, „das auf dem Stoppelfelde der
abgemähten und niedergetretenen Ungebundenheit der frühern Tage nach
jedem stehen gebliebenen radicalen Halme herumschnupperte" und das zu=
letzt selbst den Organen der öffentlichen Sicherheit lästig, insbesondere
aber den gerade und offen fühlenden Officieren zum Eckel wurde [168]). Es
war dies die häßlichste Seite der eingetretenen Wandlung, worüber alle
Besserdenkenden laute Klage führten. „Wahrlich", sagten sie, „man
könnte fast bereuen gegen die Radicalen aufgetreten zu sein; der schlech=
teste der von diesen gefallen, war noch zu gut als daß der beste von
jenen Ultra-Conservativen den Finger in sein Blut tauchen und Carricaturen damit an die Wand mahlen dürfte!" Es kam in Folge dieser
fortwährenden Angebereien ein wahrer Schrecken über gewisse Kreise.

Man vertilgte, um ja nicht in Verdacht zu gerathen, alles und jedes was mit den vorausgegangenen Ereignissen irgendwie zusammenhing; man verbrannte ganze Stöße von Abbildungen, von Zeitungen und Flugschriften die man in den vorausgegangenen Monaten gehalten und gesammelt hatte, warf selbst Bücher z. B. Börne's Schriften in's Feuer und verschonte höchstens die „Geißel" und den „Zuschauer", die man recht augenfällig auf Tisch und Kasten legte um sich damit, wenn etwa eine Hausdurchsuchung stattfände, über seine gute Gesinnung legitimiren zu können.

12.

In einer volkreichen Stadt wie Wien lassen sich Maßregeln äußer=ster Strenge, wie sie in den ersten Tagen nach der Einnahme angeordnet waren, auf die Länge nicht halten. Schon am 4. November ließ Cordon von der bisherigen Absperrung soweit nach, daß durch das Burg=, das alte Kärntner=, das Stuben=, Rothenthurm= und Schottenthor von 5 Uhr Morgens bis 7 Uhr Abends sowohl Fußgänger als Fahrende frei ver=kehren durften. Am 7. dehnte er dieselbe Gestattung auf die in der Kundmachung vom 3. bezeichneten fünf Linien=Thore für die Zeit von 5 Uhr Morgens bis 8 Uhr Abends aus; nur wer außer dieser Zeit zur Linie hinaus oder hinein wollte, mußte sich mit einem Geleitschein ausweisen. An den übrigen Stadt= und Linien=Thoren blieb es vorder=hand noch beim alten.

Am 5. November konnte die ruheliebende Bevölkerung zum ersten=mal der gewährten Erleichterung froh werden. Die Witterung war noch vorwaltend schön, erst mit dem 6. trat fühlbare Kälte, mit dem 10. un=freundliche Nässe ein. Munter wogte alles in sonntäglicher Kleidung und Stimmung aus der Stadt in die Vorstädte, aus diesen in jene. Neugierige unternahmen Pilgerfahrten nach den Schauplätzen der letzten Kämpfe; der Vorstädtler besah die Verwüstung auf den Basteien, der Städter die Brandstätten in der Jägerzeile. Man wanderte hinaus und hinein, um sich des Schicksals lang entbehrter Bekannten zu vergewissern. Besonders die Gegend um die Burg und die Hauptstraße von Maria=

f ... ein ... Bild : vor die Linie hinaus, nach Hietzing und
Zwischenbrücken, durfte man an diesem Tage freilich noch nicht. Als die
... von ... bei den besuchtesten der Linien-Thore
..., wurde es ... hier mit jedem Tage lebendiger. Eine große
Anzahl ... ... an der Abreise gehindert waren benützte die
... ... in die ersehnte Heimat zu eilen; doch bei weitem zahl=
reicher war die Masse jener, die Wagen an Wagen, vollgepackt mit Ein=
... und Bettzeug, mit Koffern und Schachteln, mit Bündeln
und ... Habe aller Art, aus wochenlanger freiwilliger oder noth=
gedrungener Verbannung nach Wien zurückkehrten. Unter letztern befan=
den sich auch viele öffentlich Bedienstete die nun keinen Vorwand hatten
... länger von Wien fernzuhalten; wie die Stadt-Commandantur am
... alle Staatsbeamten, so forderte am 5. der Wiener Gemeinderath
... Herren Mitglieder die sich in ihren Verpflichtungen gegen die
Commune minder eifrig bewiesen haben", auf, „bei ihrer Ehre und
Pflicht unverzüglich an den Geschäften des Stadtrathes sich zu be=
theiligen. Mit den sich täglich mehrenden Ankömmlingen kam neues
Leben in die Stadt. Das stärkere Gedränge in den Straßen ließ erst
... ..., wie öde es früher allenthalben gewesen war. Verkaufs=
... standen wieder offen und hatten Käufer in Fülle. Jeder der
... ... gab den Gewerbs= und Handelsleuten etwas zu ver=
... Alle waren durch wochenlange Mühsal und Beschwerden in
... ... heruntergekommen; viele waren vordem nie in Wien
... hatten sich oder den Ihrigen Andenken. Bald hatten einzelne
... ... über Mangel an Händen oder an hinreichender Waare
zu klagen. Den Glasern machten die allerorts zerschossenen oder durch
... und Erschütterung zersprungenen Fensterscheiben zu schaffen;
... ... all ihre Vorräthe verbraucht. Nächst dem Rothen=
... Thor war die Schmiede, die in der letzten Octoberzeit als Noth=
... ... verhalten müssen, wieder ihrer früheren Bestimmung zu=
..., ... sprühten die Funken und kräftig klangen die Schläge
... ... Am ... November sah man zum erstenmal Juwelen= Gold=
... Silber-Laden wieder geöffnet. Bald rollten Fiacres in raschem
... über den neugepflasterten Boden und auch schon einzelne vornehme
... ... man als Vorboten neu erwachenden Luxus durch die
... ... Unter den Hausthoren der öffentlichen Gebäude kamen
... ... Portiere, in ihre winterlichen Pelze gehüllt, mit den großen

filberbeschlagenen Stöcken zum Vorschein; auch Privat=Livreen, deren
man seit Monaten keine gesehen, tauchten hin und wieder auf.
Die Fenster lang veröbeter Häuser erhellten sich allmälig bei Nacht und
halfen der noch immer nicht in gehörigen Gang gebrachten Straßenbe=
leuchtung in etwas nach. Auch mit den Tagesneuigkeiten stand es all=
mälig besser. Die Stadt=Commandantur gestattete die Herausgabe aller
auswärtigen Blätter, mit Ausnahme der ungarischen und des Pariser
„National". Am 5. lag schon an vielen Orten die Augsburger Allg.
Ztg. auf [169]); an demselben Tage brachte die „Wiener Zeitung" zum
erstenmal nach den amtlichen Erlässen wieder eingehendere Artikel aus
der Provinz und vom Auslande, aus Deutschland Frankreich Groß=
britanien. Am 7. fand die Ausgabe auswärtiger Journale schon allge=
mein statt; man stürzte in Gast= und Kaffeehäusern darüber her und stritt
sich um ihren Besitz, um die ersten verläßlichen Nachrichten über das
viele zu empfangen was sich in der Zwischenzeit mehrerer Wochen in der
Heimat und Fremde zugetragen haben mußte. Am 7. erschienen auch
von Wiener Blättern zum erstenmal wieder „die Presse", der „Wiener
Geschäftsbericht und Neuigkeitsbote", das „Journal des österreichischen
Lloyd", am 8. Ebersberg's „Wiener Zuschauer", Böhringer's „Geißel",
am 9. Bäuerle's „Österreichischer Courier", am 10. das „Central=Organ
für Handel und Gewerbe". Nur durften sie nicht wie früher verschlissen
werden; das „Ausrufen und Verkaufen von Zeitungsblättern und Jour=
nalen auf offener Straße" wurde vom General Cordon, bei augenblick=
licher Verhaftung und Arrest=Strafe der Dawiderhandelnden, verboten
(8. Nov.) Noch erklang in Gärten und öffentlichen Vergnügungsorten
keine rauschende Musik wie in früheren Tagen; noch waren alle Theater
geschlossen; ja selbst der „Bäck' am Peter" mußte von Polizeiwegen seine
Doppelfenster fest verschließen, wenn er des Abends zu seiner liebge=
wordenen Flöte griff deren verlockende Weisen sonst Haufen von Hör=
lustigen vor seinem Hause angesammelt haben würden. Trotz dieser und
manch anderer Entbehrungen stellte sich nach und nach etwas von dem
alten Behagen in allen Schichten der Gesellschaft wieder ein. Es konnte
für Viele zwar nicht völlig wiederkehren was und wie sie es früher ge=
habt hatten, aber sie empfanden es ohne allen Vergleich anders und
besser als es ihnen in der letzten trüben Zeit ergangen war. „Mag
dieser Zustand", meinten sie, „immerhin den Namen Belagerungszustand
führen, dem Wesen nach ist er nicht von solcher Art um an die Bezeich=

... ... zu knüpfen". Und wenn derselbe, wie es
... ... für den ruhigsten Bürger mancherlei Placke=
... ... Störung in Folge hatte, so fühlten doch Alle, denen
... ... Ordnung keine gleichgiltigen Dinge
... ... wohlthuender Weise heraus: es brach=
... ... beruhigende Gewißheit daß endlich einmal
... ... sich Ansehen und Achtung zu verschaffen wisse;
... ... herausgekommen aus der Umfriedung der Gesetz=
...

... ... und allmälig besserten sich auch nach andern Seiten die
... Die Curse stiegen auf eine Ziffer die sie seit Anfang October
... ... 6. Nov. 76³⁄₄, 7. 78³⁄₄, 8. 80, 9. 79 ꝛc. Ge=
... ... allerdings noch keine rechten gemacht, so daß sich auf
... ... privilegirten Großhändler und des bürgerlichen Handels=
... ... Justiz-Ministerium veranlaßt fand die auf den 6. November
... ... Frist zur Bezahlung der seit 6. October fälligen Wechsel*)
... ... Tage, bis zum 9. November zu verlängern. Noch schwerer
... ... Druck der Zeiten jene Menschen=Classe, die seit den März=
... ... Weise verscholdelt worden war und deren Thätigkeit sich
... ... veränderte Verhältnisse zurechtfinden sollte, wir meinen die
... ... hatte in den Monaten zuvor Tagewerke
... ... Geld zukommen zu laffen; jetzt war es mit jenen
... ... zu einem großen Theile und mit dem Gelde des Ge=
... ... aus. Hatte er doch nur allein an die Ober=
... ... garde in der Zeit vom 18. bis 31. October
... ... C. M. ausgegeben, dazu Lieferungen an Holz und
... ... Tabak ¹⁷¹). Mehrere Fabriken waren nieder=
... ... die Wien-Gloggnitzer Eisenbahn hatte an Ge=
... ... Vorräthen und Werkzeugen ihrer Maschinen=Fabrik
... ... daß sie öffentlich erklären mußte: „sie sei einige
... ... Arbeiter zu beschäftigen im Stande". Der Nothruf der
... ... immer lauter. Der Gemeinderath setzte auf des
... ... Antrag ein eigenes Comité „zur Ausmittlung
... ... nothwendiger Arbeiten wobei mehre Menschen
... ... nieder, kurzweg „Arbeiter=Commission" ge=
... ... Die damit begann ein „Arbeiter=Sichtungs=Bureau"

einzurichten [172]) und alle Arbeit=Suchenden vorzufordern. Es meldeten sich nicht weniger als 30.000 Personen beiderlei Geschlechts. Das erste war, die nicht nach Wien zuständigen, bei 5.000 an der Zahl, auszuscheiden und aus der Stadt fortschaffen zu laffen. Von den übriggebliebenen wurden 4.562 als berückfichtigungswürdig bezeichnet und felben, dafern ihnen nicht sogleich eine Arbeit verschafft werden könnte, bei den Armenvätern ihres Pfarrsprengels Unterstützungsbeiträge von 15 (füt Weiber mit Kindern und für Männer) und von 10 kr. angewiesen (Kundmachung v. 6. November). Zugleich appellirte der Gemeinderath — da „die geschwächten Mittel der Commune“ nicht ausreichten „um die zur Abhilfe erforderlichen Auslagen zu bestreiten“ — an die Großmuth und Menschenfreundlichkeit der Bewohner Wiens (Kundm. v. 8. Nov.), aber auch an die Mildthätigkeit der Landbewohner Österreichs (Kundm. v. 10. Nov.), um „Geldbeiträge Nahrungsmittel Wäsch= und Kleidungsstücke und andere Gaben“, die in dem ehemaligen Liguorianer=Klofter bei Maria=Stiegen in Empfang genommen werden follten, dem genannten Zwecke zu widmen. Der Aufruf verfehlte feine Wirkung nicht. Nicht nur der bemittelte Wiener spendete mit vollen Händen, auch außerhalb Wien in kleinern und größern Städten wurden von Privaten, von Gemeinden und anderen Körperschaften Sammlungen veranstaltet und mitunter nicht unbeträchtliche Unterstützungsbeiträge eingesandt. Der mährische Landtag beftimmte für diesen Zweck eine Summe von 5.000 fl., veranlaßte außerdem eine Sammlung unter feinen anwesenden Mitgliedern und beschloß fich an das Landes=Präfidium wegen Einleitung gleicher Sammlungen „im Wege der k. k. Kreisämter“ zu wenden; die Brünner Nationalgarde veranstaltete eine Sammlung von Haus zu Haus; der Ertrag einer Vorstellung im Theater wurde den verunglückten Wienern gewidmet [173]).

Die Ansammlung so zahlreichen Militärs in der innern Stadt und in den Vorstädten war allerdings von mancherlei Unannehmlichkeiten nicht frei. Aber nahm man diese nicht willig mit in den Kauf, gegen die ungleich größern Bedrohungen, ja wirklichen Gefahren, die man dadurch losgeworden? Die vielen Wachposten, die einherziehenden Patrouillen, die Bivouacs auf Plätzen und Straßen waren allgegenwärtige Mahnzeichen daß man fich in außergewöhnlichen Verhältniffen befinde: allein waren die Zustände unmittelbar zuvor, wo ungeregelte Schaaren roher Mobilen und entarteter Amazonen die Gaffen Wiens durchzogen, etwa

sich freilich mit der von Messenhauser schon am 28. October beklagten
Erschöpfung aller Munition schwer zusammenreimen ließ. Der Gemeinde=
rath mahnte, die Stadt=Commandantur drohte. Es ergingen dringende
Aufforderungen an alle Hausherren und Haus=Administratoren, alle
Räumlichkeiten vom Boden bis zum Keller, „insbesondere die Magazine"
auf das sorgfältigste untersuchen und das Gefundene „bei eigener Ver=
antwortung" an die Direction des k. k. Zeughauses abliefern zu lassen
(3. Nov.). Auch das Tragen der Nationalgarden=Uniform wurde als
mit dem Belagerungszustande unverträglich erklärt. General Cordon
betrachtete alle bewaffneten Corps als einfach aufgelöst; von Versamm=
lungen, von amtlichen Correspondenzen oder sonstigen Acten, wodurch sie
sich, wenn auch waffenlos, noch fortwährend als constituirt ansahen,
durfte keine Rede sein. Er richtete einen amtlichen Erlaß an den Ge=
meinderath (9. Nov.) worin er alle Vorgänge solcher Art „mit allem
Ernste" untersagte: „die Dawiderhandelnden werden verhaftet und vor
ein Militär=Gericht gestellt werden". *)

Nicht wenig Verdruß und Unbequemlichkeit verursachte die strenge
Abschließung der innern Stadt. In der ersten Nacht und am darauf=
folgenden Tage wurde gar niemand aus und ein gelassen, was für Solche
die ihre Wohnung und Familie in der Vorstadt hatten mitunter zu un=
angenehmen Verwicklungen führte. Unter den auf solche Art Abgesperr=
ten befand sich Schuselka, der ein Gassen=Zimmer im dritten Stocke der
„Stadt London" miethete. Aber nicht Allen die sich in gleicher Lage
befanden erging es so gut. Wer halbwegs anrüchig war oder schien,
weil er dem Reichstage, der Legion, der Journalistik angehörte, fand fast
überall wo er anklopfte verschlossene Thüren, mindestens verlegene Mienen
aus denen der dringende Wunsch, ihn bald weiter zu wissen, herauszu=
lesen war. Der Redacteur der „Allg. Straßen=Zeitung" Wilhelm Ehr=
lich brachte die regnerische Nacht vom 1. zum 2. November in dem
wenig belebten „Ofenlochgäßchen" zu; manchmal wagte er sich aus seinem
Schlupfwinkel einige Schritte vorwärts, zog sich aber, wenn der Schein
einer Hand=Laterne in seine Nähe kam oder unter den „Tuchlauben"
Geschütze und Soldaten patrouillirend vorüberzogen, behutsam wieder
zurück ¹⁶⁴). Andere die so glücklich waren eine Wohnung in der innern
Stadt zu haben, getrauten sich aus ihr nicht hinaus; so Messenhauser
der, ohne seinen wahren Namen und Stand zu verrathen, erst kurz zu=

---

*) Vgl. unsern I. Bd. Anm. 293).

vor im vierten Stocke eines im engen „Mariengäßchen" gelegenen Hau=
ſes ein Quartier gemiethet hatte. Blum und Fröbel, die im zweiten
Stockwerke der „Stadt London" eine Hof=Wohnung innehatten, zeigten
ſich den erſten Tag nach Einmarſch der Truppen außerhalb derſelben; noch
am 2. ſchrieb Blum an ſeine Frau: dem Vernehmen nach gingen die
Poſten wieder ab, „hoffentlich folgt dieſem Schreiben bald auch die Mög=
lichkeit reiſen zu können, und ich komme dann nach Haus". Da ſie aber,
wie Fröbel erzählt, von den in der Stadt verübten „Greueln" hörten
„und man Gefahr laufen konnte maſſacrirt zu werden wenn man eine
Phyſiognomie hatte die den Soldaten nicht gefiel", beſchloßen ſie nicht
mehr auszugehen [165]).

Am 2. November erfolgte die erſte Erleichterung bezüglich der „un=
bedenklichen Frauenzimmer" die beim Rothenthurm= und Kärntnerthor
hinausgelaſſen wurden*). Sothane „Unbedenklichkeit" aber zu conſtatiren
wurden alle, die ſich bei einem dieſer Ausgänge in Weiberröcken zeigten,
ſcharf in's Auge genommen, auch einige Worte mit ihnen gewechſelt um
das Organ zu prüfen. Denn man wollte vorbeugen daß nicht als
Frauenzimmer angethane Männer entwiſchten, wie denn in der That
Verkleidungen aller Art an der Tagesordnung waren; „man ſah", heißt
es in einem zeitgenöſſiſchen Berichte, „manchen Studenten wie eine Dame
ſtattlich geputzt am Arm eines bejahrten ſolid ausſehenden Mannes durch
die Gaſſen ſchreiten". Am 3. November verkündete der Gemeinderath
„im Auftrage des k. k. Militär=Ober=Commandos", daß von nun an
von 10 Uhr V. M. das Burg=, alte Kärntner=, Rothenthurm= und Schot=
tenthor, die St. Marxer, Matzleinsdorfer, Mariahilfer, Lerchenfelder und
Nußdorfer Linie dem Verkehr eröffnet ſeien; gemiſchte Commiſſionen
wurden an jedem dieſer Punkte aufgeſtellt, vor denen ſich der Ein= und
Austritt Begehrende mit ſeinem vorſchriftmäßig ausgeſtellten Paſſier=
Scheine auszuweiſen hatte. Desgleichen wurde von der Militär=Behörde
„ſämmtlichen Land=Parteien und Markt=Victualien=Händlern vom Lande"
die ordnungsmäßige „Richterzettel" vorzuzeigen vermöchten „der Beſuch
der in den Vorſtädten Wiens befindlichen gewöhnlichen Marktplätze", der
Eingang in die innere Stadt beim Schotten=, Kärntner= und Rothen=
thurmthor geſtattet, der Heu=, Stroh= und Körner=, dann der Schlacht=
und Jungvieh=Markt dem gewöhnlichen Verkehr freigegeben; nur hatten
ſich die Marktfahrer beim Wiederaustritt aus der Stadt „allfälliger"

*) Siehe Bd. I. S. 426.

Untersuchung zu unterziehen." Von diesem Augenblicke an gab es auf allen Punkten in und außerhalb der Stadt ein allgemeines Drängen und Eilen. In den Ortschaften um Wien, wo hunderte von Parteien seit Wochen von ihrer Stadtwohnung ausgesperrt waren, befanden sich nur wenig Glückliche, denen es am ersten Tage möglich wurde mittelst Ausweis Geleitschein Polizei-Bestätigung Protection und letzter Unterschrift von der Militär-Behörde innerhalb die Linien zu gelangen. Geschäftsleute die von weiterher kamen und von den jüngst erlassenen Vorschriften keine Kenntnis hatten, mußten vor dem Linien-Thor umkehren und die Gnade der nächst befindlichen Grundgerichte und Polizei-Commissariate anrufen um nur in eine der Vorstädte zu gelangen, wo sie jedoch, wenn sie in die innere Stadt wollten, neue Mühen vor sich hatten und zuletzt froh sein mußten, etwa durch die Bekanntschaft oder Freundlichkeit eines Officiers, für die hereinbrechende Nacht irgend eine Unterkunft zu finden. Bei den Grundgerichten in den Vorstädten und bei den leitenden Militär-Behörden in denselben ging es nicht minder aufgeregt zu als vor den Linien. Der Andrang an manchen Orten war so stark, daß es einen Aufwand von sieben bis acht Stunden bedurfte um den ersehnten Geleitschein zu erhalten; und nicht weniger als das Publicum konnten die betreffenden Beamten und Officiere klagen, die vom Morgen bis zum Abend wahre Stürme zu bestehen hatten. Um nicht neue Verwicklungen hervorzurufen, durften sie sich in der Farbe der Passier-Scheine nicht irren; jene zwischen Stadt und Vorstädten waren auf weißem, die für die Überschreitung der Linien auf gelbem oder rothem Papier. Am ärgsten war wohl das Treiben in der innern Stadt wo in Folge der Absperrung in den letzten Tagen Tausende des Augenblicks harrten, in ihre in den Vorstädten oder außer der Linie gelegenen Wohnungen, zu ihrem darnieder liegenden Geschäfte, in den Schoß ihrer mit banger Sehnsucht wartenden oder erwarteten Familien kommen zu können. Wenn sie nach stundenlangem Drängen und Drücken und Treiben in das Amtszimmer des stadthauptmannschaftlichen Bezirks-Commissariates gelangten, mußten sie da ein förmliches Verhör bestehen um die Identität ihrer Person sicherzustellen. Hatten sie diese Prüfung überstanden, so war dieselbe Procedur bei dem k. k. Militär-Platz-Commando durchzumachen, das für solchen Zweck die Räumlichkeiten der früheren Reichstagswache am Josephsplatze eingerichtet hatte. Da lagerte oder vielmehr da balgte sich vom frühen Morgen ein wirres Durcheinander. Die wachhabende In-

fanterie Galizianer, die Cavallerie Italiener, der deutschen Sprache nicht
kundig, hatten keine mahnenden Worte sondern nur handgreifliche Zu-
rechtweisung für die meist aus Leuten der niedrigsten Volks-Classen bestehende Menge, die in schreiendem schimpfenden fluchenden Gedränge
um den Eingang sich zwängte, so daß hunderte besser gekleideter Personen
lieber unverrichteter Dinge fortgingen als sich in diesem Getümmel den
ärgsten Unannehmlichkeiten auszusetzen. Hatte man aber zuletzt das
Innere gewonnen, durch viele Thüren und noch mehr Augen in Reih
und Glied das Ziel erreicht, dann war nicht weiter zu klagen; die dienstthuenden Officiere entwickelten eine Geduld, ja Zuvorkommenheit, die
gegen Scenen wie sie draußen am Platze den ganzen Tag über sich abspielten in der vortheilhaftesten Weise abstach. Der glückliche Besitzer
eines Geleitscheines hatte jetzt nur noch beim Austritt aus der Stadt
eine Musterung von einem Dutzend Aufpasser, die jeden halbwegs Verdächtigen in die Wachstube abtreten ließen, zu bestehen; wenn ihn seine
Bestimmung vor die Linie rief, mußte er weiter bei dem betreffenden
Thor-Commandanten sich melden und vor dessen prüfendem Auge Gnade
finden. Für Reisen über den Belagerungs-Rayon hinaus bedurfte man
nebst dem Passier-Schein eines Reisepasses mit der Unterschrift des
Militär-Commandanten F. M. L. Csorich; in der Leopoldstadt unterzeichnete F. M. L. Ramberg.

Mit der strengen Abschließung und der scharfen Überwachung der
Stadt waren begreiflicherweise manch anderweitige Unannehmlichkeiten
verbunden. Je weniger man verläßliche Nachrichten von dem hatte wie
es außerhalb des militärisch abgesperrten Gebietes aussah, desto mehr
häuften sich Gerüchte, mitunter der abenteuerlichsten Art. Bis zum 3.
hatte man gar keine neuen Zeitungen; an diesem Tage erschien zum
erstenmal die „Wiener Zeitung", ohne jedoch anderes als amtliche Kundmachungen zu bringen; darunter eine der „k. k. Central-Commission der
Stadt-Commandantur" wodurch „sämmtliche von Wien abwesende öffentliche Beamte bei strengster Verantwortung" aufgefordert wurden „unverzüglich auf ihren Posten zurückzukehren und sich bei ihren respectiven
Amtsvorständen zu melden, indem dem Wiederantritt ihrer Functionen
kein Hindernis mehr im Wege" stehe; von politischen Nachrichten aus
dem In- und Auslande kein Sterbenswörtchen. Die Ausgabe der Briefe
und auswärtigen Journale, wovon nach dem Ausmarsch der Truppen
ganze Waarenladungen auf die Post gelangt waren, befand sich noch

immer nicht in geregeltem Gange, was bei der Riesenarbeit die nun ihren Beamten oblag keinen Billigdenkenden Wunder nehmen konnte. Es dachten aber eben nicht Alle billig, sondern Viele bereiteten sich das Vergnügen, herzergreifende Klagen über eine solche Geistesknechtung, die nun im Gefolge des Belagerungszustandes wieder auftrete, nach allen Weltgegenden hinauszusenden [166]).

So war denn aus dem frühern „Wühler" im Umschwung der Dinge ein „Heuler" geworden. Die Radicalen hatten so lang gegen das Hereinbrechen eines eingebildeten Rückschlages in das Horn gestoßen, bis dieser in leibhaftiger Gestalt vor ihnen stand und ihnen nichts übrig blieb als ohnmächtiges Wehklagen und im besten Falle nutzloses Bedauern über ihren eigenen frühern Unsinn [167]). Jetzt jammerten sie über das Haufen der „fremden" Soldaten in der „deutschen" Stadt — die slavischen magyarischen und romanischen Regimenter im Heere Radecky's, dessen „deutsche" Siege eine Frankfurter Adresse in den Himmel erhob, waren wohl keine „fremden" Soldaten? — und grinsten über die „Kroaten", diese „soldaten=ähnlichen Gestalten" mit den „wechselfiebergelben Gesichtern", die in grauen abgetragenen Commiß=Mänteln, mit Beinkleidern aller Farben und Formen, Holzkappen und Sandalen und altem schwarzen Riemzeug alle Straßen und Plätze, wie jene klagten, alle Thorwachen und Durchfahrten unsicher machten.

Leider hatte sich auch auf der andern Seite das Blatt gewendet: die ehemaligen Heuler wurden jetzt ganz eigentlich Wühler. Von dem ersten Augenblicke da der Soldat Herr des Gebietes war, stand das Denunciantenthum in üppigster Blüthe, „das auf dem Stoppelfelde der abgemähten und niedergetretenen Ungebundenheit der frühern Tage nach jedem stehen gebliebenen radicalen Halme herumschnupperte" und das zuletzt selbst den Organen der öffentlichen Sicherheit lästig, insbesondere aber den gerade und offen fühlenden Officieren zum Eckel wurde [168]). Es war dies die häßlichste Seite der eingetretenen Wandlung, worüber alle Besserdenkenden laute Klage führten. „Wahrlich", sagten sie, „man könnte fast bereuen gegen die Radicalen aufgetreten zu sein; der schlechteste der von diesen gefallen, war noch zu gut als daß der beste von jenen Ultra=Conservativen den Finger in sein Blut tauchen und Carricaturen damit an die Wand mahlen dürfte!" Es kam in Folge dieser fortwährenden Angebereien ein wahrer Schrecken über gewisse Kreise.

Man vertilgte, um ja nicht in Verdacht zu gerathen, alles und jedes
was mit den vorausgegangenen Ereignissen irgendwie zusammenhing;
man verbrannte ganze Stöße von Abbildungen, von Zeitungen und
Flugschriften die man in den vorausgegangenen Monaten gehalten und
gesammelt hatte, warf selbst Bücher z. B. Börne's Schriften in's Feuer
und verschonte höchstens die „Geißel" und den „Zuschauer", die man
recht augenfällig auf Tisch und Kasten legte um sich damit, wenn etwa
eine Hausdurchsuchung stattfände, über seine gute Gesinnung legitimiren
zu können.

12.

In einer volkreichen Stadt wie Wien lassen sich Maßregeln äußer=
ster Strenge, wie sie in den ersten Tagen nach der Einnahme angeordnet
waren, auf die Länge nicht halten. Schon am 4. November ließ Cordon
von der bisherigen Absperrung soweit nach, daß durch das Burg=, das
alte Kärntner=, das Stuben=, Rothenthurm= und Schottenthor von 5 Uhr
Morgens bis 7 Uhr Abends sowohl Fußgänger als Fahrende frei ver=
kehren durften. Am 7. dehnte er dieselbe Gestattung auf die in der
Kundmachung vom 3. bezeichneten fünf Linien-Thore für die Zeit von
5 Uhr Morgens bis 8 Uhr Abends aus; nur wer außer dieser Zeit
zur Linie hinaus oder hinein wollte, mußte sich mit einem Geleitschein
ausweisen. An den übrigen Stadt= und Linien-Thoren blieb es vorder=
hand noch beim alten.

Am 5. November konnte die ruheliebende Bevölkerung zum ersten=
mal der gewährten Erleichterung froh werden. Die Witterung war noch
vorwaltend schön, erst mit dem 6. trat fühlbare Kälte, mit dem 10. un=
freundliche Nässe ein. Munter wogte alles in sonntäglicher Kleidung
und Stimmung aus der Stadt in die Vorstädte, aus diesen in jene.
Neugierige unternahmen Pilgerfahrten nach den Schauplätzen der letzten
Kämpfe; der Vorstädtler besah die Verwüstung auf den Basteien, der
Städter die Brandstätten in der Jägerzeile. Man wanderte hinaus und
hinein, um sich des Schicksals lang entbehrter Bekannten zu vergewissern.
Besonders die Gegend um die Burg und die Hauptstraße von Maria=

imm
ihr
dau
B
m
A

...... nach Hietzing und
...... noch nicht. Als die
...... der Linien-Thore
...... ständiger. Eine große
...... waren benützte die
...... doch bei weitem zahl
...... vollgepackt mit Ein-
...... Schachteln, mit Bündeln
...... freiwilliger oder noth
...... Unter letztern befan
...... keinen Vorwand hatten
...... Stadt-Commandantur am
...... der Wiener Gemeinderath
...... Verpflichtungen gegen die
...... „bei ihrer Ehre und
...... des Stadtrathes sich zu be
...... Ankömmlingen kam neues
...... in den Straßen ließ erst
...... halben gewesen war. Verkaufs-
...... Käufer in Fülle. Jeder der
...... und Handelsleuten etwas zu ver-
...... Mühsal und Beschwerden in
...... viele waren vordem nie in Wien
...... Andenken. Bald hatten einzelne
...... Händen oder an hinreichender Waare
...... die allerort zerschossenen oder durch
...... gangenen Fensterscheiben zu schaffen;
...... Vorräthe verbraucht. Nächst dem Rothen
...... die in der letzten Octoberzeit als Noth
...... wieder ihrer früheren Bestimmung zu-
...... Junten und kräftig klangen die Schläge
...... sah man zum erstenmal Juwelen- Gold
...... geöffnet. Bald rollten Fiacres in raschem
...... teren Boden und auch schon einzelne vornehme
...... Vorboten neu erwachenden Luxus durch die
...... den Hausthoren der öffentlichen Gebäude kamen
...... ihre winterlichen Pelze gehüllt, mit den großen

ſilberbeſchlagenen Stöcken zum Vorſchein; auch Privat-Livreen, deren
man ſeit Monaten keine geſehen, tauchten hin und wieder auf.
Die Fenſter lang veröbeter Häuſer erhellten ſich allmälig bei Nacht und
halfen der noch immer nicht in gehörigen Gang gebrachten Straßenbeleuchtung in etwas nach. Auch mit den Tagesneuigkeiten ſtand es allmälig beſſer. Die Stadt-Commandantur geſtattete die Herausgabe aller
auswärtigen Blätter, mit Ausnahme der ungariſchen und des Pariſer
„National". Am 5. lag ſchon an vielen Orten die Augsburger Allg.
Ztg. auf [169]); an demſelben Tage brachte die „Wiener Zeitung" zum
erſtenmal nach den amtlichen Erläſſen wieder eingehendere Artikel aus
der Provinz und vom Auslande, aus Deutſchland Frankreich Groß-
britanien. Am 7. fand die Ausgabe auswärtiger Journale ſchon allgemein ſtatt; man ſtürzte in Gaſt- und Kaffeehäuſern darüber her und ſtritt
ſich um ihren Beſitz, um die erſten verläßlichen Nachrichten über das
viele zu empfangen was ſich in der Zwiſchenzeit mehrerer Wochen in der
Heimat und Fremde zugetragen haben mußte. Am 7. erſchienen auch
von Wiener Blättern zum erſtenmal wieder „die Preſſe", der „Wiener
Geſchäftsbericht und Neuigkeitsbote", das „Journal des öſterreichiſchen
Lloyd", am 8. Ebersberg's „Wiener Zuſchauer", Böhringer's „Geißel",
am 9. Bäuerle's „Öſterreichiſcher Courier", am 10. das „Central-Organ
für Handel und Gewerbe". Nur durften ſie nicht wie früher verſchliſſen
werden; das „Ausrufen und Verkaufen von Zeitungsblättern und Journalen auf offener Straße" wurde vom General Cordon, bei augenblicklicher Verhaftung und Arreſt-Strafe der Dawiderhandelnden, verboten
(8. Nov.) Noch erklang in Gärten und öffentlichen Vergnügungsorten
keine rauſchende Muſik wie in früheren Tagen; noch waren alle Theater
geſchloſſen; ja ſelbſt der „Bäck' am Peter" mußte von Polizeiwegen ſeine
Doppelfenſter feſt verſchließen, wenn er des Abends zu ſeiner liebge-
wordenen Flöte griff deren verlockende Weiſen ſonſt Haufen von Hör-
luſtigen vor ſeinem Hauſe angeſammelt haben würden. Trotz dieſer und
manch anderer Entbehrungen ſtellte ſich nach und nach etwas von dem
alten Behagen in allen Schichten der Geſellſchaft wieder ein. Es konnte
für Viele zwar nicht völlig wiederkehren was und wie ſie es früher gehabt hatten, aber ſie empfanden es ohne allen Vergleich anders und
beſſer als es ihnen in der letzten trüben Zeit ergangen war. „Mag
dieſer Zuſtand", meinten ſie, „immerhin den Namen Belagerungszuſtand
führen, dem Weſen nach iſt er nicht von ſolcher Art um an die Bezeich-

… … und wenn derselbe, wie es

… … … Bürger mancherlei Placke-

… … erhalten doch Alle, denen

… … … … gleichgiltigen Dinge

… … … Weise heraus: es brach=

… … Gewißheit daß endlich einmal

… … … und Achtung zu verschaffen wisse;

… … … der Umfriedung der Gesetz=

… … … … auch nach andern Seiten die

… … … Ziffer die sie feit Anfang October

… … … 78³/₄, 8. 80, 9. 79 ꝛc. Ge=

… … … rechten gemacht, so daß sich auf

… … … Großhändler und des bürgerlichen Handels-

… … veranlaßt fand die auf den 6. November

… … … der seit 6. October fälligen Wechsel*)

… … bis zum 9. November zu verlängern. Noch schwerer

… … jene Menschen-Classe, die seit den März=

… … … worden war und deren Thätigkeit sich

… … … Verhältnisse zurechtfinden sollte, wir meinen die

… … Gemeinderath hatte in den Monaten zuvor Tagewerke

… … … Geld zukommen zu lassen; jetzt war es mit jenen

… … zu einem großen Theile und mit dem Gelde des Ge=

… … … gänzlich aus. Hatte er doch nur allein an die Ober=

… … der Nationalgarde in der Zeit vom 18. bis 31. October

… … … … C. M. ausgegeben, dazu Lieferungen an Holz und

… … Brod und Wein, Tabak [171]). Mehrere Fabriken waren nieder=

… … oder zerstört; die Wien-Gloggnitzer Eisenbahn hatte an Ge=

… … an Material-Vorräthen und Werkzeugen ihrer Maschinen-Fabrik

… … Schäden erlitten, daß sie öffentlich erklären mußte: „sie sei einige

… … … wenig Arbeiter zu beschäftigen im Stande". Der Nothruf der

… … wurde immer lauter. Der Gemeinderath setzte auf des

… … Jacks Antrag ein eigenes Comité „zur Ausmittlung

… … und zugleich nothwendiger Arbeiten wobei mehre Menschen

… … werden können" nieder, kurzweg „Arbeiter-Commission" ge=

… … 3. November, die damit begann ein „Arbeiter-Sichtungs-Bureau"

… Bd. I. S. 427.

einzurichten [172]) und alle Arbeit=Suchenden vorzufordern. Es meldeten sich nicht weniger als 30.000 Perſonen beiderlei Geſchlechts. Das erſte war, die nicht nach Wien zuſtändigen, bei 5.000 an der Zahl, auszu= ſcheiden und aus der Stadt fortſchaffen zu laſſen. Von den übrigge= bliebenen wurden 4.562 als berückſichtigungswürdig bezeichnet und ſelben, dafern ihnen nicht ſogleich eine Arbeit verſchafft werden könnte, bei den Armenvätern ihres Pfarrſprengels Unterſtützungsbeiträge von 15 (für Weiber mit Kindern und für Männer) und von 10 kr. angewieſen (Kundmachung v. 6. November). Zugleich appellirte der Gemeinderath — da „die geſchwächten Mittel der Commune" nicht ausreichten „um die zur Abhilfe erforderlichen Auslagen zu beſtreiten" — an die Groß= muth und Menſchenfreundlichkeit der Bewohner Wiens (Kundm. v. 8. Nov.), aber auch an die Mildthätigkeit der Landbewohner Öſterreichs (Kundm. v. 10. Nov.), um „Geldbeiträge Nahrungsmittel Wäſch= und Kleidungsſtücke und andere Gaben", die in dem ehemaligen Liguorianer= Kloſter bei Maria=Stiegen in Empfang genommen werden ſollten, dem genannten Zwecke zu widmen. Der Aufruf verfehlte ſeine Wirkung nicht. Nicht nur der bemittelte Wiener ſpendete mit vollen Händen, auch außerhalb Wien in kleinern und größern Städten wurden von Privaten, von Gemeinden und anderen Körperſchaften Sammlungen veranſtaltet und mitunter nicht unbeträchtliche Unterſtützungsbeiträge eingeſandt. Der mähriſche Landtag beſtimmte für dieſen Zweck eine Summe von 5.000 fl., veranlaßte außerdem eine Sammlung unter ſeinen anweſenden Mitglie= dern und beſchloß ſich an das Landes=Präſidium wegen Einleitung glei= cher Sammlungen „im Wege der k. k. Kreisämter" zu wenden; die Brünner Nationalgarde veranſtaltete eine Sammlung von Haus zu Haus; der Ertrag einer Vorſtellung im Theater wurde den verunglückten Wienern gewidmet [173]).

Die Anſammlung ſo zahlreichen Militärs in der innern Stadt und in den Vorſtädten war allerdings von mancherlei Unannehmlichkeiten nicht frei. Aber nahm man dieſe nicht willig mit in den Kauf, gegen die ungleich größern Bedrohungen, ja wirklichen Gefahren, die man dadurch losgeworden? Die vielen Wachpoſten, die einherziehenden Patrouillen, die Bivouacs auf Plätzen und Straßen waren allgegenwärtige Mahn= zeichen daß man ſich in außergewöhnlichen Verhältniſſen befinde: allein waren die Zuſtände unmittelbar zuvor, wo ungeregelte Schaaren roher Mobilen und entarteter Amazonen die Gaſſen Wiens durchzogen, etwa

gewöhnliche? Und hatte man von jenen auch nur im geringsten das zu
befürchten, was man von diesen jeden Augenblick erleben konnte? Kein
friedsamer Gewerbsmann hatte seinen Interessen obliegen, kein Familien=
vater einen nothwendigen Gang im Dienste der hilfsbedürftigen Seinen
machen, ja sich nur ruhig zu Hause halten können, ohne von dem ersten
schlechtesten Kerl angepackt, aus Zimmer und Bett herausgetrieben, auf
die Barricade oder an die Linie geschleppt zu werden. Der geschulte
Soldat ging seiner Dienstpflicht nach und ließ die Bürger ihren Ge=
schäften nachgehen, ohne sie zu stören oder aufzuhalten; wenn etwa ein
armer Kroat einem Vorübergehenden eine Banknote vorzeigte um sie
gegen klingende Münze einzuwechseln, so konnte man ihm das zu Ge=
fallen thun oder auch nicht thun [174]). Der Bivouaquirende saß harm=
los um sein Feuer, besorgte seine Menage, scheuerte seine Waffen und
putzte seine Kleider, oder ergab sich schmauchend oder schlummernd
seiner Ruhe —

> „froh, als ob er vom Erdenrund
> nichts zum Glücke mehr brauche!"

Ein Freund von Volksliedern konnte deren von jedem Charakter
vernehmen. Der Ausländer Pröhle schien dafür Sinn zu haben. Er
belauschte singende Galizianer „deren Weisen etwas seltsam ergreifendes
haben". Dann stieß er auf eine Gruppe Čechen, die nach allbekannten
Melodien politische Texte sangen die ihnen der Unter=Officier aus einem
kleinen Büchelchen vorsagte, vom „Makovička Pepík" oder vom
„Kuranda pán" oder das am meisten beliebte: „Šuselka nám piše".
Schön und lieblich klang seinem deutschen Ohr der Gesang der Deutsch=
Böhmen, „wenn gleich der Text ihrer Lieder oft nur gewöhnliche Scherze
enthält" [175]). Von Reibungen mit der Bevölkerung war da überall
keine Spur. Alle wahrheitsliebenden Berichterstatter, nicht blos s. g.
Schwarzgelbe [176]), hatten nur ein Urtheil über die strenge Mannszucht
welche die Besatzungs=Truppen einhielten; höchstens daß jene, denen die
Lage der Dinge überhaupt zuwider war, von diesem Lobe die Gränzer
ausnahmen: „alles haben nur die Kroaten verschuldet", ruft Lyser aus,
„geraubt geschändet angezündet!"

Doch merkwürdig, gerade diese Kroaten waren einem großen Theile
der Wiener Bevölkerung die ausgesprochenen Lieblinge. Fiel schon den
Soldaten der böhmischen Armee der gewaltige Unterschied in dem Be=
nehmen auf, das sie seitens der Einwohner nach der Bezwingung Prags

erfahren-hatten und das sie nun nach der Einnahme Wiens erfuhren —
dort wochenlang nach den Juni=Ereignissen, wo ein Soldat in die Nähe
von Civilisten kam, allenthalben mürrisches Stillschweigen und finstere
Blicke, hier freundliches Wesen, gutmüthige Ansprache, freigebige Be=
wirthung [177]) —: so sah sich vollends der Gränzer zu seinem nicht ge=
ringen Erstaunen in der ihm als gott= und kaiserlos verschrienen Stadt
zu einem förmlichen Gegenstande des Cultus erhoben. Das mochte wohl
zumeist daher kommen, weil umgekehrt dem Wiener die „Kroaten" als
Ausbund von Blutgier und Grausamkeit geschildert worden waren, wäh=
rend er in ihnen ganz gutmüthige Bursche entdeckte deren tölpelhafte
Naivetät allein schon dafür stand sich ein wenig mit ihnen zu befassen,
wenn sie euch etwa in gebrochenem Deutsch von den schrecklichen Müh=
salen die sie ausgestanden vorerzählten, oder treuherzig versicherten: „sie
würden am liebsten gleich zu Weib und Kind zurückkehren, aber sie würden
erschossen wenn sie das thäten", oder wohl auch um eine Gabe baten
indem sie zutraulich hinzufügten: „zu nehmen sei ihnen verboten" [178]).
Eine interessante Erscheinung in den Straßen bildeten die Officiere der
Serezaner mit ihren tricotartig knapp anliegenden Beinkleidern, mit ihren
rothen Mützen und Mänteln, in ritterlicher Haltung auf muntern Rossen;
und die interessanteste bot ihr Ban Jelačić, von dem die Journale den
Wienern nicht genug Züge aus seinem Vorleben und Einzelnheiten seines
täglichen Thun und Lassens bringen konnten. Windischgrätz weilte erst in
Hetzendorf, dann in Schönbrunn; wer in seine Nähe kam wußte, im
entschiedensten Gegensatze zu den über ihn verbreiteten Gerüchten, von
dem Verehrung und zugleich Zutrauen erweckenden Eindruck zu erzählen
den der Fürst bei allem Ernst und aller Gemessenheit seiner Haltung
auf ihn gemacht. Aber das waren eben nur Einzelne; die Menge be=
kam ihn nicht zu sehen; er kam die ganze Zeit nicht nach Wien. Jelačić
dagegen ließ sich gern blicken wo es Leute gab; er gefiel sich, wo er in
die Öffentlichkeit trat, in der Rolle eines ritterlichen Lebemannes um so
mehr je haarsträubender der Ruf war der ihm, wie er sehr wohl wußte,
vorangegangen. Er war zugänglich; er plauderte leicht fließend ein=
nehmend; er zeigte sich offen ohne Hintergedanken und Rückhalt. Den
Wienern gefiel das; die Menge, und nicht blos die ungebildete, liebt
und verlangt ein solches Benehmen bei ihren populären Größen. Er empfing
Zuschriften Botschaften Huldigungen von allen Seiten und hatte für jede
eine schickliche Antwort, eine freundliche Aufnahme, einen passenden Dank.

... . dieser Art war eine Deputation der sieben-
.... Banus den Ausdruck der ihre Mitbürger „be-
....nungsvollen Gesinnung für das Allerhöchste Kai-
... . der Integrität der österreichischen Monarchie"
... ... Sie wurde von Jelačić zur Tafel gezogen und
.... auf das „Wohl der sächsischen Nation" begrüßt,
.... Schmidt mit einem Toast auf das Volk der
.... eine Nation die mit den Waffen aufgewachsen
... . Hand jeglichem Verhängnisse zu begegnen bereit
.... welche Muth und Macht hat mit Selbstbestimmung
... . Schicksal eines großen Ganzen entschieden zu helfen". Zu-
.... Friedrich von Sachsenheim in schwungvollen Worten dem
.... der Kroaten ein dreimaliges Lebehoch: „wir hoffen und
.... sprach er, „daß uns der Ban durch den Sieg seiner Waffen
.. .. des Friedens, vereint mit der Freiheit und Gleichberechtigung
.... jeder andern Nation bringe!" 179)

... . November verlegte Jelačić seinen Sitz von Rothneusiedel in
... . Beatrix auf der Landstraße, damals dem Erzherzog Maxi-
.... gehörig. Um 9 Uhr V. M. brachen die Serezaner und die
.... „Junker" auf; Major Horvatović, das Factotum und zu-
.... komische Figur des Haupt-Quartiers, in einer gedeckten Pricka
... ... -Häuptling; er hatte seine höchste schwarze Cravatte mit
... . weißen Streif umgeschnallt und behielt, während die junge
.... von der Suite des Banus ihm unter die Nase lachte, seinen un-
.... Ernst bei. Um 12 Uhr fuhr Jelačić in Begleitung des
.... Zeisberg und des Obersten Denkstein von Rothneusiedel ab.
Als er im Palais Beatrix ankam, fand er seine Serezaner im Garten
...... etablirt als wenn sie auf einem Streifzug mitten in der Türkei
... Lager aufzuschlagen hätten: es loderten die Feuer, es brodelte in
Topf und Casserole. Der Kammerherr des Erzherzogs Graf Mala-
..... machte die Honneurs; er hatte den Auftrag seines Gebieters das
ganze Haus mit Küche und Keller, die beide nichts zu wünschen übrig
ließen, dem Banus zur Verfügung zu stellen. Der Banus seinerseits
war gewohnt offene Tafel zu halten; seit er im Felde, waren die Officiere seiner Suite seine Gäste, wozu noch in täglichem Wechsel mehr oder
weniger Personen kamen die der Dienst oder eine besondere Veranlassung
in sein Haupt-Quartier führten. Gewöhnlich zählte der Mittagstisch 25

bis 30 Tafelgenossen, oft auch bis zu 40; aller Zwang war da verbannt, munteres Gespräch und heitere Laune walteten. Des Abends nahm der Banus im Kreise seiner nächsten Officiere eine Schale Thee oder ein Glas Bier. Dann arbeitete er gewöhnlich in die Nacht hinein, bei überhäuften Geschäften bis zum frühen Morgen. „Kroatien und die Gränze", hörte man ihn in Wien oft sagen, „geben mir mehr zu schaffen als mein ganzes Armee-Corps."

13.

Eine Classe von Personen gab es allerdings in Wien, die Grund genug hatte den eingetretenen Umschwung der Dinge im allgemeinen und das Walten der Militär-Herrschaft insbesondere auf's tiefste zu beklagen: es war das die nicht geringe Zahl jener, die sich in irgend einer sie blossstellenden Weise in die letzten Ereignisse hatten verstricken lassen oder wohl gar eine hervorragende Rolle dabei gespielt hatten. Manchen derselben gelang es ihre Person beizeiten außerhalb des Weichbildes der Stadt in Sicherheit zu bringen. Pulszky und Tausenau hatten noch vor dem Erscheinen Windischgrätz' die kaiserliche Hauptstadt verlassen, Bem während der Waffenruhe nach Einnahme der Jägerzeile sich aus dem Staube gemacht; Fenneberg, Ernst Haug, Max Gritzner entkamen nach Einnahme der inneren Stadt nach Deutschland, Kuchenbecker in die Schweiz, Ludwig Hauck nach Ungarn. Auch mehrere der compromittirtesten Journalisten entzogen sich durch Flucht jeder weitern Unannehmlichkeit. Sigmund Engländer erfüllte seine eigene scherzhafte Vorhersagung vom 20.: „Der Charivari packt um nicht gepackt zu werden"; es behagte ihm nicht, seinen neuesten Abschiedsgruß in Wien: „Adieu, am Spielberg sehen wir uns wieder!" (Nr. 107 v. 26. October) an sich selbst zur Wahrheit werden zu lassen. Gustav v. Franck trieb sich noch einige Tage in Wien herum, wußte sich dann einen regelmäßig ausgestellten Paß zu verschaffen und ging damit über alle Berge, zunächst nach Leipzig, von da später nach London. Die Umstände, unter denen diesem und jenem das Wagnis gelang, waren von der mannigfaltigsten Art. Die Bebarteten, wie Fenneberg, Franck, griffen zu

12

Scheere und Messer um für's erste minder erkennbar zu sein. Mahler Redacteur des „Freimüthigen", den man in Wien nur mit schwarzer Perücke gesehen, tauchte in Leipzig mit seinem natürlichen fuchsrothen Haar inmitten mehrerer Schicksalsgenossen auf, die ihn erst an der Stimme wieder erkannten. Oscar Falke, eigentlich Georg Peter, und Adolf Buchheim Redacteure des „Studenten=Courier" hielten sich einige Zeit in Prag auf [179b]) und gingen später über die Gränze. Die größte Schwierigkeit lag darin, aus den Mauern Wiens zu kommen; alles andere war leichteres Spiel. Einige entkamen in Verkleidungen, andere als Frachtgut in Kisten oder andern Behältnissen; einzelne sprangen ganz einfach, einen günstigen Augenblick erhaschend, von dem niederen Linienwalle in den Stadtgraben und gewannen über den jenseitigen Grabenrand das Freie [180]). Von den Legionären rette= ten sich einige in die vom Belagerungszustande nicht getroffenen Pro= vinzen oder nach Ungarn, wenige flohen in's Ausland wo daraus mit= unter Verlegenheiten erwuchsen. So erließ der bayerische Minister des Innern an alle Polizei=Behörden den Auftrag, alle in die Wiener Er= eignisse verwickelten Flüchtl'nge sofort auszuweisen, neu ankommende über ihr letztes Verhalten auszuforschen und ihnen den Aufenthalt im Lande nur unter der Bedingung zu gestatten daß sie Personen ihrer Bekanntschaft als Bürgen zu stellen vermöchten.

Für jene die nicht so glücklich waren ihr Bündel beizeiten zu schnü= ren und sich damit fortzumachen, kamen nun schwere Tage. Nicht blos daß sie in der fortwährenden Angst schwebten erkannt oder verrathen zu werden: auch wenn es nicht zu diesem Äußersten kam war ihre Lage unangenehm genug. Wo sie sich auf der Straße zeigten, wich man ihnen aus um durch Berührung mit ihnen nicht sich selbst verdächtig zu machen, oder man that, wenn man ihnen unerwartet in den Wurf kam, durch einen flüchtigen Griff an den Hut das nothwendigste ab; erschienen sie in einem Gast= oder Kaffeehause, so rückten ihre besten Bekannten von ehedem ihren Sitz von der Stelle und kehrten ihnen den Rücken zu. Jellinet, an einem öffentlichen Orte einsam an einem Tische sitzend, wußte kaum wie ihm geschah als einer seiner Freunde zu ihm trat und ohneweiters an seiner Seite Platz nahm; er ergriff dessen Hand und drückte sie mit Wärme, indem er ihm klagte, „wie Viele, die früher einer Meinung und eines Sinnes mit ihm gewesen, ihn jetzt so auf= fallend mieden". Selbst Schuselka, der sich durch seine Eigenschaft als

Reichstagsmitglied gesichert glaubte und in der ersten Zeit nach der Ein=
nahme allabendlich seine gewohnte Kneipe aufsuchte, fand bald keinen
Gefallen mehr an dem Halleiner Biere und stellte seine Besuche ein.
„Es gab edle Menschen die mich erkannten", erzählt er bitter, „aber
sich stellten als sei ich ihnen fremd und nun an demselben Tische an
dem ich saß über mich schimpften; drei Wochen früher war ich an den=
selben Tischen vergöttert worden". Er setzt ausdrücklich bei, es sei ihm
dies immer nur von Civilisten begegnet; „die zahlreich anwesenden Offi=
ciere benahmen sich stets edelmännisch, nicht selten sogar absichtlich zu=
vorkommend" [181]).

In der Zeit unmittelbar nach Einnahme der innern Stadt sowie
in den ersten darauf folgenden Tagen wurden Verhaftungen mehr in
Pausch und Bogen vorgenommen. Was die Legions= oder die Mobil=
garde=Uniform trug, was als Proletarier oder sonst verdächtig aussah,
wurde haufenweise zusammengefangen und in Gewahrsam gebracht.
Branntweinschänken, Gast= und Kaffee=Häuser niedern Ranges wurden
von Militär= und Polizei=Piquets in allen Räumlichkeiten vom Boden
bis zum Keller durchsucht, und nicht einmal blos, sondern, namentlich
wenn es von Haus aus anrüchige Unterstandsorte waren, zu wieder=
holten malen; die sich in dunklen abgelegenen Gäßchen oder bei Frauens=
Personen gewissen Schlages am sichersten glaubten, fielen den Organen
der öffentlichen Sicherheit am ersten in die Hände. Daß bei diesen
Streifungen und Verhaftungen im großen eine Anzahl minder bethei=
ligter oder ganz unschuldiger Personen in Mitleidenschaft gezogen wurde,
war eine Thatsache die allenthalben unter ähnlichen Umständen zu be=
dauern sein wird. Man traf aber nach Möglichkeit Abhilfe. Am 7.
November waren bereits 200 der in den ersten Tagen Zusammenge=
fangenen wieder entlassen; am 8. wurden 178, am 9. 244, am 10.
247 ihrer Freiheit zurückgegeben.

Mittlerweile hatte die Aufsuchung einzelner beinzichtigter Persön=
lichkeiten ihren Anfang genommen, und es waren nun bestimmte Woh=
nungen und Gebäude auf welche die Behörden ihre Aufmerksamkeit rich=
teten. In letzterer Beziehung kam sogar ein diplomatisch=heikler Punkt
in Frage, als Gerüchte auftauchten: im Hause des würtembergischen Ge=
sandten befinde sich ein Waffen=Depot, Schütte sei als Secretär bei der
amerikanischen Gesandtschaft geborgen, vorzüglich aber: Bem habe in dem
Hotel der französischen Gesandtschaft eine Zufluchtsstätte gefunden. Cor=

12*

don fragte in Hetzendorf an von wo er an Lebzeltern, der für den
Augenblick in Wien die Geschäfte der Staatskanzlei leitete, gewiesen
wurde. Auf die entschiedene Abmahnung von dieser Seite, unliebsame
Conflicte zu vermeiden die aus einem raschen Vorgehen ohne vorheriges
Benehmen mit dem betreffenden diplomatischen Agenten entspringen
könnten, und namentlich auf die bestimmte Versicherung de la Cour's
daß an dem Gerede wegen Bem's kein wahres Wort sei, unterblieb
alles weitere. Die Verhaftungen besonders Gravirter waren bereits in
vollem Gange. Schon am 2. November, so wurde in der Stadt er=
zählt, waren durch Latour=Infanterie drei Individuen eingebracht worden
deren einer den Säbel Latour's bei sich hatte und es auch eingestand;
dieselben wurden „nebst dem Säbel" in das Stockhaus der Gumpen=
dorfer Caserne abgegeben. Am 3. ließ der General=Auditor=Lieutenant
Seemann Camillo Hell nebst drei andern in das Stabsstockhaus ab=
führen. Am 4. in aller Frühe wurden Robert Blum und Julius
Fröbel aus ihrer Wohnung in der „Stadt London" aufgehoben. An
demselben Tage erging auf Befehl der Militär=Central=Untersuchungs=
Commission unter Androhung des Standrechtes die dringende Aufforde=
rung an alle Wohn=Parteien, die um den Aufenthalt von Pulszky Bem
Messenhauser Fenneberg oder Schütte wüßten, binnen sechs Stunden
Anzeige zu erstatten, da „wegen der besonderen Gefährlichkeit dieser fünf
Individuen und weil sie als die Hauptursachen der letzten Empörung,
die auf den Umsturz der Monarchie hingearbeitet hat, angesehen werden",
vom Feldmarschall „mit unnachsichtlicher Strenge auf ihre Habhaft=
werdung gedrungen", ja „hievon die Möglichkeit abhängig gemacht"
werde „die möglichsten Erleichterungen in dem Belagerungszustande ein=
treten zu lassen". Die nächste Folge dieser Mahnung war, daß sich
einer der Bezeichneten, Messenhauser, ohne Aufschub selbst meldete und
am 5. freiwillig stellte; Bem Pulszky und Fenneberg befanden sich, wie
wir wissen, um diese Zeit bereits außerhalb der Stadt; Schütte aber
lag krank darnieder und blieb unentdeckt oder unangefochten noch fast
vierzehn Tage in Wien, das er erst am 16. verließ. Am 5. November
wurden von bekannten Persönlichkeiten Terzky Redacteur der „Wiener
Gassen=Zeitung" und Hermann Jelinek, am 6. Matteo Padovani ge=
fänglich eingezogen. Der Pole Jelowicki und der k. k. Hauptmann und
Bezirks=Chef der Nationalgarde Philipp Braun fielen um diese Zeit in
die Hände der Sicherheits=Organe; auch ein gewisser Rust Mitarbeiter

der „Conſtitution", und Willi Beck Mit-Redacteur des „Charivari", wurden unter jenen genannt die ein gleiches Loos traf [182]). Da aber noch
immer viele der am meiſten betheiligten Perſönlichkeiten fehlten, erließ
die Stadthauptmanſchaft am 7. November an alle Hauseigenthümer und
Haus-Adminiſtratoren „bei ſonſtiger Beſtrafung der Säumigen oder
Schuldtragenden" den Auftrag, genau nach vorgeſchriebenen Rubriken
eingerichtete Verzeichniſſe aller Bewohner ihrer Häuſer zu verfaſſen
und binnen 24 Stunden bei dem Bezirks-Commiſſariate abzugeben; es
war damit zugleich die Abſicht verbunden, dem §. 6 der Proclamation
vom 1. November gemäß alle nach Wien nicht zuſtändigen und mit den
erforderlichen Urkunden nicht verſehenen Individuen ſo ſchleunig als
möglich aus der Stadt zu entfernen. An dieſem Tage machte auch die
Hausſuchung in der Franz v. Schmid'ſchen Buchdruckerei, Seitenſtätten-
gaſſe Nr. 495, viel von ſich reden; die Einen behaupteten die Behörde
habe von einer Menge in der Kalkgrube des Hauſes verborgener Waffen
Anzeige erhalten, die Andern, es ſei auf zwei unter das Perſonale der
Druckerei geſteckte „verkappte Studenten" gefahndet worden; über das
Ergebnis wurde nichts näheres bekannt.

Die erſten maſſenweiſe eingebrachten Gefangenen wurden theils in
das Stabsſtockhaus theils in das Polizeihaus, und als dieſe Gebäude
bei weitem nicht hinreichten, in einige der geräumigſten Caſernen oder
andere zur Verfügung ſtehende Gebäude, wie in den Jeſuitenhof abgeführt. Die vom Feldmarſchall verlangten zwölf Geiſeln aus der Stu-
denten-Legion ließ Cordon am 3. November nach Hetzendorf abführen.
Die Unterbringung der zahlreichen Verhafteten in der Stadt war mitunter erbärmlich genug. In der Getreidemarkt-Caſerne waren hunderte
von Gefangenen in dumpfe Räume zuſammengepfercht, wo ſie weder
ordentlich ſitzen noch liegen konnten; von einer regelmäßigen Verpflegung
war keine Rede, ſo daß ſie es einzelnen mitleidigen Soldaten Dank
wußten, die ihnen von ihrem Komißbrode gaben und Krüge mit Waſſer
durch's Gitter reichten. Nicht viel anders ging es in der Gumpendorfer
Caſerne, in jener am Salzgries u. a. her. Übrigens fielen ſolche Dinge
nur in der Zeit unmittelbar nach der Einnahme der Stadt vor; nachdem die erſte Sichtung vorgenommen, die fremden Nationalgarden, die
ſich gleichfalls unter den Gefangenen befunden hatten, in ihre Heimat
abgeſchafft und auch ſonſt manche der in der erſten Verwirrung Eingebrachten entlaſſen waren, wurde die Lage der Zurückbleibenden erträg-

licher, der Wach= und Wartedienſt geregelter und es gab im allgemeinen
keinen Grund zu Beſchwerden. Insbeſondere jene, die im Stabsſtock=
hauſe oder im Polizeihauſe untergebracht waren, hatten nicht zu klagen;
es war für gute Lagerſtätten, für warme wollene Decken, für Holz zur
Feuerung ausreichend geſorgt; den Gebildeten war Beſchäftigung mit
Leſen und Schreiben, ſelbſt das Rauchen geſtattet, Bemittelte konnten
ſich Koſt nach eigenem Belieben anſchaffen; jeden Morgen erkundigte ſich
der Beſchließer nach ihrem Befinden und ihren Wünſchen. Julius Fröbel,
der in jedem der beiden genannten Gebäude eine Zeit zubrachte, rühmt
ausdrücklich die Humanität die er in den öſterreichiſchen Gefängnis=Ein=
richtungen wahrzunehmen Gelegenheit hatte [183]. Auch bei der gericht=
lichen Unterſuchung hatten ſich die Verhafteten nicht zu beklagen; der
Vorgang war anſtändig und human, der Verhörte, wenn er unbefangen
genug war ſolche Eindrücke in ſich aufzunehmen, mußte ſeinen Richtern
das Zeugnis geben daß ſie nicht gern Strenge übten, vielmehr wo nur
immer möglich Milderungsgründe zu gebührender Geltung kommen lie=
ßen. „Glauben Sie daß wir Unmenſchen ſind?" ſagte der Vorſitzende
des Militär=Gerichtes zu Fröbel als dieſer fragte ob er etwas zu ſeinen
Gunſten vorbringen dürfe. „Es thut uns leid genug daß der Thatbe=
ſtand ſo iſt wie er iſt. Wir ſind aber nicht blos zum Verurtheilen da.
Reden Sie; wir müſſen Sie anhören! [184].

Doch wenn auch Anſtand in den Formen und Humanität in der
Behandlung vorwalteten, Gefangenſchaft blieb immer Gefangenſchaft, die
von Unannehmlichkeiten und Beängſtigungen aller Art um ſo weniger unter
Umſtänden frei ſein konnte, wo es ſich faſt jedesmal um Leben und
Tod handelte. Schon das Äußere der Gebäude mußte dazu beitragen
ſowohl bei den Inſaſſen derſelben, als bei jenen draußen die an ihrem
Schickſale Antheil nahmen, Empfindungen banger Scheu, ja unheimlichen
Schauderns zu erwecken. Das ſ. g. Polizeihaus, ein ehemaliges Kloſter
der „Siebenbüchnerinen", durch ſpätere Zubauten erweitert und ſeinen
neueren Zwecken angepaßt, hat ſeinen Zugang hinter dem Hohen Markt
durch das enge Salzgäßchen; der Haupttheil aber ſieht auf den Salz=
gries: eine hohe lange rußige thür= und fenſterloſe Mauer und daneben
das theils vier= theils fünfſtöckige Gebäude, als deſſen einziger archit=
toniſcher Schmuck die hölzernen Gitter=Verſchläge vor den Fenſtern der
obern Geſchoße gelten können. Keinen ſo gewaltigen, aber einen wo
möglich noch abſchreckenderen Anblick bot das ſeither abgeriſſene Stabs=

stockhaus nächst dem Neuthor, das mit den plumpen, in der Form von Krippen in einem Pferdestall von unten hinauf sich ausbauchenden hölzernen Gitterverschlägen vor seinen Fenstern den Eindruck eines gnadenlosen Gewalt- und Zwangsortes machte und einer etwas lebhaften Phantasie alle geheimen Schrecknisse der Schauder-Romantik wachrufen konnte. Die ganze Umgebung, das finstere verließ-artige Neuthor, die langgestreckte Salzgries-Caserne mit den schmutzig-düstern Laubgängen ihres ersten Stockwerkes an der Straßenseite, ja selbst der Name der Bastei auf welche die Fenster der andern Seite hinausgingen, „Elend-Bastei", wirkten zusammen jenen unheimlichen Eindruck zu erhöhen. Dazu die Staffage: von Zeit zu Zeit ein neuer Gefangener, zu Fuß oder in der Kutsche oder auf einem Leiterwagen unter starker Bedeckung von martialischen Serezanern, langen Grenadieren oder flinken Jägern; um das Gebäude herumschleichend und ängstlich forschende Blicke nach dessen Fenstern richtend scheue Gestalten, Mütter mit ihren Kindern an der Hand, bekümmerte Väter oder Freunde eines Gefangenen, junge Leute die Kinnladen zusammengekniffen, die Augenbrauen finster herabgedrückt, das Auge rollend. Seelenpein anderer Art hatten die drinnen im Hause zu bestehen. Jeder Ankömmling rief ihnen ihr eigenes Schicksal von neuem vor die Seele; das Rasseln jedes anfahrenden oder abfahrenden Wagens verursachte ihnen Bangen; kam jener nicht um sie zu holen? und wohin führt dieser seinen Insassen? Auf den Spielberg, nach Kufstein? Oder wohl gar in die Brigittenau, in den Stadtgraben? — — —

Dem Richter mußte sich wohl die Frage aufdrängen: „Kann ich Einzelne verurtheilen, die ganzen Körperschaften aber, denen an der schuldvollen Entwicklung der Ereignisse der größere Theil zufällt, frei ausgehen laffen?"

Nicht so arg stand es in dieser Hinsicht mit dem Wiener Gemeinderath. Die Stadtbehörde Wiens hatte vom Ausbruch der October-Ereignisse ihr Bestreben dahin gerichtet, die Verantwortlichkeit für alles gegen die kaiserliche Armee unternommene von sich abzuwälzen. Sie hatte für jede Maßregel, die über die Gränzen eigentlicher Vertheidigung hinausging, die ausdrückliche Genehmigung, den Befehl des Reichstages gefordert. Sie hatte gegen die vom Studenten-Ausschuße angeordnete Nachsuchung von Waffen und Munition in öffentlichen und Privat-Gebäuden, gegen die von Fenneberg als Chef der Sicherheitsbehörde ein-

gewöhnliche? Und hatte man von jenen auch nur im geringsten das zu befürchten, was man von diesen jeden Augenblick erleben konnte? Kein friedsamer Gewerbsmann hatte seinen Interessen obliegen, kein Familien= vater einen nothwendigen Gang im Dienste der hilfsbedürftigen Seinen machen, ja sich nur ruhig zu Hause halten können, ohne von dem ersten schlechtesten Kerl angepackt, aus Zimmer und Bett herausgetrieben, auf die Barricade oder an die Linie geschleppt zu werden. Der geschulte Soldat ging seiner Dienstpflicht nach und ließ die Bürger ihren Ge= schäften nachgehen, ohne sie zu stören oder aufzuhalten; wenn etwa ein armer Kroat einem Vorübergehenden eine Banknote vorzeigte um sie gegen klingende Münze einzuwechseln, so konnte man ihm das zu Ge= fallen thun oder auch nicht thun [174]). Der Bivouaquirende saß harm= los um sein Feuer, besorgte seine Menage, scheuerte seine Waffen und putzte seine Kleider, oder ergab sich schmauchend oder schlummernd seiner Ruhe —

> „froh, als ob er vom Erdenrund
> nichts zum Glücke mehr brauche!"

Ein Freund von Volksliedern konnte deren von jedem Charakter vernehmen. Der Ausländer Pröhle schien dafür Sinn zu haben. Er belauschte singende Galizianer „deren Weisen etwas seltsam ergreifendes haben". Dann stieß er auf eine Gruppe Čechen, die nach allbekannten Melodien politische Texte sangen die ihnen der Unter=Officier aus einem kleinen Büchelchen vorsagte, vom „Makovička Pepík" oder vom „Kuranda pán" oder das am meisten beliebte: „Šuselka nám píše". Schön und lieblich klang seinem deutschen Ohr der Gesang der Deutsch= Böhmen, „wenn gleich der Text ihrer Lieder oft nur gewöhnliche Scherze enthält" [175]). Von Reibungen mit der Bevölkerung war da überall keine Spur. Alle wahrheitsliebenden Berichterstatter, nicht blos f. g. Schwarzgelbe [176]), hatten nur ein Urtheil über die strenge Mannszucht welche die Besatzungs=Truppen einhielten; höchstens daß jene, denen die Lage der Dinge überhaupt zuwider war, von diesem Lobe die Gränzer ausnahmen: „alles haben nur die Kroaten verschuldet", ruft Lyser aus, „geraubt geschändet angezündet!"

Doch merkwürdig, gerade diese Kroaten waren einem großen Theile der Wiener Bevölkerung die ausgesprochenen Lieblinge. Fiel schon den Soldaten der böhmischen Armee der gewaltige Unterschied in dem Be= nehmen auf, das sie seitens der Einwohner nach der Bezwingung Prags

erfahren-hatten und das sie nun nach der Einnahme Wiens erfuhren —
dort wochenlang nach den Juni-Ereignissen, wo ein Soldat in die Nähe
von Civilisten kam, allenthalben mürrisches Stillschweigen und finstere
Blicke, hier freundliches Wesen, gutmüthige Ansprache, freigebige Be=
wirthung [177]) —: so sah sich vollends der Gränzer zu seinem nicht ge=
ringen Erstaunen in der ihm als gott= und kaiserlos verschrienen Stadt
zu einem förmlichen Gegenstande des Cultus erhoben. Das mochte wohl
zumeist daher kommen, weil umgekehrt dem Wiener die „Kroaten" als
Ausbund von Blutgier und Grausamkeit geschildert worden waren, wäh=
rend er in ihnen ganz gutmüthige Bursche entdeckte deren tölpelhafte
Naivetät allein schon dafür stand sich ein wenig mit ihnen zu befassen,
wenn sie euch etwa in gebrochenem Deutsch von den schrecklichen Müh=
salen die sie ausgestanden vorerzählten, oder treuherzig versicherten: „sie
würden am liebsten gleich zu Weib und Kind zurückkehren, aber sie würden
erschossen wenn sie das thäten", oder wohl auch um eine Gabe baten
indem sie zutraulich hinzufügten: „zu nehmen sei ihnen verboten" [178]).
Eine interessante Erscheinung in den Straßen bildeten die Officiere der
Šerežaner mit ihren tricotartig knapp anliegenden Beinkleidern, mit ihren
rothen Mützen und Mänteln, in ritterlicher Haltung auf muntern Rossen;
und die interessanteste bot ihr Ban Jelačić, von dem die Journale den
Wienern nicht genug Züge aus seinem Vorleben und Einzelnheiten seines
täglichen Thuns und Lassens bringen konnten. Windischgrätz weilte erst in
Hetzendorf, dann in Schönbrunn; wer in seine Nähe kam wußte, im
entschiedensten Gegensatze zu den über ihn verbreiteten Gerüchten, von
dem Verehrung und zugleich Zutrauen erweckenden Eindruck zu erzählen
den der Fürst bei allem Ernst und aller Gemessenheit seiner Haltung
auf ihn gemacht. Aber das waren eben nur Einzelne; die Menge be=
kam ihn nicht zu sehen; er kam die ganze Zeit nicht nach Wien. Jelačić
dagegen ließ sich gern blicken wo es Leute gab; er gefiel sich, wo er in
die Öffentlichkeit trat, in der Rolle eines ritterlichen Lebemannes um so
mehr je haarsträubender der Ruf war der ihm, wie er sehr wohl wußte,
vorangegangen. Er war zugänglich; er plauderte leicht fließend ein=
nehmend; er zeigte sich offen ohne Hintergedanken und Rückhalt. Den
Wienern gefiel das; die Menge, und nicht blos die ungebildete, liebt
und verlangt ein solches Benehmen bei ihren populären Größen. Er empfing
Zuschriften Botschaften Huldigungen von allen Seiten und hatte für jede
eine schickliche Antwort, eine freundliche Aufnahme, einen passenden Dank.

Einer der ersten Auftritte dieser Art war eine Deputation der siebenbürger Sachsen, die dem Banus den Ausdruck der ihre Mitbürger „be-
seelenden treuen und anhänglichen Gesinnung für das Allerhöchste Kaiserhaus und die Erhaltung der Integrität der österreichischen Monarchie"
zu überbringen hatte. Sie wurde von Jelačić zur Tafel gezogen und
mit einem Trinkspruch auf das „Wohl der sächsischen Nation" begrüßt,
was Professor Heinrich Schmidt mit einem Toast auf das Volk der
Kroaten beantwortete, „eine Nation die mit den Waffen aufgewachsen
und mit ihnen in der Hand jeglichem Verhängnisse zu begegnen bereit
ist", eine Nation „welche Muth und Macht hat mit Selbstbestimmung
sich und dem Schicksal eines großen Ganzen entschieden zu helfen". Zuletzt brachte Friedrich von Sachsenheim in schwungvollen Worten dem
edlen Führer der Kroaten ein dreimaliges Lebehoch: „wir hoffen und
wünschen", sprach er, „daß uns der Ban durch den Sieg seiner Waffen
den Segen des Friedens, vereint mit der Freiheit und Gleichberechtigung
unserer und jeder andern Nation bringe!" [179])

Am 7. November verlegte Jelačić seinen Sitz von Rothneusiedel in
das Palais Beatrix auf der Landstraße, damals dem Erzherzog Maxi-
milian-Este gehörig. Um 9 Uhr B. M. brachen die Serežaner und die
Titraopolser „Junker" auf; Major Horvatović, das Factotum und zugleich die komische Figur des Haupt-Quartiers, in einer gedeckten Kruka
wie ein Zigeuner-Häuptling; er hatte seine höchste schwarze Cravatte mit
dem breitesten weißen Streif umgeschnallt und behielt, während die junge
Welt von der Suite des Banus ihm unter die Nase lachte, seinen unerschütterlichen Ernst bei. Um 12 Uhr fuhr Jelačić in Begleitung des
Generals Zeisberg und des Obersten Denkstein von Rothneusiedel ab.
Als er im Palais Beatrix anlam, fand er seine Serežaner im Garten
bereits etablirt als wenn sie auf einem Streifzug mitten in der Türkei
ihr Lager aufzuschlagen hätten: es loderten die Feuer, es brodelte in
Topf und Casserole. Der Kammerherr des Erzherzogs Graf Maka-
guzzi machte die Honneurs; er hatte den Auftrag seines Gebieters das
ganze Haus mit Küche und Keller, die beide nichts zu wünschen übrig
ließen, dem Banus zur Verfügung zu stellen. Der Banus seinerseits
war gewohnt offene Tafel zu halten; seit er im Felde, waren die Officiere seiner Suite seine Gäste, wozu noch in täglichem Wechsel mehr oder
weniger Personen kamen die der Dienst oder eine besondere Veranlassung
in sein Haupt-Quartier führten. Gewöhnlich zählte der Mittagstisch 25

bis 30 Tafelgenossen, oft auch bis zu 40; aller Zwang war da verbannt, munteres Gespräch und heitere Laune walteten. Des Abends nahm der Banus im Kreise seiner nächsten Officiere eine Schale Thee oder ein Glas Bier. Dann arbeitete er gewöhnlich in die Nacht hinein, bei überhäuften Geschäften bis zum frühen Morgen. „Kroatien und die Gränze", hörte man ihn in Wien oft sagen, „geben mir mehr zu schaffen als mein ganzes Armee=Corps."

13.

Eine Classe von Personen gab es allerdings in Wien, die Grund genug hatte den eingetretenen Umschwung der Dinge im allgemeinen und das Walten der Militär=Herrschaft insbesondere auf's tieffte zu beklagen: es war das die nicht geringe Zahl jener, die sich in irgend einer sie blossstellenden Weise in die letzten Ereignisse hatten verstricken lassen oder wohl gar eine hervorragende Rolle dabei gespielt hatten. Manchen derselben gelang es ihre Person beizeiten außerhalb des Weichbildes der Stadt in Sicherheit zu bringen. Pulszky und Tausenau hatten noch vor dem Erscheinen Windischgrätz' die kaiserliche Hauptstadt verlassen, Bem während der Waffenruhe nach Einnahme der Jägerzeile sich aus dem Staube gemacht; Fenneberg, Ernst Haug, Max Gritzner entkamen nach Einnahme der inneren Stadt nach Deutschland, Kuchenbecker in die Schweiz, Ludwig Hauck nach Ungarn. Auch mehrere der compromittirtesten Journalisten entzogen sich durch Flucht jeder weitern Unannehmlichkeit. Sigmund Engländer erfüllte seine eigene scherzhafte Vorhersagung vom 20.: „Der Charivari packt um nicht gepackt zu werden"; es behagte ihm nicht, seinen neuesten Abschiedsgruß in Wien: „Adieu, am Spielberg sehen wir uns wieder!" (Nr. 107 v. 26. October) an sich selbst zur Wahrheit werden zu lassen. Gustav v. Franck trieb sich noch einige Tage in Wien herum, wußte sich dann einen regelmäßig ausgestellten Paß zu verschaffen und ging damit über alle Berge, zunächst nach Leipzig, von da später nach London. Die Umstände, unter denen diesem und jenem das Wagnis gelang, waren von der mannigfaltigsten Art. Die Bebarteten, wie Fenneberg, Franck, griffen zu

Scheere und Messer um für's erste minder erkennbar zu sein. Mahler Redacteur des „Freimüthigen", den man in Wien nur mit schwarzer Perücke gesehen, tauchte in Leipzig mit seinem natürlichen fuchsrothen Haar inmitten mehrerer Schicksalsgenossen auf, die ihn erst an der Stimme wieder erkannten. Oscar Falke, eigentlich Georg Peter, und Adolf Buchheim Redacteure des „Studenten=Courier" hielten sich einige Zeit in Prag auf [179b]) und gingen später über die Gränze. Die größte Schwierigkeit lag darin, aus den Mauern Wiens zu kommen; alles andere war leichteres Spiel. Einige entkamen in Verkleidungen, andere als Frachtgut in Kisten oder andern Behältnissen; einzelne sprangen ganz einfach, einen günstigen Augenblick erhaschend, von dem niederen Linienwalle in den Stadtgraben und gewannen über den jenseitigen Grabenrand das Freie [180]). Von den Legionären rette= ten sich einige in die vom Belagerungszustande nicht getroffenen Pro= vinzen oder nach Ungarn, wenige flohen in's Ausland wo daraus mit= unter Verlegenheiten erwuchsen. So erließ der bayerische Minister des Innern an alle Polizei=Behörden den Auftrag, alle in die Wiener Er= eignisse verwickelten Flüchtlinge sofort auszuweisen, neu ankommende über ihr letztes Verhalten auszuforschen und ihnen den Aufenthalt im Lande nur unter der Bedingung zu gestatten daß sie Personen ihrer Bekanntschaft als Bürgen zu stellen vermöchten.

Für jene die nicht so glücklich waren ihr Bündel beizeiten zu schnü= ren und sich damit fortzumachen, kamen nun schwere Tage. Nicht blos daß sie in der fortwährenden Angst schwebten erkannt oder verrathen zu werden: auch wenn es nicht zu diesem Äußersten kam war ihre Lage unangenehm genug. Wo sie sich auf der Straße zeigten, wich man ihnen aus um durch Berührung mit ihnen nicht sich selbst verdächtig zu machen, oder man that, wenn man ihnen unerwartet in den Wurf kam, durch einen flüchtigen Griff an den Hut das nothwendigste ab; erschienen sie in einem Gast= oder Kaffeehause, so rückten ihre besten Bekannten von ehedem ihren Sitz von der Stelle und kehrten ihnen den Rücken zu. Jelinek, an einem öffentlichen Orte einsam an einem Tische sitzend, wußte kaum wie ihm geschah als einer seiner Freunde zu ihm trat und ohneweiters an seiner Seite Platz nahm; er ergriff dessen Hand und drückte sie mit Wärme, indem er ihm klagte, „wie Viele, die früher einer Meinung und eines Sinnes mit ihm gewesen, ihn jetzt so auf= fallend mieden". Selbst Schuselka, der sich durch seine Eigenschaft als

Reichstagsmitglied gesichert glaubte und in der ersten Zeit nach der Ein=
nahme allabendlich seine gewohnte Kneipe aufsuchte, fand bald keinen
Gefallen mehr an dem Halleiner Biere und stellte seine Besuche ein.
„Es gab edle Menschen die mich erkannten“, erzählt er bitter, „aber
sich stellten als sei ich ihnen fremd und nun an demselben Tische an
dem ich saß über mich schimpften; drei Wochen früher war ich an den=
selben Tischen vergöttert worden“. Er setzt ausdrücklich bei, es sei ihm
dies immer nur von Civilisten begegnet; „die zahlreich anwesenden Offi=
ciere benahmen sich stets edelmännisch, nicht selten sogar absichtlich zu=
vorkommend“ [181]).

In der Zeit unmittelbar nach Einnahme der innern Stadt sowie
in den ersten darauf folgenden Tagen wurden Verhaftungen mehr in
Pausch und Bogen vorgenommen. Was die Legions= oder die Mobil=
garde=Uniform trug, was als Proletarier oder sonst verdächtig aussah,
wurde haufenweise zusammengefangen und in Gewahrsam gebracht.
Branntweinschänken, Gast= und Kaffee=Häuser niedern Ranges wurden
von Militär= und Polizei=Piquets in allen Räumlichkeiten vom Boden
bis zum Keller durchsucht, und nicht einmal blos, sondern, namentlich
wenn es von Haus aus anrüchige Unterstandsorte waren, zu wieder=
holten malen; die sich in dunklen abgelegenen Gäßchen oder bei Frauens=
Personen gewissen Schlages am sichersten glaubten, fielen den Organen
der öffentlichen Sicherheit am ersten in die Hände. Daß bei diesen
Streifungen und Verhaftungen im großen eine Anzahl minder bethei=
ligter oder ganz unschuldiger Personen in Mitleidenschaft gezogen wurde,
war eine Thatsache die allenthalben unter ähnlichen Umständen zu be=
dauern sein wird. Man traf aber nach Möglichkeit Abhilfe. Am 7.
November waren bereits 200 der in den ersten Tagen Zusammenge=
fangenen wieder entlassen; am 8. wurden 178, am 9. 244, am 10.
247 ihrer Freiheit zurückgegeben.

Mittlerweile hatte die Aufsuchung einzelner beinzichtigter Persön=
lichkeiten ihren Anfang genommen, und es waren nun bestimmte Woh=
nungen und Gebäude auf welche die Behörden ihre Aufmerksamkeit rich=
teten. In letzterer Beziehung kam sogar ein diplomatisch=heikler Punkt
in Frage, als Gerüchte auftauchten: im Hause des würtembergischen Ge=
sandten befinde sich ein Waffen=Depot, Schütte sei als Secretär bei der
amerikanischen Gesandtschaft geborgen, vorzüglich aber: Bem habe in dem
Hotel der französischen Gesandtschaft eine Zufluchtsstätte gefunden. Cor=

12*

don fragte in Hetzendorf an von wo er an Lebzeltern, der für den
Augenblick in Wien die Geschäfte der Staatskanzlei leitete, gewiesen
wurde. Auf die entschiedene Abmahnung von dieser Seite, unliebsame
Conflicte zu vermeiden die aus einem raschen Vorgehen ohne vorheriges
Benehmen mit dem betreffenden diplomatischen Agenten entspringen
könnten, und namentlich auf die bestimmte Versicherung be la Cour's
daß an dem Gerede wegen Bem's kein wahres Wort sei, unterblieb
alles weitere. Die Verhaftungen besonders Gravirter waren bereits in
vollem Gange. Schon am 2. November, so wurde in der Stadt erzählt, waren durch Latour-Infanterie drei Individuen eingebracht worden
deren einer den Säbel Latour's bei sich hatte und es auch eingestand;
dieselben wurden „nebst dem Säbel" in das Stockhaus der Gumpendorfer Caserne abgegeben. Am 3. ließ der General-Auditor-Lieutenant
Seemann Camillo Hell nebst drei andern in das Stabsstockhaus abführen. Am 4. in aller Frühe wurden Robert Blum und Julius
Fröbel aus ihrer Wohnung in der „Stadt London" aufgehoben. An
demselben Tage erging auf Befehl der Militär-Central-Untersuchungs-
Commission unter Androhung des Standrechtes die dringende Aufforderung an alle Wohn-Parteien, die um den Aufenthalt von Pulszky Bem
Messenhauser Fenneberg oder Schütte wüßten, binnen sechs Stunden
Anzeige zu erstatten, da „wegen der besonderen Gefährlichkeit dieser fünf
Individuen und weil sie als die Hauptursachen der letzten Empörung,
die auf den Umsturz der Monarchie hingearbeitet hat, angesehen werden",
vom Feldmarschall „mit unnachsichtlicher Strenge auf ihre Habhaft-
werdung gedrungen", ja „hievon die Möglichkeit abhängig gemacht"
werde „die möglichsten Erleichterungen in dem Belagerungszustande eintreten zu lassen". Die nächste Folge dieser Mahnung war, daß sich
einer der Bezeichneten, Messenhauser, ohne Aufschub selbst meldete und
am 5. freiwillig stellte; Bem Pulszky und Fenneberg befanden sich, wie
wir wissen, um diese Zeit bereits außerhalb der Stadt; Schütte aber
lag krank darnieder und blieb unentdeckt oder unangefochten noch fast
vierzehn Tage in Wien, das er erst am 16. verließ. Am 5. November
wurden von bekannten Persönlichkeiten Terzky Redacteur der „Wiener
Gassen-Zeitung" und Hermann Jelinek, am 6. Matteo Padovani gefänglich eingezogen. Der Pole Jelowicki und der k. k. Hauptmann und
Bezirks-Chef der Nationalgarde Philipp Braun fielen um diese Zeit in
die Hände der Sicherheits-Organe; auch ein gewisser Ruft Mitarbeiter

der „Constitution", und Willi Beck Mit=Redacteur des „Charivari", wur=
den unter jenen genannt die ein gleiches Loos traf [182]). Da aber noch
immer viele der am meisten betheiligten Persönlichkeiten fehlten, erließ
die Stadthauptmanschaft am 7. November an alle Hauseigenthümer und
Haus=Administratoren „bei sonstiger Bestrafung der Säumigen oder
Schuldtragenden" den Auftrag, genau nach vorgeschriebenen Rubriken
eingerichtete Verzeichnisse aller Bewohner ihrer Häuser zu verfassen
und binnen 24 Stunden bei dem Bezirks=Commissariate abzugeben; es
war damit zugleich die Absicht verbunden, dem §. 6 der Proclamation
vom 1. November gemäß alle nach Wien nicht zuständigen und mit den
erforderlichen Urkunden nicht versehenen Individuen so schleunig als
möglich aus der Stadt zu entfernen. An diesem Tage machte auch die
Haussuchung in der Franz v. Schmid'schen Buchdruckerei, Seitenstätten=
gasse Nr. 495, viel von sich reden; die Einen behaupteten die Behörde
habe von einer Menge in der Kalkgrube des Hauses verborgener Waffen
Anzeige erhalten, die Andern, es sei auf zwei unter das Personale der
Druckerei gesteckte „verkappte Studenten" gefahndet worden; über das
Ergebnis wurde nichts näheres bekannt.

Die ersten massenweise eingebrachten Gefangenen wurden theils in
das Stabsstockhaus theils in das Polizeihaus, und als diese Gebäude
bei weitem nicht hinreichten, in einige der geräumigsten Casernen oder
andere zur Verfügung stehende Gebäude, wie in den Jesuitenhof abge=
führt. Die vom Feldmarschall verlangten zwölf Geiseln aus der Stu=
denten=Legion ließ Cordon am 3. November nach Hetzendorf abführen.
Die Unterbringung der zahlreichen Verhafteten in der Stadt war mit=
unter erbärmlich genug. In der Getreidemarkt=Caserne waren hunderte
von Gefangenen in dumpfe Räume zusammengepfercht, wo sie weder
ordentlich sitzen noch liegen konnten; von einer regelmäßigen Verpflegung
war keine Rede, so daß sie es einzelnen mitleidigen Soldaten Dank
wußten, die ihnen von ihrem Komißbrode gaben und Krüge mit Wasser
durch's Gitter reichten. Nicht viel anders ging es in der Gumpendorfer
Caserne, in jener am Salzgries u. a. her. Übrigens fielen solche Dinge
nur in der Zeit unmittelbar nach der Einnahme der Stadt vor; nach=
dem die erste Sichtung vorgenommen, die fremden Nationalgarden, die
sich gleichfalls unter den Gefangenen befunden hatten, in ihre Heimat
abgeschafft und auch sonst manche der in der ersten Verwirrung Einge=
brachten entlassen waren, wurde die Lage der Zurückbleibenden erträg=

licher, der Wach- und Wartedienst geregelter und es gab im allgemeinen
keinen Grund zu Beschwerden. Insbesondere jene, die im Stabsstock-
haufe oder im Polizeihause untergebracht waren, hatten nicht zu klagen;
es war für gute Lagerstätten, für warme wollene Decken, für Holz zur
Feuerung ausreichend gesorgt; den Gebildeten war Beschäftigung mit
Lesen und Schreiben, selbst das Rauchen gestattet, Bemittelte konnten
sich Kost nach eigenem Belieben anschaffen; jeden Morgen erkundigte sich
der Beschließer nach ihrem Befinden und ihren Wünschen. Julius Fröbel,
der in jedem der beiden genannten Gebäude eine Zeit zubrachte, rühmt
ausdrücklich die Humanität die er in den österreichischen Gefängnis-Ein-
richtungen wahrzunehmen Gelegenheit hatte [183]. Auch bei der gerichtlichen Untersuchung hatten sich die Verhafteten nicht zu beklagen; der
Vorgang war anständig und human, der Verhörte, wenn er unbefangen
genug war solche Eindrücke in sich aufzunehmen, mußte seinen Richtern
das Zeugnis geben daß sie nicht gern Strenge übten, vielmehr wo nur
immer möglich Milderungsgründe zu gebührender Geltung kommen ließen. „Glauben Sie daß wir Unmenschen sind?" sagte der Vorsitzende
des Militär-Gerichtes zu Fröbel als dieser fragte ob er etwas zu seinen
Gunsten vorbringen dürfe. „Es thut uns leid genug daß der Thatbestand so ist wie er ist. Wir sind aber nicht blos zum Verurtheilen da.
Reden Sie; wir müssen Sie anhören! [184].

Doch wenn auch Anstand in den Formen und Humanität in der
Behandlung vorwalteten, Gefangenschaft blieb immer Gefangenschaft, die
von Unannehmlichkeiten und Beängstigungen aller Art um so weniger unter
Umständen frei sein konnte, wo es sich fast jedesmal um Leben und
Tod handelte. Schon das Äußere der Gebäude mußte dazu beitragen
sowohl bei den Insassen derselben, als bei jenen draußen die an ihrem
Schicksale Antheil nahmen, Empfindungen banger Scheu, ja unheimlichen
Schauderns zu erwecken. Das s. g. Polizeihaus, ein ehemaliges Kloster
der „Siebenbüchnerinen", durch spätere Zubauten erweitert und seinen
neueren Zwecken angepaßt, hat seinen Zugang hinter dem Hohen Markt
durch das enge Salzgäßchen; der Haupttheil aber sieht auf den Salzgries: eine hohe lange rußige thür- und fensterlose Mauer und daneben
das theils vier- theils fünfstöckige Gebäude, als dessen einziger architek-
tonischer Schmuck die hölzernen Gitter-Verschläge vor den Fenstern der
obern Geschoße gelten können. Keinen so gewaltigen, aber einen wo
möglich noch abschreckenderen Anblick bot das seither abgerissene Stabs-

stockhaus nächst dem Rothenthor, das mit den plumpen, in der Form von
Krippen in einem Pferdestall von unten hinauf sich ausbauchenden hölzernen Gitterverschlägen vor seinen Fenstern den Eindruck eines gnadenlosen Gewalt- und Zwangsortes machte und einer etwas lebhaften Phantasie alle geheimen Schrecknisse der Schauder-Romantik wachrufen konnte.
Die ganze Umgebung, das finstere verließ-artige Rothenthor, die langgestreckte Salzgries-Caserne mit den schmutzig-düstern Laubgängen ihres
ersten Stockwerkes an der Straßenseite, ja selbst der Name der Bastei
auf welche die Fenster der andern Seite hinausgingen, „Elend-Bastei",
wirkten zusammen jenen unheimlichen Eindruck zu erhöhen. Dazu die
Staffage: von Zeit zu Zeit ein neuer Gefangener, zu Fuß oder in der
Kutsche oder auf einem Leiterwagen unter starker Bedeckung von martialischen
Serezanern, langen Grenadieren oder flinken Jägern; um das Gebäude
herumschleichend und ängstlich forschende Blicke nach dessen Fenstern richtend scheue Gestalten, Mütter mit ihren Kindern an der Hand, bekümmerte Väter oder Freunde eines Gefangenen, junge Leute die Kinnladen
zusammengekniffen, die Augenbrauen finster herabgedrückt, das Auge
rollend. Seelenpein anderer Art hatten die drinnen im Hause zu bestehen. Jeder Ankömmling rief ihnen ihr eigenes Schicksal von neuem
vor die Seele; das Rasseln jedes anfahrenden oder abfahrenden Wagens
verursachte ihnen Bangen; kam jener nicht um sie zu holen? und
wohin führt dieser seinen Insassen? Auf den Spielberg, nach Kufstein?
Oder wohl gar in die Brigittenau, in den Stadtgraben? — — —

Dem Richter mußte sich wohl die Frage aufdrängen: „Kann ich
Einzelne verurtheilen, die ganzen Körperschaften aber, denen an der
schuldvollen Entwicklung der Ereignisse der größere Theil zufällt, frei
ausgehen lassen?"

Nicht so arg stand es in dieser Hinsicht mit dem Wiener Gemeinderath. Die Stadtbehörde Wiens hatte vom Ausbruch der October-Ereignisse ihr Bestreben dahin gerichtet, die Verantwortlichkeit für alles gegen
die kaiserliche Armee unternommene von sich abzuwälzen. Sie hatte für
jede Maßregel, die über die Gränzen eigentlicher Vertheidigung hinausging, die ausdrückliche Genehmigung, den Befehl des Reichstages gefordert. Sie hatte gegen die vom Studenten-Ausschuße angeordnete
Nachsuchung von Waffen und Munition in öffentlichen und Privat-Gebäuden, gegen die von Fenneberg als Chef der Sicherheitsbehörde ein-

geleiteten Gewaltmaßregeln wiederholt Verwahrung eingelegt, Messen=
hauser zur unmittelbaren Zurücknahme seiner terroristischen Proclama=
tion vom 25. vermocht Sie hatte bei allen Schritten zur Vermeidung
und Abbrechung des Kampfes, zur Verhandlung mit dem Feldmarschall,
zur unbedingten Unterwerfung unter dessen Gebot hervorragenden Antheil
genommen, in entscheidender Weise mitgewirkt. Sie hatte von dem Au=
genblicke des Einrückens der Truppen die Bemühungen derselben Ord=
nung und Gesetzlichkeit wieder herzustellen auf's eifrigste unterstützt, den
Wünschen und Aufträgen der militärischen Autoritäten widerspruchs=los
Folge geleistet, dem Höchst=Commandirenden bei jedem Anlasse geziemende
Achtung bezeigt. Mit einem Wort: gegen den Gemeinderath als Körper=
schaft war nichts grundhältiges vorzubringen. Nur Einzelne aus seiner
Mitte, und auch diese nicht in großer Anzahl, hatten ihm durch heftige
Sprache, durch aufreizende Anträge, durch Hinneigung zu den revolutio=
nären Elementen die Erfüllung seiner Aufgabe erschwert, theilweise ver=
zögert oder vereitelt. Daher wurde vom Feldmarschall nur eine „Purifi=
cirung“ des Wiener Gemeinderathes anbefohlen und vier Mitglieder
namentlich bezeichnet die man ohneweiters ausscheiden müsse, was denn
auch ohne Widerrede geschah. Die in solcher Weise zum Austritt genö=
thigten Gemeinderäthe waren: Baron Stifft junior, der vielbegabte,
aber heftige leidenschaftliche und in seinen politischen Ansichten übergrei=
fende Vice=Präsident in den October=Tagen; Freund und Wessely, die
sich besonders bei der Debatte über die Lundenburger Proclamation am
22. und über die in Antrag gebrachte Friedens=Deputation am 24.
October durch ihre ungestümen, den Widerstand bis zum äußersten be=
fürwortenden Reden bemerkbar gemacht hatten; endlich Dr. Kubenik der
auch zu dieser Partei hingeneigt, dann aber, vom 29. October abwärts,
eifrig zur Anbahnung eines friedlichen Ausgleichs mitgewirkt hatte.

Ganz anders stand es mit den im October zurückgebliebenen Mit=
gliedern des constituirenden Reichstages. Abgesehen davon daß sie bis
an's Ende eine gesetzmäßige Beschlußfähigkeit vorspiegelten die ihre Ver=
sammlung in der zweiten Hälfte des Monats jedenfalls nicht besaß,
hatten sie durch Niedersetzung ihres permanenten Ausschußes einerseits
eines neuen formellen Übergriffs sich schuldig gemacht, da eine gesetzge=
bende Versammlung nie berufen sein kann in die Executive einzugreifen,
und andrerseits eben dadurch auf die Anfachung und Organisirung des
bewaffneten Widerstandes gegen den vom Kaiser beauftragten Feldherrn,

deſſen Erſcheinen und Maßregeln ſie durch förmlichen Beſchluß als „un-
geſetzlich" erklärten, den entſchiedenſten Einfluß genommen; ſie hatten.
ſich endlich erdreiſtet ihre Verhandlungen ſelbſt dann noch fortzuführen,
als dieſelben durch kaiſerliches Gebot vertagt und an einen Ort außerhalb Wien verlegt waren. Zudem hatten ſich einzelne Abgeordnete, insbeſondere mehrere Mitglieder des permanenten Ausſchußes, perſönlich
mehr oder minder an der Entwicklung der Ereigniſſe betheiligt, Boten-,
Aufſichts-, Aneiferungs-Dienſte verrichtet, mit allen revolutionären Elementen der belagerten Stadt in fortwährender Berührung geſtanden.

Fürſt Windiſchgrätz war nicht einen Augenblick darüber im Zweifel,
daß die letztbezeichneten Mitglieder mindeſtens gleich ſtrafwürdig ſeien
wie die außerhalb des Reichstages ſtehenden Leiter des October-Aufſtan-
des, und daß daher gegen jene wie gegen dieſe mit der vollen Strenge
des Geſetzes vorzugehen ſei. Schon am 24. October hatte er in einem
Briefe an Weſſenberg ſeine entſchiedene Meinung ausgeſprochen, „daß
gegen die in Wien befindlichen Mitglieder des Reichstages als Theilnehmer am Aufſtande vorgegangen werden müſſe". Umſtändlicher ließ er
ſich über dieſen Punkt in einem Schreiben vom 30., gleichfalls an
Weſſenberg gerichtet, aus: „Die noch zu Wien anweſenden Reichstags-
Abgeordneten, die bis zum letzten Augenblicke illegale Beſchlüſſe faßten
und offen mit dem Aufſtande gemeinſame Sache machen, erſcheinen als
Hoch- und Staatsverräther, und ich zweifle nicht daß Eure Excellenz
die Anſicht theilen daß man wenigſtens gegen die meiſt Compromittirten
die volle Strenge der Geſetze anwenden müſſe. Der Reichstag, wie er
noch zuſammengeſetzt iſt, hat ſchon lang den conſtitutionellen Standpunkt verlaſſen, und es unterliegt keinem Zweifel daß die Haltung deſſelben in den letzten Tagen und die von ihm ſeit dem 6. October getroffenen Anordnungen dem Aufſtande in Wien nicht nur Vorſchub gethan, ſondern den Widerſtand gegen meine von Seiner Majeſtät geneh-
migten militäriſchen Maßregeln zur Wiederherſtellung der geſetzlichen
Ordnung ſo ſtarr und blutig geſtaltet haben wie es ſich leider gezeigt".
Weſſenberg glaubte den Anſichten des kaiſerlichen Feldmarſchalls nicht
geradezu beipflichten zu können. „Das Verfahren gegen allenfalls ſchul-
dig befundene Reichstags-Geſandte", bemerkte er in ſeiner Antwort vom
31., „verdiene eine nähere Erwägung und müſſe ſeines Erachtens diesfalls Baron Kraus als der einzige in Wien anweſende verantwortliche
Miniſter und allenfalls ein höherer Juſtiz-Beamter zu Rathe gezogen

werden, da die besondere privilegirte Stellung der Reichstagsmitglieder
eine eigene Beachtung nöthig mache und die Regierung sonst in Conflicte
mit dem Reichstage kommen könnte. Uebrigens hoffe ich", fügte er zum
Schluße bei, „daß sich die bei den letzten Ereignissen compromittirten
Reichstagsmitglieder wohl von selbst aus Wien entfernen und jede Berührung mit dem zeitweiligen Militär-Gouvernement vermeiden werden".
Windischgrätz stimmte ganz und gar nicht in diesen letzten Wunsch und
hielt auch in allem übrigen seine Ansicht fest. „Der Reichstag habe",
schrieb er am 2. November, „bis zum letzten Augenblicke in seiner Haltung verharrt; er habe sich obgleich längst vertagt und verlegt selbst nach
Einnahme der Stadt noch versammeln wollen, diesen seinen Vorsatz,
obwohl der Haupteingang zu seinem Sitzungs-Local militärisch besetzt
worden, durch Benützung von Seitenthüren ausgeführt und einen Protest aufgesetzt. Nach allem diesem", schloß der Fürst, „stellt sich die
Nothwendigkeit heraus, die Häupter jener Fraction des Reichstages, die
mit der subversiven Partei eng verbündet war und dem allen Gesetzen
Hohn sprechenden Aufstande eine Art legale Weihe gab, zur strengen
Verantwortung und zur Strafe zu ziehen. Die moralischen Beweise ihrer
Schuld liegen klar am Tage und es sollte, denke ich, nicht schwer werden auch die juridischen zu finden. Eure Excellenz, dessen bin ich über-
zeugt, können jetzt, nach allem was vorgefallen, unmöglich einer andern
Meinung sein."

Die weitern Verhandlungen über diese Frage wurden nicht mehr
mit Wessenberg, sondern zwischen Windischgrätz und Felix Schwarzenberg
geführt. Und hier bekommen wir es mit einem jener schon früher angedeuteten Fälle zu thun, wo wir Schwarzenberg, den Neuling in Dingen
solcher Art, seine Meinung erst nach und nach sich feststellen und selbe
daher in der kurzen Frist weniger Tage in sehr merklicher Weise ändern
sehen. Dabei fällt, vielleicht eben weil er seiner Sache nicht recht sicher
ist, die Leichtfertigkeit des Tones auf, mit dem er einen Gegenstand
von so ernster Natur bespricht. Im Anfang theilt er ganz des Feldmarschalls Ansicht. „Es wäre", meint er am 3. November, „überaus nützlich, positive Daten über diejenigen Reichstagsmitglieder zu sammeln,
die sich einer factischen Betheiligung an dem Aufruhre schuldig gemacht
haben. Wenn wir juridische Beweise hätten, wäre es ein leichtes, die
Betreffenden der gewöhnlichen gerichtlichen Behandlung zu überliefern.
Füster Violand Pohl (?) und noch mehrere andere sollen die beste Ge-

legenheit dazu gegeben haben". Zwei Tage später, 5., spricht er schon mit
weniger Bestimmtheit. Von der „Mitschuld mancher Reichstags-Deputirten an den Schändlichkeiten der letzten Revolution" ist er „moralisch
überzeugt", allein an die „geheiligten Leiber" der Volksvertreter könne
man „nur durch juridische Beweise gelangen"; lägen in dieser Beziehung
„constatirte Daten" vor, so könnte „viel ersprießliches" erreicht werden.
Am 7. bittet er bereits „um Schonung für die schlechtesten u n s e r e r
Reichstags-Deputirten"; mit Blum möge der Feldmarschall nach Ermessen
vorgehen, er verdiene „alles". Endlich am 8. hat er Wessenberg's ur=
sprüngliche Auffassung ganz zur seinigen gemacht; die Reichstags=De=
putirten seien „nicht standrechtlich zu behandeln, wenn sie nicht i n fla-
g r a n t i verhaftet werden können"; ein anderes Verfahren würde dem
Ministerium „die größten Schwierigkeiten bereiten. Entzieht sich", so
meint er, gleichfalls an einen Gedanken Wessenberg's anknüpfend, zum Schluße,
„ein angeschuldigter Reichstags=Deputirter der Untersuchung durch die Flucht,
so ist er dadurch schon, und auch für die Zukunft, unmöglich gemacht".

Die Zuschrift Schwarzenberg's vom 7., die jedenfalls im Laufe des
8. November in Schönbrunn eintraf, entschied über das Schicksal der
beiden bereits seit dem 4. morgens verhafteten Frankfurter Deputirten,
aber auch, nur in anderem Sinne, über das jener Mitglieder des öster=
reichischen Reichstages, deren Person man sich in der Zwischenzeit ver=
sichert hatte oder auf die man fahndete, weil man Anzeichen unmittelba=
rer Betheiligung an den letzten Ereignissen gegen sie meinte geltend ma=
chen zu können.

Unter den ersteren befand sich der berüchtigte Studenten=Pater Füster.
Im Reichstag hatte Füster eigentlich wenig gesprochen, aber nie war dies
geschehen ohne weit verbreitete Entrüstung hervorzurufen. Das erstemal
war es am 29. Juli bei der Verhandlung über die Rückkunft des Kaisers
Ferdinand aus Innsbruck, wo er die Frechheit hatte auf „die Geschichte
von Karl I. Jacob II. und Ludwig XVI." hinzuweisen; durch die Bänke
des Centrums und der Rechten lief ein Murren des Unwillens, selbst
die Linke wagte nicht ihn durch Beifall zu unterstützen; verwirrt und
stotternd brachte er seine kurze Rede kaum zu Ende und setzte sich rasch
nieder. Ein zweitesmal sprach er am 13. September, als der Straßer=
Selinger'sche Antrag auf „Anerkennung der Verdienstlichkeit der Armee
in Italien" berathen wurde. Füster war natürlich dagegen; erstens,

meinte er, habe die Armee nur ihre Schuldigkeit gethan, zweitens habe sie ihren Sieg durch manche Grausamkeit befleckt, und drittens habe sie gegen die Freiheit gekämpft. Diese Rede, die längste die er im Laufe seiner parlamentarischen Thätigkeit gehalten, hat Füstern die heftigste Erbitterung in allen militärischen Kreisen eingetragen; unter den Officieren des Wiener Belagerungsheeres waren Äußerungen zu vernehmen: „man werde ihn niederschießen wo man ihn träfe, es werde sich leicht ein Vorwand dazu finden lassen". Aber auch außerhalb der Armee war alles, was einen Funken patriotischen Gefühles in sich trug, über das Auftreten Füster's bei diesem Anlasse empört. Dazu kam sein ganz unpriesterliches Benehmen: die Geistlichkeit betrachtete ihn als einen Auswürfling; seine achtzigjährige Mutter, eine tief religiöse Frau, wandte sich von ihm ab. Was ihn aber vor dem Kriegsgerichte, strafbar erscheinen ließ, war die Thätigkeit die er in der Octoberzeit sowohl als Mitglied des permanenten Ausschusses, als außerhalb desselben durch seine unausgesetzten Berührungen mit der akademischen Legion entwickelte. Besonders in letzter Hinsicht hat Füster die schwerste Schuld auf sich geladen. Wir sind durchaus nicht geneigt alle die unsaubern Geschichten für wahr zu halten, die über ihn als Jugend-Verführer insbesondere aus den Tagen der Mai-Barricaden herumgetragen wurden; er hat sie in seinen Memoiren als boswillige Verläumdung bezeichnet, und wir wollen es ihm, zur Ehre des Lehrer- und des Priesterstandes, auf's Wort glauben. Was er jedoch nie in Abrede stellen konnte und in der That nicht in Abrede gestellt, vielmehr desselben sich wiederholt gerühmt hat, das war der Einfluß den er in einer politisch und social aufgeregten Zeit über einen großen Theil der akademischen Jugend ausübte, und zwar nicht im Sinne der Mahnung, der Warnung, der Abhaltung, wie es sich seinem Beruf und seinen geachteten Jahren ziemte, sondern im Gegentheil im Sinne der Anspornung und Aufreizung. Wenn er es mit seinem Gewissen vereinen konnte, hunderte heißblutiger Jünglinge mittelbar und selbst unmittelbar, wie z. B. die in der „ungarischen Krone" einquartirten Grätzer Studenten am 24 October *), in Kampf und Tod gejagt zu haben: eben so viele bekümmerte, vielleicht um die Stützen ihrer kommenden Greisenjahre gebrachte Altern-Paare fluchten ihm darum und stellten die Strafwürdigkeit dieses andern der Bewegungsleiter so hoch als die des gewissenlosen Herrn Studenten-Paters.

Füster hielt sich in den ersten Tagen nach Einnahme der innern
Stadt verborgen; erst auf die Kunde daß den Reichstags-Abgeordneten
auf Wunsch Pässe ausgefolgt würden, wagte er sich am 3. November
aus seinem Verstecke hervor, bewarb sich um einen Geleitschein nach
Steiermark und erhielt ihn. Es mußte dies im damaligen Taumel der
Geschäfte unterlaufen sein; denn der Name Füster war in militärischen
Kreisen zu bekannt als daß es sich sonst erklären ließe wie man ihn
anstandslos abziehen lassen konnte. Auch erschien, noch bevor er seine
Abreise angetreten, ein Officier mit einem Trupp Soldaten in seiner
Wohnung, durchsuchte sie, zog sich jedoch, ohne Zweifel auf Füster's Be-
rufung auf seinen Paß, mit einer Entschuldigung wieder zurück [185]).
Füster fuhr nun ab und kam in einem Fiacre glücklich bis Mödling,
von wo er die Eisenbahn nach Neustadt benützen wollte. Indessen wurde
er hier neuerdings erkannt, sammt seinem Reisepaß unter militärischer
Bedeckung nach Wien zurückgebracht und im Stabsstockhaus festgehalten.
Ein gleiches Los wie Füster traf den Reichstagsabgeordneten Smreker
(für Lichtenwald in Steiermark); auch er befand sich bereits außerhalb
Wien, als er am 4. Abends in Neustadt auf Befehl des Obersten Horváth arretirt und nach Wien gebracht wurde. Dasselbe verlautete von
einem Dritten, Michael Marcher aus Groß-Enzersdorf, der sich durch
seine Thätigkeit für Aufbringung des Landsturms bemerkbar gemacht
haben soll. Es war aber von allem Anfang auf bei weitem mehrere abgesehen, insbesondere auf jene die sich wie Fischhof und Goldmark am
Nachmittage des 6. October im Kriegsgebäude befunden hatten und denen die allgemeine Stimme eine nähere oder entferntere Mitschuld an
der Ermordung Latour's zuschrieb. Beim Kriegsgerichte scheinen sogar
Anzeigen eingelaufen zu sein, als habe ein förmliches Complott bestanden und sei das Ende des Kriegs-Ministers eine in reichstäglichen und
journalistischen Kreisen vorausbedachte Sache gewesen. Unter andern war
Franck als einer der Mitverschworenen beinzichtigt, der sich jedoch bald
außer dem Bereich der Militär-Behörde befand; auch war seine Verdächtigung in diesem Stücke sicher ohne allen Grund [186]). Auch die gegen Fischhof und Goldmark eingelangten Anzeigen mochten nicht so beweiskräftig festgestellt sein um sofort ihre Verhaftung einzuleiten.
Smolka und Schuselka, obwohl der erstere am 6. October gleichfalls im Kriegsgebäude gewesen war und der letztere als Berichterstatter
des permanenten Ausschußes eine der hervorragendsten Rollen gespiel

hatte, wurden unangefochten gelassen. Ja Smolka konnte sogar sammt den zurückgebliebenen Mitgliedern seines Präsidial-Bureaus in der Stall-burg ruhig amtiren, wie denn auch am 6. November, in der Angelegenheit der verhafteten Füster und Smreker, Smolka als „Präsident" und Wi-ser als „Schriftführer" an Wessenberg eine Eingabe richteten und dessen Verwendung bei Windischgrätz ansuchten „damit den constitutionellen An-forderungen Genüge geleistet werde und die Unverletzlichkeit der Abge-ordneten geachtet bleibe". Das Reichstags-Bureau konnte sich zur Un-terstützung dieses Verlangens auf kein bestehendes Gesetz berufen. Die Verfassung vom 25. April, dessen §. 42 eine diesfällige Bestimmung enthielt, war aufgehoben, und die Verfassung die der constituirende Reichstag zustande bringen sollte war noch nicht da; ein „Gesetz-Ent-wurf" endlich, der in 2 §§. den fraglichen Punkt vorausnehmen und regeln sollte, war noch nicht einmal berathen geschweige denn beschlossen und sanctionirt. Es blieben daher Smolka nur Gründe guten Glaubens übrig: „Die Unverletzlichkeit der Person der Abgeordneten sei bisher in den europäischen constitutionellen Staaten stets geachtet worden; dieselbe sei durch die Grundsätze jedes verfassungsmäßigen Staatslebens geheiligt; sie müsse endlich, obgleich bei uns noch kein ausdrückliches Gesetz darüber bestehe, durch das provisorische Wahlgesetz und durch den Act der Ein-berufung des Reichstages als von Sr. k. k. Majestät gewährleistet be-trachtet werden" [187]).

Kaum würden die kaiserlichen Richter, die nicht nach dem in Zukunft zu gebenden sondern einzig nach dem zur Zeit in Wirksamkeit befindli-chen Gesetze Recht zu sprechen hatten, durch die allgemeinen Behauptun-gen und Schlußfolgerungen der Herren Smolka und Wiser sich irgend-wie haben bestimmen lassen. Auch kam die Verwahrung derselben, vom Minister-Präsidenten mit einer befürwortenden Zuschrift an den Feld-marschall geleitet, zu einer Zeit in das kaiserliche Haupt-Quartier wo über das Schicksal der verhafteten Reichstags-Abgeordneten bereits ent-schieden war. An demselben 8. November wo Wessenberg in Olmütz seine Einbegleitung aufsetzen ließ, hatte Windischgrätz in Schönbrunn seine Weisungen an das Wiener Kriegsgericht schon gegeben. Am 9. bald nach Mittag wurde Füster vorgerufen und ihm mitgetheilt, daß er auf Befehl des Feldmarschalls auf freien Fuß gestellt werde; er mußte nur einen Revers unterzeichnen, daß er Wien ohne Erlaubnis des Stadt-Com-mandos nicht verlassen und sich auf jede Vorladung der standrechtlichen

Commission unweigerlich stellen würde. Füster, aus dem Stabsstockhause
entlassen, wollte sich, unter dem Vorwand er fühle eine schwere Krank=
heit im Anzuge, im Kloster der barmherzigen Brüder einquartiren; allein
die geistlichen Herren verweigerten ihm die Aufnahme. Auch ist die von
ihm befürchtete schwere Krankheit nicht eingetreten. Er scheint nicht ein=
mal l e i c h t erkrankt zu sein; mindestens erwähnt er in seinen „Memoi=
ren" davon nichts, sondern macht nur eine Randbemerkung über die
„Barmherzigkeit der christlichen Pharisäer", die „zu uns Christen" in
demselben Verhältnisse stünden „wie die Samariter zu den Juden". Von
den nähern Umständen, wie Smreker und Marcher ihrer Haft entlassen
worden, ist uns nichts bekannt; ohne Zweifel geschah dies um dieselbe
Zeit da Füster seine Freiheit wieder erhielt, und unter denselben Be=
dingungen wie dieser.

Die Freigebung der drei Abgeordneten zerstreute das vielerlei Ge=
rede das in der Stadt über ihr Schicksal umherlief. „Es hatte sich",
erzählt Füster, „das Gerücht ausgebreitet, ich sei hingerichtet worden;
Viele, namentlich Geistliche, sollen darüber gejubelt haben" [188]. Aber
auch von andern Compromittirten wußte man die verschiedensten Dinge
zu erzählen. So hieß es von Messenhauser, er habe sich mit einer der
Stadt=Cassa entwendeten Million aus dem Staube gemacht; Bem habe
sich entleibt; Adolf Buchheim und Oskar Falke, die beiden Redacteure
des „Studenten=Courier", hätten als Müllerbursche zu entwischen versucht,
seien aber von Soldaten ergriffen erkannt und ohne weiters aufgeknüpft
worden; kein Student erhalte Pardon; täglich höre man in der Nach=
barschaft der Casernen Schüsse knallen denen ebensoviel Gefangene zum
Opfer fielen. Natürlich war an all dem Geträtsch kein wahres Wort;
es waren eben nur eitle Vermuthungen von der Sinnesverwirrung der
Furcht, wo nicht gar bare Erfindungen von der Bosheit des Hasses
eingegeben [189]. Die strafende Gerechtigkeit begann ihr trauriges Werk
erst am 9. November und der erste, den ihr Todesstreich traf, war we=
der ein Reichstags=Abgeordneter noch ein Student sondern, wie es bei
den Soldaten hieß, „einer aus Deutschland", oder, wie man auch hörte:
„ein Gesandter". Es war, in gewissem Sinne, das eine wie das andere
wahr.

14.

Am 4. November bevor der Tag graute hielten vor dem Gasthofe „zur Stadt London" zwei Kutschen mit militärischer Bedeckung; ein
Theil der letzteren besetzte das Einfahrtsthor, während Polizei-Ober-
Commissär v. Felsenthal und Hauptmann Johann Graf Caboga mit 6
bis 8 Mann sich im Gebäude verloren, in dessen Innerem in Folge
davon eine lebhafte Bewegung entstand. Sie trieb Schuselka von seinem Lager, er sprang an's Fenster und dann rasch in die Kleider; denn
daß es eine Verhaftung gelte war ihm auf den ersten Blick klar, und daß
der Gesuchte niemand sein könne als er, davon war er überzeugt; eine
Sehnsucht nach politischem Marthrium war ihm die ganze Zeit eigen.
Doch seine Aufregung war ohne Grund: Blum und Fröbel waren es
die man abholen kam. Der Verhaftsbefehl den man ihnen vorwies war
auf die Rückseite der Eingabe geschrieben, die sie am Tage zuvor an
General Cordon gerichtet hatten; ihre Berufung auf ihre Eigenschaft
als Mitglieder des deutschen Parlaments hatte keinen Erfolg. Man ließ
sie zusammenpacken was sie an „Effecten Barschaft und Scripturen"
mitzunehmen wünschten, legte an die Koffer das stadthauptmannschaftliche und das Privat-Siegel Blum's, nahm die Schlüssel in Empfang
und geleitete die Verhafteten zu den vor dem Gasthofe haltenden Wägen,
Blum zu dem einen, Fröbel zu dem andern [190]). Schuselka, der nun
bereits seine Person aus dem Spiele wußte, sah sie einsteigen ohne sie
zu erkennen; es war noch dunkel, beiläufig sechs Uhr, und mit wem er
die letzten Tage unter einem Dache gewohnt hatte, wußte er nicht. Erst
vom Kellner erfuhr er es. Als es hell ward, machte er sich auf den
Weg zu Minister Kraus; Goldmark auf den er stieß schloß sich ihm an.
Kraus beruhigte sie: „man werde die beiden Frankfurter Deputirten wohl
nur über die Gränze bringen wollen". In der Stadt gewann das Gerücht von ihrer Verhaftung erst im Laufe des 5. sicheren Halt, und auch
da war die Meinung allgemein, es sei nur geschehen um sie über die
Gränze zu „spediren".

Die Fahrt der Gefangenen ging nach dem Stabsstockhause, wo

ihnen beiden ein gemeinjchaftliches Zimmer angewiejen wurde. Es war
auf Cordon's ausdrücklichen Befehl das bejte Gelaß im Haufe ausge-
jucht worden; es war geräumig und licht, nur daß die Fenjter, welche
auf die zu allen Zeiten des Tages belebte Elend=Bajtei gingen, Eijen=
gitter hatten. Auch jonjt wurden jie mit vieler Rückjicht behandelt; jie
konnten jich Speije und Trank auf ihre Kojten bringen lajjen, jie durf=
ten rauchen, jchreiben und lejen war ihnen nicht verwehrt; jie waren,
was ihnen das liebjte, allein, und niemand beunruhigte jie, wenn nicht
ihr eigenes Gemüth. Letzteres war nun allerdings häufig genug der
Fall, bei jedem in anderer Weife. Während Fröbel jtundenlang mit
aufgeregten Schritten das Zimmer durchmaß, jtierte Blum in Jelinek's
„kritijche Gejchichte der Wiener Revolution" ohne jeine Gedanken
dabei fejthalten zu können; jeine Rede in der Aula, jein Artikel
im „Radicalen" traten ihm wie jchlimme Mahner immer wieder vor die
Seele. Oft jaß er jtumm und brütend am Fenjter, viel mit Gedanken
an jeine Familie bejchäftigt; dann jprach er mit Fröbel was er auf der
Heimreife, bei der Rückkunft nach Frankfurt thun wolle, doch unjichern
Tons. Bange Ahnungen zogen durch jeine Seele daß es wohl anders
kommen möchte; jein Gejicht röthete jich, jeine Augen wurden trüber,
jeine Hände zitterten und Fröbel's Zujprache verfing dann nicht bei ihm;
„ich glaube Du wirjt allein nach Frankfurt zurückkehren", jagte Blum.
Mitunter gelang es ihnen doch ihre Sorgen zu bannen; jie erheiterten
jich in lebhaftem Gejpräch, jie jcherzten und lachten laut, zur großen
Verwunderung der Wache vor ihrem Zimmer, die jie durch eine ver=
glajte Öffnung in der Thüre beobachten konnte. Am zweiten Tage ihrer
Gefangenjchaft jetzten jie ein Schreiben an den Präjidenten der deutjchen
National=Verjammlung auf, den jie zur Wahrung des in ihrer Perjon
verletzten Reichsgejetzes aufforderten. Am 6. jchrieben jie ihren in Leipzig
und in Zürich weilenden Frauen. „Denke Dir nichts jchreckliches",
tröjtete Blum jeine „liebe Jenny", „ich bin in Gejelljchaft Fröbel's und
wir werden jehr gut behandelt"; nur dürfte jich ihre Freilajjung bei der
großen Menge der Verhafteten „wohl etwas hinausziehen"; in einer
Nachjchrift hies es: „Denkt am 10." (Blum's Geburtstag) „und 11.
freundlich an mich!" [191]). Die Schreiben mußten offen durch die Hände
der Militär=Commijjion gehen; das nach Frankfurt bekamen jie nicht
wieder zu Gejicht und auch an jeine Adreffe ijt es nie gelangt; die
Briefe an ihre Frauen wurden ihnen Tags darauf zum eigenhändigen

13

Versiegeln mit ihren Petschaften wieder zurückgestellt und dann ab=
geschickt.

Zur selben Zeit waren sie nicht mehr allein in ihrem Zimmer; ein
dritter Inwohner, Matteo Padovani, leistete ihnen seit dem 6. Abends
Gesellschaft, an der sie kein besonderes Behagen fanden. Er störte ihr
bisheriges zwangloses Beisammensein, er mißfiel ihnen durch sein auf=
fallendes und unruhiges Wesen. Fröbel hegte sogar den Verdacht Pado=
vani sei als Spion zu ihnen gesandt; sicher ohne allen Grund [192]).
Am 7. November richteten Blum und Fröbel an General Cordon eine
Beschwerde wegen ihrer Gefangenhaltung seit dem 4., ohne daß ihnen
im Laufe dieser Tage „mindestens ein Verhör und damit Gelegenheit
ihr Recht geltend zu machen" wäre verschafft worden. Als hierauf keine
Antwort erfolgte, entwarf Blum am 8. einen „an die hohe Central=
Commission hierselbst" gerichteten Aufsatz, worin die beiden Frankfurter
Abgeordneten in sehr scharfem, zum Schluße sogar drohenden Tone gegen
ihre Verhaftung und Gefangenhaltung Protest einlegten. Auf Fröbel's
Vorstellung strich Blum die verletzendste Stelle und milderte auch sonst
hie und' da etwas im Ausdruck, worauf Fröbel den Aufsatz in's reine
schrieb und etwa um 4 Uhr N. M. abgehen ließ [193]).

Zwei Stunden später wurde Blum zum Verhör abgeholt; das
Schicksal der beiden Genossen war von diesem Augenblicke ein getrenntes
und ein verschiedenes.

Das Verhör Blum's dauerte beiläufig zwei Stunden. Es handelte
sich dabei wesentlich nur um drei Punkte: erstens um sein Auftreten am
23. in der Aula woselbst er, wie es in einer spätern Kundmachung der
Wiener Zeitung hieß, „den bewaffneten Aufruhr durch eine feurige Rede
angefacht"; zweitens um seine Theilnahme am Widerstand gegen die
kaiserlichen Truppen „mit den Waffen in der Hand als Führer einer
Compagnie des Corps d'Elite"; weder das eine noch das andere konnte
Blum läugnen, und er läugnete es nicht. Der dritte Punkt bezog sich
auf eine Angabe Messenhauser's, Blum habe ihm am 27. October bei
der Sophienbrücke die „Präsidentschaft" (der Republik) angetragen. Blum
wollte sich auf diesen Umstand nicht erinnern; habe er den Ausspruch
wirklich gethan, so sei dies „nur im Scherze" geschehen. Von Blum's
Artikel im „Radicalen" und von seinem Ausruf: „Ihr müßt noch zwei=
hundert latourisiren!" war im Verhör nicht die Rede; die Militär=Be=

hörde scheint diese Umstände damals gar nicht gekannt zu haben. Nach geschlossenem Verhör wurde Blum in sein früheres Gefängnis zurückgebracht, 8 Uhr Abends, aber gleich darauf, kaum daß er begonnen Fröbel's hastige Fragen zu beantworten, wieder abgeholt. „Auf Wiedersehen!" sagte dieser ihm die Hand hinreichend. „Auf — Wiedersehen!" gab Blum zögernd und in unsicherem Tone zurück [194]). Blum kam jetzt in ein anderes Gemach, das er mit Terzky, Camillo Hell und noch einem Vierten, einem Polen theilte.

Um 5 Uhr Morgens am 9. wurde er geweckt und zur Vernehmung des über ihn gesprochenen Urtheils abgeführt. Es lautete „nach Bestimmung der Proclamation Sr. Durchlaucht des Feldmarschalls Fürsten zu Windischgrätz vom 20. und 23. October, dann nach §. 4 im LXII. Artikel der Theres. Gerichtsordnung" auf „Tod durch den Strang"; doch konnte „in augenblicklicher Ermanglung eines Freimannes" das Strafurtheil nicht anders als „durch Erschießen" vollzogen werden. Blum wurde durch den Profoßen wieder abgeführt, er hatte bei zwei Stunden Zeit sich zu sammeln. Alsbald erschien P. Raimund von den Schotten, ihn auf den Tod vorzubereiten. „Wer hat Sie gesendet?" sagte Blum rauh; „ich bin Deutsch-Katholik!" „„Ich weiß es"", erwiderte jener in mildem Tone; „„aber den Rath eines Freundes werden Sie auch als Deutsch-Katholik nicht verschmähen"". Hierauf wurde Blum weicher; er begann von Frau und Kindern zu sprechen, und wie er sie noch einmal sehen möchte. Der Geistliche mahnte ihn, jetzt seine Seele von irdischen Dingen abzuwenden; er möge sich Sokrates vorhalten, wie dieser am letzten Abend seines Lebens Frau und Kinder weggeschickt habe um nicht durch ihren Jammer in der Unterredung gestört zu werden die er mit seinen Freunden über Unsterblichkeit halten wollte; er könne im Geiste von seiner Familie Abschied nehmen. Blum erklärte, er wolle an seine Frau schreiben; Papier Dinte und Feder waren schnell herbeigeschafft, und Blum warf zehn bis zwölf Zeilen hin. „Weise Lehren vermag ich meinen Kindern nicht zu geben", sprach er zu P. Raimund dem er den Brief, seine Ringe und das Geld das er noch bei sich hatte übergab; „aber ich habe sie zur Gottesfurcht ermahnt". Der Benedictiner lenkte jetzt Blum's Gedanken auf religiöse Gegenstände; man stritt über Unsterblichkeit, man sprach von den Dingen, die des Menschen Geist zu dem Höchsten erheben, die sein Gemüth auf's tiefste bewegen. Zuletzt fiel Blum auf die Knie nieder und bat um das Sacrament. P. Rai-

werden, da die besondere privilegirte Stellung der Reichstagsmitglieder
eine eigene Beachtung nöthig mache und die Regierung sonst in Conflicte
mit dem Reichstage kommen könnte. Uebrigens hoffe ich", fügte er zum
Schluße bei, „daß sich die bei den letzten Ereignissen compromittirten
Reichstagsmitglieder wohl von selbst aus Wien entfernen und jede Berührung mit dem zeitweiligen Militär-Gouvernement vermeiden werden".
Windischgrätz stimmte ganz und gar nicht in diesen letzten Wunsch und
hielt auch in allem übrigen seine Ansicht fest.   „Der Reichstag habe",
schrieb er am 2. November, „bis zum letzten Augenblicke in seiner Haltung verharrt; er habe sich obgleich längst vertagt und verlegt selbst nach
Einnahme der Stadt noch versammeln wollen, diesen seinen Vorsatz,
obwohl der Haupteingang zu seinem Sitzungs-Local militärisch besetzt
worden, durch Benützung von Seitenthüren ausgeführt und einen Protest aufgesetzt. Nach allem diesem", schloß der Fürst, „stellt sich die
Nothwendigkeit heraus, die Häupter jener Fraction des Reichstages, die
mit der subversiven Partei eng verbündet war und dem allen Gesetzen
Hohn sprechenden Aufstande eine Art legale Weihe gab, zur strengen
Verantwortung und zur Strafe zu ziehen. Die moralischen Beweise ihrer
Schuld liegen klar am Tage und es sollte, denke ich, nicht schwer werden auch die juridischen zu finden. Eure Excellenz, dessen bin ich über-
zeugt, können jetzt, nach allem was vorgefallen, unmöglich einer andern
Meinung sein."

Die weitern Verhandlungen über diese Frage wurden nicht mehr
mit Wessenberg, sondern zwischen Windischgrätz und Felix Schwarzenberg
geführt. Und hier bekommen wir es mit einem jener schon früher angedeuteten Fälle zu thun, wo wir Schwarzenberg, den Neuling in Dingen
solcher Art, seine Meinung erst nach und nach sich feststellen und selbe
daher in der kurzen Frist weniger Tage in sehr merklicher Weise ändern
sehen. Dabei fällt, vielleicht eben weil er seiner Sache nicht recht sicher
ist, die Leichtfertigkeit des Tones auf, mit dem er einen Gegenstand
von so ernster Natur bespricht. Im Anfang theilt er ganz des Feldmarschalls Ansicht. „Es wäre", meint er am 3. November, „überaus nützlich, positive Daten über diejenigen Reichstagsmitglieder zu sammeln,
die sich einer factischen Betheiligung an dem Aufruhre schuldig gemacht
haben. Wenn wir juridische Beweise hätten, wäre es ein leichtes, die
Betreffenden der gewöhnlichen gerichtlichen Behandlung zu überliefern.
Füster Violand Pohl (?) und noch mehrere andere sollen die beste Ge-

legenheit dazu gegeben haben". Zwei Tage später, 5., spricht er schon mit
weniger Bestimmtheit. Von der „Mitschuld mancher Reichstags-Deputirten an den Schändlichkeiten der letzten Revolution" ist er „moralisch
überzeugt", allein an die „geheiligten Leiber" der Volksvertreter könne
man „nur durch juridische Beweise gelangen"; lägen in dieser Beziehung
„constatirte Daten" vor, so könnte „viel ersprießliches" erreicht werden.
Am 7. bittet er bereits „um Schonung für die schlechtesten unserer
Reichstags-Deputirten"; mit Blum möge der Feldmarschall nach Ermessen
vorgehen, er verdiene „alles". Endlich am 8. hat er Wessenberg's ursprüngliche Auffassung ganz zur seinigen gemacht; die Reichstags-Deputirten seien „nicht standrechtlich zu behandeln, wenn sie nicht in flagranti verhaftet werden können"; ein anderes Verfahren würde dem
Ministerium „die größten Schwierigkeiten bereiten. Entzieht sich", so
meint er, gleichfalls an einen Gedanken Wessenberg's anknüpfend, zum Schluße,
„ein angeschuldigter Reichstags-Deputirter der Untersuchung durch die Flucht,
so ist er dadurch schon, und auch für die Zukunft, unmöglich gemacht".

Die Zuschrift Schwarzenberg's vom 7., die jedenfalls im Laufe des
8. November in Schönbrunn eintraf, entschied über das Schicksal der
beiden bereits seit dem 4. morgens verhafteten Frankfurter Deputirten,
aber auch, nur in anderem Sinne, über das jener Mitglieder des österreichischen Reichstages, deren Person man sich in der Zwischenzeit versichert hatte oder auf die man fahndete, weil man Anzeichen unmittelbarer Betheiligung an den letzten Ereignissen gegen sie meinte geltend machen zu können.

Unter den ersteren befand sich der berüchtigte Studenten-Pater Füster.
Im Reichstag hatte Füster eigentlich wenig gesprochen, aber nie war dies
geschehen ohne weit verbreitete Entrüstung hervorzurufen. Das erstemal
war es am 29. Juli bei der Verhandlung über die Rückkunft des Kaisers
Ferdinand aus Innsbruck, wo er die Frechheit hatte auf „die Geschichte
von Karl I. Jacob II. und Ludwig XVI." hinzuweisen; durch die Bänke
des Centrums und der Rechten lief ein Murren des Unwillens, selbst
die Linke wagte nicht ihn durch Beifall zu unterstützen; verwirrt und
stotternd brachte er seine kurze Rede kaum zu Ende und setzte sich rasch
nieder. Ein zweitesmal sprach er am 13. September, als der Straßer-
Selinger'sche Antrag auf „Anerkennung der Verdienstlichkeit der Armee
in Italien" berathen wurde. Füster war natürlich dagegen; erstens,

meinte er, habe die Armee nur ihre Schuldigkeit gethan, zweitens habe
sie ihren Sieg durch manche Grausamkeit befleckt, und drittens habe sie
gegen die Freiheit gekämpft.   Diese Rede, die längste die er im Laufe
seiner parlamentarischen Thätigkeit gehalten, hat Füstern die heftigste Erbitterung in allen militärischen Kreisen eingetragen; unter den Officieren
des Wiener Belagerungsheeres waren Äußerungen zu vernehmen: „man
werde Füster niederschießen wo man ihn träfe, es werde sich leicht ein
Vorwand dazu finden lassen". Aber auch außerhalb der Armee war alles,
was einen Funken patriotischen Gefühles in sich trug, über das Auftreten Füster's bei diesem Anlasse empört.   Dazu kam sein ganz unpriesterliches Benehmen; die Geistlichkeit betrachtete ihn als einen Auswürfling;
seine achtzigjährige Mutter, eine tief religiöse Frau, wandte sich von ihm
ab. Was ihn aber vor dem Kriegsgerichte, strafbar erscheinen ließ, war
die Thätigkeit die er in der Octoberzeit sowohl als Mitglied des permanenten Ausschußes, als außerhalb desselben durch seine unausgesetzten
Berührungen mit der akademischen Legion entwickelte. Besonders in letzter Hinsicht hat Füster die schwerste Schuld auf sich geladen.   Wir sind
durchaus nicht geneigt alle die unsaubern Geschichten für wahr zu halten,
die über ihn als Jugend-Verführer insbesondere aus den Tagen der
Mai-Barricaden herumgetragen wurden; er hat sie in seinen Memoiren
als böswillige Verläumdung bezeichnet, und wir wollen es ihm, zur Ehre
des Lehrer- und des Priesterstandes, auf's Wort glauben. Was er jedoch
nie in Abrede stellen konnte und in der That nicht in Abrede gestellt,
vielmehr desselben sich wiederholt gerühmt hat, das war der Einfluß den
er in einer politisch und social aufgeregten Zeit über einen großen Theil
der akademischen Jugend ausübte, und zwar nicht im Sinne der Mahnung, der Warnung, der Abhaltung, wie es sich seinem Beruf und seinen
gereifteren Jahren ziemte, sondern im Gegentheil im Sinne der Anspornung und Aufreizung. Wenn er es mit seinem Gewissen vereinen konnte,
hunderte heißblütiger Jünglinge mittelbar und selbst unmittelbar, wie
z. B. die in der „ungarischen Krone" einquartirten Grätzer Studenten
am 25. October *), in Kampf und Tod gejagt zu haben: eben so viele
tief bekümmerte, vielleicht um die Stützen ihrer kommenden Greisenjahre
gebrachte Ältern-Paare fluchten ihm darum und stellten die Strafwürdigkeit keines andern der Bewegungsleiter so hoch als die des gewissenlosen Wiener Studenten-Paters.

*) Bd. I. S. 121.

Füster hielt sich in den ersten Tagen nach Einnahme der innern Stadt verborgen; erst auf die Kunde daß den Reichstags-Abgeordneten auf Wunsch Pässe ausgefolgt würden, wagte er sich am 3. November aus seinem Verstecke hervor, bewarb sich um einen Geleitschein nach Steiermark und erhielt ihn. Es mußte dies im damaligen Taumel der Geschäfte unterlaufen sein; denn der Name Füster war in militärischen Kreisen zu bekannt als daß es sich sonst erklären ließe wie man ihn anstandslos abziehen lassen konnte. Auch erschien, noch bevor er seine Abreise angetreten, ein Officier mit einem Trupp Soldaten in seiner Wohnung, durchsuchte sie, zog sich jedoch, ohne Zweifel auf Füster's Berufung auf seinen Paß, mit einer Entschuldigung wieder zurück [185]). Füster fuhr nun ab und kam in einem Fiacre glücklich bis Mödling, von wo er die Eisenbahn nach Neustadt benützen wollte. Indessen wurde er hier neuerdings erkannt, sammt seinem Reisepaß unter militärischer Bedeckung nach Wien zurückgebracht und im Stabsstockhaus festgehalten. Ein gleiches Los wie Füster traf den Reichstagsabgeordneten Smreker (für Lichtenwald in Steiermark); auch er befand sich bereits außerhalb Wien, als er am 4. Abends in Neustadt auf Befehl des Obersten Horváth arretirt und nach Wien gebracht wurde. Dasselbe verlautete von einem Dritten, Michael Marcher aus Groß-Enzersdorf, der sich durch seine Thätigkeit für Aufbringung des Landsturms bemerkbar gemacht haben soll. Es war aber von allem Anfang auf bei weitem mehrere abgesehen, insbesondere auf jene die sich wie Fischhof und Goldmark am Nachmittage des 6. October im Kriegsgebäude befunden hatten und denen die allgemeine Stimme eine nähere oder entferntere Mitschuld an der Ermordung Latour's zuschrieb. Beim Kriegsgerichte scheinen sogar Anzeigen eingelaufen zu sein, als habe ein förmliches Complott bestanden und sei das Ende des Kriegs-Ministers eine in reichstäglichen und journalistischen Kreisen vorausbedachte Sache gewesen. Unter andern war Franck als einer der Mitverschworenen beinzichtigt, der sich jedoch bald außer dem Bereich der Militär-Behörde befand; auch war seine Verdächtigung in diesem Stücke sicher ohne allen Grund [186]). Auch die gegen Fischhof und Goldmark eingelangten Anzeigen mochten nicht so beweiskräftig festgestellt sein um sofort ihre Verhaftung einzuleiten. Smolka und Schuselka, obwohl der erstere am 6. October gleichfalls im Kriegsgebäude gewesen war und der letztere als Berichterstatter des permanenten Ausschußes eine der hervorragendsten Rollen gespiel

hatte, wurden unangefochten gelaſſen. Ja Smolka konnte ſogar ſammt
den zurückgebliebenen Mitgliedern ſeines Präſidial=Bureaus in der Stall=
burg ruhig amtiren, wie denn auch am 6. November, in der Angelegenheit
der verhafteten Füſter und Smreker, Smolka als „Präſident" und Wi=
ſer als „Schriftführer" an Weſſenberg eine Eingabe richteten und deſſen
Verwendung bei Windiſchgrätz anſuchten „damit den conſtitutionellen An=
forderungen Genüge geleiſtet werde und die Unverletzlichkeit der Abge=
ordneten geachtet bleibe". Das Reichstags=Bureau konnte ſich zur Un=
terſtützung dieſes Verlangens auf kein beſtehendes Geſetz berufen. Die
Verfaſſung vom 25. April, deſſen §. 42 eine diesfällige Beſtimmung
enthielt, war aufgehoben, und die Verfaſſung die der conſtituirende
Reichstag zuſtande bringen ſollte war noch nicht da; ein „Geſetz=Ent=
wurf" endlich, der in 2 §§. den fraglichen Punkt vorausnehmen und
regeln ſollte, war noch nicht einmal berathen geſchweige denn beſchloſſen
und ſanctionirt. Es blieben daher Smolka nur Gründe guten Glaubens
übrig: „Die Unverletzlichkeit der Perſon der Abgeordneten ſei bisher in
den europäiſchen conſtitutionellen Staaten ſtets geachtet worden; dieſelbe
ſei durch die Grundſätze jedes verfaſſungsmäßigen Staatslebens geheiligt;
ſie müſſe endlich, obgleich bei uns noch kein ausdrückliches Geſetz darüber
beſtehe, durch das proviſoriſche Wahlgeſetz und durch den Act der Ein=
berufung des Reichstages als von Sr. k. k. Majeſtät gewährleiſtet be=
trachtet werden" [187]).

Kaum würden die kaiſerlichen Richter, die nicht nach dem in Zukunft
zu gebenden ſondern einzig nach dem zur Zeit in Wirkſamkeit befindli=
chen Geſetze Recht zu ſprechen hatten, durch die allgemeinen Behauptun=
gen und Schlußfolgerungen der Herren Smolka und Wiſer ſich irgend=
wie haben beſtimmen laſſen. Auch kam die Verwahrung derſelben, vom
Miniſter=Präſidenten mit einer befürwortenden Zuſchrift an den Feld=
marſchall geleitet, zu einer Zeit in das kaiſerliche Haupt=Quartier wo
über das Schickſal der verhafteten Reichstags=Abgeordneten bereits ent=
ſchieden war. An demſelben 8. November wo Weſſenberg in Olmütz ſeine
Einbegleitung aufſetzen ließ, hatte Windiſchgrätz in Schönbrunn ſeine
Weiſungen an das Wiener Kriegsgericht ſchon gegeben. Am 9. bald nach
Mittag wurde Füſter vorgerufen und ihm mitgetheilt, daß er auf Befehl
des Feldmarſchalls auf freien Fuß geſtellt werde; er mußte nur einen
Revers unterzeichnen, daß er Wien ohne Erlaubnis des Stadt=Com=
mandos nicht verlaſſen und ſich auf jede Vorladung der ſtandrechtlichen

Commission unweigerlich stellen würde. Füster, aus dem Stabsstockhause
entlassen, wollte sich, unter dem Vorwand er fühle eine schwere Krank=
heit im Anzuge, im Kloster der barmherzigen Brüder einquartiren; allein
die geistlichen Herren verweigerten ihm die Aufnahme. Auch ist die von
ihm befürchtete schwere Krankheit nicht eingetreten. Er scheint nicht ein=
mal l e i c h t erkrankt zu sein; mindestens erwähnt er in seinen „Memoi=
ren" davon nichts, sondern macht nur eine Randbemerkung über die
„Barmherzigkeit der christlichen Pharisäer", die „zu uns Christen" in
demselben Verhältnisse stünden „wie die Samariter zu den Juden". Von
den nähern Umständen, wie Smreker und Marcher ihrer Haft entlassen
worden, ist uns nichts bekannt; ohne Zweifel geschah dies um dieselbe
Zeit da Füster seine Freiheit wieder erhielt, und unter denselben Be=
dingungen wie dieser.

Die Freigebung der drei Abgeordneten zerstreute das vielerlei Ge=
rede das in der Stadt über ihr Schicksal umherlief. „Es hatte sich",
erzählt Füster, „das Gerücht ausgebreitet, ich sei hingerichtet worden;
Viele, namentlich Geistliche, sollen darüber gejubelt haben" [188]. Aber
auch von andern Compromittirten wußte man die verschiedensten Dinge
zu erzählen. So hieß es von Messenhauser, er habe sich mit einer der
Stadt=Cassa entwendeten Million aus dem Staube gemacht; Bem habe
sich entleibt; Adolf Buchheim und Oskar Falke, die beiden Redacteure
des „Studenten=Courier", hätten als Müllerbursche zu entwischen versucht,
seien aber von Soldaten ergriffen erkannt und ohne weiters aufgeknüpft
worden; kein Student erhalte Pardon; täglich höre man in der Nach=
barschaft der Casernen Schüsse knallen denen ebensoviel Gefangene zum
Opfer fielen. Natürlich war an all dem Geträtsch kein wahres Wort;
es waren eben nur eitle Vermuthungen von der Sinnesverwirrung der
Furcht, wo nicht gar bare Erfindungen von der Bosheit des Hasses
eingegeben [189]. Die strafende Gerechtigkeit begann ihr trauriges Werk
erst am 9. November und der erste, den ihr Todesstreich traf, war we=
der ein Reichstags=Abgeordneter noch ein Student sondern, wie es bei
den Soldaten hieß, „einer aus Deutschland", oder, wie man auch hörte:
„ein Gesandter". Es war, in gewissem Sinne, das eine wie das andere
wahr.

14.

Am 4. November bevor der Tag graute hielten vor dem Gast=
hofe „zur Stadt London" zwei Kutschen mit militärischer Bedeckung; ein
Theil der letzteren besetzte das Einfahrtsthor, während Polizei=Ober=
Commissär v. Felsenthal und Hauptmann Johann Graf Caboga mit 6
bis 8 Mann sich im Gebäude verloren, in dessen Innerem in Folge
davon eine lebhafte Bewegung entstand. Sie trieb Schuselka von sei=
nem Lager, er sprang an's Fenster und dann rasch in die Kleider; denn
daß es eine Verhaftung gelte war ihm auf den ersten Blick klar, und daß
der Gesuchte niemand sein könne als er, davon war er überzeugt; eine
Sehnsucht nach politischem Martyrium war ihm die ganze Zeit eigen.
Doch seine Aufregung war ohne Grund: Blum und Fröbel waren es
die man abholen kam. Der Verhaftsbefehl den man ihnen vorwies war
auf die Rückseite der Eingabe geschrieben, die sie am Tage zuvor an
General Cordon gerichtet hatten; ihre Berufung auf ihre Eigenschaft
als Mitglieder des deutschen Parlaments hatte keinen Erfolg. Man ließ
sie zusammenpacken was sie an „Effecten Barschaft und Scripturen"
mitzunehmen wünschten, legte an die Koffer das stadthauptmannschaft=
liche und das Privat=Siegel Blum's, nahm die Schlüssel in Empfang
und geleitete die Verhafteten zu den vor dem Gasthofe haltenden Wägen,
Blum zu dem einen, Fröbel zu dem andern [190]). Schuselka, der nun
bereits seine Person aus dem Spiele wußte, sah sie einsteigen ohne sie
zu erkennen; es war noch dunkel, beiläufig sechs Uhr, und mit wem er
die letzten Tage unter einem Dache gewohnt hatte, wußte er nicht. Erst
vom Kellner erfuhr er es. Als es hell ward, machte er sich auf den
Weg zu Minister Kraus; Goldmark auf den er stieß schloß sich ihm an.
Kraus beruhigte sie: „man werde die beiden Frankfurter Deputirten wohl
nur über die Gränze bringen wollen". In der Stadt gewann das Ge=
rücht von ihrer Verhaftung erst im Laufe des 5. sicheren Halt, und auch
da war die Meinung allgemein, es sei nur geschehen um sie über die
Gränze zu „spediren".

Die Fahrt der Gefangenen ging nach dem Stabsstockhause, wo

ihnen beiden ein gemeinschaftliches Zimmer angewiesen wurde. Es war auf Cordon's ausdrücklichen Befehl das beste Gelaß im Hause ausgesucht worden; es war geräumig und licht, nur daß die Fenster, welche auf die zu allen Zeiten des Tages belebte Elend-Bastei gingen, Eisengitter hatten. Auch sonst wurden sie mit vieler Rücksicht behandelt; sie konnten sich Speise und Trank auf ihre Kosten bringen lassen, sie durften rauchen, schreiben und lesen war ihnen nicht verwehrt; sie waren, was ihnen das liebste, allein, und niemand beunruhigte sie, wenn nicht ihr eigenes Gemüth. Letzteres war nun allerdings häufig genug der Fall, bei jedem in anderer Weise. Während Fröbel stundenlang mit aufgeregten Schritten das Zimmer durchmaß, stierte Blum in Jelinek's „kritische Geschichte der Wiener Revolution" ohne seine Gedanken dabei festhalten zu können; seine Rede in der Aula, sein Artikel im „Radicalen" traten ihm wie schlimme Mahner immer wieder vor die Seele. Oft saß er stumm und brütend am Fenster, viel mit Gedanken an seine Familie beschäftigt; dann sprach er mit Fröbel was er auf der Heimreise, bei der Rückkunft nach Frankfurt thun wolle, doch unsichern Tons. Bange Ahnungen zogen durch seine Seele daß es wohl anders kommen möchte; sein Gesicht röthete sich, seine Augen wurden trüber, seine Hände zitterten und Fröbel's Zusprache verfing dann nicht bei ihm; „ich glaube Du wirst a l l e i n nach Frankfurt zurückkehren", sagte Blum. Mitunter gelang es ihnen doch ihre Sorgen zu bannen; sie erheiterten sich in lebhaftem Gespräch, sie scherzten und lachten laut, zur großen Verwunderung der Wache vor ihrem Zimmer, die sie durch eine verglaste Öffnung in der Thüre beobachten konnte. Am zweiten Tage ihrer Gefangenschaft setzten sie ein Schreiben an den Präsidenten der deutschen National-Versammlung auf, den sie zur Wahrung des in ihrer Person verletzten Reichsgesetzes aufforderten. Am 6. schrieben sie ihren in Leipzig und in Zürich weilenden Frauen. „Denke Dir nichts schreckliches", tröstete Blum seine „liebe Jenny", „ich bin in Gesellschaft Fröbel's und wir werden sehr gut behandelt"; nur dürfte sich ihre Freilassung bei der großen Menge der Verhafteten „wohl etwas hinausziehen"; in einer Nachschrift hieß es: „Denkt am 10." (Blum's Geburtstag) „und 11. freundlich an mich!" [191]). Die Schreiben mußten offen durch die Hände der Militär-Commission gehen; das nach Frankfurt bekamen sie nicht wieder zu Gesicht und auch an seine Adresse ist es nie gelangt; die Briefe an ihre Frauen wurden ihnen Tags darauf zum eigenhändigen

13

Versiegeln mit ihren Petschaften wieder zurückgestellt und dann ab=
geschickt.

Zur selben Zeit waren sie nicht mehr allein in ihrem Zimmer; ein
dritter Inwohner, Matteo Padovani, leistete ihnen seit dem 6. Abends
Gesellschaft, an der sie kein besonderes Behagen fanden. Er störte ihr
bisheriges zwangloses Beisammensein, er mißfiel ihnen durch sein auf=
fallendes und unruhiges Wesen. Fröbel hegte sogar den Verdacht Pado=
vani sei als Spion zu ihnen gesandt; sicher ohne allen Grund [192]).
Am 7. November richteten Blum und Fröbel an General Cordon eine
Beschwerde wegen ihrer Gefangenhaltung seit dem 4., ohne daß ihnen
im Laufe dieser Tage „mindestens ein Verhör und damit Gelegenheit
ihr Recht geltend zu machen" wäre verschafft worden. Als hierauf keine
Antwort erfolgte, entwarf Blum am 8. einen „an die hohe Central=
Commission hierselbst" gerichteten Aufsatz, worin die beiden Frankfurter
Abgeordneten in sehr scharfem, zum Schluße sogar drohenden Tone gegen
ihre Verhaftung und Gefangenhaltung Protest einlegten. Auf Fröbel's
Vorstellung strich Blum die verletzendste Stelle und milderte auch sonst
hie und' da etwas im Ausdruck, worauf Fröbel den Aufsatz in's reine
schrieb und etwa um 4 Uhr N. M. abgehen ließ [193]).

Zwei Stunden später wurde Blum zum Verhör abgeholt; das
Schicksal der beiden Genossen war von diesem Augenblicke ein getrenntes
und ein verschiedenes.

Das Verhör Blum's dauerte beiläufig zwei Stunden. Es handelte
sich dabei wesentlich nur um drei Punkte: erstens um sein Auftreten am
23. in der Aula woselbst er, wie es in einer spätern Kundmachung der
Wiener Zeitung hieß, „den bewaffneten Aufruhr durch eine feurige Rede
angefacht"; zweitens um seine Theilnahme am Widerstand gegen die
kaiserlichen Truppen „mit den Waffen in der Hand als Führer einer
Compagnie des Corps d'Elite"; weder das eine noch das andere konnte
Blum läugnen, und er läugnete es nicht. Der dritte Punkt bezog sich
auf eine Angabe Messenhauser's, Blum habe ihm am 27. October bei
der Sophienbrücke die „Präsidentschaft" (der Republik) angetragen. Blum
wollte sich auf diesen Umstand nicht erinnern; habe er den Ausspruch
wirklich gethan, so sei dies „nur im Scherze" geschehen. Von Blum's
Artikel im „Radicalen" und von seinem Ausruf: „Ihr müßt noch zwei=
hundert latourisiren!" war im Verhör nicht die Rede; die Militär=Be=

hörde scheint diese Umstände damals gar nicht gekannt zu haben. Nach geschlossenem Verhör wurde Blum in sein früheres Gefängnis zurückgebracht, 8 Uhr Abends, aber gleich darauf, kaum daß er begonnen Fröbel's hastige Fragen zu beantworten, wieder abgeholt. „Auf Wiedersehen!" sagte dieser ihm die Hand hinreichend. „Auf — Wiedersehen!" gab Blum zögernd und in unsicherem Tone zurück [194]). Blum kam jetzt in ein anderes Gemach, das er mit Terzky, Camillo Hell und noch einem Vierten, einem Polen theilte.

Um 5 Uhr Morgens am 9. wurde er geweckt und zur Vernehmung des über ihn gesprochenen Urtheils abgeführt. Es lautete „nach Bestimmung der Proclamation Sr. Durchlaucht des Feldmarschalls Fürsten zu Windischgrätz vom 20. und 23. October, dann nach §. 4 im LXII. Artikel der Theres. Gerichtsordnung" auf „Tod durch den Strang"; doch konnte „in augenblicklicher Ermanglung eines Freimannes" das Strafurtheil nicht anders als „durch Erschießen" vollzogen werden. Blum wurde durch den Profoßen wieder abgeführt, er hatte bei zwei Stunden Zeit sich zu sammeln. Alsbald erschien P. Raimund von den Schotten, ihn auf den Tod vorzubereiten. „Wer hat Sie gesendet?" sagte Blum rauh; „ich bin Deutsch-Katholik!" „„Ich weiß es"", erwiderte jener in mildem Tone; „„aber den Rath eines Freundes werden Sie auch als Deutsch-Katholik nicht verschmähen"". Hierauf wurde Blum weicher; er begann von Frau und Kindern zu sprechen, und wie er sie noch einmal sehen möchte. Der Geistliche mahnte ihn, jetzt seine Seele von irdischen Dingen abzuwenden; er möge sich Sokrates vorhalten, wie dieser am letzten Abend seines Lebens Frau und Kinder weggeschickt habe um nicht durch ihren Jammer in der Unterredung gestört zu werden die er mit seinen Freunden über Unsterblichkeit halten wollte; er könne im Geiste von seiner Familie Abschied nehmen. Blum erklärte, er wolle an seine Frau schreiben; Papier Dinte und Feder waren schnell herbeigeschafft, und Blum warf zehn bis zwölf Zeilen hin. „Weise Lehren vermag ich meinen Kindern nicht zu geben", sprach er zu P. Raimund dem er den Brief, seine Ringe und das Geld das er noch bei sich hatte übergab; „aber ich habe sie zur Gottesfurcht ermahnt". Der Benedictiner lenkte jetzt Blum's Gedanken auf religiöse Gegenstände; man stritt über Unsterblichkeit, man sprach von den Dingen, die des Menschen Geist zu dem Höchsten erheben, die sein Gemüth auf's tiefste bewegen. Zuletzt fiel Blum auf die Knie nieder und bat um das Sacrament. P. Rai

13*

mund bedeutete ihm, daß er als Katholik wissen müsse, wie man den Leib Christi nicht empfangen könne ohne zuvor Ablaß seiner Sünden erhalten zu haben. Der Profoß verließ das Zimmer, Blum legte seine Beichte ab und empfing mit geläutertem Gemüth die Absolution und die heilige Hostie. Zuletzt bat er den Geistlichen noch, er möge es ihm nicht nachtragen daß er ihn beim ersten Begegnen nicht so empfangen habe wie sich wohl gebührt hätte; er habe, fügte er zur Entschuldigung bei, von katholischen „Pfaffen" eine andere Vorstellung gehabt.

Die Zeit war da, wo Blum seinen letzten Gang antreten sollte. Es beunruhigten ihn noch fortwährend Hoffnungsgedanken: all das, mochte er sich einreden, seien nur Vorbereitungen, doch zum äußersten werde man es nicht kommen lassen. Er stieg in den Wagen, der Geistliche und ein Officier, Lieutenant Anton Pokorný, mit ihm; auf dem Kutschbock und hinten drei Jäger; eine Abtheilung Cavallerie bildete die Bedeckung. Blum fragte den Officier: ob die Jäger zu seiner Begleitung bestimmt seien? Dann wieder, nachdem man sich in Bewegung gesetzt hatte: ob dies wirklich der Weg in die Brigittenau sei? Letztere Frage that er während der nicht sehr langen Fahrt noch zweimal, und nach jedesmaliger Bejahung derselben wurde seine Haltung, wie der Officier beobachtet haben will, merklich ungewisser. Einmal fragte er auch: wohin die Jäger schößen? „Einer auf die Stirn, zwei in's Herz", war die Antwort. „„O die Jäger wissen gut zu zielen, ich habe von ihnen ein Merkmal"", sagte er darauf und hob den einen Arm in die Höhe, um an seinem Rock die Spur der Kugel, die ihn im Gefecht getroffen, zu zeigen. In der Reiter-Caserne am Donau-Canal wurde Halt gemacht, und dieser Umstand weckte in Blum eine letzte Hoffnung auf Begnadigung. Doch gleich darauf stieg man wieder ein, der Wagen setzte sich von neuem in Bewegung und mit einem tiefen Seufzer fuhr sich Blum mit der Hand über die Augen, indem er murmelte: „Mein Weib! Meine Kinder!" Bald darauf vernahm man den Schall einer Frühglocke und dies versetzte ihn mit einemmal nach Köln; er wandte sich zu seinem geistlichen Begleiter und erzählte diesem, wie er in der Kirche als Knabe ministrirt und wie ihn seine Mutter jedesmal mit den Worten: „Beharre in der Furcht Gottes!" entlassen habe. Bald war man an der Richtstätte angelangt, man stieg aus dem Wagen; die Jäger, Blum mit dem Geistlichen bekamen ihren Platz angewiesen; vereinzelte Zuschauer standen hie und da in einiger Entfernung. Das Urtheil

wurde noch einmal verlesen, worauf der Profoß in üblicher Weise um
das Leben des Verurtheilten bat. Blum erhielt den Befehl sich bereit
zu machen. Er fragte den Geistlichen ob er nicht ohne Binde den
Todesstreich empfangen könne, ließ aber davon ab als ihm P. Raimund
dies ausredete: „einmal sei es so vorgeschrieben, und dann geschehe es
mehr um der Schützen willen, die sicherer schößen wenn sie nicht in das
Auge des Verurtheilten blickten". Blum hob darauf die Hände zum
Himmel, ließ sich ruhig die Augen verbinden und kniete nieder; der
Officier gab das stumme Zeichen, die Schüsse knatterten, und sicher ge=
troffen in Haupt und Herz sank, was von Blum noch der Erde ange=
hörte, zu Boden. Es war halb acht Uhr Morgens am Vortag von
Blum's zweiundvierzigsten Geburtstag [195]).

Julius Fröbel hatte um diese Zeit und noch Tage lang darnach keine
Ahnung von seines früheren Genossen Schicksal, er hatte vollauf mit
seinem eigenen zu thun. Nachdem er Blum zum letztenmal gesehen,
hatte er sich auf sein Lager geworfen, war aber vor Mitternacht mit der
Weisung geweckt worden sich rasch anzukleiden. Unter Bedeckung von
vier Mann wurde er vom Profoßen die Treppe hinabgeführt, dann ging
es im Wagen zur Stadthauptmannschaft wo er aussteigen mußte. Der
diensthabende Beamte erhielt aus den Händen des Profoßen ein ver=
siegeltes Schreiben das er aufbrach; er wechselte mit dem Überbringer
insgeheim einige Worte von denen Fröbel nur „gehängt" zu verneh=
men glaubte, während ein scharfer Blick, den er, während er um Namen
Alter Herkunft u. f. w. gefragt wurde, in das auf dem Tische liegende
Schreiben warf, die Worte „um fünf Uhr" erhaschte. Fröbel glaubte
nun sein Schicksal zu wissen und eine Reihe qualvoller Stunden begann
für ihn. Von der Stadthauptmannschaft wurde er in das Polizeihaus
überbracht und erhielt daselbst ein großes Gelaß für sich allein; ein
Soldat hielt im Zimmer, einer draußen vor der verschlossenen Thüre
Wacht. Fröbel schildert in feinen „Briefen über die October=Revolution"
die furchtbare Seelenangst die er auszustehen hatte, die Gedanken die
seinen Kopf, die Empfindungen die feine Brust, die Hitze und Kälte die
all seine Glieder und Fiebern durchjagten; er konnte nicht liegen, er
mußte sich aufrichten um die Beklemmung zu bannen die ihm die ge=
streckte Lage verursachte. Er hörte eins schlagen; also noch drei, läng=
stens vierthalb Stunden ehe er abgeholt würde! „Vernunft und Wille

führten während dieser Zeit einen verzweifelten Kampf mit Gefühl
Phantasie und Schwäche der Natur, und wie die Gedanken so oder so
liefen, strömte es mir heiß oder kalt durch den Leib". Es wurde 4 Uhr,
ein Wagen kam angerollt, im Hause wurde es unruhig, Treppen auf
Treppen ab; allein es waren nur die Wachen die einander ablösten. Es
wurde halb fünf, noch immer nichts. Es schlug fünf — er lebte noch!
Und jetzt erst spürte er daß verzehrender Durst ihn marterte; er leerte
den Wasserkrug der gefüllt dastand, aber noch den ganzen Tag hindurch
war sein Leib wie ausgetrocknet. Im Laufe des Vormittags hatte in
seiner Stube ein Soldat den Dienst der deutsch verstand und sprach.
Von diesem vernahm Fröbel, man habe heute früh „einen Hauptmann
von der Mobilgarde" erschossen; den Namen wußte der Soldat nicht
und der Gedanke, daß es Blum gewesen und daß daher auf diesen die
gelispelten und geschriebenen Worte, die Fröbel in der Nacht aufgefangen,
sich bezogen haben könnten, kam ihm nicht in den Sinn. In den Sinn
kam ihm vielmehr, was sein Gemüth von neuem auf die Folter spannte:
daß mit den Schicksalsworten „um fünf Uhr" etwa die Abendstunde ge=
meint war. Bald vernahm er in einem untern Theile des Gebäudes
das Hämmern eines Zimmermannes, und er ängstigte sich: „Sollte man
für mich den Galgen herrichten?" Dann wieder hörte er lautes mehr=
stimmiges Gelächter und er sah im Geiste Robert Blum unter dem
Grinsen einer unempfindlichen Menge sein Leben enden. Doch auch 5
Uhr N. M. ging vorüber ohne daß er abgeholt wurde, und nun erst
gewann es die Natur über ihn, daß er auf sein Lager fiel und einen lan=
gen festen Schlaf bis in den hellen Morgen des andern Tags hinein that.

Am 10. Mittags wurde Fröbel zum Verhör abgeholt; es mußte
aber ein Misverständnis unterlaufen sein, denn es wurde wieder abge=
brochen und einige Stunden später holte ihn der Profoß, diesmal in
Civilkleidern und zu Fuß um bei Tage kein Aufsehen zu erregen, in das
Stabsstockhaus zurück; es regnete, der Mann der Gerechtigkeit spannte
seinen Schirm auf, bot Fröbel den Arm und so wandelten die Beiden,
traulich wie zwei gute Bekannte, über die Straße. Noch denselben Abend
mußte Fröbel vor der permanenten Kriegs= und Standrechts=Commission
erscheinen und sein entscheidendes Verhör begann. Es bezog sich wie
bei Blum wesentlich auf drei Punkte: ob Fröbel bei Blum's Rede auf
der Aula zugegen gewesen, was nicht der Fall war; ob er an dem
Widerstande gegen die kaiserlichen Truppen thätigen Antheil genommen,

was Fröbel nicht läugnen konnte; ob er zur Absetzung Messen=
hauser's mitgewirkt, welcher Verdacht gleich dem ersten nicht be=
gründet war. Ein Glück war es für Fröbel, daß die Proclamation, die
er mit seinen Frankfurter Genossen gleich nach ihrer Ankunft an das
Volk von Wien erlassen, nicht bei den Acten war, wohl aber ein Exemplar
seines Schriftchens: „Wien Deutschland und Europa" das Padovani
den Richtern hatte zukommen lassen. So konnte denn Fröbel zu seiner
Vertheidigung vorbringen: daß sein ganzes Wesen und Streben nie auf
gewaltsamen Kampf gerichtet gewesen, wie er auch in Wien von den
Waffen gegen die kaiserlichen Truppen nicht „wirklich" Gebrauch gemacht
habe; daß er von Anfang her um seinen Ideen Verbreitung zu ver=
schaffen, nur eine ruhige gemäßigte Propaganda beabsichtigt habe, wofür
er sich auf seine im September in Wien gehaltenen Reden und auf seine
dem Gerichtshofe vorliegende Brochure berief; daß er sich endlich, be=
sonders in dieser letzteren, als ein Freund Österreichs und vorzüglich
Wiens gezeigt habe. Fröbel's Vertheidigung blieb bei den Richtern, die
für ihn sichtliche Theilnahme hegten, nicht ohne Eindruck; Major Cordier
forderte ihn auf, das Gesagte zu Protokoll zu geben: „es könne ihm
nützen".

In seinem Bericht an die Central=Untersuchungs=Commission trug
das Kriegsgericht auf Berücksichtigung der „hervorgekommenen Milde=
rungsgründe im Wege der Gnade" an, und Hauptmann Wolferom fuhr
am 11. November selbst nach Schönbrunn um den Feldmarschall auf die
bezeichnendsten Stellen in Fröbel's Schrift aufmerksam zu machen. Da=
mit war dessen Schicksal entschieden. Abends gegen 6 Uhr erschien der
Profoß in Fröbel's Gefängnis; vor demselben von 6 oder 8 Mann in
die Mitte genommen, wurde er in den Gerichtssaal geführt, wo ihn die
permanente Stand= und Kriegsrechts=Commission erwartete und, nachdem
die Trommel das Zeichen gegeben, sein Urtheil vernehmen ließ. Es
lautete auf Tod durch den Strang; allein anstatt der Bestätigungs=
Clausel seitens des Feldmarschalls folgte dessen Erklärung, daß er sich
„in Berücksichtigung der aus den Untersuchungs=Acten geschöpften Milde=
rungsgründe" bewogen gefunden habe, ihm „die ausgesprochene Todes=
strafe unbedingt nachzusehen".

Fröbel war frei, und die Männer des Gerichts, der Major voran,
kamen auf ihn zu, boten ihm die Hand und wünschten ihm Glück zu
der günstigen Wendung seines Schicksals. Er wurde seiner Haft ent=

laſſen, und jetzt erſt durch den ihn begleitenden Lieutenant Pokorny er=
fuhr Fröbel das Schickſal ſeines früheren Fahrt= und Haftgenoſſen
Blum. Es wurde ihm ein Polizei=Beamter in bürgerlicher Kleidung
zur Seite gegeben, unter deſſen Aufſicht er ſich eine Stunde ſpäter auf
der Eiſenbahn befand, um ohne weitern Aufenthalt über die öſterreichiſche
Gränze zu eilen [196]).

15.

In einer Zeit die faſt mit jedem Tage etwas außerordentliches
brachte, war das beklagenswerthe Ende Robert Blum's doch im Stande,
die allgemeine Aufmerkſamkeit in mehr als vorübergehender Weiſe in
Anſpruch zu nehmen. Es war das Vorleben und die Perſönlichkeit des
Mannes, in noch weit höherem Grade jedoch deſſen Stellung als Mit=
glied der deutſchen National=Verſammlung, was dieſem Ereigniſſe eine
ſolche Bedeutung verlieh.

Robert Blum, geboren 1807 am 10. November zu Köln, wo ſein
Vater erſt Faßbinder, ſpäter in einer Stecknadel=Fabrik beſchäftigt war,
wuchs unter den kümmerlichſten Verhältniſſen auf, die ſich noch unfreund=
licher geſtalteten, als ſeine Mutter nach dem Tode ihres erſten Mannes
eine zweite Ehe mit einem Schiffersknecht von rohen Sitten einging.
Der Knabe, der zugleich als Miniſtrant bei ſeiner Pfarrkirche Dienſte
that, genoß nur nothdürftigen Unterricht und ſchätzte ſich eben glücklich
in das Gymnaſium eingetreten zu ſein, als er es wegen gänzlichen
Mangels an Mitteln wieder verlaſſen mußte. Er kam nun, deſſen Feuer=
geiſt nach edlerer Nahrung dürſtete, zu einem Goldſchmied in die Lehre,
dann zu einem Gürtler und Gelbgießer, wanderte nach Elberfeld, nach
Bremen, und fand endlich in einer Laternen=Fabrik ſeiner Vaterſtadt
eine Anſtellung, die ihm wenigſtens die Möglichkeit bot in freien Stun=
den dem Mangel regelmäßig gewonnener Bildung einigermaßen abzu=
helfen. Am meiſten war letzteres in Berlin der Fall wohin 1829/30
ſein Principal einen Theil ſeines Geſchäftes übertrug, als ihn das Ge=
bot ſeiner Militär=Pflicht zu genügen aus dieſen ihm zuſagenden Ver=
hältniſſen riß. Zum Soldaten nicht geſchaffen, ſtand er nach balbiger

Entlassung erwerblos da und sah es als ein Glück an, daß der Schau-
spiel-Director Ringelhart in Köln die Stelle eines Theater-Dieners zu
vergeben hatte. Blum versuchte sich nun nebenbei in der Schriftstellerei,
ließ sich durch die stürmischen Ereignisse der Jahre 1830 und 1831 zu
politischen Gedichten begeistern und schrieb selbst Theaterstücke, von denen
aber nicht eines angenommen wurde. Mit Ringelhart kam er 1832 nach
Leipzig, nicht mehr als Diener, sondern als Secretär und Cassier. Hier
begann sich seine Lage dauernd zu bessern; 1838 begründet er sich bereits einen häuslichen Herd und heiratet, nachdem seine Frau nach wenig Monden ihm entrissen worden, 1840 zum zweitenmal; es war
Eugenie Günther, seine liebe „Jenny“, an die, sowie an den Kreis blühender Kinder die sie ihm gebar, er in den letzten Tagen seiner irdischen
Laufbahn mit so großem Schmerze denken sollte. Dabei hat Blum, einer
der schönsten Züge aus seinem Leben, seine alternde Mutter nie vergessen;
auch wenn es ihm selbst mitunter nicht recht klappen wollte, hat er doch
immer von Zeit zu Zeit etwas gefunden um es nach Köln an den
Buchhändler Bädeker zu senden, der freundlich als Mittelsmann diente.
In Leipzig war es anfangs vorzüglich seine literarische Thätigkeit die
sich vermehrte und ausbreitete; er wurde Mitarbeiter des „Komet“, der
„Abendzeitung“, unternahm mit Herloßsohn und Markgraf die Herausgabe eines Theaterlexikons rc. Seit 1841 Mitvorstand des Literatur-
Vereins, betheiligte er sich an der Leitung der „sächsischen Vaterlands-
blätter“ und mit J. Steger seit 1843 an der Herausgabe des Taschen-
buches „Vorwärts“. Wie er selbst den untersten Schichten der Gesellschaft entsprossen war, so verstand er es auch in seinen Aufsätzen den
Volkston zu treffen; er kannte was dem Volke weh und was ihm noth
that, und er wußte es in passender Weise ihm vorzutragen. „Er hatte“,
bemerkt Gustav Kühne, „just soviel Biederkeit als das Volk sie für eine
gute Sache voraussetzt, er hatte just soviel Klugheit als beim gemeinen
Mann der Argwohn gibt. Das Gute das er hatte, wie der Mangel an
Erkenntnis der ihm beiwohnte, waren Tugenden und Fehler des großen
Haufens, er theilte alles mit dem Volke und war nicht besser und nicht
schlechter als dieses. Im Zorn gegen altes Unrecht war er stark, wie
das Volk im unbestimmten Gefühl gegen Unbill stark ist“ [197]).

Das Jahr 1844 brachte die erste Gelegenheit die Blum's Namen
über die Gränzen seines schriftstellerischen Rufes hinaustrug, das Jahr
1845 den ersten Anlaß der ihn auf die politische Schaubühne hob.

Ronge's bekannter Brief an den Bischof Arnoldi von Trier erschien in Blum's Zeitschrift; mit allem Eifer ergriff Blum die Sache, weil ihr Wesen Opposition gegen alte Satzungen war und weil ihre Förderung die Opposition auch auf andere Gebiete hinübertreiben konnte; nicht im geringsten war es ihm dabei um Befriedigung irgend eines religiösen Bedürfnisses zu thun. Wenn er dem katholischen Geistlichen, der ihn dritthalb Stunden vor seinem Tode besuchen kam, mit dem Worte entgegentrat: „Ich bin Deutsch-Katholik", nämlich seiner innern festen Überzeugung nach, so hat er einfach gelogen; er war in jenem Augenblicke und seit Februar 1845, wo er zum erstenmal die Komödie der neu geschaffenen „Kirchen"-Gemeinschaft aufführte, weder Deutsch-Katholik noch ächter Katholik [198]. Am 12. August 1845 fand in Leipzig jene schmähliche Demonstration gegen den damaligen Prinzen Johann statt, die eine bedenklichere Gestalt annehmen konnte wenn nicht am 13. Blum, der Tags zuvor in der Hauptstadt gewesen war, rechtzeitig dazwischen trat. „Als Blum vom Rathhaussöller zu Leipzig sprach, da stand er auf dem Gipfel den er erreichen konnte; die blose Furcht vor dem Riesenzuge nach Dresden genügte, um die alte Ordnung der Dinge zu stürzen" (Kühne). Von diesem Augenblicke war Blum der volksthümlichste Mann in Sachsen. Er besaß alle Eigenschaften eines Demagogen. Seine unverwüstliche Geistes- und Körperkraft, sein kräftiges voll und tief tönendes Organ, seine volksthümliche Beredsamkeit, die zähe Ausdauer in Verfolgung seiner Plane stempelten ihn dazu. Er hatte es eben so sehr in seiner Macht eine Bewegung zu entfesseln, als er sie, wo er dies für nöthig hielt, in die gehörigen Schranken zurückzuleiten verstand [199]. „Er glich", sagte von ihm Held der sich auf so etwas verstand, „von allen deutschen Volksmännern der vierziger Jahre am meisten dem irischen Agitator O'Connel". Im Jahre 1847 gab Blum seine Stelle beim Theater auf, wurde Buchhändler und begann mit Cramer ein „Staats-Lexikon für das deutsche Volk" herauszugeben, als ihn 1848 der allgemeine Ruf der Menge in den Mittelpunkt der deutschen Ereignisse führte. Von der Stadt Zwickau in's Vor-Parlament gewählt, nahm er in der National-Versammlung als Abgeordneter von Leipzig seinen Sitz. Er gehörte in Frankfurt der Linken an, in deren Club im „deutschen Hause" er ziemlich unbestritten die Herrschaft führte. Später trat eine Spaltung ein und Blum gesellte sich der äußersten Linken zu, obgleich er Ruge, der im August diese Nachricht nach Leipzig brachte, in einer bald darauf dort abgehaltenen Volksversammlung deshalb der Verläumbung zieh. „Dieser sein Bericht", sagt Blum's Biograph der in allen andern Stücken voll Bewunderung für seinen Helden ist, „bot einen dunklen Fleck, der sich nicht so leicht verwischen lassen dürfte" [200]. Übrigens schien Blum selbst sich in Frankfurt nicht recht an seinem Platze zu fühlen; es kamen Stimmungen über ihn wo er lieber alles aufgegeben hätte. „Wäre es nicht eine Schande", schrieb er in einer solchen an seine Frau, „ich würde zusammenraffen was ich allenfalls habe und entweder auswandern oder in irgend einem friedlichen Thale des südlichen Deutschland eine Mühle oder dergleichen kaufen und nie wieder in die Welt zurückkehren, sondern theilnahmlos aus der Ferne ihr Treiben betrachten" [201]. So war es denn auch mehr sein Verhängnis als sein Wille was ihn nach Wien in den October-Aufstand führte; er wurde von seiner Partei gerufen, und er durfte um seines Ansehens willen den Ruf nicht überhören. Als er sich im Bahnhof von seinen politischen Freunden trennte, bot ihm Karl Vogt die Hand und sagte lachend: „Sieh zu daß sie Dich nicht hängen; verdient hättest Du es längst!" Der frivole Mann ahnte nicht, daß diesmal die Stimme eines Sehers aus ihm sprach. In Wien war Blum noch weniger in seinem Element als in Frankfurt. Fehlte ihm inmitten der gelehrten und hochgebildeten Gesetzgeber Deutschlands der Boden wo er seine volksmännischen Talente recht eigentlich entfalten konnte, so sagte ein Schauplatz wie Wien, wo die ungestümste Volksleidenschaft ihr entfesseltes Spiel trieb, eben so wenig seinem Wesen zu [202]. Nun er einmal mitten darin war, machte er die Sache mit und zwar, wie wir gesehen, auf's äußerste. Leute wie Schuselka, die ihn von früher her kannten, wurden an ihm ganz irre; er schien alles Maß, alle Besonnenheit verloren zu haben. Dieser Gedanke, auf dem ungewohnten Schauplatze seinem eigentlichen Wesen, das aufzureizen, dann aber auch wieder zu dämpfen verstand, untreu geworden zu sein, scheint mit zu Blum's Bekümmernissen in seiner Kerkerhaft beigetragen zu haben. „Er stimmte mit mir überein", erzählt Fröbel, „daß der Tod hauptsächlich nach dem Maße erfüllter oder nicht erfüllter Lebenszwecke leichter oder schwerer sei, und in diesem Sinne ist er ihm schwer geworden."

Doch diese Erwägungen, so sehr sie von jedem andern Standpunkte gelten und das Gewicht von Blum's moralischer Schuld herabmindern mochten, vor den Schranken des Kriegsgerichts konnten sie das nicht. Die

permanente stand= und kriegsrechtliche Commission hatte nach den That=
sachen und nach der Zurechnungsfähigkeit zu urtheilen: die Thatsachen
aber lagen vor, und über die Zurechnungsfähigkeit war kein Zweifel.
Daß die Partei=Leidenschaft jener Tage das Ende Blum's in ganz eigen=
thümlicher Weise ergriff, war nicht zu wundern. „Die Ermordung Blum's",
ruft dessen Biograph Arthur Frey aus, „ist die widerlichste, die entsetz=
lichste Greuelthat welche die neue Weltgeschichte aufzuweisen hat! Hero=
strat zündete den Tempel der Diana zu Ephesus an . . . die Namen
der Mordbrenner vererben sich von Geschlecht zu Geschlecht!" Blum's
Gesinnungsgenossen in Frankfurt erließen einen Aufruf „an das deutsche
Volk", der mit den groß gedruckten Worten begann: „Robert Blum ist
gefallen, ein Opfer feigen Mordes", und worin es weiter hieß: Blum's
beredter Mund sei geschlossen „durch eine Gewaltthat, durch einen Mord,
begangen mit kaltem Blute, mit Beobachtung sogenannter gesetzlicher
Formen!" Die Frankfurter Linke vermaß sich solcher Worte, sie, deren
Reden auf der Pfingstwiese jene Erbitterung in den Massen angefacht
und genährt hatten, der am 18. September Auerswald und Lichnowski
als beklagenswerthe Opfer fallen mußten. Die beiden hatten ihr Leben
verloren durch „feigen Mord", nicht Robert Blum, und kein geringerer
Mann hat das zugestanden als er selbst da er sagte: „Vom Standpunkte
derjenigen die mich verurtheilen, sterbe ich nicht unverdient!"[203]).

Selbst Solche, die sich keine derart zügellose Sprache erlaubten wie
die eben Erwähnten, haben damals nach den verschiedensten Beweggrün=
den herumgesucht, warum Windischgrätz Blum habe erschießen lassen.
Die verbreitetste Ansicht war die: um der Paulskirche einen Streich zu
spielen. „Die drei Kugeln die Blum tödteten, waren eine lakonische Er=
klärung der österreichischen Regierung gegen die §§. 2 und 3." Das
Haus Österreich, meinte Held, habe sich durch diese That, „eine blutige
Demonstration gegen das deutsche National=Parlament und die deutsche
Reichsgewalt", für immer von Deutschland losgesagt; als Haupt=Motiv
des ganzen terroristischen Actes habe das Bestreben vorgewaltet „der
deutschen Reichsgewalt die entschiedenste Verachtung der österreichischen
Regierung an den Tag zu legen". Windischgrätz, schrieb Kühne in sein
Tagebuch, habe dadurch offen erklärt Deutschland gehe ihn nichts an;
„Metternich läugnete Deutschland nie offen, er lähmte es im geheimen,
schmiedete die heimliche Klammer die uns band und niederdrückte: die
heimliche Diplomatie Alt=Österreichs ist jetzt zum offenen Martial=Gesetz

geworden" [204]). Nebstdem, gaben Andere dazu, war Blum als Deutsch=
Katholik „ein Dorn im Auge dem bigotten sächsischen Hofe und der gan=
zen katholischen Geistlichkeit"; darum sollte in seiner Persönlichkeit auch
der ehemalige Agitator für den Deutsch=Katholicismus, den Feind der ka=
tholischen Hierarchie, „also der früheren und späteren Hauptstütze der
österreichischen Politik", dem Tode überantwortet werden. Endlich hatten
Einige noch einen dritten Grund herausgefunden: Blum habe sich näm=
lich bei einem Anlasse den Baron Könneritz zum erbitterten Feinde ge=
macht; „mit einem Schlage wollte man demnach den sächsischen Hof,
die katholische Geistlichkeit, den sächsischen Gesandten in Wien durch die=
ses Opfer sich zu Dank verpflichten" [205]). Wir haben nicht nöthig, das
müssige von all diesen Unterstellungen nachzuweisen. Blum wurde einfach
darum hingerichtet, weil er nach den bestehenden Gesetzen überhaupt und
nach dem Kriegsrecht insbesondere des Todes schuldig befunden worden
war und weil sich dieser Schuld gegenüber keine Milderungsgründe von
entscheidendem Gewichte hatten auffinden lassen.

Es wurde gesagt, Blum sei nur in zweiter, ja wie Manche woll=
ten sogar erst in dritter Linie am Wiener October=Aufstande betheiligt
gewesen. Allein dieser Meinung setzten Andere die Frage entgegen, was
denn Blum müßte gethan haben, um als in erster Linie betheiligt ange=
sehen zu werden? Blum war mit einem bestimmten Auftrage nach Wien
gekommen; nachdem er sich desselben entledigt, sollte und konnte er wie=
der abreisen. Denn was Fröbel zu seiner Entschuldigung vorbrachte, seine
und Blum's Abreise sei nicht zu bewerkstelligen gewesen, war völlig grund=
los; hatten sie doch nicht einmal den Versuch gemacht ob sich ihr
Vorsatz, wenn er ja ernstlich gemeint war, nicht dennoch ausführen lasse [206]).
Aber selbst nachdem Blum in Wien zurückgeblieben, war für ihn durch=
aus keine Nöthigung vorhanden sich an einer Erhebung, die ihn als
Fremden in keiner Weise etwas anging, thätig zu betheiligen; er brauchte
sich nur auf seine Eigenschaft als Ausländer [207]), geschweige denn auf
die eines Sendboten aus Frankfurt zu berufen, um vollkommen unbe=
helligt in der „Stadt London" den Ausgang der Ereignisse abzuwarten.
Was nun Blum, statt in dieser Weise sich zu verhalten, von seiner Rede
in der Aula am 23. bis zu den Auftritten auf dem Stephansthurme
am 30. gethan, hätte jeden Andern als „einen" der thätigsten Beförderer
des October=Aufstandes" erscheinen lassen müssen, fiel aber bei ihm um
so mehr in's Gewicht, als man allgemein wußte daß er von Frankfurt

geschickt sei und als dadurch nicht Wenige in den Irrwahn geriethen, die deutsche Central=Gewalt selbst sei es welche die Sache Wiens als eine durchaus gerechte erkenne. Daß er Fremder war der mit den Angelegenheiten Wiens nichts zu schaffen hatte, und daß er Volksvertreter war der vor allem mit der Achtung der Gesetze voranleuchten sollte, mußte in den Augen aller Unbefangenen seine Schuld erhöhen [208]); keinesfalls lagen darin Umstände, die seine Strafbarkeit verringern oder das gegen ihn eingeleitete Verfahren aufhalten konnten. Wir haben uns hier natürlich mit der Frage über die Statthaftigkeit oder Unstatthaftigkeit der Todesstrafe für politische Verbrechen, die damals von den Linken aller gesetzgebenden Versammlungen mit wohlberechnetem Eifer in den Vordergrund gestellt wurde, nicht zu befassen; und eben so wollen wir nicht weiter untersuchen, in wiefern man Leute, deren Reden und Handlungen Tod oder Verstümmelung von tausenden theils jungkräftiger Soldaten theils dem Waffenhandwerke ganz fremder Personen jedes Alters und Geschlechts, den Ruin hunderter von Familien, den Verlust von Millionen an Gütern und Werthen in ihrem Gefolge haben, mit dem beschönigenden Namen bloser politischer Verbrecher bezeichnen dürfe und ob nicht im Vergleich mit ihnen die sogenannten gemeinen Verbrecher, denen der Tod einzelner Menschen, die Beraubung einzelner Hauswesen, die Verbrennung einzelner Wohnstätten zur Last fällt, wahre Kurzwaarenhändler seien. Wir haben uns einfach an die Thatsache zu halten, daß zur Zeit von der wir sprechen für Hochverrath Aufruhr bewaffneten Widerstand gegen die rechtmäßigen Gewalten die Todesstrafe gesetzlich bestand, und zwar nicht blos bei uns in Österreich, sondern in fast allen Staaten der beiden Continente bestand. Vor Anwendung dieser Strafe aber konnte Blum nach Recht und Gesetz weder seine Eigenschaft als Ausländer noch jene als Frankfurter Volksvertreter schützen. Nach dem damals giltigen österreichischen Strafgesetz über Verbrechen war „auch über einen Fremden der in diesen Ländern ein Verbrechen begeht" das Urtheil wie über einen Staatsangehörigen zu fällen; zwischen Österreich und Sachsen bestanden außerdem besondere Verträge und Wechselseitigkeitsgesetze, denen zu Folge Österreicher die in Sachsen, und Sachsen die in Österreich Verbrechen begingen, nach den Gesetzen des Landes wo sie die Unthat verübt zu bestrafen waren. Was Frankfurt betraf, so hatte allerdings die dortige Linke am 30. September, zwölf Tage nach den Barricaden=Tagen und der Hinschlach=

tung von Lichnowski und Auerswald wo jeder rechtliche Mensch in
Deutschland die ernstesten Schritte zur gerichtlichen Verfolgung der An=
stifter und intellectuellen Urheber jener scheußlichen Mordthat erwartete,
ein Gesetz durchzubringen gewußt, laut dessen ein Abgeordneter „während
der Dauer der Sitzungen ohne Zustimmung der Reichsversammlung
weder verhaftet noch in strafgerichtliche Untersuchung gezogen", im Falle
der Ergreifung desselben auf frischer That aber der Reichsversammlung
sofort Kenntnis gegeben werden sollte, der es dann zuständeꞏ „die Auf=
hebung der Haft oder Untersuchung bis zum Schluße der Sitzungen zu
verfügen". Allein dieses kostbare Privilegium, das in einer Zeit, wo
Aufruhr und Bürgerkrieg zu den täglichen Dingen gehörten, gewisser=
maßen alle rechtmäßigen Regierungen vogelfrei, alle gegen sie wühlenden
Volksvertreter straffrei machte, hatte in Österreich keine rechtliche Gil=
tigkeit; es war von Österreich nicht angenommen und anerkannt, ja es
war der kaiserlichen Regierung nicht einmal auf amtlichem Wege mitge=
theilt worden. „Es ist daher vielleicht in der Zukunft der Fall", sagte
mit bitterer Ironie ein Wiener Blatt, „daß die Herren Frankfurter
Deputirten ungescheut und ungestört in Revolutions=Sachen in fremden
Plätzen Unterricht geben, zu Mord und Vernichtung auffordern und
thätig beitragen können, wenn dieser obige Beschluß der deutschen Ein=
heits=Versammlung von unserem Kaiser in Verbindung mit unserem
österreichischen Reichstage zum Gesetze wird erhoben werden können, was
wir zwar sehr bezweifeln — früher und bis dies geschehen, mögen die
Herren Frankfurter Souveräne noch etwas vorsichtiger sein, ehe sie wagen
uns noch einmal Mord Brand und allgemeines Elend als Vorläufer
deutscher Einheit zu bringen!" [209]). Und in der That, wenn das positive
Gesetz auf österreichischem Boden keine verbindliche Kraft hatte, so ließ
sich noch weniger nach allgemeinen Rechtsgrundsätzen die Eigenschaft
Blum's als deutscher Volksvertreter zur Geltung bringen. Als deutscher
Volksvertreter war sein Platz in der Pauls= und reformirten Kirche zu
Frankfurt, nicht hinter den Barricaden der Sophienbrücke und der Nuß=
dorfer Linie zu Wien. Blum und seine Genossen waren nicht in amt=
licher Eigenschaft, etwa als Commissäre der Central=Gewalt wie ein paar
Tage später Welcker und Mosle, nach Österreich gekommen, und eben
so wenig hatte das Parlament sie dahin geschickt; im Gegentheile, Mi=
nisterium und Parlament als solches wußten nichts von ihrer Sendung
und wollten davon nichts wissen. Als am 24. October der altersschwache

Jahn an das Reichs-Ministerium die blöde Frage stellte, „was für Sicherheitsmaßregeln dasselbe für die nach Wien abgereisten Reichstags-abgeordneten zu treffen gedenke", erwiederte Schmerling unter heiterer Zustimmung des Hauses: „er glaube in diesem Falle von dem den Ministern eingeräumten Rechte, Interpellationen nicht zu beantworten, Gebrauch machen zu dürfen". Blum und Genossen waren einfach im Auftrage eines Frankfurter Clubs nach Wien gekommen, sie hatten sich nicht einmal vom Bureau der National-Versammlung Urlaub erbeten, und Schmerling's Haltung der Anfrage Jahn's gegenüber bedeutete eigentlich stillschweigend, was er bei einer spätern Gelegenheit ausdrücklich aussprach: „Wer sich in die Gefahr begibt, kommt darin um". Nach allgemeinen Rechtsgrundsätzen ließ sich Blum's Eigenschaft als Volksvertreter wohl als Erschwerungs-, nie aber als Milderungs-Umstand geltend machen [210]).

Noch wurde gesagt: „Die österreichische Regierung möchte mit der Aburtheilung und Hinrichtung Blum's formell im Rechte gewesen sein, aber jedenfalls habe sie damit einen politischen Fehler begangen". Auch das müssen wir bestreiten. Von einem politischen Fehler konnte nur die Rede sein, wenn die kaiserliche Regierung dadurch Rücksichten verletzte die zu wahren in der Ordnung oder von Klugheit geboten war [211]). Solche Rücksichten aber waren auf Seiten Österreichs der Paulskirche gegenüber um so weniger vorhanden, als Österreich gerade vom Frankfurter Parlament in der letzten Zeit in der rücksichtslosesten Weise behandelt worden war. In Österreichs bedrängtester Lage, wo mit dem Aufstande Wiens das Schicksal des Kaiserstaates auf dem Spiele stand, war man in Frankfurt tactlos genug, durch vier Sitzungen in behaglicher Breite die Auflösung der österreichischen Monarchie zu discutiren und zuletzt durch Annahme der §§. 2 und 3 zu decretiren. Zur selben Zeit wirkten deutsche Volksvertreter in der schwer heimgesuchten Hauptstadt Österreichs als Prediger des Aufstandes und der Schreckensherrschaft, und die National-Versammlung belachte höchstens den Unsinn Jahn's der sie in dieser Mission noch sichergestellt wissen wollte, fand aber kein Wort des Tadels gegen sie, unternahm keinen Schritt sie an ihren Posten zurückzurufen. Man wußte in Frankfurt und mußte es wissen, daß in Wien die deutsche Parole, die deutschen Fahnen und Farben misbraucht wurden um unter ihnen für die Anarchie zu kämpfen, und das parlamentarische Organ der deutschen Nation fand sich nicht

berufen gegen diesen Misbrauch Verwahrung einzulegen, die sich desselben schuldig machten Lügen zu strafen. „Man speculirte in Frankfurt", so ließ sich eine Stimme aus dem eigenen Schoße des dortigen
Parlaments vernehmen, „bald auf die Zerstückelung und den Ruin
Österreichs, bald auf die augenblicklichen Verlegenheiten worin sich dieses
befand, wenig brüderlich und bundesgenossenlich, wenig deutsch"; dabei
„verfuhr die Versammlung theils so als habe sie über die deutschen
Länder Österreichs ohne Rücksicht auf deren Verhältnis zum Kaiserstaat
frei zu disponiren, theils so als möchten die andern zwei Drittel
Deutschlands ohne Rücksicht auf Österreich beliebig sich constituiren ²¹²).
Also selbst wenn es richtig wäre, daß Windischgrätz mit der That am
Morgen des 9. November nur den Herren in der Paulskirche etwas zu
Trotz thun wollte, so müßte man sagen, daß ihm jene dazu mehr als
genügenden Anlaß gegeben hatten. Daß aber dieselbe jedenfalls kein
politischer Fehler war, sondern in eminentem Sinne das Gegentheil davon, hat der Erfolg bewiesen. Es erhoben sich zwar, wie wir sogleich
sehen werden, über das Verfahren mit Blum einige Stürme in verschiedenen Gläsern Wassers; aber nachdem sich dieselben verzogen, blieb
nur der eine große gewaltige Eindruck zurück, daß Österreich, wenn
auch bedroht von allen Seiten und erschüttert in allen Fugen, kräftig
genug sei nicht mit sich spielen zu lassen, und selbständig genug seine
eigenen Wege zu gehen. —

An dem Tage an dessen Morgen Blum geendet hatte, lief die
Nachricht davon als dunkles Gerücht durch die Wiener Stadt, doch nahm
sie niemand für rechten Ernst. „Es ist nicht möglich", schrieb Berthold
Auerbach in sein Tagebuch, „es wäre entsetzlich, das kann, das darf
nicht sein; es wird so viel gelogen, man darf nichts mehr glauben!"
In seiner Herzensangst lief er in's allgemeine Krankenhaus. Dort wies
man ihn in das Josephinum, allein niemand von den jüngern Ärzten
wollte ihn dahin begleiten; „so fürchteten sich alle nur durch die Nach-
frage nach dem Todten mit in eine heimliche Verhandlung verwickelt zu
werden". Das Josephinum war von Militär besetzt, der Aufseher des
Leichensaales nicht zur Stelle; endlich stieß Auerbach auf einen Studenten: „man könne jetzt nicht hinein", sagte dieser; „auch sei nichts dort
als die Leich Blum's!" ... Erst am andern Morgen brachte die Wiener
Zeitung für   im die Bestätigung. Der Eindruck den
14

diese Kunde, an einem düstern Novembertag durch die Stadt getragen, allerorts hervorrief, läßt sich kaum mit Worten beschreiben. So viel man sich bisher von heimlichen in der Stadt und in Hetzendorf vorgenommenen Hinrichtungen in's Ohr geraunt: hier war die erste leibhaftige Verwirklichung aller gestaltlosen Meinungen und Muthmaßungen! Jene die sich selbst nicht ganz rein wußten, waren von Schreck gelähmt; daß die erste Strafhandlung gerade den Mann treffen mußte, den sie wegen seiner Eigenschaft als deutscher Volksvertreter allgemein für geschützt, vor dem Äußersten gesichert gehalten hatten, erhöhte ihre Bestürzung. Allein bald machte dies Gefühl bei den Gesinnungsgenossen des Hingerichteten maßloser Erbitterung und Rachgier Platz. Einer der ersten Briefe die aus diesem Lager nach Frankfurt kamen, schloß mit den Worten: „Ein Rächer wird für Robert Blum aus dem deutschen Volke erstehen!" Die ohnmächtige Erbitterung der Wiener Revolutionäre malte sich die unsinnigsten Dinge aus. Sie sprachen von zehn Österreichern, die von hundert Rächern in Frankfurt dem Andenken Blum's als Todtenopfer gebracht werden müßten. Sie sahen Deutschland all seine Kriegsmacht sammeln und mit ganzer Kraft gegen Windischgrätz „diesen Rebellen gegen die Majestät des souverainen österreichischen und deutschen Volkes" zu Felde ziehen, ihn aus Wien verjagen oder als Mörder hinrichten.

Am Main selbst befand man sich noch am Todestage Blum's in vollständiger Ungewißheit, wie es mit ihm und seinen Genossen stehe. Die Linke, die sie nach Wien gesandt, war über das Gefahrlose ihrer Lage vollkommen beruhigt; aber in den zahlreichen Kreisen Jener, denen in und außer der Paulskirche das Treiben Blum's längst ein Dorn im Auge war, stiegen allerhand geheime Wünsche auf daß es der Besieger Wiens mit dem Gesetz vom 30. September nicht so genau nehmen möchte. Als im Frankfurter Casino ein Bürger in der „Reichstagszeitung" auf einen jener Artikel stieß die Blum von Wien aus zu schreiben oder zu veranlassen sich nicht enthalten konnte, rief er aus: „Wenn solcher Cynismus straflos durchgeht, so ist keine Gerechtigkeit mehr im Himmel und auf Erden", und dabei warf er das Blatt mit solcher Gewalt auf den Tisch, daß der Rahmen, woran es befestigt war, zerbrach und ein Stück davon einen nebensitzenden Mann der Linken traf, der aufstand und sich schweigend entfernte. Das Gerücht, das sich in den ersten Novembertagen verbreitete, Blum sei nach Berlin entkommen, rief weitverbreitetes Bedauern hervor, das bald wieder entgegengesetzter Stimmung Raum gab als sich jene Kunde als unwahr erwies. Jetzt werde er, meinte man, doch jedenfalls einer verdienten Lection nicht entgehen, mindestens auf einige Zeit, welche die Untersuchung in Anspruch nehmen dürfte, unschädlich gemacht werden. An die Möglichkeit eines Äußersten dachte dabei niemand, wenn auch diesem oder jenem das Wort herausfuhr: Windischgrätz möchte Blum erwischt und aufgehängt haben [213]). Die Verwirklichung des ersten Theiles dieses Wunsches erfuhr man erst am 9. aus einem Schreiben Moritz Hartmann's, der dem Präsidenten der National-Versammlung die am 4. erfolgte Verhaftung Blum's und Fröbel's anzeigte. Als auf eine hierauf bezügliche Interpellation Wesendonck's der Justizminister Robert von Mohl erwiederte, er habe bereits unter Berufung auf das Gesetz vom 30. September an das österreichische Justizministerium geschrieben, nahmen die Versammelten vollkommen zufriedengestellt diese Mittheilung mit Beifall auf.

Früher noch hatte man von Sachsen aus nach Wien geschrieben. Auf die Nachricht daß die Stadt von kaiserlichen Truppen besetzt sei, hatte der Staats-Minister von der Pfordten den Baron Könneritz aufgefordert sächsischen Unterthanen so viel wie möglich seinen gesandtschaftlichen Schutz angedeihen zu lassen, und hatte diese Weisung mit verstärktem Nachdruck wiederholt, als am 8. der Bericht Könneritz' von der erfolgten Verhaftung Blum's eingetroffen war. In Leipzig fand am 9. aus demselben Anlasse eine Volksversammlung statt, wo die Absendung einer Deputation nach Dresden beschlossen wurde um die Regierung zu wirksamem Einschreiten für den Verhafteten aufzufordern, „während", wie ein gleichzeitiger Bericht sich aussprach, „die große Mehrheit der hiesigen Bevölkerung hofft und wünscht Blum losgeworden zu sein". Am 12. kam die Kunde von Blum's Ende nach Dresden und noch denselben Abend nach Leipzig und rief in beiden Städten ungeheuere Aufregung hervor, die in der letzteren durch die fast gleichzeitig eintreffenden Berliner Nachrichten von Vertagung der dortigen National-Versammlung, Einmarsch der Truppen und Belagerungszustand noch bedeutend gesteigert wurde. Ein Maueranschlag in Dresden besagte: „Der Abscheu des gesammten Deutschlands werde die Urheber dieser Schandthat, die selbst das unverletzliche Haupt eines deutschen Volksvertreters nicht geschont habe, richten; das deutsche Volk werde seine Pflicht erkennen und die Kinder eines der edelsten seiner Freiheitskämpfer für die

14*

seinigen erklären". In der II. Kammer setzte Tzschirner am 13. v. M.
den Beschluß durch: „die königliche Regierung anzugehen, den sächsischen
Gesandten in Wien zur strengen Rechenschaft zu ziehen und die deutsche
Central-Gewalt aufzufordern, die energischesten Maßregeln zur Sühnung
der durch Blum's Tödtung verletzten Ehre Deutschlands zu ergreifen";
Nachmittags machte die I. Kammer den ersten Theil dieses Beschlußes
auch zu dem ihrigen, lehnte dagegen den zweiten ab. In Leipzig beschloß der Stadtrath, in ähnlichem Sinne wie die II. Kammer in
Dresden, eine Adresse an das sächsische Gesammt-Ministerium und eine
zweite an die Reichs-Central-Gewalt zu Frankfurt, während die Stadt-
verordneten in außerordentlicher Sitzung zusammentraten und über Aufforderung ihres Vorstandes durch Erhebung von den Sitzen ihre „tiefe
Entrüstung" über das Geschehene zu erkennen gaben. Am Abend fand,
durch Maueranschläge „im Namen der vereinigten Vereinsausschüße"
einberufen, große Volksversammlung in dem geräumigsten Gotteshause
der Stadt, der Thomaskirche, statt, die gleichwohl die Menge der Erscheinenden, deren Viele aus der Umgegend hinzugeströmt waren, kaum
fassen konnte. Unter Absingung von Gebeten und Choralen wurden die
leidenschaftlichsten Anträge gefaßt: Sachsen solle dem österreichischen Gesandten seine Pässe zustellen, seine Abgeordneten aus der Paulskirche
heimberufen; Freischaaren sollten gebildet werden und Berlin gegen das
Ministerium Brandenburg zu Hilfe ziehen; dem österreichischen Consul
solle man das Haus über dem Kopfe einreißen u. dgl. Letzterer Antrag
wurde zwar von den Versammelten nicht zum Beschluße erhoben, allein
nnter die Menge war dadurch ein Losungswort geworfen von dem sie
in ihrer Wuth nicht mehr abzubringen war. Sie wälzte sich vor das
bezeichnete Haus, umtobte es mit wildem Lärm und Geschrei und versuchte mit Gewalt einzudringen; ein paar Kerle kletterten von außen
hinauf und lösten das Schild mit dem kaiserlichen Consulats-Wappen
ab, das auf die Erde geschleudert und unter Schimpf und Hohn zertrümmert wurde. Auch auf andern Punkten ging es wüst her. Personen,
die als politische Gegner Blum's bekannt waren, erhielten Katzenmusiken; dem Conditor Felsche wurden die Fenster eingeworfen; man fahndete nach dem Einsender eines im „Tagblatt" erschienenen Artikels der
sich über Blum's Wirken nach Gebühr ausgesprochen hatte u. dgl. m.
Erst als der Generalmarsch durch die Straßen tönte, verliefen sich die
Haufen die sonst noch ärgeres verübt haben würden. Die Behörden

hatten den besten Willen. Die sächsische Regierung sprach gegen den kaiserlichen Gesandten ihr lebhaftes Bedauern aus und ordnete strenge Untersuchung des Vorfalles an. Dem allgemein verehrten Consul [214]) sowie der Regierung die er vertrat sollte glänzende Genugthuung verschafft, das Consulats-Wappen wieder in feierlicher Weise aufgezogen werden. Doch mußte man damit warten bis sich die Aufregung einigermaßen gelegt haben würde, was zu bewirken weder der misbilligende Aufruf des Leipziger Stadtraths vom 14. November — „So ehrt man die Todten nicht!" — noch eine würdevolle beschwichtigende Erklärung des Staats-Ministeriums (vom 17.) und dessen Verbot, die Räume von Gotteshäusern für politische Kundgebungen zu benützen, für sich allein im Stande waren. Am 14. begingen die Leipziger Vaterlandsvereine eine gemeinsame Todtenfeier für Blum im großen Saale des Odeon. Was Leipzig an überspannten Köpfen besaß, suchte sich dabei hervorzuthun; Jäkel führte den Vorsitz, Jul. Kell trug ein Gedicht auf Blum's Tod vor, Professor Flathe hielt eine Festrede, die Reichstagsabgeordneten Schaffrath, Joseph u. a. sprachen. Daneben gab es noch allerhand Zündstoffe in den untern Volksschichten, wo Proscriptionslisten von Personen umherliefen an denen man wegen ihrer politischen Gesinnung Rache nehmen müsse. Die Bürgerwehr bezog ein Bataillon stark die Wache; vor dem Hause des österreichischen Consuls hielt vom Abend bis zum Morgen eine starke Abtheilung, was auch an den folgenden Tagen wiederholt wurde; auch ließ das Consulat der größern Sicherheit wegen seine Kanzleiacten zum britischen Conful schaffen. Auch die Berliner Zeitungen gaben fortwährend zu schaffen. Sechs verschiedene Freischaaren waren in der Bildung begriffen. Mit Spaten und Hacken bewaffnete Haufen postirten sich an der sächsischen und an der Leipzig-Magdeburger Eisenbahn um die Schienen aufzureißen, falls die in Altenburg stationirten hannover'schen Truppen, wie verlautete, nach Berlin geschafft werden wollten, während in der Stadt f. g. Deputationen im Gasthof „zur Stadt Rom" erschienen und sich Zimmer für Zimmer öffnen ließen, weil sich die Nachricht verbreitet hatte Baffermann sei auf der Durchreise aus Berlin daselbst abgestiegen. Noch am 15. war die Ruhe nicht völlig wieder hergestellt.

Mittlerweile, zwei Tage später als nach Dresden und Leipzig, waren sichere Nachrichten von dem Ereignisse in der Brigittenau an den Sitz der deutschen Central-Gewalt gelangt, wo sie eine ganz unglaubliche

Verstörung hervorriefen. Je mehr sich die Linke in der Überzeugung von der zweifellosen Rechtskraft des Beschlusses vom 30. September gewiegt, je weniger man auf der andern Seite, selbst im österreichischen Lager, daran gedacht hatte daß man gegen einen Mann aus ihrer Mitte, und wären seine Verirrungen die größten, mit der vollen Strenge des Gesetzes vorgehen werde, desto vernichtender wirkte der Schlag, von dem sich einen Augenblick Alle ohne Unterschied der Stellung und der Partei getroffen fühlten. Es war ein Bericht an den Erzherzog-Reichsverweser von dessen Verwaltungskanzlei in Wien, es war ein Brief an den Abgeordneten Bauernschmid und ein anderer an den Abgeordneten Wiesner, die beiden letztern von derselben Hand und vom 9. November, eingetroffen, und alle drei besagten dasselbe: „Robert Blum ist heute morgens erschossen worden". Der Beginn der Sitzung am 14. November bot ein unheimliches Bild. Die Mitglieder der Rechten in Gruppen flüsternd, die der Linken unstät auf unsichern Sohlen trippelnd ohne Halt und Ruhe, auf den Galerien alles lautlos, den Ausdruck des Entsetzens auf den erwartungsvollen Zügen. Der Präsident, die Minister traten ein, ernst, wie außer Fassung; selbst Schmerling hatte seine gewohnte freie Weltmannsmiene abgelegt. Die Sitzung begann. Nach einigen anderweitigen Geschäftssachen, die den von quälenden Zweifeln umdüsterten Sinn der Versammlung nicht aufrichten konnten, brachen Ludwig Simon aus Trier und Genossen das Eis, indem sie dem Bureau eine „dringende Interpellation an den Herrn Reichs-Minister der Justiz" überreichten, die Gagern mit unsicherer, von tiefer Erregung zeugender Stimme sogleich ablas:

„1) Hat der Herr Reichs-Minister Kenntnis davon, daß am 9. d. M. morgens 7 Uhr der Abgeordnete für Leipzig Robert Blum in der Brigittenau beim Jägerhause standrechtlich erschossen worden?

2) Und wenn dem Herrn Minister diese Kenntnis beiwohnt, was beabsichtigt derselbe gegen diese feige Verhöhnung eines deutschen Reichsgesetzes zu thun?"

Mohl erhob sich; „was jetzt zu geschehen habe", erwiederte er, „könne er in diesem Augenblicke ergriffen von dieser Nachricht, vorausgesetzt daß sie sich bestätigen sollte, noch nicht sagen" ... „„Hier ist die Bestätigung!"" rief ein Abgeordneter von der Linken und ließ an das Bureau den an Bauernschmid gerichteten Brief gelangen, dessen das

Schicksal Blum's betreffenden Anfang Gagern unter dem athemlosen Schwei=
gen der Versammlung ablas. Die Linke war wie zermalmt. „Ich habe
noch nie eine schrecklichere Wirkung auf menschliche Gemüther gesehen",
drückt sich ein Augenzeuge aus [215] Sie saß vernichtet und rathlos auf
ihren Bänken; die Verletzlichkeit der Volksaufwiegler stand mit blutigen
Lettern vor ihren Augen geschrieben. „Die Volks=Majestät ist auf immer
im Blute Robert Blum's ertränkt", stotterte einer unter ihnen und war
leichenblaß. Einige Minuten später verlas der Präsident auch den zwei=
ten an Wiesner gerichteten Brief der mit den Worten schloß: „Sollte
das Gerücht wahr sein, und es scheint daß es wahr ist, so wird Blum
Rächer finden!" Gagern's Stimme fiel, als er zu dieser Stelle kam,
erschrocken in tiefen Baß herunter, während von den Bänken der Linken
die Wiederholung gemurmelt wurde: „so wird Blum Rächer finden!"
Inzwischen hatte der Justiz=Minister seine Fassung wiedergewonnen und
theilte der Versammlung als Antwort auf den zweiten Theil der
Simon'schen Interpellation mit, daß noch im Laufe des Tages zwei
Abgeordnete mit Vollmacht nach Wien abgehen werden, „zunächst um
die andern Abgeordneten in Schutz zu nehmen die sich dort etwa be=
finden, überhaupt aber um das nothwendige vorzukehren daß dem Ge=
setze seine volle Geltung werde". Zum Schluße der Sitzung brachte der
Präsident noch einen von Simon und 58 Genossen unterzeichneten dring=
lichen Antrag zur Verlesung, daß die Central=Gewalt „— in Erwägung,
daß die gegen die ausdrücklichen Bestimmungen eines Reichsgesetzes er=
folgte Erschießung Robert Blum's sich als Mord darstelle — die er=
forderlichen Maßregeln zur Ermittlung und Bestrafung der mittelbaren
und unmittelbaren Mörder" ergreifen möge. Die Dringlichkeit des An=
trages wurde von der Mehrheit abgelehnt, allein in der nächsten Sitzung
vom 16. noch einmal gestellt und diesmal „fast einstimmig", wie der
Präsident constatirte, angenommen [216]. Am selben Tage erschien auch
iene schon früher erwähnte Ansprache „an das deutsche Volk", worin
im Sinne des Simon'schen Antrages die Erschießung Blum's als „fei=
ger Mord" bezeichnet und zum Schluß zur Trauer um ihn aufgefordert
wurde; „vergiß des Todten nicht, deutsches Volk, und erinnere dich wie
er starb, für welche Sache er starb und durch wen er gemordet
wurde!" Auch die II. badische Kammer fand nichts besseres zu thun
als ihre „tiefe Entrüstung" über die „unter dem Scheine des Gesetzes
vollzogene Tödtung" Blum's auszusprechen, ohne sich zuvor geziemend

geſchidt ſei und als dadurch nicht Wenige in den Irrwahn geriethen,
die deutſche Central-Gewalt ſelbſt ſei es welche die Sache Wiens als
eine durchaus gerechte erkenne. Daß er Fremder war der mit den An=
gelegenheiten Wiens nichts zu ſchaffen hatte, und daß er Volksvertreter
war der vor allem mit der Achtung der Geſetze voranleuchten ſollte,
mußte in den Augen aller Unbefangenen ſeine Schuld erhöhen²⁰⁸); kei=
nesfalls lagen darin Umſtände, die ſeine Strafbarkeit verringern oder
das gegen ihn eingeleitete Verfahren aufhalten konnten. Wir haben
uns hier natürlich mit der Frage über die Statthaftigkeit oder Un=
ſtatthaftigkeit der Todesſtrafe für politiſche Verbrechen, die damals von
den Linken aller geſetzgebenden Verſammlungen mit wohlberechnetem
Eifer in den Vordergrund geſtellt wurde, nicht zu befaſſen; und eben
ſo wollen wir nicht weiter unterſuchen, in wiefern man Leute, deren
Reden und Handlungen Tod oder Verſtümmelung von tauſenden
theils jungkräftiger Soldaten theils dem Waffenhandwerke ganz fremder
Perſonen jedes Alters und Geſchlechts, den Ruin hunderter von Fami=
lien, den Verluſt von Millionen an Gütern und Werthen in ihrem Ge=
folge haben, mit dem beſchönigenden Namen bloſer politiſcher Ver=
brecher bezeichnen dürfe und ob nicht im Vergleich mit ihnen die ſoge=
nannten gemeinen Verbrecher, denen der Tod einzelner Menſchen, die
Beraubung einzelner Hausweſen, die Verbrennung einzelner Wohnſtätten
zur Laſt fällt, wahre Kurzwaarenhändler ſeien. Wir haben uns einfach
an die Thatſache zu halten, daß zur Zeit von der wir ſprechen für
Hochverrath Aufruhr bewaffneten Widerſtand gegen die rechtmäßigen
Gewalten die Todesſtrafe geſetzlich beſtand, und zwar nicht blos bei uns
in Öſterreich, ſondern in faſt allen Staaten der beiden Continente be=
ſtand. Vor Anwendung dieſer Strafe aber konnte Blum nach Recht
und Geſetz weder ſeine Eigenſchaft als Ausländer noch jene als Frank=
furter Volksvertreter ſchützen. Nach dem damals giltigen öſterreichiſchen
Strafgeſetz über Verbrechen war „auch über einen Fremden der in dieſen
Ländern ein Verbrechen begeht" das Urtheil wie über einen Staatsan=
gehörigen zu fällen; zwiſchen Öſterreich und Sachſen beſtanden außerdem
beſondere Verträge und Wechſelſeitigkeitsgeſetze, denen zu Folge Öſter=
reicher die in Sachſen, und Sachſen die in Öſterreich Verbrechen begingen,
nach den Geſetzen des Landes wo ſie die Unthat verübt zu beſtrafen waren.
Was Frankfurt betraf, ſo hatte allerdings die dortige Linke am 30.
September, zwölf Tage nach den Barricaden-Tagen und der Hinſchlach=

tung von Lichnowski und Auerswald wo jeder rechtliche Mensch in
Deutschland die ernstesten Schritte zur gerichtlichen Verfolgung der Anstifter und intellectuellen Urheber jener scheußlichen Mordthat erwartete,
ein Gesetz durchzubringen gewußt, laut dessen ein Abgeordneter „während
der Dauer der Sitzungen ohne Zustimmung der Reichsversammlung
weder verhaftet noch in strafgerichtliche Untersuchung gezogen", im Falle
der Ergreifung desselben auf frischer That aber der Reichsversammlung
sofort Kenntnis gegeben werden sollte, der es dann zuständе „die Aufhebung der Haft oder Untersuchung bis zum Schluße der Sitzungen zu
verfügen". Allein dieses kostbare Privilegium, das in einer Zeit, wo
Aufruhr und Bürgerkrieg zu den täglichen Dingen gehörten, gewissermaßen alle rechtmäßigen Regierungen vogelfrei, alle gegen sie wühlenden
Volksvertreter straffrei machte, hatte in Österreich keine rechtliche Giltigkeit; es war von Österreich nicht angenommen und anerkannt, ja es
war der kaiserlichen Regierung nicht einmal auf amtlichem Wege mitgetheilt worden. „Es ist daher vielleicht in der Zukunft der Fall", sagte
mit bitterer Ironie ein Wiener Blatt, „daß die Herren Frankfurter
Deputirten ungescheut und ungestört in Revolutions-Sachen in fremden
Plätzen Unterricht geben, zu Mord und Vernichtung auffordern und
thätig beitragen können, wenn dieser obige Beschluß der deutschen Ein-
heits-Versammlung von unserem Kaiser in Verbindung mit unserem
österreichischen Reichstage zum Gesetze wird erhoben werden können, was
wir zwar sehr bezweifeln — früher und bis dies geschehen, mögen die
Herren Frankfurter Souveräne noch etwas vorsichtiger sein, ehe sie wagen
uns noch einmal Mord Brand und allgemeines Elend als Vorläufer
deutscher Einheit zu bringen!" [209]). Und in der That, wenn das positive
Gesetz auf österreichischem Boden keine verbindliche Kraft hatte, so ließ
sich noch weniger nach allgemeinen Rechtsgrundsätzen die Eigenschaft
Blum's als deutscher Volksvertreter zur Geltung bringen. Als deutscher
Volksvertreter war sein Platz in der Pauls- und reformirten Kirche zu
Frankfurt, nicht hinter den Barricaden der Sophienbrücke und der Nußdorfer Linie zu Wien. Blum und seine Genossen waren nicht in amtlicher Eigenschaft, etwa als Commissäre der Central-Gewalt wie ein paar
Tage später Welcker und Mosle, nach Österreich gekommen, und eben
so wenig hatte das Parlament sie dahin geschickt; im Gegentheile, Ministerium und Parlament als solches wußten nichts von ihrer Sendung
und wollten davon nichts wissen. Als am 24. October der altersschwache

Jahn an das Reichs=Ministerium die blöde Frage stellte, „was für Sicherheitsmaßregeln dasselbe für die nach Wien abgereisten Reichstags=abgeordneten zu treffen gedenke“, erwiederte Schmerling unter heiterer Zustimmung des Hauses: „er glaube in diesem Falle von dem den Mi=nistern eingeräumten Rechte, Interpellationen ni cht zu beantworten, Ge=brauch machen zu dürfen“. Blum und Genossen waren einfach im Auf=trage eines Frankfurter Clubs nach Wien gekommen, sie hatten sich nicht einmal vom Bureau der National=Versammlung Urlaub erbeten, und Schmerling's Haltung der Anfrage Jahn's gegenüber bedeutete eigentlich stillschweigend, was er bei einer spätern Gelegenheit ausdrücklich aus=sprach: „Wer sich in die Gefahr begibt, kommt darin um“. Nach all=gemeinen Rechtsgrundsätzen ließ sich Blum's Eigenschaft als Volksver=treter wohl als Erschwerungs=, nie aber als Milderungs=Umstand gel=tend machen [210]).

Noch wurde gesagt: „Die österreichische Regierung möchte mit der Aburtheilung und Hinrichtung Blum's formell im Rechte gewesen sein, aber jedenfalls habe sie damit einen politischen Fehler begangen“. Auch das müssen wir bestreiten. Von einem politischen Fehler konnte nur die Rede sein, wenn die kaiserliche Regierung dadurch Rücksichten verletzte die zu wahren in der Ordnung oder von Klugheit geboten war [211]). Solche Rücksichten aber waren auf Seiten Österreichs der Paulskirche gegenüber um so weniger vorhanden, als Österreich gerade vom Frank=furter Parlament in der letzten Zeit in der rücksichtslosesten Weise be=handelt worden war. In Österreichs bedrängtester Lage, wo mit dem Aufstande Wiens das Schicksal des Kaiserstaates auf dem Spiele stand, war man in Frankfurt tactlos genug, durch vier Sitzungen in behag=licher Breite die Auflösung der österreichischen Monarchie zu discutiren und zuletzt durch Annahme der §§. 2 und 3 zu decretiren. Zur selben Zeit wirkten deutsche Volksvertreter in der schwer heimgesuchten Haupt=stadt Österreichs als Prediger des Aufstandes und der Schreckensherr=schaft, und die National=Versammlung belachte höchstens den Unsinn Jahn's der sie in dieser Mission noch sichergestellt wissen wollte, fand aber kein Wort des Tadels gegen sie, unternahm keinen Schritt sie an ihren Posten zurückzurufen. Man wußte in Frankfurt und mußte es wissen, daß in Wien die deutsche Parole, die deutschen Fahnen und Far=ben misbraucht wurden um unter ihnen für die Anarchie zu kämpfen, und das parlamentarische Organ der deutschen Nation fand sich nicht

berufen gegen diesen Misbrauch Verwahrung einzulegen, die sich des=
selben schuldig machten Lügen zu strafen. „Man speculirte in Frank=
furt", so ließ sich eine Stimme aus dem eigenen Schoße des dortigen
Parlaments vernehmen, „bald auf die Zerstückelung und den Ruin
Österreichs, bald auf die augenblicklichen Verlegenheiten worin sich dieses
befand, wenig brüderlich und bundesgenossenlich, wenig deutsch"; dabei
„verfuhr die Versammlung theils so als habe sie über die deutschen
Länder Österreichs ohne Rücksicht auf deren Verhältnis zum Kaiserstaat
frei zu disponiren, theils so als möchten die andern zwei Drittel
Deutschlands ohne Rücksicht auf Österreich beliebig sich constituiren 212).
Also selbst wenn es richtig wäre, daß Windischgrätz mit der That am
Morgen des 9. November nur den Herren in der Paulskirche etwas zu
Trotz thun wollte, so müßte man sagen, daß ihm jene dazu mehr als
genügenden Anlaß gegeben hatten. Daß aber dieselbe jedenfalls kein
politischer Fehler war, sondern in eminentem Sinne das Gegentheil da=
von, hat der Erfolg bewiesen. Es erhoben sich zwar, wie wir sogleich
sehen werden, über das Verfahren mit Blum einige Stürme in ver=
schiedenen Gläsern Wassers; aber nachdem sich dieselben verzogen, blieb
nur der eine große gewaltige Eindruck zurück, daß Österreich, wenn
auch bedroht von allen Seiten und erschüttert in allen Fugen, kräftig
genug sei nicht mit sich spielen zu lassen, und selbständig genug seine
eigenen Wege zu gehen. —

    An dem Tage an dessen Morgen Blum geendet hatte, lief die
Nachricht davon als dunkles Gerücht durch die Wiener Stadt, doch nahm
sie niemand für rechten Ernst. „Es ist nicht möglich", schrieb Berthold
Auerbach in sein Tagebuch, „es wäre entsetzlich, das kann, das darf
nicht sein; es wird so viel gelogen, man darf nichts mehr glauben!"
In seiner Herzensangst lief er in's allgemeine Krankenhaus. Dort wies
man ihn in das Josephinum, allein niemand von den jüngern Ärzten
wollte ihn dahin begleiten; „so fürchteten sich alle nur durch die Nach=
frage nach dem Todten mit in eine heimliche Verhandlung verwickelt zu
werden". Das Josephinum war von Militär besetzt, der Aufseher des
Leichensaales nicht zur Stelle; endlich stieß Auerbach auf einen Studen=
ten: „man könne jetzt nicht hinein", sagte dieser; „auch sei nichts dort
als die Leiche Blum's!" ... Erst am andern Morgen brachte die Wiener
Zeitung für das große Publicum die Bestätigung. Der Eindruck den

14

diese Kunde, an einem düstern Novembertag durch die Stadt getragen, allerorts hervorrief, läßt sich kaum mit Worten beschreiben. So viel man sich bisher von heimlichen in der Stadt und in Hetzendorf vorge= nommenen Hinrichtungen in's Ohr geraunt: hier war die erste leibhaf= tige Verwirklichung aller gestaltlosen Meinungen und Muthmaßungen! Jene die sich selbst nicht ganz rein wußten, waren von Schreck gelähmt; daß die erste Strafhandlung gerade den Mann treffen mußte, den sie wegen seiner Eigenschaft als deutscher Volksvertreter allgemein für ge= schützt, vor dem Äußersten gesichert gehalten hatten, erhöhte ihre Be= stürzung. Allein bald machte dies Gefühl bei den Gesinnungsgenossen des Hingerichteten maßloser Erbitterung und Rachgier Platz. Einer der ersten Briefe die aus diesem Lager nach Frankfurt kamen, schloß mit den Worten: „Ein Rächer wird für Robert Blum aus dem deutschen Volke erstehen!" Die ohnmächtige Erbitterung der Wiener Revolutionäre malte sich die unsinnigsten Dinge aus. Sie sprachen von zehn Öster= reichern, die von hundert Rächern in Frankfurt dem Andenken Blum's als Todtenopfer gebracht werden müßten. Sie sahen Deutschland all seine Kriegsmacht sammeln und mit ganzer Kraft gegen Windischgrätz „diesen Rebellen gegen die Majestät des souverainen österreichischen und deutschen Volkes" zu Felde ziehen, ihn aus Wien verjagen oder als Mörder hinrichten.

Am Main selbst befand man sich noch am Todestage Blum's in vollständiger Ungewißheit, wie es mit ihm und seinen Genossen stehe. Die Linke, die sie nach Wien gesandt, war über das Gefahrlose ihrer Lage vollkommen beruhigt; aber in den zahlreichen Kreisen Jener, denen in und außer der Paulskirche das Treiben Blum's längst ein Dorn im Auge war, stiegen allerhand geheime Wünsche auf daß es der Besieger Wiens mit dem Gesetz vom 30. September nicht so genau nehmen möchte. Als im Frankfurter Casino ein Bürger in der „Reichstags= zeitung" auf einen jener Artikel stieß die Blum von Wien aus zu schrei= ben oder zu veranlassen sich nicht enthalten konnte, rief er aus: „Wenn solcher Cynismus straflos durchgeht, so ist keine Gerechtigkeit mehr im Himmel und auf Erden", und dabei warf er das Blatt mit solcher Gewalt auf den Tisch, daß der Rahmen, woran es befestigt war, zer= brach und ein Stück davon einen nebensitzenden Mann der Linken traf, der aufstand und sich schweigend entfernte. Das Gerücht, das sich in den ersten Novembertagen verbreitete, Blum sei nach Berlin entkommen,

rief weitverbreitetes Bedauern hervor, das bald wieder entgegengesetzter
Stimmung Raum gab als sich jene Kunde als unwahr erwies. Jetzt
werde er, meinte man, doch jedenfalls einer verdienten Lection nicht entgehen, mindestens auf einige Zeit, welche die Untersuchung in Anspruch
nehmen dürfte, unschädlich gemacht werden. An die Möglichkeit eines
Äußersten dachte dabei niemand, wenn auch diesem oder jenem das
Wort herausfuhr: Windischgrätz möchte Blum erwischt und aufgehängt
haben [213]). Die Verwirklichung des ersten Theiles dieses Wunsches erfuhr man erst am 9. aus einem Schreiben Moritz Hartmann's, der dem
Präsidenten der National-Versammlung die am 4. erfolgte Verhaftung
Blum's und Fröbel's anzeigte. Als auf eine hierauf bezügliche Interpellation Wesendonck's der Justizminister Robert von Mohl erwiederte,
er habe bereits unter Berufung auf das Gesetz vom 30. September an
das österreichische Justizministerium geschrieben, nahmen die Versammelten vollkommen zufriedengestellt diese Mittheilung mit Beifall auf.

Früher noch hatte man von Sachsen aus nach Wien geschrieben.
Auf die Nachricht daß die Stadt von kaiserlichen Truppen besetzt sei,
hatte der Staats-Minister von der Pfordten den Baron Könneritz aufgefordert sächsischen Unterthanen so viel wie möglich seinen gesandtschaftlichen Schutz angedeihen zu lassen, und hatte diese Weisung mit verstärktem Nachdruck wiederholt, als am 8. der Bericht Könneritz' von
der erfolgten Verhaftung Blum's eingetroffen war. In Leipzig fand
am 9. aus demselben Anlasse eine Volksversammlung statt, wo die Absendung einer Deputation nach Dresden beschlossen wurde um die Regierung zu wirksamem Einschreiten für den Verhafteten aufzufordern,
„während", wie ein gleichzeitiger Bericht sich aussprach, „die große
Mehrheit der hiesigen Bevölkerung hofft und wünscht Blum losgeworden zu sein". Am 12. kam die Kunde von Blum's Ende nach Dresden
und noch denselben Abend nach Leipzig und rief in beiden Städten ungeheuere Aufregung hervor, die in der letzteren durch die fast gleichzeitig
eintreffenden Berliner Nachrichten von Vertagung der dortigen National-
Versammlung, Einmarsch der Truppen und Belagerungszustand noch bedeutend gesteigert wurde. Ein Maueranschlag in Dresden besagte: „Der
Abscheu des gesammten Deutschlands werde die Urheber dieser Schandthat, die selbst das unverletzliche Haupt eines deutschen Volksvertreters
nicht geschont habe, richten; das deutsche Volk werde seine Pflicht erkennen und die Kinder eines der edelsten seiner Freiheitskämpfer für die

14*

seinigen erklären". In der II. Kammer setzte Tzschirner am 13. v. M.
den Beschluß durch: „die königliche Regierung anzugehen, den sächsischen
Gesandten in Wien zur strengen Rechenschaft zu ziehen und die deutsche
Central=Gewalt aufzufordern, die energischesten Maßregeln zur Sühnung
der durch Blum's Tödtung verletzten Ehre Deutschlands zu ergreifen";
Nachmittags machte die I. Kammer den ersten Theil dieses Beschlußes
auch zu dem ihrigen, lehnte dagegen den zweiten ab. In Leipzig be=
schloß der Stadtrath, in ähnlichem Sinne wie die II. Kammer in
Dresden, eine Adresse an das sächsische Gesammt=Ministerium und eine
zweite an die Reichs=Central=Gewalt zu Frankfurt, während die Stadt=
verordneten in außerordentlicher Sitzung zusammentraten und über Auf=
forderung ihres Vorstandes durch Erhebung von den Sitzen ihre „tiefe
Entrüstung" über das Geschehene zu erkennen gaben. Am Abend fand,
durch Maueranschläge „im Namen der vereinigten Vereinsausschüße"
einberufen, große Volksversammlung in dem geräumigsten Gotteshause
der Stadt, der Thomaskirche, statt, die gleichwohl die Menge der Er=
scheinenden, deren Viele aus der Umgegend hinzugeströmt waren, kaum
fassen konnte. Unter Absingung von Gebeten und Choralen wurden die
leidenschaftlichsten Anträge gefaßt: Sachsen solle dem österreichischen Ge=
sandten seine Pässe zustellen, seine Abgeordneten aus der Paulskirche
heimberufen; Freischaaren sollten gebildet werden und Berlin gegen das
Ministerium Brandenburg zu Hilfe ziehen; dem österreichischen Consul
solle man das Haus über dem Kopfe einreißen u. dgl. Letzterer Antrag
wurde zwar von den Versammelten nicht zum Beschlüße erhoben, allein
unter die Menge war dadurch ein Losungswort geworfen von dem sie
in ihrer Wuth nicht mehr abzubringen war. Sie wälzte sich vor das
bezeichnete Haus, umtobte es mit wildem Lärm und Geschrei und ver=
suchte mit Gewalt einzudringen; ein paar Kerle kletterten von außen
hinauf und lösten das Schild mit dem kaiserlichen Consulats=Wappen
ab, das auf die Erde geschleudert und unter Schimpf und Hohn zer=
trümmert wurde. Auch auf andern Punkten ging es wüst her. Personen,
die als politische Gegner Blum's bekannt waren, erhielten Katzenmusi=
ken; dem Conditor Felsche wurden die Fenster eingeworfen; man fahn=
dete nach dem Einsender eines im „Tagblatt" erschienenen Artikels der
sich über Blum's Wirken nach Gebühr ausgesprochen hatte u. dgl. m.
Erst als der Generalmarsch durch die Straßen tönte, verliefen sich die
Haufen die sonst noch ärgeres verübt haben würden. Die Behörden

hatten den besten Willen. Die sächsische Regierung sprach gegen den kaiserlichen Gesandten ihr lebhaftes Bedauern aus und ordnete strenge Untersuchung des Vorfalles an. Dem allgemein verehrten Consul [214] sowie der Regierung die er vertrat sollte glänzende Genugthuung verschafft, das Consulats-Wappen wieder in feierlicher Weise aufgezogen werden. Doch mußte man damit warten bis sich die Aufregung einigermaßen gelegt haben würde, was zu bewirken weder der misbilligende Aufruf des Leipziger Stadtraths vom 14. November — „So ehrt man die Todten nicht!" — noch eine würdevolle beschwichtigende Erklärung des Staats-Ministeriums (vom 17.) und dessen Verbot, die Räume von Gotteshäusern für politische Kundgebungen zu benützen, für sich allein im Stande waren. Am 14. begingen die Leipziger Vaterlandsvereine eine gemeinsame Todtenfeier für Blum im großen Saale des Odeon. Was Leipzig an überspannten Köpfen besaß, suchte sich dabei hervorzuthun; Jäkel führte den Vorsitz, Jul. Kell trug ein Gedicht auf Blum's Tod vor, Professor Flathe hielt eine Festrede, die Reichstagsabgeordneten Schaffrath, Joseph u. a. sprachen. Daneben gab es noch allerhand Zündstoffe in den untern Volksschichten, wo Proscriptionslisten von Personen umherliefen an denen man wegen ihrer politischen Gesinnung Rache nehmen müsse. Die Bürgerwehr bezog ein Bataillon stark die Wache; vor dem Haufe des österreichischen Consuls hielt vom Abend bis zum Morgen eine starke Abtheilung, was auch an den folgenden Tagen wiederholt wurde; auch ließ das Consulat der größern Sicherheit wegen seine Kanzleiacten zum britischen Consul schaffen. Auch die Berliner Zeitungen gaben fortwährend zu schaffen. Sechs verschiedene Freischaaren waren in der Bildung begriffen. Mit Spaten und Hacken bewaffnete Haufen postirten sich an der sächsischen und an der Leipzig-Magdeburger Eisenbahn um die Schienen aufzureißen, falls die in Altenburg stationirten hannover'schen Truppen, wie verlautete, nach Berlin geschafft werden wollten, während in der Stadt f. g. Deputationen im Gasthof „zur Stadt Rom" erschienen und sich Zimmer für Zimmer öffnen ließen, weil sich die Nachricht verbreitet hatte Bassermann sei auf der Durchreise aus Berlin daselbst abgestiegen. Noch am 15. war die Ruhe nicht völlig wieder hergestellt.

Mittlerweile, zwei Tage später als nach Dresden und Leipzig, waren sichere Nachrichten von dem Ereignisse in der Brigittenau an den Sitz der deutschen Central-Gewalt gelangt, wo sie eine ganz unglaubliche

Verstörung hervorriefen. Je mehr sich die Linke in der Überzeugung von der zweifellosen Rechtskraft des Beschlusses vom 30. September gewiegt, je weniger man auf der andern Seite, selbst im österreichischen Lager, daran gedacht hatte daß man gegen einen Mann aus ihrer Mitte, und wären seine Verirrungen die größten, mit der vollen Strenge des Gesetzes vorgehen werde, desto vernichtender wirkte der Schlag, von dem sich einen Augenblick Alle ohne Unterschied der Stellung und der Partei getroffen fühlten. Es war ein Bericht an den Erzherzog-Reichsverweser von dessen Verwaltungskanzlei in Wien, es war ein Brief an den Ab= geordneten Bauernschmid und ein anderer an den Abgeordneten Wies= ner, die beiden letztern von derselben Hand und vom 9. November, eingetroffen, und alle drei besagten dasselbe: „Robert Blum ist heute morgens erschossen worden". Der Beginn der Sitzung am 14. November bot ein unheimliches Bild. Die Mitglieder der Rechten in Gruppen flüsternd, die der Linken unstät auf unsichern Sohlen trippelnd ohne Halt und Ruhe, auf den Galerien alles lautlos, den Ausdruck des Ent= setzens auf den erwartungsvollen Zügen. Der Präsident, die Minister traten ein, ernst, wie außer Fassung; selbst Schmerling hatte seine ge= wohnte freie Weltmannsmiene abgelegt. Die Sitzung begann. Nach einigen anderweitigen Geschäftssachen, die den von quälenden Zweifeln umdüsterten Sinn der Versammlung nicht aufrichten konnten, brachen Ludwig Simon aus Trier und Genossen das Eis, indem sie dem Bureau eine „dringende Interpellation an den Herrn Reichs=Minister der Justiz" überreichten, die Gagern mit unsicherer, von tiefer Erregung zeugender Stimme sogleich ablas:

„1) Hat der Herr Reichs=Minister Kenntnis davon, daß am 9. d. M. morgens 7 Uhr der Abgeordnete für Leipzig Robert Blum in der Brigittenau beim Jägerhause standrechtlich er= schossen worden?

2) Und wenn dem Herrn Minister diese Kenntnis beiwohnt, was beabsichtigt derselbe gegen diese feige Verhöhnung eines deut= schen Reichsgesetzes zu thun?"

Mohl erhob sich; „was jetzt zu geschehen habe", erwiederte er, „könne er in diesem Augenblicke ergriffen von dieser Nachricht, voraus= gesetzt daß sie sich bestätigen sollte, noch nicht sagen" ... „„Hier ist die Bestätigung!"" rief ein Abgeordneter von der Linken und ließ an das Bureau den an Bauernschmid gerichteten Brief gelangen, dessen das

Schicksal Blum's betreffenden Anfang Gagern unter dem athemlosen Schwei=
gen der Versammlung ablas. Die Linke war wie zermalmt. „Ich habe
noch nie eine schrecklichere Wirkung auf menschliche Gemüther gesehen",
drückt sich ein Augenzeuge aus [215]) Sie saß vernichtet und rathlos auf
ihren Bänken; die Verletzlichkeit der Volksaufwiegler stand mit blutigen
Lettern vor ihren Augen geschrieben. „Die Volks=Majestät ist auf immer
im Blute Robert Blum's ertränkt", stotterte einer unter ihnen und war
leichenblaß. Einige Minuten später verlas der Präsident auch den zwei=
ten an Wiesner gerichteten Brief der mit den Worten schloß: „Sollte
das Gerücht wahr sein, und es scheint daß es wahr ist, so wird Blum
Rächer finden!" Gagern's Stimme fiel, als er zu dieser Stelle kam,
erschrocken in tiefen Baß herunter, während von den Bänken der Linken
die Wiederholung gemurmelt wurde: „so wird Blum Rächer finden!"
Inzwischen hatte der Justiz=Minister seine Fassung wiedergewonnen und
theilte der Versammlung als Antwort auf den zweiten Theil der
Simon'schen Interpellation mit, daß noch im Laufe des Tages zwei
Abgeordnete mit Vollmacht nach Wien abgehen werden, „zunächst um
die andern Abgeordneten in Schutz zu nehmen die sich dort etwa be=
finden, überhaupt aber um das nothwendige vorzukehren daß dem Ge=
setze seine volle Geltung werde". Zum Schluße der Sitzung brachte der
Präsident noch einen von Simon und 58 Genossen unterzeichneten dring=
lichen Antrag zur Verlesung, daß die Central=Gewalt „— in Erwägung,
daß die gegen die ausdrücklichen Bestimmungen eines Reichsgesetzes er=
folgte Erschießung Robert Blum's sich als Mord darstelle — die er=
forderlichen Maßregeln zur Ermittlung und Bestrafung der mittelbaren
und unmittelbaren Mörder" ergreifen möge. Die Dringlichkeit des An=
trages wurde von der Mehrheit abgelehnt, allein in der nächsten Sitzung
vom 16. noch einmal gestellt und diesmal „fast einstimmig", wie der
Präsident constatirte, angenommen [216]). Am selben Tage erschien auch
jene schon früher erwähnte Ansprache „an das deutsche Volk", worin
im Sinne des Simon'schen Antrages die Erschießung Blum's als „fei=
ger Mord" bezeichnet und zum Schluß zur Trauer um ihn aufgefordert
wurde; „vergiß des Todten nicht, deutsches Volk, und erinnere dich wie
er starb, für welche Sache er starb und durch wen er gemordet
wurde!" Auch die II. badische Kammer fand nichts besseres zu thun
als ihre „tiefe Entrüstung" über die „unter dem Scheine des Gesetzes
vollzogene Tödtung" Blum's auszusprechen, ohne sich zuvor geziemend

damit beschäftigt zu haben, ob es in der That nur der „Schein" des Gesetzes gewesen auf dessen Grund das Urtheil erfolgt war.

Die Frankfurter Ansprache war von 126 Abgeordneten der Linken unterzeichnet, darunter Hartmann und Trampusch, die unversehrt aus Wien zurückgekehrt am 16. zum erstenmal in der Versammlung, die sie ohne Urlaub verlassen, sich wieder gezeigt hatten. Zwei Tage später traf Fröbel ein, nach dem traurigen Schicksale Blum's von seinen Freunden gleich einem von Todten Auferstandenen begrüßt. Er kam wie Roller in Schiller's Räubern „recta vom Galgen", bemerkt Laube und beschreibt uns Fröbel's Erscheinen, dessen schwarzhaariger schöner Kopf ganz durchwühlt gewesen „wie man erwarten mußte; Noth und Tod war da angesiedelt gewesen". Fröbel mußte die Rednerbühne besteigen und Bericht erstatten. Er that es, der Form nach ruhig und mit Anstand; allein der Inhalt dessen was er sprach war voll Gift, unzart und danklos, stellenweise ganz abscheulich und lügenhaft[217], so daß er das wiederholte „pfui" der Versammelten gegen jene wachrief, die ihm, wie er in beffern Augenblicken selbst nicht umhin konnte zu bekennen, nur Schonung und rücksichtsvolles Mitgefühl hatten zutheil werden laffen. Börne's schönes Wort: „Wenn der Blitz der Andere traf unschädlich zu unfern Füßen niederschlägt, dann mögen wir Gott danken, nicht aber den Blitz verhöhnen" — war für Fröbel umsonst gesprochen.

Fröbel's Bericht fiel in die Zeit, da in allen radicalen Kreifen Deutschlands die Leidenschaft der Ohnmacht ihren Gipfelpunkt erreichte. Städte, wo jene den Ton angaben, boten den Anblick großer nationaler Trauer. Buch= und Bilderläden brachten Blum's Conterfey in allen Stellungen und Formaten, zu allen Preisen, von schwarzem Rand umrahmt, mit Trauerflor umhangen, die Scene feiner Hinrichtung, den „Jesuiten" zur Seite. Verkaufsgewölbe mit Trauerwaaren machten die besten Geschäfte; Flor und Schwarzwollentuch gehörten zu den gesuchtesten Artikeln, besonders bei dem schwachen Geschlechte; doch auch vom starken schwammen Viele im Strome mit. In Frankfurt trugen Knaben ganze Schachteln von Trauer=Cocarden, das Stück um 9 kr., in den Wirthshäusern herum. Es gehörte zur Galanterie des Tages sich gegenseitig Stücke dieses coqueten Trauerschatzes zu verehren. Altern hefteten ihren Kindern die sie zur Schule schickten schwarze „Blum=Schleifen" an die Mützen. Die Sachsenhäuser steckten eine große schwarze Fahne am Brückenkopf vor dem deutschen Hause auf. In Mainz hatten alle Gasthöfe am Rhein,

die Agenturen der verschiedenen Dampfschiffahrtsgesellschaften, die im
Hafen liegenden Schiffe Trauerflaggen aufgehißt. Die Tagesblätter brach=
ten gedruckte Aufforderungen zu Geldbeiträgen für Blum's Hinterblie=
bene; in Frankfurt nahm sie Karl Vogt in Empfang und veröffentlichte
sie in der „Reichstagszeitung" mit Devisen: „Erhebe Dich Retter
Deutschlands und rette uns vor Windischgrätz", „Blum's Tod komme
über sie und ihre Kinder", „Tod den Tyrannen" u. dgl. Dazu kamen
Trauerfeierlichkeiten aller Art. In der Frauenkirche von Dresden fand
am 19. ein außerordentliches Todtenfest statt, von dem sich die Minister
von der Pforten, Oberländer, nicht ausschließen zu dürfen glaubten;
Diakonus Pfeilschmidt predigte über die Worte: „Ich bin bereit nicht
allein mich binden zu lassen, sondern auch zu sterben", Dr. Herz sprach
vom Altarplatze einen Nachruf. Am 20. begingen die Deutsch=Katholiken
von Ulm in der ihnen zum Gebrauche eingeräumten Dreifaltigkeitskirche
einen Trauergottesdienst; Abends veranstaltete der „Volksverein" eine
Trauerfeier mit Reden und Aufforderung zu Beiträgen für die Hinter=
bliebenen; die österreichischen Artilleristen der dortigen Besatzung hatten
von dem gereizten Unwillen des Pöbels allerhand Neckereien zu erdulden,
erfuhren auf der Straße, in Wirthshäusern Schmähung und Unglimpf.
In Stuttgart bewegte sich ein großartiger Fackelzug durch die Stadt,
zum Schluße wurde gesungen: „Schwört den heil'gen Schwur der Rache!"
Den Freunden Blum's in Leipzig war die eine Todtenfeier am 14.
nicht ausreichend, sie veranstalteten am 26. eine zweite. Um 11 Uhr
V. M. bewegte sich unter dem Geläute aller Glocken ein großartiger
Zug aller Behörden und Körperschaften, Vereine und Gewerke vom Roß=
platze um die Ostseite der Stadt auf den Hauptplatz, wo er sich in der
Richtung der Nicolai= und der Thomas=Kirche theilte; dort hielt der
lutherische Prediger Dr. Zille, hier der deutsch=katholische Pfarrer Dr.
Rauch eine geistliche Rede, während in der einen das deutsche Parlaments=
Mitglied Dr. Joseph, in der andern der Leipziger Professor Flathe dem
Verstorbenen einen weltlichen Panegyricus nachsandten[218]). Auch das
republicanische Frankreich blieb nicht unthätig; die „Democratie pacifique"
forderte zu einer europäischen Subscription für die Familie Blum's
auf 2c.

Solch allseitigen Kundgebungen gegenüber glaubte denn auch die
Linke der deutschen National=Versammlung sich mit dem Beschluße vom
16. nicht begnügen zu dürfen, und das um so weniger, als die irrege=

leitete Leidenschaft des Haufens sich gegen das Parlament selbst zu kehren
begann. Es liefen unheimliche Gerüchte herum, es gab Anzeichen von
beabsichtigten Angriffen, Überfällen einzelner Abgeordneten, die zu ihrer
Sicherheit „Wipperstöcke" f. g. „Lebensretter" bei sich trugen. Eines
Abends wurden vier Bewaffnete in der Nähe von Gagern's Wohnung
lauernd angetroffen, so daß sich der Stadthauptmann Major Deetz veranlaßt fand das Haus die Nacht hindurch von einer Militär-Abtheilung
beschützen zu lassen, 20., und Benedey für nöthig hielt von der Tribune
der reformirten Kirche gegen die im Namen der Demokratie geschehene
„schnöde Hinweisung auf einen Mann" zu protestiren, als wäre dieser
Mann und nicht Windischgrätz Blum's Mörder; der Anhang des Präsidenten aber vermochte ihn, seine abgelegene Vorstadtwohnung gegen
eine in der Stadt zu vertauschen. Am 23. November nun brachte Raveaux einen dringlichen Antrag ein, das Andenken Blum's durch „eine
des Dahingeschiedenen würdige Todtenfeier zu ehren"; eine Commission
von fünf Mitgliedern wurde „zum Zwecke der Anordnung dieser Feier"
ernannt: Raveaux, Müller von Würzburg, Wigand Sellmer Rieffer,
die auch Jucho als geboruen Frankfurter ihren Sitzungen beizogen.
Die Mehrheit der National-Versammlung, durch Raveaux's Antrag und
dessen Appellation an das Mitgefühl für einen Todten aus ihrer Mitte
überrumpelt, besann sich inzwischen bald eines andern. Im Schoße der
Commission erhob sich allerhand Meinungszwiespalt, der am 28. vor die
Versammlung gebracht wurde. Es gab da einige heftige Auftritte; die
Rechte wollte Übergang zur Tagesordnung, der verworfen wurde. Allein
auch die Linke konnte mit ihrem Antrag: einen feierlichen Zug nach der
Katharinenkirche zu veranstalten an dem sich die gesammte National-Versammlung zu betheiligen hätte, nicht durchbringen, worauf Raveaux und
Wigand ihren Austritt aus der Commission ankündigten. Man ließ sie
gehen und damit stillschweigend die ganze Angelegenheit fallen, die troz-
dem, blos weil sie einmal eingeleitet war, dem Parlamente manche
schlimme Nachrede brachte. Namentlich in Österreich waren es keineswegs nur „Schwarzgelbe", aus deren Munde man die mißliebigsten
Äußerungen gegen die Paulskirche vernehmen konnte. Die Einen spöttelten
über die kraftlosen Drohungen; die Mehreren aber waren entrüstet über
die Tactlosigkeit, einem Manne, der nach Recht und Gesetz seinem Schicksale anheimgefallen war, eine Todtenfeier bereiten zu wollen, deren man
die schuldlosen Opfer des September-Aufstandes nicht würdig befunden

hatte. Die deutſche National=Verſammlung, die im Kaiſerſtaate ſchon
wegen der §§. 2 und 3 viel Sympathien eingebüßt, verlor durch den
Beſchluß vom 23. nicht blos in dieſem, ſondern auch im außer=öſterrei=
chiſchen Deutſchland bei allen Billigdenkenden den Reſt ihres Anſehens [219]).

Als deutſche Reichs=Commiſſäre in der Blum'ſchen Angelegenheit
waren die beiden Abgeordneten Adolf Paur aus Augsburg und Prof.
Joſ. Pözl aus München beſtimmt worden, die noch am 14. November
2 Uhr N. M. von Frankfurt abreiſten. Es waren ehrenhafte Männer
denen man nicht zutrauen konnte daß ſie, falls von ihnen etwas nicht
in der Ordnung befunden würde, darüber hinausgehen wollten; allein
ſie waren auch Juriſten genug um in einer Sache, wo die Schuld und
Strafwürdigkeit ſo offen am Tage lag wie bei Blum, keine haltloſen Einwände
zu erheben. Sie ſtellten ſich in Schönbrunn dem Feldmarſchall vor, der
in ihnen zu ſeiner Befriedigung „ruhige und verſtändige Männer" er=
kannte. Am 18. trafen ſie in Olmüz ein und verlangten die Materialien
in die Hände zu bekommen, aus denen ſie den Vorgang von Blum's
ſtrafgerichtlicher Behandlung zu beurtheilen vermöchten. Fürſt Windiſch=
grätz nahm keinen Anſtand ihnen die Proceß=Acten ausfolgen zu laſſen,
aus deren Einſicht ſie die Überzeugung gewannen daß weder in formeller
noch in materieller Hinſicht die auf den Fall anwendbaren Geſetze in
irgend einer Weiſe verletzt worden. Was das deutſche Reichsgeſetz vom
30. September betraf, ſo empfingen ſie die Aufklärung über die gänz=
liche Unanwendbarkeit deſſelben in Öſterreich, ſo lang daſſelbe nicht for=
mell von der Regierung angenommen worden; daß aber zu letzterem
keine Ausſicht vorhanden, ſo lang das Verhältnis von Öſterreich zu
Deutſchland nicht entgiltig feſtgeſtellt ſei, wurde ihnen nicht verhehlt.
Mitte December reiſten ſie nach dem Sitz der deutſchen Central=Ge=
walt zurück.

Das öſterreichiſche Conſulats=Wappen in Leipzig befand ſich um dieſe
Zeit bereits an ſeinem früheren Platze; am 6. December 10 Uhr V. M.
war es in Gegenwart des königl. Kreis=Directors von Broizen und
mehrerer Mitglieder des Stadtrathes von Seite der ſächſiſchen Be=
hörden am Conſulats=Gebäude feierlich und förmlich wieder aufgerichtet
worden.

16.

Wenn in den Tagen zuvor nur verworrene Gerüchte über das Schickſal der hervorragendſten October-Gefangenen umherliefen; wenn die Meinung Verbreitung fand, ihre Hinrichtung finde theils in Wien theils in Hetzendorf eben ſo geheim ſtatt wie ihre Verurtheilung; wenn ſogar von maſſenhaften Niedermetzelungen geflüſtert wurde z. B. von vierzig Studenten die man in Floridsdorf ohne Urtheil, blos weil ſie in der akademiſchen Uniform ergriffen worden, erſchoſſen hätte, nachdem man ſie früher gezwungen ſich eigenhändig ihr Grab zu graben: ſo ſollte dieſem Zuſtande geſtaltloſen Muthmaßens und Rathens durch die Kund-machung der „Wiener Zeitung" vom 10. November ein Ende gemacht werden. Jeder Beſonnene mußte ſich ſagen, daß die waltenden Behör-den, wenn ſie nicht gezögert die Hinrichtung eines der bekannteſten Wort-führer der letzten Wochen unmittelbar nach dem Vollzuge in förmlicher Weiſe bekannt zu geben, keinesfalls geſonnen ſeien aus den Ergebniſſen gerichtlicher Unterſuchung, ſobald dieſe in das Stadium der Aburtheilung und Vollſtreckung getreten, ein Hehl zu machen. Allein Beſonnenheit iſt eben keine Eigenſchaft der großen Menge, und wenn beſchränkte oder bös geartete Leute ihr in die Ohren raunten: „die geheimen Hinrichtungen dauern trotzdem fort, was von der amtlichen Zeitung veröffentlicht wurde iſt nur der geringere Theil deſſen was in Wirklichkeit geſchieht", ſo traute ſie dieſen Einflüſterungen mehr als den bündigſten Verſiche-rungen der geſetzlichen Organe, die wiederholt das Gegentheil ver-ſicherten [220]).

Nachdem mit Blum der Anfang gemacht worden, folgte eine Reihe von Todesurtheilen raſch aufeinander. Schon am nächſten Tage, 10. No-vember 7½ Uhr Morgens, fand die erſte Hinrichtung im Stadtgraben ſtatt, der von da an der regelmäßige Schauplatz dieſer traurigen Auf-tritte war. Im Publicum rieth man auf die verſchiedenſten Perſönlich-keiten: Braun Meſſenhauſer Fröbel Fenneberg Aigner, bis man aus der „Wiener Zeitung" vom 11. den wahren Namen erfuhr: Eduard Je-lowicki, Artillerie-Director Meſſenhauſer's. Am 11. halb ſechs Abends

fiel der Oberst in der Mobilgarde Eduard Preßlern von Sternau. Sein
Verhör hatte am Vormittage stattgefunden. Anfangs schien er reumüthig
zu sein, klagte sich „einer Sache" an die er „hätte besser lassen sollen";
dann aber sprang er plötzlich um, läugnete alles und erklärte, was man
ihm vorhielt, für „Lüge", für „schändliche Lüge"; selbst nachdem ihm
fünf Zeugen gegenübergestellt worden die ihm einer nach dem andern
ihre Aussagen in's Gesicht wiederholten, beharrte er auf seinem
Widerspruch: „Der beste Mensch hat seine Gränzen; ich stehe an der
meinigen; ich habe nichts anzugeben als daß ich Gott zum Zeugen anrufe
daß ich unschuldig bin an allen diesen mir zugemutheten Anschuldigungen".

    Preßlern wurde um dieselbe Zeit vom Leben zum Tode gebracht, wo
Fröbel, wie wir bereits wissen, Nachsicht seiner auf Hinrichtung durch
den Strang lautenden Strafe erhielt. Es war dies die erste vollständige
Begnadigung, wie auch am selben Tage das erste nicht auf Todesstrafe
lautende Urtheil erging; es betraf einen Jur. Dr. und Privatdocenten
Ignaz Porsch mit Namen, der wegen Versuches Soldaten zum Treubruche
zu verleiten zu sechsjähriger Schanzarbeit in schweren Eisen verurtheilt
wurde; ein Befehl des Feldmarschalls milderte die Strafe in Berücksich=
tigung der „persönlichen Eigenschaft" des Betroffenen in sechsjährigen
Festungs=Arrest ohne Eisen.

    Seit 9. November Abends befanden sich für einige Tage die Männer
in Wien die man schon allgemein als die künftigen Minister bezeichnete,
und sogleich brachte die öffentliche Meinung diese Anwesenheit mit den
eingetretenen Gnaden=Acten in Zusammenhang; ja man knüpfte daran
die Hoffnung, es würden überhaupt keine Todesurtheile mehr vollzogen
werden. Hierüber wurde man freilich bald eines andern belehrt. Am
14. halb fünf Nachmittags wurden im Stadtgraben drei Todesurtheile
vollzogen: an dem Schuhmacher aus Hernals Johann Horváth der nach
bereits erfolgter Unterwerfung des Ortes einen neuen Angriff gegen das
Militär geleitet hatte, und an den beiden Gemeinen Joseph Dangel von
Heß=, und Anton Riklinski von Nassau=Infanterie; sie gehörten zu jenen
Unglücklichen, die am 6. October ihren Fahneneid gebrochen und sich in
die Reihen der Insurgenten gemischt hatten. Zwei Tage darauf stand an
derselben Stelle im Stadtgraben der Mann, der bei dem bewaffneten
Widerstande gegen die kaiserlichen Truppen die hervorragendste Stelle
eingenommen hatte und dessen Ende sowohl in bürgerlichen wie in solda=
tischen Kreisen die allgemeinste Theilnahme wachrief.

Vier Tage lang hatte Meſſenhauſer in ſeinem hochgelegenen Ver=
ſtecke zugebracht. Sein Bart war geſchoren, ſeine Papiere waren geordnet;
Freunde die zur Flucht riethen hatte ihm Kleidungsſtücke Geld Reiſe=
papiere zur Verfügung geſtellt. Aber halb Unentſchloſſenheit, halb wieder
eine Art Heroismus hatten ihn von dem wiederholt gefaßten Entſchluße
zu fliehen immer wieder abgebracht, bis es zu ſpät war und zuletzt die
Kundmachung vom 4. es ihm als Gewiſſenspflicht auferlegte, durch län=
geres Verweilen in ſeiner Wohnung nicht die perſönliche Sicherheit ſeiner
Hausgenoſſen bloszuſtellen. Er hatte ſchon am 3. einen langen Brief
an G. M. Karger geſchrieben den er aus der Lemberger Garniſon gekannt
haben dürfte; Karger beſtärkte ihn in ſeinem Vorſatze ſich ſelbſt zu ſtellen,
da ein ſolcher Schritt jedenfalls nur vortheilhaft und milbernd auf ſein
bevorſtehendes Los einwirken könne. Nun wandte ſich Meſſenhauſer
brieflich an den Stadt=Commandanten, dem er die ſechste Nachmittags=
ſtunde des 5. November als die Zeit bezeichnete, wo er ſich auf dem
hohen Markt einfinden und dem die Platzwache daſelbſt befehligenden
Officier ſtellen wolle. Auch dem Gemeinderathe machte er von ſeinem
Vorhaben Anzeige, wie es ſcheint, nicht ohne die Verwendung desſelben
zu ſeinen Gunſten ſich zu erbitten oder doch darauf hinzudeuten. Noch
bevor dieſe letztere Anzeige an ihre Beſtimmung gelangt war, hatte die
Stadtbehörde eine aus drei Mitgliedern — Götz Otto Prantner — be=
ſtehende Deputation nach Hetzendorf geſandt, den Feldmarſchall um Gnade
für mehrere Gefangene oder Bedrohte, darunter für den geweſenen Ober=
Commandanten der Nationalgarde zu bitten; Windiſchgrätz hatte er=
wiedert daß er den Lauf der Gerechtigkeit nicht hemmen, indeſſen eine
Adreſſe des Gemeinderathes in befürwortendem Sinne nicht zurückweiſen
werde. Über dieſen Erfolg ihrer Sendung erſtatteten Götz und Genoſſen
in der Nachmittagsſitzung vom 5. gerade Bericht, als die erwähnte An=
zeige Meſſenhauſer's beim Gemeinderathe einlief, von welchem nunmehr
die Abfaſſung einer die Großmuth des Fürſten anrufenden Adreſſe be=
ſchloſſen und nach wiederholten Änderungen zuletzt in der von Skacel
redigirten Faſſung angenommen wurde.

Zu der von ihm ſelbſt bezeichneten Stunde fuhr Meſſenhauſer im
Fiacre auf dem hohen Markt vor, wo ihn Hauptmann Monteverde in
Empfang nahm. Meſſenhauſer verlangte unmittelbar nach Schönbrunn
— der Oberfeldherr vor den Oberfeldherrn?! — gebracht zu werden.

Seinem Wunsche wurde entsprochen, allein der Fürst ließ ihn nicht vor.
Messenhauser wurde nach Wien zurückgeführt und über Nacht, da die
Räume im Stabsstockhause für den Augenblick überfüllt waren, in das
Polizeihaus gewiesen. Erst am 6. fünf Uhr N. M. kam er in sein ei=
gentliches Gefängnis, und wurde da — auf ein vom Ober=Feldarzt Dr.
Rußwurm ausgestelltes Zeugnis, daß „der Civil=Arrestant" Messenhauser
„von gesunder Körperbeschaffenheit, daher zur Arrest=Strafe selbst in
schweren Eisen tauglich" — in Ketten gelegt. Gleich darauf begann sein
erstes Verhör. Am selben Tage hatte Cordon drei von Messenhauser her=
rührende Schriftstücke und Placate, vom 20. 25. und 28. October, aus
Schönbrunn mit dem Auftrage empfangen, „das gerichtliche Verfahren
gegen denselben sogleich zu eröffnen. Ich finde hierbei im allgemeinen
nur zu bemerken", fügte der Feldmarschall bei, „daß die als besonders
gefährlich bezeichneten Individuen unverzüglich dem gerichtlichen Verhör
zu unterziehen, und die Inquirenten diesfalls anzuweisen seien hauptsächlich
den Quellen und Hebeln nachzuforschen welche die so eben durch Waffen=
gewalt gedämpfte Erhebung hervorgerufen haben." Messenhauser's Schuld
war in gewissem Sinne die größte von Allen deren die Militärmacht
habhaft geworden; sie ließ sich in einen Satz zusammenfassen: er hatte
vom Augenblicke der ersten Proclamation des kaiserlichen Machthabers
vom 20. October bis zur Einnahme der Stadt am 31. an der Spitze
des „thätigen Widerstandes gegen die k. k. Truppen", wie nach Kriegs=
recht die Formel lautete, gestanden. Diesem einen großen Verschulden
gegenüber gab es kein Läugnen. Andrerseits sprachen für Messenhauser
bedeutende Milderungsgründe. Er hatte sich auf seinen Posten nicht ge=
drängt, derselbe war ihm angeboten worden, angeboten von den thatsächlich
in Wien maßgebenden Gewalten: Ministerium Reichstag Gemeinderath.
Er hatte es übernommen „die Vertheidigung der Stadt Wien" zu führen,
gegen eine von außen sie bedrängende Macht deren Einschreiten der con=
stituirende „souveraine" Reichstag in förmlichem Beschluße für „unge=
setzlich". erklärte. Er hatte von der in seine Hände gelegten Gewalt keinen
drakonischen, keinen terrorisirenden Gebrauch gemacht; nachdem er auf
Fenneberg's Andringen jene furchtbaren Beschlüsse vom 25. October
hinausgegeben die ein allgemeines Entsetzen in der Stadt hervorriefen,
ließ er ihnen noch am Abend desselben Tages bereitwillig eine mildernde
Erläuterung nachfolgen die ihnen die Spitze brach. Nach der Einnahme
der Landstraße und der Leopoldstadt durch die kaiserlichen Truppen war

es Messenhauser, der in jener aufgeregten Berathung im großen Redou=
ten=Saale am 29. N. M. für die Übergabe der Stadt sprach, mit aller
Wärme, mit aller Überredungsgabe, mit aller Hingebung sprach, und so
glücklich war zuletzt die Mehrheit der Versammelten auf seine Seite zu
bringen. Diese von ihm selbst eingeleitete Capitulation bei Annäherung
der Ungarn gebrochen, die verhängnisvollen Zettel vom Stephansthurm
hinabgeworfen, jenen unzweideutigen Befehl an den Bezirks=Chef der
Wieden hinausgegeben zu haben, war allerdings, nebst seiner früher er=
wähnten allgemeinen Schuld, das schwerste was ihm zur Last fiel.
Allein wer die Ereignisse am Vormittage des 30. näher besah, wer be=
dachte wie auf Messenhauser von allen Seiten eingedrungen, eingestürmt
wurde, dem mußte sich auch diese That in milderem Lichte darstellen. Von
diesem unglücklichen Zeitpunkte aber hatte sich Messenhauser auf das eif=
rigste bemüht allen fernern Widerstand zu beschwören, ihn unmöglich zu
machen, den Fürsten Windischgrätz zum baldigsten Einmarsch in die be=
thörte Stadt zu bewegen. Er hatte dadurch den Ingrimm der äußersten
Partei auf sich geladen, hatte von ihr am Abend des 30. lebensgefähr=
liche Bedrohungen zu bestehen gehabt, war von ihr zum Rücktritt ge=
zwungen worden, während er, als er seine Abdankung wieder zurücknahm
und das Werk der Beschwichtigung nach Kräften durchzuführen erklärte,
von allen Einsichtsvolleren, namentlich von der Mehrheit der National=
garde=Officiere, und vor allem vom Gemeinderath als ein wahrer Ret=
tungsengel angesehen wurde. Darum herrschte auch, nachdem die Gefan=
genhaltung Messenhauser's allgemeiner bekannt geworden, in der Stadt
über ihn nur eine Stimme: „Blum Jelowicki Preßlern mochten die
äußerste Strafe verdient haben; wenn Einer auf Begnadigung Anspruch
hat, so ist es Messenhauser." Auch blieb es nicht bei blosen Worten
und Wünschen. In welcher Weise sich der Gemeinderath beim Feldmar=
schall für Messenhauser verwendete, wurde bereits erzählt. Am 10. sandte
der Zeughaus=Commandant Kaffa — „vielleicht kann ich dadurch ein
Menschenleben retten" — an die Stadtbehörde einen am 31. October
von Messenhauser eigenhändig geschriebenen Befehl: alle Waffen und
Munition mit Waffer zu begießen und dadurch unbrauchbar zu machen.
Die in Wien anwesenden Reichstagsabgeordneten: Goldmark Prato
Smolka u. a. kamen zusammen, ausgiebige Schritte zu Messenhauser's
Rettung zu berathen. Minister Kraus verwendete sich beim Stadt=Com=
mando, schrieb nach Olmüz, daß man Guade für Recht möge ergehen laffen.

Hatten die Radicalen Windischgrätz, bevor noch eines seiner Ba=
taillone vor Wien gestanden, als einen Attila Dschingis=Chan Alba
verschrien, so war nichts anderes zu erwarten als daß sie ihn jetzt, wo
nach gebändigtem Widerstande die Arbeiten des Kriegsgerichtes zur trau=
rigen Nothwendigkeit geworden, in auswärtigen Blättern als den größten
Wütherich darstellten, als einen Canibalen der nach Menschenfleisch ver=
lange, einen blutgierigen Tyrannen der sich an seinem Henkeramte weide.
In Wahrheit war das Gegentheil der Fall. Windischgrätz war kein
harter Mann. Er unterschrieb, heißt es in einer gleichzeitigen Aufzeich=
nung aus seiner Umgebung [221]), nur mit Widerstreben ein ihm vorge=
legtes Todesurtheil und wurde sichtlich erheitert wenn sich Motive zur
Begnadigung fanden. „Es thue ihm wohl", hörte man ihn dann sagen,
„Gründe zu finden zur Gnade, wo er vom Schicksal hingestellt sei so
viele Menschenleben zu knicken." Den Einflüsterungen der Rache war er
so wenig zugänglich daß er, wo sich ein Anlaß solche zu üben bot, eher
in der entgegengesetzten Richtung vorging. Das hatte er in den Prager
Juni=Tagen mit einer wahrhaft antiken Selbstverläugnung bewiesen; all=
gemein war unter den Besserdenkenden damals die Meinung verbreitet,
es würde ihrer Stadt schlimmer ergangen sein wenn nicht das schreckliche
Ende seiner Gemalin und die Verwundung seines ältesten Sohnes ihm
die Hände gebunden hätten. Aber andrerseits war Windischgrätz, wo er
das Richteramt verwaltete, eben so weit entfernt ohne Gründe nur aus
Willkühr und Laune, geschweige denn gegen seine Überzeugung aus blofer
Weichherzigkeit Gnade für Recht ergehen zu lassen. Er sah in sich den
Vollstrecker eines höhern Willens. „Die Vorsehung hat mich als Werk=
zeug gebraucht", waren Worte die er in jener Zeit häufig im Munde
führte. Von der Ausführung dessen, was von ihm für klares Recht, für
unabweisbare Pflicht erkannt wurde, vermochte ihn nichts abzubringen.

Das war der Fall mit Messenhauser. Alles sprach für ihn, nur
eines sprach wider ihn, aber dies eine war von entscheidender Bedeutung.
Es ist in jenen Tagen über diesen Gegenstand vielerlei durcheinander
gesprochen worden [222]). Man wollte wissen: Windischgrätz würde Messen=
hauser gern geschont haben, allein die Armee habe laut dessen Tod „als
Sühne für Latour" gefordert. Einige stellten sogar die Sache so dar,
als habe sich der Oberfeldherr in diesem Punkte vor seinen Soldaten
wahrhaft gefürchtet: „sie würden meuterisch werden, es könnte eine Mi=
litär=Revolution entstehen, wenn er dem Hauptleiter des bewaffneten

Aufstandes in Wien das Leben schenken wollte". So sinnlos diese Redereien in den Einzelnheiten waren die sie auftischten [223]), so war doch
damit in gewissem Sinne das Wesen dessen berührt was für das Schicksal Messenhausers den Ausschlag gab. Messenhauser war k. k. Officier
gewesen; er hatte allerdings vor Monaten den Dienst verlassen, allein
er hatte bei seiner „Quittirung" mittelst Reverses sich verpflichtet: „weder gegen das allerdurchlauchtigste Erzhaus streiten noch dessen Feinden
einen Vorschub oder Hilfe leisten zu wollen". Diesem feierlichen Versprechen entgegen hatte Messenhauser gegen einen vom Allerhöchsten Kriegsherrn bevollmächtigten Feldherrn und gegen k. k. Truppen in maßgebender Weise in Waffen gestanden — und über diesen Umstand, mochte
Windischgrätz noch so menschlich für Messenhauser fühlen, konnte er
nicht hinaus gehen, konnte es nicht als kaiserlicher General um seiner
selbst willen, konnte es nicht um der Armee willen der er angehörte und
von der er einen großen Theil befehligte. Wo einfache Soldaten nach
Recht und Gesetz verurtheilt wurden weil sie ihren Fahneneid gebrochen,
durfte der Oberste, unter dessen Leitung sie die ganze Zeit über gestanden, nicht geschont werden [224]).

Am 11. November wurde das Urtheil über Messenhauser geschöpft:
es lautete auf „Tod durch den Strang"; am 14. neun Uhr V. M.
wurde es kundgemacht. Messenhauser, ohne Zweifel unterrichtet von den
vielseitigen Schritten die für ihn gethan worden, scheint bis zu diesem
Augenblicke die volle Lebenshoffnung genährt zu haben. Als er nun sein
Urtheil vernahm, war er im ersten Augenblicke wie erstarrt; doch bald
gewann er seine Fassung wieder, die ihn von da bis zu seinem letzten
Athemzuge nicht mehr verließ. Er ordnete seine Angelegenheiten, beschäftigte sich mit seinem literarischen Nachlaß, traf seine letztwilligen Verfügungen. Fünfzehn Briefe an die verschiedensten Personen gingen die
letzten zwei Tage aus seiner Hand: an den Hofschauspieler Lukas; an
die Hofschauspielerin Zeiner, eine entfernte Verwandte von ihm; an den
Weinhändler Giacomuzzi; an Joseph Ritter von Matoschek (General
Matauschek?) u. a. Zwischen 4 und 6 Uhr N. M. sowohl am 14. wie
am 15. hielt sich der Militärspitals-Ober-Caplan P. Augustin Mayer
bei ihm auf mit dem er aus der Bibel und aus den Bekenntnissen des
heil. Augustin las. Lukas und wahrscheinlich auch die Zeiner hatte er
wegen eines Schauspieles: „Gold wiegt schwer" zu sich gebeten, von dem

er sich viel versprach und das er am Hofburgtheater aufführen lassen wollte. Aus einem ähnlichen Grunde war ihm der Besuch des Directors Karl willkommen; der am 15. als Gemeinderath im Stabsstockhause zu thun hatte und bei Messenhauser anfragen ließ ob ihn dieser empfangen wolle. Nach einer etwa halbstündigen Besprechung reichte Messenhauser seinem Besucher die Hand zum Abschiede „nur für's Leben". Karl wollte ihm das ausreden und meinte er hoffe ihn noch öfter zu sehen. „Sie hoffen?" erwiederte jener und dabei durchschauerte es ihn, aus seinem bis dahin ruhigen Antlitz traten geisterhaft die Augen heraus; bald aber ließ er die Arme sinken, drückte noch einmal mit Heftigkeit Karl's Hand und sprach mit leisem Kopfschütteln: „Hoffen Sie nichts!" Dann wandte er sich ab, trat zum Fenster und blätterte mit Hast in der Bibel; Karl entfernte sich schweigend. Am selben Tage schrieb Messenhauser seinen letzten Willen, dessen Ausführung er seinen Freunden Giacomuzzi und Matoschek anvertraute; er vergaß dabei keine seiner Habseligkeiten und keine der Personen, denen er irgend etwas davon als Andenken hinter- lassen könnte; er vergaß auch seine Privat=Gläubiger nicht, mit denen „ein Accord auf Ratenzahlungen" getroffen werden sollte. Seine nächste Angehörige war seine an einen bürgerlichen Leinweber in Proßnitz Na- mens Weidling verheiratete und mit einer Anzahl Kinder gesegnete Schwe- ster Katharina. Die Barschaft die er hinterließ betrug im ganzen 190 Gulden, ein Beweis daß in der Zeit, da er über so große Summen zu verfügen hatte, seine Hände rein geblieben waren [225]).

Nachdem Karl Bernbrunn das Stabsstockhaus verlassen, war sein erster Gang in die Permanenz des Gemeinderathes wo sich eben Gold- mark mit einigen Reichstagsabgeordneten befand, die sich an den Kaiser um Gnade für Messenhauser wenden wollten und die Vertreter der Stadt zur Mitwirkung aufforderten. Der Vorschlag fand mehrseitige Unterstü- zung; die Mehrheit der Anwesenden jedoch, ohne Zweifel im Hinblick auf die Schritte die sie unmittelbar beim Feldmarschall unternommen, fand darauf nicht einzugehen [226]). So reiste Prato mit einer im Namen von vierundzwanzig Reichstagsmitgliedern abgefaßten Adresse — auf Ver= anlassung des Ministers Kraus wurde ihm ein Sonderzug zur Verfü= gung gestellt — allein nach Olmüz ab, wo er am 16. Früh eintraf, aber daselbst in den Appartements Wessenberg's nur zu bald erfuhr daß er trotz aller Eile zu spät gekommen sei; ganz abgesehen davon man sich am kaiserlichen Hoflager kaum würde entschlossen haben, in

15*

dem Fürsten Windischgrätz bedingungslos eingeräumten Gerechtsame ein=
zugreifen [227]).

Nach einem ruhigen gesunden Schlafe erwachte Messenhauser am
16. zu seinem letzten Lebensgange. Um 7 Uhr erschien P. Mayer in
seiner Zelle. Messenhauser kleidete sich rasch an, genoß etwas weniges
und unterhielt sich mit seinem Seelenarzte über erbauliche Gegenstände.
Er trug ein schwarzes Sammtröckchen, blaugewürfeltes Beinkleid; ein
leichtes Käppchen deckte seine Haare, um den Hals war eine schwarze
Binde geschlungen; ein schwarzer Mantel umhüllte seine von Ketten be=
lastete Gestalt. Nach 8 Uhr verließ er das Stabsstockhaus, den Pro=
foßen auf der einen, den Geistlichen auf der andern Seite, von Grena=
dieren umgeben, und ging festen Schrittes mit ruhiger ungetrübter Miene
durch das Neuthor dem Stadtgraben zu. Auf dem Glacis nächst dem
Neuthor waren starke Abtheilungen Dragoner und auch weiterhin kleinere
Piquets aufgestellt, den Andrang des Publicums abzuhalten das sich
ziemlich zahlreich eingefunden hatte; auch die Bastei war so weit man
sehen konnte von Neugierigen besetzt. Als Richtstätte war der Winkel
ausersehen, den der nächst dem Neuthor gelegene Vorsprung mit der
Bastei bildete. An Ort und Stelle angelangt richtete P. Mayer die
letzten erhebenden Worte an Messenhauser, während ihm vom Profoßen die
Ketten abgenommen wurden. Der Kreis öffnete sich, Messenhauser warf
Mantel und Mütze ab und hörte die nochmalige Ablesung seines Todes=
urtheils an. Darauf bat er sich die Begünstigung aus, als ehemaliger
Officier unverbundenen Auges und ungebeugten Knies selbst commandiren
zu dürfen. Es wurde ihm gewährt. In fester Haltung schritt er auf
den ihm bezeichneten Punkt, stellte sich, die linke Hand in der Hosen=
tasche, die rechte leicht in die Hüfte gestützt, vor die seiner Befehle har=
renden Schützen die er einen Augenblick mit glänzendem Auge musterte,
commandirte: „Fertig! — An!" und dann, den Blick todesmuthig in
den Lauf der auf ihn angelegten Flinten gerichtet: „Feuer!" Im näch=
sten Augenblick lag er, in den Kopf, in die Brust und durch die in der
Tasche steckende Hand in den Unterleib getroffen, entseelt auf dem Boden.
Ein in Bereitschaft gehaltener Leiterwagen fuhr herbei, der Leichnam
wurde hinaufgehoben, das Antlitz mit dem aus dem Rocke heraussteh=
den seidenen Sactuche des Verschiedenen zugedeckt; ein Trupp Reiter
kam in den Stadtgraben herabgesprengt, von welchem in die Mitte ge=
nommen sich der Wagen in der Richtung der Währinger Hauptstraße

in Bewegung setzte. Das Militär verließ den Platz, auf den sich jetzt
Leute aus dem Volke drängten, mehr als Einer sein Sacktuch an der
Stelle netzend die von Messenhauser's Blut getränkt war [228])....

Messenhauser fiel „als Soldat und brav". Sein muthvolles Ende
hat beim Militär allgemeine Theilnahme gefunden und gewiß selbst die
entschiedensten seiner Widersacher mit ihm ausgesöhnt. Nicht ganz mit
Unrecht bezeichnet ein Geschichtsschreiber jener Tage Messenhauser's Tod
als „die glücklichste Lösung eines qualvollen Räthsels"; er sei dahin ge=
gangen zu einer Zeit, „wo seine Freunde noch nicht Ruhe gefunden
hatten über das Lose und Schwankende seines Benehmens nachzudenken
und ihm eine aufrichtige Thräne zollen durften"; es wäre für ihn die
härteste Strafe gewesen „statt zum Tode, zum ferneren Leben verurtheilt
zu werden" [229]).

17.

Einen Tag nach der Hinrichtung Messenhauser's fand im Stadt=
graben eine andere statt; sie traf einen beschäftigungslosen Menschen aus
Mähren, Anton Brogini mit Namen. Es war eine jener traurigen
Nothwendigkeiten „ein Exempel zu statuiren", wie sie mit der drakoni=
schen Strenge von Ausnahmszuständen leider verbunden sind.

Wiederholt waren bereits vom Gemeinderathe ernste Warnungen,
von der Stadt=Commandantur scharfe Befehle ergangen sich an öffent=
lichen Orten, namentlich in Gast= und Wirthshäusern aufreizender Reden
zu enthalten; am 12. hatte General Cordon dies Gebot mit Androhung
standrechtlicher Behandlung nach §. 7 der Proclamation vom 1. Novem=
ber neuerdings kundmachen lassen. Nachmittags am 13. nun machten
sechs Corporäle von Parma=Infanterie einen Spaziergang durch die
Stadt, als sie in der Nähe des Rothenthurm=Thores von einem Civi=
listen eingeladen wurden mit ihm in das Gasthaus „zum rothen Apfel"
zu treten, wo er zwei Maß Wein auftragen ließ und sich gegen sie aus=
sprach: „wie froh er sei daß endlich das Militär die Stadt besetzt habe".
Auf diese Rede erhob sich von einem Seitentisch ein Gast, ergoß sich in
Schimpfreden über die Soldaten=Herrschaft und rief: „Es ist noch nicht

genug, der Windischgrätz muß hängen wie der Latour gehangen hat!"
Einer der Corporäle sprang auf, packte den Sprecher und stellte ihn zur
Rede, der jedoch trotzig erwiederte: „Ich war selbst früher beim Militär
und weiß schon was ich rede". Auf das nahmen ihn zwei Corporäle in
die Mitte und führten ihn ab; „geschieht dem Lumpen schon recht", rief
man ihnen von den andern Tischen nach, gewiß ohne zu ahnen daß der
arme Teufel seinen Todesgang antrat. Vergebens spielte er auf dem
Wege zur Stadt-Commandantur den Betrunkenen; vergebens zählte er
den Herren dort auf, wie viel Seidel Wein er schon am Vormittage, wie
viel Gläser Rosoli er am Nachmittag, unmittelbar bevor er „zum rothen
Apfel" gegangen, zu sich genommen und daß er hier neuerdings Wein
getrunken habe; vergebens wollte er sich nur darauf besinnen daß er
etwas, allein durchaus nicht was er gesagt habe — die Zeugen bestätig-
ten, er habe, bevor er fortgeführt worden, nicht das geringste Zeichen
von Trunkenheit wahrnehmen lassen, und er wurde ins Stabsstockhaus
überbracht. Am 16. Vormittags bestand er sein Verhör. Der Fall war
einfach wie das Gesetz; das Urtheil wurde einstimmig gefällt, bestätigt,
am 17. um 8 Uhr Morgens vollzogen.

In den nächsten Tagen folgte sodann eine Reihe von Strafmilde-
rungen und eine vollständige Strafnachsicht. Erstere ließ der Feldmarschall zutheil werden: dem Wächter im k. k. Augarten Wenzel Wartha,
18. November, dem Med. Dr. Eduard Pallucci, 19., dem Schweizer
Ludwig Brzhiemski, 20., dem Studierenden Johann Ritter von Vogt-
berg, dem Schulgehilfen Eduard Elgner und dem Cattun-Druckergesellen
Ferdinand Schmalhofer, 21. Sie hatten sich der Förderung des bewaffneten Widerstandes oder der thätlichen Theilnahme an demselben
schuldig gemacht, einige waren selbst mit den Waffen in der Hand ergriffen worden; sie waren in Folge dessen nach dem Gesetze dem Tode
verfallen. Allein sie alle gehörten mehr oder weniger in die Kategorie
der Verführten, und „in Berücksichtigung" theils „des jugendlichen
Alters der Verurtheilten und ihrer geäußerten Reue" theils „des tabel-
losen Lebenswandels" wodurch sie sich „bis zu den October-Unruhen
ausgezeichnet", ließ der Fürst Windischgrätz Gnade für Recht ergehen
und wandelte ihr Todesurtheil in zwei- bis vierjährigen Festungs-Arrest
oder Schanzarbeit „in leichten Eisen" um. Vollständiger Strafnachsicht
hatte sich der Portrait-Maler Joseph Aigner zu erfreuen, zu dessen
Gunsten sehr erhebliche Umstände sprachen. Er hatte sich zwar an der

Wiener Bewegung von allem Anfang betheiligt, in den October=Tagen
in seiner Eigenschaft als Commandant der akademischen Legion und Ver=
theidigungsleiter der Leopoldstadt einen hervorragenden Posten einge=
nommen; allein er hatte in keiner dieser Stellungen in aufreizendem, er
hatte vielmehr, wo es die Gelegenheit gab, in versöhnlichem Sinne ge=
wirkt. Wenn er mit seinen wohlgemeinten Versuchen die akademische
Legion von allen nicht dahin gehörigen Elementen zu reinigen scheiterte,
so war das nicht seine Schuld. In welcher Weise sich Aigner wegen
seiner besonneneren Haltung den Haß Fenneberg's zuzog, von diesem dem
Studenten=Ausschuße benuncirt, von letzterem mit der Versetzung in den
Anklagestand bedroht wurde, haben wir am passenden Orte berichtet*).
Nachdem der Aufstand bezwungen, hatte sich Aigner eifrig um die Ent=
waffnung der Vorstädte angenommen und dabei mehrseitige Erfolge er=
zielt. Am 21. November erfloß sein Urtheil, am 23. 9 Uhr V. M.
wurde es ihm kundgemacht. Es lautete auf „Tod durch den Strang";
unmittelbar darauf aber folgte der Nachsatz daß der Feldmarschall be=
funden habe, ihm „in Berücksichtigung der beffern Gesinnungen die er
während der September=Unruhen und jenen des Monats October an
den Tag gelegt, die ausgesprochene gesetzliche Strafe unbedingt nachzu=
sehen" und ihn „der Freiheit wiederzugeben". Am nächsten Tage dankten
ein begabter, am Eingange seiner Laufbahn stehender Künstler und eine
junge Gattin dem Fürsten auf den Knien für die erwiesene Großmuth.

Wenn diese rasch auf einander folgenden Gnaden=Acte dem Beifall aller
jener begegneten, welche die Bestrafung der Hauptschuldigen, aber mög=
lichste Schonung der in minderem Grade Betheiligten wünschten, so zogen
daraus viele von jenen, die nur knirschend sich in die geänderte Lage der
Dinge fügten, Schlußfolgerungen anderer Art. Mochten sie nun glau=
ben daß dem Wiener Kriegsgericht von Olmütz aus Zügel angelegt seien,
oder daß das Lärmen über Blum's Hinrichtung, das gerade in diesen
Tagen aus Deutschland am wirrsten herübertönte, der Militär=Behörde
einigen Schrecken eingejagt habe, Thatsache war, daß allerhand Wahr=
zeichen neuen Trotzes, zunehmender Keckheit unter jenem revolutionairen
Gelichter auftauchten, dem nun einmal die Eigenschaft der Unverbesser=
lichkeit innewohnt. Wieder bekam man in den Straßen Wiens so
manche jener unheimlichen Gestalten zu sehen, die sich seit dem Einrücken
der Truppen in ihre Schlupfwinkel verkrochen hatten; wieder vernahm

---

*) I. Bd. S. 169 f.

man in Kaffee-Schänken und Kneipen herausfordernde Reden von Mord
und Rache, von einer baldigen Schilderhebung u. dgl. — als mit ein=
mal, an demselben Tage der Aigner die Freiheit schenkte, die Vollziehung
zweier neuer Todesurtheile bekannt wurde. Der Eindruck dieser Kunde
wirkte um so zermalmender, als sie Vertreter einer Classe von Persön=
lichkeiten betraf, die nach den eigenthümlichen Begriffen der vorausge=
gangenen Tage gewissermaßen für kugelfest galt. „Die Verurtheilung
zweier Schriftsteller zum Tode", heißt es in einem Buche aus jener
Zeit, „und deren Hinrichtung durch Pulver und Blei ist eine der er=
schrecklichsten Thaten" 230).

Julius Becher, geboren 1803 oder 1804 zu Manchester, in Deutsch=
land erzogen und für die juridische Laufbahn gebildet, war frühzeitig
einem Hange zur Tonkunst gefolgt, der ihn seinem eigentlichen Berufe
entriß ohne ihm in andern Lebenskreisen eine feste Stellung zu verschaffen.
So wurde er halb in seinem Wissen und Können, unstät in seinem
Weilen und Treiben, unklar in seinen Zwecken und Zielen. Nachdem
er in Berlin, in demagogische Umtriebe verwickelt, vorübergehende Be=
kanntschaft mit den Arresten der Hausvogtei gemacht, ließ er sich in
Elberfeld als Advocat nieder und begründete sich einen häuslichen Herd.
Frühzeitig Witwer übersiedelte er nach Düsseldorf, wo er mit Immer=
mann und Mendelssohn Umgang pflog, mit dem wüsten genialen Grabbe
kneipte und den Gymnasial=Director Bischof in Wesel kennen lernte,
dessen Tochter er zur zweiten Gattin nahm. Hand in Hand mit seinem
musikalisch gebildeten Schwiegervater betrat er das Gebiet der Kritik,
bekämpfte den Componisten Ferdinand Ries, ließ sich mit Schindler dem
Biographen Beethoven's in einen Federkrieg ein, trug 1838 in Haag
Theorie der Musik vor und ging 1840 nach London, wo er in ähnlicher
Weise thätig war, daneben aber seine Rechtskenntnisse wieder zu ver=
werthen suchte. So kam er, mittlerweile zum zweitenmal Witwer, im
Jahre 1845 um eines Processes willen, aber zugleich mit Empfehlungen
von Mendelssohn versehen, nach Wien, wo bald sein Rechtsstreit zur
Nebensache, dagegen die Berührung mit den schriftstellerischen und künst=
lerischen Kreisen der Kaiserstadt zur Hauptsache wurde. Er stand mit
Lenau auf vertrautem Fuße, half Bauernfeld die Romane von Boz
Dickens übersetzen und schrieb in musikalische und belletristische Zeit=
schriften. Das war sein eigentliches Feld. Die unter den damaligen

Verhältnissen ungewohnte Schonungslosigkeit seines Auftretens verschaffte
ihm ein gewisses Ansehen, von dem er nichts einbüßte wenn er dabei
in allerlei Unannehmlichkeiten mit den Censur-Behörden gerieth. Gefürchtet als Recensent bot er dagegen in seinen Compositionen den
Opfern seiner Kritik willkommene Blößen und vielleicht trugen die scharfen Geißelhiebe, die er von dieser Seite zu fühlen bekam, mit zu jener
innern Zerfahrenheit und Verbitterung bei, die ihn gleich in den Märztagen in den Strudel der Bewegung hineinriß. Auch seine bedrängte
äußere Stellung mochte ihren Theil daran haben; er befand sich fast
immer in Geldnöthen und das Wort, das Franz Lißt von einem andern
der Kunst abtrünnig gewordenen Unruhstifter jener Tage gebrauchte: „er
wolle wohl unter dem neuen Regimente sich eine Sinecur verschaffen die
unter dem alten sich zu erwerben ihm nicht möglich gewesen", schien
vollkommen auf Becher zu passen. Doch hatte er Anwandlungen aus
dem wilden Toben des Tages sich in die Hallen der Kunst zurück zu
flüchten, und ging noch im Juni Bauernfeld um einen Beitrag für eine
neue musikalische Zeitung an, aus der jedoch bald darauf eine politische
wurde, „der Radicale", mit dessen Gründung Becher sein Verhängnis
besiegelte. Eine Anzahl der rücksichtslosesten Heißsporne des damaligen
Wien, Sigmund Kolisch, Ed. Bauernschmid, I. N. Berger, Simon
Deutsch, Gustav Franck, Ernst Violand, Karl Tausenau, die sich ihm
gleich anfangs anschloßen, halfen redlich mit, dem Blatte einen Ruf zu
begründen, den ihm kaum Häfner's „Constitution" und der „Freimüthige"
Mahler's streitig machen konnten [231]).

Einer der thätigsten Mitarbeiter des „sonambulen Politikers", wie
besonnenere Freunde Becher nannten, war ein confuser Philosoph, Dr.
Hermann Jelinek, der, nachdem er sich in Leipziger Kreisen um alles Ansehen gebracht [232]), im März 1848 nach Wien mit der Anmassung gekommen war, seine Landsleute durch Import der „neuern deutschen Kritik"
zu bereichern, von der sie, wie er ihnen zu verstehen gab, bisher keinen
Begriff hatten. Sein „kritischer Sprechsaal für die Hauptfragen der
österreichischen Politik", wozu der jüngere Stifft, Gustav Freund und
Edgar Bauer aus Berlin Beiträge lieferten, und später seine „kritische
Geschichte der Wiener Revolution" waren vorzugsweise bestimmt die
Wiener Bewegungsmänner auf den rechten Weg zu führen, damit es ihnen
nicht widerfahre fernerhin, wie sie Metternich „ohne Kritik" gestürzt, ohne
Hegel und Gans in den Tag hinein zu revolutioniren. [233]). Jelinek war

vom April an fleißiger Mitarbeiter von Schwarzer's „Österr. allg. Zei=
tung", bis er sich im September dem Blatte Becher's zuwandte. Der
„Radicale" stand damals in seiner vollen Giftblüthe und entwickelte na=
mentlich in der Octoberzeit eine Heftigkeit, die einen wesentlichen Antheil
an dem Unsinn und der Erbitterung jener Tage hatte. Es schrieben
damals von den ursprünglichen Mitarbeitern noch Kolisch Tausenau
Berger Franck, von neueren Kräften Basch, Reinisch, Eduard Frey,
Paduan, Sigmund Engländer in das Blatt; die einschneidendsten Artikel
aber floßen aus Becher's Jelinek's und Blum's Feder. Am 1. October
erklärte es Becher als seine Pflicht, „das zu erlöschen drohende Feuer
mit allen ihm zu Gebote stehenden Mitteln der Rede und der Schrift
und der That wieder anzufachen" [234]). Am 4. verkündete Jelinek: „Die
Wiener Camarilla will keine Freiheit der Nationen, die Nationen aber
werden sich selbst frei machen, das prophezeien wir!" Am 8. pries Becher
den „glänzenden Sieg" den die Demokratie erfochten; „von Gottes
Gnaden", lautete es am Schluße, „haben die Tyrannen nur allzulang
die Welt geknechtet; der Fürst der jetzt noch überhaupt regieren will
darf zum mindesten nur von Volkes Gnaden regieren!" Als Jelačić an=
rückte um sich mit Auersperg zu verbinden — „empörte Scythen vor
der Stadt und aufrührerische Prätorianer innerhalb derselben" — for=
derten beide den Reichstag und das Volk von Wien zu den „kräftigsten
durchgreifendsten Maßregeln", zu „offensiver und defensiver Kriegsführung"
auf. Habe man nicht einmal den Muth Jelačić für einen Rebellen zu
erklären, „unbekümmert was der Hof dazu sagen würde"?! Denn „der
Kaiser hat in diesem Augenblicke nur die Rechte welche ihm der Reichs=
tag einräumt" (Becher am 10. und Jelinek am 17.). „Volk von Wien",
rief Jelinek am 20., „harre aus, kämpfe gegen den Despotismus der
Hofpartei; wir unterstützen Deine Kämpfe bis zum letzten Augenblicke";
und am 22.: „Wer bezahlt denn die Soldaten? Das Volk! Sobald es
die Steuern verweigert, hat der Soldat nichts zu essen. Will das Volk
der Hofwirthschaft ein Ende machen, so steht es in seiner Kraft." Noch
am 25., in der vorletzten Nummer des Blattes, forderte er zur Ein=
setzung einer „Executiv=Gewalt" auf; der Reichstag müsse „jede Halbheit
ablegen"; „das bewaffnete Volk muß angreifen!" Aber auch außerhalb
des Redactionslocals waren beide thätig, obgleich keiner von ihnen je dort
zu schauen war wo es augenblickliche Gefahr gab. Der wichtig thuende
Becher rühmte sich zwar, das gewaltige Schwert an seiner Seite als

Ehrengeschenk des demokratischen Vereins für die Erstürmung des Rothen=
thurmthors am 13. März erhalten zu haben, und ließ auch in den Oc=
tober=Tagen wiederholt seine Theilnahme an den Kämpfen durchblicken;
allein in Wahrheit blieb seine Klinge von Anfang bis zu Ende rein und
ohne Scharte, und wie am 13. März das Rothenthurmthor nie „er=
stürmt" worden war, so mußte sie auch im October nichts von den Hel=
denthaten mit denen ihr Besitzer prahlte. Aber in jeder andern Hinsicht
gehörte Becher zu den rastlosesten Schürern des October=Aufstandes. Er
führte den Vorsitz im demokratischen Central=Ausschuß, er war mit den
Studenten, mit Blum, mit allem was Wien an überspannten Köpfen
besaß, in unausgesetztem Verkehr und Verbindung. Er war überall wo
es aufzureizen und anzueifern galt; mit unglaublicher Hast sah man ihn
hin und her rennen, hier geheime Berichte entgegennehmen, dort eine
Parole ausgeben. Er stand der ungarischen Actions=Partei nicht fern,
vielleicht mit Kossuth selbst im Briefwechsel, wenigstens rühmte er sich
dessen [235]). Bei vielen dieser Anlässe finden wir Jelinek an Becher's Seite,
der sich nur regelmäßig da fern gehalten zu haben scheint wo er seine
Person irgend einer Gefahr aussetzen konnte; welchen Dienst er sich' darum
in den letzten October=Tagen auserkoren, wurde seinerzeit erzählt*).

Einer der gewichtigsten Ankläger der Männer des „Radicalen" wurde
— ohne es in diesem Sinne beabsichtigt zu haben — einer ihrer früheren
Mitarbeiter. Joseph Tuvora, der später in die Redaction des „Freimüthigen"
hinübergegangen war, hatte sich längst von dem „in's bodenlose ausge=
arteten Treiben" der demokratischen Partei zurückgezogen, als ihn „die
Schauerthaten des unvergeßlichen 6. October" zu dem Entschluße brachten
seine Stellung ganz und gar aufzugeben, Wien den Rücken zu kehren
„nicht ohne große Opfer, nicht zurückschreckend vor dem Verluste einer
angenehmen materiellen Existenz." Die Erklärung, die er zur Rechtferti=
gung dieses seines Schrittes in einer Zeit veröffentlichte wo solche Kühnheit
durchaus nicht gefahrlos war, enthielt die schwersten Anklagen gegen die
Clique in deren Mitte er sich früher bewegte. Das „plump ausgeheckte
Mährchen" von einer „furchtbaren anticonstitutionellen Reaction", die sich
in der Person des Banus Jelačić verkörpere, habe bei ihm, „der die
Triebfedern des Wiener Radicalismus genau kannte, am wenigsten Glauben
finden" können; der 6. October sei „nicht durch den Schimmer ei
Idee verklärt", er sei „ein reines Machwerk, eine durch ungarisch=ita

*) Band I. S. 199.

sches Geld angezettelte Intrigue, eine plumpe Falle" gewesen „welche ge=
wissenlose Verschwörer dem leichtsinnigen leichtgläubigen Volke legten um
es gleichfalls zu Verbrechen zu bilden"; der edle Deutsche könne „keines
Menschen, keiner Partei Freund sein, die frevelnd ihre Hände in Blut
taucht und mit der gräßlichen Fackel des Bürgerkrieges ihre Tendenzen
illustrirt" u. dgl. m. Die Bestürzung, die Wuth der Blätter, denen Tu=
vora durch seine frühere Thätigkeit angehört hatte und die sich nun durch
die Erklärung eines Eingeweihten entlarvt sahen, war ohne Gränzen.
Der „Freimüthige" brachte einen Artikel: „Tuvora der Renegat", der
dessen Schritt in der plumpsten Weise zu verdächtigen suchte: „von Ge=
burt ein Slovake habe Tuvora in vielen Beziehungen zur böhmischen
Reichstagspartei gestanden; andrerseits sei der Hochverraths=Proceß, in
den er sich durch sein Benehmen am 18. Mai verwickelt, noch nicht zu
Ende geführt; allen Anzeichen nach habe er dem Justiz=Minister Bach,
damit ihn dieser mit den Gerichten auf bessern Fuß stelle, seine Dienste
angeboten; er beabsichtige sich dem czechisch=ministeriellen Lakaien=Dienste
zu widmen" 2c. In seiner letzten Nummer am 26. October legte auch
der „Radicale" seine Lanze gegen Tuvora und die Blätter ein die dessen
Erklärung in ihre Spalten aufgenommen hatten, besonders gegen die
„Presse", jenes „perfideste aller Zeitungsblätter" das seine „aalglatten
Tiraden in unsere heiße redliche und gerade deutsche Welt einschwärzen
will"; von Tuvora aber hieß es: „Man schämt sich bis in's Innerste
der Seele einen Weg gewandelt zu haben den auch solche gemeine Heuchler
und Speculanten gegangen sind. Würde sich unsere Erinnerung nicht mit
solchen Namen beschmutzen, so sollte man künftig jeden ehrlosen Gesin=
nungskrämer T u v o r a nennen!" [236])

Jelinek scheint die Gefahr nicht geahnt zu haben in der er nach der
Einnahme der Stadt schwebte: er ließ sich an öffentlichen Orten sehen,
er ging frei auf der Straße herum, er suchte Bekannte in ihren Woh=
nungen auf; bei einer dieser Gelegenheiten wurde er ergriffen. Am 5.
November B. M. erschien der Polizei=Commissär Johann Mayrhofer in
Begleitung eines „Vertrauten" in der Wohnung Becher's und der Ma=
dame Perin, Kärntner=Straße Nr. 1073; er hatte den Auftrag „jedes
in der Wohnung derselben sich einfindende männliche Individuum anzu=
halten und zur Ausweisung" auf die Stadthauptmannschaft „zu stellen."
In der That fand sich ungefähr 11 Uhr B. M. Jelinek ein, der sogleich

festgenommen, von dem Vertrauten auf die Stadthauptmannschaft und von da auf Cordon's Befehl in das städtische Gefangenhaus abgeführt wurde. Eine Haussuchung in seiner Wohnung, Strauchgasse Nr. 247 bei Frau Quartner, brachte außer einem kleinen versiegelten Paquet Schriften nichts verfängliches zum Vorschein.

Mehr Umstände machte es Becher aufzufinden. In seiner Wohnung hatte er sich seit 31. October nicht blicken lassen; wo er sich herumtreibe wußte selbst die Perin nicht anzugeben. Erst am 12. Nov. lief eine Anzeige ein, daß er bei einem gewissen Berger, in Diensten des Gastwirths Wilhelm Conraetz im Theater-Bierhaus auf der Laimgrube Nr. 37, Unterstand gefunden. Am 13. halb vier Uhr Morgens machte sich der stadthauptmannschaftliche Commissär Six (?) mit Begleitung dahin auf den Weg. Alle Hausleute wurden vernommen; allein weder von einem Berger noch von einem Becher wollte jemand etwas wissen; dagegen führte die Spur auf einen gewissen Ferdinand Begrisch, Commissionär in der demselben Conraetz gehörigen Chinasilber-Fabrik und Plattir-An= stalt in der Mariengasse Nr. 937 auf der Wieden. Dorthin verfügte sich jetzt die Commission. Bald fand sich Begrisch ein und bekannte sogleich, Becher die letzte Nacht in seiner Wohnung unter den Weiß= gärbern Hetzgasse Nr. 43 Unterstand gegeben zu haben. Begrisch wurde mitgenommen und wirklich fand man, etwa ein viertel auf neun, den eben im Ankleiden begriffenen Becher, der sammt seinem Unterstandsgeber im Wagen auf die Stadt-Commandantur und von da in's Polizei-Haus gebracht wurde. Becher hatte, wie man aus seiner Aussage erfuhr, den 31. October bis 3. November beim Schneidermeister Leszta (Leśta?) in der Schultergasse „zum Mohren", den 4. November beim „rothen Hahn" auf der Landstraße, den 5. in der „Stadt Triest" auf der Wieden zu= gebracht. Vom 6. bis zum 13. wollte er über Nacht in der Wohnung des Begrisch gewesen sein; er kannte denselben, wie er angab, aus dem Expeditions-Locale des „Radicalen" wo Begrisch täglich für seinen Brod= geber das Blatt abholte, war ihm in den Tagen nach Einnahme der Stadt zufällig auf der Straße begegnet und hatte ihn um Unterstand gegen Vergütung gebeten. Begrisch selbst aber schwur hoch und theuer, er habe Becher, der am 12. halb zehn Abends zu ihm gekommen und ihn um Gotteswillen um Obdach „nur für diese Nacht" gebeten, blos vom 12. zum 13. beherbergt; von den Nächten zuvor wisse er nichts [237].

Am 20. November 9 Uhr V. M. kam Becher zum Verhör. Den

Hauptgegenstand seiner Anklage bildete die Haltung seines Blattes seit Anfang October. Es habe „das Verdammungsurtheil der bestehenden Staatseinrichtungen, ja deren gänzliche Zerstörung" geathmet, es habe kein Mittel unversucht gelassen „um den beabsichtigten Zweck zu erzielen und mit Erfolg zu krönen". Es habe die ungarischen Wirren „schlau benützt um die aufgeregten Gemüther des übelgesinnten Theiles der Wiener Bevölkerung auf die äußerste Spitze zu treiben und den verwegenen Muth der zugeeilten Malcontenten, politischen Abenteurer und hausirenden Revolutions-Männer aufzustacheln". Nach dem 6. habe es „dem Siege des Volkes zugejauchzt, denselben gebilligt, ihm den Stempel und die Weihe der Vollendung aufgedrückt". Es habe die Proclamationen des kaiserlichen Feldherrn, die Manifeste des Monarchen verlacht und verhöhnt, „den Untergang und die Vertilgung der k. k. Armee gepredigt, das Volk zur weitern Empörung und Widerstand gegen die Truppen systematisch aufgewiegelt". Die Macht des Preßgerichtes sei erloschen gewesen „zu einer Zeit wo die wild entfesselt herrschende Presse die Rolle des bornirten Sturmläutens der verstummten Kirchenglocken übernommen hatte". Als Beweis für diese Anschuldigungen wurden dem Inquisiten die bezeichnendsten Stellen aus seinem Journal vorgelesen. Becher erkannte diese Stellen „natürlich" als richtig an. Er müsse aber läugnen daß im October die Macht des Preßgerichtes erloschen gewesen sei; jedenfalls bitte er jetzt, „wo dasselbe ohne Zweifel frei seinen Wirkungskreis übt", vor dasselbe gestellt zu werden; ohnedies habe er vorgehabt sich in das Ausland zu begeben, um daselbst seine Angelegenheit dem Drucke zu übergeben und sich „dann freiwillig vor ein Gericht zu stellen, wenn der geregelte Zustand wieder hergestellt sein würde". Er und seine Mitarbeiter hätten den Umsturz der Staatseinrichtungen nicht beabsichtigt; „wir hielten nach unserer Ansicht nur die Bildung einer demokratischen Monarchie und des Föderativ-Systems für das einzige Mittel zur Erhaltung der Dynastie und des constitutionellen Thrones". Die Proclamationen des Fürsten Windischgrätz habe der Reichstag für illegal erklärt. Übrigens rührten die Aufsätze der letzten Nummern seines Blattes nicht von ihm her, und es sei zu berücksichtigen: ob er oder ein Anderer die Artikel geschrieben. „Ich bin allerdings", sagte er zuletzt, „verantwortlicher Redacteur und Verleger dieses Blattes und verläugne die ausgesprochenen Principien nicht, sehe mich aber gedrungen zu erklären daß, wenn ich alle Aufsätze der letzten Tage vor dem

Drucke in die Hand bekommen hätte, ich wohl manches gemildert haben
würde".

Unmittelbar nach Becher wurde Jelinek vernommen. War es bei
jenem als Redacteur und Eigenthümer des Blattes die Haltung des
letzteren im ganzen, auf die das Gericht den Schwerpunkt legte und deren incendiäre Ziele und Einflüße alle Ausreden Becher's nicht zu verwischen vermochten, so stützte sich die Anklage gegen Jelinek vorzüglich
auf seinen Artikel vom 25. October, der nicht blos nach der Lundenbur-
·ger Proclamation vom 20., sondern selbst nach der Hetzendorfer vom
23. geschrieben war und beiden zum Trotz zur Fortsetzung des bewaffneten Widerstandes aufforderte [238]). Die Vertheidigung Jelinek's entsprach
ganz der angebornen Unklarheit seines Gedankenzuges. Gleich als ob
seine Zeitungs-Artikel gelehrte Abhandlungen und der „Radicale" ein
Fach-Journal dafür gewesen wäre, sagte er: „Selbst in absoluten Staaten, namentlich in Deutschland, galt seit jeher der Grundsatz daß rein
wissenschaftliche Bestrebungen nie in das Bereich populärer Wirksamkeit
zu ziehen wären, und in dieser Beziehung bin ich mir keiner Schuld
bewußt". Er habe, behauptete er weiter, in seiner publicistischen Thätigkeit nie ein Wort gegen die Dynastie oder gegen die k. k. Truppen gebraucht; die ihm vorgelesenen Stellen seines Artikels seien „nur scheinbar" gegen dieselben gerichtet. Übrigens habe er die Proclamation vom
23. October zu einer Zeit kritisirt und das Volk zum Kampfe aufgefordert, wo er „nach dem Sinne der Proclamation, wie er sich ihn ausgelegt, noch achtundvierzig Stunden Bedenkzeit hatte". Als ihm vorgehalten wurde, daß er ja eben durch diese Aufforderung zu fortgesetztem
Widerstande sich in vorhinein jeder Bedenkungsfrist begeben habe, erwiederte er: „Diese Argumentation begreife ich nicht und kann meinen
Aufsatz nicht als gegen die Proclamation verstoßend betrachten". Die
Bemerkung, daß er seinen Aufsatz nicht für sich, für sein Portefeuille,
sondern für die Öffentlichkeit geschrieben und darin Hochverrath und bewaffnete Empörung gepredigt habe, wies er mit den Worten zurück:
„Ich bleibe bei meiner Deutung und protestire gegen den Ausdruck Hochverrath. Ich habe stets als wissenschaftlicher Publicist gearbeitet und
weise jede Anschuldigung einer praktischen Betheiligung an den Bewegungen zurück". Nachdem ihm zuletzt das Protocoll vorgelesen worden, sagte er: „Ich bestätige die mir vorgelegten Aussagen mit
dem Bemerken daß, wenn ich das Volk zum Kampfe aufgewiegelt

habe, es nur zur Erhaltung des demokratisch-constitutionellen Zustandes war".

Das standrechtliche Urtheil gegen Becher und Jelinek lautete auf Tod durch den Strang. Von General Hipßich kam aber am 21. die Weisung zurück daß, „mit Rücksicht auf den Umstand daß sich Tag und Stunde wann die Proclamation vom 23. in Wien affigirt und kundgemacht worden nicht nachweisen lasse" und „um den standrechtlich behandelten Inquisiten jeden Vorwand der Verletzung strenger Legalität zu benehmen", er sich „im Geiste der hohen Willensmeinung Seiner Durchlaucht bestimmt gefunden habe, das ordentliche kriegsgerichtliche Verfahren gegen beide einzuleiten". So erfolgte denn am 21. eine nochmalige Vernehmung der Beiden, die sich vornehmlich auf den Umstand bezog: wann ihnen die Proclamation vom 23. bekannt geworden. Jelinek gab an, er habe den Inhalt derselben „zuerst im Reichstage beiläufig um 11 Uhr V. M." erfahren. Becher wußte die Zeit nicht genau zu bestimmen; vermuthlich sei es „an jenem Tage an welchem Messenhauser die Proclamation affigiren ließ" gewesen; „der Protest des Reichstages", fügte er bei, „ließ diese Proclamation nicht in Rechtskraft erwachsen und ich glaubte mich durch diesen Protest geschützt. Das war die allgemeine Ansicht; denn es erschienen noch immerfort Blätter, selbst der entgegengesetzten Ansicht."

Am 22. wurde das kriegsgerichtliche Urtheil geschöpft, von Hipßich „auf hohen Befehl des Feldmarschalls" bestätigt, Abends 5 Uhr kundgemacht. Es sprach, wie das vom 20., „in völliger Ermangelung gesetzlicher Begnadigungsgründe" die Todesstrafe aus. Am selben 22. richtete eine Verwandte Becher's aus Gmunden ein Fürwort-Schreiben an den Fürsten Windischgrätz: „Becher sei von jeher ein mauvais sujet gewesen, habe seiner Familie, vorzüglich seinem wackern Vater viel Verdruß gemacht; zudem sei er britischer Unterthan, Lord Ponsonby könne ihn in die Botany-Bay schicken, dadurch sei er für Österreich unschädlich gemacht". Das Schreiben kam jedenfalls nach Schönbrunn zu spät; die Berufung auf die britische Staatsangehörigkeit würde übrigens Becher eben so wenig genützt haben als die Blum's auf seine sächsische.

Von den letzten Stunden der Beiden haben wir keine sichere Kunde. Sie sollen nach Vernehmung ihres Urtheils fast regungslos gewesen, dann tief erschüttert in ihre Kerker zurückgewankt sein. Hier habe sich Becher nach einiger Zeit von seiner Erstarrung erholt und eine Cigarre angezündet, Jelinek aber nach einem Prediger seiner Confession verlangt, er war Jude, und in der Nacht vor seinem Ende einen langen trösten= den Brief an seinen Vater geschrieben. Dem Gerede, daß er sich sowohl während seines Verhörs als nach seiner Aburtheilung in hohem Grade widerspänstig und aufgeregt benommen und fortwährend protestirt habe, ist ausdrücklich sowohl von seinem Bruder Moriz als amtlich in der „Wiener Zeitung" widersprochen worden. Am 23. November 7 Uhr Morgens wurden die beiden Verurtheilten hinausgeführt. In ihrer Denkweise, in ihren Zielen und Hoffnungen standen sie einander nahe: ihrer äußern Erscheinung nach ließ sich ein stärkerer Gegensatz kaum denken. Becher hochgewachsen breitschultrig eckig und schwerfällig; das lange dünne blonde, schon mit etwas Grau durchmischte, von Stirn und Schläfen zurückgestrichene Haar ließ sein breites pockennarbiges Gesicht offen, dem nur ein Paar großer heller Augen den Stempel völliger Be= deutungslosigkeit benahm; auf seinem letzten Gange schritt er gebrochen und sichtbar angegriffen einher, doch hielt er im entscheidenden Augenblicke aus und sank, von den Schützen sicher auf's Korn genommen, lautlos zu Boden. Jelinek war klein schmächtig schwächlich von Gestalt, mit schmalem blassen Antlitz, in seinen Bewegungen unstät und ruhelos wie in seinen Gedanken und seiner Redeweise. Von seinen letzten Augenblicken wurde in der Stadt allerhand erzählt, was man an sein früheres gei= stiges Wirken anknüpfte: in dem Briefe an seinen Vater habe er aus= einandergesetzt. „daß jede Übergangs=Periode ihre Opfer fordere"; dem jüdischen Prediger habe er „logisch die Nothwendigkeit entwickelt daß er fallen müsse" u. dgl. Von dieser philosophischen Ruhe und Selbstver= läugnung, die ihm seine Freunde gern zuschrieben, war bei seinem Er= scheinen auf dem Richtplatze nichts wahrzunehmen. War er doch so jung, kaum fünfundzwanzig Jahre alt! Er fiel zwar nicht, wie von Einigen behauptet wurde, mit einem nochmaligen Proteste auf den Lippen; allein er war bis zum letzten Augenblicke so unruhig, daß er schlecht getroffen wurde und sich halb entseelt auf dem Boden hin und her warf, bis einer der Schützen hinzutretend mit einem Schuß durch den Kopf seinem Todeskampfe ein Ende machte [239]).

18.

Wie die Wandelbarkeit der menschlichen Natur nun schon beschaffen ist, lag es nur im gewohnten Laufe der Dinge daß jene, deren Partei früher den „Rächer-Arm" der revolutionären Gewalten gegen alles, was in ihren Augen freiheitsfeindlich rückschrittlich schwarzgelb war, angerufen, die Hinschlachtungen Lichnowski's und Auerswald's, Latour's und Lamberg's höchstens als Acte „bedauerlicher Selbsthilfe des Volkes" bezeichnet hatten, nun vielstimmigen Lärm darüber erhoben, daß von der andern Seite, die zuletzt als Siegerin aus dem grausigen Kampfe hervorgegangen, in aller Form Rechtens wider jene eingeschritten wurde die sich gegen Ordnung und Gesetz in grellster Weise vergangen hatten. Ihnen war es nicht Wirkung der strafenden Gerechtigkeit die, so lang die Welt steht, für begangene Unthat Sühne heischt, nein, ganz gemeine Rache nannten sie es, deren sich eine Regierung nie schuldig machen sollte [240]). Selbst der Scharfrichter, hieß es, habe zu so unwürdiger Hantirung seine Mithilfe versagt, daher Windischgrätz zu dem „Pulver und Blei" seiner Soldaten Zuflucht nehmen müsse. Und höhnisch fragten sie, warum denn der edle Fürst nicht überhaupt alle erschießen lasse, die mit den Waffen in der Hand an dem Widerstande gegen seine Truppen theilgenommen? Warum er Ausnahmen mache: blos einige heraushebe, andern großmüthig die Strafe nachsehe oder doch mildere? Vor allem aber: warum er sein Geschäft nur halb treibe und nicht „mit der vollen Consequenz des Terrorismus auch den Reichstag und Gemeinderath für hochverrätherisch erkläre und die a c t i v e n Mitglieder derselben zur Verantwortung ziehe"? [241]). Das auffallendste Beispiel was Verblendung und Selbstwiderspruch der Parteileidenschaft sei, gab die Deutschen-Versammlung von Eger. Dieselben Leute, die im Frühjahr in die Hände geklatscht hatten als die Mühlen der Altstadt Prag in Flammen aufgingen; die dem Fürsten Windischgrätz wegen seiner damaligen Maßregeln Vertrauens-, Ermunterungs-, Huldigungs-Adressen zugesandt, ihn mit Lobsprüchen und Schmeicheleien überschüttet, die es auf's klarste bewiesen hatten daß er ganz recht thue wenn er die Rädelsführer einer

rebellischen Stadt vor das Kriegsgericht stelle *): diese selben Leute erblickten im Herbst etwas ungeheuerliches darin, daß der Feldmarschall
gegen Wien, dessen Aufstand und Bezwingung doch ungleich größere
Verhältnisse angenommen hatte, nach denselben Grundsätzen verfuhr,
erklärten den über Wien verhängten Belagerungszustand für „ungerecht, allen constitutionellen Grundsätzen geradezu widersprechend und
unheilvoll", und forderten den in Kremsier zusammentretenden Reichstag auf, „im Namen des Rechtes, des Volkes und der Menschheit unverzüglich auf die Behebung der Allgewalt des Fürsten Windischgrätz und
die Aufhebung des Ausnahms- und Gewaltzustandes in Wien zu dringen" [242]). Gemäßigtere schlugen mindestens den Weg der Vorstellung,
der Bitte ein; durch die „Schrecken" des Belagerungszustandes, durch
die Todesurtheile und Hinrichtungen, warnten sie, würden nur die Gemüther geängstigt, Verstocktere zum Unwillen gereizt; man möge schon
aus Rücksichten der Klugheit Gnade für Recht ergehen lassen. Der
Brünner Landtag beschloß eine Adresse an Se. Majestät den Kaiser zu
richten, daß die Wiener Schuldigen milde behandelt, Viele selbst ohne
Strafe entlassen würden. Von den wiedererscheinenden Wiener Blättern
appellirte die „Presse" an die „Gesittung Europas", an die „gegenwärtige Lage der Dinge", an die „Macht der öffentlichen Meinung", die
mildere Strafen nicht blos erlaubten sondern forderten; die Zeiten seien
vorbei wo „Cato's strenge Tugend, die Härte des Brutus" bewundert
und gerühmt worden; der Kaiser möge „das schönste und heiligste Recht
der Krone", das der Gnade, in vollem Maße üben [243]). . .

Allein die Mehreren waren nicht dieser Meinung. „Wer seien denn
Jene", fragten sie, „die dadurch daß die strafende Gerechtigkeit ihres
Amtes walte ‚geängstigt', ‚zum Unwillen gereizt' werden? Die nichts ver-
brochen, die sich keiner Schuld bewußt, gewiß nicht; daß aber den Andern
nicht behaglich zu Muthe sei, darin liege ja eben eines der Ziele der
Androhung und Verhängung der Strafe, die den Schutz des rechtlieben-
den Bürgers und die Vergeltung des zugefügten Unrechts im Auge habe.
Und seien es etwa blos leichte Vergehen über die man in Wien zu
Gerichte sitze? Wenn man, in den Tagen wo alle Begriffe auf den Kopf
gestellt worden, nahe daran gewesen sei das Wort ‚politisches Verbrechen'
ganz aus dem Strafgesetzbuch zu streichen, so werde man doch nicht als
bloße ‚Verirrungen' gelten lassen wollen, was Diebstahl und Raub,

*) S. Band I. Anm. 44.

Brandlegung und Zerstörung fremden Eigenthums, Todtschlag, offenen und hinterlistigen Mord in hundertfältiger Weise in seinem Gefolge gehabt habe! Oder falle etwa nicht alles dies mittelbar oder unmittelbar Jenen zur Last, die einen der verheerendsten Aufstände vorbereitet und hervorgerufen, durch ein nie dagewesenes Schreckens=System hunderte von unbetheiligten Leuten auf die Barricaden und die Wälle getrieben, durch Verheißungen und Geldspenden dem der Arbeit gewidmeten Arm Säbel und Flinte aufgedrungen hätten? [244]). Wenn nun Übelthäter in so großartigem Maßstabe zur Verantwortung gezogen würden, könne da über die ‚drakonische Strenge‘ der Gesetze eine Partei klagen welche die Proscriptionslisten des 6. October anfertigen lassen, die nicht etwa den Tod nach Rechtsspruch und Urtheil, sondern den Meuchelmord unter die Mittel zur Erringung ihres Sieges aufgenommen und solch fürchterlichen Grundsatz in Frankfurt, in Pest und Wien, in Rom zur blutigen That habe werden lassen? Und was sei es mit den Jeremiaden über den Druck und die ‚Schrecken‘ des Belagerungszustandes? Von wem gehen sie aus? Von Solchen, die sich jetzt um ihren früherhin auf die leicht erregbaren Massen geübten Einfluß gebracht sähen; die aus dem Gesudel einer schmählichen Straßen= und Gassen=Literatur ihren unlautern Gewinn gezogen oder durch rastloses Hetzen und Wühlen, durch Reden in Vereinen und Versammlungen sich zu einer Art Bedeutsamkeit emporgeschwungen hätten auf der sich bei geordneten Zuständen ihre unbedeutende oder anrüchige Persönlichkeit nicht zu erhalten vermöge; kurz von allen Jenen denen es nicht mehr vergönnt sei im Trüben zu fischen, wie sie seit den Märztagen zu thun gewohnt waren [245]). Dagegen frage man alle auf Erwerb und Verkehr angewiesenen, alle ihren regelmäßigen Obliegenheiten nachgehenden Leute, alle die auf gesicherte Wirklichkeit mehr Werth legen als auf fieberhaftes Jagen nach einem vorgespiegelten Utopien, frage man sie auf ihr Gewissen, ob sie der Belagerungszustand drücke und belästige, in irgend etwas hemme, ob sie sich durch ihn verletzt oder gekränkt fühlen, und sie werden mit entschiedenem Nein antworten! Die Ruhe thue ihnen wohl; es sei ihnen zu Muthe wie einem Menschen der, einem wüsten Durcheinander, einem ohrenzerreißenden Lärm entronnen, daheim im stillen Zimmer oder entfernt auf dem Lande wieder frei aufzuathmen, seine Sinne zu sammeln vermag; man freue sich dessen, was man lange Monate schmerzlich habe entbehren müssen, der wiedergewonnenen Sicherheit der Person, des Eigenthums und all

derjenigen Güter, die nur bei geordneten und allseitig geschützten Zu=
ständen gedeihen können. Tausende und aber tausende werde man ganz
unumwunden ausrufen hören: ,Wenn doch nur der Belagerungszustand
nicht so bald aufhörte! Wenn doch unsere Staatsmänner einer übel an=
gebrachten Regung von Nachsicht und Großmuth nicht nachgeben, von
der Aufrechthaltung von Maßregeln nicht ablassen wollten, deren Noth=
wendigkeit durch das was vorausgegangen nur zu bringend geboten ist!'
Ja, schon lasse sich vernehmen, daß man an den Kaiser, an das Mini=
sterium, an den Fürsten Windischgrätz Adressen um Verlängerung des
Belagerungszustandes richten wolle, für die man massenweise Unterschrif=
ten zusammenzubringen überzeugt sei" 246).

In der That konnten nur Kurzsichtige oder offenbar Böswillige
läugnen, daß nach dem Furchtbaren was vorausgegangen, nach so lang
andauernden Zuständen von Wirrnis und Gesetzlosigkeit, der Belagerungs=
zustand mit aller nur zulässigen Schonung gehandhabt wurde. Der ge=
bietende Herr in Wien war seit dem 11. November allerdings keine Per=
sönlichkeit von Cordon's mildem freundlichen Wesen, im Gegentheile ein
Mann von barschem Äußern und gebieterischem Auftreten; allein der
Sache nach brachte das Erscheinen dieses Mannes die ersten fühlbaren
Erleichterungen in den seit dem Einmarsch der Truppen mannigfach be=
hinderten städtischen Verkehr und wurde einige Tage später, ohne Zweifel
unter Mitwirkung desselben Mannes, in dem strafgerichtlichen Verfahren
gegen die October=Schuldigen eine Änderung getroffen, die von allen
Seiten als eine dankenswerthe begrüßt wurde.

Ludwig Freiherr von Welden — von Geburt ein Württemberger
aber vom Beginn seines Militär=Dienstes im J. 1799 österreichischen
Interessen zugewandt, bis er 1802 förmlich in die Reihen der kaiserlichen
Armee trat — hatte in den französischen Kriegen tapfere Thaten verrichtet,
manche Wunden davon getragen, sich in den Zwischenräumen des Friedens
als Officier des General=Quartiermeister=Stabes an Vermessungs= und
Mappirungs=Arbeiten in West=Galizien und Ober=Österreich in erfolg=
reicher Weise betheiligt und mitunter selbst zu diplomatischen Missionen
sich verwenden lassen. Beschäftigungen solcher Art waren es, die ihn von
frühen Jahren mit der Wissenschaft, besonders der geographischen, in
eine Berührung brachten die er bis an sein Lebensende wach zu erhalten
wußte. Sein Buch über den Monte Rosa (Wien 1824) gilt bis heute

als die umfassendste und gediegenste Arbeit über diesen mächtigen Ge=
birgsstock, und nicht minder lassen seine Schriften militärischen Inhalts
den Mann erkennen, der über den Bereich seines eigentlichen Berufes
hinaus scharfe Blicke in Natur und Menschenleben gethan hat. Seine
vielbewegte militärische Laufbahn bot ihm stets willkommene Anlässe seinen
Studien ein neues Ziel zu geben, und umgekehrt war es sein vielseitig
gebildeter Geist der dem Soldaten bei Lösung kriegswissenschaftlicher Auf=
gaben zu statten kam. Wir treffen ihn 1816 an der Spitze der Zeich=
nungs=Kanzlei und des topographischen Bureaus in Wien, 1821—1823
als Generalstabs=Chef des nach Piemont beorderten kaiserlichen Armeecorps,
von da bis 1827 als Director der militärischen Landesbeschreibungs=Re=
dactionen. Im Juni 1828 kommt Welden als Brigadier nach Dalmatien,
1831 in gleicher Eigenschaft nach Budweis, 1832 als Militär=Bevoll=
mächtigter nach Frankfurt a. M., 1838 als Divisionär nach Grätz. Vom
Jahre 1843 an bekleidet er den Posten eines Militär=Commandanten in
Tyrol, der mit dem Eintritte der achtundvierziger Ereignisse eine so ent=
scheidende Wichtigkeit gewinnen sollte. Kaum hat Welden den Ausbruch
des Mailänder Aufstandes erfahren, als er an die Armirung der Fran=
zens=Veste schreitet und den Landsturm von Brad Stilfs und Trafoy
zur Besetzung der Höhen des Stilfser=Joches aufbietet, während er selbst
nach dem Süden eilt, den alten Mauern von Trient durch rasche Ar=
beiten eine angemessene Widerstandsfähigkeit verschafft, die in's Land ge=
drungenen feindlichen Colonnen mit empfindlichen Verlusten zurückwirft
und die Verbindung mit Verona herstellt. Um die Mitte Mai mit dem
Auftrage betraut das Commando der in Görz sich neubildenden Reserven
zu übernehmen, eilt Welden an den Ort seiner Bestimmung, steht am
1. Juni an der Piave, eröffnet am 8. durch Erstürmung der feindlichen
Stellung bei Enego die Verbindung der Terraferma mit Tyrol, zwingt
am 14. Treviso zur Capitulation und vollendet die Einschließung Vene=
digs von der Landseite an demselben Tage, an dessen Morgen die Festung
Palmanuova, für deren Beschießung ihm nur e i n Mörser zur Verfü=
gung stand, ihre Übergabe erklärt, 24. Juni. Am 15. Juli rückt Welden
in Padua ein, stellt bis 23. die Verbindung mit Mantua her, geht am
3. August über den Po, besetzt in der Nacht zum 4. Ferrara, säubert
durch sein bloses Erscheinen am 6. Bologna von feindlichen Freischaaren
und kehrt, nachdem er seinen Hauptzweck erreicht, auf einen von Radecky
ihm zugekommenen Befehl über den Po nach Padua zurück, wo er den

9. wieder eintrifft. Das Commandeur-Kreuz des Theresien-Ordens, das ihm der Kaiser mit A. h. Handschreiben vom 27. November verlieh, war der Lohn für diese von ihm „eingeleiteten und mit einsichtsvoller Tapferkeit ausgeführten Operationen."

Welden war in keiner Lage seines Lebens der Mann mit seinem Urtheil zurückzuhalten, und dies Urtheil war scharf und die Form in der er ihm Ausdruck gab noch schärfer. In seinen Manieren gehörte er zu jenem Schlage von Leuten, für die es in der deutschen Sprache einen bezeichnenden, von einem überaus nützlichen doch etwas kräftig wirkenden Geräthe des Landmannes entlehnten Ausdruck gibt. Man bringe dazu allerhand Zwischenträgereien in Anschlag an denen es unter solchen Umständen nie zu fehlen pflegt, und man wird begreifen wie es zwischen der Umgebung Welden's und der des Feldmarschalls erst zu einzelnen Misverständnissen, allmälig zu dauernder Verstimmung und Verbitterung, zuletzt zu offenem Zwiespalt, ja geradezu Haß kommen mußte. Sehnte sich Welden aus dieser Lage hinaus, so dachte man auch in Mailand daran ihn auf gute Art wegzubringen und durch Ernennung zum Civil- und Militär-Gouverneur von Dalmatien, 22. September, außer alle unmittelbare Berührung mit dem Haupt-Quartier Radecky's zu bringen. In dieser Zeit war es, wo der misvergnügte Commandant von Padua die Durchreise eines Sohnes des Fürsten Windischgrätz, des Prinzen Ludwig den ein mehrwochentlicher Urlaub nach dem Norden führte, dazu benützte um jenem in einem eigenen Schreiben seine Dienste anzubieten, 2. oder 3. October. Als Windischgrätz das Schreiben empfing, war die Ordre de Bataille für seine Unternehmungen gegen Wien bereits fertig und es gab darin für Welden keinen Platz; ein solcher fand sich indessen gleich nach Einnahme der Stadt und der Feldmarschall, der Welden seit langem kannte und dessen persönliche Eigenschaften für den Wiener Posten zu würdigen wußte, säumte nicht seine diesfälligen Anträge nach Olmütz zu senden. Mit kaiserlichem Handschreiben vom 3. November empfing Welden „bei dem für Wien ausgesprochenen Belagerungszustand" den Allerhöchsten Auftrag „zur Leitung aller für die Stadt und Umgebung erforderlichen Maßregeln mit dem Titel eines Gouverneurs"; am 6. machte eine Kundmachung des Kriegs-Ministeriums der Wiener Bevölkerung diese Ernennung bekannt; am 11. betrat Welden den Schauplatz seiner neuen Thätigkeit und quartierte sich in der kaiserlichen Burg, in dem Tracte des Amalien-Hofes, ein. An die Stelle Cordon's als Vorstandes der Central-

Commiſſion der Stadt=Commandantur trat G. M. Sebaſtian Frank von Seewies.

Sonntag den 12. November veröffentlichte Welden ſeine erſte Anſprache „an die rechtlichen und verſtändigen Bewohner Wiens“, denen er ſeinen feſten Willen Recht und Geſetz wieder herzuſtellen kundgab und zu dieſem „großen Werke“ auf ihre Unterſtützung zu rechnen erklärte. „Mit meiner letzten Kraft“, ſo ſchloß er, „weihe ich mich dem erhaltenen Berufe. Vertrauen erweckt Vertrauen. So komme ich Euch entgegen. Ihr müßt mich verſtehen. Ihr werdet die Stimme der Vernunft und des Gemüthes erkennen und mich nicht zwingen im Donner der Geſchütze die Ordnung zu verkünden.“ Einer der Wünſche, die in dieſer Anſprache Ausdruck fanden, ging jedenfalls gleich in den erſten Tagen in Erfüllung: misverſtanden wurde Welden von keinermann; wie ſie mit ihm daran ſeien, das wußten alle. Die Einen haßten, verwünſchten ihn als Tyrannen der „wie ein Sultan“ in der Stadt hauſe; aber zugleich fürchteten ſie ihn, getrauten ſich die Fauſt nur im Sack zu ballen, ſuchten höchſtens um irgend eine Bosheit auszuführen feigen Hinterhalt. Die Andern liebten ihn zwar nicht, ſchalten vielmehr ſeine derben Manieren, ſein rauhes Weſen [247]); allein ſie erkannten ſeinen guten Willen, billigten ſeine Umſicht, wußten ihm Dank für ſeine Maßregeln die nach allen Seiten die Herbeiführung geregelter Zuſtände im Auge hatten. Am 14. eilf Uhr V. M. erſchien unter Vortritt Bondi's eine aus zwölf durch das Los gewählten Mitgliedern des Gemeinderathes beſtehende Deputation dem Gouverneur das Wohl ihrer Stadt anzuempfehlen. Stubenrauch erſtattete am Abend Bericht über den ihnen gewordenen Empfang: Welden habe ſich geäußert „daß er auf die Mitwirkung aller gutgeſinnten Bürger Wiens zähle um einen geordneten Rechtszuſtand herzuſtellen; der Gemeinderath insbeſondere habe unter der Bevölkerung die richtige Anſicht zu verbreiten daß nur durch Achtung von Geſetz und Recht der alte Wohlſtand begründet werden könne.“ Damit war ohne Zweifel der Sinn deſſen was Welden erwidert getroffen: welche Worte er aber gebrauchte und in welchem Tone er ſeine Antwort gab, darüber enthielt der Bericht Stubenrauch's nichts. Um ſo mehr wußte man davon in der Stadt zu erzählen. Eine draſtiſche Verſion lautete dahin, Welden habe geſagt: „In meinen Augen ſind alle, die ſich auf was immer für eine Art an den letzten Ereigniſſen betheiligt, entweder Verräther oder Dummköpfe; ich hoffe zu Ihrer Ehre, meine Herren, daß Sie zu den letzteren gehören!“

Wir unsererseits wollen nun nicht behaupten daß Welden diese Worte ge=
sprochen h a t: daß er sie aber gesprochen haben k o n n t e, ist uns nicht
im mindesten zweifelhaft.

Wie Welden die Stadt fand und welches die leitenden Gedanken
des Amtes waren dessen er nun waltete, hat er selbst in den „Episoden
aus meinem Leben" in seiner geistvoll=derben Weise geschildert. „Auf den
noch rauchenden Trümmern erblickte man Gestalten, denen nebst dem
Elend noch weit mehr das Verbrechen auf der Stirn geschrieben stand.
Man glaubte sich in eine Banditen=Höhle versetzt, und da die öffentlichen
Behörden durchaus noch nicht an ihren Plätzen waren, so deutete nichts
auf eine helfende ordnende Hand. Nicht einmal die Barricaden waren
geräumt, und doch war es die höchste Nothwendigkeit daß dieser Knäuel
der Verwirrung gelöst, nicht zerhaut werde, was wohl viel leichter ge=
wesen wäre. Das forderte Geduld und Zeit; diese aber war nicht vor=
handen und die Geduld ist auch nicht immer Gabe des Soldaten. Da
in der Umgebung von Wien in weitem Kreise eben so wie in der Haupt=
stadt alles in der größten Gährung sich befand, die Communicationen
unterbrochen waren, so stockten alle Zufuhren von Lebensmitteln; da ferner
bei der vorausgegangenen Belagerung durchaus an keine Vorräthe gedacht
war, drohte der drückendste Mangel an den nothwendigsten Lebensbedürf=
nissen mit einem ganzen Gefolge von Krankheiten und Elend die Erbit=
terung auf den höchsten Grad zu steigern; übrigens mußten auch noch
60.000 Mann eingerückter Truppen genährt werden. Es waren damals
etwa 30.000 Proletarier — unter diesen, und zwar die größte Verlegen=
heit herbeiführend, 9.000 weiblichen Geschlechts, Megären aller Art —,
eine Race bei welcher der Kopf verdreht, nur die Arme und der Magen
auf dem rechten Flecke standen. Die Entwaffnung war bisher nur un=
vollständig vorgenommen, und man weiß daß in solchen Fällen jeder
Pflasterstein eine Waffe wird. Die Casernen waren in Detentions=Orte
verwandelt, wo etwa 5.000 Arretirte pêle-mêle in der ersten Zeit fest=
gehalten wurden; noch mehr waren die Spitäler von Blessirten und
Kranken aller Gattungen überfüllt. Es war auch die Truppe, die nicht
immer aus ganz regelmäßiger bestand, in Ordnung zu halten um nicht
neue Aufreizungen zu veranlassen" [248)
Die erste Maßregel, durch die der neue „Civil= und Militär=Gou=
verneur" sein Wirken bemerkbar machte, war die Freigebung des Ver=

tehrs zwischen der innern Stadt und den Vorstädten (Kundmachung vom
12. November). Zehn Tage später, 22., wurde auch bei allen Linien
Wiens für die Stunden von 5 Uhr Morgens bis 8 Uhr Abends die
„freie Passage" hergestellt; nur wer außerhalb dieser Zeit hinein oder
hinaus wollte, bedurfte eines Passir-Scheines und, wenn er eine Fahr-
gelegenheit benützte, eines ordentlichen Reise-Passes. Mit diesen erleich-
ternden Maßregeln sollte die Wegräumung der letzten Reste der Barricaden, die Neulegung des Pflasters in allen Theilen der Stadt, die
Ausbesserung vieler durch die Kriegsereignisse arg verwüsteter Straßen
nächst den Linien, die Herstellung der zerstörten Brücken Hand in Hand
gehen [249]). Dem ungeduldigen Welden erschienen die vom Gemeinderath schon vorher getroffenen Vorkehrungen viel zu langwierig. Mitte
November empfing letzterer eine Zuschrift von General Frank mit dem
gemessenen Befehl des Gouverneurs, „daß innerhalb 48 Stunden alle
Spuren der Barricaden zu vertilgen und die Pflasterungen zu vollenden
seien, widrigenfalls die zur Durchführung dieser Maßregel Verpflichteten
zur Verantwortung gezogen würden". Das scharfe Gebot ließ sich zwar
nicht in der knapp bemessenen Frist in Vollzug bringen — auf die
Gegenvorstellungen des Gemeinderathes erklärte Welden den Termin
nicht verlängern, jedoch, wenn er sich von der Bereitwilligkeit Überzeugung
verschafft, mit Verhängung der Strafe nachsichtiger sein zu wollen —;
allein raschere Thätigkeit als bisher wurde bei den Umpflasterungen doch
entwickelt. So ließen sich auch die schadhaften Brücken nicht über
Nacht in guten Stand setzen. Anstatt der fast gänzlich niedergebrannten
Nothbrücke oberhalb der Weißgärber wurde die Herstellung einer Überfuhr beschlossen. Die theilweise zerstörte Sophienbrücke mußte für eine
Zeit jeder Benützung entzogen werden. Am dringendsten waren die
Arbeiten am Tabor. Doch erst am 25. wurde die Fahrbrücke über die
große Donau eröffnet — durch dreißig Stunden fuhren ununterbrochen
ein Wagen hinter dem andern zur Stadt hinein — und zwei Tage
darauf, am 27. November konnte die Kaiser-Ferdinands-Nordbahn zum
erstenmal die Brücke über das Kaiserwasser wieder benützen. Die Auslagen, die ihr die Ausbesserung der an ihren Werken erlittenen Schäden
verursachte, überstiegen wider Erwarten kaum die Summe von 20.000 fl.;
sie würden sich bei weitem höher belaufen haben, wenn den Aufständischen die Zerstörung des Bahnhofes eben so gelungen wäre wie die strecken-
weise Verwüstung der Bahn und die Niederbrennung der Holzbrücke.

Ungleich größer dagegen war der entgangene Gewinn, den eine fast acht=
wochentliche Unterbrechung des unmittelbaren Verkehrs zwischen dem
Wiener Bahnhofe und der Station Floridsdorf nach sich zog. Die
Güterfracht vom Norden, insbesondere von der oberschlesischen und Wil=
helms=Bahn, hatte gänzlich eingestellt werden müssen, weil die Bahnver=
waltung bei den während der Octoberzeit beliebten Durchsuchungen von
Magazinen und den durch die Belagerung selbst drohenden Gefahren
keinerlei Bürgschaft für die anvertrauten Waaren übernehmen konnte.
Es mußte sich zeigen, wie viel von dieser Einbuße durch die nun wie=
der freigegebene Fahrt, insbesondere durch die allmälige Verfrachtung
der vielen zurückgelegten und in Bereitschaft gehaltenen Güter sich werde
hereinbringen laffen.

Die Freigebung des Verkehrs innerhalb der Linien Wiens machte
nur in dem Punkte eine Ausnahme, daß es bei der frühzeitigen
Schließung der Gast= und Kaffeehäuser noch einstweilen sein Verbleiben
hatte, und wenn dem diese Orte geselliger Genüsse besuchenden Wiener
die unliebsame „Welden=Stunde" allabendlich manche Kränkung bereitete,
so war es dagegen die zartere Hälfte der städtischen Bevölkerung, die
sich mit keinem der strengen Gebote des Gouverneurs in dem Grade
einverstanden erklärte wie mit diesem. Es war übrigens, die Wahrheit
zu sagen, nicht Galanterie gegen das schöne Geschlecht, es war noch
weniger bloße Laune, was der Aufrechthaltung jener Maßregel zu Grunde
lag. Wenn es möglich gewesen wäre, für die erste Zeit des Belage=
rungszustandes das Wirthshausleben ganz einzustellen, es hätte mehr
als Einen vor Untersuchung, vor langer Kerkerhaft, ja vor einem
schmählichen Tode bewahrt. Denn gerade diese Vergnügungsorte waren
es, wo die im Innern der Gemüther noch fortschwingende Erregung, er=
höht durch den Genuß geistiger Getränke und durch die lebhafte Gegen=
seitigkeit von Rede und Widerrede, nur zu häufig zu unbesonnenen Aus=
brüchen gereizt wurde welche die übelsten Folgen nach sich ziehen konn=
ten. Die Gast= und Kaffeehäuser besonders in gewissen Vorstädten,
einige selbst in der innern Stadt, waren die Stätten wo die böswillig=
sten Gerüchte ausgestreut umhergetragen und mit Gift und Galle ge=
tränkt wurden, die stets neue Zündstoffe zur Erhitzung der Geister mit
sich führten. Hier wollte jemand aus sicherer Quelle erfahren haben,
daß in Olmüz die Unheil verkündende Gestalt des Fürsten Metternich
gesehen worden sei; dort erzählte ein Anderer mit allen Beigaben er=

bitterten Ingrimms, daß der Hof daselbst die Nachricht von der Demüthi=
gung Wiens durch ein glänzendes Festmal gefeiert habe; während ein
Dritter die Schrecken der Militär=Wirthschaft auf das grellste aus=
malte und die fürchterliche Rache schilderte die man dafür nehmen werde
wenn nur Kossuth oder — der Türke Wien zu Hilfe kommen werde [250]).
Der ungarische Krieg gab überhaupt den Mißvergnügten viel zu reden.
Um den 16. November verbreiteten sie die Nachricht von einer großen
Schlacht die bei Preßburg geschlagen worden; ganze Bataillone der
Kaiserlichen seien vernichtet worden, Kürassiere ohne Helm mit blutigen
Köpfen seien in jagender Flucht auf der Landstraße angekommen 2c.
Oder sie berichteten wie man, um „die lieben Truppen" zu verprovianti=
ren, alle Zufuhr von Lebensmitteln absperren werde; man möge sich
beizeiten vorsehen! Letzteres Gerede hatte sogar ein plötzliches Steigen
aller Victualien=Preise zur Folge, so daß der Gemeinderath die Bevölke=
rung ernstlich über den Ungrund desselben aufklären mußte. Am häufig=
sten aber waren die Mittheilungen von den geheimen Hinrichtungen, die
neben den öffentlich kundgemachten, nur in noch ausgiebigerem Maße,
zwanzig und dreißig an einem Tage, an verschiedenen abgelegenen Orten
vollstreckt würden. Wiederholte Warnungen, die bündigsten Erklärun=
gen daß kein Todesurtheil vollzogen werde das die amtliche „Wiener
Zeitung" nicht veröffentliche, waren nicht im Stande, das immer er=
neuerte Auftauchen jener unheimlichen und dabei in höchstem Grade auf=
reizenden Redereien zu verhindern. Es blieb aber nicht bei blosen Reden
und Drohungen. Alle Wochen ereigneten sich Fälle wo wahnwitzige
Leute etwas großes zu thun glaubten, wenn sie durch Überredung und
verlockende Zusagen, durch Geldspenden oder Bewirthung einzelne Sol=
daten von ihrer Pflicht abwendig zu machen vermöchten; es kam so
weit, daß ein eigener Armee=Ober=Commando=Befehl vom 16. November
jedem Manne vom Feldwebel oder Wachtmeister abwärts eine Beloh=
nung von 25 fl. aussetzte, der einen solchen Aufwiegler „zustande"
brächte oder auslieferte. Eine andere Ausartung solch verblendeter Wuth
ließ sich wiederholt nächtlicher Weile an den Ausweichvorrichtungen der
Gloggnitzer Eisenbahn aus, was ohne Zweifel gegen das Militär, das
in der Nähe von Wien von dieser Bahnlinie häufigen Gebrauch machte,
gemünzt war; die Stadthauptmannschaft sicherte dem Ergreifer eines
solchen Übelthäters, den eine Strafe von einem bis zehn Jahren Kerker,
ja selbst der Tod durch Strang erwartete, die Auszahlung von 50 fl. zu.

Diesen und ähnlichen verbrecherischen Tollheiten lag theils Unmuth über die wieder aufgerichtete Macht des Gesetzes, theils Unzufriedenheit mit den gesellschaftlichen Folgen der neuen Zustände zu Grunde, und auch in dieser Hinsicht trat ein merklicher Unterschied zwischen der Bevölkerung der innern Stadt und jener einzelner Vorstädte zu Tage. Dort waren es im großen Durchschnitt die seßhaften wohlhabenderen Classen, die mehr als alles andere die wiedergewonnene Ruhe mit Wohlgefallen begrüßten; hier waren es die unbemittelten und aus diesem Grunde beweglichern, Haus und Herd je nach Drang und Noth wechselnden Classen der Gesellschaft, denen die neu geordneten Verhältnisse viel von dem nahmen oder verkürzten, woran sie sich in den vorangegangenen Monaten erfreut. In den Vorstädten wohnte der niedere Gewerbsmann, hauste der Arbeiter, trieb sich der Proletarier herum. Der erstere hatte während der wirren Zeit ohne Frage in seinem Geschäfte gelitten, der zweite war durch den Stillstand oder die Einschränkung vieler Fabriken um's Brod gekommen; allein der eine wie der andere, und nun gar der herumlungernde Habenichts, hatten in anderer Weise verschiedenen Ersatz gefunden. Vor allem war es der Nationalgarde-Dienst, der ihnen eine gewisse achtunggebietende Stellung, eine ihrer Eitelkeit schmeichelnde Uniform — von Manchen auf Puff genommen, Vielen auf gemeinsame Kosten bestellt —, prunkende Festlichkeiten und von reicheren Officieren gespendete Labung (panem et Circenses) eintrug und überhaupt ein Leben verschaffte, womit die Arbeit im Schweiße des Angesichts, in niedriger Stube oder dumpfem Gewölbe, nicht den Vergleich aushalten konnte. Vollends nach den allerletzten Wochen, wo der gemeine Mann für Rechnung der Gemeinde mehr Wein und Tabak umsonst erhielt als er früher je zu kosten bekommen, war es da zu wundern wenn er sich in den wieder geregelten, auf mühevollen Erwerb berechneten Gang der Dinge nicht hineinfinden konnte? Lange Monate der Ohnmacht von oben, der Ungebundenheit von unten hatten ihn aller Zucht und Fügsamkeit entwöhnt, und nun sollte er sich unter ein hochfahrendes Säbel-Regiment folgsam ducken? sollte jedem Corporal und Patrouillen-Führer bescheiden aus dem Wege gehen, er der kurz zuvor selbst seinem Hauptmann oder Oberst nur so weit gehorcht hatte, als er es mit seinem gardistischen Hochgefühl, mit seinem souverainen Bürgerthum vereinbar gefunden? Sein ganzes Wesen sträubte sich dagegen, und gierig lieh er sein Ohr jeder aufreizenden Mittheilung, jedem geheimen Anschlage, der gegen das Ansehen der waltenden Macht gerichtet war, der ihren nahen Untergang in Aussicht stellte oder doch Mittel bot im kleinen an ihr sein Müthchen zu kühlen. Es fehlte nicht an Winkelpressen, die trotz Militär und Polizei aus irgend einem geheimen Verstecke Flugblätter hinaussandten, die schnell von Hand zu Hand gingen, einzelnen Soldaten zugesteckt wurden oder wohl gar in frühen Morgenstunden als Placate an den Straßenecken prangten [251]).

Als ein Wahrzeichen theils des schlimmen Geistes in den Vor= städten, theils der Einschüchterung des gutwilligen Theils ihrer Bevöl= kerung konnte die Saumseligkeit gelten mit der, trotz Mahnungen und Drohungen, Waffen Schießbedarf und mancherlei in den Wirren abhan= den gekommene Gegenstände abgeliefert wurden. Letzteres galt insbeson= dere vom kaiserlichen Zeughause, dem manch werthvolles Stück, gleich in den ersten Tagen nach dem Sturme von gewinnsüchtigen Händlern auf= gekauft, unwiederbringlich verloren war [252]). Am 13. November gab General Frank eine neue vierundzwanzigstündige Frist, vom 14. 10 Uhr V. M. bis 15. 10 Uhr V. M., „nach deren Ablauf Hausdurchsuchun= gen stattfinden werden deren Folgen sich diejenigen, bei denen was immer für Waffen gefunden werden, nur selbst zuschreiben müssen, gegen welche das standrechtliche Verfahren eingeleitet werden würde". Der Gemeinde= rath warnte in wiederholten Kundmachungen; „die unausbleibliche Folge eines solchen Widerstrebens würde die unabwendbare Todesstrafe sein", hieß es in einem Aufruf vom 16. Auf Verwendung der Stadtbehörde gab der Gouverneur eine neue Frist: am 18. und 19. sollten sowohl im k. k. Zeughause in der Renngasse als auch im Neugebäude bei Sim= mering Waffen „ohne irgend eine Besorgnis" abgeliefert werden können („Wiederholte Warnung!" vom 17.). Trotz dieser eindringlichen Mah= nungen, trotz so mancher Unglücksfälle die sich besonders mit verbor= gen gehaltenen Pulvervorräthen ereigneten, liefen fortwährend Anzeigen ein, die das Militär zur Vornahme von Haussuchungen und zur Be= strafung von Personen nöthigten denen sich weniger böser Wille und Widerspänstigkeit, als Leichtsinn und taube Sorglosigkeit vorwerfen ließ. Es kam vor daß Leute aus Furcht vor Strafe sich das Leben nahmen, das sie ruhig fortführen konnten wenn sie die in ihrem Besitze befindli= chen halb verrosteten Waffen bei Zeiten ablieferten. Fälle, wo Waffen auf fremden Grund geworfen und dadurch ganz unschuldige Personen der Verantwortung ausgesetzt wurden, ereigneten sich noch immer; ein unschuldigeres Auskunftsmittel ergriff der Inhaber eines dem kaiserlichen Zeughause gehörigen Brustharnisches, den er auf einen Rasenplatz der Augartenstraße niederlegte und daselbst von den Organen der öffentlichen Sicherheit finden ließ [253]).

Unter Umständen wie diese konnte von einer Aufhebung des Belagerungszustandes oder, wie Einige schwärmten, von einem allgemeinen Vergeben und Vergessen wohl nicht die Rede sein; dagegen ließ man in gewissen Punkten von der bisherigen Strenge nach. Es ging zwar Welden nahe daß, wie er sich selbst ausdrückt, „manche Chefs z. B. dem Fenneberg und Andere dem Galgen der sie erwartete entwischten"; nun es aber einmal nicht zu ändern war, sollten die geringeren Leute nicht darunter leiden. Mit der Sichtung der zahlreichen in den verschiedenen Aufbewahrungsorten befindlichen Gefangenen fuhr man fleißig fort; minder Compromittirte erhielten nach summarischem Verhöre gegen Bürgschaft Entlassung. So konnten am 12. November 125, am 14. 100, am 16. und 17. je 106 Arrestanten freigegeben werden und waren im Ganzen bis zum 3. December, also ungefähr einen Monat nachdem die Untersuchungs-Commission ihre Thätigkeit begonnen, von den ursprünglich Eingezogenen 1541 wieder auf freien Fuß gesetzt. In den ersten December-Tagen wurden auch die als Geiseln in Hetzendorf zurückbehaltenen Wiener und Salzburger Studenten entlassen; sie hatten über die Behandlung, die sie während ihrer Haft erfahren, nicht zu klagen. Auch das strafgerichtliche Verfahren „gegen alle noch zur Untersuchung gebracht werdenden Theilnehmer am letzten Aufruhr" erfuhr eine Milderung, wofür freilich die Fanatiker der Ruhe dem Feldmarschall keinen Dank wußten. „Die Gutgesinnten möchten alles gehängt sehen", äußerte er zu seiner Umgebung; „sobald ich die Matadors executirt habe, werde ich die Andern laufen lassen". So befahl er denn auch mit Proclamation vom 24. November daß, „nachdem die von der Militär-Commission gefällten Todesurtheile an den gefährlichsten der eingezogenen Aufrührer vollzogen, die Verführten oder sonst zu Entschuldigenden ganz oder theilweise begnadigt wurden, von nun an nicht mehr das standrechtliche, sondern das ordentliche kriegsgerichtliche Verfahren, unter Beiziehung von Beisitzern des Civil-Strafgerichtes so weit es sich um Civil-Personen handelt, einzutreten habe". In der „Bekanntmachung", die Welden hierüber erließ, sprach er seine Erwartung aus, „daß dieser Act der Gnade allgemeine Anerkennung finden, dankbar gewürdigt, und daß selbst noch

der kleinere Theil der übelgesinnten Bevölkerung hierin eine Aufforde=
rung finden werde, den Weg des Gesetzes und der Ordnung wieder zu
betreten".

Die Wirkung dieser Maßregel bestand darin: Erstens daß das
bisher ausschließliche standrechtliche Verfahren fortan nur für jene Fälle
aufrecht blieb, wo eine der im §. 7 der Proclamation vom 1. Novem=
ber bezeichneten Übelthaten — Waffenverheimlichung, Verleitung von
Soldaten zum Treubruch, Aufreizung zum Aufruhr, aufrührerische Zu=
sammenrottung — begangen wurde, daß dagegen für alle die Theilnahme
am letzten Aufstande betreffenden Untersuchungen das ordentliche kriegs=
gerichtliche Verfahren an die Stelle trat. Zweitens daß diese letzteren
Untersuchungen, bei denen bisher nur Militär=Personen als Richter und
Beisitzer thätig waren, unter Mitwirkung von Gliedern des bürgerlichen
Richterstandes durchgeführt wurden. Drittens endlich daß bei der Ur=
theilsschöpfung auf Milderungsgründe, die sich bei dem standrechtlichen
Verfahren nicht zur Geltung bringen ließen, Rücksicht genommen und
darnach die Strafe, die beim Standrecht immer auf Tod lautete, billig
bemessen werden konnte [254]. In der That hatte seit dem Morgenblatt
vom 25., das die Hinrichtung von Becher und Jelinek brachte, die
„Wiener Zeitung" durch eine Reihe von Tagen kein kriegsgerichtliches
Straferkenntnis zu veröffentlichen, und als das Morgenblatt vom 2. De=
cember drei neue Verurtheilungen brachte, lautete nur eines derselben
— Matteo Padovani betreffend — auf „Tod durch den Strang", und
auch dieses wurde in zwölfjährige Festungsstrafe umgewandelt; die bei=
den andern, über einen Conceptspracticanten des Wiener Criminal=Ge=
richts Wenzel Pova und einen Schlossergesellen Karl David, sprachen
von Haus aus nur vierjährigen Festungs=Arrest in Eisen, beziehungs=
weise fünfjährige Schanzarbeit in leichten Eisen aus [255].

Es galt aber nicht blos das Verbrechen zu strafen, sondern auch
Anlaß und Antrieb zu Verbrechen vorsichtig aus dem Wege zu räumen.
Für diesen Zweck fuhr man fort, „paß= und ausweislose Individuen"
von Wien fortzuschaffen oder „ex offo" zum Militär zu stellen [256].
Eine Werbung mit Handgeld von 10 fl., die am 18. von der nied.=
österr. Regierung „für die in Italien liegenden Truppenkörper" ausge=
schrieben wurde, verfolgte offenbar das gleiche Ziel. Die „Arbeiter=Com=
mission" des Gemeinderathes arbeitete ohne Unterlaß; der Zudrang zu
ihren Bureaus im Laurenzer=Gebäude war so groß, daß sie sich die Bei=

stellung von sechs Mann Sicherheitswache erbitten mußte um einiger=
maßen die Ordnung aufrecht zu halten. Nebstdem nahm das in den
October=Wirren auseinandergesprengte „Comité zur Unterstützung mittel=
loser Gewerbsleute in Wien" seine Thätigkeit wieder auf. Außer der
Zuwendung von Arbeit bestand die Unterstützung, die es den Bittstellern
zukommen ließ, theils in Erfolgung von Rohstoffen theils in Geldvor=
schüssen ohne oder gegen pfandweise Übergabe von Waaren in seine De=
pots; auch folgte es Beträge zur Tilgung minderer Steuer=Rückstände
von 5 bis 10 fl. aus, in welcher Richtung ihm der Ausschuß des öster=
reichischen Patrioten=Vereines seine für diesen Zweck gesammelten Mittel
zur Verfügung stellte [257]). Die Geldbeträge, welche die Commune durch
Beschluß vom 6. November erwerbs= und beschäftigungslosen Personen
beiderlei Geschlechts verabfolgen lassen, wurden mit 16. und ebenso die
Vertheilung von „Brodzetteln" wegen der vielen Misbräuche die sich
dabei eingeschlichen hatten (Kundmachung v. 19.) mit Ende November
eingestellt, dagegen für Leute die „durch körperliche Kräfte Fleiß und
Ordnungsliebe sich dazu eignen" (Kundmachung v. 24.) eine Reihe öffent=
licher Arbeiten in Angriff genommen: Canal=Bauten unter den Weiß=
gärbern und am Erdberg, Regulirung des Wien=Flußes am Glacis,
Wiederherstellung der Straße zum St. Marxer Friedhofe, Abgrabungen
und Aufschüttungen nächst der Dominicaner=Bastei, Feldverschanzungen
um das Neugebäude auf der Simmeringer Haide u. a. m. Freilich
sollte jetzt die Beschäftigung bei diesen Bauten eine ernstere sein als es
in den vorangegangenen Monaten der Fall gewesen, und darein konnten
sich die durch so lange Zeit verhätschelten Leute nicht gleich finden. Die
Tagewerker beim s. g. Mondschein=Stege wollten nicht ihren Ohren
trauen als sie erfuhren, sie hätten fortan „auf Accord" zu arbeiten;
„eine derlei Forderung könne unmöglich vom Gemeinderathe ausgehen",
meinten sie, lehnten sich gegen den Bau=Unternehmer auf und rotteten
sich zusammen. Als die Angelegenheit im Gemeinderathe zur Sprache
kam, beschloß man sie und ihre auf andern Punkten verwendeten Ge=
nossen durch eine gedruckte Ansprache eines besseren zu belehren; doch
hatte man die Angst vor den „Brüdern Arbeitern" noch so sehr in allen
Gliedern, daß der Antrag, für den Fall fortdauernder Widersetzlichkeit
mit „ernsten Maßregeln" zu drohen, von den Vätern der Stadt mit
großer Mehrheit verworfen wurde. Als am Wiener Berge die Zahl der
Menschenkräfte von 500 auf 30 vermindert und dieser Ausfall durch

17

Verwendung von bespannten Fuhren gedeckt werden sollte, wurden letztere
von den Arbeitern gewaltsam vom Platze fortgeschafft; man mußte die
Mithilfe der Militär-Central-Commission erbitten, um dem einreißenden
Unfug zu steuern [258]).

Eine eben so wichtige als heikele Frage betraf die Vergütung jener
vielerlei Schäden, die im Gefolge der letzten Ereignisse hunderte von
Familien getroffen hatten. In einzelnen Fällen waren dieselben sehr bedeutend; die Verluste der Mack'schen Zucker-Fabrik, der bei dem Unglücke
des 26. October nur allein an Rohstoff und Waare 800 Fässer verbrannt waren, wurden auf weit mehr als eine Million berechnet. Der
Besitzer des Brünnelbades Joseph Gilg erlitt durch Verwüstung und
Plünderung seiner Anstalt einen Schaden von 3.000 fl. Mindere Leute
hatten dem Betrage nach weniger eingebüßt, allein es traf sie empfindlicher. Sollte für all dies Entschädigung geleistet werden? Die Einen
sagten nein, weil bei gemeinsamem Unrecht kein Theil zu fordern habe;
die Andern sagten ja, weil der Einzelne entweder schuldlos gewesen oder
sich auf höheren Antrieb vergangen habe. Wer hat in diesem Falle, war
die weitere Frage, Vergütung zu leisten? Das Militär behauptete: nur
allein die Gemeinde, denn diese habe das Unheil angestiftet. Dem entgegen meinten Andere: die Staatsverwaltung, weil nur durch ihre
Schwäche und Ungeschicklichkeit die Dinge so weit gediehen seien. Eine
dritte Ansicht sprach beide zu gleichen Theilen schuldig: der Reichstag
und Gemeinderath hätten den Aufstand unter ihren Schutz gestellt; da
nun aber weder dieser noch jener in der Lage sei durch seine Mitglieder
die Entschädigung zu leisten, so bleibe nichts übrig als: die Provinzen
die den Reichstag beschickt haben und die Stadt Wien [259]). Viele der
Entschädigungswerber hielten sich an die Hetzendorfer Proclamation vom
27. October wo der Feldmarschall allen „Bessergesinnten" seinen „kräftigen Schutz" verheißen hatte, und bestürmten mit ihren Gesuchen den
General Frank der seinerseits den Gemeinderath drängte. Die Wiener Stadtbehörde hatte, ohne die Frage wer in dieser Sache in's Mit-
leiden kommen werde in den Vordergrund zu schieben, die Erhebung des
durch die letzten Ereignisse entstandenen Schadens gleich in der ersten
November-Woche in Angriff genommen und zunächst die „Arbeiter-
Commission" mit den Vorerhebungen dazu betraut; in der zweiten
Hälfte des Monates wurden, bei dem großen Umfange der Aufgabe,
acht Abtheilungen dieser „Schadenerhebungs-Commission" mit je einem

Gemeinderathe und mehreren Vertrauensmännern des betreffenden Bezirkes gebildet, denen Rechtskundige beigezogen werden sollten.

Während man aber an maßgebender Stelle sich noch auf dem Gebiete vorbereitender Berathung bewegte, war die Privat-Wohlthätigkeit bereits in vollem Maße thätig, dem Nothstande so zahlreicher Familien nach Kräften zu steuern. Das „Sammlungs-Comité" des Gemeinderathes, das im ehemaligen Liguorianer-Kloster seinen Sitz aufschlug, hatte Sitzung für Sitzung von zum Theil sehr bedeutenden Gaben zu berichten, die ihm von Einzelnen, von Sammlern in kleinern und größern Kreisen, von Vereinen und Körperschaften zuflossen und für deren schleunige und zweckmäßige Verwendung es unablässig thätig war ²⁶⁰). Den Bedürfnissen des Tages abzuhelfen hatte die Approvisionirungs-Section des Gemeinderathes zu ihrer besondern Aufgabe. In dieser Hinsicht handelte es sich vor allem um Wasser Holz und Fleisch. Was das erstere betraf so begannen zur großen Freude aller Hausfrauen in der zweiten Hälfte November die von der Kaiser-Ferdinands-Wasserleitung gespeisten Brunnen wieder zu rauschen. Mit dem Holz stand es nicht so schlimm als man anfangs befürchtete; eine vom Gemeinderath veranlaßte allgemeine Nachsuchung ergab, daß auf den Wiener „Holzg'stett'n" bei 161.000 Klafter bereit lagen; der Preis der Klafter harten Brennholzes stieg in Folge dessen nur um 1 fl. Dagegen machte der gestörte Viehtrieb einige Schwierigkeiten. Am 16. November kam ein Gesuch der Wiener Fleischhauer zur Verhandlung, welche die ungarische Gränzsperre zum Vorwande nahmen, um eine Erhöhung der Satzung für das Pfund Rindfleisch von 12 kr. auf 13½ kr. oder eine entsprechende Schadloshaltung von Seite der Stadt zu verlangen. Der Gemeinderath aber zeigte sich unerbittlich: die Fleischhauer wurden über den vom Magistratsrath Walter diesfalls erstatteten Bericht auf beide Begehren abweislich beschieden, 18. November.

Bezeichnend war es auch, daß, um den Nahrungsstand der auf Erwerb angewiesenen Bevölkerungs-Classen zu heben, im Gemeinderathe wiederholt der Antrag gestellt wurde, alle von Wien noch abwesenden „Wohn-Parteien" zur baldigen Rückkehr in die Stadt einzuladen.

19.

Doch bedurfte es kaum dieser Mahnung. Sichtlich besserten sich die Zustände von Tag zu Tag. Die Landstraßen um Wien füllten sich mit Kutschen und waarenbeladenem Fuhrwerk, die Eisenbahnen mit Personen- und Lastenzügen von nah und fern; im Haupt-Zollamt gab es Tag und Nacht zu thun, in der Stadt sah man seit langem wieder vor den Großniederlagen Ballen Kisten Fässer auf- oder abladen. Zu den Instituten, die unter der Trostlosigkeit der frühern Verhältnisse am meisten zu leiden hatten, gehörte die Wiener Sparcasse. Nach den Märztagen verhielten sich die Einlagen zu den Rückforderungen wie 1 zu 2, im August stellte sich das Verhältnis wie 1 zu 3, Anfang October fast wie 1 zu 4. Der Belagerungszustand hatte noch keinen Monat gedauert, und die Einlagen standen gegen die Rückforderungen nur um wenig, 1 zu 1¼, zurück, bis es sich gegen Ende des Jahres wieder ereignete daß jene die letzteren um mehr als das doppelte überstiegen. Am Abend des 4. December hielt der nied.-österreichische Gewerbsverein nach mehr als halbjährigem Stillstand zum erstenmal wieder eine Monatssitzung; vierzehn Tage später wählte er den frühern Handels-Minister Hornbostl mit 81 Stimmen, gegen 61 die auf Dr. Jos. Neumann fielen, zu seinem Vorsitzenden. Was den Stand von Handel und Gewerbe noch bedrückte, waren zumeist die äußern Verhältnisse: der bevorstehende Krieg gegen Ungarn der die Gränze von dieser Seite absperrte, und der ungeheuer hohe Curs fremder Devisen der den Zuständen in Deutschland, insbesondere in Berlin, zuzuschreiben war. Was dagegen die innere Lage betraf, kannte der Handelsstand nur einen Wunsch: daß die Regierung in der Weise fortfahre wie sie seit 1. November begonnen habe, mit andern Worten: daß der Belagerungszustand so bald nicht aufgehoben werde [261]).

Wien hatte bereits den größten Theil seiner Bevölkerung wieder. Obwohl man gegen Ende November in der innern Stadt noch 500 leerstehende Wohnungen zählte, gab es doch keine ausgestorbenen Häuser, sah man keine verschlossenen Gewölber und Verkaufsladen mehr wie

kaum drei Wochen zuvor. Zwar bekam dadurch die Stadt nicht sogleich
ihr früheres Aussehen. Jene wohnliche Nettigkeit, die Wien von jeher
eigen gewesen, war durch die Spuren der letzten wüsten Zeit an vielen
Orten noch immer verscheucht; und wenn auch gegen Ende November
die Gasflammen wieder zu leuchten begannen — die Todtenstille, die
nach der „Welden=Stunde" in den Straßen herrschte, machte diese Helle
fast unheimlich. Fühlbarer als diese mit der Zeit verschwindenden äußern
Merkmale war allerdings, was ein auch nur obenhin Beobachtender an
den Gemüthern wahrnahm, wenn er ihre „vormärzliche" Stimmung gegen
die jetzige hielt. Was vordem Wien eben zu Wien, zur „Kaiserstadt"
die es auf der ganzen Welt nicht wieder gab — „'s gibt nur a Kaiser=
stadt, 's gibt nur a Wien" —, gemacht hatte, was von Schmelzle's
Tagen einheimische Volksdichter gepriesen, naserümpfende Satyriker be=
spöttelt hatten, das angenehme Behagen des Daseins, der heitere Lebens=
genuß, der unbefangene gutmüthige Frohsinn, dazu die wahrhaft kind=
liche Anhänglichkeit an das angestammte Herrscherhaus das nur wie das
Haupt im Kreis einer weiten Familie erschien: mit dem allen war es,
das empfand jeder, für immer vorbei. An die Stelle des „alten Wien"
war eben ein neues getreten; nach den wenigen Monaten, die man seit
März dieses Jahres zählte, schien ein anderes Geschlecht die Stelle des
früheren eingenommen zu haben. Allerdings ließ sich von dem größeren
Ernst, dem der Leichtsinn von ehedem gewichen war, allerlei Ersatz in
anderer Richtung hoffen; allein immerhin durfte der Wiener vom alten
Schrott und Korn den unwiederbringlichen Verlust manch schönen Zuges
im Gesammt=Charakter der Bevölkerung seiner Vaterstadt bedauern.
Aber ließ sich überhaupt noch von einem Gesammt=Charakter der
Wiener Bevölkerung sprechen? Parteiung war es was fortan, wo
immer politische Fragen angeregt wurden, durch alle Verhältnisse, alle
Kreise, selbst durch Familien= und Freundschaftsbande eine Scheidelinie
zog, die wohl zarte Rücksicht und gesellschaftliche Höflichkeit zu überdecken,
aber nicht von Grund aus zu verwischen vermochte.

Das äußere gesellige Leben zwar eroberte allmälig einen Theil des
Gebietes, das ihm erst die Wirren der Revolution, dann die Strenge
des Belagerungszustandes entrissen hatten, nach dem andern wieder.
Das Treiben auf den Straßen gewann bei Tage seine frühere Beweg=
lichkeit und selbst Ungebundenheit. Keine Wache sperrte mehr die Ein=
und Ausgänge der Stadt, keine Patrouille störte den freien Verkehr;

Bekannte, die sich keiner Abirrung in politischer Linie bewußt waren, durften sich wieder fröhlich grüßen und hatten, wenn sie sich auf offener Straße in ein Gespräch einließen, nicht ängstlich umherzuschauen ob kein unberufener Lauscher sich nahe. Von der bangen Scheu, von der mürrisch brütenden Verstimmung, wovon Correspondenten einer gewissen Farbe auswärtigen Journalen berichteten, war in der Öffentlichkeit nirgends etwas wahrzunehmen. Die Basteien sahen allmälig wieder ihre spazierenden Stammgäste von ehedem; an schönen Tagen gab sich die elegante Welt wie früher daselbst ihr Stelldichein; und selbst die mancherlei Störungen, welche die fortschreitende Befestigung einzelner Punkte mit sich führte, schienen diesen Promenaden nur einen Reiz der Neuheit zu leihen. An Vergnügungsorten belebten und erheiterten wieder Musik=Capellen die durcheinander wogende Menge; freilich waren viele der ehedem besuchtesten — Odeon, Universum, Unger's Casino vor der Hernalser, das Steudl'sche Kaffeehaus nächst der Favoriten=Linie — theils für immer zerstört theils für lange Zeit der Benützung entzogen. In Räumlichkeiten niederen Ranges trieben Harfenisten bei übervollen Stuben mit beliebten „Stückeln" ihr altes Spiel; der alte Moser, der wohlhabende Matador unter den Wiener Volkssängern, erheiterte mit seinen Liedern und komischen Scenen sein bei Schnitzeln und „Frankfurtern" aufhorchendes Publicum. Am 13. November sah man seit mehr als fünf Wochen die erste Theater=Ankündigung an den Straßenecken. „Sie blickte Dich an", um ein Wort Hanslik's zu gebrauchen, „wie die Taube die mit dem ersten grünen Blatt in die Arche flog; in Wahrheit war unsere Stadt während der Octoberzeit eine zweite Arche Noah in ihrer grausigen Abgeschlossenheit und Todesnoth, einer weitern Ähnlichkeit", setzte er beißend hinzu, „gar nicht zu gedenken". Es war das Opernhaus, das am genannten Tage die düstere „Lucretia Borgia" zur Aufführung brachte. Am 16. eröffnete das Burg=Theater seine Räume mit dem Bauernfeld'schen Lustspiel „Leichtsinn aus Liebe", das den Theater=Freunden ihre alten Lieblinge: Laroche Fichtner Wilhelmi Beckmann, die Neumann und die Wildauer nach langer Unterbrechung wieder vor Augen brachte, während am selben Abende im Karl=Theater die Rolle des einäugigen Sansquartier der Laune Nestroy's vollen Spielraum ließ. Auch das Theater an der Wien und das in der Josephstadt waren an diesem Tage das erstemal wieder geöffnet [262]). In ersterem machten damals Kaiser's Charakterbild: „Männer=Schönheit" und Elmar's neu

in Scene gesetzte Posse: „Dichter und Bauer" volle Häuser; ein junger
Komiker, Karl Treumann, begann durch sein seltenes Nachahmungs- und
Verstellungs-Talent die Aufmerksamkeit auf sich zu ziehen. Um diese
Zeit kam auch Alexander Baumann's launiges: „Versprechen hinter'm
Herd" auf die Bretter der Hofbühne, mit der Wildauer als „Nanl-
hoaß'-i", Beckmann, Stein und Eduard Kirschner, einer Besetzung die
eine lange Reihe von Jahren dieselbe bleiben, ja von deren unverrücktem
Zusammenspiel die Lebenskraft der allerliebsten kleinen Schnurre abhän-
gen sollte. Der Salon im Volksgarten begann am 19. November
Sonntags seine Soiréen; als Vater Strauß nach andern Stücken die
Volks-Hymne und dann den von ihm componirten Radecky-Marsch auf-
spielte, brachen die dicht gedrängten Zuhörer in stürmischen Beifall aus.
Am 22. führte die Musik-Capelle des Regiments Khevenhüller in der
Alser-Caserne eine neue Composition des Fräuleins Constanze Geiger
auf, die bald viel von sich reden machte; es war die Umsetzung des so
viel berüchtigten Fuchsliedes in einen Trauermarsch, und Lobhudler der
Künstlerin wußten ergreifendes über die Art wie dieses Musikstück in
ihrem Kopfe entstanden, sowie über die Eindrücke zu berichten die es auf
den Zuhörer hervorbringe [263]...

Wir fanden irgendwo eine Berechnung, daß in Folge des Eingehens
sämmtlicher Journale Wiens in den letzten October- und ersten November-
Tagen nicht weniger als 700 Schriftsteller Setzer und Buchdrucker um
ihren täglichen Erwerb gekommen, die meisten Pressen länger als eine
Woche stillgestanden seien. Dem war nun, wie bereits erwähnt, seit
dem 7. November theilweise abgeholfen und wurde es im Laufe des
Monates immer mehr. Mit Ausnahme der Blätter von mehr oder
minder radicaler Farbe erhielten nach und nach fast alle größern Journale die Erlaubnis wieder zu erscheinen: so „der constitutionelle Hans
Jörgel" am 12., das „Fremden-Blatt" am 14., die „goldene Mittel-
straße" am 16., der „Friedensbote" am 18., der „Wanderer" — nachdem er seinen zwischenzeitigen Titel: „der Demokrat" wieder abgelegt
— am 21., der „Österr. Soldatenfreund" am 23. November. Am läng-
sten mußte Saphir warten, dessen „Politischer Horizont" während der
October-Tage mitunter seltsam geflunkert hatte. Man erzählte sich,
Saphir sei kurz nach Einnahme der Stadt vor dem Feldmarschall erschienen und habe diesem zwei Federn mit den Worten überreicht: „Eure
Durchlaucht, hier bringe ich meine Waffen", der Fürst aber habe auf

diefen Scherz nicht eingehen wollen, sondern, auf einen Artikel in
Saphir's Blatt anspielend, ernst erwiedert: „Was wollen Sie von mir,
ich bin ja ein ‚Todter'!" Saphir's Blatt erschien erst am 26. wieder,
in feiner alten Geftalt als „Humorist", und begann gleich in dem Eingangs-Artikel vor feinen Lesern die gewohnten witzelnden Purzelbäume
zu schlagen. „Es sei ein großes Wort an die Schriftstellerei ergangen,
aber diefes Wort müffe erst ‚Fleisch' werden.... Sein Blatt werde
nicht zu jenen Organen gehören die, um zu beweisen daß sie keinen
Freiheitsrauf ch hatten, sogar ihren Freiheitsdurft abläugnen.... Die
Wiener Journaliftik niefe feit dem 1. November alle Tage in den Sack
hinein den die Zeit auf dem Rücken habe, und wahrlich nur selten könne
man ‚Profit' sagen. Man sollte aber in den Sack hineinniesen den
die Zeit vorn trage, in ihren Herz- und Bruftsack, und zwar so nie-
fen daß man auf ein „Helfgott" hoffen könnte". Von neuen Blättern
erschienen: „Schild und Schwert; politisch-conservatives Journal", her-
ausgegeben und redigirt von Johann Quirin Endlich, 10. November,
und „Die Ameise, Österr.-vaterländische Zeitschrift" von Schweickhardt.
Auch der ehemalige Haupt-Redacteur der „Wiener Zeitung" J. C.
Bernard verhieß eine neue „vaterländische allgemeine Zeitung" unter dem
Titel „Auftria", die jedoch erft mit Beginn des Jahres 1849 erscheinen
sollte.

Leute, denen feit dem 31. October gar nichts recht zu machen war,
hatten auch für die Presse des Belagerungszuftandes nur Worte des
Haffes und der Verachtung. Sie fanden mit schadenfrohem Behagen
heraus daß Seyfried, der während der heißen Zeit fein Prädicat „Ritter
von" abgelegt hatte, seither den Adel „als warmen Deckmantel" wieder
aufgenommen, und verlachten Eitelberger der nun gegen jene, die er in
der „Wiener Zeitung" als „angekommen" und als „abgereifet" täglich
anführte, „mit aller Vorsicht wieder die spanische Hof-Etiquette" beobachtete: „Zuerst kommen die Fürsten, dann die Grafen, dann folgen
die Sternkreuzordens-Damen, und zuletzt die misera contribuens plebs."
Sie geriethen in fromme Entrüftung über den Geifer, mit dem die conservativen Blätter die Opfer des Belagerungszuftandes verfolgten; „der
Geftürzte ift doch immer eine Erscheinung die Mitleid verdient", meinten
sie, und schienen dabei aus ihrem Gedächtniffe verloren zu haben daß
ja in den Märztagen Metternich Czapka Sedlnicky u. a. gleichfalls
„Geftürzte" waren, für die aber sie selbft damals durchaus kein Mit-

leid, sondern nur Schimpf und Spott kannten. Richtig war es, daß
Blätter wie der „Wanderer", der „Humorist", mit dem Titel, den sie
in der letzten Zeit geführt, jetzt auch ihre Farbe gewechselt hatten. Allein
von den meisten der andern Journale mußte jeder Billigdenkende sagen
daß sie nicht anders schrieben als sie vorher geschrieben hatten. Die
„Presse" führte mit Anstand eine freimüthige Sprache nach oben, was
sie sich selbst in den Zeiten der ärgsten Wirren nicht völlig hatte nehmen
lassen; und war etwa von der „Geißel", dem „Zuschauer", dem „Hans
Jörgel" zu erwarten, daß sie die Umsturz=Partei, der sie von allem An=
fang den Fehdehandschuh hingeworfen, jetzt schonen oder wohl gar ihr
schmeicheln würden?" [264]). Wie überhaupt Welden „nicht sowohl die
Unterdrückung als die bessere Regelung der in Unsinn ausgearteten so=
genannten Preßfreiheit" im Sinne hatte, so ließ sich mit Grund weder
ihm noch seinem Referenten Oberlieutenant Gustav Heine eine engherzige
Behandlung der Preß=Angelegenheiten zum Vorwurf machen. Jedenfalls
war die Controlle, die er „zur Verhütung aller neuerlichen Aufreizungen"
übte, eine liberalere als jene die man der radicalen Partei zur Zeit, da
diese die Herrschaft hatte, nachrühmen konnte. Wenn auswärtige Zei=
tungen wie die „Stenographische Correspondenz", die „Leuchtkugeln"
u. a., die von lügenhaften und beirrenden Nachrichten über österreichische
Zustände und Ereignisse strotzten, Spottgedichte und Spottbilder gegen
Österreichs Helden Radecky Windischgrätz Jelačić brachten, selbst das
Kaiserhaus mit frechen Ausfällen nicht verschonten, in den Kaffeehäusern
Wiens schon in den ersten Wochen des Belagerungszustandes frei auf=
liegen durften, so konnte man mit Recht fragen, ob sich ähnliches, auf
die Helden der damals waltenden Freiheit wie Blum Füster Becher
angewandt, einen Monat früher hätte wagen lassen [265]).

Wie wohlthätig der Abstand der jetzigen Zustände gegen die frühern
von der großen Mehrheit der Bevölkerung empfunden wurde, äußerte
sich zumal in dem steigenden Vertrauen das dieselbe den in ihrer Mitte
weilenden Truppen und deren Führern täglich von neuem zu erkennen
gab. „Die Stimmung über den Feldmarschall", hieß es in einer Wiener
Correspondenz aus der Mitte November, „sprang aus einem Extrem in
das andere — nur noch schneller als in Prag — über; alles läßt der
Schonung, womit derselbe nach wiederholtem Capitulations=Bruche beim
Angriff vorgegangen, volle Gerechtigkeit widerfahren" [266]). Die Truppen

standen seit dem 7. November in ärarischer Verpflegung; dessenungeachtet verging kein Tag, wo die „Wiener Zeitung" nicht freiwillige Gaben jeder Art, von Privaten, von Gemeinden und Gutsverwaltungen
dargebracht, zu verzeichnen hatte [267]). Insbesondere aber waren es die
Verwundeten „der tapfern Armee die Österreich gerettet hat" [268]), dann
jene Einzelnen die sich durch Heldenmuth hervorgethan hatten, denen von
allen Seiten die reichlichsten Gaben zuflossen. Unter andern spendete
„ein in Wien wohnender Engländer" je 500 fl. für die Mannschaft des
1. 2. und 3. Armeecorps, in Beträgen von 50 fl. an jene Soldaten
zu vertheilen die sich am meisten ausgezeichnet hätten. Aus diesem Anlasse ereignete sich im Regimente Khevenhüller ein rührender Fall. Als
der würdigste zur Betheilung wurde einstimmig der Gemeine Karl Riedl
von der 1. Compagnie erkannt, der aber ohne Zaudern erklärte, die
50 fl. seinem unglücklichen Cameraden Schwarz von der 2. Compagnie,
der beim Kampfe in Lerchenfeld den rechten Fuß verloren hatte, abtreten zu wollen. Die einjährige Löhnung des Mannes erreichte kaum
den Betrag des Geschenkes, auf das er in so edler Weise verzichtete [269]).

Der Monat November sah zwei militärische Feierlichkeiten von größerem Maßstabe. Die eine, am 18., galt dem Andenken Latour's. Die
Feierlichkeit, zu der 20 Bataillone 18 Escadronen und 12 Batterien
ausrückten, fand unter Commando des F. M. L. Duca di Serbelloni
auf dem Laaer Berge statt. Das 2. Feld-Bataillon und die zwei
Grenadier-Compagnien des 28. L. J. R. dessen Inhaber Latour gewesen, befanden sich innerhalb des großen von den andern Truppen gebildeten Viereckes, ihre Fahnen waren mit Trauerflören behangen, die
Trommeln schwarz überzogen. Unter dem Feuer von 72 Geschützen wälz-
ten von vier hohen Candelabern angezündete Pechkränze ihren Qualm
der Leitha zu, während Viele in der Stadt, von dem wahren Anlasse
nicht unterrichtet, den Kanonendonner eines Treffens mit den Ungarn
zu vernehmen glaubten. Nach geschlossener Feier wurde die Leiche des
Märtyrers für die Sache seines Kaisers und Vaterlandes auf den Währinger Friedhof abgeführt [270]). Eine großartige militärische Ausrückung
andern Charakters hatte fünf Tage später, 23. November B. M., die
Höhe des Glacis vom Burgthor bis zur Alservorstadt zum Schauplatze.
Es war das erste- und einzigemal in dieser ganzen Zeit wo der Feldmarschall innerhalb der Linien Wiens erschien, und seine Umgebung

glaubte, ohne daß er davon wußte, gegen ein mögliches Attentat nicht Vorsichtsmaßregeln genug treffen zu können; er fuhr in offener Kutsche, allein hart am Wagenschlage ritten Officiere seines Gefolges, achtsam nach allen Seiten ausblickend. Die Feierlichkeit fand zu Ehren des russischen General=Adjutanten Fürsten Lieven statt, der den beiden Feld= herren Windischgrätz und Jelačić zwei gnädige Handschreiben des Kaisers Nicolaus und die Großkreuz=Insignien des St. Georgs=Ordens für den erstern und des St. Wladimir=Ordens für letztern überbracht hatte. Der Feldmarschall empfing außerdem zum gewöhnlichen Tragen eine etwas abgenützte Plaque des St. Georgs=Ordens, dieselbe die der russische Car bis dahin selbst getragen und die er von der eigenen Brust herabge= nommen hatte, um sie dem „Retter Österreichs und Europas, ja der ganzen gesellschaftlichen Ordnung“ übergeben zu lassen [271]).

Es bedurfte keines geringeren Vorganges als des eben erzählten, um zu bewirken daß endlich die großen Körperschaften Wiens sich er= mannten, den kaiserlichen Generalen, die ihre Stadt von gesetzlos und zerstörend hausender Gewaltherrschaft errettet, die wohlverdiente Aner= kennung auszusprechen. Den Anfang machte eine große Deputation des Gemeinderathes, die dreißig Köpfe stark unter Vortritt des Vice=Präsi= denten Dr. Kluger am 25. in Schönbrunn erschien und eine Dank= und Huldigungs=Adresse überreichte, die der Fürst, Worte der Mahnung und Ermunterung daran knüpfend, wohlgefällig entgegennahm. Tags darauf war es eine Deputation sämmtlicher Gremien des Handels= und Ge= werbestandes von Wien, am 28. eine der österreichischen Nationalbank, die Adressen derselben Art einhändigten; die letztere überreichte ihm gleich= zeitig ein Geschenk von 3.000 fl. für die unter seinem Befehle stehenden Truppen. Alle die genannten Deputationen verfügten sich, nachdem sie in Schönbrunn ihren Auftrag erfüllt, in das Haupt=Quartier des Banus, meist auch zum Gouverneur von Wien, zum Stadt=Commandanten Ge= neral Frank, zu F. M. L. Csorich. Die Antworten die sie empfingen waren so charakteristisch verschieden wie die Persönlichkeiten von denen dieselben ausgingen. Während z. B. die große Deputation des Handels= und Gewerbestandes, von der Ansprache des Feldmarschalls auf's tiefste gerührt, mit dreimaligem lauten Zuruf schied, ließ sie der Gouverneur von Wien unsanft an, indem er den Versammelten bedeutete: „er ver= kenne nicht den Werth der Dank=Adressen; ihnen sei jedoch ein anderes Mittel an die Hand gegeben ihre Gesinnung zu bethätigen, nämlich da=

durch daß sie, wie dies anderswo geschehen, Mistrauens-Voten gegen
die radicalen Abgeordneten erließen" [272]).

Manche haben an dieses Wort die Meinung geknüpft, die Mistrauens-Vota seien allein „das Verdienst" Welden's gewesen, und die
Radicalen säumten nicht zu sagen: nur allein der Druck des Belagerungszustandes und die barsche Forderung Welden's hätte jene Absage-
briefe zuwege gebracht. Allein wenn die Abfassung von Mistrauens-Voten in vielen Bezirken bereits v o r Welden im Gange war, so hielt der
Einschüchterung, die etwa von dieser Seite ihren Einfluß übte, ein gewisser stiller Terrorismus, der trotz der Militär-Herrschaft von der
andern Seite noch immer fortwirkte, das Gleichgewicht [273]). Der sprechendste Beweis, daß bei jenen Kundgebungen nicht blos Wohldienerei
im Spiele war, liegt wohl in den vielen a n o n y m e n Einsendungen
die sowohl den betreffenden einem weitverbreiteten Unwillen verfallenen
Abgeordneten brieflich, als den öffentlichen Blättern behufs Einrückung
in ihre Spalten von allen Seiten zukamen [274]). Wahr ist nur das eine,
daß Welden's Worte wie eine Aufmunterung für die Zaghafteren wirkten
mit ihren wahren Gefühlen hervorzutreten, freilich auch wie ein Fingerzeig für die Dienstbeflissenen sich dem gebietenden Herrn gefällig zu bezeigen. Das Zustandebringen von Mistrauens-Voten wurde jetzt von
Vielen mit einer Art Wetteifer betrieben; es gab fast keinen Wiener
Wahlbezirk, wo etwas dergleichen nicht zum mindesten v e r s u c h t worden
wäre. Eines Tages erschien bei General Frank eine Deputation der
Vorstadt Gumpendorf um die Erlaubnis zum Abhalten einer Versammlung zu bitten, um ihrem Deputirten Ernst von Schwarzer ihr Misver-
gnügen zu bezeigen und ihn an das bei seiner Wahl abgegebene Versprechen zu erinnern, daß er, falls seine politische Haltung mit den Ansichten seiner Wahlmänner nicht im Einklang stünde, jederzeit zum Rücktritt bereit sein würde. Im ersten Bezirk der innern Stadt begann sich's
gegen Pillersdorff zu regen; die Wahlmänner von Perchtoldsdorf suchte
man gegen Schuselka aufzubringen u. dgl. m.

Der Gegenstand der lautesten Huldigungen war immer der Banus
der sich allerdings trefflich auf alles verstand was die Aufmerksamkeit
der Menge erregen, aber auch die Gemüther der Einzelnen gewinnen
konnte, und der keinesfalls der Mann war irgend einer Gelegenheit aus
dem Wege zu gehen wo er sich hören oder im vortheilhaften Lichte sehen

laſſen konnte. War das eine Schwäche, ſo war es doch weder
eine unliebenswürdige noch eine übel angebrachte; ja es mochte in
Frage ſtehen ob nicht das entgegengeſetzte Verfahren mehr wider ſich
hatte.

In der That war dieſer Unterſchied eine Quelle fortwährender ver-
ſteckter Nergeleien und kleiner Eiferſüchteleien zwiſchen den beiden Haupt=
Quartieren, wo ſich überhaupt eine wechſelſeitige Spannung frühzeitig bemerkbar machte. Nicht zwiſchen den Führern! Es wäre zwar zu viel
wenn man ſagen wollte: die beiden Männer ſtimmten zuſammen; dazu
lagen ihr Temperament, ihr beiderſeitiges Weſen, ſelbſt ihr Lebensalter
zu weit auseinander. Aber die eine große Sache verband ſie beide, und
wie ſich Jelačić willig und ohne Neid, den ſein trefflicher Herz nicht
kannte, dem Feldmarſchall unterordnete, ſo war Windiſchgrätz weit davon, die hohen Verdienſte, den Edelmuth, die ſeltenen perſönlichen Eigenſchaften des Banus zu unterſchätzen. Allein je mehr jeder von ihnen
von ſeiner eigenen Umgebung verehrt, ja vergöttert wurde, deſto empfindlicher ſtachelte letztere die Eiferſucht über jeden dem anderen Theile eingeräumten Vorzug, jede dieſem zukommende Huldigung. Die billiger
Denkenden im Haupt=Quartier des Fürſten geſtanden es willig zu, Jelačić habe „viel, ſehr viel, vielleicht für den Beginn der Sache das
meiſte gethan“, er habe „den Impuls gegeben“, er verdiene es daß man
ihn preiſe; das hinderte ſie aber nicht in ihm bei Gelegenheit den
„Dichter“ zu belächeln, über ſein „theatraliſches Weſen“, beſonders aber
das der jungen Welt die ſeinem Stabe angehörte, ſich aufzuhalten. Mis-
günſtigere nannten ihn wohl gar einen Schwindler, einen Schuldenmacher,
einen eitlen Gecken der für das was er geleiſtet über und über belohnt
worden u. dgl. m. ²⁷⁵). Der Umgebung Jelačić' dagegen misfiel alles
was im andern Haupt=Quartier vorging, von der unverdienten Zurück=
ſetzung die ihr unübertrefflicher Banus von dorther, wie ſie meinten,
erfahren habe und fortwährend erfahre, bis zu dem Tone der in Schönbrunn herrſche, wo der „moderne Wallenſtein“ in gemeſſener Hoheit
ſeinen Sitz aufgeſchlagen: „alles ſtill im Vorzimmer, die Herren in
Parade, flüſternd, auf den Zehen, die Würde des Herrſchers herab bis
zum fürſtlichen Gallopin“. Es befiel ſie ein geheimes Fröſteln wenn es
hieß, man müſſe nach Schönbrunn dem Feldmarſchall ſeine Aufwartung
zu machen „oder vielmehr, denn das iſt zu wenig geſagt, ſich dem Fürſten zu Füßen zu legen“; ſie verlangten ſich nicht zu dem „ſteinernen

Gastmal" an seiner Tafel gezogen zu werden, wo eine Steifheit herrsche „wie beim Maharadscha der drei Arabien" 2c.

Das war nun freilich im Palaste Beatrix alles anders. War es dort Verehrung und scheue Ehrfurcht was allem ein ernstes Gepräge aufdrückte, so bildeten hier Frohsinn und liebevolle Hingebung den Grundton eines stets bewegten Treibens. War dort Wallenstein's Hof, so war hier Wallenstein's Lager. Jelačić' Persönlichkeit belebte fesselte begeisterte alle die in seine Nähe kamen in einer kaum glaublichen Weise [276]. „Er ist ein aufgehender Stern", sagte einer seiner Officiere in den Tagen da die Lose vor Wien noch im Dunkel lagen; „und ist er ein untergehender, so ist es nicht der Mühe werth zu leben". Er übte einen Zauber auf alle mit denen er in Berührung kam; die Männer nannten ihn gebildet human einnehmend, die Frauenwelt fand ihn liebenswürdig und selbst zarte Mägdleins blickten nicht ohne Herzklopfen zu dem gefeierten Helden mit dem strahlenden Blick und der gewinnenden Rede auf. Im Palaste Beatrix wimmelte es täglich von hoch und niedrig, Militär und Civil, Männern und Frauen; „die ganze Monarchie ist in seinem Vorzimmer vertreten, Ungarn nicht ausgenommen", schreibt ein Zeitgenosse. Da gab es Bittende und Bettelnde von jeder Gattung. „Es geht zu wie bei einer Audienz des Kaisers: der Eine will eine Anstellung, der Andere eine Pension, ein junges Mädchen wünscht ohne Caution zu heiraten, eine alte Wittwe fleht um Gnadengehalt. Wer ein Anliegen hat wendet sich an den Banus, denn man hält ihn und Fürst Windischgrätz für die beiden Hände und Taschen des Kaisers" [277]. Die Reden mit denen er aus dem Stegreife die ihm überreichten Adressen beantwortete rissen alle hin. An jene der Landstraße, die ihm der Führer der Deputation Gemeinderath Med. Dr. Joseph Pröbstl vorlas, knüpfte er eine kurze Schilderung seiner Herkunft, seines Lebensganges, seiner Ansichten. Man habe ihn als Reactionär, als Diener der Camarilla verschrien. „Ich ein Diener der Camarilla!" rief er aus. „Meine Herren, ich kenne sie nicht. Nicht am Hoflager bin ich aufgewachsen, nicht in Salons habe ich meine Jugend verlebt, nein, in den Reihen der tapfern Armee, fern von jenen Orten an denen sich der Lebensgenuß concentrirt, habe ich mein Leben zugebracht!" Er ging dann auf sein Lieblings-Thema die nationale Gleichberechtigung über, wie alle Stämme sich miteinander vertragen, einander achten müßten 2c. [278]. Als die Deputation des Wiener Gemeinderathes seine Tapferkeit, seine Verdienste um die Rettung

ihrer Stadt rühmte, erwiederte er mit liebenswürdiger Selbstverläugnung: „Was Sie von Bewunderung, von Heldenmuth und glorreichen
Thaten sprechen, das ist nur Ausdruck Ihrer freundlichen Gesinnung.
Ganz richtig bemerken Sie daß die Geschichte darüber urtheilen werde;
sie wird es vielleicht kühler thun als es Ihre Theilnahme in den herzlichsten Ausdrücken gethan hat" [279]).

Am 16. November zeigte sich der Banus im Burgtheater. Logen
und Parterre waren überfüllt von Uniformen; als man ihn gewahrte,
erschollen „Zivio" und „Vivat" daß die Wände erdröhnten, ein nicht
endendes Beifallklatschen an dem sich die Frauen herzhaft betheiligten;
das Orchester stimmte die Volks-Hymne an, die Strophe für Strophe
wiederholt werden mußte. Von da fuhr Jelačić in das Opernhaus wo
so eben der erste Act der „Norma" geendet hatte. Derselbe Empfang.
Das bereits abgetretene Orchester-Personale versammelt sich eilends und
stimmt auf stürmisches Verlangen Meister Haydn's volksthümliche Weisen
an; der Vorhang geht auf, der Chor der Gallier tritt hervor, der Hohe-
priester, der römische Proconsul, Norma, Adalgisa kommen nach und fallen
in das „Gott erhalte" ein. Alle Blicke, alle Operngucker sind auf den
Banus gerichtet und vielleicht das lauteste Halloh erschallt von den Galerien. Am 25. Abends war große „Soirée militaire" im Saale des
Sophienbades. Jelačić erschien, umgeben von den Generalen Edmund
Schwarzenberg, Franz Liechtenstein, Colloredo, Zeisberg und wurde mit
stürmischem Jubel empfangen. „Es war zum erstenmal daß ich Jelačić
sprach und hörte", schildert uns ein Augenzeuge; „der Augenblick war gekommen, der mich in die Nähe des Mannes brachte der die Augen Europas auf sich zieht, dem der Genius des Zeitalters den Kuß der Weihe
auf die hehre Stirn gedrückt zu haben scheint. Sein Auge strahlt in edler
Milde; den es erfaßt, hält es im Augenblick gefesselt und übt mit be-
zaubernder Kraft einen nie schwindenden Eindruck. Seine Rede fließt klar
deutlich markig; er spricht schnell, offenbar ohne jede Vorbereitung: der
ungekünstelte Ton, die einfache, ich möchte sagen schlichte Sprache zeugen
dafür. Die Selbstverläugnung und gänzliche Anspruchlosigkeit des großen
Mannes ist auch einer jener Vorzüge die ihm kein Herz entfremdet. Die
Worte die er von den Truppen und ihren Führern sprach: ‚Alles habt
Ihr gethan; mit solchen Kräften ist es nicht schwer zu siegen; ich trage
den Lohn für Eure Mühe,' bleiben mir ewig unvergeßlich. Nochmals
erhob er sich zum Schluße des Festes. In den letzten Toast, der seinem

Kaifer, feinem Herrn galt, deffen treuefter Diener zu fein er niemals
aufgehört, fielen die jubelnden Töne des Volksliedes ein, mächtig klangen
die Stimmen aus hundert Kehlen für ihren Monarchen begeifterter Krieger,
und das in die dunkle Nacht hinaus hallende Echo zweier Orchefter ver=
kündete der Umgebung, daß in dem alten treuen Wien zum erftenmal
wieder die Loyalität für das allgeliebte Kaiferhaus ein Feft feiere, das
mit Gottes Hilfe durch kein furchtbares Intermezzo mehr getrübt werden
foll" [280]).

III.

Olmüz und Kremsier.

„Es ist doch etwas eigenthümliches um den
Wellenschlag der Geschichte. Will man nicht
glauben daß der alles durchwehende Gedanke
unerfaßlich größer sei als das Sümmchen
Verstand in einem menschlichen Gehirn, so
müßte man oft das ganze Getriebe für ein
principloses Chaos halten das ohne Anfang
und ohne Ende, ohne Ursache und ohne Zweck
dahinstuthet. Vor wenig Wochen noch schritt
die Revolution dröhnend durch Europa, die
Völker jubelten und die Kronen bebten —
jetzt ist jene im Kampfe mit der Gegen=Re=
volution unterlegen, die Fürsten gebieten wie=
der und die Völker schweigen wieder; es han=
delt sich längst nicht mehr um Reaction, die Pa=
role von heute ist Restauration“.

Gritzner Flüchtlingsleben S. 49.

20.

Über den Wiener Reichstag war, nach der blutigen Katastrophe des
6. October und der durch sie veranlaßten abermaligen Entfernung des
Monarchen, von der Hof=Partei der Stab gebrochen. Selbst abgesehen
von den militärischen Maßregeln die sich gleich darauf vorzubereiten be=
gannen und an deren Ende alle Welt einen länger oder kürzer dauernden
Belagerungszustand voraussah, von einem Fortbestande der National=Ver=
sammlung in einer Stadt wo solche Gräuel vorgefallen waren konnte
keine Rede sein. Mit so süß=sauren Mienen man sich darum in jenen
Kreisen in die von den Prager Sendboten betonte „Unauflösbarkeit“ des
constituirenden Reichstages fügte, so eifrig wurde von ihnen mit beiden

18

Händen darnach gegriffen, als von derselben Seite auf eine durch die Umstände gebotene Verlegung desselben an „einen Ort außerhalb Wien" hingedeutet wurde. Es fragte sich nur wohin? Am erften mochte man auf Olmütz, die augenblickliche Residenz-Stadt des Reiches, verfallen, wenn nicht für den Hof die unmittelbare und in einer so kleinen Stadt auf Schritt und Tritt fühlbare Nachbarschaft einer Versammlung, von der ihm so bitteres Leid zugegangen war und in deren Fortbestand er nur mit innerem Widerstreben gewilligt hatte, eine nichts weniger als wünschenswerthe Sache gewesen wäre. Prag verlangten sich die böhmischen Abgeordneten selbst nicht, weil dies unter den obwaltenden Umständen dem ganzen Vorgang den Anschein eines einseitigen Partei-Manoeuvres geben mußte. Es wurde von ihnen auf Brünn gewiesen; allein die zahlreiche Arbeiter-Bevölkerung dieser Stadt, die gerade in den letzten Wochen wiederholte und nicht unbedeutende Ruhestörungen herbeigeführt hatte, bot kaum mehr Bürgschaften für eine ungestörte Fortsetzung der reichstäglichen Berathungen als Wien. Zuletzt fiel von irgend einer Seite, wie es heißt von Palacky [281]), der Name Kremsier, und da der Fürst-Erzbischof von Olmütz, wie er schon hier den opferwilligen Wirth machte, auch seine ausgedehnten Kremsierer Räumlichkeiten für den angedeuteten Zweck zur Verfügung stellte, so erging am 22. October jenes kaiserliche Patent das am 25. darauf, von einem Schreiben Weffenberg's begleitet, in die Hände des Wiener Reichstags-Präsidenten gelangte. Es enthielt den Allerhöchsten Befehl, daß der Reichstag seine Sitzungen, deren weiterer Verlauf „bei dem gestörten Zustande der gesetzlichen Ordnung in der Hauptstadt und bei dem bevorstehenden Eintritte militärischer Maßregeln unmöglich geworden", in Wien „alsobald" unterbreche und sich am 15. November in der Stadt Kremsier zuverläßig einfinde, „um daselbst die Berathungen in Beziehung auf die Verfassung wieder aufzunehmen und solche mit Befeitigung aller Nebenrückfichten in Bälde einem gedeihlichen Ende zuzuführen. Wir verfehen Uns, daß alle zum conftituirenden Reichstage gewählten Vertreter des Volkes ihrer Pflichten gegen das Vaterland eingedenk sich angelegen sein laffen werden, pünktlich zur beftimmten Zeit an dem bezeichneten zeitweiligen Sitze des Reichstages zu erscheinen und sich daselbst ungesäumt mit der baldigen Lösung der ihm gewordenen großen Aufgabe ernftlich zu beschäftigen."*)

Das Recht des conftitutionellen Staatsoberhauptes eine gesetzgebende

---

*) Vgl. unfern I. Bd. S. 208 f.

Versammlung zu vertagen, zu verlegen und aufzulösen, ist, dafern in der betreffenden Verfassungs=Urkunde nicht ausdrücklich anderes festgesetzt wäre, etwas selbstverständliches; die Eigenschaft eines constituirenden, eines ver= fassungsgebenden Reichstages konnte in dieser Hinsicht um so weniger einen Unterschied machen, als derselbe seinen Bestand und Beruf eben aus keiner andern Quelle als von der großmüthigen Gewährung des Staats= oberhauptes herleitete [282]). Andererseits mußte sich jeder Vernünftige fagen, daß in einer dem Treiben innerer Factionen und den Bedrohungen der militärischen Macht preisgegebenen Stadt, wie Wien Mitte October war, sich unmöglich die Ruhe und Sammlung des Geistes voraussetzen lasse welche die Berathung einer so überaus wichtigen Angelegenheit wie des Verfassungswerkes für den Kaiserstaat jedenfalls erheischte. Allein was soll es der politischen Leidenschaft mit derlei Erwägungen! Die Ver= legung des Reichstags in eine mittelmäßige mährische Landstadt war, nach der gänzlichen Auflösung desselben, der empfindlichste Schlag der die Wiener Linke treffen konnte, und sie beschloß darum allsogleich „von dem übelberathenen Kaiser an den besser zu berathenden" zu appelliren. „Der Reichstag könne sich auf das kaiserliche Wort vom 19. October berufen, worin ihm die ununterbrochene Fortsetzung seiner Berathungen ver= bürgt worden. Der Reichstag habe es bei wiederholten Anlässen ausge= sprochen, daß Wien der einzig mögliche Ort sei welcher der Gleichberech= tigung so vieler Nationalitäten entspreche. Die Volksvertreter hätten ihr Mandat zur constituirenden Reichsversammlung nach Wien und nur nach Wien übernommen. Durch die Verlegung des Reichstages außer= halb Wien würde ihm die nothwendige unmittelbare Berührung mit den Central=Behörden, die Benützung der reichen wissenschaftlichen Hilfsmittel der Hauptstadt entzogen, werde diese selbst durch die Schmälerung ihres Verkehrs und öffentlichen Lebens vielfachen Bedrängnissen preisgegeben. Keine Maßregel könne unheilvoller für die Zukunft Österreichs, gefahr= drohender für den Fortbestand der Gesammt=Monarchie und für die Auf= rechthaltung der Krone selbst sein als die Verlegung des constituirenden Reichstages an einen andern Ort. Schwächung des Verbandes der Pro= vinzen, nationale Eifersucht und Überhebung, ja Bürgerkrieg würden die unausweichlichen Folgen sein. Der Reichstag fühle sich darum gedrungen, an Se. Majestät die dringende Bitte zu unterbreiten die erwähnte Ver= fügung zurücknehmen zu wollen." Die Abfassung der bezüglichen Adresse war in die Hände Umlauft's gelegt worden, dessen Freiheitssinn und

18*

Mannestrotz mit jedem Tage um den Windischgrätz der Stadt näher
rückte tiefer herabgestimmt wurde, und in der That waren die Ausdrücke
seines Entwurfes zahm und verständig zu nennen, im Vergleich zu jenen
die in der Abendsitzung des 25. October von den verschiedenen Wort=
führern der Linken gebraucht wurden. Schuselka nannte die Maßregel
„eine der unglückseligsten und verderbendrohensten die in diesen verhäng=
nisvollen Tagen getroffen wurden", eine „wirklich unverantwortliche",
ausgegangen von Männern deren Absicht es sei „die Stadt Wien zu
Grunde zu richten", die „fürchterlichste Maßregel gegen die Stadt Wien"
und, er sage das offen, „eine fürchterlichere als selbst die Drohung des
Belagerungszustandes." Borrosch wollte nichts von einer „Bitte" an den
Kaiser wissen, eine Bitte schließe „die mögliche abschlägige Antwort in
sich"; er verlangte eine eindringliche Vorstellung „daß der Reichstag sich
weder vertagen noch versetzen lassen kann und darf". „Der constituirende
Reichstag", sagte er, „ist autonom. Als solcher hat er seine Vertagung
allein zu bestimmen; nicht eine Stunde Vertagung kann ihm anbefohlen
oder decretirt werden. Eben so ist es mit der Versetzung an einen andern
Ort; denn sonst könnte es sich finden daß der Reichstag am Schlepptau
des Hofes reisen, vielleicht nach Innsbruck sich versetzen lassen müßte.
Eine Versetzung des Reichstages von Wien hat, ich bin es fest überzeugt,
unmittelbar die Hervorrufung nicht blos eines Bürger= sondern eines
Racenkrieges, ja, wie ich fürchte, einen Kampf zwischen der Civilisation
des westlichen Mittel=Europa gegen das von Osten eindringende China=
thum zur Folge. Wien die Wiege des Reichstages war bisher ununter=
brochen dessen Heimat; eine Verlegung desselben an was immer für einen
andern Ort würde diesen zum Grabe des constituirenden Reichstages
machen." Je mehr er sich in die Sache vertiefte, desto größeren Unsinn
schwatzte er zusammen. „Wie wenn aber dennoch ein Theil dieser Ver=
sammlung nach Kremsier ginge? Beinahe die Hälfte der Mitglieder ist
uns ohnedies nach und nach abhanden gekommen! Aber käme selbst dort
die Majorität zusammen, so wäre sie zwar eine numerische Majorität,
aber nicht auf dem constitutionellen Rechtsboden, und die numerische
Minorität die hier zurückbliebe würde die constitutionell berechtigte Ma=
jorität sein!" Vollends eine Verlegung des Reichstages in einen Ort wie
Kremsier würde „eine de facto ausgesprochene Čechisirung des Reichs=
tages" sein. Von Besorgnissen anderer Art zeigte sich Violand erfüllt.
„Wenn wir in Kremsier sind", meinte er, „können wir nicht frei bera=

then. Wir sind umgeben von mittelalterlichen Institutionen. Kremsier ist
der Sitz eines Lehnsgerichtes, es ist eine geistliche Herrschaft. Wir haben
keine Presse, kein Publicum, wir können mit dem Volke nicht verkehren.
Denke man sich wenn man sagen wollte, der Reichstag solle tagen in
Gablitz; und ist Kremsier etwa größer als dieser Ort?*) Ein freies und
offenes Aussprechen der Ideen ist dort durchaus nicht möglich ohne bei
den geistlichen Herren, die sich vielleicht auf der Galerie befinden, das
schallendste Gelächter zu erregen" [283]). Im Auftrage des Reichstages
machte Minister Kraus Vorstellungen beim Hof und bei Wessenberg, indem er auf die Schwierigkeiten hinwies die aus der Entfernung des
Reichstages vom Sitze der Wiener Central-Stellen entstehen müßten.

Im Publicum, in der Journalistik der aufgeregten Hauptstadt, in
der oppositionellen Tagespresse überhaupt wurde alles mögliche hervor-
gesucht um der Verlegung des Reichstages die gehäßigsten Beweggründe
zu unterschieben. Der in der Winter-Reitschule entbrannte Kampf setzte
sich außerhalb derselben noch längere Zeit fort. Es gab Solche die
darin allen Ernstes „den Keim einer neuen Revolution, eines Kampfes
der Provinzen" erblickten. Die Wahl von Kremsier galt für nichts
anderes als einen verfänglichen Schachzug der böhmischen Partei. „Hat
die Rechte in Wien gesagt sie sei von der deutschen Linken terrorisirt
worden, wird dieses die Linke in Kremsier nicht eben so gut von der
slavischen Rechten sagen können?" Und habe nicht, spöttelten sie, Kremsier
in der That den doppelten Vorzug, „in einer slavischen Provinz zu
liegen ohne eine bedeutende, am allerwenigsten eine regsame Bevölkerung
zu besitzen, und durch die erzbischöfliche Residenz Elemente in sich zu
bergen welche durch die vortheilbringenden hohen Einwohner geschmeidig
zu sein gewohnt seien?" [284]). Auch fanden sie heraus „daß die Lage
zwischen der Festung Olmüz und dem Spielberg nicht ohne Absicht gewählt worden sei" [285]). Allein die Vertheidiger der von der Regierung
ergriffenen Maßregel blieben die Antwort nicht schuldig. Hatte Violand
in seiner sprudelnden Weise den eigentlichen Grund des Widerstrebens
der Linken unvorsichtig ausgekramt, weil ihr nämlich in einem kleineren
Orte der Rückhalt der Galerien und der Gasse fehlte, so meinten Andere
daß gerade in diesem Umstande der sprechendste Beweis für die Klugheit des erfolgten Schrittes zu finden sei [286]). Wenn ein großer Theil

---

*) Gablitz ein Ort in der Nähe von Wien mit ein paar hundert Seelen, Krem-
sier eine Stadt mit mehr als 7000 Einwohnern.

der Abgeordneten kein Hehl daraus machte, daß die Aussicht die kurzen
Wintertage in einer langweiligen Landstadt zubringen zu müssen an
ihrer Unluft von Wien zu scheiden keinen geringen Antheil habe, so
wurde von anderer Seite bemerkt daß die Entfernung von allem, was
die Abgeordneten zerstreuen und von ihren Berufsgeschäften abziehen
könne, dem rascheren Abschluße des Werkes das ihnen obliege nur höchst
förderlich sein könne. Verwünschte man Kremsier dort als ein Reichs-
tags-Exil, so pries man es hier als ein Reichstags-Asyl. Die Einen
nannten es ein schmuckes freundl'ches Städtchen, weissagten ihm es
werde das „Bethlehem werden aus dem der politische Heiland hervorgehen soll", die Andern schimpften es ein unbequemes Nest „nicht größer als ein mittelmäßiges Dorf", und meinten höhnisch es werde „jetzt
Dinge kennen lernen von denen sich seine Philosophie bisher nichts
träumen laffen". Diese machten in vorhinein schlechte Witze über die
armselige Straßenbeleuchtung und über das Pflaster, „eigentlich die
holperige Reihe spitz aneinander gefügter Kieselsteine", die im Stande
sei „einen Hypochonder gesund und einen Gesunden der an Hühneraugen
leide hypochondrisch zu machen"; Jene meinten, unter solchen Umständen
würden die Abgeordneten nur um so fleißiger in den Abtheilungen und
Ausschüssen sitzen, und wen schon sein Beruf des Abends durch die
Straßen führe, der möge das geringe Opfer bringen sich auf gut klein-
städtisch ein Sacklaternchen zu kaufen. . . .

Die Eröffnung des Reichstages in Kremsier war anfänglich auf
den 15. November angesetzt worden. Da sich aber bald zeigte, daß nach
dem Auseinanderstäuben des Wiener Rumpf-Parlaments viele Abgeordnete in ihre zum Theil entfernte Heimat gegangen waren von wo
sie kaum rechtzeitig an ihrem neuen Bestimmungsorte eintreffen konnten,
und daß andrerseits die Herrichtungen im fürsterzbischöflichen Sommer-
Palaste, die Anstalten für die Aufnahme so vieler Gäste in einer auf
solch ungewöhnlichen Besuch nicht vorbereiteten Stadt, so wie manch
andere Vorkehrungen einen kleinen Aufschub wünschenswerth erscheinen
ließen, so wurde die Frist für den Wiederbeginn der Sitzungen mit
Cabinets-Schreiben vom 10. November bis zum 22. hinausgerückt.

21.

Kremſier, eine Stadt mit damals 6000 bis 7000 Einwohnern, liegt am ſüdweſtlichen Ende jenes von Flüßen und Bächen reich bewäſſerten, mit einer prachtvollen ſchwarzen völlig ſteinloſen Dammerde bedeckten Landſtriches, der mit Recht als einer der geſegnetſten von ganz Mähren gilt. Das Weichbild der Stadt durchſtrömt die March, der von der linken Seite der Gußbach Bečva und die minder bedeutende Moſtenka zufließen; von der rechten nimmt ſie etwas oberhalb beim Dorfe Poſtupek nach ungefähr ſieben Meilen langem Laufe die Hana, auf die dem ganzen Gebiete den Namen der Hanakei, den Bewohnern desſelben jenen der Hanaken gegeben. Die zeitweiligen Überſchwemmungen der Hana, denen jedoch in neuerer Zeit einige Schranken geſetzt worden, dann jene der March und der bei Regengüſſen raſch anſchwellenden Bečva leiſten der Umgegend von Kremſier einen ähnlichen Dienſt wie jene des Nils dem Lande Ägypten. Ein fruchtbares von einem milden Klima beglück= tes Land bringt die Hanakei Getreide aller Art in vorzüglicher Güte hervor; Gemüſe gedeiht in reicher Fülle. Saftige Wieſen kommen der Viehzucht zu ſtatten; die Pferde der Gegend, denen der Hanake eine beſondere Liebe und Sorgfalt zuwendet, ſind im ganzen Lande geſchätzt. Blüthenreiche Fluren bieten üppige Weide für die Bienen, deren Zucht in früheren Jahrhunderten noch ausgedehnter betrieben wurde als heut= zutage; der uralten Capelle von Kremſier an deren Stelle die jetzige Liebfrauenkirche ſtehen ſoll lieferten die Bienenſtöcke von Otěhřivi, einem ſeither verſchwundenen Dorfe, reiche Einkünfte, und auch ſonſt ſpielen Honig und Wachs in der geiſtlichen Stiftungsgeſchichte der Stadt keine unbedeutende Rolle. Die Bewohner dieſes fruchtbaren Ländchens ſind ein ſchöner kräftiger Menſchenſchlag. Den hanakiſchen Mädchen mit ihren Roſenwangen erkennt die junge Welt des Mährervolkes den erſten Preis zu; „wenn es keine Hanakinen gäbe, wäre aus ihm ein (geiſtliches) Herrlein geworden" (kdyby nebylo Hanáček, byl by z něho paná= ček). Die jungen Burſche mit ihren bartloſen Milchgeſichtern, das Haupthaar zu beiden Seiten hinter das Ohr geſtrichen und nur ober

der Stirn nach altslavischer Sitte kurz zugeschnitten, gewähren in ihrer
Feiertagstracht mit dem runden mit rothen Bändern und frischem Ros=
marin gezierten Hute, mit der hellgrünen mit Silberknöpfen besäten
Jacke, mit den lichtrothen bis an die Knie reichenden Beinkleidern und
den hohen steifen Stiefeln, um den Leib einen breiten von kleinen Spie=
gelchen flimmernden Gürtel, einen ganz stattlichen Anblick. Der Hanake
ist offen und ohne Falsch; auf seinem Gesichte spiegeln sich Munterkeit
und Frohsinn; er ist seines Witzes halber bekannt, dessen Wirkung durch
eine eigenthümliche Aussprache des Böhmischen noch erhöht wird. Dem
städtischen Leben fremd, das er höchstens vom sonntäglichen Besuche der
Hauptkirche flüchtig kennt, bilden Landwirthschaft und Handel mit den
Bodenerzeugnissen die fast ausschließliche Beschäftigung, die den Hanaken
zum wohlhabenden, von seinen Nachbarn ringsum gepriesenen Manye
macht. Fühlte sich doch ein Schuselka, der gewiß nicht gern nach Kremsier
gegangen, von der Wahrnehmung des gesegneten Landes und des zu=
friedenen Völkchens das es bewohnt bald so gerührt, daß er sich nichts
besseres einbilden konnte als „ein ausgiebiges Stück der fruchtbaren
Hana zu besitzen und dann aus vollem Herzen zu singen: Beatus
ille 2c." [287]). „Ach daß es uns doch so ginge, wie es den Hanaken
geht!" (Kdyby nám bylo jak je Hanákům!) heißt es in einem mäh=
rischen Volksliede. Daß es aber dem vielbeneideten Hanaken auch an
kriegerischem Muth und Tapferkeit nicht fehle, davon haben die Feldzüge
Österreichs aus alter und neuer Zeit zahlreiche Beweise geliefert, und
eben erst aus den Siegestagen Radecky's war das „Haltet euch Hana=
ken!" (Držte se, Hanáci!), womit der tapfere Oberst Sunstenau seine
kampfbegeisterte Mannschaft den Kugeln des Feindes entgegenführte und
an ihrer Spitze einen frühzeitigen Heldentod fand, im Munde aller
Leute.

Wenn Borrosch die Befürchtung aussprach, der Reichstag werde
auf dem Boden der Hanakei „čechisirt" werden, so offenbarte er damit,
abgesehen von manch anderem was ihm an dem Ausspruche mit Recht
gerügt wurde [288]), eine vollständige Unkenntnis der Gegend und ihrer
Bewohner; er kam der Wahrheit näher wenn er umgekehrt prophezeite,
der Boden der Hanakei werde durch den Reichstag čechisirt werden.
Mag man nun, wie eine vielverbreitete Meinung will, die Hanaken für
das wahrste Abbild des slavischen Volksstammes von Mähren halten
oder sie, wie im Gegentheile Andere behaupten, für slavisirte Marko=

mannen ausgeben, Fanatiker des Slaventhums waren sie zu keiner Zeit.
Mit unbefangenem Behagen den bescheidenen Lebensgenüssen ergeben
zu denen ihm der Boden und sein landwirthschaftlicher Fleiß von jeher
die Mittel boten, sprach der Hanake seinen böhmischen Dialekt weil er
eben keinen andern kannte, und nahm von dem Deutsch der benachbarten
Städte nichts an, weil es ihm an Lust gebrach sich mit der Erlernung
eines von dem seinigen so weit verschiedenen Idioms zu plagen. Von
einer sprachlichen oder nationalen Begeisterung war in seinem zum
Phlegma hinneigenden Temperamente keine Spur zu finden. Noch weni=
ger war dies in Kremsier der Fall. Im Gegentheil, Kremsier gleich allen
damaligen Städten Mährens war zwar nicht seinem Charakter nach
deutsch, aber strebte darnach und setzte seine Eitelkeit darein sich einen
deutschen Charakter zu geben. Alle Schulen der Stadt, die Mädchen=
schule nicht ausgenommen, waren durchaus deutsch oder wandten der
deutschen Sprache eine besondere Sorgfalt zu. In den Kanzleien wurde
fast durchaus deutsch amtirt. In den Kreisen der herrschaftlichen Be=
amten sowie der Bürger=Familien waltete die deutsche Conversation ent=
schieden vor. Wollte eine wandernde Schauspielergesellschaft in Kremsier
Glück und Geld machen, so mußte sie deutsche Stücke aufführen. Seit
den Märztagen fehlte es in der Stadt nicht an schwarz=roth=goldenen
Abzeichen, und es kam so mancher Anlaß wo die ehrenwerthen Kremsierer
glaubten, hinsichtlich ihrer ächt deutschen Gesinnung sich von andern
Städten des Landes nicht in Schatten stellen lassen zu dürfen. Das
alles erhielt nun durch den Reichstag, und durch die zahlreichen Abge=
ordneten böhmischer Zunge die er in seiner Mitte hatte, einen Anstoß in
ganz anderer Richtung. Wenn Strobach oder Rieger oder Brauner Aus=
flüge in die Umgegend machten oder sonst mit Bewohnern des Landes
zusammentrafen, bekamen diese aus ihrem Munde das reinste Böhmisch
zu hören. Als in Kremsier ein Ball „zum Besten der Nationalgarde"
veranstaltet wurde, erschienen die jüngeren unter den böhmischen Abge=
ordneten in der Čamara oder doch mit slavischen Abzeichen; Tänze und
Figuren wurden von den Ausschüßen in böhmischer Sprache angegeben
und die schönen Kremsiererinnen, von Kindesbeinen gewöhnt im gesell=
schaftlichen Leben möglichst deutsch zu erscheinen, konnten vor Erstaunen
nicht zu sich kommen als die flinken Tänzer ihnen zumutheten ihre in
den Winkel geschobene Muttersprache hervorzusuchen. Auch in andern
Orten der Umgebung wurden „Besedy" nach bestem Prager Muster ge=

halten; nationale Weiſen ertönten zu den böhmiſchen polniſchen oder
ruſſiſchen Tänzen die da aufgeführt wurden; erſchien etwa Brauner in
der Mitte der luſtigen Geſellſchaft, ſo ließen ihm die Hanaken einen
Tuſch blaſen und trugen ihn auf ihren Schultern triumphirend im Saale
herum. Wie faſt allerorts in ſolchen Dingen, war es auch in der
Gegend von Kremſier die Frauenwelt in deren Reihen die Apoſtel der
neuen Lehre zuerſt Anhang fanden, und an den Vertreterinnen des
ſchönen Geſchlechtes, die ſich mitunter auf der Zuſchauer=Empore des
Reichstagsſaales zeigten, konnten die Mitglieder der Rechten oft genug
weiß=blau=rothen Aufputz in Bändern oder Roſetten entdecken. —

Wir ſahen Kremſier zum erſtenmal, als wir in jungen Jahren den
Wanderſtock in der Hand von Tobitſchau (Tovačov) die Olmützer Straße
herab kamen. Es war in ſchöner Jahreszeit, die Strahlen der nachmit=
tägigen Sonne glitzerten an den vielen Kuppeln und Thürmen und
ſpiegelten ſich in den Fenſtern und an den ſauber getünchten Mauern
mehrerer hoher langgeſtreckter Gebäude deren Pomp dem Orte ein ganz
großſtädtiſches Anſehen gab; dabei war aber das Ganze ſo anmuthig
im Halbkreiſe umfangen von dem üppigen Grün ausgedehnter Garten=
anlagen und bewaldeter Höhen, daß ſich ſogleich der Charakter des
Landſtädtchens wieder kundthat. So lag ſie vor unſeren Blicken da, die
wohnliche Stadt, die, zu damaliger Zeit ſelbſt in Öſterreich geſchweige
denn jenſeits unſerer Gränzen nur wenig gekannt, ihren größten Stolz
dareinſetzte den Sommerſitz der reichen und mächtigen Kirchenfürſten von
Olmütz abzugeben, und ſich in ihrer vormärzlichen Unbefangenheit nicht
träumen ließ, daß es ihr dereinſt beſchieden ſein ſollte, eine für die
Geſchichte Öſterreichs ſo entſcheidende Rolle zu ſpielen und ihren Namen
mit einemmal von allen Zeitungen des Erdballs genannt zu hören. Es
iſt ein in heimiſchen Urkunden frühzeitig genannter Ort; doch hat ſich
von ſeinem hohen Alterthum außer einigen Reſten in der Mauritius=
Kirche, die noch von dem urſprünglichen Baue des Biſchofs Bruno um
1260 ſtammen, nichts erhalten. In den wüſten Huſitenzeiten 1423 und
1431 hart mitgenommen, der Zerſtörung anheimgefallen und halb in
Aſche gelegt, zweihundert Jahre ſpäter, 1643, unter einem Blutbade
von den Schweden erſtürmt ausgeplündert und abermals zu einem
großen Theile eingeäſchert, 1742 von den Preußen eingenommen und
ausgeſogen, hat ſich Kremſier zwar jedesmal nach den harten Schlägen

wieder erholt, aber dabei immer mehr von seinem alten Charakter eingebüßt. Die Pfarrkirche zu Unserer Lieben Frau und die Piaristen-Kirche zum h. Johann dem Täufer gehören in ihrer jetzigen Gestalt durchaus dem achtzehnten Jahrhundert an; das Residenz-Schloß, ursprünglich als Castell gebaut, hat seither ganz die Gestalt eines regelmäßigen modernen Baues angenommen; nur die Collegiat-Kirche zum heil. Mauritius hat der Hauptsache nach ihren gothischen Charakter bewahrt, obwohl auch sie seit dem letzten großen Brande 1836 ein neues Gewand anziehen mußte. Wenn etwas in Kremsier an seine ursprüngliche Anlage erinnerte, so waren es die Stadtmauern und die Stadtthore als Überbleibsel ehemaliger Befestigung, und der „große Ring" in dessen ausgedehnt viereckigen Plan die Gassen von den verschiedenen Seiten münden. Das nach der Platzseite hallenartig geöffnete Erdgeschoß der Häuser, deren Stirnwand über den Rand des Daches hinausragt und letzteres dadurch den Blicken verdeckt, bildet die sogenannten „Lauben", eine Eigenthümlichkeit aller ältern böhmisch-mährischen Städte die sie mit manchen ober-italienischen, namentlich Padua, gemein haben. Die Lauben bilden den eigentlichen Mittelpunkt des städtischen Lebens: da finden sich die Kaufläden für alle Arten von Waaren, da sitzen die Höckerinnen bei ihren Ständern; da ist der Ort für den Spaziergang der unter dem schützenden Obdach selbst bei schlechtem Wetter unternommen werden kann; da ist der Boden mit breiten Platten belegt die gegen „die Felsblöcke die man hier Pflaster nennt", gegen jene „wahren Steine des Anstoßes" einen Abstand bilden, der von den Hühneraugen-Behafteten unter den fremden Ankömmlingen besonders wohlthuend empfunden wurde.

Um die Mitte des fünfzehnten Jahrhunderts finden wir die Stadt eine Zeitlang dem Husitismus verfallen. Ein abtrünniger Priester predigt wider den „Götzendienst", Papst Calixtus III. nennt Kremsier einen Hauptsitz der Ketzer und Schismatiker; die Domherren des Collegiat-Capitels bringen sich zerstreut in der Fremde fort, zum Theil in bitterer Noth. Zwar gewinnen bald wieder die Katholischen die Oberhand; der Pikarden-Prediger Mathias wird vor der Stadt von vier Pferden zerrissen, sein Genosse Janicellus verbrannt. Doch etwa hundert Jahre später erhebt der Protestantismus sein Haupt; der Prädicant Johann von Proßnitz und ein anderer von Plumenau predigen öffentlich gegen den römischen Glauben, gegen den Bilderdienst, gegen jede irdische Obrigkeit; auch in Wirthshäusern suchen sie ihre Lehren vorzutragen,

bis sie in trunkenem Zustande auf Geheiß des Bischofs Pawlowski ergriffen und in Haft gebracht werden. Zum Jahre 1591 heißt es daß alle
Einwohner zum Genuß des h. Abendmales unter einer Gestalt zurückgebracht worden sind; allein noch bis gegen die Mitte des siebenzehnten
Jahrhunderts haben die Jesuiten zu thun, durch eifrige Missionen das
im geheimen fortwuchernde Unkraut falscher Lehren auszujäten. Von dieser Zeit an ist Kremsier treu katholisch und wird unter dem Walten des
Krummstabes zur wohlhabenden Stadt. Das Collegiat-Capitel wird neu
bestiftet; die verwüsteten Kirchen erheben sich aus ihrem Verfalle, das
erzbischöfliche Schloß wird der Sommersitz des Capellans und reichsten
Vasallen der böhmischen Krone. Hier ist die Lehensstube, wo bei jedem
Wechsel in der Person des Kirchenfürsten 61 Lehensholde vor dem Throne
ihres neuen Oberherrn erscheinen ihm den Vasallen-Eid zu leisten. Hier
laufen während eines großen Theiles des Jahres die Fäden zusammen,
welche die entlegensten Punkte der Olmützer Erzdiöcese mit ihrem geistlichen Oberhaupte verbinden. Aber auch Kunst und Wissenschaft haben hier
eine Stätte gefunden. Der erzbischöfliche Palast, ein stolzer mächtiger
Bau, hat der Architektur, der Malerei und Bildnerei, den verschiedenen
Zweigen des Kunstgewerbes Gelegenheit zur Entfaltung ihrer schönsten
Mittel geboten. Der durch zwei Stockwerke reichende große Saal mit
seinem reich verzierten Plafond, dessen größten Theil drei von Karl Adolf
von Freenthal ausgeführte Ölgemälde mit allegorischen Darstellungen
einnehmen, der Thronsaal, der ganz mit Bildnissen geschmückte Speise-
saal, der Bibliotheksaal, der Lehensaal, beide mit geschichtlichen Darstellungen al fresco geziert, eine Reihe kostbar ausgestatteter Prunk-
zimmer, die Schloß-Capelle, endlich die schönen nach der Parkseite mün-
denden Souterrains, alles das bietet eine Fülle von Sehens- und Be-
wundernswerthem; eine kleinere und eine größere Bibliothek, ein trefflich
geordnetes Archiv, eine Münzen- und Medaillen-Sammlung zeugen von
einem freigebigen Mäcenatenthum ihrer Gründer und Erweiterer. Von
dem geräumigen Platze vor dem Haupteingange des Schlosses führt ein
großartiges Prostyl gegen den Park. Zur Seite befindet sich die Hauptwache der erzbischöflichen Garde die der königliche Caplan von Olmüz
als Herzog und Fürst, ähnlich dem Fürsten Schwarzenberg als Herzog
von Krumau und dem Fürsten Eßterházy als Erbherrn zu Forchtenstein,
zu halten seit alten Zeiten begnadet ist. Der ausgedehnte englische Park,
aus einer vordem einförmigen halb versumpften fast baumlosen Ebene

ohne Hügel und Fels hervorgezaubert, ist nach dem Eisgruber der größte
und schönste der Monarchie. Von einem Arme der March durchströmt.
von einem andern begränzt, von mehreren größeren und kleineren Teichen.
Wasserbecken, kleinen Cascaden und Wasserkünsten belebt, bietet er in der
schönen Jahreszeit die reichste Mannigfaltigkeit von Laubgängen, schatti
gen Hainen, freien Wiesen-Partien, lauschigen Ruheplätzen. Die Teiche
sind von Schwänen, von Enten der verschiedensten Art bevölkert: ein
von leichtem Drahtgitter umfangener Platz läßt eine Anzahl zahmer
Rehe kaum ihre Freiheit vermissen; unter einem weit gespannten Netze
tummeln sich die prachtvollsten Gold= und Silber=Fasanen lustig herum:
in mit starkem Gitter abgeschlossenen Felsverließen haufen Adler und
andere Raubvögel: für scheue Füchse sind in einer Vertiefung eigene
Hütten angebracht. Dazwischen alles was sich an Lustbauten der verschie
densten Völker und Erdstriche anbringen läßt: eine halbkreisförmige
dorische Säulenhalle, ein Kiosk, ein Freundschaftstempel, eine Eremitage,
ein Blumenthurm, eine Iris-, eine Phantasie-, eine Laternen-Brücke,
allerhand Pavillons, und am nordöstlichen Ende des Parks ein Pracht
bau im dorischen Style den man für einen Tempel der Ceres oder
Pomona halten könnte, worin man aber, wenn man die breiten Stufen
hinansteigend aus dem stolzen die ganze Breite der Stirnseite einnehmen
den Säulengange in das Innere tritt, den zierlichsten aller — Kuhställe
entdeckt. Etwas abseits von der Stadt, mit dem Park durch eine Pappel=
Allee verbunden, befindet sich der ältere, in französischem Style ange
legte Ziergarten mit Gewächshäusern, einem Wasserkunsthaus, einer
prachtvollen Galerie, einem kleinen aber tückischen Labyrinthe u. a. m. [289])

Bald nach Anfang November hatte sich, von dem Vertrauen der
alten wie der neuen Minister dazu berufen, der geschäftige Reichstags
Ordner Aloys Zelen in Kremster festgesetzt, unter dessen gutmüthig herri
schem Walten die Vorbereitungen für die Unterkunft des Reichstages.
der Ministerien, der Abgeordneten getroffen wurden. Er war Bau=
spector Decorateur und Arrangeur, Reichstags=Commissär und Er
er war alles in allem. Er wohnte im Schlosse; Arbeitsaufseher
leute Bediente Bürger Stadträthe neue Ankömmlinge strömten
und zu, die Einen seiner Befehle gewärtig, die Andern
Rathschläge einholend. In den kargen Zwischenräumen sei
flüchtete er auf den Musik-Chor der Kirche oder setzte si

liebtes Fortepiano, und es gab unter den Feinden, deren er sich genug machte, Solche die da boshaft meinten: wenn das Sprichwort von „schlechten Musikanten und guten Leuten" wisse, so müsse es von Jelen umgekehrt lauten.

Der Fürst=Erzbischof hatte den weitaus größten Theil seiner Residenz für Reichstags=Zwecke zur Verfügung gestellt. Ähnliches geschah von Seiten mehrerer Domherren, die sich auf ein Geringstes ihrer Wohnungs= räumlichkeiten beschränkten oder ganz von Kremsier wegzogen; eben so mußten viele der herrschaftlichen Beamten für die bevorstehende Reichs= tagszeit auf andere nahegelegene Besitzungen des Erzbischofs übersiedeln. Dessenungeachtet ging es mit der Unterbringung eines so vielgegliederten Körpers knapp genug. So groß und schön der Hauptsaal des Kremsierer Residenz=Schloßes war, einen Ersatz für die imposante Räumlichkeit der kaiserlichen Winter=Reitschule zu Wien konnte er nicht bieten. Der am= phitheatralische Aufbau den man anbrachte, fiel etwas steil aus; es war buchstäblich und konnte zugleich symbolisch gedeutet werden daß die, über= dies etwas beengten, Sitze der Abgeordneten ein „starkes Gefälle" gegen die Ministerbank wahrnehmen ließen. Dabei wirkte störend daß die Be= leuchtung vom Rücken des Bureaus einfiel so daß der Präsident, die Secretäre und die von der Rednerbühne sprechenden Abgeordneten als Silhouetten erschienen. Zur Ergänzung der Sitzreihen hatte Jelen zwei= hundert Stühle aus dem böhmischen Landtagssaale herbeischaffen lassen; die Ausstaffirung derselben aus grauem Kattun mit rother Einfassung, dazu die goldverbrämten grünen Pulte zeigten eben nicht von Geschmack. Am ungünstigsten waren die Reporters der Zeitungen untergebracht; ihnen war die erste Bank der Galerie angewiesen wo sie im Rücken der Abge= ordneten saßen und diese, wenn sie sprachen, oft nur nach den Umrissen der Gestalt und dem Ton der Stimme zu erkennen vermochten. Der Zu= hörer=Raum mochte für die Kremsierer Verhältnisse genügend erscheinen. Die ehrenwerthen Bürger, sattsam in Anspruch genommen von der Für= sorge für die Deputirten von deren Diäten=Geldern namhafte Procente in ihre Tasche floßen, drängten sich nicht sehr auf die Galerie, und nur ausnahmsweise kam es in der ersten Zeit vor daß vor den Gasthöfen der Stadt stehende Land=Kaleschen einen stärkeren Zuspruch aus der Um= gegend wahrnehmen ließen. Äußerst vortheilhaft waren die Neben=Räum= lichkeiten für den Reichstag, das Vorstands=Bureau, die Gelasse für Ausschüsse und Abtheilungen, die Kanzleien der verschiedenen Ministerien.

Die Wohnungen der Minister und ihres Personales waren zu einem
großen Theil in den schönsten Tracten des weitläufigen Gebäudes unter=
gebracht. Auch für anderweitige Bedürfnisse des Dienstes wurde nach Um=
ständen gesorgt. Im Residenz=Schlosse wurde ein Telegraphen=Amt unter=
gebracht und Kremsier durch elektrischen Draht mit der nächsten Eisen=
bahn=Station Hullein verbunden. Aus Wien wurde Regierungsrath Auer
mit drei Pressen 140 Setzkästen und 20 Setzern der Staatsdruckerei
verschrieben. Dem Buchhändler Hölzel aus Olmüz wurde für die Dauer
des Reichstages gestattet ein Filial=Geschäft in Kremsier zu etabliren.
Zum Theil nothdürftig sah es dagegen mit der Unterkunft der Abgeord=
neten Journalisten und anderer Gäste aus. Auch in diesem Punkte
machte Jelen den General=Quartiermeister; bei ihm lagen Verzeichnisse
der zur Verfügung stehenden Privat=Wohnungen mit deren Preisen auf,
deren mitunter überspannte Höhe er mit wohlangebrachten Späßen oder
Warnungen den Eigenthümern gegenüber herabzustimmen wußte. Gleich=
wohl blieben die nach dem Monat berechneten Miethzinse überdiemaßen
hoch; die Räumlichkeiten, in denen oft drei und vier Abgeordnete mit=
einander Platz nahmen, waren häufig solche die man, wie die Klage sich
vernehmen ließ, „eigentlich niemand als einem ächten Hanaken mit An=
stand anbieten sollte.“ Freilich war andrerseits die Unbequemlichkeit in
Anschlag zu bringen, die für lange Wochen die Vermiether mit ihren auf's
äußerste zusammengepferchten Angehörigen auf sich luden. Auch die Theue=
rung der Lebensmittel konnte in der von einer so plötzlichen und so an=
spruchsvollen Einquartierung überraschten Stadt kaum auffallen. Im
Erdgeschoße des erzbischöflichen Palastes hatte Jelen für die Unterbrin=
gung einer eigenen Reichstags=Restauration gesorgt, die aber, was sowohl
den Preis als die Güte der Waare betraf, den Gasthöfen der Stadt
kaum den Rang ablaufen konnte. Am besten fuhren noch jene der fremden
Gäste, die in der Lage waren sich auf eine bescheidene Hausmannskost
einzurichten.

Im übrigen konnte der Aufenthalt in Kremsier bei der herannahenden
Winterszeit allerdings nicht solche Reize bieten wie in den Monaten der
allenthalben grünenden und blühenden Natur. Die halbverwelkten Blätter
fielen von den Laubholzbäumen ehe noch die ersten Abgeordneten eintrafen,
und nur das Nadelholz in einigen Partien des Parkes und auf den
nahen Höhen behielt sein anheimelnd dunkles Gefieder. Auch sonst fehlte
es nicht an Anlässen zu Ergötzlichkeit und Erholung. Der englische Park,

auf deſſen vielverſchlungenen Pfaden man ſich ſtundenlang ergehen konnte,
war ſelbſt in ſeinen entlaubten Gebieten nicht ohne Anmuth, und wenn
der erſte Schnee ſich um die dürren Äſte legte und ſie bis in ihre feinſten
Spitzen und Ausläufer mit einer glitzernden Silberhülle umzog, bot das
einen gar reizenden Anblick. Als vollends den großen Schwanenteich eine
ſtarke Eisrinde überzog, konnten die Gymnaſtiker auf der glatten Bahn,
deren das Abgeordnetenhaus unter ſeinen jüngeren Mitgliedern nicht
wenige zählte, ihre freien Stunden nicht vergnüglicher ausfüllen. Wie
dem Freunde der Natur das „Land“, ſo gaben dem Beobachter menſch-
lichen Seins und Treibens die „Leute“ mancherlei Stoff. In dem hanakiſchen Leben hat ſich manches von altſlaviſcher Sitte erhalten was den
Blick des Fremden zu feſſeln im Stande iſt. Schon die gewöhnlichen
Markttage, die Zeit des ſonntäglichen Gottesdienſtes u. dgl. wo aus der
Umgegend Leute und Wagen zuſammenſtrömten, in bunter bewegter Menge
den geräumigen Marktplatz, die Lauben, die Nähe der Kirche füllten,
boten eine eigenthümliche Schau. Oder es fuhr ein Hochzeitszug unter
dem Schalle einer mistönigen Trommel durch die Straßen der Stadt;
ein Leiterwagen trug eine Schaar laut jubelnder Mädchen; ein anderer
war thurmhoch bepackt mit dem Bettzeug der Braut, dem Geſchenke ihrer
Geſpielinen. An winterlichen Feiertagen ſah man verkleidete Jungen von
Haus zu Haus ziehen und unter Abſingung althergebrachter Lieder Scenen
aus der heiligen Geſchichte aufführen u. a. m. Damit ſchließlich auch
die freien Künſte nicht leer ausgingen, kam mit Anfang December eine
Schauſpielertruppe unter der Direction von W. Thiel nach Kremſier und
brachte abwechſelnd Trauer und Schauerſtücke, Luſt- und Schauſpiele,
Lebensbilder und romantiſche Gemälde, Liederſpiele und Poſſen mit Ge-
ſang zu Geſicht und Gehör. Es war weder Hofburg- noch Karl-Theater,
aber doch etwas womit ſich ein und der andere lange Winterabend leidlich
ausfüllen ließ.

22.

Schon um Mitte November trafen die erſten Abgeordneten in Kremſier ein, und bald ſetzte jeder Eiſenbahnzug der von Norden oder von

Süden kommend in Hullein anhielt neue Ankömmlinge ab, die sich von
da auf der Achse nach dem etwa eine Wegstunde entfernten Kremsier be=
fördern ließen. Am 16. morgens kam ein großer Theil der böhmischen
Abgeordneten; sie waren am 15. Abends von Prag abgefahren und es
hatte dabei große Feierlichkeit gegeben: Volksmenge, Spalier von Nationalgarden mit Fackeln, Ansprache des Ober=Commandanten Brabec,
Antworten Rieger's, Palacký's, Sláva=Rufe, Hüteschwenken, Abschieds=
Chöre 2c. Von ihren politischen Gegnern befanden sich schon einige an
Ort und Stelle. Nach den heftigen Reden die in der Abendsitzung des
25. October gefallen waren durfte man zweifeln, ob sich Abgeordnete der
Linken einfinden würden; es hieß sogar von mehreren derselben, sie hätten
ihre Mandate zurückgelegt. Allein sie ließen nicht auf sich warten. Bioland, der damals gesagt hatte die Redner der Linken würden von der
blöden Galerie des „mährischen Gablitz" nur ausgelacht werden, war
einer der ersten am Platze, machte seinen ankommenden Collegen die Honneurs und führte sie im Gasthause „zur Sonne" ein, das bald zum gesellschaftlichen Mittelpunkt der Linken wurde. Borrosch, der den Satz
aufgestellt hatte der Reichstag könne gar nicht von Wien wegverlegt
werden und kein pflichtgetreuer Deputirter dürfe nach Kremsier gehen,
erschien gleichfalls ohne Widerrede und Verwahrung. Smolka kam in
Füster's Gesellschaft 2c. Wie vielerlei man gegen die Verlegung des
Reichstages früher einzuwenden gehabt, sobald man sah daß es der Regierung mit dem einmal gefaßten Beschlusse Ernst sei, hörte aller Widerstand auf, und oppositionelle Vereine waren es zum Theil selbst die ihre
Abgeordneten anhielten sich an den neuen Reichstagssitz zu verfügen [290]).
Am 19. November befanden sich bereits 35 Mitglieder der Linken, 127 Abgeordnete überhaupt in Kremsier, und die Straßen und Plätze des bescheidenen Städtchens begannen sich mehr und mehr zu beleben. Der Nimbus,
womit in den ersten Tagen den ehrenwerthen Bürgern von Kremsier die
Persönlichkeit jedes Abgeordneten umgeben zu sein schien, verlor erst dann
etwas von seinem Glanze als sie die bäuerlichen Repräsentanten Galiziens, die reichstäglichen Bronce=Medaillen an der Brust, ohne weiters
ihre Reisebündel über die Schulter werfen und sich und ihre Last in die
ihnen angewiesene Behausung schleppen sahen. Häufig kamen sie schon
von Hullein zu Fuß. Auf wohnlichen Comfort machten sie keinen Anspruch;
eine oder die andere Scheune wurde von einer Anzahl von ihnen als
Winter=Quartier gemiethet. Es kam ihnen darauf an möglichst wenig

19

Geld auszugeben, theils aus eigener Sparsamkeit um von den für ihre
Verhältnisse überreichen Taggeldern dereinst ein hübsches Sümmchen nach
Hause zu bringen, theils weil sie bezüglich derselben, wie verlautete, mit
ihren Wählern einen Pact auf Theilung hatten eingehen müssen. Der
Witz des Wiener „Charivari" von ihren ganz absonderlichen Schnupftü=
chern wurde bald auch den Kremsierern geläufig [291]).

Im allgemeinen herrschte unter den Ankömmlingen aller Farben
keine dem Wiederbeginn der Verhandlungen misgünstige Stimmung. Be=
grüßten sie die Einen mit unverhohlener Billigung, so nahmen sie die
Andern mit einem Seufzer der Resignation wie ein nothwendiges Übel
hin. Freunde ruhiger Gesetzlichkeit fühlten sich erleichtert, der Schwüle des
glimmenden Wiener Bodens und den störenden Eingriffen der Galerie
in der Winter=Reitschule entrückt zu sein. Aber auch die Männer der
Linken hatten unter den obwaltenden Umständen alle Ursache sich das
friedliche Weichbild von Kremsier zu loben. Bei den bedeutendsten von
ihnen war die Erklärung des Räthsels, warum sie nicht blos in Kremsier
erschienen sondern sich förmlich dahin drängten, in dem Umstande zu
suchen daß sie hier eine persönliche Sicherheit fanden die ihnen das Wei=
len unter der Wiener Militär=Dictatur nicht bieten konnte. Sie befanden
sich in Wien nur, wie der criminalistische Kunstausdruck lautet, „auf
freiem Fuße". Goldmark war am 14. November vor dem Strafgerichte
verhört worden, Fischhof um dieselbe Zeit. Füster war sogar schon ge=
fänglich eingezogen und nur auf Verwendung des Reichstags=Präsiden=
ten Smolka und des Ministers Kraus aus seiner Haft entlassen wor=
den; er hatte dabei einen Revers ausstellen müssen ohne Bewilligung
der Stadt=Commandantur die Stadt nicht zu verlassen. Als er nach
Kremsier abgehen wollte, wurden Schwierigkeiten wegen Ausfolgung des
Passes erhoben; abermals bedurfte es besonderer Verwendung im Haupt=
Quartier des Feldmarschalls daß Füster seinen Revers zurückerhielt.
Ihm und den Andern — man sprach im Ganzen von zwölf die sich
in ähnlicher Lage befanden, darunter Violand Kudlich Prato — fiel
darum ein Stein vom Herzen als sie Wien im Rücken hatten, was
übrigens auch physisch keine leichte Sache war. Die Eisenbahnbrücke war
noch nicht hergestellt, man mußte die Fahrt bis Floridsdorf in der Kutsche
machen; „die Souverainetät der Volksvertreter", wie Schuselka launig
erzählt, „die mit ihrer gesetzgeberischen Weisheit hinauswollten, kam
häufig in Conflict mit dem souverainen Volke das mit allen erdenklichen

Victualien hereinkam, und wie es zu geſchehen pflegt, die geiſtigen Intereſſen mußten auch hier den materiellen den Vorzug laſſen" [292]). So war es denn auch nur begreiflich daß die Mitglieder der Linken für ihr Verhalten in Kremſier ſich die größte Mäßigung auferlegten. Die October-Ereigniſſe, ſo hieß es, wollten von ihnen gar nicht zur Sprache gebracht werden; ſie würden keine Sympathie für die deutſche NationalVerſammlung an den Tag legen, im Gegentheile nach den letzten Frankfurter Beſchlüſſen gegen Öſterreichs Anſchluß an Deutſchland ſtimmen. Doch war das alles wohl mehr ſtillſchweigendes Übereinkommen als förmliche Abrede; zu einem organiſirten Club zuſammenzutreten, dazu ſchienen die Mitglieder der Linken, während jene der Rechten und der beiden Centren bereits fleißig beriethen, in den erſten Tagen kaum den Muth zu haben. Sie fühlten ſich ſelbſt auf Kremſierer Boden nicht ſicher genug, und während die Einen eine trotzige Unabhängigkeit zur Schau trugen, ſchlichen Andere, denen das Schuldbewuſtſein auf die Stirne gedrückt war, ſcheu an ihren Collegen vorbei oder ſuchten ſich wohl gar mit Bücklingen und Schmeichelreden an die neuen Machthaber zu drängen. Man konnte Charaktere ſtudiren in jener Zeit.

Vom 21. November datirte die kaiſerliche Entſchließung durch welche die Zuſammenſetzung des neuen Cabinets genehmigt wurde: Präſidium und Äußeres Fürſt Felix Schwarzenberg, Inneres Graf Franz Stadion, Finanzen Baron Philipp Kraus, Krieg G. M. Franz Freiherr von Cordon, Juſtiz Dr. Alexander Bach, Handel und öffentliche Bauten Karl v. Bruck, Landes-Cultur und Bergweſen Edler v. Thinnfeld. „Die neuen Räthe der Krone", hieß es in dem kurzen Rundſchreiben das der Miniſter der auswärtigen Angelegenheiten am ſelben Tage an die Vertreter Öſterreichs an den fremden Höfen ſandte, „treten unter ſchwierigen Zeitverhältniſſen ihr Amt an. Sie erkennen in dem thätigen und einheitlichen Zuſammenwirken ſämmtlicher Regierungs-Organe die erſte Bedingung einer glücklichen Löſung der vielen und wichtigen Aufgaben ihres Berufes". Gleichzeitig liefen auch die Abſchiedsworte des greiſen Weſſenberg an ihre Beſtimmungsorte ab: „Geſundheitsrückſichten, und nur dieſe, haben mich bewogen Se. Majeſtät den Kaiſer zu bitten mich von den mir anvertrauten Staatsämtern zu entheben. Ich fühle mich zu dieſem Entſchluſſe verpflichtet in der Überzeugung, daß meine geſchwächten Kräfte der mir gewordenen Aufgabe unter den gegenwärtigen Um

19*

ständen nicht mehr genügen dürften. Mein Programm ruhte auf dem
Gedanken, die Monarchie auf constitutioneller Grundlage zu befestigen.
Dieses Programm war, ich darf es behaupten, der Ausdruck der Gesinnungen des Monarchen dem die Völker Österreichs ihre Freiheiten verdanken. (Ich scheide mit dem Bewußtsein diesem Programm treu geblieben zu sein, ich scheide mit der beruhigenden Überzeugung daß dasselbe
auch jenes des neuen Ministeriums ist".

Man hatte den scheidenden Minister=Präsidenten mit dem Großkreuze
des Leopold=Ordens lohnen wollen, als man noch glücklicherweise in Er-
fahrung brachte daß er bereits seit mehr als einem Menschenalter das
Großkreuz des Stephansordens, also des höhern Ordens, besaß. Einige
Zeit später ereignete es sich in Korneuburg daß einem verdienstvollen
Bürger die goldene Medaille angeheftet werden sollte, der, als er zum
Empfange derselben im Feierkleide die Empore hinanschritt, von frühern
Zeiten her dieselbe Auszeichnung „mit der Kette" umhängen hatte. Derlei
Dinge konnten vorkommen in einer Zeit, deren vorwaltendes Merkmal
planlose Verwirrung war und wo zudem meist neue Männer und ohne
Vor=Acten arbeiteten. Bezüglich Wessenberg's fand man zuletzt den Aus-
weg daß ihm der Kaiser in Person einen Abschiedsbesuch abstattete, wodurch sich der gute alte Herr über alles geschmeichelt und geehrt fühlte.
Er hatte es verdient! Hoch an Jahren hatte er nicht gezaudert in bedrängter gefahrvoller Zeit dem Rufe seines Monarchen zur Übernahme
des Minister=Präsidiums zu folgen; in treuer Pflichterfüllung hatte er
auf dem wenig beneidenswerthen Posten ausgeharrt bis am 6. October
Bedrohung am Leben ihn von Wien verscheuchte, hatte dann, dem flüchtigen Hofe mit eigener Gefahr nacheilend, muthig sich an dessen Seite
gestellt und war da lange Wochen hindurch geblieben, obgleich ihn längst
Müdigkeit Abspannung und die gereifte Einsicht andern Elementen Platz
machen zu müssen zur langersehnten Ruhe drängten. Nun ging er zurück
in sein stilles Freiburg im Breisgau, wo er schon vordem friedliche Jahre
der Zurückgezogenheit verlebt hatte. Journale bessern Schlages widmeten
ihm ehrende Nachrufe; die gemeinerer Sorte schenkten dem Greise, der
sicher nur das beste gewollt aber in vielbewegter Zeit nicht zu erreichen
vermocht hatte, allenfalls höhnisches Mitleid, „welches der Anblick geistiger und physischer Hinfälligkeit immer erzeugt" [293]).

Am selben Tage, wo Wessenberg schied und das neue Ministerium
öffentlich an die leergelassene Stelle trat, hielt der Fürsterzbischof So=

merau=Beth ein feierliches Hochamt in der Olmüzer Domkirche ab; es geschah dies, wie ein öffentlicher Anschlag kundmachte, über ausdrückliches Begehren der Majestäten, „daß der Geber alles Guten angefleht werde die Reichsversammlung bei ihren folgenschweren Berathungen zu erleuchten und zur gedeihlichen Vollendung des vorhabenden großen Werkes zu kräftigen". Unmittelbar darauf reisten die Minister nach Kremsier ab.

Der 22. November, der Tag der Wiedereröffnung des Reichstages, war da. Schon früh am Morgen war es lebhaft auf dem Platze und in den Gassen des freundlichen Städtchens; die ehrenwerthen Bürger von Kremsier hatten ähnliches nie erlebt, vor wenig Wochen nicht geträumt; alles trug den Stempel einer neugierigen Geschäftigkeit. Gegen acht Uhr eilten Nationalgarde und Bürgerwehr, zusammen 450 Mann stark, ihren Sammelplätzen zu; die erzbischöfliche Miliz mit ihrem riesigen Commandanten an der Spitze war eitel Galla. Um 9 Uhr wirbelten die Trommeln zum Anmarsch theils in theils vor die durch einen langen schwebenden Gang mit dem Residenzschloß verbundene Collegiat= Kirche zum h. Mauritius. Um die zehnte Stunde bewegte sich ein großer Theil von Abgeordneten, die sich im Vorhofe des erzbischöflichen Palastes gesammelt und denen sich eine Anzahl von Reichstagsbeamten Stenographen und Journalisten angeschlossen hatten, den Pforten der Kirche zu, während die Capelle der Bürgermiliz die Weisen der Volks= Hymne anstimmte. Am Hochaltar hielt der Domprobst Friedrich Landgraf von Fürstenberg das Heiligen=Geist=Amt ab; die Geistlichkeit prangte in ihren schönsten Kirchengewändern, das in die Höhe steigende Gewölk aus den Rauchfässern, von dem hereinfallenden Sonnenlicht wie flüchtiges Silber beschienen, hüllte den Schimmer der Lichter in leichten Duft und klangvolle Accorde, in die sich der melodische Gesang der Menschenstimme mischte, rauschten vom Chor durch die hellen Räume der Kirche. Zur selben Stunde ging es in der benachbarten Residenz noch ziemlich bunt her. Im großen Saale wurde genagelt gehämmert abgestaubt, Draperie und Tapete angeheftet, Papier und Schreibzeug für das Bureau zurecht gelegt. Jelen überall mitten im Gedränge flog hin und her, befahl hier schalt dort, polterte dann wieder mit einem böhmischen Kraftausdruck dazwischen und legte, wo es ihm nicht rasch genug vorwärts. ging, wohl selbst Hand ans Werk, wobei er freilich aus übergroßem Eifer und zu geringer Handfertigkeit mitunter die Sache noch mehr in

bis sie in trunkenem Zustande auf Geheiß des Bischofs Pawlowski er=
griffen und in Haft gebracht werden. Zum Jahre 1591 heißt es daß alle
Einwohner zum Genuß des h. Abendmales unter e i n e r Gestalt zurück=
gebracht worden sind; allein noch bis gegen die Mitte des siebenzehnten
Jahrhunderts haben die Jesuiten zu thun, durch eifrige Missionen das
im geheimen fortwuchernde Unkraut falscher Lehren auszujäten. Von die=
ser Zeit an ist Kremsier treu katholisch und wird unter dem Walten des
Krummstabes zur wohlhabenden Stadt. Das Collegiat=Capitel wird neu
bestiftet; die verwüsteten Kirchen erheben sich aus ihrem Verfalle, das
erzbischöfliche Schloß wird der Sommersitz des Capellans und reichsten
Vasallen der böhmischen Krone. Hier ist die Lehensstube, wo bei jedem
Wechsel in der Person des Kirchenfürsten 61 Lehensholde vor dem Throne
ihres neuen Oberherrn erscheinen ihm den Vasallen=Eid zu leisten. Hier
laufen während eines großen Theiles des Jahres die Fäden zusammen,
welche die entlegensten Punkte der Olmützer Erzdiöcese mit ihrem geistli=
chen Oberhaupte verbinden. Aber auch Kunst und Wissenschaft haben hier
eine Stätte gefunden. Der erzbischöfliche Palast, ein stolzer mächtiger
Bau, hat der Architektur, der Malerei und Bildnerei, den verschiedenen
Zweigen des Kunstgewerbes Gelegenheit zur Entfaltung ihrer schönsten
Mittel geboten. Der durch zwei Stockwerke reichende große Saal mit
seinem reich verzierten Plafond, dessen größten Theil drei von Karl Adolf
von Freenthal ausgeführte Ölgemälde mit allegorischen Darstellungen
einnehmen, der Thronsaal, der ganz mit Bildnissen geschmückte Speise=
saal, der Bibliotheksaal, der Lehensaal, beide mit geschichtlichen Dar=
stellungen al fresco geziert, eine Reihe kostbar ausgestatteter Prunk=
zimmer, die Schloß=Capelle, endlich die schönen nach der Parkseite mün=
denden Souterrains, alles das bietet eine Fülle von Sehens= und Be=
wundernswerthem; eine kleinere und eine größere Bibliothek, ein trefflich
geordnetes Archiv, eine Münzen= und Medaillen=Sammlung zeugen von
einem freigebigen Mäcenatenthum ihrer Gründer und Erweiterer. Von
dem geräumigen Platze vor dem Haupteingange des Schlosses führt ein
großartiges Prostyl gegen den Park. Zur Seite befindet sich die Haupt=
wache der erzbischöflichen Garde die der königliche Caplan von Olmüz
als Herzog und Fürst, ähnlich dem Fürsten Schwarzenberg als Herzog
von Krumau und dem Fürsten Eszterházy als Erbherrn zu Forchtenstein,
zu halten seit alten Zeiten begnadet ist. Der ausgedehnte englische Park,
aus einer vordem einförmigen halb versumpften fast baumlosen Ebene

ohne Hügel und Fels hervorgezaubert, ist nach dem Eisgruber der größte und schönste der Monarchie. Von einem Arme der March durchströmt, von einem andern begränzt, von mehreren größeren und kleineren Teichen, Wasserbecken, kleinen Cascaden und Wasserkünsten belebt, bietet er in der schönen Jahreszeit die reichste Mannigfaltigkeit von Laubgängen, schatti= gen Hainen, freien Wiesen=Partien, lauschigen Ruheplätzen. Die Teiche sind von Schwänen, von Enten der verschiedensten Art bevölkert; ein von leichtem Drahtgitter umfangener Platz läßt eine Anzahl zahmer Rehe kaum ihre Freiheit vermissen; unter einem weit gespannten Netze tummeln sich die prachtvollsten Gold= und Silber=Fasanen lustig herum; in mit starkem Gitter abgeschlossenen Felsverließen haufen Adler und andere Raubvögel; für scheue Füchse, sind in einer Vertiefung eigene Hütten angebracht. Dazwischen alles was sich an Lustbauten der verschie= densten Völker und Erdstriche anbringen läßt: eine halbkreisförmige dorische Säulenhalle, ein Kiosk, ein Freundschaftstempel, eine Eremitage, ein Blumenthurm, eine Iris=, eine Phantasie=, eine Laternen=Brücke, allerhand Pavillons, und am nordöstlichen Ende des Parks ein Pracht= bau im dorischen Style den man für einen Tempel der Ceres oder Pomona halten könnte, worin man aber, wenn man die breiten Stufen hinansteigend aus dem stolzen die ganze Breite der Stirnseite einnehmen= den Säulengange in das Innere tritt, den zierlichsten aller — Kuhställe entdeckt. Etwas abseits von der Stadt, mit dem Park durch eine Pappel= Allee verbunden, befindet sich der ältere, in französischem Style ange= legte Ziergarten mit Gewächshäusern, einem Wasserkunsthaus, einer prachtvollen Galerie, einem kleinen aber tückischen Labyrinthe u a. m. [289])

Bald nach Anfang November hatte sich, von dem Vertrauen der alten wie der neuen Minister dazu berufen, der geschäftige Reichstags= Ordner Aloys Jelen in Kremsier festgesetzt, unter dessen gutmüthig herri= schem Walten die Vorbereitungen für die Unterkunft des Reichstages, der Ministerien, der Abgeordneten getroffen wurden. Er war Bau=In= spector Decorateur und Arrangeur, Reichstags=Commissär und Ordner; er war alles in allem. Er wohnte im Schlosse; Arbeitsaufseher Werk= leute Bediente Bürger Stadträthe neue Ankömmlinge strömten da ab und zu, die Einen seiner Befehle gewärtig, die Andern Hilfe und Rathschläge einholend. In den kargen Zwischenräumen seiner Erholung flüchtete er auf den Musik=Chor der Kirche oder setzte sich an sein ge=

liebtes Fortepiano, und es gab unter den Feinden, deren er sich genug
machte, Solche die da boshaft meinten: wenn das Sprichwort von
„schlechten Musikanten und guten Leuten" wisse, so müsse es von Jelen
umgekehrt lauten.

Der Fürst-Erzbischof hatte den weitaus größten Theil seiner Residenz für Reichstags-Zwecke zur Verfügung gestellt. Ähnliches geschah von
Seiten mehrerer Domherren, die sich auf ein Geringstes ihrer Wohnungs-
räumlichkeiten beschränkten oder ganz von Kremsier wegzogen; eben so
mußten viele der herrschaftlichen Beamten für die bevorstehende Reichstagszeit auf andere nahegelegene Besitzungen des Erzbischofs übersiedeln.
Dessenungeachtet ging es mit der Unterbringung eines so vielgegliederten
Körpers knapp genug. So groß und schön der Hauptsaal des Kremsierer
Residenz-Schloßes war, einen Ersatz für die imposante Räumlichkeit der
kaiserlichen Winter-Reitschule zu Wien konnte er nicht bieten.   Der am-
phitheatralische Aufbau den man anbrachte, fiel etwas steil aus; es war
buchstäblich und konnte zugleich symbolisch gedeutet werden daß hie, überdies etwas beengten, Sitze der Abgeordneten ein „starkes Gefälle" gegen
die Ministerbank wahrnehmen ließen.   Dabei wirkte störend daß die Beleuchtung vom Rücken des Bureaus einfiel so daß der Präsident, die
Secretäre und die von der Rednerbühne sprechenden Abgeordneten als
Silhouetten erschienen.   Zur Ergänzung der Sitzreihen hatte Jelen zweihundert Stühle aus dem böhmischen Landtagssaale herbeischaffen lassen;
die Ausstaffirung derselben aus grauem Kattun mit rother Einfassung,
dazu die goldverbrämten grünen Pulte zeigten eben nicht von Geschmack.
Am ungünstigsten waren die Reporters der Zeitungen untergebracht; ihnen
war die erste Bank der Galerie angewiesen wo sie im Rücken der Abgeordneten saßen und diese, wenn sie sprachen, oft nur nach den Umrissen
der Gestalt und dem Ton der Stimme zu erkennen vermochten. Der Zu-
hörer-Raum mochte für die Kremsierer Verhältnisse genügend erscheinen.
Die ehrenwerthen Bürger, sattsam in Anspruch genommen von der Für-
sorge für die Deputirten von deren Diäten-Geldern namhafte Procente
in ihre Tasche floßen, drängten sich nicht sehr auf die Galerie, und nur
ausnahmsweise kam es in der ersten Zeit vor daß vor den Gasthöfen
der Stadt stehende Land-Kaleschen einen stärkeren Zuspruch aus der Umgegend wahrnehmen ließen. Außerst vortheilhaft waren die Neben-Räum-
lichkeiten für den Reichstag, das Vorstands-Bureau, die Gelasse für
Ausschüsse und Abtheilungen, die Kanzleien der verschiedenen Ministerien.

Die Wohnungen der Minister und ihres Personales waren zu einem großen Theil in den schönsten Tracten des weitläufigen Gebäudes untergebracht. Auch für anderweitige Bedürfnisse des Dienstes wurde nach Umständen gesorgt. Im Residenz-Schlosse wurde ein Telegraphen-Amt untergebracht und Kremsier durch elektrischen Draht mit der nächsten Eisenbahn-Station Hullein verbunden. Aus Wien wurde Regierungsrath Auer mit drei Pressen 140 Setzkästen und 20 Setzern der Staatsdruckerei verschrieben. Dem Buchhändler Hölzel aus Olmütz wurde für die Dauer des Reichstages gestattet ein Filial-Geschäft in Kremsier zu etabliren. Zum Theil nothdürftig sah es dagegen mit der Unterkunft der Abgeordneten Journalisten und anderer Gäste aus. Auch in diesem Punkte machte Zelen den General-Quartiermeister; bei ihm lagen Verzeichnisse der zur Verfügung stehenden Privat-Wohnungen mit deren Preisen auf, deren mitunter überspannte Höhe er mit wohlangebrachten Späßen oder Warnungen den Eigenthümern gegenüber herabzustimmen wußte. Gleichwohl blieben die nach dem Monat berechneten Miethzinse überdiemaßen hoch; die Räumlichkeiten, in denen oft drei und vier Abgeordnete miteinander Platz nahmen, waren häufig solche die man, wie die Klage sich vernehmen ließ, „eigentlich niemand als einem ächten Hanaken mit Anstand anbieten sollte." Freilich war andrerseits die Unbequemlichkeit in Anschlag zu bringen, die für lange Wochen die Vermiether mit ihren auf's äußerste zusammengepferchten Angehörigen auf sich luden. Auch die Theuerung der Lebensmittel konnte in der von einer so plötzlichen und so anspruchsvollen Einquartierung überraschten Stadt kaum auffallen. Im Erdgeschoße des erzbischöflichen Palastes hatte Zelen für die Unterbringung einer eigenen Reichstags-Restauration gesorgt, die aber, was sowohl den Preis als die Güte der Waare betraf, den Gasthöfen der Stadt kaum den Rang ablaufen konnte. Am besten fuhren noch jene der fremden Gäste, die in der Lage waren sich auf eine bescheidene Hausmannskost einzurichten.

Im übrigen konnte der Aufenthalt in Kremsier bei der herannahenden Winterszeit allerdings nicht solche Reize bieten wie in den Monaten der allenthalben grünenden und blühenden Natur. Die halbverwelkten Blätter fielen von den Laubholzbäumen ehe noch die ersten Abgeordneten eintrafen, und nur das Nadelholz in einigen Partien des Parkes und auf den nahen Höhen behielt sein anheimelnd dunkles Gefieder. Auch sonst fehlte es nicht an Anlässen zu Ergötzlichkeit und Erholung. Der englische Park,

auf dessen vielverschlungenen Pfaden man sich stundenlang ergehen konnte,
war selbst in seinen entlaubten Gebieten nicht ohne Anmuth, und wenn
der erste Schnee sich um die dürren Äste legte und sie bis in ihre feinsten
Spitzen und Ausläufer mit einer glitzernden Silberhülle umzog, bot das
einen gar reizenden Anblick. Als vollends den großen Schwanenteich eine
starke Eisrinde überzog, konnten die Gymnastiker auf der glatten Bahn,
deren das Abgeordnetenhaus unter seinen jüngeren Mitgliedern nicht
wenige zählte, ihre freien Stunden nicht vergnüglicher ausfüllen. Wie
dem Freunde der Natur das „Land", so gaben dem Beobachter menschlichen Seins und Treibens die „Leute" mancherlei Stoff. In dem hanakischen Leben hat sich manches von altslavischer Sitte erhalten was den
Blick des Fremden zu fesseln im Stande ist. Schon die gewöhnlichen
Markttage, die Zeit des sonntäglichen Gottesdienstes u. dgl. wo aus der
Umgegend Leute und Wagen zusammenströmten, in bunter bewegter Menge
den geräumigen Marktplatz, die Lauben, die Nähe der Kirche füllten,
boten eine eigenthümliche Schau. Oder es fuhr ein Hochzeitszug unter
dem Schalle einer mistönigen Trommel durch die Straßen der Stadt;
ein Leiterwagen trug eine Schaar laut jubelnder Mädchen; ein anderer
war thurmhoch bepackt mit dem Bettzeug der Braut, dem Geschenke ihrer
Gespielinen. An winterlichen Feiertagen sah man verkleidete Jungen von
Haus zu Haus ziehen und unter Absingung althergebrachter Lieder Scenen
aus der heiligen Geschichte aufführen u. a. m. Damit schließlich auch
die freien Künste nicht leer ausgingen, kam mit Anfang December eine
Schauspielertruppe unter der Direction von W. Thiel nach Kremsier und
brachte abwechselnd Trauer- und Schauerstücke, Lust- und Schauspiele,
Lebensbilder und romantische Gemälde, Liederspiele und Possen mit Gesang zu Gesicht und Gehör. Es war weder Hofburg- noch Karl-Theater,
aber doch etwas womit sich ein und der andere lange Winterabend leidlich
ausfüllen ließ.

22.

Schon um Mitte November trafen die ersten Abgeordneten in Kremsier ein, und bald setzte jeder Eisenbahnzug der von Norden oder von

Süden kommend in Hullein anhielt neue Ankömmlinge ab, die sich von
da auf der Achse nach dem etwa eine Wegstunde entfernten Kremsier befördern ließen.   Am 16. morgens kam ein großer Theil der böhmischen
Abgeordneten; sie waren am 15. Abends von Prag abgefahren und es
hatte dabei große Feierlichkeit gegeben: Volksmenge, Spalier von Nationalgarden mit Fackeln, Ansprache des Ober-Commandanten Brabec,
Antworten Rieger's, Palacky's, Sláva-Rufe, Hüteschwenken, Abschieds-
Chöre 2c.   Von ihren politischen Gegnern befanden sich schon einige an
Ort und Stelle.   Nach den heftigen Reden die in der Abendsitzung des
25. October gefallen waren durfte man zweifeln, ob sich Abgeordnete der
Linken einfinden würden; es hieß sogar von mehreren derselben, sie hätten
ihre Mandate zurückgelegt.   Allein sie ließen nicht auf sich warten.   Violand, der damals gesagt hatte die Redner der Linken würden von der
blöden Galerie des „mährischen Gablitz" nur ausgelacht werden, war
einer der ersten am Platze, machte seinen ankommenden Collegen die Honneurs und führte sie im Gasthause „zur Sonne" ein, das bald zum gesellschaftlichen Mittelpunkt der Linken wurde.   Borrosch, der den Satz
aufgestellt hatte der Reichstag könne gar nicht von Wien wegverlegt
werden und kein pflichtgetreuer Deputirter dürfe nach Kremsier gehen,
erschien gleichfalls ohne Widerrede und Verwahrung.   Smolka kam in
Füster's Gesellschaft 2c.   Wie vielerlei man gegen die Verlegung des
Reichstages früher einzuwenden gehabt, sobald man sah daß es der Regierung mit dem einmal gefaßten Beschluße Ernst sei, hörte aller Widerstand auf, und oppositionelle Vereine waren es zum Theil selbst die ihre
Abgeordneten anhielten sich an den neuen Reichstagssitz zu verfügen [290]).
Am 19. November befanden sich bereits 35 Mitglieder der Linken, 127 Abgeordnete überhaupt in Kremsier, und die Straßen und Plätze des bescheidenen Städtchens begannen sich mehr und mehr zu beleben.   Der Nimbus,
womit in den ersten Tagen den ehrenwerthen Bürgern von Kremsier die
Persönlichkeit jedes Abgeordneten umgeben zu sein schien, verlor erst dann
etwas von seinem Glanze als sie die bäuerlichen Repräsentanten Galiziens, die reichstäglichen Bronce-Medaillen an der Brust, ohne weiters
ihre Reisebündel über die Schulter werfen und sich und ihre Last in die
ihnen angewiesene Behausung schleppen sahen.   Häufig kamen sie schon
von Hullein zu Fuß.   Auf wohnlichen Comfort machten sie keinen Anspruch;
eine oder die andere Scheune wurde von einer Anzahl von ihnen als
Winter-Quartier gemiethet.   Es kam ihnen darauf an möglichst wenig

Geld auszugeben, theils aus eigener Sparsamkeit um von den für ihre
Verhältnisse überreichen Taggeldern dereinst ein hübsches Sümmchen nach
Hause zu bringen, theils weil sie bezüglich derselben, wie verlautete, mit
ihren Wählern einen Pact auf Theilung hatten eingehen müssen. Der
Witz des Wiener „Charivari" von ihren ganz absonderlichen Schnupftü-
chern wurde bald auch den Kremsierern geläufig [291]).

Im allgemeinen herrschte unter den Ankömmlingen aller Farben
keine dem Wiederbeginn der Verhandlungen misgünstige Stimmung. Begrüßten sie die Einen mit unverhohlener Billigung, so nahmen sie die
Andern mit einem Seufzer der Resignation wie ein nothwendiges Übel
hin. Freunde ruhiger Gesetzlichkeit fühlten sich erleichtert, der Schwüle des
glimmenden Wiener Bodens und den störenden Eingriffen der Galerie
in der Winter-Reitschule entrückt zu sein. Aber auch die Männer der
Linken hatten unter den obwaltenden Umständen alle Ursache sich das
friedliche Weichbild von Kremsier zu loben. Bei den bedeutendsten von
ihnen war die Erklärung des Räthsels, warum sie nicht blos in Kremsier
erschienen sondern sich förmlich dahin drängten, in dem Umstande zu
suchen daß sie hier eine persönliche Sicherheit fanden die ihnen das Weilen unter der Wiener Militär-Dictatur nicht bieten konnte. Sie befanden
sich in Wien nur, wie der criminalistische Kunstausdruck lautet, „auf
freiem Fuße". Goldmark war am 14. November vor dem Strafgerichte
verhört worden, Fischhof um dieselbe Zeit. Füster war sogar schon gefänglich eingezogen und nur auf Verwendung des Reichstags-Präsidenten Smolka und des Ministers Kraus aus seiner Haft entlassen worden; er hatte dabei einen Revers ausstellen müssen ohne Bewilligung
der Stadt-Commandantur die Stadt nicht zu verlassen. Als er nach
Kremsier abgehen wollte, wurden Schwierigkeiten wegen Ausfolgung des
Passes erhoben; abermals bedurfte es besonderer Verwendung im Haupt-
Quartier des Feldmarschalls daß Füster seinen Revers zurückerhielt.
Ihm und den Andern — man sprach im Ganzen von zwölf die sich
in ähnlicher Lage befanden, darunter Violand Kudlich Prato — fiel
darum ein Stein vom Herzen als sie Wien im Rücken hatten, was
übrigens auch physisch keine leichte Sache war. Die Eisenbahnbrücke war
noch nicht hergestellt, man mußte die Fahrt bis Floridsdorf in der Kutsche
machen; „die Souverainetät der Volksvertreter", wie Schuselka launig
erzählt, „die mit ihrer gesetzgeberischen Weisheit hinauswollten, kam
häufig in Conflict mit dem souverainen Volke das mit allen erdenklichen

Victualien hereinkam, und wie es zu geschehen pflegt, die geistigen Interessen mußten auch hier den materiellen den Vorzug lassen" [292]). So
war es denn auch nur begreiflich daß die Mitglieder der Linken für ihr
Verhalten in Kremsier sich die größte Mäßigung auferlegten. Die October-Ereignisse, so hieß es, wollten von ihnen gar nicht zur Sprache gebracht werden; sie würden keine Sympathie für die deutsche National-
Versammlung an den Tag legen, im Gegentheile nach den letzten Frankfurter Beschlüssen gegen Österreichs Anschluß an Deutschland stimmen.
Doch war das alles wohl mehr stillschweigendes Übereinkommen als
förmliche Abrede; zu einem organisirten Club zusammenzutreten, dazu
schienen die Mitglieder der Linken, während jene der Rechten und der
beiden Centren bereits fleißig beriethen, in den ersten Tagen kaum den
Muth zu haben. Sie fühlten sich selbst auf Kremsierer Boden nicht sicher
genug, und während die Einen eine trotzige Unabhängigkeit zur Schau
trugen, schlichen Andere, denen das Schuldbewußtsein auf die Stirne
gedrückt war, scheu an ihren Collegen vorbei oder suchten sich wohl gar
mit Bücklingen und Schmeichelreden an die neuen Machthaber zu drängen. Man konnte Charaktere studieren in jener Zeit.

Vom 21. November datirte die kaiserliche Entschließung durch welche
die Zusammensetzung des neuen Cabinets genehmigt wurde: Präsidium
und Äußeres Fürst Felix Schwarzenberg, Inneres Graf Franz Stadion,
Finanzen Baron Philipp Kraus, Krieg G. M. Franz Freiherr von
Cordon, Justiz Dr. Alexander Bach, Handel und öffentliche Bauten
Karl v. Bruck, Landes-Cultur und Bergwesen Edler v. Thinnfeld. „Die
neuen Räthe der Krone", hieß es in dem kurzen Rundschreiben das der
Minister der auswärtigen Angelegenheiten am selben Tage an die Vertreter Österreichs an den fremden Höfen sandte, „treten unter schwierigen Zeitverhältnissen ihr Amt an. Sie erkennen in dem thätigen und
einheitlichen Zusammenwirken sämmtlicher Regierungs-Organe die erste
Bedingung einer glücklichen Lösung der vielen und wichtigen Aufgaben
ihres Berufes". Gleichzeitig liefen auch die Abschiedsworte des greisen
Wessenberg an ihre Bestimmungsorte ab: „Gesundheitsrücksichten, und
nur diese, haben mich bewogen Se. Majestät den Kaiser zu bitten mich
von den mir anvertrauten Staatsämtern zu entheben. Ich fühle mich zu
diesem Entschlusse verpflichtet in der Überzeugung, daß meine geschwächten Kräfte der mir gewordenen Aufgabe unter den gegenwärtigen Um-
19*

ständen nicht mehr genügen dürften. Mein Programm ruhte auf dem
Gedanken, die Monarchie auf conftitutioneller Grundlage zu befestigen.
Dieses Programm war, ich darf es behaupten, der Ausdruck der Gesin=
nungen des Monarchen dem die Völker Österreichs ihre Freiheiten ver=
danken. [Ich scheide mit dem Bewuftsein diesem Programm treu geblie=
ben zu sein, ich scheide mit der beruhigenden Überzeugung daß dasselbe
auch jenes des neuen Ministeriums ist".

Man hatte den scheidenden Minister=Präsidenten mit dem Großkreuze
des Leopold=Ordens lohnen wollen, als man noch glücklicherweise in Er=
fahrung brachte daß er bereits seit mehr als einem Menschenalter das
Großkreuz des Stephansordens, also des höhern Ordens, besaß. Einige
Zeit später ereignete es sich in Korneuburg daß einem verdienstvollen
Bürger die goldene Medaille angeheftet werden sollte, der, als er zum
Empfange derselben im Feierkleide die Empore hinanschritt, von frühern
Zeiten her dieselbe Auszeichnung „mit der Kette" umhängen hatte. Derlei
Dinge konnten vorkommen in einer Zeit, deren vorwaltendes Merkmal
planlose Verwirrung war und wo zudem meist neue Männer und ohne
Vor=Acten arbeiteten. Bezüglich Wessenberg's fand man zuletzt den Aus=
weg daß ihm der Kaiser in Person einen Abschiedsbesuch abstattete, wo=
durch sich der gute alte Herr über alles geschmeichelt und geehrt fühlte.
Er hatte es verdient! Hoch an Jahren hatte er nicht gezaudert in be=
drängter gefahrvoller Zeit dem Rufe seines Monarchen zur Übernahme
des Minister=Präsidiums zu folgen; in treuer Pflichterfüllung hatte er
auf dem wenig beneidenswerthen Posten ausgeharrt bis am 6. October
Bedrohung am Leben ihn von Wien verscheuchte, hatte dann, dem flüch=
tigen Hofe mit eigener Gefahr nacheilend, muthig sich an dessen Seite
gestellt und war da lange Wochen hindurch geblieben, obgleich ihn längst
Müdigkeit Abspannung und die gereifte Einsicht andern Elementen Platz
machen zu müssen zur langersehnten Ruhe drängten. Nun ging er zurück
in sein stilles Freiburg im Breisgau, wo er schon vordem friedliche Jahre
der Zurückgezogenheit verlebt hatte. Journale bessern Schlages widmeten
ihm ehrende Nachrufe; die gemeinerer Sorte schenkten dem Greise, der
sicher nur das beste gewollt aber in vielbewegter Zeit nicht zu erreichen
vermocht hatte, allenfalls höhnisches Mitleid, „welches der Anblick geisti=
ger und physischer Hinfälligkeit immer erzeugt" [293]).

Am selben Tage, wo Wessenberg schied und das neue Ministerium
öffentlich an die leergelassene Stelle trat, hielt der Fürsterzbischof So=

merau-Beth ein feierliches Hochamt in der Olmüzer Domkirche ab; es
geschah dies, wie ein öffentlicher Anschlag kundmachte, über ausdrückliches
Begehren der Majestäten, „daß der Geber alles Guten angefleht werde
die Reichsversammlung bei ihren folgenschweren Berathungen zu erleuchten und zur gedeihlichen Vollendung des vorhabenden großen Werkes zu
kräftigen“. Unmittelbar darauf reisten die Minister nach Kremsier ab.

Der 22. November, der Tag der Wiedereröffnung des Reichstages,
war da. Schon früh am Morgen war es lebhaft auf dem Platze und
in den Gassen des freundlichen Städtchens; die ehrenwerthen Bürger
von Kremsier hatten ähnliches nie erlebt, vor wenig Wochen nicht geträumt; alles trug den Stempel einer neugierigen Geschäftigkeit. Gegen
acht Uhr eilten Nationalgarde und Bürgerwehr, zusammen 450 Mann
stark, ihren Sammelplätzen zu; die erzbischöfliche Miliz mit ihrem riesigen Commandanten an der Spitze war eitel Galla. Um 9 Uhr wirbelten die Trommeln zum Anmarsch theils in theils vor die durch einen
langen schwebenden Gang mit dem Residenzschloß verbundene Collegiat-
Kirche zum h. Mauritius. Um die zehnte Stunde bewegte sich ein großer Theil von Abgeordneten, die sich im Vorhofe des erzbischöflichen
Palastes gesammelt und denen sich eine Anzahl von Reichstagsbeamten
Stenographen und Journalisten angeschlossen hatten, den Pforten der
Kirche zu, während die Capelle der Bürgermiliz die Weisen der Volks-
Hymne anstimmte. Am Hochaltar hielt der Domprobst Friedrich Landgraf von Fürstenberg das Heiligen-Geist-Amt ab; die Geistlichkeit prangte
in ihren schönsten Kirchengewändern, das in die Höhe steigende Gewölk
aus den Rauchfässern, von dem hereinfallenden Sonnenlicht wie flüchtiges Silber beschienen, hüllte den Schimmer der Lichter in leichten Duft
und klangvolle Accorde, in die sich der melodische Gesang der Menschenstimme mischte, rauschten vom Chor durch die hellen Räume der Kirche.
Zur selben Stunde ging es in der benachbarten Residenz noch ziemlich
bunt her. Im großen Saale wurde genagelt gehämmert abgestaubt,
Draperie und Tapete angeheftet, Papier und Schreibzeug für das Bureau zurecht gelegt. Jelen überall mitten im Gedränge flog hin und her,
befahl hier schalt dort, polterte dann wieder mit einem böhmischen Kraftausdruck dazwischen und legte, wo es ihm nicht rasch genug vorwärts,
ging, wohl selbst Hand ans Werk, wobei er freilich aus übergroßem
Eifer und zu geringer Handfertigkeit mitunter die Sache noch mehr in

Verwirrung brachte. Man war zur Noth fertig, als sich der Saal mit
den vom Gottesdienste heimkehrenden Abgeordneten allmälig zu füllen
begann.

Was zunächst vor sich gehen sollte, hatte in den letzten Tagen viel=
fach die Gemüther beschäftigt. Die Partei die sich von den October=
Sitzungen des Reichstages ferngehalten, an ihrer Spitze der bei weitem
größte Theil der böhmischen Abgeordneten, betrachtete alles was seit dem
6. October in der Wiener Winter=Reitschule vor sich gegangen als null
und nichtig, und bestand mit einer gewissen Gereiztheit darauf daß darum
der letzte Präsident des Reichstages Strobach, der durch die Ereignisse
jenes Tages aus Saal und Stadt hinausgedrängt worden war, als noch
fungirend anzunehmen sei. Das Ministerium neigte grundsätzlich dieser
Auffassung zu, sah sich jedoch durch mancherlei Umstände außer Stande
dieselbe seinerseits zur Geltung zu bringen. Die frühere Regierung hatte
während des ganzen October mit keinem Worte erklärt, daß sie den in
Wien forttagenden Reichstag für beschlußunfähig erkenne. Im Gegentheil,
es hatte zwischen dem Hofe zu Olmüz und dem Parlamente zu Wien
ein fast unausgesetzter Verkehr stattgefunden; es waren Adressen abge=
faßt und angenommen, Deputationen abgesandt und empfangen worden;
die Vertagung des Reichstags, dessen Verlegung nach Kremsier, die Fest=
setzung des Eröffnungstages hatte man von Olmüz durchweg an das
Bureau des Reichstages gerichtet. Zudem befanden sich unter den im
October gefaßten Beschlüßen solche, die die Regierung selbst, ohne die
Staatsmaschine gefährlicher Stockung auszusetzen, nicht als ungiltig gelten
laffen konnte; dahin gehörte namentlich die Steuerverwilligung. Andrer=
seits bestand zwar auch keine Präsidentschaft Smolka mehr, deren Dauer
jedenfalls mit dem 9. November abgelaufen war. Allein Smolka hatte
auch nach dieser Zeit die Präsidial=Geschäfte fortgeführt; selbst unter der
vom 12. November datirten Aufforderung an „sämmtliche Abgeordnete
des constituirenden Reichstages", sich am 22. in Kremsier einzufinden,
stand Smolka's Manupropria als „Präsident". Er hatte dies, wie er
eben heute vor der Versammlung erklärte, gethan „weil niemand anderer
da war und weil doch jemand die Angelegenheiten des Hauses besorgen
mußte." Aus diesem Grunde fand es nicht blos seine eigene Partei in
der Ordnung daß Smolka bei Wiedereröffnung der Sitzungen den Prä=
sidentenstuhl bestieg; auch die Böhmen konnten sich das gefallen laffen,
weil Smolka am 6. October erster Vice=Präsident und also derjenige war,

der in dieser seiner Eigenschaft Strobach's leer gelassene Stelle einge=
nommen hatte.

Wenn es sich nun aber um die Person des neuen Präsidenten fragte,
so waren die Männer der Regierungs=Partei mit den October=Secessio=
nisten darüber einig daß die Wahl niemand andern als Strobach treffen
konnte; es mußte dies Allen die nach dem 6. October den Reichstag ver=
lassen, als ein Act der Billigung der Handlungsweise Strobach's die ja
nur ihre eigene war, und als ein mittelbares Mistrauens=Botum gegen
die Partei die im Wiener Reichstagssaale zurückgeblieben war, gelten.
Gegen die Persönlichkeit Strobach's hatte im Grunde selbst die Linke
nichts einzuwenden. Strobach hatte bei Verwaltung seines Amtes eine
von allen Seiten anerkannte Meisterschaft bekundet, und wenn auch seine
große Gewandtheit in Handhabung der Geschäftsordnung nicht wenig
dazu beigetragen hatte allerhand Anschläge der Linken scheitern zu machen,
so konnte ihm doch diese weder Willkür noch Parteilichkeit zum Vorwurf
machen; im Gegentheil sie mußte sich sagen, daß sein zarter Gerechtig=
keitssinn ihn oft genug gewissenhafter gegen Abgeordnete seiner eigenen
Partei als gegen solche von der Gegenseite auftreten ließ. Umgekehrt
war Smolka weder dem Centrum noch der Rechten eine misliebige Per=
sönlichkeit. Konnten sie gleich mit seiner politischen Ansicht nicht einver=
standen sein, so hatten ihm doch der Ernst und die Würde seines Auf=
tretens allgemeine Achtung verschafft; die während des October in Wien
verbliebenen Abgeordneten — und darunter befanden sich auch mehrere
von der Rechten und eine nicht geringe Anzahl vom Centrum — waren
seines Lobes voll; seine kluge und besonnene Haltung hatte so manchen
Sturm beschworen, so manches drohende Unheil abgewendet, mehr als
einmal seine heißblütigen Landsleute von der äußersten Linken in die
Schranken zu weisen verstanden. So war es denn von beiden Seiten
nicht so sehr ein Kampf persönlicher Zu= oder Abneigung, sondern einer
grundsätzlich verschiedener Anschauung, dem man in der ersten Sitzung
des Kremsierer Reichstages entgegenging.

Es war um die eilfte Stunde da Smolka den Präsidentenplatz ein=
nahm; als Schriftführer stellten sich Wiser Streit Ullepitsch und Gleis=
pach ein, deren Functions=Dauer zwar gleichfalls abgelaufen war, die sich
aber aus freien Stücken erboten ihr Amt bis auf weiteres fortzuführen.
Auf der Ministerbank befand sich nur Kraus; von den Ministern die
nicht Abgeordnete waren bemerkte man Cordon auf der Galerie im Zu=

hörer=Raum [293b]). Außerhalb des Saales, im Hofe und bei den Zu=
gängen versahen die Kremsierer Nationalgarde und die fürst=erzbischöfliche
Miliz den Wachedienst. Nachdem Smolka die Versammlung für be=
schlußfähig erklärt — was er diesmal mit gutem Gewissen und ohne
die Kunststücke thun konnte, zu denen er während der October=Sitzungen
hatte greifen müssen — wollte er unmittelbar zur Wahl des Präsidenten
und der beiden Vice=Präsidenten schreiten lassen, als im Namen der
Wiener Partei Franz Schmitt, der ehemalige Reichstags=Präsident, vor=
schlug diesen Act noch einige Tage zu verschieben, da man kaum zu=
sammengekommen sei und keine ausreichende Gelegenheit sich zu ver=
ständigen gehabt habe. Doch von der Rechten tönte ihm entschiedenes
„Nein, nein!" zu und sein Antrag blieb, als ihn Smolka auf Andrin=
gen Löhner's zur Abstimmung brachte, in zweifelloser Minderheit. Über=
haupt benahm sich die Rechte mit einer gewissen herausfordernden Sie=
geszuversicht, die ohne Zweifel der Sache die sie vertrat mehr als eine
Stimme entfremdete und ein von allen Seiten unvorhergesehenes Er=
gebnis herbeiführen half. Es wurde zur Wahl geschritten. Anwesend
waren 248 Abgeordnete, folglich absolute Stimmenmehrheit 125 ; die
Zählung ergab : 122 Strobach, 121 Smolka, 5 Stimmen waren ver=
splittert. Es kam zu einer zweiten Wahl. Diesmal wurden 255
Stimmzettel abgegeben, folglich absolute Mehrheit der Stimmen, die sich
nun zwischen den beiden Namen Strobach und Smolka zu entscheiden
hatten, 128. Das Scrutinium ging vor sich und nun waren : 131
Stimmen für S m o l k a, 124 für Strobach. „Ich habe demnach die
Ehre als Präsident gewählt zu sein", sagte Smolka der von dem un=
erwarteten Ausfall der Wahl sichtlich betroffenen Versammlung; die Linke
hatte keinen Sieg erhofft, die Rechte keine Niederlage erfahren zu können
geglaubt. Vielleicht am meisten überrascht war der Gewählte selbst, dessen
kurze Ansprache eine ihm sonst nicht eigene Unsicherheit und, man möchte
sagen, ein Übermaß von Bescheidenheit verrieth : „Er könne seine Wahl
nur einem eigenthümlichen Zusammentreffen der Umstände zuschreiben;
es seien so viele Männer da, welche tauglicher und würdiger gewesen
wären diesen Stuhl einzunehmen; namentlich müsse er bedauern, daß
sein geehrter Herr College Strobach ihm habe weichen müssen". Er dankte
sodann für das ihm geschenkte Vertrauen, versprach Eifer und Unpartei=
lichkeit, bat ihn durch Nachsicht zu unterstützen und schloß mit dem
Wunsche daß es „dem gemeinschaftlichen Bestreben des Hauses gelingen

möge, seine hohe Aufgabe sobald als möglich und glücklich zu Ende zu
bringen". Nach der Wahl des Präsidenten kamen die der beiden Vice-
Präsidenten an die Reihe. Sie fielen auf Cajetan Mayer Abgeordneten
für Brünn, eine Artigkeit für Mähren in dessen Mitte der Reichstag
jetzt weilte, und auf Joseph von Lasser; Mayer hatte von 246 Stimmen
124, also gerade die absolute Mehrheit, Lasser von 242 Stimmen 130
erhalten. Ihre mit den nächst-meisten Stimmen bedachten Mitwerber
waren Pillersdorff Brestel und Doblhoff, sämmtlich Theilnehmer am
October-Reichstage, während Mayer gleich am 7. Wien verlassen und Lasser
jedenfalls die zweite Hälfte des October sich von dort ferngehalten hatte.

Nachdem das Wahlgeschäft beendet, wollte Smolka mit unverkenn-
barer Eile die Sitzung für geschlossen erklären, als sich rasch genug
Schufelka zum Worte meldete. Man war gefaßt von dem redeeifrigen
Abgeordneten für Perchtoldsdorf eine Schutzrede für Wien, ein Verlangen um Aufhebung des Ausnahmszustandes zu vernehmen; statt dessen
bekam man eine Art Entschuldigung zu hören warum seine Gesinnungsgenossen, obgleich sie die Verlegung des Reichstages an einen Ort
außerhalb Wien nicht als rechtmäßig anerkannten, dennoch „das kleine
in ländlicher Abgeschiedenheit liegende Kremsier" aufgesucht hätten. Als
Sprecher des permanenten Ausschusses in Wien erlaube er sich auch hier,
„wo wir frei von jedem Terrorismus versammelt sind", der erste das
Wort zu ergreifen; „der Reichstag, der in Wien nie etwas ohne recht-
mäßige Beschlußfähigkeit unternommen und in dieser seiner Beschlußfähigkeit vom Kaiser, von den fungirenden Ministern, von allen Behörden
anerkannt worden sei, habe zu guter Letzt eine Sitzung auf den 1. November angesagt zu der sich nur 136 Mitglieder eingefunden. In dieser
letzten nicht = beschlußfähigen, durch Gewalt zu einer geheimen gestempelten Sitzung habe man sich bis zum 15. November 5 Uhr N. M. vertagt. Wenn dieser Beschluß nicht vollführt worden, so sei dies in der
Überzeugung geschehen daß die Mehrheit der hohen Versammlung in
Kremsier versammelt sein werde und dieser Mehrheit zu gehorchen die
Minderheit für eine heilige Pflicht ansehen müsse; nicht aber als ob
man der Krone, Regierung oder irgend einem Ministerium einseitig das Recht
zuerkennen würde, den Reichstag nach Belieben bald hierhin bald dorthin zu verlegen. Er begnüge sich mit dieser Erklärung und stelle keinen
Antrag, weil er keinen Anlaß zu einem Zwiespalt geben wolle und weil
er den Wunsch habe daß der Reichstag bald mit seiner großen Aufgabe

fertig werde, damit das Unheil, welches über das schöne Österreich hereingebrochen, bald enden und damit namentlich das unglückliche Wien,
das früher von demokratischen und jetzt von militärischen aristokratischen
und diplomatischen Ultra's in so schwere Leiden gebracht worden, bald
seine Errettung finden möge".

Schuselka's Worte fanden nur geringen Anklang. Ein Theil der
Abgeordneten hatte sich bereits entfernt; aber auch die Zurückgebliebenen
waren in ihren Gedanken mit dem großen Ereignis des Tages, dem unerwarteten Ausfall der Präsidenten-Wahl, zu sehr beschäftigt, um den
Worten des Redners ihre Aufmerksamkeit zu schenken. Von beiden
Seiten wollte man es kaum begreifen wie das so habe kommen
können. Die böhmischen Abgeordneten schoben den größten Theil der
Schuld jenen ihrer Collegen zu, die noch nicht an Ort und Stelle eingetroffen waren; aber auch von den Abgeordneten der Gegenseite fehlten
noch manche. Andrerseits war nicht zu übersehen daß bei weitem nicht
alle, die aus der Winter-Reitschule nach Kremsier gekommen, für ihren
October-Präsidenten gestimmt hatten; seine Majorität hätte sonst schon
bei der ersten Abstimmung größer sein müssen. Ein eigentlicher Sieg
der Linken und eine ausgesprochene Niederlage der Regierung war also
die Wahl Smolka's jedenfalls nicht, und noch weniger war damit eine
Anerkennung der Revolution vom 6. October und der Folgen derselben
von Seiten des Reichstages ausgesprochen. Demnach war die maßlose
Niedergeschlagenheit in den Reihen der conservativen Partei nicht begründet. Der „österreichische Correspondent", das neue Olmützer Re-
gierungsblatt, war ganz Sack und Asche; er suchte Gründe aus allen
Winkeln zusammen um die Seinigen über den unerwarteten Schlag zu
trösten. Vor den Blicken der Schwarzseher stiegen düstere Ahnungen
über das fernere Wirken einer Versammlung auf, die gleich bei ihrem
Wiederzusammentritt ein so bedauerliches Zeugnis von dem Geiste durch
den sie sich beherrschen lasse abgelegt habe [294]). Die heftigeren Temperamente sannen auf Rache: sobald man sich durch die Ankunft der
Ruthenen gestärkt haben werde, müsse das erste sein dem aufgedrungenen
Präsidenten ein Mistrauens-Votum zu bringen. Unter Stimmungen
solcher Art schloß die erste Sitzung des Kremsierer Reichstages, deren
Ergebnis Zelen nach Prag mit den Worten telegraphirte: „So eben ist
Smolka von den abwesenden böhmischen Abgeordneten zum Präsidenten gewählt worden".

Daß die Wahl Smolka's in der That, wie er es selbst bescheiden bezeichnet hatte, ein Ergebnis der Zufälligkeit, daß sie nichts weniger als eine Errungenschaft der Linken und ein Zeichen von Ohnmacht der Regierungs=Partei, daß sie am allerwenigsten eine Anerkennung der October=Revolution war, davon sollte gleich die nächste Sitzung am 27. November den auffälligsten Beweis liefern. Der Anlaß war folgender. Nach Eröffnung der Sitzung richtete der Präsident in der üblichen Weise an die Schriftführer die Aufforderung, das Protocoll der vorher=gegangenen Sitzung vom 22. November, aber auch „die noch rückständi=gen Protocolle vom 28. 29. 30. und 31. October" zu lesen. Letzteres war in jeder Hinsicht ein Misgriff. Denn einmal schien es die Linke, um nicht nutzlose Stürme heraufzubeschwören, darauf angelegt zu haben die Giltigkeit der October=Sitzungen nicht offen zur Sprache zu bringen; und zweitens: wenn der Präsident der Geschäftsordnung selbst in einer so heikelen Angelegenheit genügen zu müssen glaubte, warum begann er damit nicht gleich die erste Sitzung am 22. wohin die Sache von Form=wegen gehörte? Oder meinte er, nach dem Ausfall der Präsidenten=Wahl am 27. November wagen zu dürfen, wovor er sich am 22. klug und tactvoll gehütet hatte? Wie um den von Smolka begangenen Verstoß noch wirksamer zu machen, ergriff der Abgeordnete für Gabel Ignaz Paul mit der Bemerkung das Wort, wie es auffallen müsse daß der am heutigen Tage vertheilte officielle stenographische Bericht die Sitzung vom 22. November als die 53. bezeichne, da doch nach der 52. am 6. October der Reichstag eine ganze Reihe von Tagen beisammen gewesen sei. Der Präsident wollte dies für einen Druckfehler halten, versicherte er habe bereits mit Regierungsrath Auer darüber gesprochen; es werde Berichtigung erfolgen. Hiemit aber war das gefährliche Ge=schoß in die Versammlung geworfen, und es platzte. Es erhob sich der Tyroler Hellrigl und legte gegen solches Vorhaben ausdrückliche Ver=wahrung ein, da er jene Protocolle nicht als solche der Reichstagsver=sammlung ansehen könne. Er hatte kaum, seine Ansicht zu begründen, mit den Worten begonnen: „Nachdem die Berathungen des unter dem Einflusse einer terrorisirenden Umsturzpartei" . . ., als der Sturm los=brach. Von den Bänken der Linken erschollen heftige: „O, o!"; die Rechte entgegnete mit Beifallsrufen, die Linke antwortete mit Zischen, ein allgemeiner Lärm entstand. Nachdem die Ruhe einigermaßen hergestellt, griff Rieger den Faden auf der seinem Vorredner gewaltsam entrissen

worden war, und sprach sich mit Entschiedenheit gegen die Verlesung der
October-Protocolle aus; denn „sie sind keine Protocolle des Reichstages"
(so? so?) „weil sie nicht in einer vollen, nicht in einer freien Berathung
abgefaßt wurden" (oho! oho!). „Ich selbst war nicht zugegen".... Ge=
lächter von der Linken, das der Redner mit erhobener Stimme zurück=
weist: „weil ich nicht zugegen fein konnte" (Unruhe in den
Bänken der Linken), „weil sowohl meine persönliche Sicherheit als
meine Meinungsfreiheit gefährdet war" (Nein, nein! Es war keine Ge=
fahr!). „Oder glauben Sie, meine Herren, ich hätte es nach dem 6.
October wagen können den ritterlichen freisinnigen Helden Jelačić zu
vertheidigen, wie ich das in den Tagen zuvor gethan?" Sturm und
Toben; mehrere der Linken springen von ihren Sitzen auf: „Zur
Sache!... Wir wollen Ihr politisches Glaubensbekenntnis nicht hören!"
Von der Gegenseite: „Nicht unterbrechen!" Verschiedene andere Rufe
verklingen in dem allgemeinen Durcheinanderlärmen. Der Präsident legt
die Hand an die Glocke ohne sie erschallen zu lassen; erst als Brauner
mit scharfem Wort ihn auffordert: „Die Herren scheinen von Wien her
verwöhnt zu sein; ich bitte die Redefreiheit zu wahren", ertönt der
Ordnungsruf und Rieger fährt, durch den Widerspruch nur mehr gereizt,
in seiner zermalmenden, immer von der Linken unterbrochenen und immer
wieder von ihm mit verstärkter Hitze und Heftigkeit von neuem aufge=
nommenen Rede fort: „Meine Herren, bedenken Sie wohl was Sie
thun: die Annahme jener Protocolle heißt die Anerkennung der Revolu=
tion des 6. October, heißt die Anerkennung alles deffen aussprechen was
in Folge dieser Revolution beschlossen wurde. Wäre dies aber, dann
fehe ich nicht ein wie Sie mich auf diesem Posten hier dulden können:
denn sollten nicht alle Abgeordneten die Wien verließen ihr Mandat ver=
lieren, wenn sie nicht binnen zehn Tagen zurückkehrten? Es ist in Wien
beschlossen worden daß keine Truppen nach Wien zugelassen werden, daß
die Vorgänge des Fürsten Windischgrätz ungesetzlich feien". (Unruhe der
Linken.) „Wenn dieser Beschluß giltig ist, dann müssen sie consequent
vor allem darauf bringen daß das Ministerium seine Kriegsgewalt ver=
sammele, um mit aller Kraft gegen diesen Rebellen zu Felde ziehen, um
ihn aus Wien zu verjagen und die Stadt zu befreien!" (Gelächter,
Zischen links. Beifall rechts). „Sie wissen, daß Fürst Windischgrätz den
Commandanten des Wiener Aufstandes Messenhauser hat erschießen lassen".
Prato: „Messenhauser ist todt!" „Ja, er ist todt; er ist gefallen,

meine Herren, für die Sache der Freiheit; ist's nicht so?" (Von der
Linken: Ja, ja!) „Wenn nun Messenhauser im Rechte war die Stadt
mannhaft zu vertheidigen, ist dann Windischgrätz nicht ein gemeiner
Mörder?" (Von der Linken: ja!) „Und ist es nicht Ihre heiligste Pflicht
darauf zu bringen, daß dieser gemeine Mörder standrechtlich hingerichtet
werde?" (Steigende Aufregung. Rufe: Zur Sache.) „Es heißt: die
Regierung selbst habe mehrere October=Beschlüße anerkannt. Nun, meine
Herren, wer war denn jene Regierung? Wollen Sie", zur Linken ge=
wandt, „das Ministerium Wessenberg etwa für sich anrufen? Nun, meine
Herren, dieses Ministerium hat die Truppen nach Wien geschickt; dieses
Ministerium hat dem Fürsten Windischgrätz den Auftrag gegeben die
Stadt zu erobern, und eben in Folge der Beschlüße dieses Ministeriums
sind die Sitzungen des Reichstages verhindert worden, oder vielmehr
jener Fraction des Reichstages die in Wien verblieben ist". Heftiger
Widerspruch der Linken, Beifall der Rechten und des Centrums; Gold=
mark erhebt sich und verlangt in leidenschaftlicher Aufregung: „Ich er=
suche den Herrn Präsidenten die Protocolle verlesen zu laffen; wir
wollen doch endlich wissen, ob die Protocolle gelesen werden sollen oder
nicht". Seine Stimme ist aber in dem Lärm kaum zu hören, während
die andern Seiten des Hauses mit Nachdruck darauf bestehen daß die
Freiheit der Meinungsäußerung gewahrt werde. „Ich und meine Freunde",
sagt Rieger gegen den Schluß seiner Rede, „die nicht Theil genommen
haben an jenen Beschlüssen, an jener Revolution, an jener glorreichen
Revolution" (Beifall von der Linken), „wir weisen die Verantwortung
für alles, was gethan und beschlossen wurde, von uns zurück. Wir
haben keinen Theil an dem namenlosen Unglück das über die Stadt
Wien hereingebrochen, wir tragen keine Schuld daß man die leichtgläu=
bige Jugend irregeleitet hat. Mögen es jene verantworten welche die
edle Begeisterung eines braven Volkes misbraucht haben für ihre selbst=
süchtigen Zwecke, mögen sie es verantworten vor jenem Richter dessen
Gewalt weiter reicht als die des Fürsten Windischgrätz, und mögen sie,
die alle während jener Periode getroffenen Maßregeln billigen, auch die
Giltigkeit aller jener Protocolle anerkennen. Dixi et salvavi animam
meam!" Die Rechte und das Centrum beobachteten während dieser ernst
gehaltenen Schlußworte ein schonungsvolles Stillschweigen, nur die Linke
schickte dem Abtretenden ironische Beifallsalven nach. Als es zur nament=
lichen Abstimmung kam, wurde der Antrag Hellrigl's mit 143 Stimmen

gegen 124 angenommen; 10 hatten sich der Stimme enthalten; darunter
Smolka der Präsident, und Streit einer der Schriftführer des October=
Reichstages, während von den Collegen des letzteren Ullepitsch für,
Gleispach und Wiser aber, consequent, gegen den Antrag stimmten.
Die Protocolle vom 28. bis 31. October blieben somit ungelesen, die
von Paul gerügte Numerirung der Kremsierer Protocolle war kein Ver=
sehen des Regierungsrathes Auer, und die Wiener October=Revolution,
die Brauner unter dem lebhaften Beifall der Rechten und des Centrums
als eine „der Stadt Wien durch fremdartige Umtriebe aufgedrungene“,
als „in ihrem Zwecke die wahnsinnigste, in ihren Mitteln die schänd=
lichste und in ihren Erfolgen die unverantwortlichste“ bezeichnete, war
vom Kremsierer Reichstage n i c h t anerkannt.

Damit war übrigens die Sache ein für allemal abgethan. Von
nun an wurde es von beiden Seiten sorgfältig vermieden, auf den lei=
digen Gegenstand zurückzukommen. Namentlich ging die Rechte im wei=
teren Laufe der Verhandlungen nicht so weit, alles was etwa im Octo=
ber vorgenommen worden als ungiltig zu verwerfen; sondern man drückte,
wenn etwa die Rede darauf kam, die Augen zu und ging stillschweigend
darüber hinweg [295]).

23.

Die Sitzung des 27. November gestaltete sich durch ein anderes
viel bedeutsameres und dabei befriedigenderes Ereignis, als der peinliche
Zwischenfall den die October=Protocolle hervorgerufen hatten, zu einer
der wichtigsten des Reichstages. Denn nachdem das Ergebnis der nä=
mentlichen Abstimmung bekannt geworden, eröffnete Smolka der Ver=
sammlung, daß das neugebildete Ministerium im Reichstage erschienen
sei und daß der Minister=Präsident einen Vortrag zu halten wünsche.
Die hohe Gestalt des Fürsten Schwarzenberg, eine neue Erscheinung in
der Versammlung, bewegte sich mit raschen kleinen Schritten den Boden
streifend der Rednerbühne zu; auf den wüsten Lärm, die leidenschaftlichen
Rufe die noch kurz zuvor die Räume des Saales erfüllt hatten, folgte
lautlose Stille, anfangs nur wenig unterbrochen durch das Geräusch

jener, die sich von den höher gelegenen Bänken um besser zu hören
weiter herabschlichen. Schwarzenberg begann mit kaum vernehmbarer
Stimme, das Papier zitterte in seinen unsichern Händen, sein Antlitz
war blässer als gewöhnlich; den gewandten Diplomaten schien seine
ganze Fassung, den tapfern Feldherrn sein ganzer Muth verlassen zu
haben, als er sich in ungewohnter Lage der Gesammtheit der österreichischen Volksvertreter gegenüber sah. Erst allmälig, als einzelne Äußerungen der Zustimmung das Echo der Versammlung wachriefen, als diese
Kundgebungen im Verlaufe seines Vortrages immer lebhafter, immer
lauter und allgemeiner wurden, als bei vielen Stellen ein wahrer Sturm
von Beifallsrufen und Händeklatschen losbrach, wurde seine Haltung
unbefangener, seine Stimme sicherer und gegen das Ende seiner Ansprache
hatte er die gewohnte Kraft seines Wesens vollends wieder gewonnen.

In der That war die Ansprache, die das neue Ministerium an den
österreichischen Reichstag und durch diesen an die österreichischen Völker
richtete und die bald von den Zeitungen aller gebildeten Völker des
Erdballs wiedergegeben wurde, in hohem Grade geeignet Aufmerksamkeit
und Theilnahme auf sich zu ziehen. Von dem Satze: „Einig in den
Grundsätzen werden die Worte und Handlungen eines jeden von uns
der Ausdruck der Politik des Gesammt-Ministeriums sein", womit es
sich den Aufgaben die es zu lösen, den Ereignissen die es zu bewältigen
hatte, als fest geschlossene Phalanx gegenüberstellte, bis zu den Worten
mit denen es schloß: „Dies sind die Hauptgrundsätze unserer Politik;
wir haben sie mit unumwundener Offenheit dargelegt, weil ohne Wahrheit kein Vertrauen, und weil Vertrauen die erste Bedingung eines
gedeihlichen Zusammenwirkens zwischen Regierung und Volksvertretung", legte jeder Gedanke, der in dem ministeriellen Programme
Ausdruck fand, Zeugnis ab von dem Selbstgefühl, von dem entschlossenen Willen einer Regierung, die sich sowohl ihres Zieles als
der Mittel und Wege zur Erreichung desselben klar bewußt ist. „Das
große Werk das uns im Einverständnisse mit den Völkern obliegt, ist
die Begründung eines neuen Bandes das alle Länder und Stämme der
Monarchie zu e i n e m großen Staatskörper vereinigen soll. Das Ministerium will nicht hinter den Bestrebungen nach freisinnigen und volksthümlichen Einrichtungen zurückbleiben; es hält vielmehr für seine Pflicht
an die Spitze dieser Bewegung sich zu stellen. Wir wollen die constitutionelle Monarchie aufrichtig und ohne Rückhalt". Gleichheit aller Staats-

bürger vor dem Gesetze, Gleichberechtigung aller Volksstämme, Öffentlichkeit in allen Zweigen der Verwaltung sollen die Stützpunkte des
neuen Baues sein; „die Grundlage des freien Staates ist die freie Gemeinde". Das Ministerium erklärte sich gewillt, Hand in Hand mit dem
Reichstage alle jene Institutionen zu schaffen die zur festen Begründung der Errungenschaften der letzten Zeit erforderlich seien; es verlangte aber mit gleicher Entschiedenheit die Wahrung der ihm selbst und
ihm allein zukommenden Befugnisse. „Fest entschlossen jeden unverfassungsmäßigen Eingriff fern zu halten, aber eben so wenig Eingriffe in
die vollziehende Gewalt zu gestatten", bezeichnete es „die ungeschmälerte
Erhaltung der den Völkern Österreichs zugesicherten Freiheit", aber zugleich „die Sicherstellung der Bedingungen ohne welche diese Freiheit
nicht bestehen kann", als sein Ziel und seine Richtschnur; „daß diese
Freiheit zur lebendigen Wahrheit, daß ihren Bedingungen Erfüllung
werde, dahin gedenken wir mit Ernst und Nachdruck zu wirken". Nicht
minder klar sprach sich das Programm über die äußern Verhältnisse
aus. „Noch muß in Italien unser Heer gerüstet stehen um die Integrität des Reiches zu wahren"; in Ungarn hat „eine Partei, deren letztes
Ziel der Umsturz und die Lossagung von Österreich ist", den Widerstand der „in ihren unveräußerlichen Rechten gekränkten Völker" hervorgerufen; „nicht der Freiheit gilt der Krieg, sondern Jenen die sie der
Freiheit berauben wollen. Aufrechthaltung der Gesammt-Monarchie, ein
engerer Verband mit uns, Anerkennung und Gewährleistung ihrer Nationalität sind der Gegenstand ihrer Bestrebungen. Das Ministerium
wird sie unterstützen mit allen ihm zu Gebote stehenden Mitteln". Das
Verhältnis von Österreich zu Deutschland betrachtete das Ministerium
als noch nicht reif zur schließlichen Feststellung: „erst wenn das verjüngte Österreich und das verjüngte Deutschland zu neuen und festen
Formen gelangt sind, wird es möglich sein ihre gegenseitigen Beziehungen staatlich zu bestimmen". Die Wiener Verhältnisse endlich berührte
das Programm im Geiste der Versöhnung: „Tiefe Wunden sind geschlagen worden; sie zu heilen so weit dies möglich, das Herz des Reiches seinem früheren Wohlstande zurückzugeben und dafür zu sorgen,
daß dem durch das Gebot der Nothwendigkeit herbeigeführten Ausnahmszustande sobald es die Verhältnisse gestatten ein Ende gemacht werde,
wird unser eifriges Bestreben sein".

Wenn sich jemals sagen ließ, die Stimme des Reichstages sei der

Gesinnungsausdruck der österreichischen Völker gewesen, so war es, als nach dem Vortrage des Minister=Präsidenten die Wände des Prunksaales im erzbischöflichen Palaste zu Kremsier ein „großer allgemeiner. anhaltender Beifall" widerhallen machte [296]). Im Grund waren von dem Erfolge alle Theile überrascht. Die Linke hätte natürlich mehr und anderes gewünscht, allein sie hatte weniger erwartet. Die Anhänger der Regierung, die Minister selbst, hatten sich zwar der Zuversicht hingegeben, man werde mit dem Programme keine Schande aufheben; allein daß es in folchem Grade durchschlagen, einer so rauschenden und allgemeinen Zustimmung begegnen werde, das hatten sie in ihren kühnsten Träumen nicht zu hoffen gewagt. Es war dem Programm ein guter Ruf vorausgegangen. Personen die dessen Inhalt kannten hatten eine günstige Meinung davon verbreitet; daß aber aristokratische Männer der Macht wie Schwarzenberg und Stadion der Freisinnigkeit, dem Constitutionalismus, den volksthümlichen Einrichtungen so unumwundene Huldigungen darbringen würden, darauf war niemand gefaßt. Die Mistrauischen, die Schwarzseher, die Feinhörigen drangen mit ihren Zweifeln und Warnungen nicht durch. Die große Mehrheit wollte nun einmal, nachdem sie Monate hindurch zwischen Hoffen und Fürchten geschwebt, den Genuß zuversichtlichen Freuens haben, und dafür waren in dem ministeriellen Programme Anhaltspunkte genug gegeben. „Die Sprache der Minister", hieß es, „athmet eine Offenheit die von Muth zeigt, und eine Festigkeit die sich auf eine halbe Million Bajonnete stützt Was ein solches Ministerium angenehmes verheißt, wird es halten; macht es doch auch daraus kein Hehl womit es Ernst zu machen gedenkt! Wir wissen endlich einmal mit Bestimmtheit woran wir sind. Die unheilbringenden Schwankungen des Ministeriums Pillersdorf, die „Zeitgeist'=Politik des Ministeriums Doblhoff, sie haben Unheil genug über uns gebracht. Die Erinnerung an die blutigen Folgen unsicherer schwacher, in sich uneiniger Regierungsgewalten führt uns zur freudigen Begrüßung einer festen starken, ihre Stellung zwischen Krone und Volk entschieden festhaltenden. Ist den Unruhstiftern und Wühlern, die uns ein halbes Jahr hindurch alle Freude an Besitz und Erwerb verkümmert, jede Aussicht genommen ihr Treiben von neuem zu versuchen, so muß andrerseits das Schlachtgeschrei der Demagogen über den Einfluß der Camarilla einem Ministerium gegenüber verstummen, das mit solcher Entschiedenheit darauf besteht jeden unberechtigten Eingriff in feine Berufs= und Gewalt=Sphäre zurückweisen

20

zu wollen. Und es wird im Stande sein zu erfüllen was es verspro=
chen! Denn ohne Frage besitzen die Männer der gegenwärtigen Ver=
waltung das volle Vertrauen dessen der sie ernannte, während in den
Wirren der früheren Tage manche Personen berufen wurden, die, ohne
daß sie die persönliche Neigung des Monarchen genossen, mehr zur Be=
schwichtigung der Partei mit in die Reihe der obersten Räthe der Krone
gestellt wurden".

Vor allem einen günstigen Eindruck machte das ministerielle Pro=
gramm in der Hauptstadt des Reiches. „Ich weiß seit den Märztagen
kein Actenstück das sich so der ungetheilten Zustimmung erfreute als die=
ses Programm", schrieb ein Wiener Correspondent der Augsburger all=
gemeinen Zeitung. Ein anderer meinte: es bestehe allerdings jetzt keine
Oppositions=Presse und auch das gesprochene Wort laufe während des
Belagerungszustandes manche Gefahr; dennoch gebe es für den geübten
Beobachter mannigfaltige Zeichen aus denen man die Stimmung des
Volkes erforschen könne, „und ich sage nicht zu viel wenn ich behaupte,
daß der Eindruck den das neue Programm hervorgebracht ein über=
wiegend günstiger ist". Eine mit nahe an 15.000 Unterschriften ver=
sehene in die Hände Welden's zur Beförderung an das Gesammt=Mini=
sterium gelegte Adresse enthielt die „einhellige Beistimmung" zu den in
der Eröffnungsrede des Minister=Präsidenten dargelegten Grundsätzen
innerer und äußerer Politik, und begrüßte das Programm „freudig und
bewegt als das erste Morgenroth einer lichtern Zukunft, als die erste
Verheißung einer vollen Entfaltung der jungen Freiheitssaat, die Öster=
reichs edler Herrscher auf seiner weiten Lande blühende Gefilde gestreut
hat" [297]). Wohl knüpfte man an das Versprechen, daß dem Ausnahms=
zustande in der Reichshauptstadt sobald als möglich ein Ende gemacht
werden solle, eine Reihe mitunter etwas sanguinischer Berechnungen.
Ohne Zweifel, meinten Einige, werde das Ministerium die Gesetzent=
würfe über die Regelung der Presse, des Vereinsrechtes, der National=
garde bereits zur Vorlage bereit haben; die Linke werde „im Gefühle
den Belagerungszustand der Hauptstadt mit herbeigeführt zu haben",
Maßregeln nicht entgegentreten die ihn schnell zu beendigen geeignet
seien; „das Ministerium also, wenn keine andern Rücksichten obwal=
ten, binnen acht Tagen dem Ausnahmszustande ein Ende machen" [298]).
Wenn man in gewissen deutschen Kreisen mit einer Stelle des ministe=
riellen Programms sich nicht ganz einverstanden zeigte, so war es, jene

über die in eine unbestimmte Zukunft hinausgeschobene Feststellung des Verhältnisses zu Frankfurt. „Heißt das etwa so viel als: wir verzichten für jetzt auf jede Theilnahme an dem Wiederaufbau Deutschlands? wir betrachten die Verträge von 1815, kraft deren fünfzehn Millionen Be= wohner Österreichs zum großen deutschen Bunde gehören und die übrigen Provinzen des Kaiserstaates mit ihnen im engsten Vereine stehen, als aufgehoben? wir räumen die deutschen Bundesfestungen, wir begeben uns vorerst jeder Stimme bei den Berathungen über die künftigen Geschicke Deutschlands, wir treten unsern ganzen gebietenden Einfluß daselbst ab? wir überlassen Preußen, etwa im Verständnis mit Bayern, die aus= schließliche Hegemonie in Deutschland, dessen Kaiserkrone so viele Jahr= hunderte ein Angebinde Österreichs war? Man täusche sich nicht: das alles und vieles andere wäre die nächste Folge, wenn das Programm des neuen österreichischen Cabinets verwirklicht würde. Oder will man auf eine Übereilung in Frankfurt mit einer noch größeren Übereilung in Kremsier und Olmütz antworten?" [299]). Doch das waren vereinzelte Äußerungen. Die große Masse der Wiener Bevölkerung spürte die Fol= gen des schwarz=roth=goldenen Schwindels noch in allen Gliedern und die letzten Beschlüsse des Frankfurter Parlaments hatten sie erst recht zur Besinnung ihres österreichischen Berufes gebracht. Das Schreiben Radecky's an Dr. Egger *), die Worte die Fürst Windischgrätz an die Deputation des Wiener Handelsstandes richtete: „er sei nicht gegen Deutschland, allein er könne auch nicht vergessen daß Österreich a l s Österreich es gewesen sei, das bei Aspern gesiegt und bei Leipzig den Ausschlag gegeben", fanden in Wien lebhaften Anklang. Als um die= selbe Zeit die Neuwahl für eine Frankfurter Abgeordnetenstelle einge= leitet wurde, hörte man die Verwunderung darüber aussprechen wie nach allem was vorgefallen ein solcher Act noch stattfinden könne. Die tonan= gebenden Wiener Journale, wie die „Presse", der „österreichische Lloyd" stellten den Frankfurter Beschlüssen die österreichische Gesetzgebung gegenüber: „letztere müsse erst jene Beschlüsse anerkennen wenn sie auf unserem Boden Geltung haben sollten, und zwar dann nicht als Frank= furter sondern als österreichisches Gesetz"; und hielten der Pauls= kirche alles Misgünstige vor das sie in allen kritischen Lagen der letzten Monate über Österreich gebracht, von der Begrüßung der ungari= schen Gesandtschaft in Frankfurt bis zu Robert Blum's verhängnisvoller

*) Bd. II. S. 252, Anm. 170 b.

．．．． In einer Loge war es auch, wo sich die Local-Sängerin ．．．．．．．．．．，．．．．．．． Fanni Schwella's, im Leopoldstädter Theater das Im- ．．．．．． ．．．．． „Jetzt werde ich ein Lied singen, aber kein deutsches*), ．．．． ．． gutes herzliches österreichisches“, und rauschender Beifall aus ．．．． Räumen des Hauses sie dafür lohnte.

．．．． mindern Beifall fand das ministerielle Programm in den ．．．．．． Gauen des Reiches. Die Nationalen wünschten sich Glück ．．． Grundsatz der Gleichberechtigung aus dem Munde der Regierung in ．． ．．．．．．． Weise zum Ausdruck gebracht zu sehen. Die politischen ．．．． legten entscheidenden Werth auf die im Programm ausgesprochene Versicherung, ein neues Band knüpfen zu wollen das alle Lande des Reiches zu einem Staatskörper vereinige, alle in die gleiche Stellung ．．． Krone bringe und dadurch, sowie durch die Principien politischer Freiheit und Selbstverwaltung durch alle Stufen des Staatsgebäudes, die Macht eines starken einigen und ungetheilten Österreich je länger je ．．． gründe. Halb unbewußt gab man sich der Stimmung hin deren ．．．． aus jedem Satze des Programms hindurchklang: klares sicheres Wollen, Vertrauen in die eigene Macht, Zuversicht in eine glücklichere Zukunft. Der Einzelmensch gilt wofür er sich gibt: ein Staat, eine Regierung auch. Bewußtsein der Kraft ist Kraft, und dies Bewußtsein, ．．．．． lebte in den neuen Räthen der Krone. Es war ．．． ．．．．．．．．．．． es war mannhafte Gesinnung und Selbst- ．．．．．． ．．． ．．．． die Worte eingab, die aufrichtend anregend anspornend ．．．． ．．． ．．．．． des weiten Reiches tönten. Die Lage war überaus ．．．．．． ．．． ．．． gesammte Vaterland gerathen war, aber man war ．．．．．． ．．． Männer solchen Schlages werde es gelingen aus derselben ．．．．．． Gleich am zweiten Tage nach Bekanntgabe des mini- ．．．．．． Programms (24 November) erhob der mährische Landtag den ．．． ．．. Schleinitz eingebrachten, vom Ritter von Chlumecky unter ．．．．．． ．．．．． des Hauses unterstützten Antrag [300]) zum Beschluße: ．．． gesammten Ministerium ein Vertrauens-Votum in der innigen Über- ．．．．．． auszusprechen, daß es den Männern denen Se. Majestät die Leitung ．．． Staatsgeschäfte übertragen, Männern die im edlen Patriotismus den ．．．．．． Muth haben die Grundsätze einer neuen Zeit im Staatsleben ．．．．．． nie an der Kraft fehlen werde sie zu befestigen und durchzuführen“.

*) „Das deutsche Lied“, Musik von Joh. Wenzel Kaliwoda, war ein Lieblings- ．．． der Wiener in den letzten Jahren vor 1848.

Nichts war geeigneter die Überzeugung von dem ernsten Streben
der neuen Regierung in allen Kreisen zu befestigen, als die Art und
Weise wie sich dieselbe ihren eigenen Organen ankündigte. ` In einem
Rundschreiben vom 28. November theilte Stabion allen Landes=Präsi=
dien so wie allen Kreisvorstehungen das Programm des Ministeriums
mit dem Auftrage mit: „bei den unterstehenden Behörden, bei Ortsvor=
ständen, sonstigen einflußreichen Personen und Körperschaften auf ein
richtiges Verständnis desselben hinzuwirken", vor allem aber selbst mit
dem Geiste desselben sich vertraut zu machen und die darin ausgespro=
chenen Grundsätze sich „als Richtschnur bei ihren Amtshandlungen und
Vorschlägen gegenwärtig zu halten". Bei Handhabung der vollziehenden
Gewalt habe die öffentliche Behörde mit jener Festigkeit und Würde
vorzugehen, welche einer Regierung ziemt die sich ihrer Kraft bewußt
ist. „Ich dulde keine Schwäche und keine Blosstellung der öffentlichen
Gewalt. Die Regierung hält die Mittel bereit das Gesetz und die
Ordnung vor Angriffen sicher zu stellen, und sie wird sich ihrer bedienen.
Aus der Entschlossenheit der Regierung ist kein Geheimnis zu machen.
Eine starke und wirksame Vollziehungsgewalt hat aber eine einfache
schnelle, von allem unnöthigen Formelwesen entkleidete Geschäftsbehand=
lung zur unerläßlichen Vorbedingung. Es hat daher vor allem die bis=
herige gremiale Verfassung der Landesbehörden sogleich aufzuhören, die
Leitung und der Wille des Landes=Chefs hat das Band der Einheit in
der Geschäftsbehandlung herzustellen und für zweckmäßige Richtung ein=
zustehen [301]). Die ungetheilte Vollmacht innerhalb der Gränzen des
Wirkungskreises der Gubernien so wie die ungetheilte Verantwortung
wird in die Hand des Landes=Chefs gelegt". Wir finden hier Stabion
als Minister wieder, wie wir ihn früher als Gouverneur beobachtet;
und was sich früher in kleinern Kreisen abwickelte, das wiederholte sich
jetzt in größerem Maßstabe. In den Beamtenkreisen der alten Schule
riefen die kategorischen Weisungen, denen noch beigefügt war daß der
Landes=Chef bei Betrauung mit wichtigeren Geschäften „ohne Rücksicht
auf das Dienstalter blos nach Maßgabe der Befähigung" vorzugehen
habe, eine gewaltige Aufregung hervor; sie hatten massenweise Dienstes=
enthebungen und Pensionirungen vor Augen; sie sahen die altgewohnte
Stabilität staatlicher Bedienstungen erschüttert, die bisherigen Schlag=
worte der Beamten=Hierachie: „Anciennetät", „gerechte Ansprüche" u.
dgl. um ihre Geltung gebracht, dafür „Präterirungen", „Protectionen"

Thür und Thor geöffnet. Allein in die Befähigteren Geistvolleren Kräftigeren des Beamtenstandes kam ein neues Leben. Sie erkannten, daß an die Stelle der mechanisch sich hinschleppenden Bewegung der Staatsmaschine die freie lohnende Thätigkeit eines lebensvollen Staats= Organismus getreten sei, daß die Individualität regen und verständigen Schaffens sich zu gebührender Anerkennung zu bringen im Stande sein werde. Die Bevölkerung endlich begrüßte das Rundschreiben des neuen Ministers des Innern mit ungetheiltem Beifall. „Kein Unbefangener kann verkennen", ließ sich der „Österr. Corr." schreiben, „daß es drin= gend Noth thut die Zöpfe zu beschneiden, wenn auch mancher dabei Haare lassen muß der sich auf Ewigkeit im Schoße Abrahams glaubte".

Wenn jemand Grund hatte die Erklärung des neuen Ministeriums mit ganz besonderem Danke zu begrüßen, so war es der Reichstag. Denn je mehr jenes von Tag zu Tag in dem öffentlichen Vertrauen stieg, desto mehr bekam dieser das stets wachsende Mistrauen der Be= völkerung zu empfinden. Man hielt nicht mehr hinter dem Berge mit dem Zweifel, man rief ihn in den offenen Tag hinaus: ob sich mit solchen Körpern wie dem österreichischen Reichstag und der preußischen National = Versammlung eine Verfassung zustandebringen lasse, und ob es ein gar so böses Ding wäre eine solche lieber im Wege der Octroyirung zu empfangen, zumal wenn letztere von einer Regierung getragen würde welche die Bürgschaft böte daß ihre Gabe kein leerer Buchstabe bleiben werde. Durch die Erklärung des Ministeriums nun, daß es bei dem großen Werke des Ausbaues der Verfassung auf die „Mitwirkung" des Reichstages zähle, war jener Zweifel beiseite gestellt und die in den Augen des Publicums discreditirte Versammlung hatte an der Regierung selbst einen mächtigen Rückhalt gewonnen. Auch war es außer Frage, daß Stadion Bach Kraus mit dem Entschluße an ihr Werk gingen, Hand in Hand mit dem Reichstage zu gehen wenn anders dieser seine Aufgabe begriffe. Dieselbe Gesinnung brachte unläugbar die große Mehrheit der Versammlung anfangs dem Ministerium entgegen. Allein Einzelne können solchem Vorhaben leichter treu bleiben als Ge= sammtheiten, die oft wider Willen Sclaven ihres äußern Publicums werden. Sie lassen sich leicht fortreißen, wenn eine zur Zeit beliebte Phrase an= geschlagen wird; die Einen wollen nicht zurückbleiben wo Andere vor= wärts drängen; die falsche Scham nicht freisinnig, nicht volksthümlich genug zu erscheinen, hält Viele gegen ihre bessere Überzeugung gefangen.

Von Seite des Ministeriums konnte man seiner Sache gewiß sein, der
Reichstag hatte erst seine Probe zu bestehen.

Es waren nur sehr vereinzelte Wahrzeichen die in letzterer Hinsicht
einen Umschwung zum Bessern hoffen ließen. Der Kremsierer Reichstag
war in seiner Zusammensetzung von jenem in Wien nur wenig verschieden.
Hätte das Beispiel des oberösterreichischen „Wirthschaftsbesitzers" Anton
Hofer, der seine Stelle niederlegte weil er zur Einsicht gekommen „daß
der vernünftigste Landmann beim besten Willen nicht im Stande sei bei
dem künftigen Verfassungswerke dem Vertrauen und den Erwartungen
seiner Mitbürger zu genügen", häufige Nachahmung gefunden, würde das
der Reichstag leicht haben verschmerzen können. Die vielen „Grundwirthe"
und Kleinbürger aus Ober-Österreich mit ihrem verständnislosen Radicalismus gereichten ihm weder zur besondern Zier noch Nutzen; dazu nun
die noch zahlreicheren Bauern aus Galizien und der Bukowina, die nicht
einmal die Kenntnis der Sprache in der verhandelt wurde mitbrachten.
Allein die Einen wie die Andern blieben fest auf ihren Sitzen, wogegen
Mandats-Niederlegungen mitunter von solchen Abgeordneten ausgingen
deren Scheiden der Reichstag alle Ursache hatte zu bedauern. Von den
Matadoren des October-Reichstages war Pillersdorff allein feinfühlend
genug, durch freiwilligen Rücktritt einer offenen Mistrauens-Bezeigung
seines Wahlbezirkes aus dem Wege zu gehen [302]); alle andern besaßen
stärkere Nerven. Füster sagte einer Deputation der Mariahilfer, die noch
vor seinem Abgange von Wien bei ihm erschienen war, gerade heraus:
„Ich habe schon etwas von einem Mistrauens-Votum gehört; ich erkläre
Ihnen aber daß ich Ihnen zum Trotz Deputirter bleibe, weil Sie kein
Recht haben mich zur Abdankung zu zwingen". Ganz verdutzt über diese
Unverschämtheit zogen die armen Vorstädtler wieder ab, ließen sich aber
dafür ein schriftliches Mistrauens-Votum aufsetzen das sich bald mit zahlreichen Unterschriften bedeckte. Auch seine Leidensgenossen Goldmark Bioland u. a. focht es nicht im mindesten an, wenn ihnen in Zuschriften,
in Zeitungs-Artikeln, in Botschaften aus ihren Wahlbezirken nicht blos
in der unzweideutigsten, sondern selbst in der grobkörnigsten Weise nahegelegt wurde daß sie am besten thäten sich in das Privat-Leben zurückzuziehen, ja wenn einzelne von ihnen, wie namentlich Füster, selbst in
Kremsier Beschimpfungen erfuhren die kein Mann von Ehre an sich haften
lassen kann [303]). Sie saßen immer noch lieber in Kremsier einem starken
Ministerium, als in Wien den noch stärkeren Kriegsgerichten gegenüber.

Es war ihnen im fürsterzbischöflichen Palaste allerdings nicht so wohl zu Muthe als in der Winter-Reitschule: es fehlten die von einem leicht zu gewinnenden Hörpöbel gefüllten Galerien, es fehlte die auf der Straße harrende Schaar ihrer Clienten. Doch aber fühlten sie sich auf dem Boden der gesegneten Hana ein bedeutendes sicherer als in der Nähe des March-feldes, und selbst die Rieger'sche Rede die ihnen eine so schwere Stunde bereitet hatte, konnte durch den ungestümen Widerspruch den sie sich gegen die verletzendsten Stellen derselben erlauben durften, nur beitragen ihre Zuversicht einigermaßen zu stärken.

Von großer Bedeutung für eine geläuterte Haltung des Reichstages hätte es werden müssen, wenn unter den „Polen im Frack" das entge-gengesetzte von dem eingetreten wäre was in der That stattfand. Adam Potocki und Zdislav Zamoyski legten ihre Mandate nieder um ihre Wähler, falls diese mit ihrem Gebahren im Reichstage nicht einverstan-den, in die Lage zu setzen andere Männer ihres Vertrauens zu wählen, und der „Czas" sprach die Erwartung aus daß dieses Beispiel von den übrigen galizischen Abgeordneten werde nachgeahmt werden. Das war nun aber nicht der Fall, obgleich kaum Einer im Reichstage saß der nicht mit einem oder mehreren Mistrauens-Boten aus seinem Wahlbezirke beehrt worden [304]). Die Hubicki, die Dunin Borkowski, die Ziemiałkowski, die Bilinski, und wie sie alle hießen welche die verhängnisvolle Politik der Pariser Emigration in ihrem Sinne trugen, sie blieben wie in Wien so in Kremsier zwischen den Violand und Füster, den Umlauft und Gold-mark auf den Bänken der äußersten Linken; und so waren es, da auch der in seinem Gemüthe tief erschütterte Georg Lubomirski auf seine Stelle verzichtete, gerade die besonnendsten unter den galizischen Abgeordneten deren Abgang der Kremsierer Reichstag wahrhaft zu bedauern hatte.

So beschränkte sich der ganze Gewinn den die October-Ereignisse dem Reichstage gebracht hatten am Ende darauf, daß das Centrum um einige Stimmen mehr zählte; daß einige Mitglieder desselben an Muth gewonnen, dagegen einzelne der Linken den ihrigen verloren hatten; daß im großen Durchschnitte Ruhe und ein anständiger Ton vorwaltete, weil zur Hervorrufung gewaltsamer Störungen zwei wichtige Factoren, die Galerie und die Gasse, in dem stilleren Kremsier fehlten; daß endlich die Erfahrungen der letzten Wochen doch einigermaßen zur Klärung der An-sichten und zu theilweisem Entgegenkommen der verschiedenen Partei-Pro-gramme beitrugen.

24.

Was dem Kremsierer Reichstage gegen die frühere Zeit einen ausgeprägteren Charakter verlieh, war weniger was im Saale vorging, als was außerhalb desselben vorbereitet wurde: eine festere Gliederung der Parteien, ein ziemlich strammes Club=Wesen.

Einen dieser Clubs bildeten die böhmisch=mährischen Abgeordneten slavischer Zunge, die sich nebstbei für ihr geselliges Beisammensein den „Primas von Ungarn" erkoren hatten. Vorsitzender im Club war Strobach, der seine Vertrauensstellung mit der Zeit in etwas herrischer Weise geltend zu machen wußte; es hieß, daß Havelka, Strobach's Begleiter auf der October=Flucht, besondern Einfluß auf ihn übe. Das Partei=Programm trug ein wesentlich nationales Gepräge. Voran standen Gleichberechtigung der Nationalitäten und Aufrechthaltung eines einheitlichen und selbständigen Österreich; jeder Gedanke eines näheren Anschlußes an Deutschland, irgend einer Rücksichtnahme auf, geschweige denn Unterordnung unter das Frankfurter Parlament wurde vom Club in der entschiedensten Weise abgelehnt [305]). Die südlichen Slaven Österreichs, Slovenen und Illyrier (Dalmaten), sowie die galizischen Ruthenen konnten einem solchen Programme nur beistimmen und schloßen sich allmälig dem Club an, der dadurch aus einem čechoslavischen ein österreichisch=slavischer wurde. Überhaupt trat die böhmisch=mährische Partei auf dem Kremsierer Boden mehr und mehr aus ihrer provinziellen Isolirung heraus. Bald war es eine Deputation der Serben, bald waren es Vertrauensmänner der bukowiner Romanen oder der ungarischen Slovaken, die, an das kaiserliche Hoflager nach Olmüz gesandt, auch in Kremsier einsprachen und mit ihren gleichgesinnten Stammverwandten Zeichen des Einverständnisses tauschten. Drei von ihnen, der Böhme Palacký, der Serbe Stratimirović und der Slovake Hurban fanden sich am 25. November im Palais Beatrix ein um dem Banus ihre Aufwartung zu machen, dessen freundliches Wesen neue Bande zwischen ihnen und den Kroaten knüpfte.

Wie die Slaven der im Reichstage vertretenen Länder, so traten auch mehrere Abgeordnete deutschen Stammes in einen eigenen Club zusammen.

zu wollen. Und es wird im Stande sein zu erfüllen was es versprochen! Denn ohne Frage besitzen die Männer der gegenwärtigen Verwaltung das volle Vertrauen dessen der sie ernannte, während in den
Wirren der früheren Tage manche Personen berufen wurden, die, ohne
daß sie die persönliche Neigung des Monarchen genossen, mehr zur Beschwichtigung der Partei mit in die Reihe der obersten Räthe der Krone
gestellt wurden".

Bor allem einen günstigen Eindruck machte das ministerielle Programm in der Hauptstadt des Reiches. „Ich weiß seit den Märztagen
kein Actenstück das sich so der ungetheilten Zustimmung erfreute als dieses Programm", schrieb ein Wiener Correspondent der Augsburger allgemeinen Zeitung. Ein anderer meinte: es bestehe allerdings jetzt keine
Oppositions-Presse und auch das gesprochene Wort laufe während des
Belagerungszustandes manche Gefahr; dennoch gebe es für den geübten
Beobachter mannigfaltige Zeichen aus denen man die Stimmung des
Volkes erforschen könne, „und ich sage nicht zu viel wenn ich behaupte,
daß der Eindruck den das neue Programm hervorgebracht ein überwiegend günstiger ist". Eine mit nahe an 15.000 Unterschriften versehene in die Hände Welden's zur Beförderung an das Gesammt-Ministerium gelegte Adresse enthielt die „einhellige Beistimmung" zu den in
der Eröffnungsrede des Minister-Präsidenten dargelegten Grundsätzen
innerer und äußerer Politik, und begrüßte das Programm „freudig und
bewegt als das erste Morgenroth einer lichtern Zukunft, als die erste
Berheißung einer vollen Entfaltung der jungen Freiheitssaat, die Österreichs edler Herrscher auf seiner weiten Lande blühende Gefilde gestreut
hat" [297]). Wohl knüpfte man an das Versprechen, daß dem Ausnahmszustande in der Reichshauptstadt sobald als möglich ein Ende gemacht
werden solle, eine Reihe mitunter etwas sanguinischer Berechnungen.
Ohne Zweifel, meinten Einige, werde das Ministerium die Gesetzent-
würfe über die Regelung der Presse, des Vereinsrechtes, der Nationalgarde bereits zur Vorlage bereit haben: die Linke werde „im Gefühle
den Belagerungszustand der Hauptstadt mit herbeigeführt zu haben",
Maßregeln nicht entgegentreten die ihn schnell zu beendigen geeignet
seien; „das Ministerium also, wenn keine andern Rücksichten obwal-
ten, binnen acht Tagen dem Ausnahmszustande ein Ende machen" [298]).
Wenn man in gewissen deutschen Kreisen mit einer Stelle des ministeriellen Programms sich nicht ganz einverstanden zeigte, so war es, jene

über die in eine unbestimmte Zukunft hinausgeschobene Feststellung des Verhältnisses zu Frankfurt. „Heißt das etwa so viel als: wir verzichten für jetzt auf jede Theilnahme an dem Wiederaufbau Deutschlands? wir betrachten die Verträge von 1815, kraft deren fünfzehn Millionen Bewohner Österreichs zum großen deutschen Bunde gehören und die übrigen Provinzen des Kaiserstaates mit ihnen im engsten Vereine stehen, als aufgehoben? wir räumen die deutschen Bundesfestungen, wir begeben uns vorerst jeder Stimme bei den Berathungen über die künftigen Geschicke Deutschlands, wir treten unsern ganzen gebietenden Einfluß daselbst ab? wir überlassen Preußen, etwa im Verständnis mit Bayern, die ausschließliche Hegemonie in Deutschland, dessen Kaiserkrone so viele Jahrhunderte ein Angebinde Österreichs war? Man täusche sich nicht: das alles und vieles andere wäre die nächste Folge, wenn das Programm des neuen österreichischen Cabinets verwirklicht würde. Oder will man auf eine Übereilung in Frankfurt mit einer noch größeren Übereilung in Kremsier und Olmütz antworten?" [299]). Doch das waren vereinzelte Äußerungen. Die große Masse der Wiener Bevölkerung spürte die Folgen des schwarz-roth-goldenen Schwindels noch in allen Gliedern und die letzten Beschlüsse des Frankfurter Parlaments hatten sie erst recht zur Besinnung ihres österreichischen Berufes gebracht. Das Schreiben Radecky's an Dr. Egger *), die Worte die Fürst Windischgrätz an die Deputation des Wiener Handelsstandes richtete: „er sei nicht gegen Deutschland, allein er könne auch nicht vergessen daß Österreich als Österreich es gewesen sei, das bei Aspern gesiegt und bei Leipzig den Ausschlag gegeben", fanden in Wien lebhaften Anklang. Als um dieselbe Zeit die Neuwahl für eine Frankfurter Abgeordnetenstelle eingeleitet wurde, hörte man die Verwunderung darüber aussprechen wie nach allem was vorgefallen ein solcher Act noch stattfinden könne. Die tonangebenden Wiener Journale, wie die „Presse", der „österreichische Lloyd" stellten den Frankfurter Beschlüssen die österreichische Gesetzgebung gegenüber: „letztere müsse erst jene Beschlüsse anerkennen wenn sie auf unserem Boden Geltung haben sollten, und zwar dann nicht als Frankfurter sondern als österreichisches Gesetz"; und hielten der Paulskirche alles Misgünstige vor das sie in allen kritischen Lagen der letzten Monate über Österreich gebracht, von der Begrüßung der ungarischen Gesandtschaft in Frankfurt bis zu Robert Blum's verhängnisvoller

*) Bd. II. S. 252, Anm. 170 b.

20*

Mission. In jenen Tagen war es auch, wo sich die Local-Sängerin Brüning, nachmalige Gattin Schuselka's, im Leopoldstädter Theater das Impromptu erlaubte: „Jetzt werde ich ein Lied singen, aber kein deutsches*), sondern ein gutes herzliches österreichisches", und rauschender Beifall aus allen Räumen des Hauses sie dafür lohnte.

Nicht mindern Beifall fand das ministerielle Programm in den verschiedenen Gauen des Reiches. Die Nationalen wünschten sich Glück den Grundsatz der Gleichberechtigung aus dem Munde der Regierung in so entschiedener Weise zum Ausdruck gebracht zu sehen. Die politischen Köpfe legten entscheidenden Werth auf die im Programm ausgesprochene Versicherung, ein neues Band knüpfen zu wollen das alle Lande des Reiches zu einem Staatskörper vereinige, alle in die gleiche Stellung zur Krone bringe und dadurch, sowie durch die Principien politischer Freiheit und Selbstverwaltung durch alle Stufen des Staatsgebäudes, die Macht eines starken einigen und ungetheilten Österreich je länger je fester begründe. Halb unbewußt gab man sich der Stimmung hin deren Grundton aus jedem Satze des Programms hindurchklang: klares sicheres Wollen, Vertrauen in die eigene Macht, Zuversicht in eine glücklichere Zukunft. Der Einzelmensch gilt wofür er sich gibt: ein Staat, eine Regierung auch. Bewußtsein der Kraft ist Kraft, und dies Bewußtsein, das sagte sich jeder, lebte in den neuen Räthen der Krone. Es war nicht eitle Selbstüberhebung, es war mannhafte Gesinnung und Selbstgefühl, was ihnen die Worte eingab, die aufrichtend anregend anspornend durch alle Gauen des weiten Reiches tönten. Die Lage war überaus schwierig in die das gesammte Vaterland gerathen war, aber man war überzeugt, mit Führern solchen Schlages werde es gelingen aus derselben herauszukommen. Gleich am zweiten Tage nach Bekanntgabe des ministeriellen Programms (29. November) erhob der mährische Landtag den vom Dr. Schlemlein eingebrachten, vom Ritter von Chlumecky unter rauschendem Beifall des Hauses unterstützten Antrag[300]) zum Beschluße: „dem Gesammt-Ministerium ein Vertrauens-Votum in der innigen Überzeugung auszusprechen, daß es den Männern denen Se. Majestät die Leitung der Staatsgeschäfte übertragen, Männern die im edlen Patriotismus den aufopfernden Muth haben die Grundsätze einer neuen Zeit im Staatsleben aufzustellen, nie an der Kraft fehlen werde sie zu befestigen und durchzuführen".

---

*) „Das deutsche Lied", Musik von Joh. Wenzel Kaliwoda, war ein Lieblingsstück der Wiener in den letzten Jahren vor 1848.

Nichts war geeigneter die Überzeugung von dem ernsten Streben der neuen Regierung in allen Kreisen zu befestigen, als die Art und Weise wie sich dieselbe ihren eigenen Organen ankündigte. In einem Rundschreiben vom 28. November theilte Stadion allen Landes=Präsidien so wie allen Kreisvorstehungen das Programm des Ministeriums mit dem Auftrage mit: „bei den unterstehenden Behörden, bei Ortsvorständen, sonstigen einflußreichen Personen und Körperschaften auf ein richtiges Verständnis desselben hinzuwirken", vor allem aber selbst mit dem Geiste desselben sich vertraut zu machen und die darin ausgesprochenen Grundsätze sich „als Richtschnur bei ihren Amtshandlungen und Vorschlägen gegenwärtig zu halten". Bei Handhabung der vollziehenden Gewalt habe die öffentliche Behörde mit jener Festigkeit und Würde vorzugehen, welche einer Regierung ziemt die sich ihrer Kraft bewußt ist. „Ich dulde keine Schwäche und keine Blosstellung der öffentlichen Gewalt. Die Regierung hält die Mittel bereit das Gesetz und die Ordnung vor Angriffen sicher zu stellen, und sie wird sich ihrer bedienen. Aus der Entschlossenheit der Regierung ist kein Geheimnis zu machen. Eine starke und wirksame Vollziehungsgewalt hat aber eine einfache schnelle, von allem unnöthigen Formelwesen entkleidete Geschäftsbehandlung zur unerläßlichen Vorbedingung. Es hat daher vor allem die bisherige gremiale Verfassung der Landesbehörden sogleich aufzuhören, die Leitung und der Wille des Landes=Chefs hat das Band der Einheit in der Geschäftsbehandlung herzustellen und für zweckmäßige Richtung einzustehen [301]). Die ungetheilte Vollmacht innerhalb der Gränzen des Wirkungskreises der Gubernien so wie die ungetheilte Verantwortung wird in die Hand des Landes=Chefs gelegt". Wir finden hier Stadion als Minister wieder, wie wir ihn früher als Gouverneur beobachtet; und was sich früher in kleinern Kreisen abwickelte, das wiederholte sich jetzt in größerem Maßstabe. In den Beamtenkreisen der alten Schule riefen die kategorischen Weisungen, denen noch beigefügt war daß der Landes=Chef bei Betrauung mit wichtigeren Geschäften „ohne Rücksicht auf das Dienstalter blos nach Maßgabe der Befähigung" vorzugehen habe, eine gewaltige Aufregung hervor; sie hatten massenweise Dienstesenthebungen und Pensionirungen vor Augen; sie sahen die altgewohnte Stabilität staatlicher Bedienstungen erschüttert, die bisherigen Schlagworte der Beamten=Hierachie: „Anciennetät", „gerechte Ansprüche" u. dgl. um ihre Geltung gebracht, dafür „Präterirungen", „Protectionen"

Thür und Thor geöffnet. Allein in die Befähigteren Geistvolleren
Kräftigeren des Beamtenstandes kam ein neues Leben. Sie erkannten,
daß an die Stelle der mechanisch sich hinschleppenden Bewegung der
Staatsmaschine die freie lohnende Thätigkeit eines lebensvollen Staats=
Organismus getreten sei, daß die Individualität regen und verständigen
Schaffens sich zu gebührender Anerkennung zu bringen im Staube sein
werde. Die Bevölkerung endlich begrüßte das Rundschreiben des neuen
Ministers des Innern mit ungetheiltem Beifall. „Kein Unbefangener
kann verkennen", ließ sich der „Österr. Corr." schreiben, „daß es drin=
gend Noth thut die Zöpfe zu beschneiden, wenn auch mancher dabei
Haare lassen muß der sich auf Ewigkeit im Schoße Abrahams glaubte".

Wenn jemand Grund hatte die Erklärung des neuen Ministeriums
mit ganz besonderem Danke zu begrüßen, so war es der Reichstag.
Denn je mehr jenes von Tag zu Tag in dem öffentlichen Vertrauen
stieg, desto mehr bekam dieser das stets wachsende Mistrauen der Be=
völkerung zu empfinden. Man hielt nicht mehr hinter dem Berge mit
dem Zweifel, man rief ihn in den offenen Tag hinaus: ob sich mit
solchen Körpern wie dem österreichischen Reichstag und der preußischen
National=Versammlung eine Verfassung zustandebringen lasse, und
ob es ein gar so böses Ding wäre eine solche lieber im Wege der
Octrohirung zu empfangen, zumal wenn letztere von einer Regierung
getragen würde welche die Bürgschaft böte daß ihre Gabe kein leerer
Buchstabe bleiben werde. Durch die Erklärung des Ministeriums nun,
daß es bei dem großen Werke des Ausbaues der Verfassung auf die
„Mitwirkung" des Reichstages zähle, war jener Zweifel beiseite gestellt
und die in den Augen des Publicums discreditirte Versammlung hatte
an der Regierung selbst einen mächtigen Rückhalt gewonnen. Auch war
es außer Frage, daß Stadion Bach Kraus mit dem Entschluße an ihr
Werk gingen, Hand in Hand mit dem Reichstage zu gehen wenn anders
dieser seine Aufgabe begriffe. Dieselbe Gesinnung brachte unläugbar die
große Mehrheit der Versammlung anfangs dem Ministerium entgegen.
Allein Einzelne können solchem Vorhaben leichter treu bleiben als Ge=
sammtheiten, die oft wider Willen Sclaven ihres äußern Publicums werden.
Sie lassen sich leicht fortreißen, wenn eine zur Zeit beliebte Phrase an=
geschlagen wird; die Einen wollen nicht zurückbleiben wo Andere vor=
wärts drängen; die falsche Scham nicht freisinnig, nicht volksthümlich
genug zu erscheinen, hält Viele gegen ihre bessere Überzeugung gefangen.

Von Seite des Ministeriums konnte man seiner Sache gewiß sein, der Reichstag hatte erst seine Probe zu bestehen.

Es waren nur sehr vereinzelte Wahrzeichen die in letzterer Hinsicht einen Umschwung zum Bessern hoffen ließen. Der Kremsierer Reichstag war in seiner Zusammensetzung von jenem in Wien nur wenig verschieden. Hätte das Beispiel des oberösterreichischen „Wirthschaftsbesitzers" Anton Hofer, der seine Stelle niederlegte weil er zur Einsicht gekommen „daß der vernünftigste Landmann beim besten Willen nicht im Stande sei bei dem künftigen Verfassungswerke dem Vertrauen und den Erwartungen seiner Mitbürger zu genügen", häufige Nachahmung gefunden, würde das der Reichstag leicht haben verschmerzen können. Die vielen „Grundwirthe" und Kleinbürger aus Ober-Österreich mit ihrem verständnislosen Radicalismus gereichten ihm weder zur besondern Zier noch Nutzen; dazu nun die noch zahlreicheren Bauern aus Galizien und der Bukowina, die nicht einmal die Kenntnis der Sprache in der verhandelt wurde mitbrachten. Allein die Einen wie die Andern blieben fest auf ihren Sitzen, wogegen Mandats-Niederlegungen mitunter von solchen Abgeordneten ausgingen deren Scheiden der Reichstag alle Ursache hatte zu bedauern. Von den Matadoren des October-Reichstages war Pillersdorff allein feinfühlend genug, durch freiwilligen Rücktritt einer offenen Mistrauens-Bezeigung seines Wahlbezirkes aus dem Wege zu gehen [302]; alle andern besaßen stärkere Nerven. Füster sagte einer Deputation der Mariahilfer, die noch vor seinem Abgange von Wien bei ihm erschienen war, gerade heraus: „Ich habe schon etwas von einem Mistrauens-Votum gehört; ich erkläre Ihnen aber daß ich Ihnen zum Trotz Deputirter bleibe, weil Sie kein Recht haben mich zur Abdankung zu zwingen". Ganz verdutzt über diese Unverschämtheit zogen die armen Vorstädtler wieder ab, ließen sich aber dafür ein schriftliches Mistrauens-Votum aufsetzen das sich bald mit zahlreichen Unterschriften bedeckte. Auch seine Leidensgenossen Goldmark Violand u. a. focht es nicht im mindesten an, wenn ihnen in Zuschriften, in Zeitungs-Artikeln, in Botschaften aus ihren Wahlbezirken nicht blos in der unzweideutigsten, sondern selbst in der grobkörnigsten Weise nahegelegt wurde daß sie am besten thäten sich in das Privat-Leben zurückzuziehen, ja wenn einzelne von ihnen, wie namentlich Füster, selbst in Kremsier Beschimpfungen erfuhren die kein Mann von Ehre an sich haften lassen kann [303]. Sie saßen immer noch lieber in Kremsier einem starken Ministerium, als in Wien den noch stärkeren Kriegsgerichten gegenüber.

Es war ihnen im fürsterzbischöflichen Palaste allerdings nicht so wohl zu
Muthe als in der Winter=Reitschule; es fehlten die von einem leicht zu
gewinnenden Hörpöbel gefüllten Galerien, es fehlte die auf der Straße
harrende Schaar ihrer Clienten. Doch aber fühlten sie sich auf dem Boden
der gesegneten Hana ein bedeutendes sicherer als in der Nähe des March=
feldes, und selbst die Rieger'sche Rede die ihnen eine so schwere Stunde
bereitet hatte, konnte durch den ungestümen Widerspruch den sie sich gegen
die verletzendsten Stellen derselben erlauben durften, nur beitragen ihre
Zuversicht einigermaßen zu stärken.

Von großer Bedeutung für eine geläuterte Haltung des Reichstages
hätte es werden müssen, wenn unter den „Polen im Frack" das entge=
gengesetzte von dem eingetreten wäre was in der That stattfand. Adam
Potocki und Zdislav Zamohski legten ihre Mandate nieder um ihre
Wähler, falls diese mit ihrem Gebahren im Reichstage nicht einverstan=
den, in die Lage zu setzen andere Männer ihres Vertrauens zu wählen,
und der „Czas" sprach die Erwartung aus daß dieses Beispiel von den
übrigen galizischen Abgeordneten werde nachgeahmt werden. Das war nun
aber nicht der Fall, obgleich kaum Einer im Reichstage saß der nicht mit
einem oder mehreren Mistrauens=Voten aus seinem Wahlbezirke beehrt
worden[304]). Die Hubicki, die Dunin Borkowski, die Ziemialkowski, die
Bilinski, und wie sie alle hießen welche die verhängnisvolle Politik der
Pariser Emigration in ihrem Sinne trugen, sie blieben wie in Wien so
in Kremsier zwischen den Violand und Füster, den Umlauft und Gold=
mark auf den Bänken der äußersten Linken; und so waren es, da auch
der in seinem Gemüthe tief erschütterte Georg Lubomirski auf seine Stelle
verzichtete, gerade die besonnensten unter den galizischen Abgeordneten
deren Abgang der Kremsierer Reichstag wahrhaft zu bedauern hatte.

So beschränkte sich der ganze Gewinn den die October=Ereignisse
dem Reichstage gebracht hatten am Ende darauf, daß das Centrum um
einige Stimmen mehr zählte; daß einige Mitglieder desselben an Muth
gewonnen, dagegen einzelne der Linken den ihrigen verloren hatten; daß
im großen Durchschnitte Ruhe und ein anständiger Ton vorwaltete, weil
zur Hervorrufung gewaltsamer Störungen zwei wichtige Factoren, die
Galerie und die Gasse, in dem stilleren Kremsier fehlten; daß endlich die
Erfahrungen der letzten Wochen doch einigermaßen zur Klärung der An=
sichten und zu theilweisem Entgegenkommen der verschiedenen Partei=Pro=
gramme beitrugen.

24.

Was dem Kremsierer Reichstage gegen die frühere Zeit einen aus=
geprägteren Charakter verlieh, war weniger was im Saale vorging, als
was außerhalb desselben vorbereitet wurde: eine festere Gliederung der
Parteien, ein ziemlich strammes Club=Wesen.

Einen dieser Clubs bildeten die böhmisch=mährischen Abgeordneten
slavischer Zunge, die sich nebstbei für ihr geselliges Beisammensein den
„Primas von Ungarn" erkoren hatten. Vorsitzender im Club war Stro=
bach, der seine Vertrauensstellung mit der Zeit in etwas herrischer Weise
geltend zu machen wußte; es hieß, daß Havelka, Strobach's Begleiter
auf der October=Flucht, besondern Einfluß auf ihn übe. Das Partei=Pro=
gramm trug ein wesentlich nationales Gepräge. Voran standen Gleichbe=
rechtigung der Nationalitäten und Aufrechthaltung eines einheitlichen und
selbständigen Österreich; jeder Gedanke eines näheren Anschlußes an
Deutschland, irgend einer Rücksichtnahme auf, geschweige denn Unter=
ordnung unter das Frankfurter Parlament wurde vom Club in der
entschiedensten Weise abgelehnt [305]). Die südlichen Slaven Österreichs,
Slovenen und Illyrier (Dalmaten), sowie die galizischen Ruthenen konnten
einem solchen Programme nur beistimmen und schloßen sich allmälig dem
Club an, der dadurch aus einem čechoslavischen ein österreichisch=slavischer
wurde. Überhaupt trat die böhmisch=mährische Partei auf dem Kremsierer
Boden mehr und mehr aus ihrer provinziellen Isolirung heraus. Bald
war es eine Deputation der Serben, bald waren es Vertrauensmänner
der bukowiner Romanen oder der ungarischen Slovaken, die, an das
kaiserliche Hoflager nach Olmüz gesandt, auch in Kremsier einsprachen und
mit ihren gleichgesinnten Stammverwandten Zeichen des Einverständnisses
tauschten. Drei von ihnen, der Böhme Palacký, der Serbe Stratimirović
und der Slovake Hurban fanden sich am 25. November im Palais Bea=
trix ein um dem Banus ihre Aufwartung zu machen, dessen freundliches
Wesen neue Bande zwischen ihnen und den Kroaten knüpfte.

Wie die Slaven der im Reichstage vertretenen Länder, so traten auch
mehrere Abgeordnete deutschen Stammes in einen eigenen Club zusammen.

Der „Verein der deutschen Österreicher" stimmte mit den Führern der slavischen Partei in der großen Gestaltungsfrage des Reiches überein; er unterschied sich von ihnen hauptsächlich nur in der Auffassung des Verhältnisses zu Frankfurt, obgleich auch in diesem Punkte der Gegensatz kein so schroffer mehr war als ein Paar Monate früher in Wien. „Österreich sei", so lautete die Forderung, „als constitutionelle Erb-Monarchie in seiner vollen Integrität und Souverainetät zu erhalten, daher nicht nur jede Lostrennung sondern selbst jede Sonderstellung einzelner Theile fernzuhalten. Um Deutschlands selbst willen müsse man ein kräftiges und darum ungeschmälertes und einiges Österreich wünschen; einen andern Anschluß als unter dieser Voraussetzung könne man nicht zugeben, eine von Frankfurt ausgehende Suprematie über Österreich oder einzelne Theile davon nicht dulden."

Neben diesen beiden Clubs bildete sich ein dritter, dem zwar auch blos Abgeordnete deutscher Zunge angehörten, ohne daß sie jedoch wie der Verein der deutschen Österreicher das nationale Moment in den Vordergrund schoben. Er nannte sich vorzugsweise der Central-Club. Er hätte sich eben so gut den ministeriellen Club nennen können; denn Männer wie Mayer und Lasser, die der neugebildeten Regierung unläugbar nahestanden, waren seine Hauptstützen; auch Doblhoff zählte unter seine Gründer. Der Central-Club hatte mit dem slavischen den Grundsatz der nationalen Gleichberechtigung „mit Verbannung jeder Suprematie irgend eines Stammes", mit dem deutsch-österreichischen das Ablehnen jeder Unterordnung Österreichs unter das Frankfurter Parlament gemein. „Wir sind zu oberst freie Österreicher", hieß es in dem Programm, „und als solche brüderlich vereinte Deutsche Slaven Italiener und Rumänen". Der Central-Club befürwortete einen festen und bleibenden Verband mit Deutschland, jedoch werde, ganz im Sinne des ministeriellen Programms, „die Form dieses Bundes erst dann ausgesprochen werden können wenn Österreich und Deutschland sich constituirt haben werden; der dann abzuschließende Bundesvertrag soll einen integrirenden Anhang zu den Constitutions-Urkunden sowohl Österreichs als Deutschlands bilden". Wodurch sich das Programm des Central-Clubs vor den beiden andern auszeichnete, bestand in einem mehr in das einzelne gehenden Plan der künftigen Gestaltung des nicht-ungarischen Österreich. Das Programm hielt im Geiste des ministeriellen das „Recht der freien Selbstverwaltung der Gemeinden" als Grundlage fest. Über der Ortsgemeinde stünde der Bezirk,

über dem Bezirk der Kreis. Die Kreise bekämen eine größere Ausdeh=
nung als bisher und wären so viel als möglich nach Nationalitäten ab=
zugränzen; so zerfielen Böhmen in 3 slavische und 2 deutsche, Galizien
in 2 polnische und 4 ruthenische Kreise, Thyrol in Deutsch=Thyrol Wälsch=
Thyrol und Vorarlberg, während die kleineren Länder, wie Ober= und
Niederösterreich Schlesien Dalmatien 2c. nur einen Kreis bilden sollten.
In den Landtagen wären alle innern Angelegenheiten zu verhandeln, die
mehrere Kreise oder das ganze Land beträfen; namentlich gehörten da=
hin Kirchensachen Schulwesen Volkswirthschaftliches Landesbauten. Die
Verwaltung in den Provinzen hätten Minister=Gouverneure zu leiten,
die als exponirte Glieder des Reichs=Ministeriums mit diesem stünden
und fielen. Die Reichsvertretung hätte aus zwei Kammern zu bestehen,
deren eine unmittelbar aus der Gesammt=Bevölkerung hervorginge, die
andere von den Kreisvertretungen und Landtagen zu beschicken wäre. Den
Schlußstein dieses Organismus müßte ein verantwortliches Ministerium
bilden.

Die Linke gönnte sich einige Zeit ehe sie mit einem formulirten
Glaubensbekenntnis hervortrat; es war eben vollständige Desorganisation
womit sie nach den October=Tagen zu ringen hatte. Einige waren ihr
ganz untreu geworden und schweifwedelnd in das andere Lager hinüber=
gelaufen; Andere waren in den Grundsätzen und Ansichten, die sie frü=
her vertreten, wankend geworden und neigten aus ehrlicher Überzeugung
einer Regierung zu die ihnen Achtung abnöthigte; noch Andere, in ihrem
Innern immer noch die Alten, fühlten sich in der hanakischen Luft nicht
recht behaglich und konnten den früheren Ton nicht treffen. Am empfind=
lichsten war für die Linke die Wandlung Löhner's der zwar nicht offen
mit ihr brach, aber unverkennbar stets mehr zu feinen Landsleuten auf
der Rechten hinneigte; „ich hatte eine Geliebte", soll er gesagt haben,
„jetzt verlasse ich sie — Deutschland!" Ähnliches wollte man bei Brestel
wahrnehmen. Am meisten waren es noch die Polen und die Wälschen
die sich in ihrer Gesinnung und Haltung gleichgeblieben [306]). Der Club
der Linken hatte einen Saal im Piaristen=Gymnasium zum Versamm=
lungsort, wo Appellations=Rath Pretis den Vorsitz führte; als parla=
mentarischer Führer jedoch galt Schuselka, dem diese Rolle vorzüglich
durch die Stellung zufiel die er während des October als Berichterstat=
ter des permanenten Ausschusses eingenommen hatte. Schuselka faßte den
Beruf der Linken von einem höheren Standpunkte auf. „In jeder ge=

setzgebenden Versammlung", meinte ..., „muß ... eine Partei geben welche die Wahrheit als solche, die Principien in ihrer vollen Strenge und Consequenz, ohne Rücksicht auf praktischen Erfolg, zu vertreten, welche der Versammlung das Ideal vorzuhalten hat dem zugestrebt werden soll, wenn es auch nicht völlig erreicht werden kann". Schuselka interpellirte das Gesammt-Ministerium: „ob Österreich noch länger unter militärischer Dictatur stehen, das entsetzliche Gericht auf Leben und Tod" fortdauern solle; er stellte einen Dringlichkeits-Antrag auf unverzügliche Störung der Todesurtheile; er schlug vor, dem Finanz-Minister von der erbetenen 80 Millionen nur 5 Millionen zu bewilligen — all das durchaus nicht weil er sich einbildete es würden seine Anträge durchgehen, seine Interpellationen einen Erfolg haben. Im Gegentheile, der Mann der Linken, so sagte er sich, „muß im voraus auf Täuschungen und Niederlagen gefaßt sein und kann sich darüber nur in dem Gedanken trösten daß er für die Zukunft wirke"; er that alles nur, um der Stellung die er im Reichstage einzunehmen sich berufen hielt, um seiner „Überzeugung von der Pflicht eines Linken" gerecht zu werden [207].

War Pretis Vorsitzender im Club der Linken, war Schuselka ihr Führer in der Kammer, so rührte das Programm, das unter ihrer Firma in die Öffentlichkeit trat, weder von diesem noch von jenem sondern von Löhner her. Drei Momente waren darin bezeichnend. Erstens daß sorgfältig alles vermieden war, was als ein Hinüberneigen gegen Frankfurt oder als ein Einverständnis mit den maghyarischen Bestrebungen gedeutet werden konnte. Zweitens war als Ziel „vollkommene Entwicklung der demokratischen Grundsätze" ausgesprochen, doch mit dem Beisatz: „wobei wir aber allen republicanischen Tendenzen vollkommen fremd sind". Das auffallendste jedoch war das dritte, sowohl der Form wegen, weil es kundgab wie selbst die Linke nun das Bedürfnis fühlte aus der blosen Negation heraus und mit positiven Vorschlägen hervorzutreten; dann aber auch wegen des Inhalts. Denn dieselbe Linke die in Wien nur von „Nationalitäts-Liebhabereien" gesprochen, die keine andere Farbe als die schwarz-roth-goldene gekannt, die Österreich in Deutschland aufgehen lassen gewollt, sehen wir in Kremsier jetzt eine Fahne aufstecken deren bunte Vielfärbigkeit ganz und gar nach dem Lager der österreichischen Nationalen hinüber wies. Die im Reichsrath vertretenen Länder sollten „einen Föderativ-Staat" bilden, „bestehend aus folgenden fünf Nations-Staaten: Deutsch-Österreich (die Erzherzogthümer, Nord-Tyrol,

die deutschen Theile von Steiermark und Kärnten, von Böhmen und
Mähren, der Troppauer Kreis), Čechisch-Österreich (die slavischen Theile
von Böhmen und Mähren, der Teschner Kreis von Schlesien), Slove-
nisch-Österreich, Italienisch-Österreich (mit Süd-Tyrol Dalmatien und
Istrien) und Polnisch-Österreich. Jeder dieser Nations-Staaten hätte
seine eigene Gesetzgebung und Verwaltung, sein eigenes Parlament und
seine verantwortlichen Staats-Secretäre für Inneres Justiz Cultus Unterricht Finanzen Ackerbau. Im Centrum der Monarchie befände sich
der oberste Rath der Krone mit Ministern ohne Portefeuille für jeden
Nations-Staat, und ein theils aus directen Wahlen theils aus den
Parlamenten hervorgehender Senat, endlich ein Staatsgerichtshof für
Streitigkeiten der Nations-Staaten unter einander und für Anklagen
gegen die Minister". . . Wir brauchen kaum beizufügen, daß an diesem
ganzen Plane nichts anzuerkennen war als allenfalls der gute Wille;
seinem Gehalte nach war er geradezu v e r r ü c k t zu nennen, und es haben
sich auch die öffentlichen Organe der verschiedensten Farbe in diesem
Sinne darüber ausgesprochen [308]).

Nach der Zahl der Stimmen über die er in der Kammer verfügen
konnte stand der slavische Club obenan, ihm gehörten bei 120 Abgeordnete an; nach diesem war der stärkste der Central-Club mit ungefähr
60 Mitgliedern; der deutsch-österreichische Verein zählte über 40 Theilnehmer [309]); am schwächsten an Mitgliederzahl dürfte der Club der Linken gewesen sein. Im Ganzen kam die Club-Bildung des Kremsierer
Reichstages den Verhandlungen in mehr als einer Beziehung zu statten.
Die jedesmalige Tagesordnung wurde von den verschiedenen Parteien
vorher durchgesprochen und man kam in der Regel durchaus vorbereitet
in die Sitzungen. Jede Partei führte meist nur ihre tüchtigsten Redner
in's Treffen und wurde seltener, als dies früher vorzukommen pflegte,
durch irgend ein Misverständnis oder durch die Hitze eines ihrer Angehörigen blosgestellt. Es war eine gute Partei-Disciplin in den Clubs
durchgeführt, die sich freilich bei Manchen als beengender Druck fühlbar
machte. Jeder Club hatte seinen leitenden Ausschuß, an den sich in un-
vorhergesehenen Fällen zu wenden war und der, wenn bei wichtigen Fragen eine Unterbrechung von einigen Minuten beschlossen wurde, zusam-
mentrat um rasch das zweckdienlichste vorzukehren.

Eines war auffallender Weise in den Programmen aller Kremsie-

... ... der ungarischen Frage;
... ... an die Thüre des Reichs=
... ... der im Gebiete des Pester Lan=
... ... enden Gränze liefen täglich mehr
... ... daß im Innern des Gebäudes,
... ... war, ein tiefgehender Riß die
... ... Bald waren es Hilferufe
... ... Einfällen der Ungarn, die alle
... ... losgelassen hätten, in unaus=
... ... oll den Reichstag anrief, ob denn
... ... und das Ansehen habe so ge=
... ... wirksames Ende zu machen [310]).
... ... Krieg der zeitweise längs der
... ... der aufgenommen wurde und von dem
... ... die Nähe von Kremsier drangen, wie
... ... der Amts=Official von Strany plötzlich
... ... dern in Hradis erschien, weil ein unga=
... ... Amt überfallen, Frachtwagen aus=
... ... gute Beute erklärt und über die Gränze

... ... enfälle solcher Art fühlte sich ein Theil
... ... schaft durch dasjenige angeregt und ge=
... ... an den ungarischen Kriegshändeln
... ... Zeit in den slavischen Theilen von Böh=
... ... vorbereitet wurde. Im Teschner Kreise
... ... unter Oberst=Lieutenant Frischeisen, das
... ... auf demselben Wege, den sich in der zweiten
... ... kämpfend gebahnt hatte, letzterem wünschens=
... ... fahren sollte. An dieser Unternehmung sollten
... ... Freischaaren betheiligen für die seit Wochen
... ... Im Haupt=Quartier des Feldmarschalls war man
... ... nicht besonders gewogen; man wünschte nicht daß
... ... würde, man duldete sie blos und unterstützte
... ... fürchten mußte durch offenes Entgegentreten mehr=
... ... zu erregen [311]). Stúr und Hurban, von der ma=
... ... ung für vogelfrei erklärt, weilten und wirkten seit Oc=
... ... dort erschienen im November auch Bloudek und Zach,

für die Jelačić Fürsprache beim Fürsten Windischgrätz einlegte. In
Mähren wirkten Mikšiček, die Brüder Polesňák, um theils die Theil=
nehmer an dem verunglückten September=Einfalle *) wieder zu sammeln
theils neue Mitglieder zu werben. Am 25. November verließ die erste
Abtheilung des slovakischen Frei=Corps unter Bloudek's Führung Prag,
etwa vierzig Köpfe stark, ausgediente Militärs, junge Leute, einige Stu=
denten; die Slovanská Lípa hatte einen Beitrag zu ihrer Kriegs=Casse
gespendet und ihnen die seit den Pfingsttagen in ihrer Verwahrung ge=
haltenen Trommeln der ehemaligen Svornost überlassen. Am 26. führten
Hurban Zach Mikšiček und die beiden Polesňák bei 200 Freiwillige auf
der Eisenbahn bis Prerau und von da weiter nach Teschen, wo sie am
27. eintrafen. Die militärische Führung übernahmen Bloudek und Zach,
ersterer als Commandant, letzterer als „Chef des Generalstabes des be=
waffneten slovakischen Aufstandes"; die politische Leitung des letzteren
fiel Hurban Štúr und Borik zu. Mit dem Eintreffen in Teschen wur=
den die Glieder des Frei=Corps in ärarische Verpflegung übernommen,
erhielten Waffen und Schießbedarf. Sie waren froh und guten Muthes;
ihr frisches Aussehen, ihre einfach schmucke Tracht machte guten Eindruck;
als Hurban Štúr Bloudek und die andern am 2. December nach
Troppau kamen, waren sie die Löwen des Tages, die Officiere des
Regimentes Palombini bewirtheten sie als Kriegsgenossen. Der Teschner
Kreis wimmelte von Flüchtlingen aus der Slovakei, viele noch von dem
verunglückten Septemberzuge her, wo sie mit der Waffe in der Hand
über die Gränze geflohen waren und seitdem sich in Wäldern und auf
Bergen herumtrieben, auf die Zeit harrend da sie in ihre Heimat wür=
den zurückkehren können. Von Teschen aus erließen die slovakischen Füh=
rer einen Aufruf an ihr Volk, worin sie ihm seine bevorstehende Be=
freiung, die Vernichtung des magyarischen „Galgenrechtes" ankündigten,
sie aufforderten sich zu erheben, sich ihnen anzuschließen, die kaiserlichen
Truppen mit Unterkunft Vorspann Verpflegsmitteln zu unterstützen [312]),
während von magyarischer Seite alle Künste angewandt wurden, sie bei
dem slovakischen Volke zu verdächtigen, ihre Namen verhaßt und gefürch=
tet zu machen. In einem Gassenhauer, der auch in Mähren auf Jahr=
märkten, bei Volksfesten u. dgl. Verbreitung fand, figurirte der prote=
stantische Hurban als „Heide" der katholische Christen morde, Kirchen
zerstöre, Dörfer niederbrenne und verwüste ꝛc. [313]). Ende November be=

*) Band II. S. 63, 193 f.

gannen sich Frischeisen's Truppen, denen allenthalben die Nationalgarde
thätige Beihilfe leistete, näher an die ungarische Gränze zu ziehen. Die
Hauptmacht stand in und um Jablunka; drei Compagnien waren im
benachbarten galizischen Gränzbezirke, in Kamesznica und Milówka zur
Behütung der Zugänge nach Ungarn aufgestellt. Der Verkehr aus Preußen war streng überwacht; einmal wurden 80 Kisten Gewehre aufgefangen, ein anderesmal fiel der k. k. Gränzwache in Grubek eine Ladung
von ein paar tausend Schuhen, die auf Schleichwegen den Insurgenten
zugeführt werden sollten, in die Hände. Kleinere Streif-Commanden
wurden von Zeit zu Zeit über die ungarische Gränze ausgeschickt. Bei
einer solchen Gelegenheit stießen drei kaiserliche Dragoner auf einen
Haufen Insurgenten die mit Verrammlung und Zerstörung der Wege
beschäftigt waren; etwa ein Dutzend Bewaffneter unter ihnen nahm sogleich Fersengeld, die Andern flehten die Dragoner um Schonung an,
da sie nur gezwungen und mit dem Galgen bedroht an der Arbeit
seien. An der Bildung einer andern Freischaar, die sich unmittelbar unter die
Befehle Simunić' stellen sollte, arbeiteten Janeček, von seinen Anhängern „der
zweite Žižka" genannt, dann Hodža und der katholische Pfarrer Závodník.

Alle diese Vorgänge standen nicht ohne Beziehung zu der slavischen
Reichstags-Partei. Die hervorragendsten der Freischaaren-Führer waren
mit den Häuptern der Slovanská Lipa in Prag und mit jenen des böhmisch-mährischen Clubs in Kremsier bekannt und befreundet; mehrere derselben, namentlich Zach und Hodža, erschienen wiederholt persönlich in
letzterem, brachten Mittheilungen, holten sich Rath. So war denn auch
die Rechte des Reichstages in die Lösung der ungarischen Frage mit
verflochten, und in der That war ihr Programm das einzige, das, wenigstens mittelbar durch den in den Vordergrund gestellten Grundsatz der
nationalen Gleichberechtigung aller Volksstämme des Reiches, die verfassungsmäßige Neugestaltung der Monarchie auf den ganzen Umfang
derselben bezogen wissen wollte. Die andern Parteien des Reichstages
schienen den Dualismus, wie er sich seit den März-Bewilligungen herausgebildet hatte, als etwas selbstverständliches hinzunehmen. Die ungarische
Frage war ihnen wenig mehr als die Bezwingung des ungarischen Aufstandes; was darnach zu geschehen habe war für sie, jedenfalls so lang
Windischgrätz und Jelačić noch in Wien weilten, eine müßige Frage. Sie
hatten in der Zwischenzeit, wenn nicht wichtigeres, doch anderes zu thun
— die dritte Lesung der Geschäftsordnung.

Nichts hat dem conſtituirenden Reichstage in den Augen der. Bevölkerung mehr geſchadet als die endloſe Berathung über ſeine Geſchäfts= ordnung, die bald nach Eröffnung deſſelben ihren Anfang genommen hatte und noch immer nicht zu endgiltigem Abſchluße gediehen war. Man war ſich in der Kammer dieſes wunden Fleckes ſehr wohl bewuſt und brachte den beſten Willen nach Kremſier alles aufzubieten daß, wie ſich Borroſch ausdrückte, „dieſer ſo lange ſich hinſchleppende Gegenſtand endlich einmal erledigt werde". Es war auch niemand geeigneter dieſen Zweck zu fördern als der Berichterſtatter des Geſchäftsordnungs=Aus= ſchußes Cajetan Mayer, der nun zum drittenmal Gelegenheit fand ſeine Schlagfertigkeit und dialektiſche Schärfe glänzen, ſeine ſarkaſtiſche Laune, ſeinen raſchen Witz ſpielen zu laſſen. Dennoch zogen ſich die Verhand= lungen neuerdings in die Länge. Der Ausſchuß hatte, ehe er die Ge= ſchäftsordnung zur dritten Leſung vorlegte, die im Lauf der vorangegan= genen Monate gemachten Erfahrungen gewiſſenhaft benützt, obgleich ſein Berichterſtatter die betreffenden Vorfälle, wenn durch ſie unliebſame Rück= erinnerungen wach gerufen werden konnten, tactvoll mehr andeutete als offen bezeichnete. Wohl führten jene Erfahrungen meiſt dahin in vielen Stücken verſchärfte Vorſichten anzuwenden, und Borroſch rief „allgemeine Heiterkeit" hervor, als er bei einem ſolchen Anlaſſe „die klimatiſchen Ein= flüße" bedauerte welche die Geſchäftsordnung auf Kremſierer Boden er= litten. Wo Mayer fühlte daß der Ausſchuß in jener Richtung zu weit gegangen ſein und daß ſich die überwiegende Mehrheit des Parlaments gegen eine ſolche „Bureaukratiſirung der Kammer", gegen eine ſolche Einzwängung „in Schnürſtiefel und Mieder" auflehnen dürfte, da war er klug genug, den betreffenden Abſatz nochmaliger Erwägung im Aus= ſchuße vorzubehalten oder ihn auch ganz zurückzuziehen [314]).

Von beſonderer Wichtigkeit waren nur zwei Punkte, über die ſich eine lebhafte Debatte entſpann. Der erſte betraf die nach §. 7 aufge= nommene Beſtimmung, daß jeder Reichstagsabgeordnete, der ein Staats= amt annehme oder ein während der Dauer des Reichstages angenom= menes bekleide oder in höhere Gehaltsgenüße vorrücke, ſich einer Neuwahl zu unterziehen habe. Von juriſtiſcher Seite wandten Gredler und Neu= wall ſogleich ein, daß die Ausdehnung der Maßregel auf jene die bereits ein Staatsamt angenommen keinesfalls angehe, da ein Geſetz keine rück= wirkende Kraft habe; dieſen Grundſatz der Rechtslehre durch einen Act

der Gesetzgebung zu verletzen, würde eine Handlung der Willkür sein.
Brestel dagegen meinte, es walte nicht der geringste Anstand ob die Maß=
regel rückwirkend zu machen; es hänge ja einzig von dem Betreffenden
ab das Staatsamt oder die Abgeordnetenstelle zu behalten; thue er das
erstere so übernehme er die Verpflichtung sich einer neuen Wahl zu un=
terziehen, wolle er das nicht so könne er das Staatsamt zurücklegen, und
die Sache stehe wie sie vordem gestanden. „Es ist daher", meinte der
Redner, „das Gesetz keineswegs rückwirkend in dem Sinne daß man einen
Schaden erleide, den man nicht erlitten haben würde wenn man das
Gesetz früher gekannt hätte. Im Gegentheile, würde man hier die rück=
wirkende Kraft nicht gelten lassen, so wäre das gegen den Grundsatz der
Gleichheit unter uns; denn war es einer gewissen Anzahl von Deputirten
gestattet ein Staatsamt anzunehmen ohne sich einer neuen Wahl zu un=
terziehen, so muß es in demselben Falle auch allen Übrigen noch gestattet
sein". Einen neuen Gesichtspunkt suchte Helfert für die Sache zu ge=
winnen indem er den Satz durchführte: die ganze Frage gehöre gar nicht
in die Geschäftsordnung; denn diese habe es mit den innern Vorgängen
und Angelegenheiten des Hauses bezüglich Jener zu thun, von denen es
bereits festgesetzt sei daß sie darin Sitz und Stimme haben; sie könne
aber nicht zurückgreifen auf jene Grundsätze nach deren Vorschrift man
in dieses Haus gelange: „mit der fraglichen Bestimmung würden wir
entweder etwas anticipiren was in die künftige Constitution gehört, oder
etwas nachtragen was in der Wahlordnung, kraft welcher wir hier sitzen,
nicht enthalten ist." Als es zur Schlußfassung kam, fiel Grebler's An=
trag bei namentlicher Abstimmung mit 157 gegen 126 Stimmen, und
der Paragraph blieb wie er vom Ausschuße vorgelegt worden war.

Den lebhaftesten Wortkampf führte der §. 79 herbei, dessen letzter
Satz nach der alten Fassung lautete: „Die Abstimmung durch Namens=
aufruf hat den Vorzug vor jener durch Kugelung", während nunmehr
der Ausschuß den entgegengesetzten Grundsatz beantragte: „Die Abstim=
mung durch Kugelung hat den Vorzug vor jener durch Namensaufruf".
Beide Parteien brachten ihre tüchtigsten Kämpfer in's Gefecht, und es
war in der That ein anziehendes Schauspiel wie ein kunstgerechter Schlag
auf den andern folgte, wie jedem von der einen Seite vorgebrachten
Grunde ein Gegengrund von der andern, jeder geltend gemachten Erfah=
rung eine zu entgegengesetzter Schlußfolgerung nöthigende Wahrnehmung
vorgehalten wurde. Dabei bewegte sich die Debatte im allgemeinen durchaus

inner den Gränzen parlamentarischen Anstandes, mit Ausnahme etwa der
Rede Leopold Neumann's, dem die Lorbeeren Rieger's vom 27. November
keine Ruhe ließen und der durch seine schonungslosen Ausfälle gegen die
Linke wiederholte Unterbrechungen veranlaßte. „Ihr Zischen, meine Herren", sagte er unter anderm, „ist Beifall für mich", worauf Gelächter
von der einen und Bravo von der andern Seite antwortete. Die Stimm=
führer der Linken riefen für ihre Meinung vor allem die Grundsätze der
Freiheit und Öffentlichkeit an. „Es sei Beruf jedes Abgeordneten, seine
heiligste Pflicht, daß die Committenten über jede einzelne Frage wissen
wie er gestimmt habe, und wenn auch kein Namensaufruf stattgefunden,
sei es, sobald sie es von ihm verlangen, seine Schuldigkeit ihnen das zu
sagen" (Brestel). „Die Abgeordneten seien den Völkern die sie vertreten,
seien der Geschichte Rechenschaft schuldig für jedes ihrer Worte, für jeden
ihrer Schritte; darum habe man die Öffentlichkeit der Verhandlungen
zum Grundsatze erhoben" (Ziemiałkowski). „Namensausruf sei die Er-
probung des männlichen Muthes; weder das Gewissen werde dadurch be-
einträchtigt noch die moralische Freiheit; wer sich in dieser Beziehung
beengt fühle, sei noch niemals gehindert worden vor der Abstimmung den
Saal zu verlassen" (Borrosch). „Wolle man es", fragte Borkowski,
„soweit kommen lassen, daß sich die Abgeordneten gleich den römischen
Auguren wegen ihrer politischen Meinung untereinander schämen sollen?"
Und Ziemiałkowski rief: „Schon hat man uns die Redefreiheit so weit
beschränkt daß uns für die Zukunft kaum etwas anderes übrig bleibt als
öffentlich ja oder nein zu sagen: will man uns dieses Recht auch noch
nehmen!?" Von der andern Seite dagegen hieß es: „Die Pflicht gegen
die Committenten gebietet, daß die Abgeordneten ihre Pflicht thun und
daß sie sie mit möglichster Freiheit thun. Sie fordern die öffentliche Ab=
stimmung im Namen der Freiheit", sagte Leopold Neumann, „und ich
sage, daß im Namen der Freiheit sehr häufig wider die heiligsten Inter=
essen gesündigt wurde; damit kein Misbrauch getrieben werde und die
Freiheit nicht in Terrorismus und Proscription ausarte, verlange ich die
geheime Abstimmung". Ein eigenthümlicheres Argument, meinte er mit
Recht, sei noch nie in einer Versammlung gebraucht worden als: daß es
jenem, der Bedenken trage seine Stimme offen abzugeben, freistehe den
Saal zu verlassen! „Gerade der Umstand daß sich beim Namensaufruf
so viele Mitglieder der Abstimmung enthielten oder entzögen, beweise
daß man sich dabei einem moralischen Zwange ausgesetzt finde" (Paul).

21*

„Dabei führe der Namensaufruf nur zu häufig Gehäßigkeiten herbei und man habe bei den bevorstehenden Kämpfen über die wichtigsten Fragen des Staatslebens volle Ursache, Anlässe zu leidenschaftlichen Aufregungen zu meiden" (Selinger). Als gegen diese Argumente von der Linken sich darauf berufen wurde, „die Voraussetzung, daß die Deputirten geheim anders stimmen würden als öffentlich, sei der größte Schimpf den man einem Abgeordneten, die größte Beleidigung die man dem ganzen Körper anthun könne" (Brestel), kehrte der Berichterstatter die Sache um und sagte: „Nein, meine Herren, auch wir gehen von der Ansicht aus daß niemand ein solches Verhalten zugemuthet werden könne; aber ist es dann nicht g l e i ch, ob die Abstimmung geheim oder öffentlich erfolgt?" Hauschild aber bemerkte scharfsinnig: „Die Freunde des Commissions= Antrages hegen, wie gesagt wird, Zweifel an dem Muthe einzelner Ab= geordneten, die Gegner desselben an deren Ehrlichkeit und Gewissenhaf= tigkeit Ich frage nun, welche dieser Annahmen ist ein größerer Schimpf, ist der Würde der Kammer mehr zuwider? Ich glaube, die letztere!" Nach den Erfahrungen die man in Wien gemacht hatte war wohl nicht zu läugnen, daß die namentliche Abstimmung meist in eine vexatorische Maß= regel ausartete und viel Zeit damit versplittert wurde. Als hiergegen die Andern meinten daß die Kugelung noch mehr Zeit in Anspruch nehme, da jeder einzelne an die Urnen herantreten müsse und die Stim= men leichter und schneller gezählt würden als die Kugeln, entgegnete Mayer: „Mehr Zeit braucht die Kugelung, ja; aber was ist es das ihr den Vorzug gibt? Sie hat weniger Reiz zum Misbrauch als der Namensaufruf, und dieser Reiz zum Misbrauch war eben dasjenige was veranlaßte daß er so oft vorgenommen wurde". Am unklugsten war es sich zum Beweise, daß Namensaufruf und Terrorismus nichts miteinander gemein hätten, auf die October=Sitzungen zu berufen wo es keinen Namensaufruf gegeben habe (Borrosch); „aus einem sehr erklärlichen Grunde", erwiederte Neumann, „weil es in den Octobertagen nur ein= stimmige Beschlüsse gab". Brestel wollte dies in Abrede stellen, da „gerade bei den wichtigsten und bedeutensten Fragen" Einzelne nicht im Sinne der Mehrheit gestimmt hätten; ja er wollte es sogar darauf hin= ausbringen, als ob diese Einzelnen nicht aber die Majorität der Kammer der Vorwurf des Terrorisirens treffe, indem es immer in der Macht von zweien oder dreien gelegen habe „durch Hinausgehen aus dem Saale zu hintertreiben daß gewisse Beschlüsse gefaßt würden". Dieses sonder=

nieder. Die Linke bäumte sich zwar oft, wie bei den §§. 22—25 die „Obliegenheiten der Ordner" betreffend, wo Löhner auf Jelen zielend den ausdrücklichen Zusatz verlangte daß dieselben „alles gemeinschaftlich zu thun" haben sollten, damit „nicht etwa ein Ordner allein als Dictator auftreten könne"; oder als bei der Bestimmung des §. 65, daß kein Vortrag abgelesen werden dürfe, die Frage auftauchte: ob dies auch für die Minister gelte. Stadion unterschied ganz richtig: wenn die Minister als Abgeordnete sprächen, gewiß; wo sie aber als Organe der Regierung Sr. Majestät aufträten, werde man ihnen die Vorlesung eines wichtigeren Schriftstückes gewiß nicht verweigern, da man unmöglich an sie die Zumuthung stellen könne dasselbe von Wort zu Wort auswendig zu lernen. Dagegen erhoben sich sogleich Hubicki und Borkowski, welcher letztere vom Präsidenten verlangte daß er die Kammer befrage: ob sie gesonnen sei zu Gunsten des „Abgeordneten Stadion" eine Ausnahme von der Geschäftsordnung eintreten zu lassen? Allein nur in den wenigsten Fällen gelang es der Linken mit ihren Einwendungen durchzudringen; wie bei §. 62 hinsichtlich des Punktes, daß die Minister zu jeder Zeit das Wort ergreifen können; Borkowski und Goldmark wußten die Einschränkung durchzusetzen, daß dies nach der Schlußrede des Berichterstatters oder Hauptantragstellers nicht geschehen dürfe. Zuletzt machte die Linke ihrem Mismuthe durch eine Einsprache Luft die, von Borkowski unterzeichnet, zu Anfang der Sitzung des 14. December vorgelesen wurde. „Ohne freie Berathung", hieß es darin, „sei jeder Reichstag nur ein Deckmantel des Absolutismus; man lege deshalb Verwahrung ein gegen alle Beschränkungen der Redefreiheit welche die Verhandlungen der Willkür schlechter Absichten und der Intrigue preisgeben, die Berathung fesseln, ja geradezu lähmen, da man den Reichstag nicht für berechtigt halte, selbstmörderische Beschlüsse gegen das erste und heiligste Recht der Volksvertreter, die ungehinderte und ungeschmälerte Freiheit der Rede zu fassen".

Die Mitglieder des Reichstages hatten gehofft mit der dritten Lesung der Geschäftsordnung in einer, höchstens in zwei Sitzungen fertig zu werden. Statt dessen wurden sechs Sitzungen — 30. November, 7. 11. 14. 18. und 19. December — zum großen Theile damit ausgefüllt. Es wurde beschlossen, das so langwierig und mühsam geschaffene Werk im handsamen Taschenformat in Druck zu legen. Es ist ein kleines Büchlein von kaum 55 Seiten, aber dem Betrage nach, den seine Zustandebringung gekostet, vielleicht das theuerste Werk das je gedruckt wurde. Wenn sich jemand darüber machte, die Zeit zu berechnen die der constituirende Reichstag bis zum 19. December beisammengesessen, davon abzuziehen jene Sitzungen die mit andern Angelegenheiten ausgefüllt worden, darnach die Summe der entfallenden Diäten der Abgeordneten und sonstigen Reichstagsauslagen zu veranschlagen, gewiß war nie ein so bedeutendes Honorar für eine Druckschrift gleichen Inhaltes und Umfanges geleistet worden [315]). Wer die Geschichte der Geschäftsordnung des ersten österreichischen Reichstages schreiben wollte, würde eigentlich die Geschichte dieses Reichstages selbst von seinem Beginn im Monate Juli bis über die Mitte December hinaus schreiben müssen. Denn die Verhandlungen und Debatten darüber haben all die kleineren und größeren Zwischenfälle des Sommers in Wien überdauert: die Rückkehr des Hofes aus Innsbruck, die verschiedenen Unordnungen, Aufläufe, Arbeiter-Krawalle; sie haben in Kremsier ruhig den Faden wieder da aufgenommen, wo ihn der gewaltige October-Aufstand abgerissen hatte; sie haben sich eben so wenig durch das große Ereignis beirren lassen, das anfangs December in der benachbarten mährischen Hauptstadt epochemachend den ganzen bisherigen Schauplatz umstaltete. — — —

25.

Am Morgen des 2. December, es war ein Samstag, hatte Olmütz ein ungemein bewegtes Aussehen. Zu Fuß und in Kutschen sah man Herren und Damen in großer Galla der fürst-erzbischöflichen Residenz zueilen; Ordonanzen auf Ordonanzen flogen ab und zu; festlich geschmückte Truppenkörper zogen durch die Stadt auf das Exercier-Feld hinaus. Bald wußte man daß alle in der Stadt weilenden Glieder des Kaiserhauses, der gesammte Hofstaat, die Minister, der Gubernial-Präsident Graf Lazansky, der Kreishauptmann Graf Mercandin, die in Olmütz anwesenden höheren Staatsbeamten und Militärs für 8 Uhr V. M. nach Hof beschieden waren. Desgleichen der Feldmarschall Windischgrätz und der erst unlängst zum Feldzeugmeister beförderte Banus, die am Abend zuvor, jeder mit einer kleinen Suite, aus Wien einge-

troffen waren [316]). In später Nachtstunde, 2 Uhr nach M. N., war
in alle Casernen der Befehl gekommen, die Garnison habe um 9 Uhr
zu einer feierlichen Parade auszurücken. Darauf glaubte man in mili=
tärischen Kreisen erst, es gelte der unerwarteten Ankunft der beiden Feld=
herren aus Wien: aber die Herren und Damen vom Hofe, kamen sie
auch um Windischgrätz und Jelačić zu sehen oder ihnen ihre Aufwar=
tung zu machen?

Eine halbe Stunde nach sieben Uhr begannen sich die zu dem
großen Thronsaale führenden Räume mit einem von Minute zu Minute
dichter werdenden Gedränge zu füllen. Der schwarze Frack, der geistliche
Talar, Uniformen aller Art in buntem Gemisch und lebhaftem Durch=
einanderwogen boten ein bewegtes Bild. Neugierde, gespannte Erwar=
tung spiegelten sich auf allen Gesichtern; man drängte sich an Solche
die man für besser unterrichtet halten konnte, die jedoch eben so wenig
Auskunft geben konnten oder mochten. Die Conversation, anfangs mehr
abgebrochen und halblaut, wurde allmälig belebter und es mußte Ruhe
geboten werden damit der Lärm nicht in den anstoßenden Thronsaal
dringe. In diesen letzteren wurden nur wenige der Ankömmlinge einge=
lassen: die Erzherzoge und Erzherzoginen, doch o h n e ihre Begleitung,
die Minister, Windischgrätz und Jelačić, Graf Grünne, Legations=Rath
Hübner. Letzterer machte sich um einen mit einem Dintenfasse ver=
sehenen Tisch, der offenbar seine Rolle zu spielen hatte, allerhand zu
schaffen. Von den Angehörigen des Kaiserhauses fanden sich ein: die
Erzherzoginen Maria Dorothea Witwe des Palatinus Erzherzog Joseph,
und Elisabeth Gemahlin des Erzherzogs Este, dann die Erzherzoge
Ferdinand Max, Karl Ludwig, Karl Ferdinand, Wilhelm, Joseph und
Ferdinand Este. Auch diese insgesammt befanden sich in völliger Un=
kenntnis dessen was da kommen solle. Erzherzog Karl Ferdinand trat
den Kriegs=Minister an: „Aber sagen Sie mir nur, was geht denn heute
los daß man uns schon um acht Uhr hieher bestellt hat?" „„Belieben
sich Euer kaiserliche Hoheit nur einen Augenblick zu gedulden, man wird
es gleich erfahren"".

Bald nach acht Uhr öffnete sich die i n die kaiserlichen Gemächer
führende Flügelthür und unter Vortritt des General=Adjutanten Fürsten
Joseph Lobkovic erschienen die beiden Majestäten, gefolgt von dem Oberst=
hofmarschall Friedrich Egon Landgrafen zu Fürstenberg und der Oberst=
hofmeisterin der Kaiserin Theresia Landgräfin von Fürstenberg, der Erz=

herzog Franz Karl und die Erzherzogin Sophie, der Erzherzog Franz
Joseph. Die Majestäten ließen sich auf die für sie vorbereiteten Sitze
nieder, dasselbe thaten die übrigen Mitglieder des Kaiserhauses, und unter
athemloser Spannung der Gemüther aller Anwesenden zog der Kaiser
ein Papier hervor und las eine Mittheilung von wenig Worten aber
schwerem Inhalt ab: „Wichtige Gründe haben Uns zu dem unwiderruf=
lichen Entschluße gebracht die Kaiserkrone niederzulegen, und zwar zu
Gunsten Unseres geliebten Neffen des durchlauchtigsten Herrn Erzherzogs
Franz Joseph, Höchstwelchen Wir für großjährig erklärt haben, nachdem
Unser geliebter Herr Bruder der durchlauchtigste Herr Erzherzog Franz
Karl, Höchstdessen Vater, erklärt haben, auf das Ihnen nach den be=
stehenden Haus= und Staatsgesetzen zustehende Recht der Thronfolge zu
Gunsten Höchstihres vorgenannten Sohnes unwiderruflich zu verzichten".
Der Kaiser forderte hierauf den Minister des kaiserlichen Hauses auf
die betreffenden Staatsacten kundzuthun, und Fürst Schwarzenberg ver=
las mit lauter Stimme zuerst die Großjährigkeits=Erklärung des Erz=
herzogs Franz Joseph, sodann die Verzichtleistung des Erzherzogs Franz
Karl auf das „für den Fall der Abdankung Seiner Majestät des regie=
renden Kaisers und Königs Ferdinand des Ersten" ihm zustehende Nach=
folgerecht zu Gunsten Seines erstgebornen nach Ihm zur Nachfolge be=
rufenen Sohnes „und der nach Ihm zur Thronfolge berechtigten Nachfol=
ger", endlich die feierliche Entsagung des Kaisers Ferdinand bezüglich
der, wie es in dem Acte lautete, „von Uns bisher zur Wohlfahrt Unserer
geliebten Völker getragenen Krone des Kaiserthums Österreich und der
sämmtlichen unter demselben vereinigten Königreiche und sonstigen wie
immer benannten Kronländer" zu Gunsten des Erzherzogs Franz Joseph
„und der nach Ihm zur Thronfolge berechtigten Nachfolger". Nachdem
die Ablesung beendigt und die Abdankungsurkunde vom Kaiser und vom
Erzherzog Franz Karl unterfertigt, vom Minister des kaiserlichen Hauses
gegengezeichnet war, trat der neue jugendliche Kaiser zu dem alten heran
und ließ sich vor ihm auf das Knie nieder. Vor heftiger innerer Be=
wegung keines Wortes mächtig, schien er seiner dankbaren Rührung Aus=
druck geben und den Segen seines gütigen Ohms sich erbitten zu wollen;
der neigte sich über ihn, segnete und umarmte ihn und sagte in seiner
gutmüthig schlichten Weise: „Gott segne Dich, sei nur brav, Gott wird
Dich schützen, es ist gern geschehen!" Diese Worte — sie wurden nur
von den Nächststehenden vernommen — waren die einzigen während des

gannen sich Frischeisen's Truppen, denen allenthalben die Nationalgarde thätige Beihilfe leistete, näher an die ungarische Gränze zu ziehen. Die Hauptmacht stand in und um Jablunka; drei Compagnien waren im benachbarten galizischen Gränzbezirke, in Kamesznica und Milówka zur Behütung der Zugänge nach Ungarn aufgestellt. Der Verkehr aus Preußen war streng überwacht; einmal wurden 80 Kisten Gewehre aufgefangen, ein anderesmal fiel der k. k. Gränzwache in Grudek eine Ladung von ein paar tausend Schuhen, die auf Schleichwegen den Insurgenten zugeführt werden sollten, in die Hände. Kleinere Streif-Commanden wurden von Zeit zu Zeit über die ungarische Gränze ausgeschickt. Bei einer solchen Gelegenheit stießen drei kaiserliche Dragoner auf einen Haufen Insurgenten die mit Verrammlung und Zerstörung der Wege beschäftigt waren; etwa ein Dutzend Bewaffneter unter ihnen nahm sogleich Fersengeld, die Andern flehten die Dragoner um Schonung an, da sie nur gezwungen und mit dem Galgen bedroht an der Arbeit seien. An der Bildung einer andern Freischaar, die sich unmittelbar unter die Befehle Simunić' stellen sollte, arbeiteten Jaueček, von seinen Anhängern „der zweite Žižka" genannt, dann Hodža und der katholische Pfarrer Závodník.

Alle diese Vorgänge standen nicht ohne Beziehung zu der slavischen Reichstags-Partei. Die hervorragendsten der Freischaaren-Führer waren mit den Häuptern der Slovanská Lipa in Prag und mit jenen des böhmisch-mährischen Clubs in Kremsier bekannt und befreundet; mehrere derselben, namentlich Zach und Hodža, erschienen wiederholt persönlich in letzterem, brachten Mittheilungen, holten sich Rath. So war denn auch die Rechte des Reichstages in die Lösung der ungarischen Frage mit verflochten, und in der That war ihr Programm das einzige, das, wenigstens mittelbar durch den in den Vordergrund gestellten Grundsatz der nationalen Gleichberechtigung aller Volksstämme des Reiches, die verfassungsmäßige Neugestaltung der Monarchie auf den ganzen Umfang derselben bezogen wissen wollte. Die andern Parteien des Reichstages schienen den Dualismus, wie er sich seit den März-Bewilligungen herausgebildet hatte, als etwas selbstverständliches hinzunehmen. Die ungarische Frage war ihnen wenig mehr als die Bezwingung des ungarischen Aufstandes; was darnach zu geschehen　e war für sie, jedenfalls so lang Windischgrätz und Jelačić 1　in L　eilten, eine müßige Frage. Sie hatten in der ſ　t　　　　ß, doch anderes zu thun
— die l

Nichts hat dem constituirenden Reichstage in den Augen der Bevölkerung mehr geschadet als die endlose Berathung über seine Geschäftsordnung, die bald nach Eröffnung desselben ihren Anfang genommen hatte und noch immer nicht zu endgiltigem Abschluße gediehen war. Man war sich in der Kammer dieses wunden Fleckes sehr wohl bewust und brachte den besten Willen nach Kremsier alles aufzubieten daß, wie sich Borrosch ausdrückte, „dieser so lange sich hinschleppende Gegenstand endlich einmal erledigt werde". Es war auch niemand geeigneter diesen Zweck zu fördern als der Berichterstatter des Geschäftsordnungs-Ausschußes Cajetan Mayer, der nun zum drittenmal Gelegenheit fand seine Schlagfertigkeit und dialektische Schärfe glänzen, seine sarkastische Laune, seinen raschen Witz spielen zu laffen. Dennoch zogen sich die Verhandlungen neuerdings in die Länge. Der Ausschuß hatte, ehe er die Geschäftsordnung zur dritten Lesung vorlegte, die im Lauf der vorangegangenen Monate gemachten Erfahrungen gewissenhaft benützt, obgleich sein Berichterstatter die betreffenden Vorfälle, wenn durch sie unliebsame Rückerinnerungen wach gerufen werden konnten, tactvoll mehr andeutete als offen bezeichnete. Wohl führten jene Erfahrungen meist dahin in vielen Stücken verschärfte Vorsichten anzuwenden, und Borrosch rief „allgemeine Heiterkeit" hervor, als er bei einem solchen Anlasse „die klimatischen Einflüße" bedauerte welche die Geschäftsordnung auf Kremsierer Boden erlitten. Wo Mayer fühlte daß der Ausschuß in jener Richtung zu weit gegangen sein und daß sich die überwiegende Mehrheit des Parlaments gegen eine solche „Bureaukratisirung der Kammer", gegen eine solche Einzwängung „in Schnürstiefel und Mieder" auflehnen dürfte, da war er klug genug, den betreffenden Absatz nochmaliger Erwägung im Ausschuße vorzubehalten oder ihn auch ganz zurückzuziehen [314]).

Von besonderer Wichtigkeit waren nur zwei Punkte, über die sich eine lebhafte Debatte entspann. Der erste betraf die nach §. 7 aufgenommene Bestimmung, daß jeder Reichstagsabgeordnete, der ein Staatsamt annehme oder ein während der Dauer des Reichstages angenommenes bekleide oder in höhere Gehaltsgenüße vorrücke, sich einer Neuwahl zu unterziehen habe. Von juristischer Seite wandten Gredler und Neuwall sogleich ein, daß die Ausdehnung der Maßregel auf jene die bereits ein Staatsamt angenommen keinesfalls angehe, da ein Gesetz keine rückwirkende Kraft habe; diesen Grundsatz der Rechtslehre durch einen Act

21

der Gesetzgebung zu verletzen, würde eine Handlung der Willkür sein. Brestel dagegen meinte, es walte nicht der geringste Anstand ob die Maß= regel rückwirkend zu machen; es hänge ja einzig von dem Betreffenden ab das Staatsamt oder die Abgeordnetenstelle zu behalten; thue er das erstere so übernehme er die Verpflichtung sich einer neuen Wahl zu un= terziehen, wolle er das nicht so könne er das Staatsamt zurücklegen, und die Sache stehe wie sie vordem gestanden.   „Es ist daher", meinte der Redner, „das Gesetz keineswegs rückwirkend in dem Sinne daß man einen Schaden erleide, den man nicht erlitten haben würde wenn man das Gesetz früher gekannt hätte. Im Gegentheile, würde man hier die rück= wirkende Kraft nicht gelten lassen, so wäre das gegen den Grundsatz der Gleichheit unter uns; denn war es einer gewissen Anzahl von Deputirten gestattet ein Staatsamt anzunehmen ohne sich einer neuen Wahl zu un= terziehen, so muß es in demselben Falle auch allen Übrigen noch gestattet sein".   Einen neuen Gesichtspunkt suchte Helfert für die Sache zu ge= winnen indem er den Satz durchführte: die ganze Frage gehöre gar nicht in die Geschäftsordnung; denn diese habe es mit den innern Vorgängen und Angelegenheiten des Hauses bezüglich Jener zu thun, von denen es bereits festgesetzt sei daß sie darin Sitz und Stimme haben; sie könne aber nicht zurückgreifen auf jene Grundsätze nach deren Vorschrift man in dieses Haus gelange: „mit der fraglichen Bestimmung würden wir entweder etwas anticipiren was in die künftige Constitution gehört, oder etwas nachtragen was in der Wahlordnung, kraft welcher wir hier sitzen, nicht enthalten ist."   Als es zur Schlußfassung kam, fiel Gredler's An= trag bei namentlicher Abstimmung mit 157 gegen 126 Stimmen, und der Paragraph blieb wie er vom Ausschuße vorgelegt worden war.

Den lebhaftesten Wortkampf führte der §. 79 herbei, dessen letzter Satz nach der alten Fassung lautete: „Die Abstimmung durch Namens= aufruf hat den Vorzug vor jener durch Kugelung", während nunmehr der Ausschuß den entgegengesetzten Grundsatz beantragte: „Die Abstim= mung durch Kugelung hat den Vorzug vor jener durch Namensaufruf". Beide Parteien brachten ihre tüchtigsten Kämpfer in's Gefecht, und es war in der That ein anziehendes Schauspiel wie ein kunstgerechter Schlag auf den andern folgte, wie jedem von der einen Seite vorgebrachten Grunde ein Gegengrund von der andern, jeder geltend gemachten Erfah= rung eine zu entgegengesetzter Schlußfolgerung nöthigende Wahrnehmung vorgehalten wurde. Dabei bewegte sich die Debatte im allgemeinen durchaus

inner den Gränzen parlamentarischen Anstandes, mit Ausnahme etwa der
Rede Leopold Neumann's, dem die Lorbeeren Rieger's vom 27. November
keine Ruhe ließen und der durch seine schonungslosen Ausfälle gegen die
Linke wiederholte Unterbrechungen veranlaßte. „Ihr Zischen, meine Her=
ren", sagte er unter anderm, „ist Beifall für mich", worauf Gelächter
von der einen und Bravo von der andern Seite antwortete. Die Stimm=
führer der Linken riefen für ihre Meinung vor allem die Grundsätze der
Freiheit und Öffentlichkeit an. „Es sei Beruf jedes Abgeordneten, seine
heiligste Pflicht, daß die Committenten über jede einzelne Frage wissen
wie er gestimmt habe, und wenn auch kein Namensaufruf stattgefunden,
sei es, sobald sie es von ihm verlangen, seine Schuldigkeit ihnen das zu
sagen" (Brestel). „Die Abgeordneten seien den Völkern die sie vertreten,
seien der Geschichte Rechenschaft schuldig für jedes ihrer Worte, für jeden
ihrer Schritte; darum habe man die Öffentlichkeit der Verhandlungen
zum Grundsatze erhoben" (Ziemiałkowski). „Namensausruf sei die Er=
probung des männlichen Muthes; weder das Gewissen werde dadurch be=
einträchtigt noch die moralische Freiheit; wer sich in dieser Beziehung
beengt fühle, sei noch niemals gehindert worden vor der Abstimmung den
Saal zu verlassen" (Borrosch). „Wolle man es", fragte Borkowski,
„soweit kommen lassen, daß sich die Abgeordneten gleich den römischen
Auguren wegen ihrer politischen Meinung untereinander schämen sollen?"
Und Ziemiałkowski rief: „Schon hat man uns die Redefreiheit so weit
beschränkt daß uns für die Zukunft kaum etwas anderes übrig bleibt als
öffentlich ja oder nein zu sagen: will man uns dieses Recht auch noch
nehmen!?" Von der andern Seite dagegen hieß es: „Die Pflicht gegen
die Committenten gebietet, daß die Abgeordneten ihre Pflicht thun und
daß sie sie mit möglichster Freiheit thun. Sie fordern die öffentliche Ab=
stimmung im Namen der Freiheit", sagte Leopold Neumann, „und ich
sage, daß im Namen der Freiheit sehr häufig wider die heiligsten Inter=
essen gesündigt wurde; damit kein Misbrauch getrieben werde und die
Freiheit nicht in Terrorismus und Proscription ausarte, verlange ich die
geheime Abstimmung". Ein eigenthümlicheres Argument, meinte er mit
Recht, sei noch nie in einer Versammlung gebraucht worden als: daß es
jenem, der Bedenken trage seine Stimme offen abzugeben, freistehe den
Saal zu verlassen! „Gerade der Umstand daß sich beim Namensaufruf
so viele Mitglieder der Abstimmung enthielten oder entzögen, beweise
daß man sich dabei einem moralischen Zwange ausgesetzt finde" (Paul).

21*

„Dabei führe der Namensaufruf nur zu häufig Gehäßigkeiten herbei und
man habe bei den bevorstehenden Kämpfen über die wichtigsten Fragen
des Staatslebens volle Ursache, Anlässe zu leidenschaftlichen Aufregungen
zu meiden" (Selinger). Als gegen diese Argumente von der Linken sich
darauf berufen wurde, „die Voraussetzung, daß die Deputirten geheim
anders stimmen würden als öffentlich, sei der größte Schimpf den man
einem Abgeordneten, die größte Beleidigung die man dem ganzen Körper
anthun könne" (Brestel), kehrte der Berichterstatter die Sache um und
sagte: „Nein, meine Herren, auch wir gehen von der Ansicht aus daß
niemand ein solches Verhalten zugemuthet werden könne; aber ist es
dann nicht g l e i c h, ob die Abstimmung geheim oder öffentlich erfolgt?"
Hauschild aber bemerkte scharfsinnig: „Die Freunde des Commissions-
Antrages hegen, wie gesagt wird, Zweifel an dem Muthe einzelner Abgeordneten, die Gegner desselben an deren Ehrlichkeit und Gewissenhaftigkeit Ich frage nun, welche dieser Annahmen ist ein größerer Schimpf,
ist der Würde der Kammer mehr zuwider? Ich glaube, die letztere!"
Nach den Erfahrungen die man in Wien gemacht hatte war wohl nicht
zu läugnen, daß die namentliche Abstimmung meist in eine vexatorische Maßregel ausartete und viel Zeit damit versplittert wurde. Als hiergegen
die Andern meinten daß die Kugelung noch mehr Zeit in Anspruch
nehme, da jeder einzelne an die Urnen herantreten müsse und die Stimmen leichter und schneller gezählt würden als die Kugeln, entgegnete
Mayer: „Mehr Zeit braucht die Kugelung, ja; aber was ist es das ihr
den Vorzug gibt? Sie hat weniger Reiz zum Misbrauch als der
Namensaufruf, und dieser Reiz zum Misbrauch war eben dasjenige was
veranlaßte daß er so oft vorgenommen wurde". Am unklugsten war es sich
zum Beweise, daß Namensaufruf und Terrorismus nichts miteinander
gemein hätten, auf die October-Sitzungen zu berufen wo es keinen
Namensaufruf gegeben habe (Borrosch); „aus einem sehr erklärlichen
Grunde", erwiederte Neumann, „weil es in den Octobertagen nur einstimmige Beschlüsse gab". Brestel wollte dies in Abrede stellen, da
„gerade bei den wichtigsten und bedeutensten Fragen" Einzelne nicht im
Sinne der Mehrheit gestimmt hätten; ja er wollte es sogar darauf hin-
ausbringen, als ob diese Einzelnen nicht aber die Majorität der Kammer
der Vorwurf des Terrorisirens treffe, indem es immer in der Macht
von zweien oder dreien gelegen habe „durch Hinausgehen aus dem Saale
zu hintertreiben daß gewisse Beschlüsse gefaßt würden". Dieses sonder-

bare Argument nahm wohl niemand in der Kammer für bare Münze,
und die Thatsache, daß die unredliche Waffe der Einschüchterung oft
genug von jenen in die Hand genommen wurde die den öffentlichen
Namensaufruf begehrten, ließ sich durch keinerlei Künste hinwegdeuteln.
„Wenn man sich“, betonte Mayer, „für eine bloße Form der Abstim=
mung wie der Namensaufruf so lebhaft ereifert, so kann es nur um
die Anfertigung von Listen zu thun sein; Listen, meine Herren, die nach
der bisherigen Erfahrung nicht für die Wähler welche die Abgeordneten
gesandt haben, sondern als Waffen gegen die letzteren außerhalb der
Kammer gebraucht wurden“. Mit großer Geschicklichkeit wußte zuletzt
Hauschild die Kammer in einen ihrer eigenen früheren Beschlüße zu ver=
stricken. „Warum“, so fragte er, „wurde die Bestimmung getroffen,
daß jeder der ein Staatsamt annimmt sich einer neuen Wahl unter=
ziehen müsse? Offenbar darum weil man annimmt, daß der Beamte in
die Lage kommen könne sein Votum nach der Ansicht der Regierung
modeln zu müssen. Jene welche die öffentliche Abstimmung der geheimen
vorziehen, begehren also daß der Regierung der Einfluß auf ihre Beamten
gesichert bleibe; sie sind jene die der Freiheit entgegenstreben“. Er wies
auf Frankreich hin, „wo eben durch die Einführung der geheimen Ab=
stimmung der früher imposante ministerielle Einfluß gebrochen wurde“.
Borrosch schien an diesem Tage dafür auserlesen zu sein, die absonder=
lichsten Dinge auszukramen. Dahin gehörte sein Antrag, daß „nach
einer Abstimmung durch Namensaufruf auf Verlangen von achtzig Mit=
gliedern eine beschlußgiltige Gegenprobe durch Kugelung vorgenommen
werden“ solle. Hatte der Antrag schon da ihn Borrosch vorlegte Hei=
terkeit erregt, so brach die Kammer, als sich der Berichterstatter in sei=
ner sarkastischen Weise zur Widerlegung desselben anschickte, vollends in
Gelächter aus: „Meine Herren“, fiel Mayer ein, „ich glaube, die Wider=
legung ist schon erfolgt“. Für die Schlußfassung über diesen von bei=
den Seiten des Hauses hochgehaltenen Gegenstand hatte Ziemiałkowski
im Laufe der Debatte namentlichen Aufruf, „vielleicht zum letztenmal“,
verlangt. Das Ergebniß war: 180 „Ja“ (für den Antrag des Aus=
schußes), 132 „Nein“; 4 Abgeordnete enthielten sich der Stimmabgabe.

Mit Ausnahme der erwähnten und einiger andern Punkte, die eine
längere oder kürzere Debatte hervorriefen, kam man über die meisten
Partien der neuen Lesung ziemlich glatt hinweg; die geschlossene Phalanx
des Centrums und der Rechten schlug jeden unbegründeten Widerstand

nieder. Die Linke bäumte sich zwar oft, wie bei den §§. 22—25 die
„Obliegenheiten der Ordner" betreffend, wo Löhner auf Zelen zielend
den ausdrücklichen Zusatz verlangte daß dieselben „alles gemeinschaftlich
zu thun" haben sollten, damit „nicht etwa ein Ordner allein als Dic=
tator auftreten könne"; oder als bei der Bestimmung des §. 65, daß
kein Vortrag abgelesen werden dürfe, die Frage auftauchte: ob dies auch
für die Minister gelte. Stadion unterschied ganz richtig: wenn die
Minister als Abgeordnete sprächen, gewiß; wo sie aber als Organe der
Regierung Sr. Majestät aufträten, werde man ihnen die Vorlesung
eines wichtigeren Schriftstückes gewiß nicht verweigern, da man unmög=
lich an sie die Zumuthung stellen könne dasselbe von Wort zu Wort
auswendig zu lernen. Dagegen erhoben sich sogleich Hubicki und Bor=
kowski, welcher letztere vom Präsidenten verlangte daß er die Kammer
befrage: ob sie gesonnen sei zu Gunsten des „Abgeordneten Stadion"
eine Ausnahme von der Geschäftsordnung eintreten zu lassen? Allein
nur in den wenigsten Fällen gelang es der Linken mit ihren Einwen=
dungen durchzubringen; wie bei §. 62 hinsichtlich des Punktes, daß die
Minister zu jeder Zeit das Wort ergreifen können; Borkowski und
Goldmark wußten die Einschränkung durchzusetzen, daß dies nach der
Schlußrede des Berichterstatters oder Hauptantragstellers nicht geschehen
dürfe. Zuletzt machte die Linke ihrem Mismuthe durch eine Einsprache
Luft die, von Borkowski unterzeichnet, zu Anfang der Sitzung des 14.
December vorgelesen wurde. „Ohne freie Berathung", hieß es darin,
„sei jeder Reichstag nur ein Deckmantel des Absolutismus; man lege
deshalb Verwahrung ein gegen alle Beschränkungen der Redefreiheit
welche die Verhandlungen der Willkür schlechter Absichten und der In=
trigue preisgeben, die Berathung fesseln, ja geradezu lähmen, da man
den Reichstag nicht für berechtigt halte, selbstmörderische Beschlüsse gegen
das erste und heiligste Recht der Volksvertreter, die ungehinderte und
ungeschmälerte Freiheit der Rede zu fassen".

Die Mitglieder des Reichstages hatten gehofft mit der dritten
Lesung der Geschäftsordnung in einer, höchstens in zwei Sitzungen fertig
zu werden. Statt dessen wurden sechs Sitzungen — 30. November,
7. 11. 14. 18. und 19. December — zum großen Theile damit aus=
gefüllt. Es wurde beschlossen, das so langwierig und mühsam geschaffene
Werk im handsamen Taschenformat in Druck zu legen. Es ist ein kleines
Büchlein von kaum 55 Seiten, aber dem Betrage nach, den seine Zu=

standebringung gekostet, vielleicht das theuerste Werk das je gedruckt
wurde. Wenn sich jemand darüber machte, die Zeit zu berechnen die
der constituirende Reichstag bis zum 19. December beisammengesessen,
davon abzuziehen jene Sitzungen die mit andern Angelegenheiten ausge=
füllt worden, darnach die Summe der entfallenden Diäten der Abge=
ordneten und sonstigen Reichstagsauslagen zu veranschlagen, gewiß war
nie ein so bedeutendes Honorar für eine Druckschrift gleichen Inhaltes
und Umfanges geleistet worden [315]). Wer die Geschichte der Geschäfts=
ordnung des ersten österreichischen Reichstages schreiben wollte, würde
eigentlich die Geschichte dieses Reichstages selbst von seinem Beginn im
Monate Juli bis über die Mitte December hinaus schreiben müssen.
Denn die Verhandlungen und Debatten darüber haben all die kleineren
und größeren Zwischenfälle des Sommers in Wien überdauert: die
Rückkehr des Hofes aus Innsbruck, die verschiedenen Unordnungen, Auf=
läufe, Arbeiter=Krawalle; sie haben in Kremsier ruhig den Faden wieder
da aufgenommen, wo ihn der gewaltige October=Aufstand abgerissen
hatte; sie haben sich eben so wenig durch das große Ereignis beirren
lassen, das anfangs December in der benachbarten mährischen Hauptstadt
epochemachend den ganzen bisherigen Schauplatz umstaltete. — — —

25.

Am Morgen des 2. December, es war ein Samstag, hatte Olmütz
ein ungemein bewegtes Aussehen. Zu Fuß und in Kutschen sah man
Herren und Damen in großer Galla der fürst=erzbischöflichen Residenz
zueilen; Ordonanzen auf Ordonanzen flogen ab und zu; festlich ge=
schmückte Truppenkörper zogen durch die Stadt auf das Exercier=Feld
hinaus. Bald wußte man daß alle in der Stadt weilenden Glieder des
Kaiserhauses, der gesammte Hofstaat, die Minister, der Gubernial=Präsi=
dent Graf Lazansky, der Kreishauptmann Graf Mercandin, die in
Olmütz anwesenden höheren Staatsbeamten und Militärs für 8 Uhr
B. M. nach Hof beschieden waren. Desgleichen der Feldmarschall Win=
dischgrätz und der erst unlängst zum Feldzeugmeister beförderte Banus,
die am Abend zuvor, jeder mit einer kleinen Suite, aus Wien einge=

troffen waren [316]). In später Nachtstunde, 2 Uhr nach M. N., war
in alle Casernen der Befehl gekommen, die Garnison habe um 9 Uhr
zu einer feierlichen Parade auszurücken. Darauf glaubte man in mili=
tärischen Kreisen erst, es gelte der unerwarteten Ankunft der beiden Feld=
herren aus Wien: aber die Herren und Damen vom Hofe, kamen sie
auch um Windischgrätz und Jelačić zu sehen oder ihnen ihre Aufwar=
tung zu machen?

Eine halbe Stunde nach sieben Uhr begannen sich die zu dem
großen Thronsaale führenden Räume mit einem von Minute zu Minute
dichter werdenden Gedränge zu füllen. Der schwarze Frack, der geistliche
Talar, Uniformen aller Art in buntem Gemisch und lebhaftem Durch=
einanderwogen boten ein bewegtes Bild. Neugierde, gespannte Erwar=
tung spiegelten sich auf allen Gesichtern; man drängte sich an Solche
die man für besser unterrichtet halten konnte, die jedoch eben so wenig
Auskunft geben konnten oder mochten. Die Conversation, anfangs mehr
abgebrochen und halblaut, wurde allmälig belebter und es mußte Ruhe
geboten werden damit der Lärm nicht in den anstoßenden Thronsaal
dringe. In diesen letzteren wurden nur wenige der Ankömmlinge einge=
lassen: die Erzherzoge und Erzherzoginen, doch ohne ihre Begleitung,
die Minister, Windischgrätz und Jelačić, Graf Grünne, Legations=Rath
Hübner. Letzterer machte sich um einen mit einem Dintenfasse ver=
sehenen Tisch, der offenbar seine Rolle zu spielen hatte, allerhand zu
schaffen. Von den Angehörigen des Kaiserhauses fanden sich ein: die
Erzherzoginnen Maria Dorothea Witwe des Palatinus Erzherzog Joseph,
und Elisabeth Gemahlin des Erzherzogs Este, dann die Erzherzoge
Ferdinand Max, Karl Ludwig, Karl Ferdinand, Wilhelm, Joseph und
Ferdinand Este. Auch diese insgesammt befanden sich in völliger Un=
kenntnis dessen was da kommen solle. Erzherzog Karl Ferdinand trat
den Kriegs=Minister an: „Aber sagen Sie mir nur, was geht denn heute
los daß man uns schon um acht Uhr hieher bestellt hat?" „„Belieben
sich Euer kaiserliche Hoheit nur einen Augenblick zu gedulden, man wird
es gleich erfahren""".

Bald nach acht Uhr öffnete sich die in die kaiserlichen Gemächer
führende Flügelthür und unter Vortritt des General=Adjutanten Fürsten
Joseph Lobkovic erschienen die beiden Majestäten, gefolgt von dem Oberst=
hofmarschall Friedrich Egon Landgrafen zu Fürstenberg und der Oberst=
hofmeisterin der Kaiserin Theresia Landgräfin von Fürstenberg, der Erz=

herzog Franz Karl und die Erzherzogin Sophie, der Erzherzog Franz
Joseph. Die Majestäten ließen sich auf die für sie vorbereiteten Sitze
nieder, dasselbe thaten die übrigen Mitglieder des Kaiserhauses, und unter
athemloser Spannung der Gemüther aller Anwesenden zog der Kaiser
ein Papier hervor und las eine Mittheilung von wenig Worten aber
schwerem Inhalt ab: „Wichtige Gründe haben Uns zu dem unwiderruf=
lichen Entschluße gebracht die Kaiserkrone niederzulegen, und zwar zu
Gunsten Unseres geliebten Neffen des durchlauchtigsten Herrn Erzherzogs
Franz Joseph, Höchstwelchen Wir für großjährig erklärt haben, nachdem
Unser geliebter Herr Bruder der durchlauchtigste Herr Erzherzog Franz
Karl, Höchstdessen Vater, erklärt haben, auf das Ihnen nach den be=
stehenden Haus= und Staatsgesetzen zustehende Recht der Thronfolge zu
Gunsten Höchstihres vorgenannten Sohnes unwiderruflich zu verzichten".
Der Kaiser forderte hierauf den Minister des kaiserlichen Hauses auf
die betreffenden Staatsacten kundzuthun, und Fürst Schwarzenberg ver=
las mit lauter Stimme zuerst die Großjährigkeits=Erklärung des Erz=
herzogs Franz Joseph, sodann die Verzichtleistung des Erzherzogs Franz
Karl auf das „für den Fall der Abdankung Seiner Majestät des regie=
renden Kaisers und Königs Ferdinand des Ersten" ihm zustehende Nach=
folgerecht zu Gunsten Seines erstgebornen nach Ihm zur Nachfolge be=
rufenen Sohnes „und der nach Ihm zur Thronfolge berechtigten Nachfol=
ger", endlich die feierliche Entsagung des Kaisers Ferdinand bezüglich
der, wie es in dem Acte lautete, „von Uns bisher zur Wohlfahrt Unserer
geliebten Völker getragenen Krone des Kaiserthums Österreich und der
sämmtlichen unter demselben vereinigten Königreiche und sonstigen wie
immer benannten Kronländer" zu Gunsten des Erzherzogs Franz Joseph
„und der nach Ihm zur Thronfolge berechtigten Nachfolger". Nachdem
die Ablesung beendigt und die Abdankungsurkunde vom Kaiser und vom
Erzherzog Franz Karl unterfertigt, vom Minister des kaiserlichen Hauses
gegengezeichnet war, trat der neue jugendliche Kaiser zu dem alten heran
und ließ sich vor ihm auf das Knie nieder. Vor heftiger innerer Be=
wegung keines Wortes mächtig, schien er seiner dankbaren Rührung Aus=
druck geben und den Segen seines gütigen Ohms sich erbitten zu wollen;
der neigte sich über ihn, segnete und umarmte ihn und sagte in seiner
gutmüthig schlichten Weise: „Gott segne Dich, sei nur brav, Gott wird
Dich schützen, es ist gern geschehen!" Diese Worte — sie wurden nur
von den Nächststehenden vernommen — waren die einzigen während des

ganzen Actes die nicht im Programme vorgezeichnet waren. Und nicht
im Programme vorgezeichnet waren auch die Thränen die sich aus den
Augen selbst der Männer in der Versammlung die Wangen hinab stahlen,
das heftige Schluchzen dessen manche der hohen Frauen sich nicht erwehren konnte. Alle, die Theilnehmer dieses Vorganges waren, gaben
die Versicherung, daß sie einen ergreifenderen Auftritt in ihrem Leben
nicht erfahren und daß der Eindruck davon bis an das Ende ihrer Tage
lebendig in ihrer Seele haften werde. Von dem alten Kaiser wandte
sich der neue zur Kaiserin um auch vor dieser sich auf das Knie nieder-
zulassen; sie beugte sich über ihn, indem sie ihn an sich zog und mit der
Inbrunst und Innigkeit einer Mutter umarmte und küßte. Dasselbe
wiederholte sich bei den Ältern des jugendlichen Monarchen. Er trat
darauf zu den übrigen Mitgliedern des Kaiserhauses, die sich von ihren
Sitzen erhoben hatten um ihrem neuen Haupte den Tribut der Huldigung zu zollen, reichte ihnen die Hand und drückte sie an sein Herz.
Zum Schluße wurde das vom Legations-Rath Hübner über den Vorgang aufgenommene Protokoll vorgelesen und von allen Anwesenden,
mit Ausnahme der beiden Kaiser, unterfertigt. Der Hof zog sich in seine
Gemächer zurück und eines der folgenreichsten Ereignisse der neuern Geschichte Österreichs war zum Abschluß gekommen [317]).

Nach der Entfernung des Hofes wurden die Flügelthüren der Ein-
trittssäle geöffnet und die dort Versammelten eingelassen, denen Fürst
Schwarzenberg in wenigen gewichtvollen Worten den vollzogenen Thronwechsel verkündete. Unmittelbar darauf erfolgte, von Trompetenstößen
eingeleitet, in den beiden Landessprachen die öffentliche Kundmachung
des Actes auf drei Punkten der Stadt: auf dem Oberring vor dem
Rathhause, auf dem Niederring und auf dem Domplatze. Der junge
Kaiser empfing seine Minister, seine Heerführer; als Windischgrätz vor
ihm erschien, flog er ihm entgegen: „Ihnen verdanken wir alles was
noch ist und existirt", rief er aus und faßte ihn mit überströmenden
Gefühlen in seine Arme. Inzwischen harrte die Garnison in festlichem
Schmucke auf dem Parade-Platze vor der Stadt. Nach 9 Uhr kam Erzherzog Ferdinand Este aus der Stadt gesprengt und verkündete das Ereignis. Zwei Stunden später erschien der junge Kaiser in der Uniform
seines Dragoner-Regiments an der Spitze einer glänzenden Suite aus
der Windischgrätz und Jelačić hervorleuchteten, und donnerndes Vivat
aus den Reihen der Truppen, dessen Widerhall bis in die Stadt hinein

zu vernehmen war, übertönte die von allen Musikbanden angestimmten
Weisen der Volks-Hymne.

Der Hofstaat des Kaisers Ferdinand und der Kaiserin Maria Anna
hatte unmittelbar nach dem in der erzbischöflichen Residenz vollzogenen
Acte den Befehl erhalten zu packen und sich zur Abreise bereit zu halten;
es drängte den müden Monarchen nach Abgeschiedenheit und Ruhe. Nach
eingenommenem kurzen Mahle erfolgte Nachmittags die Abfahrt auf den
Bahnhof, wo ein Sonderzug in Bereitschaft stand. Erzherzog Franz
Karl und Erzherzogin Sophie saßen den abreisenden Majestäten im Wagen gegenüber, der junge Kaiser ritt am Kutschenschlage, die Truppen
machten den Weg entlang Spalier. Der ganze Aufzug trug das Gepräge
tiefen Ernstes und inniger Rührung. Etwa eine halbe Stunde nach zwölf
Uhr erschien das scheidende Kaiserpaar auf dem Bahnhofe. Eine kleine
Anzahl Theilnehmer' hatte sich eingefunden; man hatte in der Stadt keinen Gedanken von einem so raschen Abschiede. Es herrschte eine lautlose
Stille, schweigend grüßte die Menge. Man schritt zum Waggon, letzte
bewegte Umarmungen zwischen den Forteilenden und den Zurückbleibenden. Das scheidende Kaiserpaar bestieg den Waggon, den die Locomotive
brausend und dampfend langsam in Bewegung setzte; von Schluchzen
unterbrochene Rufe tönten nach bis der Zug allmälig den Blicken entschwand — fein Ziel war Prag.

Windischgrätz und Jelačić reisten nach Wien zurück, die Minister
aber fuhren nach Kremsier, wo der Reichstag seit langen Stunden ihrer
Ankunft entgegenharrte.

Um acht Uhr Morgens hatte der Reichstags-Präsident eine telegraphische Depesche des Fürsten Schwarzenberg erhalten, worin ihn dieser
ersuchte für die zwölfte Mittagsstunde die Versammlung einzuberufen,
da das Ministerium eine wichtige Mittheilung zu machen habe. Alsbald
thaten Maueranschläge am Residenz-Gebäude und an den Straßenecken
diese unerwartete Einladung kund, Boten wurden nach allen Seiten
ausgeschickt und mit ihnen durchliefen die sonderbarsten Gerüchte die
Stadt. Einige dachten, es gelte eine Berathung über die ungarische
Frage, vielleicht ein allgemeines Aufgebot gegen die Magyaren; oder irgend eine auswärtige Angelegenheit von großer Wichtigkeit werde dem
Hause mitgetheilt werden. Andere meinten es werde wohl etwas den
Reichstag selbst betreffendes sein; die Muthmaßung wurde ausgesprochen

daß das Ministerium, von den Wiener Gerichten gedrängt, die Auslie=
ferung gewisser Mitglieder der Kammer verlangen werde; Borrosch hatte,
wie mehrseitig versichert wurde, schon eine Rede in Bereitschaft um die Ver=
theidigung der Angeklagten, die vielleicht seine Mit=Angeklagten waren,
und den Beweis der Unstatthaftigkeit ihres Scheidens vom Reichstage
zu führen. Die Abgeordneten waren schon lang versammelt und noch
immer wußte niemand etwas von einer Ankunft der Minister. Die Un=
ruhe, die Ungeduld wuchs von Minute zu Minute; viele äußerten laut
ihren Unmuth, wie man sich dem zu einer außergewöhnlichen Sitzung
einberufenen Reichstage gegenüber einer so beleidigenden Ungenauigkeit
schuldig machen könne; man sprach mürrisch vom Wiederauseinanderge=
hen. Das Vorstands=Bureau war in peinlicher Verlegenheit. Es war
bereits drei Viertel auf eins als Smolka den Präsidentenstuhl bestieg,
die Sitzung für eröffnet erklärte und der Versammlung mittheilte, daß
einer so eben eingetroffenen zweiten telegraphischen Nachricht zu Folge
die Herren Minister ihr verspätetes Eintreffen durch ein unvorhergesehe=
nes Bahn=Hindernis entschuldigten [318]). Endlich traten die lang Erwar=
teten ein, ernst in festlichem Gewande. Die Minister nahmen ihre Sitze
ein und, begleitet von einer unbeschreiblich gespannten Aufmerksamkeit, be=
stieg Fürst Schwarzenberg die Rednerbühne. Seine ersten Worte waren
geeignet die erwartungsvolle Aufregung der Versammelten auf das
höchste zu steigern. „Meine Herren", begann er in ernstem Tone, „es
hat heute ein Act statt gefunden, dessen hohe, man kann sagen weltge=
schichtliche Bedeutung Ihnen sogleich klar werden wird". Und nun be=
gann er das in Olmütz vor wenig Stunden aufgenommene Protokoll und
die demselben einverleibten Staatsschriften zu verlesen. Als er nach der
langen formellen Einleitung zu der entscheidenden Stelle kam, daß
sich der Kaiser entschlossen habe die Krone niederzulegen, da ging ein
großer, wie halb unterdrückter Seufzer durch den Saal; man sah Ein=
zelne die Hände falten, halblaute Ausrufe tiefer Bekümmernis und Weh=
muth fielen von zitternden Lippen. Mit athemloser Spannung wurde
der weitere Inhalt des Protokolls, mit den Gefühlen innigster Theilnahme
das Abschieds=Manifest des Gütigsten der Monarchen angehört. „Das
Recht zu schützen", so sprach er zum letztenmal zu seinen Völkern, „war
der Wahlspruch, das Glück der Völker Österreichs zu fördern das Ziel
Unserer Regierung. Allein der Drang der Ereignisse, das unverkennbare
und unabweisbare Bedürfnis nach einer großen und umfassenden Umge=

staltung Unserer Staatsformen, denen Wir im Monate März dieses Jahres die Bahn zu brechen beflissen waren, haben in Uns die Über= zeugung festgestellt daß es jüngerer Kräfte bedürfe das größe Werk zu fördern und einer gedeihlichen Vollendung zuzuführen“. Nachdem er so= dann alle Staatsdiener ihrer Eide entbunden, seiner tapfern Armee ein Lebewohl gesagt, entließ er die Völker des Reiches ihrer Pflicht gegen ihn, übertrug „alle hieher gehörigen Pflichten und Rechte feierlichst und im Angesichte der Welt“ auf seinen Nachfolger und empfahl diese Völker der Gnade und dem besonderen Schutze Gottes. Möge der Allmächtige ihnen den innern Frieden wieder verleihen, die Verirrten zur Pflicht, die Bethörten zur Erkenntnis zurückführen, die versiegten Quellen der Wohlfahrt neuerdings eröffnen und Seine Segnungen über Unsere Lande in vollem Maße ergießen. Möge er aber auch Unsern Nachfolger Kaiser Franz Joseph den Ersten erleuchten und kräftigen, damit er Seinen ho= hen und schweren Beruf erfülle zur eigenen Ehre, zum Ruhme Unseres Hauses, zum Heile der Ihm anvertrauten Völker“.

Nun kam es zur Verlesung des Antritts=Manifestes, und jetzt erst drang froheres Leben in die Versammlung. Gleich der erste Satz, womit der junge Kaiser nach den Einleitungsworten begann, brachte eine freu= dige Erregung unter die Zuhörer. „Das Bedürfnis und den hohen Werth freier zeitgemäßer Institutionen aus eigener Überzeugung erkennend“, hieß es, „betreten Wir mit Zuversicht die Bahn, die Uns zu einer heil= bringenden Umgestaltung und Verjüngung der Gesammt=Monarchie füh= ren soll. Auf den Grundlagen der wahren Freiheit, auf den Grundlagen der Gleichberechtigung aller Völker des Reiches und der Gleichheit aller Staatsbürger vor dem Gesetze so wie der Theilnahme der Volksvertreter an der Gesetzgebung wird das Vaterland neu erstehen, in alter Größe, aber mit verjüngter Kraft. Fest entschlossen den Glanz der Krone unge= trübt und die Gesammt=Monarchie ungeschmälert zu erhalten, aber bereit Unsere Rechte mit den Vertretern Unserer Völker zu theilen, rechnen Wir darauf, daß es mit Gottes Beistand und im Einverständnisse mit den Völkern gelingen werde, alle Lande und Stämme der Monarchie zu einem großen Staatskörper zu vereinigen“. Weiter wurden die ungarischen Verhältnisse und die Nothwendigkeit der Bezwingung des Aufstandes be= rührt, die ausgesprochene Lösung des Unterthänigkeitsbandes erwähnt, der Staatsdiener so wie des Heeres gedacht, und mit den Worten ge= schlossen: „Völker Österreichs! Wir nehmen Besitz von dem Throne

Unserer Väter in einer ernsten Zeit. Groß sind die Pflichten, groß ist die Verantwortlichkeit welche die Vorsehung Uns auferlegt. Gottes Schutz wird Uns begleiten!" Bei vielen Stellen wurde der Vortragende von lauten Zeichen der Zustimmung unterbrochen, die sich zum Schluße zu einem allgemeinen stürmischen Beifall steigerten. Gleiche Freudenbezeu-gungen riefen das kaiserliche Rescript an den Reichstag, worin der „leb-hafte Wunsch" ausgedrückt war „daß das Verfassungswerk sobald als möglich zu Stande gebracht werde", und ein Handschreiben an den Für-sten Schwarzenberg hervor, laut dessen der neue Kaiser sich bewogen fand „das bestehende Ministerium in seiner Amtsführung zu bestätigen". Den Schluß machte ein anderes Handbillet an den Fürsten, durch welches der Kaiser den Baron Kulmer zum Minister ohne Portefeuille mit Sitz und Stimme im Ministerrathe ernannte; eine Mittheilung die besonders von den Bänken der Rechten lebhaft beklatscht wurde. Als nun der Reichs-tags-Präsident die Versammlung aufforderte, die ihr gewordenen Mit-theilungen mit dem einstimmigen Rufe: „Es lebe der constitutionelle Kaiser und König Franz Joseph" zu beantworten, erschallte dreimaliges donnerndes Hoch.

Mehrere Redner baten um das Wort. Neumann Brauner Mayer Strobach Trojan Borkowski Goldmark erhielten es oder nahmen sich's, zum Theil wiederholt, da die rasch geführte Verhandlung die pünktliche Einhaltung des Reglements nicht immer zuließ. Es wurde beschlossen sogleich eine Deputation zu ernennen, die sich ohne Aufschub an das kai-serliche Hoflager begeben solle; der Antrag, daß sich die Reichsversamm-lung als Ganzes dahin verfüge, blieb in der Minderheit; man einigte sich zuletzt dahin, aus jedem Gouvernement drei Abgeordnete zu wählen. Die Deputation sollte eine Beglückwünschungs-Adresse an den jungen Kaiser und „die letzte Dank-Adresse an den gewesenen gütigen Kaiser Ferdinand", welchem die Versammlung nachträglich auf Klaudy's Anre-gung ein herzliches Hoch zubrachte, überbringen. Zur Abfassung der Adressen wurden fünf vom Präsidenten zu bezeichnende Mitglieder des Hauses — Smolka berief Mayer Neumann Brauner Schuselka und Ziemiał-kowski — ermächtigt, ohne daß sie den von ihnen redigirten Text, da ja die Adressen ein bloser Gefühlsausdruck, ihre Richtung keine politische zu sein habe, erst der Kammer zur Prüfung vorzulegen hätten.

Trotz allen Fleißes kam der Redactions-Ausschuß mit seiner Arbeit nicht rechtzeitig zustande; die Fahrt nach Olmütz mußte auf den nächsten

Tag verschoben werden. Auch gab es noch etwas anderes zu schlichten. In die große Deputation war auch Smolka gewählt. Daß, nach allem was vorgefallen, Schwarzenberg es gern vermieden hätte den jungen Monarchen mit dem Präsidenten des October=Reichstages in nähere Be= rührung zu bringen, war begreiflich. Darum wurde im Schoße des Adreß=Ausschußes der Umstand benützt, daß nebst Smolka auch Laffer und Mayer gewählt waren und daß folglich für die Zeit der Abwesenheit der Deputation die Versammlung ohne Haupt bleiben müßte, was, wie von verschiedenen Seiten bemerkt wurde, im Hinblick auf die Nähe der Un= garn, von denen man jeden Augenblick einen Einfall auf mährischen Boden zu gewärtigen habe, nicht ohne Gefahr sei. Smolka gab zu daß es nicht anginge das Haus ohne Vorstand zu laffen; „allein gerade er als Prä= sident könne sich von einem so wichtigen Acte nicht ausschließen, einer der beiden Herren Vice=Präsidenten möge daher zurückbleiben"; nach längerem Hinundwiderreden wurde Mayer dafür auserlesen. Gegen Mitternacht — Smolka arbeitete noch in seinem Bureau — erschienen Palacký und Rieger und rückten mit dem wahren Grunde heraus: „Smolka's Er= scheinen würde bei Hofe einen üblen Eindruck machen; man könne dem jungen Kaiser nicht gleich bei dem ersten Anlaße den ‚Revolutions=Prä= sidenten', wie man ihn in Olmütz heiße, gegenüber stellen" u. dgl. Allein Smolka blieb fest: „er müße zwar bedauern zu vernehmen daß er bei Hofe eine misliebige Persönlichkeit sei; das dürfe ihn jedoch nicht hindern seine Pflicht als Präsident des Reichstages zu erfüllen, und dies um so weniger als sein Ausbleiben gedeutet werden könne als fühle er sich irgend= wie schuldig."

Am 3. December V. M. fuhr die Reichstags=Deputation, Smolka an der Spitze und der Minister=Präsident in ihrer Gesellschaft, nach Olmütz ab [319]). —

Vom Olmützer Bahnhofe, wohin er seinem scheidenden Oheim das Geleite gegeben, zurückkehrend, bezog der junge Kaiser die von jenem ver= laffenen Appartements in der fürsterzbischöflichen Residenz. Am Abend war die Stadt erleuchtet, so gut es bei dem Mangel jeder Vorbereitung ging. Militär und Nationalgarde veranstalteten einen Fackelzug und zogen mit drei Musikbanden an der Spitze vor die Residenz; der Gefeierte er= schien auf dem Balcon und fuhr sodann mit seinem Hofstaate durch die Straßen der Stadt, überall auf seinem Wege von freudigem Hoch be=

grüßt; die neugegründete Slovanská Lipa in der Litauergasse brachte in feurigen Lettern ein „Sláva králi našemu", und als das Cadettencorps vorüberzog schwangen die jungen Krieger grüßend ihre Fackeln gegen das Transparent.

Am 3. December stellten sich die Repräsentanten der Gemeinde, die kaiserlichen Behörden, das Festungs-Commando mit der Generalität und dem Officierscorps, die Geistlichkeit, die verschiedenen Lehrkörper in der Residenz ein, dem neuen Herrscher ihre Huldigung darzubringen. Dem Rector Magnificus der Universität Professor Pachmann erwiederte er, daß er stets bedacht sein wolle Künste und Wissenschaften zu schützen und zu unterstützen. Den Generalen und Officieren sagte er daß er auf die Treue und Anhänglichkeit der Armee zähle; „sie hat in allen Zeiten und insbesondere in den jetzigen Stürmen das in sie gesetzte Vertrauen gerechtfertigt; auf sie gestützt werde Ich jedem äußern Feind von Österreichs Macht und Größe zu begegnen, Gesetz und Ordnung im Innern zu schirmen wissen."

Nachmittags 3 Uhr traf die große Reichstags-Deputation in Olmüz ein und verfügte sich bald darauf in feierlichem Zuge, von den Hauptwachen mit Trommelwirbel und zweimaligem Senken der Fahne begrüßt, in das erzbischöfliche Schloß, in dessen Thronsaal sie der Kaiser, vom Minister-Präsidenten und dem Kriegs-Minister begleitet, empfing. „Mit freudigen Gefühlen", hieß es in der Adresse die Smolka nach einigen einleitenden Worten vorlas, „begrüßen wir den Regierungsantritt Eurer Majestät. Auf den constitutionellen Thron berufen, werden Eure Majestät alle ihre Völker mit derselben Liebe und Huld umfassen wie Allerhöchstdero Vorgänger im Reiche. Eurer Majestät ist von dem Lenker der Weltgeschicke der hohe Beruf geworden die von Ferdinand dem Gütigen gewährte Freiheit zu befestigen, gegen alle Stürme zu schützen und alle Wunden der Vergangenheit zu heilen. Freie Institutionen sind die festesten Stützen des Thrones, und für den Monarchen ist es ein erhebendes Bewustsein die Geschicke freier Völker zu lenken." Der jugendliche Monarch, zum erstenmal einer an Zahl und Bedeutung so imposanten Sendschaft gegenüber, zeigte einige Befangenheit und gerieth bei einer Stelle seiner Antwort einen Augenblick in's Stocken; doch sprach er im Ganzen mit vernehmbarer Stimme, besonders den bedeutungsvollen Schlußsatz: „Ihnen, meine Herren, liegt es nun ob, Ihre große Aufgabe bald und zum Heile des Staates zu lösen; setzen Sie Mich bald in die Lage den Verfassungs-

entwurf, den die Völker mit Ungeduld erwarten, zu prüfen und ihm
Meine kaiſerliche Sanction zu ertheilen"... Mit dieſen Worten war das
'Genehmigungs-Recht der Krone, das Bach in Wien für einzelne Geſetze
in Schutz genommen, auch für die vom Reichstage zu berathende Verfaſſung ausgeſprochen; mit der in Wien geträumten „Souverainetät"
des conſtituirenden Reichstags hatte es ein Ende. Das wurde denn von
einem Theile der Deputirten ſogleich übel vermerkt: einige verdroß es,
andere ſchmerzte es, die dritten erſchreckte es, daß der Kaiſer ſich vorbehalte den Verfaſſungsentwurf zu prüfen [320]). Als die Geſandten am
Abende im Gaſthauſe ein gemeinſchaftliches Mahl vereinigte und Trink-
ſprüche auf den alten und auf den neuen Kaiſer ausgebracht wurden,
erhob ſich Schuſelka und ergriff ſein Glas: „Bringen wir auch ein
Hoch dem Herrſcher aus der nie vom Throne herabſteigt und nie den
Thron beſteigt, weil er immer ſich ſelbſt beherrſcht, trinken wir auf das
Wohl der Selbſtregierung der Völker!"

Von Olmüz trat die Reichstags-Deputation am nächſten Tage die
Reiſe nach Prag an. Es war ihr zwar mitgetheilt worden — man
hatte darüber auf telegraphiſchem Wege eigens in Prag angefragt —
daß Kaiſer Ferdinand der ſich ernſtlich nach Ruhe ſehne keine größere
Aufwartung anzunehmen gedenke; allein die Abgeſandten hielten ſich an
den Auftrag des Reichstages und glaubten nichts unverſucht laſſen zu
dürfen um denſelben in Erfüllung zu bringen. Sie waren in guter
Stimmung. Schuſelka beſchreibt uns die Eiſenbahn-Fahrt in launiger
Weiſe: wie da „all die verſchiedenen Nationalitäten friedlich und fröhlich in einem Waggon" beiſammen geſeſſen; wie ihm unterwegs ſeine
„lieben čechiſchen Landsleute" das Vergnügen bereiten gewollt das berühmte „Šuſelka nám piše" aus ihrem Munde zu hören; wie ſie
gleich nach der erſten Strophe mit dem Texte in Verlegenheit gerathen
und wie er, um ſie daraus zu befreien, ein gedrucktes Exemplar des
Liedes aus ſeiner Brieftaſche herausgeſucht das er ſeit den Frankfurter
Tagen darin bewahrt [321])...

In Prag hatte man ſich von der überraſchenden Fülle von Nachrichten, die in den letzten achtundvierzig Stunden daſelbſt eingetroffen,
noch kaum erholt. Im Königsſchloße ob dem Hradſchin waren die Gemächer für den Hof ſeit den October-Tagen in neuen Stand geſetzt
worden und wiederholt hatte verlautet, Kaiſer Ferdinand werde daſelbſt
ſeinen Sitz aufſchlagen oder doch eine Zeit in der Hauptſtadt Böhmens

zum Besuche weilen; doch eben weil dies so oft gesagt worden ohne daß es je in Erfüllung gegangen, hatten die Gerüchte zuletzt allen Glauben verloren. Im Gegentheile, es hatte sich eines Tages, 22. November, die Kunde verbreitet Kaiser Ferdinand sei plötzlich gestorben, und der Gubernial-Vice-Präsident sich dadurch veranlaßt gefunden nach Olmütz zu telegraphiren; von dort war die Antwort zurückgekommen daß sich der Kaiser in erwünschtem Wohlsein befinde, was Mecséry nicht säumte der Bevölkerung durch öffentliche Kundmachung mitzutheilen. Man war daher von da an in jeder Hinsicht vollkommen beruhigt. Wer in später Abendstunde am 2. December über die steinerne Brücke ging, dem mochte allerdings die ungewöhnliche Beleuchtung auffallen die von der langen Reihe der Burgfenster auf die in nächtliches Dunkel gehüllte Stadt herabschimmerte; dennoch argwohnte man nichts und die Überraschung am andern Morgen war eine vollständige. „Am Sonntage", schrieb man uns damals, „als sich die Nachricht von der Ankunft unseres Kaisers verbreitete, überfiel ein Schauer alle Bewohner Prags; es war so un=heimlich bevor sich alles aufgeklärt". Es war ein herrlicher December=tag, die hundertthürmige Stadt und die Höhen die von allen Seiten auf sie herabschauen boten, vom Schnee angehaucht, ein frisches Bild, die Fenster des Schlosses erglänzten im Strahl der winterlichen Sonne, und zahlreicher als an andern Feiertagen wogte die Menge sonntäglich geputzt über die Moldaubrücke der Kleinseite zu, durch die Spornergasse und über die neue Schloßstiege zur Burg hinan, wo man zuletzt die Gewißheit erhielt: „das Kaiserpaar sei gestern Nachts um ein Viertel auf zwölf Uhr, nachdem kaum anderthalb Stunden früher eine telegra=phische Depesche die Meldung gebracht, von Baron Mecséry empfangen auf dem Bahnhofe eingetroffen und habe heute morgens bereits dem Gottesdienste im St. Veitsdome beigewohnt". Noch war man jedoch über den Grund dieses unerwarteten Erscheinens im unklaren. Gerüchte von einer Thron=Entsagung verbreiteten sich, und man glaubte Erzherzog Franz Karl habe die Regierung übernommen. Um 9 Uhr V. M. fanden sich, vom Gubernial-Vice-Präsidenten beschieden, die Redacteure aller Zeitungsblätter in dessen Bureau ein, und erst durch diese gelangte im Laufe des Tages das Publicum in die umständliche Kenntnis von allem was sich am Tage zuvor inhaltsschwer in Olmütz begeben hatte.

Als die Reichstags=Deputation in Prag eintraf empfing Smolka aus dem Munde Mecséry's die Bestätigung dessen, worauf man ihn

schon in Olmüz aufmerksam gemacht hatte: „daß der sich krank fühlende
Kaiser höchstens einzelne Personen, aber keinesfalls Deputationen vor-
lasse; mehrere Körperschaften, die sich zur ehrfurchtsvollen Begrüßung
gemeldet, hätten eine entschuldigende Ablehnung erfahren; allenfalls möge
Smolka allein vor dem Kaiser erscheinen und im Namen aller die Adresse
überreichen". Doch Smolka bestand auf seiner Verpflichtung den Auftrag des Reichstages zu erfüllen; es fanden Anfragen, vertrauliche Mittheilungen, Beschickungen statt, während welchen die einzelnen Abgeordneten Zeit genug hatten sich den St. Veits-Dom und den alten
Juden-Friedhof zu besehen, den Žižka-Berg oder den Vyšehrad zu besteigen. Von Seite der Stadt empfingen sie Auszeichnungen aller Art.
Vor dem Gasthofe „zum blauen Stern" hielt eine Ehrenwache, ein
Théâtre paré wurde veranstaltet, am 5. Abends in der böhmischen Bürger-Ressource ein glänzendes Festmahl gegeben. Für denselben Abend
waren Anstalten für einen Fackelzug getroffen, als man noch zur rechten
Zeit in Erfahrung brachte, daß es für diesen Fall von anderer Seite
auf eine Katzenmusik und allerhand Scandal abgesehen sei; der Fackelzug wurde abgesagt und statt dessen die Nationalgarde für den Nacht-
dienst um ein ganzes Bataillon verstärkt [322]).

Endlich am 6. kam Botschaft vom Hradschin daß Kaiser Ferdinand
die Deputation um halb eins N. M. empfangen werde; Smolka empfing
dabei das Ersuchen, auf den angegriffenen Zustand des Kaisers Rücksicht
zu nehmen und die Vorstellung so kurz wie möglich zu veranstalten. Zur
anberaumten Stunde fand sich denn die Deputation im königlichen
Schlosse ein; alsbald erschien der Kaiser, gebeugt und leidend, auf den
Arm der Kaiserin gestützt. Smolka ließ sich's nicht nehmen die Adresse
ihrem ganzen Inhalte nach vorzulesen; der arme Geplagte, der sich am
liebsten ganz unangefochten gesehen hätte, verrieth wiederholt durch kleine
Bewegungen seine Unruhe. Nachdem Smolka zu Ende, zog er rasch
aus der Seitentasche seines Frackes einen Zettel heraus, von dem er
die Antwort herablas: „er habe seinen Entschluß in gewissenhafter Erwägung des Wohles seiner Völker gefaßt, denen seine Liebe stets rückhaltslos
gewidmet gewesen sei und bleiben werde; dieselbe Liebe und Sorge für ihr
Wohl würden sie bei seinem Nachfolger finden, und in dieser Gewißheit sehe
er der Zukunft mit voller Beruhigung entgegen". Einige freundlich gutmüthige Worte des Kaisers an Smolka, und die Deputation wurde entlassen, die noch denselben Abend die Heimfahrt nach Kremsier antrat [323]).

22*

26.

Wenn wir es von Anfang als eine unserer Aufgaben ansahen, durch die Art und Aufeinanderfolge unserer Darstellung, so viel wir es vermöchten, die Art und Aufeinanderfolge der Eindrücke, welche die in raschem Wechsel einander ablösenden Thatsachen und Erscheinungen auf die damaligen Zeitgenossen machten, vor das Auge des Lesers zu führen, so würden wir das Olmüzer Ereignis vom 2. December 1848 um seinen bedeutendsten Charakter gebracht haben, hätten wir es in unserer Erzählung als das erscheinen lassen was es thatsächlich war: letztes Glied einer langen Kette von Vorgängen, und nicht als das was es der ganzen damaligen Welt erschien: erstes einer neuen Reihe von Folgen. Denn jener Charakter war der einer vollständigen Überraschung der großen Masse der Uneingeweihten innerhalb und außerhalb der Gränzen unserer Monarchie. Es gab einige Wenige die um das, was früher oder später eintreten sollte und am 2. December wirklich eintrat, schon zeitlich im Sommer wußten und dafür ihre Vorbereitungen trafen; es gab einen kleinen Kreis Anderer, die in den letzten Wochen vor Ausführung des lang gehegten Planes in Mitwissenschaft und Thätigkeit gesetzt wurden; aus unserem folgenden Berichte wird klar werden welche Persönlichkeiten in die erste, welche in die zweite dieser beiden Kategorien gehörten. Allein gegen die ganze übrige Welt war das Geheimnis mit einer Sorgfalt, mit einer Pflichttreue gewahrt, daß trotz aller vielseitigen Erörterungen Ausarbeitungen Vorkehrungen in Olmüz, in Wien und auf dem Wege zwischen beiden, die vom letzten endgiltigen Entschlusse an mehr als drei Wochen vollauf in Anspruch nahmen, auch nicht das allergeringste nach außen hin verlautete. Es kam vor, daß unmittelbar vor Eintritt des Ereignisses Einzelne der Eingeweihten die ganze Reise von Wien nach Olmüz im Eisenbahn-Coupé einander gegenüber machten und sich, weil jeder in dem andern einen Mitwisser des großen Geheimnisses nicht ahnen konnte, zu gegenseitiger Täuschung in Vermuthungen erschöpften: was wohl der Anlaß ihrer unerwarteten Berufung an das kaiserliche Hoflager sein möchte. Eine ähnliche Scene spielte sich am

Tage selbst inmitten des bunt bewegten Gedränges in den Vorgemächern des fürsterzbischöflichen Palastes zwischen dem Prinzen Alfred Windisch= grätz und dem Unterstaatssecretär Helfert ab, während sich, nur durch die Thüre getrennt, im Thronsaale der Act vollzog um den jeder von ihnen seit Wochen wußte. Daß selbst die unbetheiligten Glieder des Kaiserhauses, die eigenen Brüder des neuen Monarchen keine Ahnung von dem hatten was im nächsten Augenblicke geschehen werde, und in welch vielgestalteten Vermuthungen man sich auf einem andern Punkte, in der erwartungsvollen Versammlung zu Kremsier, hierüber erschöpfte, wurde bereits erwähnt. Letzteres war auch in den beiden Haupt=Quar= tieren zu Schönbrunn und im Beatrix=Palaste zu Wien der Fall, wo natürlich die urplötzliche Abreise des Feldmarschalls und des Banus das größte Aufsehen erregte. Man munkelte von einer Botschaft der Ungarn nach Olmüz unter was für Bedingungen sie sich unterwerfen wollten, und von einer Erwägung dieser Bedingungen im obersten Rathe der Krone an der die Spitzen der Armee theilnehmen sollten, während Andere meinten, es dürfte sich um die letzte Berathung des Kriegsplanes gegen Ungarn handeln. Die zurückgebliebenen Heißsporne aus der Um= gebung des Banus, denen das Zaudern mit dem Feldzuge schon viel zu lang dauerte, mahlten sich die Sache so aus: der Minister=Präsident Fürst Schwarzenberg sei des fortwährenden Zögerns müde und wolle einen großen Kriegsrath wegen augenblicklichen Losschlagens abhalten; ja vielleicht handle es sich gar um die Absetzung des Feldmarschalls, dessen Ersatzmann dann kein anderer als der Banus sein könne. Merk= würdig, ja fast unbegreiflich war es, daß an die nicht sehr fern liegende Lösung des Räthsels, die doch schon in den März=Tagen und seither wiederholt im Munde der Leute gewesen war, gerade im entscheidenden Momente weder in den beiden Haupt=Quartieren noch im Reichstags= saale von Kremsier noch endlich in den Olmüzer Kreisen irgend jemand dachte oder, wenn sie ihn etwa in Gedanken beschäftigte, dieser seiner Muthmaßung Worte zu leihen sich getraute.

Groß war denn auch, nachdem der Schleier des lang bewahrten Geheimnisses gelüftet, die Zerfahrenheit der Meinungen über die Be= weggründe, über den nächsten Anlaß, über den Hergang des Allen un= erwarteten Ereignisses, und auch hier trat die Erscheinung zu Tage daß das einfachste und natürlichste, das selbsteigene Begehren des erschöpften und abgemüdeten Kaisers, von den Wenigsten getroffen wurde. Die

milde dachten, waren der Meinung: Kaiser Ferdinand habe die unter
seinem Ansehen eingeleiteten Gewaltmaßregeln gegen Wien nicht selbst
wieder abbrechen und auch mit Ungarn auf keiner befriedigenden Grundlage mehr unterhandeln können; darum habe er die Zügel der Regierung
in die Hände eines unbefangenen Nachfolgers legen müssen, der durch
Vergeben und Vergessen alles Vorausgegangenen seine unglückliche Hauptstadt wieder aufzurichten, mit den Ungarn sich auf neuer Basis friedlich
auszugleichen, seinen erschöpften Ländern Frieden und Wohlstand zurückzugeben vermöchte. Die Schwarzseher waren der gerade entgegengesetzten
Ansicht und machten den Kaiser Ferdinand entweder zum Mitschuldigen,
der seinem durch keinerlei Versprechungen gebundenen jungen Neffen Platz
gemacht habe um den bisherigen halb-constitutionellen Zustand in den alten
absolutistischen umzuwandeln, oder zum mitleidsvollen Dulder der all das,
was haarsträubend täglich geschehe und noch schrecklicher sich vorbereite, nicht
länger mit habe ansehen können. In Ungarn endlich und in auswärtigen
radicalen Kreisen sprach man von nichts mehr und nichts weniger als von
einer „Palast-Revolution", von niemand anderem angesponnen und durchgesetzt als von der „herrschsüchtigen" Erzherzogin Sophie, die „als Mutter
eines nach gewöhnlichen Gesetzen noch minderjährigen Kaisers die that-
sächliche Regentin der österreichischen Monarchie" werden wollte, „und
es gab nichts was ihrem Willen erfolgreich widerstreben konnte". Einfacher war es für diesen Zweck gewiß, wenn die Erzherzogin, die, jene
Leute zu hören, so sehr nach Macht und Einfluß strebte, ihren eigenen
Gemahl zum Kaiser machte, und darum war die letzte der angeführten
Deutungen überdiemaßen albern, was aber durchaus nicht hinderte, daß
sie von Vielen sehr ernstlich besprochen und von noch mehr Andern mit
sehr gläubiger Entrüstung hingenommen wurde [324]).

Wir schreiten zur wahrheitsgetreuen Schilderung des Hergangs, die
zugleich, ohne daß es weitläufiger Erörterungen von unserer Seite be-
dürfte, den sichersten Prüfstein abgeben wird für den Werth all der verschiedenen Muthmaßungen oder Erfindungen mit denen man sich wohlmeinend oder misgünstig in der Öffentlichkeit lange Zeit beschäftigte.

Es war am 14. März 1848 als Kaiser Ferdinand, seit Jahren
leidend und durch die Vorfälle der letzten vierundzwanzig Stunden in
der Tiefe seines Gemüthes erschüttert, seiner Gemahlin aus freien Stücken
den Wunsch ausdrückte, sich von den Regierungs-Geschäften zurückzu-

ziehen.   Fürst Windischgrätz, zu jener Zeit nicht dem Namen aber der
That nach mit dictatorischer Gewalt bekleidet, rieth in der nachdrücklichsten
Weise davon ab, und von der Sache war einige Tage keine weitere Rede.
Einen neuen Anlaß bot der Rücktritt des Erzherzogs Ludwig, des treu=
bewährten Rathgebers und Unterstützers seines kaiserlichen Neffen, 5. April,
und diesmal war es in Gegenwart des Fürsten, wo der Rücktritt des
Kaisers und der Übergang der Krone auf dessen nächstberufenen Bruder
zur Sprache kam.   Windischgrätz erklärte dies mit aller Ehrerbietung
zwar, aber zugleich mit aller Entschiedenheit für „unmöglich“: „die Ab=
dankung des Kaisers sei nicht an der Zeit; wenn es aber einmal zu
diesem Schritte komme, dann dürfe er nur zu Gunsten des jungen Erz=
herzogs Franz geschehen.“   Die Erwägungen, die Windischgrätz diesen
Rathschlag eingaben, lagen nahe genug.   Ihm stand das monarchische
Princip zu hoch, als daß er ohne bringendsten Anlaß durch eine frei=
willige Entsagung des „von Gottes Gnaden“ berufenen Herrschers daran
rütteln lassen wollte.   „Eine solche Abdankung“, betonte er wiederholt,
„lasse sich nur rechtfertigen, wenn im Drange gefahrbringender Ereig=
nisse kein anderer Ausweg übrig bleibe die Majestät der Krone unverletzt
zu erhalten.   Dann aber müsse auch jener den das Nachfolgerecht treffe
völlig unbefangen, unberührt von den vorausgegangenen Verwicklungen,
unbeirrt und ungebunden durch sie, mit vollkommen freier Hand die
Zügel ergreifen können“; und dies letztere war nicht mit dem vor und
während der Revolution in der vielfachsten Weise in die Schicksale seines
kaiserlichen Bruders mitverflochtenen Erzherzoge Franz Karl, wohl aber
mit dessen nach ihm zur Thronfolge berufenen, zur Zeit noch minder=
jährigen erstgebornen Prinzen der Fall.   Thatsache ist, daß von dem er=
wähnten Zeitpunkte im Familienrathe der Fall der Thronentsagung nie
anders als mit Beziehung auf den jungen „Franzi“ besprochen wurde.
Die Kaiserin Maria Anna und die Erzherzogin Sophie befanden sich
dabei in stetem Einklang; das innigste Verständnis schlang in Unglück
und Gefahr ein schönes Band um die beiden hohen Frauen, von denen
die eine im Begriffe stand an der Seite ihres Gemahls vom Throne
herabzusteigen, die andere im Verein mit dem ihrigen für immer darauf
zu verzichten. Die spätere Geschichte, frei von den Parteiungen und Lei=
denschaften des Tages, wird mit gerechter Anerkennung den Entschluß
eines Fürsten würdigen, der voll Wohlwollen und Herzensgüte stets nur
das Heil der Völker im Sinne trug die er dereinst zu beherrschen von

Rechtswegen berufen war, und der gleichwohl die Selbstverläugnung besaß um höherer Rücksichten willen dieses Rechtes sich zu begeben. Aber sie wird auch seiner entschlossenen Schicksalsgefährtin nicht uneingedenk sein. Wenn eine Frau, deren Seelenadel, deren Geist und hoher Sinn sie eben so sehr befähigten als berechtigten an der Seite eines hochgebietenden Gemahls einen der ersten Throne der Welt zu schmücken, es über sich gewinnt solch erhebender Aussicht ein für allemal zu entsagen, dann mögen wir Andern, an deren geringhältigere Verhältnisse im äußersten Falle die Zumuthung auf irgend ein Privat=Recht, irgend einen Privat=Vor= theil edelmüthig zu verzichten herantreten kann, die Größe eines Opfers ermessen an dessen Darbringung sich der Glanz und die Machtfülle einer Kaiserkrone knüpften. Und dies selbstlose Zusammenstimmen der nächst= betheiligten Glieder des Herrscherhauses, dieses unter was immer für Verhältnissen seltene Beispiel opferwilliger Familien=Einigkeit, diese edle Hingabe an das was sie als durch die Umstände herbeigeführt für unvermeidlich erkannten, das war es was eine von blindem und gehä= ßigem Vorurtheil befangene Presse zu jener Zeit dem urtheilslosen Pu= blicum als das Monstrum der „Camarilla" ausmalte.

Aber nicht blos die damalige Presse that dies; von maßgebenden Persönlichkeiten wurde derselbe Kunstgriff in verrätherischer Weise aus= genützt, und dieser letztere Umstand trug das seinige dazu bei, im Schoße der kaiserlichen Familie die eintretende Nothwendigkeit eines Thronwech= sels sich stets vor Augen zu halten. Der bekannte Historiker Horváth erzählt in einem seiner Geschichtswerke einen Zwischenfall, wo der unga= rische Minister=Präsident bei Kaiser Ferdinand etwas durchsetzen wollte und die Erzherzogin Sophie hinzugetreten sei; Batthyányi habe gegen solche Dazwischenkunft Verwahrung eingelegt, „er habe es nur mit seinem Könige zu thun". Die Anekdote mag richtig oder es mag, was uns das wahrscheinlichere, eine Verwechslung mit der Kaiserin Maria Anna dabei unterlaufen sein: jedenfalls wirft sie ein grelles Licht auf das Gebahren der damaligen ungarischen Partei. Es mochte wohl ganz constitutionell klingen: „wir wollen keine Mittels=Person zwischen uns und dem Mon= archen, er selbst, er allein soll entschließen." Allein einerseits ließe sich fragen, ob selbst nach constitutionellsten Begriffen in wichtigen Angelegen= heiten Familien=Rath ausgeschlossen sein könne? Darf der Fürst mit sich zu Rathe gehen, so muß er dies persönlich auch mit Andern, und zu allernächst mit Jenen thun dürfen die mit ihm ein solidarisches Inter=

esse an Thron und Krone haben; als letztes Ergebnis dieses persönlichen Zurathegehens bleibt die endgiltige Entschließung doch immer die feine. Sodann aber war in dem Falle mit Kaiser Ferdinand der krankhafte, aufdringlichem Zureden gegenüber fast wehrlose Zustand des Trägers der Regierungsgewalt notorisch; man hatte insbesondere in Ungarn schon vor Jahren laut davon gesprochen und die Nothwendigkeit betont, ver=faffungsmäßige Abhilfe dagegen zu treffen. Unter f o l c h e n Umständen da=rauf zu bringen, der König selbst und allein solle seine Entschlüsse fassen, solle sich vorher nicht mit den ihm zunächst stehenden Gliedern feiner Familie in Dingen berathen dürfen die von unabsehbaren Folgen für die Stellung und die Gerechtsame dieser selben Familie fein mußten, das hieß die Gebrechlichkeit des in feinen Nerven und in feinem Gemüthe er=schütterten Monarchen in durchaus illoyaler Weise ausbeuten wollen, das war ein Gebahren für das es keine gelindere Bezeichnung gibt als: Lehnsfrevel, Perfidie [325]). . .

Es kamen die aufgeregten Tage des April und der ersten Hälfte Mai, die Wiener Sturm=Petition, die Flucht des Hofes, dessen Ankunft in Innsbruck. Die kaiserliche Familie fand hier Zeichen wärmster Theil=nahme und Ergebenheit. Auch aus Böhmen kam tröstliche Botschaft. Graf Friedrich Thun, damals mit Urlaub in Prag, erschien als Vertrauens=mann feines Bruders Leo; eine zahlreiche Deputation aus allen Stände=kreisen, Rieger, Albert Nostic, Akademie=Director Ruben, Camille Rohan u. a. fand sich in Innsbruck ein. All das mochte das Herrscherhaus nach den trüben Erfahrungen der jüngsten Wochen wieder etwas aufrichten; nur Kaiser Ferdinand schien diese letzteren Eindrücke nicht verwinden zu können. Öfter als zuvor lenkte er im vertrauten Verkehr mit feiner Ge=mahlin das Gespräch auf feinen Wunsch sich zurückzuziehen, und die Kai=ferin fand immer neuen Anlaß sich mit diesem Gedanken zu beschäftigen. Sie und die Erzherzogin Sophie hatten sich die Sache jetzt so ausge=dacht daß am 18. August, dem Tage wo „Franzi" fein achtzehntes Le=bensjahr vollendet und damit, wie sie meinten, nach den Hausgesetzen der Dynastie feine Großjährigkeit erreicht haben würde, Kaiser Ferdinand und Erzherzog Franz Karl zu des Prinzen Gunsten entsagen sollten. Allein die kaiserliche Familie befand sich zur selben Zeit ohne gewiegten Rath=geber. Der Mann ihres vollen Vertrauens war wieder auf feinem mili=tärischen Posten in Prag und es gab keinen Weg mit ihm, ohne nach verschiedenen Seiten hin Argwohn zu erregen, in nähern Verkehr zu treten. Unter den am kaiserlichen Hoflager befindlichen Personen war nur die Obersthofmeisterin Therese Fürstenberg, in Hofkreisen kurzweg „die Landgräfin" genannt, in's Geheimnis gezogen; Graf Bombelles, Ajo der kaiserlichen Prinzen der gleichfalls um die Sache wußte, hatte bald nach dem Eintreffen in Thyrol seine Stelle niedergelegt und sich vom Hofe ent= fernt. Friedrich Thun hatte Innsbruck bereits wieder verlassen; Felix Schwarzenberg, Franz Stadion waren vorübergehende Erscheinungen; auch hatte bisher keiner von ihnen zum Hofe in einem näheren Verhältnisse gestanden, um in einer Frage so zarter Natur ohneweiters mit dem vollsten Vertrauen beehrt zu werden. Da erschien in der zweiten Hälfte Juli Oberst=Lieutenant Baron Langenau mit Briefschaften des Fürsten Win= dischgrätz, worin sich dieser für den äußersten Fall unbedingte Vollmacht zu handeln und den Oberbefehl über alle Truppen außerhalb Italien erbat; in einem Schreiben an die Kaiserin Maria Anna berührte er zugleich die Frage des Thronwechsels und beschwor dieselbe auf keinen Vorschlag solcher Art einzugehen [326]). Mit dem erbetenen kaiserlichen Hand=Billet und mit einem eigenhändigen Schreiben der Kaiserin, worin dieselbe die Frage des Thronwechsels eingehend besprach, kehrte Langenau um den 24. nach Prag zurück.

Zur selben Zeit waren lebhafte Unterhandlungen wegen der Rück= kehr des Kaisers nach Wien im Gange. General Hannekart, provisorischer General=Adjutant der nach Abreise des Hofes in der Kaiserburg zurück= geblieben war, wurde von den Ministern in dieser Angelegenheit nach Innsbruck geschickt; sie drohten mit ihrem Rücktritt wenn man sich nicht dazu verstehen wolle. Doch das war kein so einfaches Ding. Kaiser Fer= dinand zeigte entschiedenen Widerwillen in seine undankbare Hauptstadt zurückzukehren; die kaiserliche Familie wollte daher von Wien erst Bürg= schaften verlangen daß er dies mit Sicherheit thun könne. Es läßt sich für die halt= und trostlose Lage, in die sich in jenen Innsbrucker Tagen der Hof versetzt sah, kaum etwas bezeichnenderes denken als daß man sich, für die Abfassung des Allerhöchsten Handschreibens das als Antwort nach Wien abgehen sollte, an niemand andern zu wenden wußte als — an den russischen Gesandten, 25. Juli. Graf Medem war nämlich auf ausdrücklichen Befehl seines Monarchen, Lord Ponsonby der britische Bot= schafter aus persönlicher Anhänglichkeit unserem Hofe nach Innsbruck ge= folgt, und diese beiden Vertreter auswärtiger Mächte waren eine Zeit lang die einzigen denen sich die kaiserliche Familie in heikelen Angelegen=

heiten mit Beruhigung anvertrauen zu können glaubte. Die Rückkehr nach
Wien wurde inzwischen immer mehr zur brennenden Frage. Stadion
hatte dazu gerathen; auch am Hofe bildete sich eine Partei die in gleichem
Sinne thätig war. Der Kaiser selbst zeigte sich unentschlossener als je;
einmal hatte er schon den Fuß auf den Wagentritt gesetzt, als er plötzlich
nein sagte und alles wieder abbestellt werden mußte. Nun wurde daran
gedacht, statt des Kaisers solle das erzherzogliche Paar, doch mit Zurück=
lassung der Prinzen, nach Wien gehen, als es anhaltender Überredung,
wobei sich die Landgräfin Fürstenberg großes Verdienst erwarb, von neuem
gelang den Monarchen zur Rückreise zu bewegen. Das alles war noch
vor Ankunft der Reichstags=Deputation in Innsbruck. Allein auf einmal
wollte der Kaiser wieder nicht; er gerieth in eine nervöse Aufregung
gegen die alle Vorstellungen, alle Bitten keine Macht hatten [327]). Schon
war beschlossen Erzherzog Franz Karl mit seinem Erstgebornen solle für
die Nicht=Ankunft des Kaisers dem Reichstag und dem Ministerium Er=
satz bieten, als Kaiser Ferdinand zum drittenmal nachgab, die Reise nach
Wien nun wirklich antrat und daselbst am 12. August eintraf.

Mit der Rückkehr der kaiserlichen Familie nach Wien trat die Ab=
dankungsfrage in eine neue Phase. Sie wurde nun sowohl im kaiserli=
chen Lustschloße zu Schönbrunn als ob dem Prager Hradschin als Sache
einer möglicherweise nicht sehr fernen Zukunft in's Auge gefaßt und
insbesondere der Fall einer durch die Ereignisse herbeigeführten plötzlichen
Nothwendigkeit derselben nach allen Seiten erwogen. Fürst Windischgrätz
beklagte den Entschluß der kaiserlichen Familie, sich aus der sichern ty=
roler Zufluchtstätte in die unmittelbare Nähe des Wiener revolutionären
Kraters begeben zu haben, auf's tiefste [328]). Aber auch im Schoße dieser
letzteren schien man nun erst, wo der Schritt geschehen war, die ganze
Größe der Gefahr zu ermessen die derselbe in seinen Folgen haben könnte;
jedenfalls sollte der junge Prinz, vielleicht binnen kurzem berufen die
höchste Stelle einzunehmen, in unbefangene Ferne gebracht werden. Die
Verhandlungen zwischen dem Hof und dem Commandirenden von Böh=
men waren jetzt ununterbrochen und lebhaft. Den vertrauten Boten zwi=
schen beiden gab fortwährend Langenau ab; außer ihm waren in Prag
noch Prinz Alfred ältester Sohn des Fürsten, und des letztern Schwä=
gerin Fürstin Louise Schönburg, die, nachdem Windischgrätz so plötzlich
Witwer geworden, dessen Töchterchen in Obhut und Pflege übernommen,
in das Geheimnis gezogen. Windischgrätz hatte am 14. August, also

zwei Tage nach der Ankunft der kaiserlichen Familie in Wien, ein Schrei=
ben an die Kaiserin Maria Anna aufgesetzt — eigentlich eine Antwort
auf das Hand=Billet derselben aus Innsbruck vom 23. Juli, worin sie
von neuem und dringender als früher die Abdankung zur Sprache
brachte —, als Graf Grünne, Kammer=Vorsteher des Erzherzogs Franz
Joseph, mit einem Auftrage der Erzherzogin Sophie in Prag ankam;
die Antwort des Fürsten an die Erzherzogin ergänzte dasjenige was er
bereits der Kaiserin vorgetragen. „Die Abdankung Ihres erlauchten
Gemahls", sprach er letztere an, „möge nicht anders eintreten, als wenn
die Revolution einen neuen Schlag vorbereitet dessen Seine Majestät
nicht mit Erfolg Meister zu werden glauben sollte [329]). Für diesen
äußersten Fall, ‚pour cette triste nécessité‘, sei es aber dringend ge=
boten daß sich der Erzherzog=Thronfolger in gesicherter Ferne befinde,
damit er frei sei und seine Bedingungen stellen könne; möge das nun
nach Prag oder anders wohin geschehen; im ersteren Falle wolle er,
Windischgrätz, es übernehmen den jungen Prinzen in der ersten Zeit
zu leiten". Die Botschaft der Erzherzogin Sophie — ohne Zweifel schon
aus Schönbrunn — kam dieser letztern Vorsicht des Fürsten mit der
Frage zuvor: ob für den Aufenthalt des jungen Erzherzogs Prag oder
ein anderer Ort gewählt werden sollte? Windischgrätz entschied sich für
Prag, „jedoch soi-disant nur auf eine kurze Zeit und ohne irgend eine
amtliche Wirksamkeit, um ihn nicht möglicherweise mit dem Ministerium
in Conflict zu bringen. Überhaupt könne diese Reise nur im Einverneh=
men mit dem Ministerium, dem irgend ein annehmbarer Grund dafür
beizubringen wäre, verfügt werden. Würde das Ministerium darauf
nicht eingehen oder diese Form" (nämlich ohne officielle Stellung des
Prinzen) „nicht wollen, so bliebe nichts übrig als denselben vor der
Hand in Schönbrunn zu lassen, jedoch im ersten Moment, wo man nur
zu ahnen vermöge daß dessen Person in Anspruch genommen werden
könnte, dessen unverweilte Entfernung zu verfügen". „Es ist", schrieb
Windischgrätz zum Schluße, „die höchste Zeit sich vorzubereiten und von
größter Wichtigkeit daß der Thronfolger vollkommen rein und frei da=
stehe, wann er den Thron seiner Väter zu besteigen berufen sein
wird" [330]).

Um dieselbe Zeit war man in Schönbrunn besorgt, den wichtigen
Posten eines General=Adjutanten, der in der letzten Zeit von Hannekart
provisorisch versehen wurde, definitiv zu besetzen. Man verfiel bei Hofe

zuerst auf den Grafen Gyulai, dann aber, weil Latour Bedenken trug
diesen von Triest wegzunehmen, auf den Fürsten Joseph Lobkovic den
man in den März-Tagen in der Umgebung des Fürsten Windischgrätz
wahrgenommen hatte. Am 28. August sandte letzterer den Gewünschten
von Prag ab, den er, mit einer wahrhaft staunenswerthen Voraussicht
der Dinge die da kommen könnten, über seine Aufgabe instruirte und
vor allem dafür verantwortlich machte daß dem Kaiser kein neues Zugeständnis abgedrungen werde; sobald etwas dergleichen im Zuge sei,
habe er so viel Truppen als möglich um die Person des Kaisers zu
schaaren und ihn unter deren Schutze, „nicht als Flucht", mit der kaiserlichen Familie über Krems nach Olmüz zu bringen; „dann werde ich
Wien erobern, Se. Majestät wird zu Gunsten seines Neffen abdanken,
und dann werde ich Ofen einnehmen" [331]). Auch in dem gleichzeitigen
Schreiben an die Kaiserin legte Windischgrätz das Hauptgewicht darauf, daß dem Kaiser nichts abgedrungen werde was die ihm, Windischgrätz, ertheilten Vollmachten um ihre Wirkung bringen könnte; es sei
von Wichtigkeit daß Fürst Lobkovic in die Lage komme alles zu überwachen was man dem Kaiser zur Unterschrift vorlege. Zugleich verhieß
er den Entwurf zweier Proclamationen, des abtretenden Kaisers Ferdinand und des antretenden „Franz II.", zu senden, von denen im Augenblicke des Bedarfs Gebrauch zu machen wäre [332]). Den Entwurf dieser
Proclamationen, die er in's französische übersetzen ließ damit die Kaiserin
alle Einzelnheiten prüfen könne — ihr war, einer Italienerin von Geburt, das deutsche in Schrift und Sprache nicht geläufig —, sandte der
Fürst am 6. September durch Langenau mit einem Schreiben, worin er
auf das sorgfältigste alle Möglichkeiten erwog die den letzten äußersten
Entschluß des Kaisers und die Ausführung der für diesen Fall vorbereiteten Maßregeln zu rechtfertigen vermöchten, nämlich: „wenn man im
Reichstage das Veto des Monarchen antaste, ihm eine Reduction des
Heeres abbringen, ihn in dem vollkommen freien Verfügungsrecht
(pouvoir illimité) über seine Armee beschränken, die Giltigkeit der Verhandlungen und Abmachungen mit auswärtigen Mächten von einer vorläufigen Genehmigung oder nachträglichen Zustimmung des Reichstages
abhängig machen wollte" [333]). Was den Thronfolger betraf so sprach er
sich dafür aus, daß derselbe die von seinem Vorgänger eingeführte Re-
präsentativ-Verfassung aufrecht halten möge, fügte aber ausdrücklich bei:
„dies sei lediglich seine persönliche Meinung; vom rechtlichen Standpunkte

habe der Erzherzog vollkommen freie Hand, sei an keines der früheren
Zugeständnisse gebunden; nur auf das eine müsse er, Windischgrätz, unter allen Umständen Gewicht legen, daß der neue Kaiser seinen festen
und unerschütterlichen Willen kundthue kein weiteres Zugeständnis zu
machen". . . .

Dieses ist in wenigen Zügen die Geschichte jener „Palast=Revolu-
tion" der „Camarilla", von deren „geheimen Ränken und Winkelzügen",
von deren „finstern Plänen und Absichten" alle revolutionären Blätter
jener Tage ihren Lesern täglich so viel unerhörtes aufzutischen wußten.
Aber vergebens sucht man hier nach einem merkbaren Einfluß der Kam-
merfrau der Kaiserin Katharina Cibbini, die jenen Mittheilungen zufolge
eine besonders verruchte Rolle gespielt haben soll. Auch der Graf Bombelles scheint denn doch nicht jener „Judas der Erzschelm" gewesen zu
sein, als den ihn ein Placat jener Tage mit riesigen Lettern dem Publicum vorführte; denn von einem besonderen Einwirken desselben ist bei
all diesen Verhandlungen nichts wahrzunehmen. Die Erzherzogin Sophie,
über deren Namen sich damals eine wahre Fluth von Schmähungen und
Verläumbungen der gemeinsten Niederträchtigkeit ergoß, wir sehen sie,
diese wahrhaft königliche Frau, weit entfernt die hochfahrende Ränke-
schmiedin voll ungezähmter Herrschgier zu sein, ein Beispiel hochherziger
Selbstverläugnung geben dem sich in der Geschichte nicht bald ein zweites
an die Seite stellen läßt. Überall und jederzeit ist es die regierende Kaiserin, die im innigsten Seelenverständnis mit ihrem Gemahl und in auf-
richtigem ungetrübten Einklang mit den Nächstberufenen des Hauses das
große Ereignis vorbereitet, das der stürmische Drang der Ereignisse
und der krankhafte Zustand des Kaisers früher oder später als unvermeidlich erscheinen lassen. Wahrhaft groß und verehrungswürdig zeigt
sie sich in jener Zeit der Schicksalsschläge, die Lebens= und Leidensge-
fährtin des gütigsten der Fürsten, sie, die Fernerstehende in früheren Tagen als kalt, als unempfänglich, als theilnamslos schilderten [334]). Wir
wünschten daß Rücksichten für die Lebende uns nicht verböten Briefe von
ihrer Hand, die einzusehen wir in der glücklichen Lage waren, der Öffentlichkeit zu übergeben: wie rührend und rücksichtsvoll sie von ihrem kaiserlichen Gemahl spricht, wie zart und anerkennend von dem erzherzoglichen Paare, wie mütterlich liebevoll von ihrem jungen Neffen! Wahrlich
wenn, wie Gold im Feuer, Charaktere sich in Widerwärtigkeiten erproben, dann hat nie eine Fürstin von schönerer Seele der Purpur umklei-

det, nie ein Haupt mit ſo frauenhaft edlem und dabei ſtarkem Sinn die
Krone geziert!

Die Rathſchläge des Fürſten Windiſchgrätz wurden von jetzt an
treu befolgt. Der neue General=Adjutant des Kaiſers verſah ſeinen Dienſt
mit gewiſſenhafter Umſicht. Die Kaiſerin ſtand wachſam und tapfer ihrem
Gemahl zur Seite. Sie war der ehrlichen Meinung: was verſprochen
worden, an dem müſſe gehalten werden; ſie äußerte dies in vertrautem
Umgang bei jedem Anlaſſe. Aber ſie war eben ſo feſt entſchloſſen ihrem
Gemahl keine weitern Gewährungen abbringen zu laſſen. „Wenn ich
wahrnehme daß eine Sache gegen die Würde des Kaiſers iſt", ſagte ſie,
„werde ich mich ihr entgegenſetzen, und wenn es mein Tod wäre".
Immer ſchwebte ihr die Möglichkeit vollſtändigen Scheiterns ihrer Hoff=
nungen, des Zuſammenſtürzens aller Verhältniſſe vor; aber ſie blickte
dieſem Schreckbilde mit muthigem Selbſtgefühl in's Auge: „So lang ich
da bin, können wir fallen, aber wir werden nicht unwürdig fallen!"
Beide Ausſprüche geſchahen im September um die Zeit der großen Peſ=
ſter Deputation, die dem Könige die Zuſtimmung zu den beiden letzten
revolutionären Maßregeln abnöthigen wollte: der Schöpfung der Honvéd=
Armee und der ſchrankenloſen Emiſſion ungariſchen Papiergeldes [335]).
Windiſchgrätz blieb, theils durch Lobkovic in Schönbrunn theils durch
den zwiſchen Wien und Prag ab und zu gehenden Langenau, in unaus=
geſetztem Verkehr mit dem Hofe und war aufmerkſam auf alles was
einer Kataſtrophe zuführen könnte. Vom 21. September datirte ein
Schreiben an Erſteren das ſich hauptſächlich auf die Vorgänge im Reichs=
tage aus Anlaß der Entſchädigungsfrage bezog; Eingang und Schluß
waren deutſch, die Hauptſache franzöſiſch, offenbar damit ſelbe die Kai=
ſerin ohne fremde Beihilfe unmittelbar einſehen oder ſich vorleſen laſſen
möge: „Der Kaiſer könne dem Reichstag die Eigenſchaft einer Executiv=
Behörde nicht zuerkennen. Le Reichstag n'eſt pas ſouverain, s'il
était ſouverain, l'Empereur ne ſerait plus rien. Der Reichstag ſei
eine conſtituirende Verſammlung deren Beſchlüſſe der Sanction des
Kaiſers unterlägen; der Kaiſer habe kein Zugeſtändnis gemacht das mit
dieſem Satze in Widerſpruch ſtände. Ungarn gegenüber ſei nicht einen
Schritt weiter nachzugeben. Im dringenden Falle wäre ſich von Schön=
brunn zu entfernen".

Dieſer dringende Fall trat mit dem 6. October ein. Lobkovic hatte
ſeine militäriſchen Vorkehrungen getroffen: die Reiſe der kaiſerlichen

Familie, „nicht als Flucht", ging, wie es Windischgrätz vorher bestimmt hatte, über Krems nach Olmütz.

Mit dem Eintreffen in der mährischen Hauptstadt trat die Abbankungs-Angelegenheit in ihre dritte und letzte Phase. Alles war seit Monaten dafür geplant und vorbereitet; doch die Ausführung war jetzt nicht mehr die des Fürsten, sondern jene des verantwortlichen Ministeriums dessen Hände die Zügel der Regierung erfaßt hatten. Windischgrätz legte, sobald er den Hof in Sicherheit wußte, seinerseits kein besonderes Gewicht mehr auf den Thronwechsel, wozu er wohl selbst vor zwei Monaten für diesen Fall seinen Rath ertheilt hatte. Sein tief monarchisches Gefühl trat nun wieder hervor, das sich jederzeit gegen diesen äußersten Schritt ohne höchst gebietende Nothwendigkeit gesträubt hatte, und eine solche höchst gebietende Nothwendigkeit lag, seiner Ansicht nach, jetzt nicht mehr vor. Auch wurde der Zweifel rege ob es nicht gerathen sei erst die vollständige Unterwerfung Ungarns abzuwarten, damit der neue Kaiser nicht gleich in Krieg mit seinem eigenen Land verwickelt werde, sondern einen von allen Seiten reinen Boden betrete. Allein Felix Schwarzenberg hatte eine andere Meinung, und die seinige war es jetzt die als die maßgebende auftrat. Nur auf seines Schwagers eindringliches Zureden, gegen seine eigene Neigung und Überzeugung, hatte Schwarzenberg sich zum Minister-Präsidenten hergegeben; er war dafür in der Lage seine Bedingungen zu stellen. „Die große Aufgabe", betonte er, „die er unter der Ägide des Monarchen übernehme, lasse sich nicht mit Aussicht auf Erfolg anfassen wenn nicht ein Kaiser in der vollen Kraft seines Geistes und seiner Jahre den Thron einnehme". Der Meinungsaustausch über diesen Punkt fand während der Anwesenheit Windischgrätz' in Olmütz statt; Wessenberg und Stadion vermehrten jetzt die Zahl der Mitwissenden, ebenso Hübner, die rechte Hand Schwarzenberg's. Auf Andringen seines Schwagers übernahm es der Feldmarschall, bevor er zur Armee abging, von dem erzherzoglichen Paare die formelle Zusage dessen entgegenzunehmen, was bisher nur in schriftlichem Wege verhandelt worden war. Man war mit allem so gut wie im reinen, der Kaiser sehnte sich nach Entbürdung, als seinem erzherzoglichen Bruder — etwa in der zweiten November-Woche — Zweifel aufstiegen. Von jeher von der tiefsten Verehrung für seinen Vater Kaiser Franz erfüllt, war ihm der ernste Schritt, einen nach Natur und Gesetz ihm auferlegten Beruf von

sich abzulehnen, Sache des Gewissens: „was würde Er, der ehrwürdige
Verstorbene, dazu sagen?!" Mehrere Tage ging er mit sich darüber zu
Rathe, widmete lange Stunden weihevollen Erwägungen; zuletzt war es
ihm, er sehe den verklärten Vater wie er segnend seine Hand auf das
Haupt seines Enkels lege, und von diesem Augenblick war sein Entschluß
gefaßt.

Es war um die Mitte November in einer der ersten Sitzungen des
bereits in seinem Innern, obgleich noch nicht vor der Öffentlichkeit con=
stituirten Ministeriums, als Fürst Schwarzenberg seinen Collegen die
Eröffnung von dem Schritte machte den der Kaiser zu thun sich ent=
schlossen habe, von dem ihn nichts abzubringen vermöge und den er so=
bald als möglich in's Werk gesetzt zu sehen wünsche. Von da an ver=
ging kein Tag, wo diese wichtige Angelegenheit den Minister=Rath nicht
beschäftigte [336]. Es wurden alte Staats=Acten hervorgesucht; es muß=
ten, da man einem vorausgegangenen ähnlichen Vorgange nichts wesent=
liches entnehmen konnte, die verschiedenseitigsten Formfragen erwogen
und entschieden werden. Eine der bedeutendsten bildete das Alter des
Erzherzogs Franz. Daß derselbe mit dem vollendeten achtzehnten Lebens=
jahre volljährig, wie selbst im Schoße der kaiserlichen Familie vorausge=
setzt wurde, ließ sich aus anerkannten Hausgesetzen nicht begründen. Als
König von Böhmen und als Erzherzog von Österreich war er das schon
früher, dort mit zurückgelegtem vierzehnten, hier mit vollendetem sechs=
zehnten Lebensjahre; in den ungarischen Bestimmungen dagegen findet
sich nichts als der allgemeine Ausdruck des „gesetzmäßigen Alters —
aetas legitima", und gerade nach dieser Seite war unter den obwal=
tenden Umständen die größte Vorsicht geboten. Um daher jedwedem An=
lasse zu Einwendungen vorzubeugen, wurde beschlossen, vorsichtsweise
allen andern auf den Thronwechsel sich beziehenden Staatshandlungen
die Großjährigkeits=Erklärung des jungen Prinzen vorauszuschicken. Hin=
sichtlich der ungarischen Frage fühlte man überhaupt das Bedürfnis sich
mit einem Eingebornen von Gewicht und Ansehen zu verständigen; es
wurde an den alten Grafen Nicolaus Szécsen, letzten ungarischen Hof=
kammer=Präsidenten, an den kroatischen Baron Kulmer gedacht, zuletzt
schlug der Feldmarschall den Baron Josika vor [337]. Letzterer kam denn
auch nach Olmüz, wurde dort in's Vertrauen gezogen, mit den vor=
bereiteten Staatsschriften bekannt gemacht,
soweit sie Ungarn betrafen,

treten. Unter den am kaiſerlichen Hoflager befindlichen Perſonen war nur die Oberſthofmeiſterin Thereſe Fürſtenberg, in Hofkreiſen kurzweg „die Landgräfin" genannt, in's Geheimnis gezogen; Graf Bombelles, Ajo der kaiſerlichen Prinzen der gleichfalls um die Sache wußte, hatte bald nach dem Eintreffen in Tyrol ſeine Stelle niedergelegt und ſich vom Hofe ent= fernt. Friedrich Thun hatte Innsbruck bereits wieder verlaſſen; Felix Schwarzenberg, Franz Stadion waren vorübergehende Erſcheinungen; auch hatte bisher keiner von ihnen zum Hofe in einem näheren Verhältniſſe geſtanden, um in einer Frage ſo zarter Natur ohneweiters mit dem vollſten Vertrauen beehrt zu werden. Da erſchien in der zweiten Hälfte Juli Oberſt=Lieutenant Baron Langenau mit Briefſchaften des Fürſten Win= diſchgrätz, worin ſich dieſer für den äußerſten Fall unbedingte Vollmacht zu handeln und den Oberbefehl über alle Truppen außerhalb Italien erbat; in einem Schreiben an die Kaiſerin Maria Anna berührte er zugleich die Frage des Thronwechſels und beſchwor dieſelbe auf keinen Vorſchlag ſolcher Art einzugehen [326]). Mit dem erbetenen kaiſerlichen Hand=Billet und mit einem eigenhändigen Schreiben der Kaiſerin, worin dieſelbe die Frage des Thronwechſels eingehend beſprach, kehrte Langenau um den 24. nach Prag zurück.

Zur ſelben Zeit waren lebhafte Unterhandlungen wegen der Rück= kehr des Kaiſers nach Wien im Gange. General Hannekart, proviſoriſcher General=Adjutant der nach Abreiſe des Hofes in der Kaiſerburg zurück= geblieben war, wurde von den Miniſtern in dieſer Angelegenheit nach Innsbruck geſchickt; ſie drohten mit ihrem Rücktritt wenn man ſich nicht dazu verſtehen wolle. Doch das war kein ſo einfaches Ding. Kaiſer Fer= dinand zeigte entſchiedenen Widerwillen in ſeine undankbare Hauptſtadt zurückzukehren; die kaiſerliche Familie wollte daher von Wien erſt Bürg= ſchaften verlangen daß er dies mit Sicherheit thun könne. Es läßt ſich für die halt= und troſtloſe Lage, in die ſich in jenen Innsbrucker Tagen der Hof verſetzt ſah, kaum etwas bezeichnenderes denken als daß man ſich, für die Abfaſſung des Allerhöchſten Handſchreibens das als Antwort nach Wien abgehen ſollte, an niemand andern zu wenden wußte als — an den ruſſiſchen Geſandten, 25. Juli. Graf Medem war nämlich auf ausdrücklichen Befehl ſeines Monarchen, Lord Ponſonby der britiſche Bot= ſchafter aus perſönlicher Anhänglichkeit unſerem Hofe nach Innsbruck ge= folgt, und dieſe beiden Vertreter auswärtiger Mächte waren eine Zeit lang die einzigen denen ſich die kaiſerliche Familie in heikelen Angelegen=

heiten mit Beruhigung anvertrauen zu können glaubte. Die Rückkehr nach
Wien wurde inzwischen immer mehr zur brennenden Frage. Stadion
hatte dazu gerathen; auch am Hofe bildete sich eine Partei die in gleichem
Sinne thätig war. Der Kaiser selbst zeigte sich unentschlossener als je;
einmal hatte er schon den Fuß auf den Wagentritt gesetzt, als er plötzlich
nein sagte und alles wieder abbestellt werden mußte. Nun wurde daran
gedacht, statt des Kaisers solle das erzherzogliche Paar, doch mit Zurück=
lassung der Prinzen, nach Wien gehen, als es anhaltender Überredung,
wobei sich die Landgräfin Fürstenberg großes Verdienst erwarb, von neuem
gelang den Monarchen zur Rückreise zu bewegen. Das alles war noch
vor Ankunft der Reichstags=Deputation in Innsbruck. Allein auf einmal
wollte der Kaiser wieder nicht; er gerieth in eine nervöse Aufregung
gegen die alle Vorstellungen, alle Bitten keine Macht hatten [327]. Schon
war beschlossen Erzherzog Franz Karl mit seinem Erstgebornen solle für
die Nicht=Ankunft des Kaisers dem Reichstag und dem Ministerium Er=
satz bieten, als Kaiser Ferdinand zum drittenmal nachgab, die Reise nach
Wien nun wirklich antrat und daselbst am 12. August eintraf.

Mit der Rückkehr der kaiserlichen Familie nach Wien trat die Ab=
dankungsfrage in eine neue Phase. Sie wurde nun sowohl im kaiserli=
chen Lustschloße zu Schönbrunn als ob dem Prager Hradschin als Sache
einer möglicherweise nicht sehr fernen Zukunft in's Auge gefaßt und
insbesondere der Fall einer durch die Ereignisse herbeigeführten plötzlichen
Nothwendigkeit derselben nach allen Seiten erwogen. Fürst Windischgrätz
beklagte den Entschluß der kaiserlichen Familie, sich aus der sichern ty=
roler Zufluchtstätte in die unmittelbare Nähe des Wiener revolutionären
Kraters begeben zu haben, auf's tiefste [328]. Aber auch im Schoße dieser
letzteren schien man nun erst, wo der Schritt geschehen war, die ganze
Größe der Gefahr zu ermessen die derselbe in seinen Folgen haben könnte;
jedenfalls sollte der junge Prinz, vielleicht binnen kurzem berufen die
höchste Stelle einzunehmen, in unbefangene Ferne gebracht werden. Die
Verhandlungen zwischen dem Hof und dem Commandirenden von Böh=
men waren jetzt ununterbrochen und lebhaft. Den vertrauten Boten zwi=
schen beiden gab fortwährend Langenau ab; außer ihm waren in Prag
noch Prinz Alfred ältester Sohn des Fürsten, und des letztern Schl =
gerin Fürstin Louise Schönburg, die, nachdem Windischgrätz so pl
Witwer geworden, dessen Töchterchen in Obhut und Pflege übern
in das Geheimnis gezogen. Windischgrätz hatte am 14.

zwei Tage nach der Ankunft der kaiserlichen Familie in Wien, ein Schrei=
ben an die Kaiserin Maria Anna aufgesetzt — eigentlich eine Antwort
auf das Hand=Billet derselben aus Innsbruck vom 23. Juli, worin sie
von neuem und bringender als früher die Abdankung zur Sprache
brachte —, als Graf Grünne, Kammer=Vorsteher des Erzherzogs Franz
Joseph, mit einem Auftrage der Erzherzogin Sophie in Prag ankam;
die Antwort des Fürsten an die Erzherzogin ergänzte dasjenige was er
bereits der Kaiserin vorgetragen. „Die Abdankung Ihres erlauchten
Gemahls", sprach er letztere an, „möge nicht anders eintreten, als wenn
die Revolution einen neuen Schlag vorbereitet dessen Seine Majestät
nicht mit Erfolg Meister zu werden glauben sollte [329]). Für diesen
äußersten Fall, ‚pour cette triste nécessité', sei es aber dringend ge=
boten daß sich der Erzherzog=Thronfolger in gesicherter Ferne befinde,
damit er frei sei und seine Bedingungen stellen könne; möge das nun
nach Prag oder anders wohin geschehen; im ersteren Falle wolle er,
Windischgrätz, es übernehmen den jungen Prinzen in der ersten Zeit
zu leiten". Die Botschaft der Erzherzogin Sophie — ohne Zweifel schon
aus Schönbrunn — kam dieser letztern Vorsicht des Fürsten mit der
Frage zuvor: ob für den Aufenthalt des jungen Erzherzogs Prag oder
ein anderer Ort gewählt werden sollte? Windischgrätz entschied sich für
Prag, „jedoch soi-disant nur auf eine kurze Zeit und ohne irgend eine
amtliche Wirksamkeit, um ihn nicht möglicherweise mit dem Ministerium
in Conflict zu bringen. Überhaupt könne diese Reise nur im Einverneh=
men mit dem Ministerium, dem irgend ein annehmbarer Grund dafür
beizubringen wäre, verfügt werden. Würde das Ministerium darauf
nicht eingehen oder diese Form" (nämlich ohne officielle Stellung des
Prinzen) „nicht wollen, so bliebe nichts übrig als denselben vor der
Hand in Schönbrunn zu lassen, jedoch im ersten Moment, wo man nur
zu ahnen vermöge daß dessen Person in Anspruch genommen werden
könnte, dessen unverweilte Entfernung zu verfügen". „Es ist", schrieb
Windischgrätz zum Schluße, „die höchste Zeit sich vorzubereiten und von
größter Wichtigkeit daß der Thronfolger vollkommen rein und frei da=
stehe, wann er den Thron seiner Väter zu besteigen berufen sein
wird" [330]).

Um dieselbe Zeit war man in Schönbrunn besorgt, den wichtigen
Posten eines General=Adjutanten, der in der letzten Zeit von Hannekart
provisorisch versehen wurde, definitiv zu besetzen. Man verfiel bei Hofe

zuerst auf den Grafen Gyulai, dann aber, weil Latour Bedenken trug
diesen von Triest wegzunehmen, auf den Fürsten Joseph Lobkovic den
man in den März-Tagen in der Umgebung des Fürsten Windischgrätz
wahrgenommen hatte. Am 28. August sandte letzterer den Gewünschten
von Prag ab, den er, mit einer wahrhaft staunenswerthen Voraussicht
der Dinge die da kommen könnten, über seine Aufgabe instruirte und
vor allem dafür verantwortlich machte daß dem Kaiser kein neues Zugeständnis abgedrungen werde; sobald etwas dergleichen im Zuge sei,
habe er so viel Truppen als möglich um die Person des Kaisers zu
schaaren und ihn unter deren Schutze, „nicht als Flucht", mit der kaiserlichen Familie über Krems nach Olmütz zu bringen; „dann werde ich
Wien erobern, Se. Majestät wird zu Gunsten seines Neffen abdanken,
und dann werde ich Ofen einnehmen" [331]). Auch in dem gleichzeitigen
Schreiben an die Kaiserin legte Windischgrätz das Hauptgewicht darauf, daß dem Kaiser nichts abgedrungen werde was die ihm, Windischgrätz, ertheilten Vollmachten um ihre Wirkung bringen könnte; es sei
von Wichtigkeit daß Fürst Lobkovic in die Lage komme alles zu überwachen was man dem Kaiser zur Unterschrift vorlege. Zugleich verhieß
er den Entwurf zweier Proclamationen, des abtretenden Kaisers Ferdinand und des antretenden „Franz II.", zu senden, von denen im Augenblicke des Bedarfs Gebrauch zu machen wäre [332]). Den Entwurf dieser
Proclamationen, die er in's französische übersetzen ließ damit die Kaiserin
alle Einzelnheiten prüfen könne — ihr war, einer Italienerin von Geburt, das deutsche in Schrift und Sprache nicht geläufig —, sandte der
Fürst am 6. September durch Langenau mit einem Schreiben, worin er
auf das sorgfältigste alle Möglichkeiten erwog die den letzten äußersten
Entschluß des Kaisers und die Ausführung der für diesen Fall vorbereiteten Maßregeln zu rechtfertigen vermöchten, nämlich: „wenn man im
Reichstage das Veto des Monarchen antasten, ihm eine Reduction des
Heeres abbringen, ihn in dem vollkommen freien Verfügungsrecht
(pouvoir illimité) über seine Armee beschränken, die Giltigkeit der Verhandlungen und Abmachungen mit auswärtigen Mächten von einer vorläufigen Genehmigung oder nachträglichen Zustimmung des Rei tages
abhängig machen wollte" [333]). Was den Thronfolger betraf so sp
sich dafür aus, daß derselbe die von seinem Vorgänger einge
präsentativ-Verfassung aufrecht halten möge, fügte aber ausb
„dies sei lediglich seine persönliche Meinung; vom rechtli

habe der Erzherzog vollkommen freie Hand, sei an keines der früheren
Zugeständnisse gebunden; nur auf das eine müsse er, Windischgrätz, un=
ter allen Umständen Gewicht legen, daß der neue Kaiser seinen festen
und unerschütterlichen Willen kundthue kein weiteres Zugeständnis zu
machen". . . .

Dieses ist in wenigen Zügen die Geschichte jener „Palast=Revolu=
tion" der „Camarilla", von deren „geheimen Ränken und Winkelzügen",
von deren „finstern Plänen und Absichten" alle revolutionären Blätter
jener Tage ihren Lesern täglich so viel unerhörtes aufzutischen wußten.
Aber vergebens sucht man hier nach einem merkbaren Einfluß der Kam=
merfrau der Kaiserin Katharina Cibbini, die jenen Mittheilungen zufolge
eine besonders verruchte Rolle gespielt haben soll. Auch der Graf Bom=
belles scheint denn doch nicht jener „Judas der Erzschelm" gewesen zu
sein, als den ihn ein Placat jener Tage mit riesigen Lettern dem Publi=
cum vorführte; denn von einem besonderen Einwirken desselben ist bei
all diesen Verhandlungen nichts wahrzunehmen. Die Erzherzogin Sophie,
über deren Namen sich damals eine wahre Fluth von Schmähungen und
Verläumbungen der gemeinsten Niederträchtigkeit ergoß, wir sehen sie,
diese wahrhaft k ö n i g l i c h e Frau, weit entfernt die hochfahrende Ränke=
schmiedin voll ungezähmter Herrschgier zu sein, ein Beispiel hochherziger
Selbstverläugnung geben dem sich in der Geschichte nicht bald ein zweites
an die Seite stellen läßt. Überall und jederzeit ist es die regierende Kai=
serin, die im innigsten Seelenverständnis mit ihrem Gemahl und in auf=
richtigem ungetrübten Einklang mit den Nächstberufenen des Hauses das
große Ereignis vorbereitet, das der stürmische Drang der Ereignisse
und der krankhafte Zustand des Kaisers früher oder später als unver=
meidlich erscheinen lassen. Wahrhaft groß und verehrungswürdig zeigt
sie sich in jener Zeit der Schicksalsschläge, die Lebens= und Leidensge=
fährtin des gütigsten der Fürsten, sie, die Fernerstehende in früheren Ta=
gen als kalt, als unempfänglich, als theilnamslos schilderten [334]). Wir
wünschten daß Rücksichten für die Lebende uns nicht verböten Briefe von
ihrer Hand, die einzusehen wir in der glücklichen Lage waren, der Öffent=
lichkeit zu übergeben: wie rührend und rücksichtsvoll sie von ihrem kai=
serlichen Gemahl spricht, wie zart und anerkennend von dem erzherzogli=
chen Paare, wie mütterlich liebevoll von ihrem jungen Neffen! Wahrlich
wenn, wie Gold im Feuer, Charaktere sich in Widerwärtigkeiten erpro=
ben, dann hat nie eine Fürstin von schönerer Seele der Purpur umklei=

det, nie ein Haupt mit so frauenhaft edlem und dabei ſtarkem Sinn die
Krone geziert!

Die Rathſchläge des Fürſten Windiſchgrätz wurden von jetzt an
treu befolgt. Der neue General=Adjutant des Kaiſers verſah ſeinen Dienſt
mit gewiſſenhafter Umſicht. Die Kaiſerin ſtand wachſam und tapfer ihrem
Gemahl zur Seite. Sie war der ehrlichen Meinung: was verſprochen
worden, an dem müſſe gehalten werden; ſie äußerte dies in vertrautem
Umgang bei jedem Anlaſſe. Aber ſie war eben ſo feſt entſchloſſen ihrem
Gemahl keine weitern Gewährungen abbringen zu laſſen. „Wenn ich
wahrnehme daß eine Sache gegen die Würde des Kaiſers iſt", ſagte ſie,
„werde ich mich ihr entgegenſetzen, und wenn es mein Tod wäre".
Immer ſchwebte ihr die Möglichkeit vollſtändigen Scheiterns ihrer Hoff=
nungen, des Zuſammenſtürzens aller Verhältniſſe vor; aber ſie blickte
dieſem Schreckbilde mit muthigem Selbſtgefühl in's Auge: „So lang ich
da bin, können wir fallen, aber wir werden nicht unwürdig fallen!"
Beide Ausſprüche geſchahen im September um die Zeit der großen Pe=
ſter Deputation, die dem Könige die Zuſtimmung zu den beiden letzten
revolutionären Maßregeln abnöthigen wollte: der Schöpfung der Honvéd=
Armee und der ſchrankenloſen Emiſſion ungariſchen Papiergeldes [335]).
Windiſchgrätz blieb, theils durch Lobkovic in Schönbrunn theils durch
den zwiſchen Wien und Prag ab und zu gehenden Langenau, in unaus=
geſetztem Verkehr mit dem Hofe und war aufmerkſam auf alles was
einer Kataſtrophe zuführen könnte. Vom 21. September datirte ein
Schreiben an Erſteren das ſich hauptſächlich auf die Vorgänge im Reichs=
tage aus Anlaß der Entſchädigungsfrage bezog; Eingang und Schluß
waren deutſch, die Hauptſache franzöſiſch, offenbar damit ſelbe die Kai=
ſerin ohne fremde Beihilfe unmittelbar einſehen oder ſich vorleſen laſſen
möge: „Der Kaiſer könne dem Reichstag die Eigenſchaft einer Executiv=
Behörde nicht zuerkennen. Le Reichstag n'est pas souverain, s'il
était souverain, l'Empereur ne serait plus rien. Der Reichstag ſei
eine conſtituirende Verſammlung deren Beſchlüſſe der Sanction des
Kaiſers unterlägen; der Kaiſer habe kein Zugeſtändnis gemacht das mit
dieſem Satze in Widerſpruch ſtände. Ungarn gegenüber ſei nicht einen
Schritt weiter nachzugeben. Im bringenden Falle wäre ſich von Schön=
brunn zu entfernen".

Dieſer bringende Fall trat mit dem 6. October ein. Lobkovic hatte
ſeine militäriſchen Vorkehrungen getroffen: die Reiſe der kaiſerlichen

Familie, „nicht als Flucht", ging, wie es Windischgrätz vorher bestimmt hatte, über Krems nach Olmütz.

Mit dem Eintreffen in der mährischen Hauptstadt trat die Abdankungs-Angelegenheit in ihre dritte und letzte Phase. Alles war seit Monaten dafür geplant und vorbereitet; doch die Ausführung war jetzt nicht mehr die des Fürsten, sondern jene des verantwortlichen Ministeriums dessen Hände die Zügel der Regierung erfaßt hatten. Windischgrätz legte, sobald er den Hof in Sicherheit wußte, seinerseits kein besonderes Gewicht mehr auf den Thronwechsel, wozu er wohl selbst vor zwei Monaten für diesen Fall seinen Rath ertheilt hatte. Sein tief monarchisches Gefühl trat nun wieder hervor, das sich jederzeit gegen diesen äußersten Schritt ohne höchst gebietende Nothwendigkeit gesträubt hatte, und eine solche höchst gebietende Nothwendigkeit lag, seiner Ansicht nach, jetzt nicht mehr vor. Auch wurde der Zweifel rege ob es nicht gerathen sei erst die vollständige Unterwerfung Ungarns abzuwarten, damit der neue Kaiser nicht gleich in Krieg mit seinem eigenen Land verwickelt werde, sondern einen von allen Seiten reinen Boden betrete. Allein Felix Schwarzenberg hatte eine andere Meinung, und die seinige war es jetzt die als die maßgebende auftrat. Nur auf seines Schwagers eindringliches Zureden, gegen seine eigene Neigung und Überzeugung, hatte Schwarzenberg sich zum Minister-Präsidenten hergegeben; er war dafür in der Lage seine Bedingungen zu stellen. „Die große Aufgabe", betonte er, „die er unter der Ägide des Monarchen übernehme, lasse sich nicht mit Aussicht auf Erfolg anfassen wenn nicht ein Kaiser in der vollen Kraft seines Geistes und seiner Jahre den Thron einnehme". Der Meinungsaustausch über diesen Punkt fand während der Anwesenheit Windischgrätz' in Olmütz statt; Wessenberg und Stadion vermehrten jetzt die Zahl der Mitwissenden, ebenso Hübner, die rechte Hand Schwarzenberg's. Auf Andringen seines Schwagers übernahm es der Feldmarschall, bevor er zur Armee abging, von dem erzherzoglichen Paare die formelle Zusage dessen entgegenzunehmen, was bisher nur in schriftlichem Wege verhandelt worden war. Man war mit allem so gut wie im reinen, der Kaiser sehnte sich nach Entbürdung, als seinem erzherzoglichen Bruder — etwa in der zweiten November-Woche — Zweifel auffstiegen. Von jeher von der tiefsten Verehrung für seinen Vater Kaiser Franz erfüllt, war ihm der ernste Schritt, einen nach Natur und Gesetz ihm auferlegten Beruf von sich abzulehnen, Sache des Gewissens: „was würde Er, der ehrwürdige Verstorbene, dazu sagen?!" Mehrere Tage ging er mit sich darüber zu Rathe, widmete lange Stunden weihevollen Erwägungen; zuletzt war es ihm, er sehe den verklärten Vater wie er segnend seine Hand auf das Haupt seines Enkels lege, und von diesem Augenblick war sein Entschluß gefaßt.

Es war um die Mitte November in einer der ersten Sitzungen des bereits in seinem Innern, obgleich noch nicht vor der Öffentlichkeit con= stituirten Ministeriums, als Fürst Schwarzenberg seinen Collegen die Eröffnung von dem Schritte machte den der Kaiser zu thun sich ent= schlossen habe, von dem ihn nichts abzubringen vermöge und den er so= bald als möglich in's Werk gesetzt zu sehen wünsche. Von da an ver= ging kein Tag, wo diese wichtige Angelegenheit den Minister=Rath nicht beschäftigte [336]). Es wurden alte Staats=Acten hervorgesucht; es muß= ten, da man einem vorausgegangenen ähnlichen Vorgange nichts wesent= liches entnehmen konnte, die verschiedenseitigsten Formfragen erwogen und entschieden werden. Eine der bedeutendsten bildete das Alter des Erzherzogs Franz. Daß derselbe mit dem vollendeten achtzehnten Lebens= jahre volljährig, wie selbst im Schoße der kaiserlichen Familie vorausge= setzt wurde, ließ sich aus anerkannten Hausgesetzen nicht begründen. Als König von Böhmen und als Erzherzog von Österreich war er das schon früher, dort mit zurückgelegtem vierzehnten, hier mit vollendetem sechs= zehnten Lebensjahre; in den ungarischen Bestimmungen dagegen findet sich nichts als der allgemeine Ausdruck des „gesetzmäßigen Alters — aetas legitima", und gerade nach dieser Seite war unter den obwal= tenden Umständen die größte Vorsicht geboten. Um daher jedwedem An= lasse zu Einwendungen vorzubeugen, wurde beschlossen, vorsichtsweise allen andern auf den Thronwechsel sich beziehenden Staatshandlungen die Großjährigkeits=Erklärung des jungen Prinzen vorauszuschicken. Hin= sichtlich der ungarischen Frage fühlte man überhaupt das Bedürfnis sich mit einem Eingebornen von Gewicht und Ansehen zu verständigen; es wurde an den alten Grafen Nicolaus Szécsen, letzten ungarischen Hof= kammer=Präsidenten, an den kroatischen Baron Kulmer gedacht, zuletzt schlug der Feldmarschall den Baron Jósika vor [337]). Letzterer kam denn auch nach Olmütz, wurde dort in's Vertrauen gezogen und mit den vor= bereiteten Staatsschriften bekannt gemacht. Jósika war mit denselben, soweit sie Ungarn betrafen, nicht einverstanden, da dieselben in der ur=

sprünglich vorgeschlagenen Fassung den Rechtsstandpunkt ganz beiseite
ließen; zugleich nahm er Anstoß an der schroffen Haltung, welche die
neue Regierung einem Lande gegenüber einnehmen wolle bevor sie Herr
desselben sei. „Auch Ferdinand II.", sagte er, „hat den Majestäts-Brief
seines Vorgängers zerrissen, aber nach der Weißenberger Schlacht, nicht
vor derselben". Er hatte eine längere lebhafte Unterhandlung mit Schwarzenberg, die zu keinem andern Ergebniße führte als daß es der ehemalige siebenbürgische Hofkanzler von da an bei dem bald allgewaltigen
Minister-Präsidenten für immer verschüttet hatte. Schließlich kam in
Frage, wer außer den Betheiligten, den andern Gliedern des Kaiserhauses und den Ministern dem feierlichen Acte beizuziehen sei. Von
Windischgrätz verstand sich das von selbst. Allein in einer Zeit, wo das
Schicksal des Reiches nach mehr als einer Seite hin auf der Spitze des
Schwertes stand, konnten auch die beiden andern Feldherren die der
Dynastie in dem verhängnisvollen Jahre so große Dienste geleistet,
Radecky und Jelačić, nicht übergangen werden. Von der Berufung des
ersteren kam man zuletzt doch wieder ab, weil sein Erscheinen am kaiserlichen Hoflager zu umständlich, seine wenn auch auf wenige Tage beschränkte Entfernung von seinem Posten nicht ganz unbedenklich erschien.
Dafür wurde für ihn ein eigenes kaiserliches Abschiedsschreiben vorbereitet. „Ich verlasse den Thron meiner Väter", hieß es darin, „mit dem
beruhigenden Bewußtsein, nie etwas unterlassen zu haben was zum
Wohle meiner Völker beitragen konnte; auch mein gegenwärtiger wohl-
erwogener Entschluß ist auf dieses Gefühl gegründet. Indem ich ihn
vollziehe, will ich noch ein Wort an den Mann richten, dem ich es verdanke daß ich die Monarchie in ihrer vollen Integrität meinem geliebten Neffen und Nachfolger übergeben kann. Empfangen Sie dafür meinen
wiederholten und tiefen Dank". Das Handschreiben wurde bereits am
30. November ausgefertigt und bekundete durch diesen Umstand die Absicht, den Mann „welchem die Monarchie ewig verpflichtet bleiben wird"
von dem wichtigen Ereignisse unmittelbar mit dem Eintritt desselben in
Kenntnis zu setzen [338]). Der Beiziehung des Reichstags-Präsidenten
endlich standen die Antecedentien Smolka's im Wege; der Mann der die
Sitzungen des October-Reichstages geleitet hatte, der sogar, wie verlautete, um dieser Verstrickung willen von den Wiener Gerichten in's Auge
gefaßt wurde, schien denn doch nicht geeignet zu sein in den engsten Kreis
eines kaiserlichen Familien-Ereignisses gezogen zu werden.

Alle diese Erwägungen und Vorbereitungen gingen, wie bereits erwähnt, im Schoße des verantwortlichen Ministeriums vor sich und von
demselben aus. Kaiser Ferdinand war regierungsmüder und ruhebe-
dürftiger als je; seine erlauchte Gemahlin betrieb um seinetwillen die
Beschleunigung des Actes. Doch kamen Augenblicke wo er wieder
andern Sinnes wurde, wo er zu zweifeln anfing, seine so lang gehegten,
so oft und so bringend ausgesprochenen Wünsche vergessen zu haben
schien und vom „bleiben" sprach; es waren eben allerhand Einflüsterungen die an ihn von verschiedenen Seiten herankamen. Mit einem Gefühle von Unruhe und Unbehaglichkeit sah sich die Kaiserin in diesem
letzten entscheidenden Augenblicke in gewisser Hinsicht verlassen. Fürst
Felix Schwarzenberg war ihr ein neuer Mann; die andern Glieder des
Ministeriums, Kraus etwa ausgenommen, kannte sie kaum dem Namen
nach, geschweige denn von Person. Es drängte sie die Meinung des
bewährten Vertrauensmannes, der der kaiserlichen Familie in dieser ganzen Zeit mit so treuem Rathe zur Seite gestanden, noch einmal unmittelbar zu vernehmen. Am 24. November richtete sie ein paar Zeilen
an Windischgrätz: „Alles sei vorbereitet, so daß die Abdankung des
Kaisers am nächsten Montag oder Dienstag *) vor sich gehen könnte.
Doch fühle sie sich nicht vollkommen beruhigt so lange sie nicht ein
letztesmal seinen Rathschlag vernommen; car c'est en Vous, mon
Prince, que je mets toute ma confiance. Er möge ihr darum unverweilt mit gewohntem Freimuth und Klarheit seine Ansicht mittheilen.
Que le Seigneur continue de bénir Votre entreprise pour le salut
de la Monarchie!" Dies Hand-Billet sandte im Allerhöchsten Auftrage
die „Landgräfin" durch ihren Bedienten, der unverweilt mit der Antwort wieder zurückzukehren hatte, in tiefstem Geheimnis in die Hände
des Marschalls nach Schönbrunn. „Der jetzige Zeitpunkt", schrieb der
Fürst zurück, „könne als günstig betrachtet werden; er befinde sich mit
den Ministern in vollem Einklang sowohl über die Vornahme des Actes
wie über den Gang der dabei einzuhalten sei. Wenn Ihr erlauchter
Neffe, allergnädigste Frau, ohne dazu im Gewissen verbunden zu sein,
sich dafür entschieden hat seinem weiten Reiche constitutionelle Formen
zu gewähren, so ist er es sich, der Dynastie und seinen Völkern schuldig,
darein nur unter Bedingungen zu willigen die eine Bürgschaft bieten
für seine Nachkommen, eine Bürgschaft für die Zukunft der seinem

*) 27. oder 28. November.

23*

Scepter unterworfenen Völker. Das gegenwärtige Ministerium ist durch=
drungen von diesem Gedanken sowie von den Pflichten die ihm obliegen".
Die Antwort des Fürsten, ohne Datum, war ohne Zweifel vor Montag
in den Händen der Kaiserin; der Act selbst aber ging nicht an diesem
oder dem nächsten Tage, auch nicht am Donnerstage, von welchem das
Handschreiben an Radecky datirte, vor sich, sondern verzog sich trotz
aller Beflissenheit des Ministeriums noch die ganze Woche hindurch bis
zum Sonnabend.

Was Windischgrätz der Kaiserin bezüglich der Bürgschaften schrieb
unter denen der Regierungs=Antritt des neuen Monarchen stattfinden
sollte, unterließ er auch nicht seinem Schwager dringend an's Herz zu
legen. Von Anfang war es seine Meinung gewesen, daß dieses hoch=
wichtige Ereignis nur in einem schicklichen Momente stattfinden solle;
dann möge es aber auch nur unter Bedingungen geschehen, die für eine
neue dauernde Ordnung der Dinge Gewähr leisten. „In Verbindung
mit dem großen Acte der sich vorbereitet", schrieb er am 29. November
an Schwarzenberg, „muß eine ganz andere Behandlung des Reichstages
und der innern Geschäfte überhaupt eintreten; denn sonst würde dieser
wichtige Act für den Zweck ganz verloren gehen".

27.

Die frühere Geschichte des Hauses Habsburg weiß nur von einem
Falle zu erzählen, wo ein Monarch von dem Throne, der ihn zum Herr=
scher vieler Länder und Völker machte, aus eigenem freien Willen her=
abstieg um den Rest seiner Tage in ruhiger Abgeschiedenheit zu ver=
bringen. Es war Kaiser Karl V. der nach einem reich bewegten Leben,
nach einer thatenvollen Regierung am 25. October 1555 die nieder=
ländischen Stände zu Brüssel vor den Thron lud den er an diesem
Tage zum letztenmal einnehmen sollte. Zwei Meisterwerke der anglica=
nischen Literatur, die Geschichte Karl V. von Robertson und die des
Entstehens der holländischen Republik von Motley, befassen sich mit der
Schilderung dieses Ereignisses, und wenn auch beide, der schottische
Monarchist und der amerikanische Republicaner, weit auseinandergehen

in ihrer Auffassung desselben und in den Betrachtungen die sie daran
knüpfen, so stimmen sie doch in allen Hauptzügen zusammen die dem
Auftritte selbst einen so eigenthümlich ergreifenden Charakter aufdrückten.
Nachdem der Präsident des flandrischen Rathes im Auftrage des Kaisers
die Abdankungs=Erklärung vorgetragen, las Karl V. von einem Papier,
das er zur Unterstützung seines geschwächten Gedächtnisses in Händen
hielt, die Beweggründe seines Schrittes ab. Darauf beugte der neue
Herrscher sein Knie und küßte ehrerbietig die Hand des Vaters, der ihn
segnete und dann an seine Brust zog und mit bewegten Gefühlen in
seine Arme schloß. Die Versammelten waren tief ergriffen. „Seufzer
wurden vernommen", sagt Motley, „durch alle Theile der weiten Halle
und reichliche Thränen entströmten jedem Auge; die Ritter des goldenen
Bließes auf der Empore und die Bürger im Hintergrunde waren in
gleichem Grade erschüttert von heftiger Bewegung". Das Bild des
scheidenden Monarchen und die Schilderung der Hinfälligkeit des einst
so Gewaltigen erfüllten alle Gemüther mit Theilnahme und Wehmuth.
Denn zunehmende Schwäche und Kränklichkeit waren es, die den so
ruhmvollen Kaiser jetzt unfähig machten zu anhaltender ernster Arbeit,
und es ihm geboten erscheinen ließen die Last der Geschäfte auf jüngere
kräftigere Schultern zu legen. „Selbst wenn seine Leiden nachließen",
berichtet sein Biograph, „widmete er einen großen Theil seiner Zeit
nichtssagenden und selbst kindischen Beschäftigungen, die seinem vom Über=
maß des Schmerzes geschwächten und abgemüdeten Geist zur Erholung
und zur Erheiterung dienten. Auf solche Art alt geworden vor seiner
Zeit hielt er es weislich für anständiger seine Schwächen in irgend
einer Abgeschiedenheit zu verbergen als sie länger dem Auge der Öffent=
lichkeit auszusetzen, und beschloß klugerweise, nicht den Ruhm und die
Errungenschaften seiner bessern Jahre preiszugeben, wenn er sich mit
fruchtloser Hartnäckigkeit bemühte die Zügel der Regierung zu behalten,
wo er nicht länger im Stande war sie mit Festigkeit zu halten und mit
Gewandtheit zu führen".

Als Kaiser Karl V. die Regierung niederlegte stand er im sechs=
undfünfzigsten Jahre seines Alters; bis auf den Unterschied weniger
Tage*) genau auf derselben Lebenshöhe befand sich, da er vom Throne

---

*) Karl V. geb. am 25. Februar 1500, daher am 25. October 1555 55 Jahre
8 Monate alt; Ferdinand I. geb. am 19. April 1793, daher am 2. December
1848 55 Jahre 7 Monate 13 Tage alt.

stieg, Kaiser Ferdinand I. Karl V. war mit siebenzehn Jahren zur
Regierung gelangt; als er der Herrschaft entsagte, konnte er darauf hinwei=
sen daß er während seiner achtunddreißigjährigen Regentenlaufbahn eilf=
mal die See befahren, zehnmal die Niederlande, neunmal Deutschland,
siebenmal Italien, sechsmal Spanien, viermal Frankreich, zweimal Eng=
land und eben so oft Africa besucht habe. Kaiser Ferdinand hatte erst
in gereiften Jahren den Thron bestiegen und eine ungleich kürzere Re=
gierung lag hinter ihm. Aber was bei Karl V. die aufreibenden Mühen
und Strapazen vieler sturmbewegter Jahre, das hatten bei dem von
Natur aus krankhaft organisirten Ferdinand die Stürme und Aufregun=
gen von kaum neun Monaten herbeigeführt. Von jenem 15. März, wo
ihn umtäubt von einer in Jubel und Freude ausbrechenden Menge ein
plötzliches Unwohlsein ergriff so daß er in die Burg die er kaum ver=
lassen rasch wieder zurückgefahren werden mußte, bis zu jenem 14. Octo=
ber wo er, in der Seele noch mehr gebeugt und gebrochen als am Kör=
per, in traurigem Aufzuge in die Festungswälle von Olmüz einfuhr,
hatte das Gemüth des gütigsten Monarchen eine Reihe der heftigsten
Erschütterungen erlitten, hatte er Schmerz und Kränkungen bitterster Art
erfahren müssen. Der Wunsch die Last der Regierungsgeschäfte, zu
schwer für seine erschöpften Kräfte, von seinen Schultern abzuwälzen,
war vom ersten Augenblicke der Bewegung an ihn herangetreten. Als
er im Mai in der Mitte seiner biedern Tyroler eine sichere Zuflucht=
stätte gefunden, schauderte ihn vor dem Gedanken in seine aufgeregte
Hauptstadt zurückkehren zu müssen; zweimal war, da von Wien aus
fortwährend gedrängt wurde, alles zur Abreise vorbereitet, der Reise=
wagen stand in voller Bereitschaft, als im letzten Augenblicke wegen der
entschiedenen Weigerung des Kaisers alles wieder abbestellt werden mußte.
Selbst in Olmüz hatte er die ersehnte Ruhe nicht finden können. Die
Nachrichten aus Wien, die Beängstigung während der entscheidenden
letzten October= und ersten Novembertage, die Maßregeln die nach Be=
zwingung der empörten Stadt ergriffen werden mußten, die von allen
Seiten einlangenden Deputationen, deren Berichte Vorstellungen und
Bitten seinem weichen Herzen stets neue Wunden aufrissen und denen
er doch nicht gewähren durfte, alles das bedrängte ihn, warf ihn aus
einer Gemüthsbewegung in die andere [339]).

Kaiser Ferdinand I. hatte, als er vom Throne stieg, dreizehn Jahre
neun Monate regiert. Manches war in dieser Zeit geschehen, und alles

was geschehen war legte Zeugnis ab für die von Anfang bis zu Ende
sich gleich bleibende Milde eines Herrschers der, jeder Härte des Ver-
neinens und Versagens unfähig, sein ganzes Bestreben dahin gerichtet
zu haben schien den leisesten Andeutungen der Wünsche seiner Völker
zuvorzukommen. Seine erste Regierungshandlung war ein Act des Ver-
zeihens, die Amnestirung der zum Theil seit langen Jahren gefangen gehaltenen italienischen Carbonari und galizischen Hochverräther; seine letzten
waren: das Geschenk der Verfassung, die Freigebung der Presse, die Bewilligung der Nationalgarde und, was insbesondere die zahlreichen nicht-deutschen
Völker seines Reiches erfreute, die e r s t e Anerkennung ihrer nationalen
Gleichberechtigung [340]). Und was zwischen jener ersten und diesen letzten
seiner Regierungshandlungen lag: die Abkürzung der Dienstpflicht und
die Beschränkung der Leibesstrafen bei der Armee, der Bau der ersten
größeren Eisenbahn der Monarchie, die erste Leitung des elektrischen
Telegraphen-Drahtes, bis zur Schöpfung der Akademie der Wissenschaften, alles lieferte den Beweis daß seine Regierung, so geräuschlos die
Spanne Zeit vom 2. März 1835 bis zum 13. März 1848 verlief, an
segensvollen Werken des Friedens reich war wie eine. Seine persönliche
Güte war unbegränzt. Die Vorsehung hatte ihm manches versagt, aber
e i n s hatte sie ihm in reichem Maße gegeben: ein schönes volles edles
Herz! Von jenem Jagd-Unfalle an wo er, als junger Prinz durch einen
Schuß in die Hand getroffen, nicht dahin zu bringen war anzugeben wie
er gestanden sei, um nicht auf die Spur des unwillkürlich Schuldigen
zu führen; von jener eigenthümlichen Instruction die er als Monarch
einem aufwartenden Kammer-Procurator gab: einen fiscalischen Proceß,
wenn dabei das Recht halbwegs zweifelhaft, lieber zu Gunsten der Privat-
Partei zu verlieren: „Wissen's, W i r können's leichter verschmerzen";
bis zu jenem: „Ich laß' auf's Volk nicht schießen!" in den März-Tagen
— knüpften sich hundert rührende Scenen, gemüthliche Äußerungen an
das Andenken eines Monarchen, der wie Wenige die Liebe seiner Völker
genoß und welchem diese, noch bevor er vom Throne stieg, den Beinamen des Besten der römischen Cäsaren, des „Gütigen", mit seltener
Einstimmigkeit zuerkannten. Doch wie war es ihm gelohnt worden all
das Gute das er den Seinigen gewährt, die reiche Fülle von Segnungen
die er über seine Völker ausgegossen! In den bedeutendsten seiner Provinzen hatte der Aufruhr sein Haupt erhoben. Viele seiner schönsten
Städte hatten durch blutige Gewalt dem Treiben hochverrätherischer

Factionen entrissen werden müssen. Wohin er blickte der kaiserliche Märtyrer, er gewahrte bei seinen Völkern die er so gern glücklich gesehen, hier Muthlosigkeit der Einen, Misverständnis und Undank der Andern, dort offenen Verrath. Und vor allem sein geliebtes heimisches Wien, was war aus ihm geworden! Zweimal hatte er, in seiner Sicherheit bedroht, aus der Burg seiner Vorfahren entweichen, in den Bergen seines getreuen Tyrol, zuletzt sogar inner den Mauern einer Festung Schutz suchen, durch eine wochenlange Belagerung mit Sturm und Beschießung hatte die Hauptstadt seines Reiches zum Gehorsam zurückgebracht, durch tausende von Todten und Verwundeten, durch Millionen an zerstörtem Gut und Eigenthum ein trauriger Sieg erkauft werden müssen! Es war der letzte und empfindlichste Schlag der sein vielgeprüftes Herz treffen konnte...

Der Eindruck, den die Nachricht von der Thronentsagung des mit so bitterem Undank entlohnten Monarchen hervorrief, war überall der gleiche. So oft man sich während der letzten stürmischen Monate den Gedanken an diese Möglichkeit hatte vorhalten müssen, jetzt, gerade in dem Augenblick wo alles eine Wendung zum bessern zu nehmen schien, traf die Kunde wie ein Blitz aus heiterem Himmel. Betäubung und Beängstigung über den verhängnisvollen Ernst des Augenblicks, Schmerz und unbeschreibliche Wehmuth über den Verlust eines geliebten Fürsten, innigste Theilnahme für den so hartgeprüften, nun in die Stille des Privatlebens sich zurückziehenden Monarchen, das waren die Gefühle die im ersten Momente auf die unvorbereiteten Empfänger der Nachricht einstürmten. Sie waren dieselben im Thronsaale von Olmüz, in der Reichsversammlung von Kremsier, in Wien, in Prag, an den entferntesten Punkten des Reiches. Seine letzten Worte las man mit einer wie schuldbewusten Trauer: „nicht einen Vorwurf spricht das Abschieds-Manifest des österreichischen Titus aus!" Selbst beim Militär, das nun einen Kriegsherrn bekam wie es sich nur einen wünschen konnte, war der erste Eindruck derselbe wie bei den andern Classen der Bevölkerung. Einen der wärmsten Nachrufe widmete dem scheidenden Kaiser der „österreichische Soldatenfreund" [341]): „Sein Regieren war Liebe, sein Entsagen Großmuth. Nachdem er das ganze Füllhorn seiner Gaben erschöpft hat, tritt er bescheiden zurück, wie im schönen Schmerze darüber daß ihm nichts mehr zu gewähren übrig bleibe, und als sei ihm das Scepter gleichgiltig geworden seit es nicht mehr für immer neue Ge-

schenke ausreichen will. Kein Augenblick wäre würdiger und geeigneter",
hieß es mit einem Hinblick auf Italien und Ungarn weiter, „alle Par=
teien wieder zu vereinigen die jetzt noch düstern Blickes, vielleicht mit
den Waffen in der Hand, einander gegenüber stehen. Soll die stumme
Bitte die in den Thränen des enteilenden Monarchen liegt nicht bered=
samer sprechen als das Schlangenzischen der Wühler und Verräther?
O kehrt zurück, verirrte verführte Brüder, kehrt zurück und bezahlt dem
Unvergeßlichen, dessen Schuldner wir alle sind, eure Schuld mit dem
Golde der Reue, der Versöhnung!" Einen besondern Anlaß zu Reue
hatte die Hauptstadt der Monarchie. Wie schreckliches in Wien sich ereig=
net hatte, noch immer war die Popularität Kaiser Ferdinand's nicht
völlig zerstört. Man hatte sich gewöhnt das Gute das geschah dem
Herzen des Monarchen zuzuschreiben, alles vermeintliche Schlimme auf
Rechnung seiner Räthe zu setzen. Selbst in den wildesten Tagen war,
nachdem der erste Taumel der Empörung vorüber, immer wieder das
Bild des Monarchen in seiner milden Friedensliebe den Wienern vor
die Augen getreten. „Der arme gute Ferdinand", hörte man auch jetzt
wieder aus mancher Gruppe die vor dem Abschieds=Manifeste stand, „er
hat das Beste gewollt, ihm haben wir unsere Verfassung zu verdanken!"
Doch nun war er für immer geschieden, und wenn man es im Wiener
Volke mit einem stillen Vorwurfe empfand, daß die unheilvollen Mai=
und October=Ereignisse die nächste Veranlassung zu des Kaisers Abban=
kung gegeben hatten, so erhielt dieser Eindruck einen Beisatz tiefer Weh=
muth als man erfuhr, Ferdinand habe seinen bleibenden Wohnsitz in
Prag aufgeschlagen. „So soll die irregeführte Kaiserstadt, die das Herz
des besten Monarchen so tief gekränkt hat, jenes edle Herz nur dann
wieder besitzen, wenn es nicht mehr schlägt? Nein, eine Bitte sollen wir
Wiener noch an ihn richten: Er möge uns seine Verzeihung aussprechen
und diese dadurch zu erkennen geben, daß er früher oder später noch
einmal zu uns Reumüthigen komme und wenigstens einige Tage unter
uns weile!"

Kaiser Ferdinand dachte nicht daran den Ruhesitz den er sich erkoren
zu verlassen. In eigenen an den Fürst=Erzbischof Somerau=Beeck, an
den Grafen Mercandin (vom 8. December) und an den Grafen
Lazansky (vom 18. December) gerichteten Hand=Billets dankte er dem
ersteren für die genossene Gastfreundschaft, dem zweiten für die

treue Anhänglichkeit welche ihm die Olmützer Bevölkerung während
des Aufenthaltes in ihrer Stadt bezeigt, dem dritten für die Be=
weise gleicher Gesinnung, die er von dem Augenblicke da er den mähri=
schen Boden betreten bis zu seinem Scheiden aus dem Lande empfangen
und die ihm Bürge seien, daß die Bevölkerung von Mähren und Schle=
sien dieselbe Treue und Anhänglichkeit auch seinem geliebten Neffen ihrem
nunmehrigen Herrn bewahren würden, wie sie auch ihrerseits bei diesem
dieselbe Liebe finden würden die er für sie hege. Er nahm mit diesen
Schreiben gleichsam Abschied von den Verhältnissen, aus denen er sich
in eine längst ersehnte Ruhe gerettet hatte. Er schien sich in seiner jetzi=
gen friedlichen Umgebung rasch zu erholen. Er war heiter, seit er sich
von der Last der Regierungssorgen befreit fühlte. Er befreundete sich
schnell mit seinem neuen Aufenthalte und suchte seine früher gewohnten
Beschäftigungen hervor, die ihm in der letzten Zeit so arg verleidet wor=
den waren. Die Professoren der Physik und der Botanik, der beiden
Lieblingsfächer des Kaisers, empfingen die Einladung zu regelmäßigen
Besuchen auf der Hofburg.

Wenn sich Kaiser Ferdinand in Prag gefiel, so hatte die Hauptstadt
Böhmens ihrerseits alle Ursache sich zu dem Vorzuge Glück zu wünschen
der ihr vor allen andern Städten des Reiches gegeben war, und nichts
konnte die Prager in größeren Schrecken versetzen, als da sich wenig
Wochen nach der Ankunft des Kaiserpaares die Kunde verbreitete, eine
Deputation aus Tyrol sei auf dem Wege um die Bitte vorzutragen,
der alte Kaiser und sein erlauchter Bruder möchten Innsbruck zu ihrem
Aufenthalt wählen. Dann aber wollten sie wieder mit dem e i n e n Hofe
nicht genug haben; sie bezeichneten schon das Haus das die Kaiserin=
Mutter an sich zu bringen entschlossen sei um daselbst ihren Witwensitz
aufzuschlagen; Erzherzog Stephan, hieß es, stehe wegen Ankauf des
Ledebur'schen oder Senftenberg'schen Palastes in Unterhandlung. Prag,
„dieses slavische Jerusalem und Rom, diese durch so viele herrliche My=
then, so viele riesenhafte Überreste aus der alten Zeit, so viele leider
ganz verwelkte aber aus der Wurzel frisch wieder austreibende Blüthen
und Früchte wahrhaft einzige Königswitwe", wie es Hormayer nennt,
schien wieder schöneren glanzvolleren Tagen entgegenzugehen. Das könig=
liche Schloß, von Ferdinand I. bis auf Rudolf II. die stolze prunkende
Residenz der deutschen Kaiser, der Könige von Ungarn und Böhmen,
seit Ferdinand II. Zeiten verwaist und verlassen, die Stille ihrer Pracht=

gemächer nur während der Tage vorübergehender geräuschvoller Besuche
unterbrochen, hatte jetzt einen Theil seiner Bestimmung zurückerhalten.
Das große Mittelthor des Gitters, das den innern Burgplatz gegen
den äußern abschließt, stand wieder geöffnet, die beiden Hauptwachen
wurden Tag für Tag mit klingendem Spiele bezogen. Die Stadt selbst,
seit den Junitagen von dem davongescheuchten Adel verlassen, gewann
ein lebendigeres Ansehen. Wo sich der Kaiser, der vom ersten Tage an
seine tägliche Promenade machte, auf der Straße zeigte, beeiferten sich
die Begegnenden ihm ihre ehrfurchtsvolle Huldigung zu bezeigen, und
als er die erstenmale im Theater erschien oder wenn er sich, auch in
späterer Zeit, an der Seite seines erlauchten Bruders in der Kaiser-
Loge zeigte, gaben stürmische „Sláva" und „Vivat" dafür Zeugnis,
wie sehr man die Anwesenheit des besten Fürsten zu schätzen wisse. Die
Nothleidenden und die Humanitäts-Anstalten der Stadt empfanden vom
ersten Augenblicke das Walten des „Gütigen", der die Reihe seiner
wahrhaft unerschöpflichen Wohlthaten damit begann, daß er einen monatlichen Betrag von 1000 fl. zur Vertheilung unter die Stadt-Armen
widmete. Und ihm zur Seite, wie ein schützender Engel liebevoll über
ihn wachend, unermüdet gleich ihm in Werken der Nächstenliebe und in
freigebigem Wohlthun, stand seine erlauchte Gemahlin. Sie zeigte sich
wenig in der Öffentlichkeit; aber die Personen die Zutritt zu ihr hatten
fanden täglich neuen Anlaß, die Vortrefflichkeit des Herzens, die Größe
der Seele, den Hochsinn der Empfindungen dieser lang verkannten Frau
zu bewundern und zu verehren [342]). Kaiser Ferdinand dagegen war schnell
eine populäre Persönlichkeit in Prag und immer wußte man sich etwas
neues in bestem Sinne von ihm zu erzählen. Dem Bürgermeister habe
er, als dieser den bekannten Hauptwache-Streit ihm vorgetragen, treuherzig gesagt: „Habt's Recht; wenn's nicht anders ist geh' ich selbst unter
die Gard', und da will ich schauen ob sie mich mit Gewalt wegjagen
werden". Den Nationalgarde-Obersten Brabec habe er gebeten, ihn nicht
mit Deputationen überhäufen zu lassen: „er wolle Ruhe und hoffe daß
der Friede bald in alle Gemüther einkehren werde" u. dgl. m.

In der That, wenn etwas den müden Kaiser noch fortwährend an
die Bürde mahnte die er abgelegt, so waren es die Adressen die ihm
aus allen Theilen des Reiches von seinen dankbaren Völkern und Städten
zukamen. Wohl fiel es ihm schwer sich der Mühe des Empfanges zu
unterziehen; wohl mußte ihm dadurch geholfen werden, daß er von den

in Prag faſt Tag für Tag eintreffenden zum Theil ſehr zahlreichen Deputationen [343]) nur Einzelne oder höchſtens zwei und drei vorließ; wohl
machten es ihm die Troppauer am meiſten zu Dank, die ihre Adreſſe,
um ihm nicht perſönlich läſtig zu fallen, von Olmüz per Poſt ihm zu-
ſchickten. Aber ganz abweiſen konnte er doch nicht, was ſich mit ſo rührender Befliſſenheit an ihn herandrängte um ihm die Gefühle des „nie
erlöſchenden“, des „innigſten wärmſten tiefgegründetſten Dankes“, den
Ausdruck „einer alle Herzen erfüllenden Liebe und Verehrung“, die beſten
Wünſche für ſein ſtetes Wohlergehen, für ein hohes freudenreiches Alter darzubringen. „In dem betrübenden Abſchiede unſeres Herrn und
Monarchen“, hieß es in der Adreſſe der Wiener, „iſt für den gerechten
Schmerz, den die durch Übelwollende herbeigeführten Ereigniſſe in unſe-
rer Stadt dem Vaterherzen Eurer Majeſtät erregen mußten, nicht e i n
Wort des Vorwurfs enthalten, und dieſe kaiſerliche Milde und Huld
muß jedes Herz mit neuer Liebe Dankbarkeit und Bewunderung erfüllen“. „Durch den Entſchluß dem Throne zu entſagen“, ſchrieben die
Schleſier, „haben Euer Majeſtät zwar die äußern Bande gelöſt welche
die Völker Öſterreichs an Allerhöchſt-Ihre Perſon knüpften, aber die
Liebe und Anhänglichkeit und nie verſiegende Dankbarkeit wird Euer
Majeſtät jeder Zeit begleiten“. Ähnlich lautete der Nachruf der Siebenbürger Sachſen: „Euer Majeſtät haben die Völker Öſterreichs des Eides
der Treue entbunden; allein das Band der Liebe, das ſie alle an ihren
gütigen Monarchen gefeſſelt, iſt dadurch nicht gelöſt worden. Sie war
das edelſte Kleinod in Eurer Majeſtät Krone: ein glänzendes Diadem
wird ſie das Haupt des beſten Fürſten im Privatleben bis in ſein ſpä-
teſtes Alter ſchmücken“. Der Kaiſerin Marianne aber ſprach man den
Wunſch aus, daß es ihr „nach ſo kummervollen Zeiten und tiefkränken-
den Verhältniſſen“ noch lang beſchieden ſein möge, die Lebenstage ihres
erlauchten Gemahls zu beglücken und ihm den Frieden „jenes frommen
und ruhigen Familienlebens“ zu bereiten, das ſeinen Wünſchen ſo ſehr
entſpricht. „Möge er von dieſem ungeſtörten Porte aus jenen Samen,
den er mit milder Hand reichlich geſtreut, zu einem alle ſeine Völker
beſchattenden Freiheitsbaume emporwachſen ſehen; möge er den Tag erleben, wo Öſterreich einig ſtark groß und glücklich daſteht! An dieſem
Tage wird Kaiſer Ferdinand ſeine Abbankung ſegnen“. . . .

So wehmüthig und theilnahmsvoll der Abſchied von dem gütigen

Ferdinand war: bei ruhiger Überlegung mußte man sich doch sagen, daß in den Geschicken Österreichs ein Zeitpunkt eingetreten sei wo Herzens=güte und Milde allein auf dem Throne nicht ausreichten. Ja gerade diese Milde und Herzensgüte war es, welche Zustände herbeigeführt hatte die sich auf die Länge nicht halten ließen. Mit der Revolution mußte gebrochen werden, sollte die Revolution nicht in Permanenz erklärt sein. Die Revolution hatte die früheren Grundsätze des Regierens beseitigt, hatte neue ben geänderten Anschauungen und Bedürfnissen der Zeit ent=sprechende Grundlagen des Verhältnisses zwischen Herrscher und Be=herrschten geschaffen, hatte in das Staatsleben die großen Principien der Freiheit, der Gleichheit vor dem Gesetze, der Öffentlichkeit und der Ver=antwortlichkeit eingeführt. Aber alle diese werthvollen Umstaltungen standen auf lockerem Boden: sie waren Geschenke, wie von der einen Seite, sie waren „Errungenschaften", wie von der andern behauptet wurde; als Geschenke waren sie durch die gewaltthätigen Anlässe die sie herbeigeführt von zweideutigem Rechtsbestande, als Errungenschaften waren sie geradezu Erzeugnisse jener Anlässe, also des grundsätzlichen Gegensatzes jedweden Rechtsbestandes. Sollte die Verjüngung des Staatslebens, die Umstaltung des Reiches nach Forderungen, die sich eben durch die Kraft und Allge-meinheit der Bewegung als unabweisbare bekundet hatten, nicht auch selbst dem unstäten Wechsel der Zeitströmung anheimfallen, sollten sie Güter von dauerndem Bestand und Werth sein: so mußte die Revolu-tion, die nur ihr thatsächlicher Entstehungsgrund war, aber nie ihr an-erkannter Rechtsgrund sein konnte, mit all ihren Folgerungen beseitigt, mußten die öffentlichen Zustände in das Beet einer ruhigen und friedli=chen, einer naturgemäßen und geschichtlichen Weiterentwicklung geleitet, mußten Freiheit und Fortschritt auf unantastbar gesetzlichen Boden gestellt werden. Von diesem Gesichtspunkte gewann die Thronentsagung des alten Kaisers, so gerecht der Schmerz und die Trauer waren die man der Per=sönlichkeit des scheidenden Monarchen weihte, eine höhere, eine politische und staatsrechtliche Bedeutung, eine Bedeutung die das Antritts=Manifest seines erlauchten Nachfolgers zu unzweideutigem Ausdruck brachte. Weder von Geschenken noch von Errungenschaften war da die Rede: „aus eigener Überzeugung" erkannte der jugendliche Monarch „das Be-dürfnis und den hohen Werth freier und zeitgemäßer Institutionen", wollte er „ein neues Erstehen des Vaterlandes auf den Grundlagen der wahren Freiheit, der Gleichberechtigung aller Völker des Reiches, der

Gleichheit aller Staatsbürger vor dem Gesetze", berief er dazu die
„Theilnahme der Volksvertreter an der Gesetzgebung" und rechnete dabei
auf das „Einverständnis mit den Völkern" [344]). Diese „eigene" Über=
zeugung aber konnte nur ein Herrscher aussprechen, der von den Ver=
wicklungen der letzten Vergangenheit in keiner Weise umstrickt war, sie
zur werkthätigen Geltung bringen nur einer, der sich in der vollen Kraft
der Jahre und des Willens befand und dem voraussichtlich eine ausrei=
chende Lebensdauer beschieden war, um all den verschiedenen Schwierig=
keiten und Hindernissen, die sich der Ausführung seines Vorsatzes in den
Weg stellen möchten, Trotz bieten zu können.

Solches war denn auch, obwohl vielseitig mehr instinctiv, der In=
halt jener Empfindungen mit denen man sich vom scheidenden Kaiser zu
dem seine Laufbahn neu beginnenden wandte, und, wenn darum der e r s t e
Eindruck der unerwarteten Botschaft ein betäubender lähmender war, der
z w e i t e war der eines frohen Aufblicks in die Zukunft, der Sieges=
hoffnung einer neuen und festen Gestaltung der Dinge. Der politische
Wettermesser, die Börse, legte durch ein schnelles und starkes Steigen
der Curse ein beredtes Zeugnis dafür ab, und der gleichen Stimmung
gaben die zahlreichen Deputationen aus allen Theilen des Reiches Aus=
druck, die sich in der mährischen Hauptstadt einfanden um Huldigungen
und Ergebenheitsbezeigungen zu den Stufen des neubesetzten Thrones
niederzulegen. Der allererste begrüßte der mährische Landtag den jungen
Monarchen, „den natürlichen Erben von Ferdinand's Tugenden, der alle
jene Eigenschaften besitzt womit der edeldenkende Monarch seinen Nach=
folger in der gegenwärtigen bedrängten Zeit ausgerüstet wünscht." „Öster=
reichs Geschicke", so sprachen der große Ausschuß des verstärkten schlesischen
öffentlichen Convents und die Troppauer Gemeindevertretung, „hat keinen
Moment aufzuweisen so ernst und folgenschwer als der gegenwärtige, in
welchem es der Vorsehung gefiel Euer Majestät auf den Thron Ihrer
erlauchten Ahnen zu berufen. Aber wie Österreich aus allen Gefahren und
Stürmen stets mächtiger und glorreicher hervorgegangen ist, so wird es
auch jetzt in der Jugendkraft seines Kaisers die Bürgschaft einer raschen
Entwicklung finden. Mit der Hilfe Gottes wird der Kaiserstaat blühender
größer und mächtiger als je aus der gegenwärtigen ihm drohenden Zer=
rüttung, aus diesem Völkerbrande einem Phönix gleich zu Allerhöchst=Dero
unvergänglichem Ruhme wieder auferstehen." „In freudiger Hoffnung",
sagten die Wiener, „blicken die Völker Österreichs auf Eure Majestät,

von der lebhaftesten Überzeugung durchdrungen, Allerhöchst=Dieselben werden das von Ihrem erhabenen Oheim so glorreich begonnene Werk der Neugestaltung unseres Vaterlandes vereint mit den Vertretern des Volkes zu vollenden wissen, auf daß ein freies einiges starkes Österreich mit verjüngter Kraft aus den Stürmen der Jetztzeit hervorgehe, die Gewähr seines ungeschmälerten Bestandes für eine neue Reihe von Jahrhunderten in sich tragend. Groß ist die Aufgabe, herrlich der Ruhm der ihre Lösung krönen wird, unauslöschlich der Dank den die beglückten Völker ihrem Wohlthäter zujubeln werden." Auch die serbische Nation, von der sich eine Anzahl Vertrauensmänner um dieselbe Zeit in Olmütz befand, eilte dem neuen Monarchen ihre Huldigung darzubringen. Das Deutsch der Adresse die sie überreichten war holperig genug; doch was darin ausgesprochen, war kräftig und gesund: „Sollte eine lange Reihe von Thaten sich entwickeln", hieß es unter anderm im Hinblick auf die Schwierigkeit der zu lösenden Aufgabe, „groß erscheint auch die Zahl der Tage, die Euer Majestät zur That und zum Ausharren, dieser besten Garantie bei Staats=Reformen, zu Gebote steht." Die tyroler Abgeordneten gedachten des Aufenthaltes des kaiserlichen Hofes in ihrer Mitte wenige Monate zuvor: „Große Ereignisse sind seitdem vorübergegangen, und um Euer Majestät geheiligtes Haupt windet sich nun eins der ersten Diademe: möge seine Bürde Eurer Majestät leicht sein!"

„Möge seine Bürde leicht sein!" Der Wunsch war am rechten Orte. Nahezu der jüngste der österreichischen Souveraine, fiel ihm eine Aufgabe zu, die selbst für einen gewiegten an Jahren und Erfahrungen reichen Monarchen als eine der schwierigsten sorgenvollsten gelten konnte: einen Staat von Österreichs eigenthümlicher Gestaltung, nicht getragen von einer durch Stammesverwandtschaft zusammengehaltenen Bevölkerung, in allen seinen Theilen von Parteiung bis in seine Tiefen aufgewühlt, einen solchen Staat unter der Ägide staatsbürgerlicher Freiheit so fest zu einen, als dies früher die starken Bande des Absolutismus bewirkt hatten! „Die Krone von Österreich", ließ sich eben so wahr als schön eine öffentliche Stimme vernehmen, „der kostbarste Schmuck auf Erden, war bis zu den Märztagen gar leicht zu tragen; ein Wort, ein Blick war Gebot für nahe an vierzig Millionen Getreuer. Es ist anders gekommen. Kaiser Franz Joseph hat mit Österreichs Krone nicht den leichten schimmernden Schmuck, er hat die schwerste Last der Erde auf sein jugendliches Haupt genommen, und daß er die rosigen Freuden der goldenen Jugend mit den unabsehbaren Sorgen und Mühen der Regierung vertauscht, das allein müßte Ihm unfern Dank, unser Vertrauen gewinnen"[345]). Ein kirchliches Blatt aber erinnerte den achtzehnjährigen Franz Joseph an die Worte des achtzehnjährigen Salomon der, als er den Thron bestieg, zu Gott flehte: „Du hast an David meinem Vater große Barmherzigkeit gethan und mich zum Könige gesetzt an seiner statt, gib mir Weisheit und Verstand daß ich einziehe und ausziehe vor Deinem Volke" ꝛc.[346])

28.

Erzherzog Franz Joseph, vor seiner Thronbesteigung in Hofkreisen Erzherzog Franz, im Schoße der kaiserlichen Familie „Franzi" geheißen, erblickte das Licht der Welt am 18. August 1830, als der erstgeborne Sohn des Erzherzogs Franz Karl und der Erzherzogin Sophie, gebornen Prinzessin von Bayern. Sein Ohm Erzherzog Ferdinand, der zunächst zum Thron Berufene, war kinderlos und so wandte sich ihm, der aufkeimenden Hoffnung des Hauses, die großväterliche Zärtlichkeit des alternden Monarchen mit besonderer Neigung zu, der ihn täglich zu sich kommen ließ, ihn in seinen Kinderspielen, sinnvolle Deutungen daran knüpfend, leitete, mit ihm die ersten Marschir-Übungen erst im Zimmer, dann im Freien, in Spaziergängen über Land ausführte. Nach dem Tode des Kaisers Franz war es Erzherzog Ludwig, der väterliche Freund und Berather von dessen Nachfolger der, neben der Sorgfalt eines zärtlichen Vaters und einer geistvoll thätigen Mutter, der Erziehung des Prinzen seine Aufmerksamkeit zuwandte und bei allen Wendepunkten derselben mit seine Stimme abgab.

Die kaiserliche Familie hat zu allen Zeiten die besondere Sorgfalt ausgezeichnet, die sie der Heranbildung ihrer Prinzen und Prinzessinen zuwandte. Monarchen von so vielseitiger Beschäftigung wie Marie Theresia, Joseph II. fanden gleichwohl die Zeit, persönlich alle Einzelheiten der Erziehung zu überwachen, die genauesten Instructionen dafür zu ertheilen. Verwöhnt und verzärtelt wurden die Kinder unseres Herrscherhauses wahrhaftig niemals; gerade dagegen waren vielmehr die nach-

drücklichsten Mahnungen für Lehrer und Erzieher gerichtet. „Keine Fami-
liaritäten sind nicht zu gestatten", schrieb Maria Theresia der Hofmeisterin
ihrer Tochter Prinzessin Maria Josepha vor; „jedoch solle sie mit allen
Leuthen gnädig sein, der üble Humor gegen denen Cammerleuthen ist besonders verbothen. Man muß sie nicht gewöhnen sich sehr warm zu halten
oder häcklich zu sein, indehme sie ohnedehm apprehensive ist, aber auch
in gegentheil nichts vernachläßigen, sondern gleich mir, der Aja und dem
Van swieten sagen laßen, wan es auch in der nacht wäre daß sie krank
würde oder ein anderes accident zustoßete, so muß solches nicht ver-
schwiegen werden." Als der Erstgeborne des Großherzogs Leopold von
Toscana von Joseph II. nach Wien genommen wurde, galt er diesem als
„ein sogenanntes verzogenes Muttersöhnchen" und der Kaiser setzte darum
ausführliche „Betrachtungen über des Erzherzogs Franz weitere Erziehung" auf, die sowohl dessen Oberhofmeister Grafen Colloredo als den
zwei General=Adjutanten zur Richtschnur dienen sollten. „Ein jeder einzelne Bürger des Staates", heißt es darin u. a., „kann sagen daß, wenn
sein Sohn geräth, er auch nutzbar sein wird und, wenn er nicht geräth,
er doch, da er kein Amt oder Dienst alsdann überkommen wird, dem
Staate nicht nachtheilig werden könne. Ein Erzherzog aber, ein Thronfolger, ist nicht in diesem Falle; da er das wichtigste Amt, die Leitung
des Staates, einst auf sich hat, so ist nicht die Frage: ob er geräth? er
muß gerathen, weil bei jedem Theil der Geschäftsleitung, die er nicht
hinlänglich kennen lernt, über die er nicht ächte Grundsätze annimmt und
zu deren Ausführung und Festhaltung er sich nicht die Seele und den
Leib stark genug bildet, er schon dem allgemeinen Besten nachtheilig und
schädlich ist" [347]). So war denn die Bestimmung zum künftigen Beherrscher von Österreich heranzuwachsen für den Träger derselben von jeher keine leichte Sache, und sparsamer als den Sprossen anderer Familien sind ihm die heitern Spiele und Freuden der Jugend zugemessen.
Nicht blos die Erziehung, sondern selbst das Lernen beginnt mit den
ersten Kinderjahren. Denn der künftige Kaiser hat nicht nur die Hauptsprachen des großen Weltverkehres, er hat auch die bedeutendsten seines
vielzüngigen Vaterlandes sich eigen zu machen, und da heißt es frühzeitig beginnen, um mit einigen derselben noch vor der eigentlichen Schul-
zeit fertig zu werden. Ist die allgemeine Umgangssprache an unserem
Hofe die deutsche, so werden für die unmittelbare Umgebung des kaiserlichen Kindes Personen gewählt aus deren Munde sein Ohr von allem

24

Anfang auch an ungarische und böhmische Laute gewöhnt wird, die seine ungeübte Zunge bald mit dem jedem dieser Idiome eigenthümlichen Accente wiedergeben lernt. Sind die Jahre der beginnenden Entwicklung gekommen, so umgibt den Prinzen ein Kreis sorgfältig ausgewählter Lehrer, und genau werden die Stunden geordnet die der allgemeinen Bildung, dem Religions=Unterrichte, alten und neuen Sprachen, Spielen und körperlicher Bewegung gewidmet sind; der heranwachsende Jüngling muß der Geschichte und Länderkunde, der Kriegswissenschaft, den rechts= und staatswissenschaftlichen Studien besondere Pflege widmen[348]).

Die Erziehung des Erzherzogs Franz Joseph unterschied sich in keinem wesentlichen Stücke von jenem hergebrachten Gange. Den Ajo hatte er gemeinschaftlich mit seinen beiden jüngern Brüdern Erzherzog Ferdinand (Max) geb. 6. Juli 1832, und Karl (Ludwig) geb. 30. Juli 1833. Graf Heinrich Bombelles war ein Aristokrat im edelsten Sinne des Wortes, von eben so vornehmer Gesinnung als seinen Formen, von vielseitigen Kenntnissen, von gereifter Einsicht und Erfahrung. Entgegen den Schmähungen und Lästerreden die Bombelles wie alles Höherstehende im Jahre 1848 über sich ergehen lassen mußte, waren alle die den Mann näher kannten voll der wärmsten Anerkennung seines Charakters, seiner Befähigung, seines Strebens und besten Willens. Selbst die „sibyllinischen Bücher", deren Verfasser gewiß niemand Freisinnigkeit des Urtheils und Freimuth der Sprache abläugnen wird, nennen ihn „das liebenswürdigste Gemisch des Philosophen mit dem Hofmanne". Unter dem Ajo hatte jeder der drei Prinzen seinen besondern Erzieher. Jener des ältesten derselben war Graf Johann Baptista Coronini, eine Persönlichkeit deren biederem Charakter und geradem ritterlichen Sinn jedermann Gerechtigkeit widerfahren ließ und dessen Einfluß von dieser Seite nur der günstigste sein konnte. Allein Militär von den starrsten Ansichten, in allen Dingen zumeist auf das äußerliche, auf Haltung und Formen bedacht, waren es ein stramm rückhaltendes Wesen, ein Fernhalten jedes vertraulich aufmunternden Umganges, worein er die Würde des künftigen Beherrschers eines weiten Reiches setzte. Für eine jugendliche Umgebung der drei Prinzen waren zunächst die Knaben der genannten Grafen: Marcus und Charles Bombelles und Franz Coronini ersehen, und zwar nicht blos als Spiel= sondern theilweise auch als Unterrichts=Genossen, in welch letzterer Hinsicht der nur um fünf Monate ältere Marcus (geb. 15. März 1830) dem Erzherzog Franz am nächsten stand.

Der junge Prinz hatte die glücklichsten Anlagen gepaart mit dem trefflichsten Wollen. Er zeigte scharfen Verstand, er war lernbegierig, folgte sehr aufmerksam dem Vortrage; er war fleißig, pünktlich auf die Minute, von dem lebendigsten Pflichtgefühl; es war in jeder Hinsicht ein tüchtiger Kern in ihm. Leider waren in der Auswahl der Lehrer, die eine so trefflich angelegte Natur zu bilden hatten, der Ajo und der Erzieher nicht überall glücklich. Den Grafen Bombelles zeichnete innige Religiosität aus, die ihm nicht leeres Formelthum war, sondern die in tiefer aufrichtiger Überzeugung wurzelte, und wenn er darum auch bei den ihm anvertrauten Prinzen die Religion als den Anfang und die Grundlage der ganzen Erziehung ansah, so wird ihm jeder, der dem Menschen höheres Wesen und höhere Bestimmung nicht abspricht, nur aus vollem Herzen beistimmen. Allein nur sollte die Rücksicht auf die kirchliche Untadelhaftigkeit des als Lehrer zu Berufenden nicht die allein maßgebende sein und durften um ihrer willen das eigentliche Können und Wissen desselben blos nebenher in Frage kommen. Diese Vorsicht scheint nun aber der Ajo der kaiserlichen Prinzen nicht überall einge= halten zu haben. Einzelnen der Lehrer, besonders in den ersten Jahren der Erziehung, wurden die verschiedensten Wissenszweige wie etwa deutsche Sprache und Physik zum Vortrage anvertraut; ohne gründliche Bildung oder gewissenhafte Vorbereitung verstiegen sie sich mitunter in Übertrei= bungen oder hohle Behauptungen, die ihrem Zöglinge, in dessen Charakter ein unwillkürliches Ablehnen jeder Unnatur, jedes Halben, eitel Schim= mernden, ein unbesiegbarer Drang in allem und dem kleinsten auf den wahren Grund zu kommen, gelegen war, Stoff zu allerhand Bedenken und Glossen gaben. Es fehlte selbst an einem „Individuum foppabile" nicht, mit dem besonders der zweite der Brüder, in dessen Anlage sich ein Zug ätzender Laune frühzeitig bemerkbar machte, allerhand Schaber= nack trieb, ohne daß jener in seiner tiefen Devotion das geringste davon merkte. Erzherzog Franz, von allem Anfang mehr ernst und gemessen, blieb zwar derlei Neckereien fremd; allein daß bei ihm ein Lehrer solcher Beschaffenheit nicht von besonderem Einfluße sein konnte, braucht nicht gesagt zu werden. In anderer Weise wurde bei dem für einen künftigen Monarchen so hochwichtigen Lehrfache der Geschichte fehlgegriffen. In allen Biographien Kaiser Joseph II. kann man es lesen daß er als Lehrer in diesem Gegenstande den berühmten Staats=Secretär Barten= stein hatte, einen sehr gelehrten, überaus gewissenhaften alten Herrn

24*

vom reinsten edelsten Patriotismus, von dem man jedoch, um seinen
Beruf als Lehrer zu beurtheilen, nur zu wissen brauche daß er eigen=
händig fünfzehn Folianten zusammengeschrieben habe aus denen der
feurige Zögling die allgemeinen Welthändel und die Geschicke seines
Vaterlandes lernen sollte. Es mag sein, daß der eifrige Bartenstein es
darin vergriff sein weitläufiges Materiale nicht übersichtlich genug zu
machen, obgleich wir ja nicht wissen wie weit in diesem Punkte etwa
der mündliche Unterricht nachgeholfen habe. Andrerseits wird niemand
läugnen daß zu Bartenstein's Zeiten die Wissenschaft und Behandlung
der österreichischen Geschichte noch bei weitem nicht auf der Stufe stan=
den wie heutzutage, und daß man daher sehr Unrecht thut wenn man
Fehler und Misgriffe, die auf diese Quelle zurückzuführen sind, dem
Verfasser und Lehrer nachtragen zu dürfen glaubt. Von diesen beiden
Umständen aber abgesehen wird jeder der in die „fünfzehn Folianten"
— sie werden bis heute in der kaiserlichen Familien=Bibliothek aufbe=
wahrt — einen prüfenden Blick geworfen, vorurtheilsfrei sich sagen
müssen, daß Bartenstein es verstanden habe seinen Stoff in höchst ver=
ständiger Weise zurechtzulegen, überall die praktischen, für den künftigen
Regierer eines so vielgliedrigen Ganzen lehrreichen Beziehungen heraus=
zuheben, den Geist seines Zöglings in der verschiedensten Weise anzu=
regen. Wenn Joseph II. nicht eine Natur gewesen wäre der alles Ver=
ständnis für geschichtliches Weben und Werden versagt war, das Werk
Bartenstein's, die mühevolle Arbeit eines pflichtgetreuen vielerfahrenen
Mannes, würde gewiß nicht ohne wohlthätige Nachwirkung für ihn ge=
blieben sein. Unser jugendliche Erzherzog hatte leider keinen Bartenstein
zum Führer in die Hallen der Geschichte. Was ihm geboten wurde,
war ein geistloses Gemengsel von Kirchen= und Profan=Historie, in der
letzteren vorzüglich an Stammbäumen auf und ab kletternd, eine trockene
Herzählung von Begebenheiten mit sorgfältigem Vermeiden jeder An=
regung zu eigenem Urtheil. Als Leitfaden wurde unter andern Philipp's
Reichs= und Rechtsgeschichte benützt, ein höchst verdienstliches Werk, dessen
gelehrter Verfasser aber gewiß der erste Verwahrung dagegen einlegen
würde, es dem Unterrichte für Knaben von dreizehn bis fünfzehn Jahren
zugrundezulegen. Der junge Prinz mit seiner raschen Auffassung und
seinem vorzüglichen Gedächtnis setzte dann allerdings bei den Prüfungen
aus der Geschichte Ältern und Zeugen in beifälliges Erstaunen; allein
von dem eigentlich befruchtenden Gehalte dieser Lehrerin der Fürsten

und Völker ließ sich dabei nichts wahrnehmen. Wenn man von der
späteren Umgebung des Erzherzogs den sittlichen Ernst, die Entschiedenheit des Urtheils rühmen hörte, die derselbe, wenn gelegenheitlich die Rede
darauf kam, bei seiner Auffassung geschichtlicher Charaktere und Ereignisse bekundete, so war es der Geist des Schülers, aber sicher nicht das
Verdienst des Lehrers, dem man dies zuzuschreiben hatte.

Es wurde gleich im Jahre 1848, und häufig nicht ohne eine gewisse Absicht, die Meinung verbreitet, der junge Kaiser habe von Jugend
auf eine besondere Anlage und Vorliebe für das Militär-Wesen an den
Tag gelegt. Das ist nun in dieser Allgemeinheit ganz unrichtig. Zwar
hat es sein Erzieher, die Erscheinungen einer gährenden Zeit aus seinem
Gesichtspunkte beurtheilend, nicht daran fehlen lassen seinem Zöglinge
immer zu wiederholen, die Armee sei es die, was da auch kommen
möge, die erste Rolle zu spielen berufen sei. Allein diese Mahnungen
hafteten sicher mehr im Gedächtnisse des jungen Prinzen, als daß sie in
sein Fleisch und Blut übergingen. Wenn derselbe später allerdings eine
hervortretende Neigung und Geschicklichkeit für den Wehrstand offenbarte,
so war dies ganz natürlich daraus zu erklären, daß er sich gerade in
diesem Zweige seiner Ausbildung der Führung eines Mannes zu erfreuen hatte, der seine Aufgabe mit dem vollen Bewußtsein ihres Sinnes
und ihrer Bedeutung erfaßte und sich nach einem reiflich erwogenen
Plane seinem Ziele zu nähern suchte. Oberst v. Hauslab, der schon
damals den Ruf eines der ausgezeichnetsten Officiere der österreichischen
Armee genoß, ein Mann von umfassendem Wissen, Kenner aller europäischen Hauptsprachen, das russische und türkische inbegriffen, ein for-
schender vorwärts strebender Geist, hatte früher den militärischen Unterricht bei den Söhnen des Erzherzogs Karl, später die Ausbildung einer
Anzahl türkischer Officiere geleitet und sich in beiden diesen Stellungen
einen Kreis jüngerer Lehrkräfte, fast durchaus dem Bombardier-Corps
angehörig, herangezogen, auf die er sich in den jedem von ihnen anvertrauten Lehrfächern durchaus verlassen konnte. Am 23. Mai 1843 überreichte Hauslab sein Programm „zum Unterrichte Sr. kais. Hoheit des
durchlauchtigsten Herrn Erzherzogs Franz Joseph" in den militärischen Wissenschaften, mit November d. J. wurde der von ihm auf vier Jahre berechnete
Cursus begonnen. Der Erzherzog, noch halb Knabe, erschien in sich gekehrt,
schweigsam; er hatte etwas verschlossenes, man konnte sagen: trotziges, an
sich. Dabei war er scheu, ohne Vertrauen in die eigene Kraft. Vor dem Pferde

hatte er gewaltigen Respect; oft genug hatte es Thränen gekostet ehe er es
über sich gewann es zu besteigen. Hauslab's Unterrichts-Plan war klar und
einfach. Von der Überzeugung ausgehend daß weniger der Erzieher es
sei der den Charakter bildet als der Lehrer; daß, wessen Beruf es sei
dereinst zu befehlen, vorerst die Arbeit selbstthätig in all ihren Theilen
und Verzweigungen üben verstehen und überschauen lernen müsse; daß
daher der Unterricht vom materiellen Können zum geistigen Erfassen
stufenweise hinanschreiten müsse, begann er den Prinzen in den drei
Waffengattungen der Infanterie Cavallerie Artillerie von der Pike auf
einexerciren zu lassen. Ein Officier der bezüglichen Truppe übernahm
die Einübung; gleichzeitig wurde mit dem Geometral- und dem Situations-Zeichnen begonnen. Hauslab hatte die Gesammtleitung; er bestimmte die Fächer wie sie auf einander folgen, in einander greifen, er
wählte — wenn nicht ein oder das anderemal besondere Einflüsse sich
dazwischen drängten — die Lehrer die sie einüben oder vortragen sollten; er überwachte den Unterricht in allen Stücken, war zu jeder Stunde
gegenwärtig. Für das Geometral- und Situations-Zeichnen hatte Hauslab
die Ober-Feuerwerker Löschner und Cybulz, beide aus dem Bombardier-
Corps, als bewährte Lehrkräfte zur Hand; die Exercitien der Cavallerie
vertraute er dem Rittmeister Sachs von Coburg-Uhlanen,. jene der
Artillerie dem Lieutenant Kappler vom 2. Artillerie-Regiment an; den
Exercier-Meister für Infanterie gab der Capitain-Lieutenant Ertel von
Seau ab. Der junge Prinz mußte die Montur eines Gemeinen der
Infanterie, eines Uhlanen, eines Kanoniers anlegen; die von ihm benützten Stücke werden noch heute als bedeutsame Erinnerungszeichen auf-
bewahrt, wie z. B. die der Artillerie in der Caserne auf der Landstraße.
Er lernte und übte den Dienst in jedem dieser Zweige von unten auf,
gleich jedem andern Recruten und mit andern Recruten; er bekam
einen, zwei Mann zu commandiren, dann einen Zug, später eine Compagnie Escadron Batterie, ein Bataillon bis hinauf zu einem ganzen
Regiment. Der Schauplatz seiner ersten Exercitien war für die Infanterie der Kaisergarten, für die Cavallerie der Hof der Josephstädter
Reiter-Caserne. Als Uhlane wurde ihm ein gewöhnliches Dienstpferd
vorgeführt; er lernte auf demselben ganz eigentlich erst reiten; in wenig
Wochen brachte er es weiter als in langen Monaten zuvor bei dem
steifen förmlichen Unterricht auf der Hofreitschule. Die Exercitien der
Artillerie begannen mit dem Bedienen der einzelnen Kanone, des ein-

zelnen Mörsers; alles geschah im Feuer und scharf, keine der dahin ge=
hörigen Manipulationen wurde übergangen. Dem Leiter des Unterrichts
pochte im Bewustsein der ungeheuren Verantwortlichkeit das Herz,
als der Jüngling, an dessen Leben und Gedeihen sich das Geschick vieler
Millionen knüpfte, zu dem gefährlichen Dienst Nr. 1 und 2 bei der
Mündung der Kanone — Laden und Nachschieben — commandirt wurde;
allein er überwand sein Bangen und alles lief's beste ab. Für die
Ausbildung des Prinzen aber hatten diese systematisch und consequent
durchgeführten Übungen die überraschendsten Folgen. Früher ohne Selbst=
vertrauen hatte er sich fühlen gelernt, hatte sich, er mußte sich selbst nicht
zu sagen wann und wie, emancipirt; aus dem zaghaften Eleven der
Hof=Manege war ein kühner und gewandter Reiter geworden; er war
auf dem Exercier=Platze zu Haufe wie ein lang erfahrener Soldat, er
hatte sich Geistesgegenwart und Unerschrockenheit angeeignet. Wenn er
dann, als er in der Charge eines Zugführers in der Josephstädter
Caserne vor seinem Vater seine erste Probe bestand, sich die Erlaubnis
ausbat ein Extra=Kunststück auszuführen, in gestrecktem Lauf des Pferdes
die Länge des Hofes durchjagte und, das Bild eines ritterlichen Jüng=
lings der Heldenzeit, während des Flugs mit Kraft und Sicherheit seine
Lanze schwang, oder wenn er im Range eines Obersten auf der Sim=
meringer Haide sechs Batterien commandirte, sie keck und schlagfertig auf
dem Platze herumwarf, die schwierigsten Manoeuvres mit ihnen aus=
führte: dann war es wohl begreiflich wenn er sich auf einem Gebiete ge=
fiel auf dem ihm im Lernen und Üben die Kräfte wunderbar gewachsen
waren; dann war es aber auch begreiflich wenn bei solchem Anblick
alten und jungen Soldaten das Herz im Leibe lachte, wenn sie sich
sagen mußten: „das ist mein künftiger Kriegsherr und Kaiser!"...
Nach den drei Hauptwaffen kamen die technischen Branchen an die Reihe.
Man ging auf ein Monat nach Olmüz, wo sich die Stäbe des Mineur=
und Sappeur=Corps befanden. Wieder machten je ein Officier dersel=
ben, Ober=Lieutenant Dominik Beck und Capitain=Lieutenant Gißl, den
Exercier=Meister und mußte der Prinz wie ein einfacher Mann mit
Krampe und Schaufel in die Mine kriechen und darinnen arbeiten. Er
hatte nun den „Dienst" in jeder Richtung erlernt und er sollte in die
höhern Wissenszweige eingeweiht werden. Für die Befestigungskunst wurde
Oberst=Lieutenant Wüstefeld, einer der ausgezeichnetsten Lehrer der In=
genieur=Akademie, für die angewandte Taktik Oberst Singer vom G.

O. M. St., für die vergleichende Waffenlehre Hauptmann Joseph Fhr.
v. Smola vom Bombardier-Corps, für die kritische Behandlung des
Dienst-Reglements Major Streffleur Professor bei der italienischen Garde
ausgewählt. Den Abschluß dieser Gegenstände, die Befestigungskunst
ausgenommen, verschlangen die hereinbrechenden Ereignisse; vergleichende
Heeres-Organisation, Kriegsgeschichte und Strategie, welche die Krone
des ganzen Gebäudes bilden sollten, bekam der Erzherzog nicht einmal
in ihren Anfangsgründen zu hören.

Neben dieser militärischen Ausbildung ging der Unterricht in den
verschiedensten andern Fächern ununterbrochen fort, und da zeigte es sich
überall, daß es nur auf die betreffenden Lehrer ankam was sie aus
einem so hochbegabten Jüngling machen wollten. Entgegen der früher
erwähnten Behauptung Vieler, der junge Erzherzog habe für alles was
mit dem Soldaten-Stand zusammenhing eine vorzügliche, wo nicht gar
ausschließliche Neigung verrathen, muß vielmehr gesagt werden daß er
ein lebhaftes Interesse für alles zeigte auf was man in anregender Weise
seinen Sinn zu lenken wußte. Wir haben so ziemlich alle die von den
Lehrern des damaligen Prinzen noch am Leben sind mit eindringlichen
Erkundigungen belästigt, und wir können nur sagen daß alle, wie verschieden sie auch sonst in ihren Anschauungen sein mögen, über diesen
Punkt nur ein Urtheil haben. „Ich habe", äußerte einer derselben, „nie
wieder einen Schüler von gleich regem Pflichtgefühl gehabt". Im Sommer
in Schönbrunn begannen die Unterrichtsstunden um sechs Uhr früh:
der Prinz war stets auf die Minute auf seinem Platze, an Eifer zum
Lernen fehlte es bei ihm nie. Es wurden selbst solche Gegenstände die,
wie man meinen sollte, mit dem Berufe eines künftigen Monarchen
nichts zu schaffen haben, von Meistern in ihrem Fache mit einer Gründlichkeit behandelt und von dem wißbegierigen Jüngling mit einer Sorgfalt betrieben, die dem Lehrer wie dem Schüler gleiche Ehre machten.
Für die Naturgeschichte wurde der treffliche Leydolt, für die Chemie der
geistvolle Schrötter, für die Technologie und Waarenkunde der lebhafte
Reuter, alle drei vom polytechnischen Institut, berufen. Es bl'eb da
überall nicht beim trockenen Vortrag, es wurden Natur- und Kunst-
Producte vorgewiesen, Sammlungen Fabriken Industrie-Etablissements
besucht; es wurden Aufgaben gestellt und Experimente gemacht, einfachere
im Lehrzimmer des Prinzen; für solche, die größere Apparate und Vorbereitungen bedurften, fand sich derselbe von Zeit zu Zeit in den Labo-

ratorien der techniſchen Lehranſtalt ein. Auch wurde das alles keineswegs
oberflächlich genommen, etwa wie ein gelehrtes Spielzeug zu bloſer Unterhaltung; man nahm die Sache ernſt, ging auf wiſſenſchaftliche Begründung und Ausführung ein. Dabei war es der Schüler ſelbſt dem
man bald nicht genug thun konnte. Der Vortrag über Chemie z. B.
war anfangs nur auf einen Winter-Curs berechnet; allein der Erzherzog hatte ein ſolches Intereſſe dafür gewonnen, ſeine Fortſchritte waren
ſo glänzend, daß Schrötter durch den Grafen Coronini die Einladung
erhielt noch den Sommer dazu zu geben. Es wurde da hauptſächlich
techniſche und organiſche Chemie vorgenommen; der Prinz, mehr und mehr
in den Geiſt ſeines Faches eindringend, wußte einzelne Punkte mit Scharf-
ſinn zu erörtern, lieferte über andere, wie über die Glas-Fabrication,
ſchriftliche Ausarbeitungen mit allen wiſſenſchaftlichen Formeln ꝛc.

Den Abſchluß der wiſſenſchaftlichen Ausbildung des Erzherzogs
ſollten die Philoſophie und die juridiſch-politiſchen Studien bilden. Fürſt
Metternich und Graf Bombelles hatten für die Leitung der letzteren ihre
Augen auf den Staatskanzleirath Jarcke geworfen, eine Kraft deren hervorragende Befähigung auch die Gegner ſeines entſchieden katholiſchen
Weſens und Strebens nicht in Zweifel zu ziehen vermochten. Auf was dieſe
hingegen mit Grund weiſen konnten war, daß es denn doch wohl nicht
angehe einen öſterreichiſchen Thronerben in die Kenntnis der Rechte und
Geſetze ſeines Vaterlandes durch einen Mann einführen zu laſſen, der
im Auslande geboren ſelbſt erſt in reiferen Jahren ſich mit ihnen bekannt gemacht hatte; es heiße das alle öſterreichiſchen Gelehrten, an denen man doch gerade in dieſen Fächern keinen Mangel habe, vor den
Kopf ſtoßen ꝛc. So hatte denn Jarcke bereits ſeine Vorbereitungen zu
treffen, hatte ſchon die Männer auszuwählen begonnen die er mit dem
Vortrage der einzelnen Fächer betrauen wollte, als es mit einemmal in
aller Stille davon wieder abkam — es ſcheint daß Coronini in dieſer
Richtung den Erzherzog Ludwig zu beſtimmen wußte — und ſtatt ſeiner
der Staatsrath Pilgram berufen wurde den Plan zu entwerfen und die
geeigneten Lehrkräfte zu berufen. Die Wahl Pilgram's fiel auf den Hofrath Lichtenfels für Civil- und Criminal-Recht und den Regierungsrath
Dr. Moriz Fränzl für Statiſtik und politiſche Wiſſenſchaften. Für den
Vortrag des Kirchenrechts war urſprünglich der vielſeitig gelehrte Director der orientaliſchen Akademie Abt Rauſcher, der bereits den Unterricht
in der Philoſophie und Geſchichte der Philoſophie übernommen hatte,

bestimmt worden; Pilgram aber, dem Rauscher zu hochkirchlich war, wählte für das Canonicum den Domherrn Dr. Jos. Columbus. Die Unterweisung in den juridischen Fächern begann 1847; am Ende des ersten Jahres wurde eine Art von Richteramtsprüfung vorgenommen, die der Erzherzog in glänzender Weise bestand.

Noch ist einer besonderen Art von Belehrung zu gedenken, die der Prinz im letzten Jahre seiner Ausbildung genoß: alle Sonntage verfügte er sich in das Gebäude der Staatskanzlei, wo ihn etwa eine Stunde lang Fürst Metternich in die Geheimnisse der Regierungskunst einweihte.

So finden wir den kaiserlichen Prinzen, „die Blüthe Habsburgs", am Eingange einer großen Zeit in geistiger und körperlicher Hinsicht mit seltenen Vorzügen ausgestattet. Er hat mehr und vielseitigeres in sich aufgenommen und geistig verarbeitet als vielleicht irgend ein Jüngling seines Alters im ganzen Umfange der Monarchie. Ein treffliches Gedächtnis, insbesondere für Physiognomien, das alte Erbtheil der Fürsten seines Hauses, und ein ausgebildetes Talent für Sprachen, deren jede er in der ihr eigenthümlichen Weise und Betonung zu gebrauchen wußte, kamen ihm glücklich zu statten; man konnte ihn einen jungen Mithridates nennen, der bekanntlich alle Sprachen seines weiten Reiches verstand und jeden seiner Unterthanen und Soldaten in den Lauten seiner Heimat anzureden wußte. Wenn dem von der Natur so reich bedachten Jüngling etwas abging, so war es die Welt des Schönen, der heitern freien Kunst, deren feineres Verständnis ihm verschlossen zu sein schien; geschah in der nachbarlich verwandten Isar-Stadt in diesem Punkte vielleicht etwas zu viel, so wurde er in der alten Kaiserburg zu Wien letzter Zeit mit Ungebühr hintangesetzt. Ein vorwaltend praktischer Sinn, der sich bei unserem Prinzen frühzeitig bemerkbar machte, stand ohne heilsames Gegengewicht da, wenn nicht ein tief religiöses Gefühl ihn mit den höhern Seiten des menschlichen Daseins in stets wiederkehrende Berührung brachte. Von einer besondern Neigung zur Musik, dieser traditionellen Neigung seiner Vorfahren, war bei dem jungen Erzherzog nichts wahrzunehmen. Für das Zeichnen besaß er ausgesprochene Begabung und Vorliebe — Peter Joh. Nep. Geiger war darin sein Lehrer —; allein auch hier war es das realistische Moment, ein Sinn für das Drastische in Ernst und Scherz, was ihn charakterisirte. Er legte, während man ihm etwas erzählte oder vortrug was nicht seine gespannte Aufmerksam-

keit verlangte, den Stift nicht aus der Hand, und da waren es meist
Kampf- oder Sport-Scenen die sich auf dem Papier vor ihm entwickelten. Aus den Jahren 1846 und 1847 existirt eine Reihe von sechs Zeichnungen die, einer Mappe entlehnt welche der Prinz von einer Reise
in das lombardisch-venetianische Königreich heimbrachte, von ihm auf Stein
übertragen und in einer geringen Anzahl von Exemplaren abgezogen
wurden. Sie sind durchaus von seiner eigenen Hand, der Lehrer vermied
es grundsätzlich auch nur einen Strich nachzubessern, und haben allerhand
Trachten und Scenen zum Vorwurf, hier eine Gruppe vor einer Osteria,
da einen Taschenspieler der vor einer Schaar Gaffender seine Künste
ausruft, dort das Innere eines Schiffsraums mit ruhenden oder spielenden Matrosen u. dgl. Eine humoristische Ader pulsirt merklich in der
Hand des jungen Künstlers. Die Erscheinung des Prinzen war eine
äußerst vortheilhafte. Über der Masse von Lernstoff, den er zu bewältigen
hatte, war seine körperliche Ausbildung nicht vernachlässigt worden.
Gymnastische und militärische Übungen wirkten hierin zusammen. Er war
ein eben so gewandter Reiter als glücklicher Schütze. Als Knabe von beiläufig eilf Jahren traf er bei einem Scheibenschießen in Salzburg mitten
in's Schwarze und mit Befriedigung konnte er, vom Fleck weg zum
Ehrenmitglied der Schützengesellschaft ernannt, seinen Namen in deren
Gedenkbuch eintragen. Über seine schlanke Gestalt, über seine Haltung
und Bewegungen war der Zauber jugendlicher Anmuth und Schnellkraft
ausgegossen, zugleich aber der Ausdruck einer gewissen Würde, eines
Selbstgefühls seiner künftigen Bestimmung, den Fernerstehende fälschlich
für Hochmuth nahmen. Bezeichnend war es jedenfalls, daß man im
Publicum den Erzherzog, lang bevor er zu seinen Jahren gekommen
war, fast allgemein den „Kronprinzen", den „Thronfolger" hieß, da doch
zwischen der regierenden Majestät und ihm sein erzherzoglicher Vater stand.

Aber auch von Seite der kaiserlichen Familie schien man es darauf
angelegt zu haben jener Meinung Vorschub zu leisten. Es war am 16.
October 1847 wo der Prinz zum erstenmal vor der Öffentlichkeit erschien,
als königlicher Commissar und Stellvertreter Sr. Majestät die Installa-
tion seines erlauchten Vetters Erzherzogs Stephan als Obergespan des
Pester Comitats vorzunehmen. In der schmucken Uniform von Kaiser-
Husaren stellte sich, mit stürmischen Eljen empfangen, der siebenzehnjäh-
rige Jüngling der Versammlung vor die er in wohlgesetzter magyarischer
Rede begrüßte, indem er seine Freude aussprach seine erste amtliche Func-

tion im geliebten Ungarlande vornehmen zu können. Seine Worte, im
reinsten Ungarisch mit klangvoller Stimme gesprochen, versetzten seine
heißblütige Zuhörerschaft in einen wahren Taumel von Entzücken, welchem
sie durch feurige Eljen-Rufe, durch beifälliges Säbelrasseln, durch Auf-
springen von den Sitzen wechselvollen Ausdruck gab; es ging eine freudige Erregung, eine Begeisterung durch den Saal, wie man lang nichts
ähnliches erlebt hatte. Der Vorgang stand Allen in frischem Gedächtnis,
als Kossuth im ungarischen Landtagssaale im Laufe seiner entflammenden
Philippika vom 3. März 1848 daran erinnerte und „des hoffnungsreichen
Sprößlings aus dem Hause Habsburg, des Erzherzogs Franz Joseph"
gedachte, „der schon bei seinem ersten Auftreten die Liebe der Nation zu
gewinnen wußte"; lauter Beifallsruf von allen Bänken tönte den Worten
des Redners zu. Eine ähnliche Scene spielte sich zehn Tage später im
Hofe des Landhausgebäudes zu Wien ab, wo vom Brunnendache herab ·
der Tyroler Putz der fieberhaft erregten Menge die Landtags-Rede Kossuth's vorlas; als es zu der bezeichneten Stelle kam, da erschütterte
lang andauernder Jubel die Luft, die Hüte wurden geschwenkt, die Begeisterung der Versammlung erreichte den höchsten Grad; die Stelle mußte
noch einmal gelesen werden und wurde noch einmal bejubelt und beklatscht.
War doch schon in den Tagen vor dem 13. unter den Leuten gesprochen
worden: Kaiser Ferdinand werde die Krone niederlegen, Erzherzog Ludwig
bis zur Volljährigkeit des Thronfolgers Franz Joseph die Regentschaft
führen[349]. Also hier wieder das Überspringen von dem alternden Onkel
unmittelbar auf den jugendlichen Neffen! Auch war es eine bezeichnende
Erscheinung daß, so sehr in den folgenden stürmischen Monaten die Zuneigung für das regierende Haus vielseitig erkaltete, ja nur zu oft in
das Gegentheil umschlug, so sehr namentlich das erzherzogliche Paar, der
Ajo ihrer Prinzen und andere dem Hof nahestehende Persönlichkeiten
Verleumdungen und Unglimpf aller Art zu erdulden hatten, der Name
des Prinzen Franz Joseph stets von dem allgemeinen Mistrauen oder
Ingrimm wie herausgehalten wurde.

Von Seite der kaiserlichen Familie war der junge Erzherzog, ohne
daß er darum wußte, während der ganzen Zeit der Bewegung ein Gegenstand besonderer Sorgfalt; es war selbst allerhand im Zuge ihn in die
Öffentlichkeit zu bringen, wovon man aber jedesmal bald wieder zurückkam. So hatte man Anfangs April im Sinne ihn an die Spitze der
Landesverwaltung von Böhmen[350] zu stellen, wohin gleichzeitig Graf

Leo Thun als Gubernial=Vice=Präsident ernannt wurde. Über Anlaß und Beweggrund dieses Entschlußes vermögen wir nur Muthmaßungen aus= zusprechen. Seit es sich gegen Ende der zwauziger Jahre in Ungarn merkbar zu regen begonnen, war man an unserem Hofe eifersüchtig da= rauf bedacht, es daselbst nicht zu einer die Einheit des Reiches störenden Sonderstellung kommen zu lassen, wofür das staatsrechtliche Verhältnis Böhmens ein passendes Gegenmittel bot. Als es sich nach dem Tode des Kaisers Franz um den Titel des neuen Monarchen handelte und von ungarischer Seite darauf bestanden wurde, in dessen königlicher Würde nicht wie in der kaiserlichen den Zusammenhang mit der Vergangenheit abzubrechen, ließ sich dagegen nicht leicht etwas einwenden; allein es wurde, um Ungarn nichts besonderes zutheil werden zu lassen, das Gleich= gewicht dadurch hergestellt daß sich Ferdinand als Kaiser von Österreich den Ersten, als König von Ungarn „und Böhmen" den Fünften nannte. In einem ähnlichen, nur viel bedeutsameren Falle befand man sich im Frühjahr 1848, wo durch die überstürzten Gewährungen des März Un= garn in eine Lage gesetzt war, in der es sich thatsächlich seit 1526 nie= mals befunden und auf die es darum nach Recht und Vernunft keinen Anspruch hatte. Auch Böhmen war im März wiederholt mit eigenthüm= lichen Ansprüchen hervorgetreten, die man jedoch in Wien in einer viel vorsichtigeren Weise zu bescheiden wußte; und um vollends den ungarischen Anmaßungen die Stange zu halten, scheint man darauf verfallen zu sein, an die Spitze der Verwaltung von Böhmen, vielleicht mit dem Hinter= gedanken die von Mähren und Schlesien hinzuzufügen, den dereinstigen Thronfolger zu stellen. Allein unmittelbar darnach kamen die Bedenken. „Sei es wohl angezeigt", politisirten die Kurzsichtigen, „wenn man schon Ungarn zu viel gegeben, nun auch den Ländern der böhmischen Krone ein Ungewöhnliches einzuräumen?" Dazu jene Scheelsucht gegen alles Böhmische, die in Wiener Kreisen seit langem bereitwillige Ohren fand und die jetzt etwas anstößiges darin erblicken mochte, durch einen auffal= lenden Act das Land bevorzugen zu wollen das ohnehin an geistiger und materieller Thatkraft allen andern voranging. Endlich durfte man fragen, ob es klug sei einen kaiserlichen Prinzen, wie dies in Ungarn mit dem Erzherzog=Palatin der Fall schon war, und nun gar den künftigen Mo= narchen, zwischen eine ihre Sonder=Interessen lebhaft verfolgende Nation und den das Gesammtwohl des Kaiserstaates wahrenden Souverain zn stellen?! Diese letztere Erwägung war die einzige staatsmännisch=triftige, und so benützte man den Umstand, daß Graf Thun nicht augenblicklich auf seinen neuen Dienstposten abgehen konnte, als willkommenen Vorwand die ganze Sache wieder einschlafen zu lassen [351]). Der Name des Prinzen erschien in der Zwischenzeit bei der Kaiserfahrt nach Presburg, 10. und 11. April, an der er mit seinem erzherzoglichen Vater theilnahm. Einige Tage später sehen wir ihn einer Sitzung unter dem Vorsitz des letzteren beiwohnen, wo im höchsten Rathe der Krone der Entwurf der zu octrohiren= den Verfassung zum letztenmal geprüft wurde; er scheint hier, wie es bei seiner Jugend kaum anders sein konnte, blos als Zuhörer beigezogen worden zu sein; er nahm weder an der Berathung noch an der Schluß= fassung thätigen Antheil.

Es war begreiflich daß alle die es mit der Dynastie gut meinten angstvoll besorgt waren, man möchte nur ja den jungen Prinzen, die Hoffnung Österreichs, außer Berührung mit allem bringen und halten, was ihn irgend in das Parteigetriebe jener traurigen Tage verflechten könnte. Sie athmeten deshalb freier auf als sie am 29. April aus dem amtlichen Theile der „Wiener Zeitung" erfuhren, daß sich Erzherzog Franz Joseph von seinem Vater die Erlaubnis erwirkt habe „vor dem Antritte seiner Mission nach Böhmen" den italienischen Kriegsschauplatz zu besuchen, „um ein lebendiges Bild von den Rüstungen und Verthei= digungs=Mitteln zu erhalten, welche Feldmarschall Graf Radecky gesam= melt hat und womit er an der Spitze des muthvollen österreichischen Heeres den vom Auslande her eingedrungenen Aufwieglern und Feinden der Ruhe entgegentritt". Aber auch er selbst, der thatendurstige Jüng= ling, fühlte sich wie neu geboren als er sich aus der schwülen Wiener Atmosphäre in die frische Luft des italienischen Feldlagers versetzt sah. Dem alten Herrn zwar kam er nicht gelegen, und derselbe ließ ihn dies beim ersten Empfange fühlen. Wir berichten den Vorfall, wie ihn Radecky selbst, nicht ohne daß ihm dabei jedesmal die Augen feucht wurden, zu erzählen pflegte und wie er aus dieser Quelle in unserer italienischen Armee die Runde machte. „Kaiserliche Hoheit", so unge= fähr sprach ihn der greise Feldherr an, „was sollen Sie hier? Ihre Gegenwart bereitet mir nur Schwierigkeiten. Trifft Sie ein Unglück, welche Verantwortlichkeit für mich! Werden Sie gefangen, so können alle Vortheile die meine Armee erringt verloren gehen!" „„Herr Feld= marschall""", erwiederte der junge Prinz darauf, „„es mag eine Unvor= sichtigkeit gewesen sein mich hierher zu senden; nun ich aber einmal da

bin, verbietet es mir meine Ehre unverrichteter Dinge zurückzugehen""".
Solche Worte mußten einen alten Soldaten entwaffnen, Radecky fühlte
wie ihm das Wasser in die Augen trat, er drückte seinem jugendlichen
Cameraden die Hand, und von einer Umkehr wurde nicht weiter ge=
sprochen. Es war am 6. Mai bei Santa Lucia wo der kaiserliche
Jüngling die Feuertaufe empfing, an jenem ruhmvollen Tage da der erste
freundliche Sonnenblick das Gewölk durchbrach das seit den Märztagen
wie ein düsteres Verhängnis über den Geschicken Österreichs gehangen
hatte. Der Erzherzog befand sich während des Gefechtes an der Seite
des F. M. L. d'Aspre, der in seinem Berichte an den Oberfeldherrn
voll des Lobes über dessen Unerschrockenheit war: „Er schien die Ge=
fahr nicht zu bemerken, nicht zu achten." Radecky schrieb in seiner Re=
lation an den Kriegs=Minister: „Ich selbst war Augenzeuge wie eine
Kanonenkugel auf kurze Distanz vor dem Erzherzog einschlug, ohne· daß
er die geringste Bewegung dabei verrieth". D'Aspre konnte ihn dem
Kugelregen nur dadurch entziehen, daß er ihn mit einer Cavallerie=Di=
vision an eine Stelle beorderte von wo aus der allenfallsige Rückzug zu
decken war [352]). Im Grunde sprach aber diese todesverachtende Hal=
tung des Prinzen nur dafür, wie richtig Radecky beim ersten Empfange
desselben geurtheilt hatte, und so ungern er und seine Armee den
kaiserlichen Jüngling aus ihrer Mitte scheiden sahen, fühlte sich der er=
fahrene Feldherr doch einer großen Sorge überhoben, als mit dem Ein=
treffen des Hofes in Innsbruck Erzherzog Franz gleichfalls dahin be=
rufen wurde.

Die persönliche Umgebung des Prinzen hatte mittlerweile voll=
ständig gewechselt. Schon als er am 25. April Wien verlassen um zur
Armee zu gehen, war es nicht Coronini der ihn begleitete, sondern Graf
Alexander Mensdorf=Pouilly, damals Major bei Alexander=Husaren,
der als Kammerherr an jenes Stelle trat; Coronini übernahm das
Commando einer Brigade in Süd=Tyrol. Die Entfernung des Hofes
von Wien entschied zugleich über das Schicksal des Grafen Bombelles.
Der Haß, womit ihn die radicale Partei verfolgte, hatte sich während
der Reise in allerhand Auftritten zu Linz und anderwärts in einer
solchen Weise kundgegeben, daß er gleich nach der Ankunft in Innsbruck
um seine Entlassung bat und sich in die Nähe von Bozen zurückzog.
Von den Lehrern der kaiserlichen Prinzen hatte nur Domherr Columbus
den Hof begleitet; der bisherige Lehrer der Geschichte, Dr. Johann Fick,

schied gleichzeitig mit seinem Beschützer Bombelles. Zum Kammervor=
steher bei Erzherzog Franz wurde Oberst Graf Karl Grünne bestimmt.
Er hatte bis dahin dieselbe Stelle beim Erzherzog Stephan begleitet der
ihm sehr zugethan vor; allein die Verwicklung der Dinge in Ungarn
hatte ihn als kaiserlichen Soldaten, auf den die Blicke aller höher ste=
henden Officiere des Landes gerichtet waren, in eine mit jedem Tage
schwierigere Stellung gebracht, so daß er wiederholt sowohl bei Latour
als unmittelbar bei Radecky um Eintheilung in sein Regiment bat. Er be=
fand sich zur persönlichen Betreibung dieser Angelegenheit in Wien und
hatte bereits vom Feldmarschall aus Italien freundliche Zusage erhalten,
als ihn ein Befehl aus Innsbruck an das kaiserliche Hoflager beschied.
Ein besonderer Umstand scheint auf die Wahl Grünne's bestimmend ein=
gewirkt zu haben. Die verletzenden Auftritte in den Wiener Maitagen
und unmittelbar darauf die entgegenkommende Haltung Prag's hatten
das halb vergessene Project, den Erzherzog Franz Joseph an die Spitze
der böhmischen Regierung zu stellen, neuerdings in Erinnerung gebracht,
und für diesen Zweck schien Grünne, der dem Erzherzoge Stephan in glei=
cher Eigenschaft zur Seite gestanden, der geeignete Mann zu sein. Der Prager
Juni=Aufstand machte nun allerdings diesen Plan zum zweitenmal schei=
tern: allein bei der einmal getroffenen Wahl blieb es. Für den Prin=
zen der am 8. Juni in Innsbruck eintraf, kam nach den Aufregungen
des Feldlagers, von wo er nebst den nachhaltigsten Eindrücken eine reiche
Mappe von Trachtenbildern, Lager=Scenen u. dgl. mitbrachte, nun wie=
der eine Zeit friedlicher Beschäftigungen. Sein Unterricht war mit Aus=
nahme der militärischen und der juridisch=politischen Wissenschaften ab=
geschlossen. Ersterer konnte es bei dem Abgang geeigneter Lehrkräfte an
Ort und Stelle leider nicht mehr werden; Lesung militärischer Schriften
und einzelne Ausarbeitungen, wobei ihm Oberst Baron Ludwig Handel
— seit April 1848 Kammerherr bei Erzherzog Ferdinand — an die
Hand ging, waren kein ausreichender Ersatz. Für die Unterweisung in
den geistlichen Rechten war Domherr Columbus da, jene in den öster=
reichischen Gesetzen wurde dem Dr. Karl Albaneder, einem vielverspre=
chenden Juristen anvertraut. Professor Albert Jäger unternahm die
Fortsetzung des Geschichts=Unterrichts bei den beiden jüngern Prinzen;
bei ihrem ältern Bruder, der seinen Cursus aus diesem Fache bereits
beendet hatte, fand keine eigentliche Unterweisung statt, es wurde ihm
freigestellt selbst den Gegenstand zu bezeichnen mit dem er sich beschäftigen

wollte: er wählte die tyrolische Landesgeschichte. Noch ein Unterschied
war hiebei bemerkbar. Während bei den Lehrstunden der jüngern Prinzen regelmäßig der betreffende Kammerherr zugegen war und meist auch
Kaiser Ferdinand, gewöhnlich abseits in einer Ecke sitzend, beiwohnte,
wurde Erzherzog Franz mit seinem Mentor sich selbst überlassen. Es
war das eine Art emancipirender Bevorzugung die man ihm dadurch zu
erkennen gab, und sie war an ihrem Platze. In der That schien der
kurze Aufenthalt im Lager Radecky's, in der unmittelbaren Nähe ernsten
wechselvollen Waffenspiels, jene Eigenschaften nur noch mehr entfaltet
zu haben die alle seine Lehrer schon früher zu beobachten Gelegenheit
hatten: seinen Verstand, seinen Ernst und in seinem äußern Wesen, bei
aller Lebendigkeit, bei allem jugendlichen Frohsinn, eine gewisse gebiete-
rische Hoheit in Haltung und Benehmen die weit über seine Jahre
ging. Sein vorwaltend auf's praktische gerichteter Sinn gab sich in
der tief bewegten Zeit bei jedem Anlasse kund. Die Geschichte der früheren Jahrhunderte war jetzt nicht im Stande ihn besonders zu fesseln,
es wäre denn daß er Beziehungen herausfand durch die er an die Gegenwart anknüpfen konnte. Als Jäger von der Völkerwanderung sprach,
deren große Heerstraße auch über Thyrol gegangen, daraus die Mischung
der Einwohnerschaft, die sich noch heute in den so verschiedenen Trachten offenbare, ableitete und dabei auf eines der Wandgemälde wies —
man befand sich in einem mit Altmütter'schen Fresken ausgestatteten Gelasse —, wo Andreas Hofer umringt von Männern aus allen Theilen
des Landes zu schauen war, fiel ihm der Prinz in's Wort: „Es mag
richtig sein wie Sie den Ursprung dieser abweichenden Kleidung herlei-
ten; aber wie erklären Sie die Verschiedenheit in der Gesinnung von
Bewohnern eines und desselben Landes, von denen die Einen so treu
zur Dynastie stehen, während die Andern mit unsern Feinden conspiriren?" Überhaupt verfolgte der Prinz, der damals keine Ahnung von
seiner nahen hohen Bestimmung hatte, alles wichtige was um ihn vorging mit der größten Aufmerksamkeit. Eines Tages traf ihn Jäger, als
er um die gewohnte Stunde zum Vortrage erschien, über einem Pack
Zeitungen die ihm der Prinz, der im selben Augenblicke abgerufen wurde,
übergab damit sich Jäger einstweilen die Zeit damit vertreibe; er wies
dabei auf einen Artikel der „Constitution" oder eines andern Wiener
Blattes, wo Füster zum Unterrichts-Minister vorgeschlagen wurde: „Ich
bitte Sie", sprach er im Abgehen, „mir wenn ich zurückkomme Ihre

25

bestimmt worden; Pilgram aber, dem Rauscher zu hochkirchlich war, wählte für das Canonicum den Domherrn Dr. Jos. Columbus. Die Unterweisung in den juridischen Fächern begann 1847; am Ende des ersten Jahres wurde eine Art von Richteramtsprüfung vorgenommen, die der Erzherzog in glänzender Weise bestand.

Noch ist einer besonderen Art von Belehrung zu gedenken, die der Prinz im letzten Jahre seiner Ausbildung genoß: alle Sonntage verfügte er sich in das Gebäude der Staatskanzlei, wo ihn etwa eine Stunde lang Fürst Metternich in die Geheimnisse der Regierungskunst einweihte.

So finden wir den kaiserlichen Prinzen, „die Blüthe Habsburgs", am Eingange einer großen Zeit in geistiger und körperlicher Hinsicht mit seltenen Vorzügen ausgestattet. Er hat mehr und vielseitigeres in sich aufgenommen und geistig verarbeitet als vielleicht irgend ein Jüngling seines Alters im ganzen Umfange der Monarchie. Ein treffliches Ge= dächtnis, insbesondere für Physiognomien, das alte Erbtheil der Fürsten seines Hauses, und ein ausgebildetes Talent für Sprachen, deren jede er in der ihr eigenthümlichen Weise und Betonung zu gebrauchen wußte, kamen ihm glücklich zu statten; man konnte ihn einen jungen Mithridates nennen, der bekanntlich alle Sprachen seines weiten Reiches verstand und jeden seiner Unterthanen und Soldaten in den Lauten seiner Heimat an= zureden wußte. Wenn dem von der Natur so reich bedachten Jüngling etwas abging, so war es die Welt des Schönen, der heitern freien Kunst, deren feineres Verständnis ihm verschlossen zu sein schien; geschah in der nachbarlich verwandten Isar=Stadt in diesem Punkte vielleicht etwas zu viel, so wurde er in der alten Kaiserburg zu Wien letzter Zeit mit Un= gebühr hintangesetzt. Ein vorwaltend praktischer Sinn, der sich bei unse= rem Prinzen frühzeitig bemerkbar machte, stand ohne heilsames Gegen= gewicht da, wenn nicht ein tief religiöses Gefühl ihn mit den höhern Seiten des menschlichen Daseins in stets wiederkehrende Berührung brachte. Von einer besondern Neigung zur Musik, dieser traditionellen Neigung seiner Vorfahren, war bei dem jungen Erzherzog nichts wahr= zunehmen. Für das Zeichnen besaß er ausgesprochene Begabung und Vorliebe — Peter Joh. Nep. Geiger war darin sein Lehrer —; allein auch hier war es das realistische Moment, ein Sinn für das Drastische in Ernst und Scherz, was ihn charakterisirte. Er legte, während man ihm etwas erzählte oder vortrug was nicht seine gespannte Aufmerksam=

keit verlangte, den Stift nicht aus der Hand, und da waren es meiſt
Kampf= oder Sport=Scenen die ſich auf dem Papier vor ihm entwickel=
ten. Aus den Jahren 1846 und 1847 exiſtirt eine Reihe von ſechs Zeich=
nungen die, einer Mappe entlehnt welche der Prinz von einer Reiſe
in das lombardiſch=venetianiſche Königreich heimbrachte, von ihm auf Stein
übertragen und in einer geringen Anzahl von Exemplaren abgezogen
wurden. Sie ſind durchaus von ſeiner eigenen Hand, der Lehrer vermied
es grundſätzlich auch nur einen Strich nachzubeſſern, und haben allerhand
Trachten und Scenen zum Vorwurf, hier eine Gruppe vor einer Oſteria,
da einen Taſchenſpieler der vor einer Schaar Gaffender ſeine Künſte
ausruft, dort das Innere eines Schiffsraums mit ruhenden oder ſpielen=
den Matroſen u. dgl. Eine humoriſtiſche Ader pulſirt merklich in der
Hand des jungen Künſtlers. Die Erſcheinung des Prinzen war eine
äußerſt vortheilhafte. Über der Maſſe von Lernſtoff, den er zu bewältigen
hatte, war ſeine körperliche Ausbildung nicht vernachläſſigt worden.
Gymnaſtiſche und militäriſche Übungen wirkten hierin zuſammen. Er war
ein eben ſo gewandter Reiter als glücklicher Schütze. Als Knabe von bei=
läufig eilf Jahren traf er bei einem Scheibenſchießen in Salzburg mitten
in's Schwarze und mit Befriedigung konnte er, vom Fleck weg zum
Ehrenmitglied der Schützengeſellſchaft ernannt, ſeinen Namen in deren
Gedenkbuch eintragen. Über ſeine ſchlanke Geſtalt, über ſeine Haltung
und Bewegungen war der Zauber jugendlicher Anmuth und Schnellkraft
ausgegoſſen, zugleich aber der Ausdruck einer gewiſſen Würde, eines
Selbſtgefühls ſeiner künftigen Beſtimmung, den Fernerſtehende fälſchlich
für Hochmuth nahmen. Bezeichnend war es jedenfalls, daß man im
Publicum den Erzherzog, lang bevor er zu ſeinen Jahren gekommen
war, faſt allgemein den „Kronprinzen", den „Thronfolger" hieß, da doch
zwiſchen der regierenden Majeſtät und ihm ſein erzherzoglicher Vater ſtand.

    Aber auch von Seite der kaiſerlichen Familie ſchien man es darauf
angelegt zu haben jener Meinung Vorſchub zu leiſten. Es war am 16.
October 1847 wo der Prinz zum erſtenmal vor der Öffentlichkeit erſchien,
als königlicher Commiſſar und Stellvertreter Sr. Majeſtät die Inſtalla=
tion ſeines erlauchten Vetters Erzherzogs Stephan als Obergeſpan des
Peſter Comitats vorzunehmen. In der ſchmucken Uniform von Kaiſer=
Huſaren ſtellte ſich, mit ſtürmiſchen Eljen empfangen, der ſiebenzehnjäh=
rige Jüngling der Verſammlung vor die er in wohlgeſetzter magyariſcher
Rede begrüßte, indem er ſeine Freude ausſprach ſeine erſte amtliche Func=

tion im geliebten Ungarlande vornehmen zu können. Seine Worte, im reinsten Ungarisch mit klangvoller Stimme gesprochen, versetzten seine heißblütige Zuhörerschaft in einen wahren Taumel von Entzücken, welchem sie durch feurige Eljen=Rufe, durch beifälliges Säbelrasseln, durch Auf= springen von den Sitzen wechselvollen Ausdruck gab; es ging eine freu= dige Erregung, eine Begeisterung durch den Saal, wie man lang nichts ähnliches erlebt hatte. Der Vorgang stand Allen in frischem Gedächtnis, als Kossuth im ungarischen Landtagssaale im Laufe seiner entflammenden Philippika vom 3. März 1848 daran erinnerte und „des hoffnungsreichen Sprößlings aus dem Hause Habsburg, des Erzherzogs Franz Joseph“ gedachte, „der schon bei seinem ersten Auftreten die Liebe der Nation zu gewinnen wußte“; lauter Beifallsruf von allen Bänken tönte den Worten des Redners zu. Eine ähnliche Scene spielte sich zehn Tage später im Hofe des Landhausgebäudes zu Wien ab, wo vom Brunnendache herab der Tyroler Putz der fieberhaft erregten Menge die Landtags=Rede Kos= suth's vorlas; als es zu der bezeichneten Stelle kam, da erschütterte lang andauernder Jubel die Luft, die Hüte wurden geschwenkt, die Be= geisterung der Versammlung erreichte den höchsten Grad; die Stelle mußte noch einmal gelesen werden und wurde noch einmal bejubelt und beklatscht. War doch schon in den Tagen vor dem 13. unter den Leuten gesprochen worden: Kaiser Ferdinand werde die Krone niederlegen, Erzherzog Ludwig bis zur Volljährigkeit des Thronfolgers Franz Joseph die Regentschaft führen [349]). Also hier wieder das Überspringen von dem alternden Onkel unmittelbar auf den jugendlichen Neffen! Auch war es eine bezeichnende Erscheinung daß, so sehr in den folgenden stürmischen Monaten die Zu= neigung für das regierende Haus vielseitig erkaltete, ja nur zu oft in das Gegentheil umschlug, so sehr namentlich das erzherzogliche Paar, der Ajo ihrer Prinzen und andere dem Hof nahestehende Persönlichkeiten Verleumdungen und Unglimpf aller Art zu erdulden hatten, der Name des Prinzen Franz Joseph stets von dem allgemeinen Mistrauen oder Ingrimm wie herausgehalten wurde.

Von Seite der kaiserlichen Familie war der junge Erzherzog, ohne daß er darum mußte, während der ganzen Zeit der Bewegung ein Gegen= stand besonderer Sorgfalt; es war selbst allerhand im Zuge ihn in die Öffentlichkeit zu bringen, wovon man aber jedesmal bald wieder zurück= kam. So hatte man Anfangs April im Sinne ihn an die Spitze der Landesverwaltung von Böhmen [350]) zu stellen, wohin gleichzeitig Graf

Leo Thun als Gubernial=Vice=Präsident ernannt wurde. Über Anlaß und Beweggrund dieses Entschlußes vermögen wir nur Muthmaßungen aus= zusprechen. Seit es sich gegen Ende der zwanziger Jahre in Ungarn merkbar zu regen begonnen, war man an unserem Hofe eifersüchtig da= rauf bedacht, es daselbst nicht zu einer die Einheit des Reiches störenden Sonderstellung kommen zu laffen, wofür das staatsrechtliche Verhältnis Böhmens ein passendes Gegenmittel bot. Als es sich nach dem Tode des Kaisers Franz um den Titel des neuen Monarchen handelte und von ungarischer Seite darauf bestanden wurde, in deffen königlicher Würde nicht wie in der kaiserlichen den Zusammenhang mit der Vergangenheit abzubrechen, ließ sich dagegen nicht leicht etwas einwenden; allein es wurde, um Ungarn nichts besonderes zutheil werden zu laffen, das Gleich= gewicht dadurch hergestellt daß sich Ferdinand als Kaiser von Österreich den Ersten, als König von Ungarn „und Böhmen" den Fünften nannte. In einem ähnlichen, nur viel bedeutsameren Falle befand man sich im Frühjahr 1848, wo durch die überstürzten Gewährungen des März Un= garn in eine Lage gesetzt war, in der es sich thatsächlich seit 1526 nie= mals befunden und auf die es darum nach Recht und Vernunft keinen Anspruch hatte. Auch Böhmen war im März wiederholt mit eigenthüm= lichen Ansprüchen hervorgetreten, die man jedoch in Wien in einer viel vorsichtigeren Weise zu bescheiden wußte; und um vollends den ungarischen Anmaßungen die Stange zu halten, scheint man darauf verfallen zu sein, an die Spitze der Verwaltung von Böhmen, vielleicht mit dem Hinter= gedanken die von Mähren und Schlesien hinzuzufügen, den dereinstigen Thronfolger zu stellen. Allein unmittelbar darnach kamen die Bedenken. „Sei es wohl angezeigt", politisirten die Kurzsichtigen, „wenn man schon Ungarn zu viel gegeben, nun auch den Ländern der böhmischen Krone ein Ungewöhnliches einzuräumen?" Dazu jene Scheelsucht gegen alles Böhmische, die in Wiener Kreisen seit langem bereitwillige Ohren fand und die jetzt etwas anstößiges darin erblicken mochte, durch einen auffal= lenden Act das Land bevorzugen zu wollen das ohnehin an geistiger und materieller Thatkraft allen andern voranging. Endlich durfte man fragen, ob es klug sei einen kaiserlichen Prinzen, wie dies in Ungarn mit dem Erzherzog=Palatin der Fall schon war, und nun gar den künftigen Mo= narchen, zwischen eine ihre Sonder=Interessen lebhaft verfolgende Nation und den das Gesammtwohl des Kaiserstaates wahrenden Souverain zu stellen?! Diese letztere Erwägung war die einzige staatsmännisch=triftige,

und so benützte man den Umstand, daß Graf Thun nicht augenblicklich
auf seinen neuen Dienstposten abgehen konnte, als willkommenen Vorwand
die ganze Sache wieder einschlafen zu lassen [351]). Der Name des Prinzen
erschien in der Zwischenzeit bei der Kaiserfahrt nach Presburg, 10. und
11. April, an der er mit seinem erzherzoglichen Vater theilnahm. Einige
Tage später sehen wir ihn einer Sitzung unter dem Vorsitz des letzteren
beiwohnen, wo im höchsten Rathe der Krone der Entwurf der zu octroyiren=
den Verfassung zum letztenmal geprüft wurde; er scheint hier, wie es bei
seiner Jugend kaum anders sein konnte, blos als Zuhörer beigezogen
worden zu sein; er nahm weder an der Berathung noch an der Schluß=
fassung thätigen Antheil.

Es war begreiflich daß alle die es mit der Dynastie gut meinten
angstvoll besorgt waren, man möchte nur ja den jungen Prinzen, die
Hoffnung Österreichs, außer Berührung mit allem bringen und halten,
was ihn irgend in das Parteigetriebe jener traurigen Tage verflechten
könnte. Sie athmeten deshalb freier auf als sie am 29. April aus dem
amtlichen Theile der „Wiener Zeitung" erfuhren, daß sich Erzherzog
Franz Joseph von seinem Vater die Erlaubnis erwirkt habe „vor dem
Antritte seiner Mission nach Böhmen" den italienischen Kriegsschauplatz
zu besuchen, „um ein lebendiges Bild von den Rüstungen und Verthei=
digungs=Mitteln zu erhalten, welche Feldmarschall Graf Radecky gesam=
melt hat und womit er an der Spitze des muthvollen österreichischen
Heeres den vom Auslande her eingedrungenen Aufwieglern und Feinden
der Ruhe entgegentritt". Aber auch er selbst, der thatendurstige Jüng=
ling, fühlte sich wie neu geboren als er sich aus der schwülen Wiener
Atmosphäre in die frische Luft des italienischen Feldlagers versetzt sah.
Dem alten Herrn zwar kam er nicht gelegen, und derselbe ließ ihn dies
beim ersten Empfange fühlen. Wir berichten den Vorfall, wie ihn
Radecky selbst, nicht ohne daß ihm dabei jedesmal die Augen feucht
wurden, zu erzählen pflegte und wie er aus dieser Quelle in unserer
italienischen Armee die Runde machte. „Kaiserliche Hoheit", so unge=
fähr sprach ihn der greise Feldherr an, „was sollen Sie hier? Ihre
Gegenwart bereitet mir nur Schwierigkeiten. Trifft Sie ein Unglück,
welche Verantwortlichkeit für mich! Werden Sie gefangen, so können alle
Vortheile die meine Armee errang verloren gehen!" „„Herr Feld=
marschall""", erwiederte der junge Prinz darauf, „„es mag eine Unvor=
sichtigkeit gewesen sein mich hierher zu senden; nun ich aber einmal da

bin, verbietet es mir meine Ehre unverrichteter Dinge zurückzugehen"".
Solche Worte mußten einen alten Soldaten entwaffnen, Radecky fühlte
wie ihm das Wasser in die Augen trat, er drückte seinem jugendlichen
Cameraden die Hand, und von einer Umkehr wurde nicht weiter ge=
sprochen. Es war am 6. Mai bei Santa Lucia wo der kaiserliche
Jüngling die Feuertaufe empfing, an jenem ruhmvollen Tage da der erste
freundliche Sonnenblick das Gewölk durchbrach das seit den Märztagen
wie ein düsteres Verhängnis über den Geschicken Österreichs gehangen
hatte. Der Erzherzog befand sich während des Gefechtes an der Seite
des F. M. L. d'Aspre, der in seinem Berichte an den Oberfeldherrn
voll des Lobes über dessen Unerschrockenheit war: „Er schien die Ge=
fahr nicht zu bemerken, nicht zu achten." Radecky schrieb in seiner Re=
lation an den Kriegs = Minister: „Ich selbst war Augenzeuge wie eine
Kanonenkugel auf kurze Distanz vor dem Erzherzog einschlug, ohne· daß
er die geringste Bewegung dabei verrieth". D'Aspre konnte ihn dem
Kugelregen nur dadurch entziehen, daß er ihn mit einer Cavallerie=Di=
vision an`eine Stelle beorderte von wo aus der allenfallsige Rückzug zu
decken war [352]). Im Grunde sprach aber diese todesverachtende Hal=
tung des Prinzen nur dafür, wie richtig Radecky beim ersten Empfange
desselben geurtheilt hatte, und so ungern er und seine Armee den
kaiserlichen Jüngling aus ihrer Mitte scheiden sahen, fühlte sich der er=
fahrene Feldherr doch einer großen Sorge überhoben, als mit dem Ein=
treffen des Hofes in Innsbruck Erzherzog Franz gleichfalls dahin be=
rufen wurde.

Die persönliche Umgebung des Prinzen hatte mittlerweile voll=
ständig gewechselt. Schon als er am 25. April Wien verlassen um zur
Armee zu gehen, war es nicht Coronini der ihn begleitete, sondern Graf
Alexander Mensdorf=Pouilly, damals Major bei Alexander = Husaren,
der als Kammerherr an jenes Stelle trat; Coronini übernahm das
Commando einer Brigade in Süd=Tyrol. Die Entfernung des Hofes
von Wien entschied zugleich über das Schicksal des Grafen Bombelles.
Der Haß, womit ihn die radicale Partei verfolgte, hatte sich während
der Reise in allerhand Auftritten zu Linz und anderwärts in einer
solchen Weise kundgegeben, daß er gleich nach der Ankunft in Innsbruck
um seine Entlassung bat und sich in die Nähe von Bozen zurückzog.
Von den Lehrern der kaiserlichen Prinzen hatte nur Domherr Columbus
den Hof begleitet; der bisherige Lehrer der Geschichte, Dr. Johann Fick,

schied gleichzeitig mit seinem Beschützer Bombelles. Zum Kammervor-
steher bei Erzherzog Franz wurde Oberst Graf Karl Grünne bestimmt.
Er hatte bis dahin dieselbe Stelle beim Erzherzog Stephan begleitet der
ihm sehr zugethan vor; allein die Verwicklung der Dinge in Ungarn
hatte ihn als kaiserlichen Soldaten, auf den die Blicke aller höher stehenden Officiere des Landes gerichtet waren, in eine mit jedem Tage
schwierigere Stellung gebracht, so daß er wiederholt sowohl bei Latour
als unmittelbar bei Radecky um Eintheilung in sein Regiment bat. Er befand sich zur persönlichen Betreibung dieser Angelegenheit in Wien und
hatte bereits vom Feldmarschall aus Italien freundliche Zusage erhalten,
als ihn ein Befehl aus Innsbruck an das kaiserliche Hoflager beschied.
Ein besonderer Umstand scheint auf die Wahl Grünne's bestimmend ein-
gewirkt zu haben. Die verletzenden Auftritte in den Wiener Maitagen
und unmittelbar darauf die entgegenkommende Haltung Prag's hatten
das halb vergessene Project, den Erzherzog Franz Joseph an die Spitze
der böhmischen Regierung zu stellen, neuerdings in Erinnerung gebracht,
und für diesen Zweck schien Grünne, der dem Erzherzoge Stephan in gleicher Eigenschaft zur Seite gestanden, der geeignete Mann zu sein. Der Prager
Juni-Aufstand machte nun allerdings diesen Plan zum zweitenmal scheitern: allein bei der einmal getroffenen Wahl blieb es. Für den Prinzen der am 8. Juni in Innsbruck eintraf, kam nach den Aufregungen
des Feldlagers, von wo er nebst den nachhaltigsten Eindrücken eine reiche
Mappe von Trachtenbildern, Lager-Scenen u. dgl. mitbrachte, nun wieder eine Zeit friedlicher Beschäftigungen. Sein Unterricht war mit Ausnahme der militärischen und der juridisch-politischen Wissenschaften abgeschlossen. Ersterer konnte es bei dem Abgang geeigneter Lehrkräfte an
Ort und Stelle leider nicht mehr werden; Lesung militärischer Schriften
und einzelne Ausarbeitungen, wobei ihm Oberst Baron Ludwig Handel
— seit April 1848 Kammerherr bei Erzherzog Ferdinand — an die
Hand ging, waren kein ausreichender Ersatz. Für die Unterweisung in
den geistlichen Rechten war Domherr Columbus da, jene in den österreichischen Gesetzen wurde dem Dr. Karl Albaneder, einem vielverspre-
chenden Juristen anvertraut. Professor Albert Jäger unternahm die
Fortsetzung des Geschichts-Unterrichts bei den beiden jüngern Prinzen;
bei ihrem ältern Bruder, der seinen Cursus aus diesem Fache bereits
beendet hatte, fand keine eigentliche Unterweisung statt, es wurde ihm
freigestellt selbst den Gegenstand zu bezeichnen mit dem er sich beschäftigen

wollte: er wählte die tyrolische Landesgeschichte. Noch ein Unterschied
war hiebei bemerkbar. Während bei den Lehrstunden der jüngern Prinzen regelmäßig der betreffende Kammerherr zugegen war und meist auch
Kaiser Ferdinand, gewöhnlich abseits in einer Ecke sitzend, beiwohnte,
wurde Erzherzog Franz mit seinem Mentor sich selbst überlassen. Es
war das eine Art emancipirender Bevorzugung die man ihm dadurch zu
erkennen gab, und sie war an ihrem Platze. In der That schien der
kurze Aufenthalt im Lager Radecky's, in der unmittelbaren Nähe ernsten
wechselvollen Waffenspiels, jene Eigenschaften nur noch mehr entfaltet
zu haben die alle seine Lehrer schon früher zu beobachten Gelegenheit
hatten: seinen Verstand, seinen Ernst und in seinem äußern Wesen, bei
aller Lebendigkeit, bei allem jugendlichen Frohsinn, eine gewisse gebiete-
rische Hoheit in Haltung und Benehmen die weit über seine Jahre
ging. Sein vorwaltend auf's praktische gerichteter Sinn gab sich in
der tief bewegten Zeit bei jedem Anlasse kund. Die Geschichte der früheren Jahrhunderte war jetzt nicht im Stande ihn besonders zu fesseln,
es wäre denn daß er Beziehungen herausfand durch die er an die Gegenwart anknüpfen konnte. Als Jäger von der Völkerwanderung sprach,
deren große Heerstraße auch über Tyrol gegangen, daraus die Mischung
der Einwohnerschaft, die sich noch heute in den so verschiedenen Trachten offenbare, ableitete und dabei auf eines der Wandgemälde wies —
man befand sich in einem mit Altmütter'schen Fresken ausgestatteten Ge-
laffe —, wo Andreas Hofer umringt von Männern aus allen Theilen
des Landes zu schauen war, fiel ihm der Prinz in's Wort: „Es mag
richtig sein wie Sie den Ursprung dieser abweichenden Kleidung herlei-
ten; aber wie erklären Sie die Verschiedenheit in der Gesinnung von
Bewohnern eines und desselben Landes, von denen die Einen so treu
zur Dynastie stehen, während die Andern mit unfern Feinden conspiriren?" Überhaupt verfolgte der Prinz, der damals keine Ahnung von
seiner nahen hohen Bestimmung hatte, alles wichtige was um ihn vorging mit der größten Aufmerksamkeit. Eines Tages traf ihn Jäger, als
er um die gewohnte Stunde zum Vortrage erschien, über einem Pack
Zeitungen die ihm der Prinz, der im selben Augenblicke abgerufen wurde,
übergab damit sich Jäger einstweilen die Zeit damit vertreibe; er wies
dabei auf einen Artikel der „Constitution" oder eines andern Wiener
Blattes, wo Füster zum Unterrichts-Minister vorgeschlagen wurde: „Ich
bitte Sie", sprach er im Abgehen, „mir wenn ich zurückkomme Ihre

Meinung darüber zu sagen"... Der Aufenthalt in Innsbruck bot übrigens allerhand Abwechslung und Unterbrechungen. Dahin gehörten insbesondere die Schützen-Aufmärsche die aus allen Theilen des Landes den
Hof begrüßen kamen und denen der junge Erzherzog sich regelmäßig
zeigte. Ihn selbst sah man häufig in der Tyroler Joppe, den grünen
Gebirgshut auf dem Haupt, über die Achsel die Büchse die er so mei-
sterhaft zu handhaben wußte. Zeigte er sich dann in der Schießstätte auf
dem schlachtenberühmten Berge Isel und traf mit sicherem Auge und
fester Hand das Schwarze, da drängten sich jubelnd die bäuerlichen
Schützen um ihn und würden ihn wohl am liebsten auf ihren Schultern
triumphirend bis nach „Sprugg" hineingetragen haben. Auch interessante
Jagden gab es z. B. im Achenthaler Revier des Grafen Enzenberg; der
kräftig gewandte Jüngling stieg, um nur eine Gemse auf den Schuß zu
bekommen, mit einer Kühnheit die Felsen hinan, die eine Idee davon
gab wie sich sein längst vermoderter Vorfahr Kaiser Max einst so gefährlich habe versteigen können; vorsichtigerweise hatte der Jagdherr dem
Prinzen den erfahrensten und verläßlichsten seiner Jäger zur Seite gegeben...

Einsichtsvolle Patrioten wußten den Prinzen gern in Innsbruck;
am liebsten hätten sie ihn, freilich im Widerstreit mit der Ansicht Radecky's, bei der Armee in Italien gesehen; „nur nach Wien möge man
ihn nicht kommen lassen", wünschten sie, „dort sei unter den dermaligen
Umständen nicht der Platz für ihn" 353). Allein zuletzt kam er doch nach
Wien zurück; am 8. August trat er mit Grünne und Mensdorff die
Rückreise dahin an. Wie man ihn von da bald wieder weg zu bringen
suchte, wie darüber zwischen Schönbrunn und Prag correspondirt wurde,
wie sich aber zuletzt die Sache zerschlug, haben wir in der „Genesis des
Thronwechsels", womit es im Zusammenhang stand, bereits erzählt. Der
Erzherzog kam in Schönbrunn mit einigen seiner frühern Lehrer wieder
zusammen. Lichtenfels und Columbus setzten den Unterricht in den
Rechtswissenschaften mit ihm fort; Rauscher trug den beiden jüngern
Prinzen englische Verfassungsgeschichte und das Zeitalter der französischen
Revolution vor, woran sich häufig auch der älteste als Zuhörer betheiligte. Zu den frühern Fächern war seit November 1847 das Polnische
gekommen, wo Hofrath Zaleski den Führer abgab und auch in Schönbrunn bis zu seinem Abgang nach Galizien hierin thätig gewesen zu
sein scheint. Noch am 6. October befand sich Lichtenfels in Schönbrunn,

als die Nachricht von den Gewalt-Scenen an der Taborbrücke seinen
Vorträgen ein unerwartetes Ende bereitete. Am 7. früh wurde von
Schönbrunn aufgebrochen. Die jungen Prinzen legten den langen langsamen Weg zu Pferde nächst dem Wagen ihrer Eltern und des Kaiserpaares zurück. Auf Franz Joseph machte das Ereignis einen tiefen
Eindruck: es war als ob sein muthvoll stolzes Herz die Demüthigung
einer Reise, die leicht als Flucht ausgelegt werden konnte und in der
That ausgelegt wurde, nicht zu verwinden vermöchte. Noch in Olmütz,
wenn Gäste an der Hoftafel erschienen, fanden sie ihn schweigsam, in
sich gekehrt, über sein Alter ernst. Die Nachrichten die man aus Wien
erhielt lauteten trüber und trüber. Was sich in den abgelaufenen Monaten an Gift und Galle in der verführten Bevölkerung angesammelt
hatte, das machte sich jetzt in zügellos gemeiner Weise Luft. Man fluchte
dem Hause Habsburg, man fluchte dem Kaiser den man vordem als
den Gütigen gepriesen, man fluchte der Camarilla und vor allem, wie
sich's die Bethörten einreden ließen, der finstern Seele derselben, der
Urheberin von allem Übel, der Erzherzogin Sophie, für welche die sinnlose Wuth nicht Worte des Hasses und Abscheus genug hatte. Man
wollte die Kaiserburg an vier Ecken anzünden, der Statue des Kaisers
Franz den Kopf absägen, die Leiber der verstorbenen Habsburger aus
den Särgen reißen und auf die Straße werfen u. dgl. m. Und dennoch
— mitten in diesem Pfuhl der Versunkenheit brach in einzelnen Zügen
der unverwüstliche Grundton des Wiener Volkes hervor, dem es selbst
in ruhigen Zeiten im Schimpfen gegen die Regierung kaum ein anderes
gleich thut, das aber im Grunde es nie so böse damit meint. Ein Auftritt solchen Charakters bezog sich unmittelbar auf den Erzherzog Franz
Joseph. Es war in den letzten Tagen des October wo eine kleine Abtheilung Militär der Linie zu nahe kam und abgeschnitten wurde. Der
blutjunge Officier der sie commandirte sah dem „Kronprinzen" auffallend
ähnlich, wurde mindestens von den Nationalgarden dafür gehalten, und
in aller Eile verschafften sie ihm Mittel zur Flucht damit er nicht etwa
von General Bem als Geißel behalten würde; natürlich mußten auch sie,
um der Rache ihrer Führer zu entgehen, ihre Haut in Sicherheit bringen.
Noch am Schluße des Dramas, das sich jetzt in rascher Entwicklung vor
Wien abspielte, fand man eine Beziehung auf den jungen Erzherzog heraus:
in das Gemach wo er sonst seine Leibesübungen zu machen pflegte, erzählte
man sich in der Stadt, habe eine Bleikugel ihren Weg gefunden.

25*

Allmählig begannen sich die Aussichten wieder zu klären. Das neue
Ministerium war gebildet und nahm die Angelegenheit des Thronwech-
sels in die Hand. Das Gemüth des jungen Erzherzogs hatte seine
Kraft, sein Selbstvertrauen zurückgewonnen; er zeigte sich einfach, ohne
Falsch und Ziererei; die vorangegangenen Ereignisse waren in ihm nicht
verwischt, doch konnte er wieder jugendlich heiter sein wie in frühern
Tagen. Er kam in häufige Berührung mit Schwarzenberg und Stadion,
die verschiedene Anlässe ergriffen ihn für den hohen Beruf vorzubereiten
dem er entgegenging. Ein solcher ergab sich als am 19. November von
Lemberg ein Bataillon von Großfürst Michael eintraf, des einzigen ungarischen Infanterie-Regiments das in allen seinen Abtheilungen seinem
Eide treu geblieben. Von Stadion aufgemuntert und begleitet begab
sich der Prinz auf den Bahnhof, durchschritt die Reihen der Truppe und
sprach sie dann in ihrer Muttersprache an, indem er ihre Ausdauer,
ihre Treue und Anhänglichkeit an das Kaiserhaus lobte und sie ermahnte
auch fernerhin an ihrer Pflicht, an dem Eide zu ihren alten ruhmge-
krönten Fahnen zu halten. Die Soldaten weinten vor Freude als sie
ihren künftigen Kriegsherrn so kräftig und zugleich so wohlwollend in
den Lauten ihrer Heimat sprechen hörten, und riefen dem schmucken
Ritter donnernde Eljens zu [354]).

Erzherzog Franz war um diese Zeit in das Geheimnis seiner nahen
Bestimmung bereits eingeweiht. Seinem Bruder Ferdinand entging es
nicht daß etwas im Werke sei; „gewiß hat man für den Franzi wieder
einen Statthalter-Posten", meinte er. Äußerlich ging alles seinen gewohnten Gang. Erzherzog Franz war noch fortwährend Schüler; für
die juridischen Fächer nahm Professor Helm den Faden da auf wo ihn
Lichtenfels am 6. October hatte abbrechen müssen. Auch Prälat Rauscher und Domherr Columbus, beide gleichfalls Mitwissende, hatten sich
in Olmütz eingefunden. Noch am 1. December wurde die Stunde für
das Canonicum abgehalten, freilich nur pro forma; der Ernst des Augenblicks lag zu schwer auf Lehrer und Schüler als daß sie mit gewohnter
Aufmerksamkeit bei ihrem „Helfert" *) verweilen konnten.

---

*) Handbuch des Kirchenrechts von Consistorial-Rath Prof. Jos. Helfert (Prag
1845) nach welchem Columbus vortrug.

29.

Der neue Kaiser von Österreich bestieg den Thron seiner Väter im Alter von 18 Jahren 3 Monaten und 15 Tagen. Unter allen europäischen Regenten waren damals nur zwei jünger: die Königin Isabella II. von Spanien geboren am 10. October 1830, 18 Jahre 1 Monat 23 Tage, und der Fürst Georg Victor von Waldeck geb. 14. Jänner 1831, 17 Jahre 11 Monate 19 Tage alt.

Was im großen Publicum einen vorweg günstigen Eindruck machte war der Umstand, daß sich der junge Monarch nicht „Franz" allein, sondern „Franz Joseph" nannte [355]). Hatte doch der Zauber dieses letztern Namens an Stärke nur zugenommen, je weiter die Zeit den volksthümlichsten aller österreichischen Herrscher in die Ferne rückte! Es ist eine bekannte Thatsache, daß in vielen Gegenden das gemeine Volk nach Jahrzehenten nicht glauben wollte daß Joseph II. wirklich gestorben sei, und als es endlich von diesem Wahne lassen mußte, da suchte es in der Hoffnung Trost: erst unter einem neuen Kaiser Joseph werde Österreich wieder glücklich werden. Doch auch die Verbindung beider Namen fand bei der Bevölkerung eine günstige Deutung. Ließen so viele Züge, die man sich von dem jungen Gebieter erzählte, darauf schließen daß er Österreichs theuersten Namen mit Recht führen werde, so gab man sich andrerseits dem Glauben hin daß ihm der glückliche Stern seines Großvaters Franz leuchten werde, dem selbst die lange Reihe von Misgeschick und Verlusten in der ersten Hälfte seiner Regierung nur eine Quelle neuer und größerer Erfolge geworden.

Unmittelbar nach der Thronbesteigung setzte Fürst Schwarzenberg auf gewöhnlichem diplomatischen Wege die Vertreter Österreichs davon mit dem Auftrage in Kenntnis, weitere Mittheilung an die Regierungen, bei denen sie beglaubigt, zu machen. An die befreundeten Höfe wurden außerordentliche Botschafter, an den preußischen und russischen kaiserlichen Prinzen gesandt; am 5. December traf Erzherzog Ferdinand Este in Berlin, am 9. Erzherzog Wilhelm in St. Petersburg ein wo derselbe bis zum 20. verweilte. Erzherzog Ferdinand begab sich von Berlin

nach Frankfurt, um auch der deutschen Central-Gewalt amtliche Mittheilung von dem Thronwechsel zu überbringen [356]). In Olmütz gab es
nun Feste Feierlichkeiten Deputationen, hohe und höchste Besuche in
raschem Wechsel. Am 5. fuhr der junge Kaiser durch die Reihen der
von der Residenz bis zum Theatergebäude aufgestellten mit Astral-Fackeln
versehenen Bürger- und Nationalgarden in das festlich erleuchtete Schau-
spielhaus wo die Oper „Martha" aufgeführt wurde [357]). Am 6. veranstaltete die Garnison einen großartigen Fackelzug und stellte vier
Musikcapellen auf dem Bischofsplatze vor der Residenz auf; es war zum
Erdrücken voll, auf Bänken und Mauern standen mit ihren Tüchern
winkende Frauen, in den Ästen der Bäume hingen kecke Jungen und
schrien ihre Vivat in die rauschenden Klänge der Musik und in das
Knistern eines brillanten Feuerwerks hinein, von welchem das ganze
Schauspiel mit einem magischen Lichtmeere übergossen wurde. Am 8.
verkündeten um 7 Morgens 101 Kanonenschüsse von den Wällen der
Festung die besondere Feier des Tages; Musikbanden durchzogen mit
rauschenden Weisen die Straßen der Stadt. Sonderbarerweise hatte sich
das Gerücht verbreitet, der Papst sei in der Nacht in Olmütz eingetroffen und im Gasthofe „zum Schwan" abgestiegen, vor dessen Eingang
eine neugierige Menge ab und zu wogte um den Stellvertreter Christi
oder zum mindesten einen und den andern Cardinal zu Gesicht zu bekommen. Als daraus immer nichts wurde, strömte alles zur Metropo-
litan-Kirche, wo um 10 Uhr anstatt des erkrankten Erzbischofs vom
Weihbischof Thysebaert ein Hochamt mit ambrosianischem Lobgesang abgehalten wurde; der kaiserliche Hof — mit Ausnahme des Kaisers —,
alle anwesenden Notabilitäten, die verschiedenen Körperschaften der Stadt
wohnten demselben bei, während die Garnison und sämmtliche Garden,
in vollem Glanze ausgerückt, mit Kanonen- und Gewehr-Salven die Haupt-
theile der kirchlichen Handlung begleiteten. Darnach defilirten Garden
und Truppen auf dem Jesuiten-Platze vor dem jungen Monarchen. Am
10. war bei übervollem Haufe und festlicher Beleuchtung böhmische
Theater-Vorstellung — man gab, sehr unpassend, das triviale „Čech a
Němec" —; die Volks-Hymne wurde vom ganzen Publicum gesungen und es ließ sich, wie ein Augenzeuge berichtet [358]), wohl bemerken
wie auf das (Bože zachovej) „nám krále" besonderes Gewicht
gelegt wurde; der Kaiser wurde indeß vergeblich erwartet. Auch an
andern Orten fanden Stadtbeleuchtung, feierlicher Gottesdienst in Kirchen

Bethäusern und Synagogen, Festvorstellungen im Theater statt, wie
z. B. in Brünn am 14. wo von der Schauspielerin Wasovics ein von
Friedrich Kaiser gedichteter Prolog gesprochen und die Volkshymne stür=
misch verlangt und wiederholt, in Prag wo am 17. „Titus der Gütige"
von Mozart aufgeführt und die besondere Bedeutung dieser Wahl her=
vorzuheben nicht unterlassen wurde [359]) u. dgl. m.

Um Mitte December begannen sich in Olmütz wieder, wie früher
nach der Ankunft des Kaisers Ferdinand, die Hanaken=Deputationen ein=
zufinden, beritten mit klingendem Spiel roth=grün oder roth=blau be=
bändert und bewimpelt, oft viele hundert an der Zahl, mit Riesenkuchen,
mit Butter und andern Gaben die sie, durch den Grafen Lažansky ein=
geführt, dem Kaiser zu Füßen legten und ganz glücklich waren wenn er
ihnen in den Lauten ihrer Muttersprache dankend ein paar Worte sagte.
Jetzt kamen auch der Reihe nach die Beglückwünschungs=Besuche von
den befreundeten Höfen an: Prinz Karl von Preußen am 9. December,
Prinz Albert von Sachsen am 18., der modenesische Oberst und Kammer=
herr Graf Forni am 20., Prinz Friedrich von Baden am 23., Groß=
fürst Konstantin, Sohn des russischen Kaisers, in Begleitung des Gene=
rals Romanov am 26., und am selben Tage der Fürst zu Fürstenberg
im Namen der deutschen Central=Gewalt. Alle diese hohen Abgesandten
wurden in Olmütz mit Hoffesten und militärischen Schauspielen geehrt,
und begaben sich von da gewöhnlich an den stilleren Kaiserhof zu Prag
um dorthin den theilnahmsvollen Abschied ihrer Regierung zu überbrin=
gen [360]). Von bedeutenderen Deputationen erschienen am 8. die des
Gemeinderathes und Magistrats der Reichshauptstadt Wien, am 20.
eine von theils in Wien ansässigen theils aus ihrem Heimatlande ge=
flüchteten ungarischen Magnaten, am 22. die des Stadtverordneten=
Collegiums und der Nationalgarde von Prag [361]). Triest sandte den
Vorstand des Stadtrathes Tommasini als Obmann, dann den Bischof
Legat, den Handelsherrn Conti und den Commandanten der Nationalgarde Plancher als Repräsentanten des slavischen, des italienischen und des
deutschen Bestandtheils seiner Bevölkerung; dann eine zweite im Namen
des Handelsstandes: G. Ritter von Sartorio, P. Revoltella, Elia Mor=
purgo. Auch Tyrol sandte zwei Botschafter, die aber leider nur den im
Lande bestehenden Zwiespalt neuerdings zur Schau stellten: die Abge=
ordneten und Landesschützen=Compagnien von Deutsch=Tyrol und abge=
sondert von diesen die beiden italienischen Kreise.

Es fiel gleich in der ersten Zeit auf daß sich der junge Monarch
nie anders denn als Militär zeigte, nicht blos bei Empfang von Civil=
Personen und Deputationen, sondern auch im Theater. „Sehr sonder=
bar", verlautete eine gleichzeitige Olmüzer Stimme, „nehmen sich die
patriarchalischen Opfer der hanakischen Bauern aus wenn sie dem jun=
gen Kaiser in Feldmarschalls=Uniform dargebracht werden. Der alte
Kaiser war meist in Civil=Kleidern; vielleicht wird auch der junge Kaiser
das Kriegskleid ablegen wenn die ungarischen Verhältnisse werden ge=
ordnet sein". Dieser letztere Umstand, so wie überhaupt die nicht zu
läugnende Thatsache daß selbst außerhalb Ungarn für den Augenblick
noch das meiste auf der Spitze des Degens stand, mochten denn in der
That als Erklärung, oder wenn man will als Entschuldigung gelten,
wie sie auch die besondere Sorgfalt rechtfertigten die der Kaiser allem
zuwandte was in das Militär=Fach einschlug.

Wohl konnten die Armee und ihr neuer Kriegsherr aneinander
Freude haben. Eine ritterliche achtunggebietende Erscheinung, mochte er
nun, das jugendliche Haupt frei, doch ohne übermüthige Herausforderung
erhoben, raschen leichten Ganges dahinschreiten oder, ein Reiter von glei=
cher Kühnheit und Gewandtheit als Eleganz, ein feuriges Pferd unter
seinem Leibe tummeln — es war begreiflich daß ihm alle Soldaten=Her=
zen zuflogen und daß eine erhebende Begeisterung bald das Gefühl weh=
muthsvoller Trauer verscheuchte das auch in militärischen Kreisen die
Abdankung des guten Kaisers Ferdinand hervorgerufen hatte. Überall
wohin die Kunde kam wurde sie von jubelndem Hurrah der Truppen
begrüßt, die sich unter dem Gebote eines schon in so jungen Jahren im
Heerlager und im Schlachtendonner erprobten Kriegsherrn von neuem
Muthe beseelt fühlten. Die altbewährten Führer deren ruhmgekrönte
Häupter neue Lorbeern schmückten, die jüngeren Kräfte die nach mehr
denn dreißigjähriger Friedenszeit zum erstenmal Gelegenheit gefunden
ihre Kraft und Tüchtigkeit zu zeigen, sie alle brachten ihrem neuen Ge=
bieter mit gehobenem Gefühl ihre opferwillige Huldigung dar. Aber auch
Er, nun der erste Soldat seines Reiches, konnte mit gerechtem Stolze
auf sie blicken. Ohne seine trefflich geschulte und in ihrem weitaus
größten Theile von bestem Geiste beseelte Armee lag Österreich in Trüm=
mern. Wo alles zusammenbrechen, alles aus den Fugen gehen zu wollen
schien, hatte sie wie ein Fels dagestanden an dessen festem Gefüge die wild

schäumenden Wogen vergebens ihre zerstörende Wirkung übten. Von den
Bestgesinnten bedauert und preisgegeben, von der Partei des Umsturzes
verhöhnt und begeifert, von der Mehrheit des Wiener Reichstages verläugnet, hatte die Armee von dem vereinzelten Lager Radecky's aus einen
verrätherischen äußern Feind siegreich über die Gränzen zurückgeworfen,
hatte in Krakau, in Prag, in Wien dem Aufruhr und der Losreißung
siegreich die Spitze geboten, hatte in Kroatien, in den serbischen Landes-
theilen, in Siebenbürgen den Knotenpunkt gebildet, um den sich die treu
um Bestande der Monarchie hangenden Völker schaaren, ihren Widerstand gegen die Partei der Auflehnung sammeln und stärken konnten.
Wo in fast allen Provinzen Deutsche und Slaven, Magyaren und Raitzen,
Szekler und Walachen, Polen und Ruthenen mit Zornesblicken und ge-
ballter Faust, oder mit Flinten und Kanonen einander gegenüberstanden,
hatte die b e w a f f n e t e Macht des Reiches durch eigenthümliche Fügung
zugleich das Bild der f r i e d l i c h e n Gestaltung desselben, die alle die
verschiedenen Stämme und Zungen mit einem gemeinsamen Bande um-
schlingen sollte, dargeboten und aufrecht erhalten. Wenn es je eine Zeit
gab, wo der Beherrscher Österreichs seine Armee „die wahre Stütze des
Thrones", den „sicheren Hort der Ordnung und Gesetzlichkeit" nennen
durfte, so war es wahrlich diese!

Gleich am Tage seiner Thronbesteigung begrüßte Kaiser Franz
Joseph in eigenen huldvollen Handschreiben die beiden Oberfeldherren
seiner Heere, den Grafen Radecky und den Fürsten Windischgrätz. Er
zollte dem letzteren die volle Anerkennung seiner großen Verdienste um
die Rettung der Monarchie; er drückte die zuversichtliche Erwartung
aus, daß er ihm „auch fortan kräftig zur Seite stehen werde, eine unerschütterliche Stütze des Thrones und der Verfassung"; er trug ihm
auf, den unter seinen Befehlen stehenden Truppen die Versicherung zu
geben „daß die Beweise ihrer Treue und Tapferkeit mit unverlöschlichen
Zügen" im Herzen ihres Monarchen geschrieben stehen. Besonders warm
war das Schreiben an den alten Heldenmarschall in Italien gehalten:
„Von Meinem erhabenen Oheim mit einem Vertrauen beehrt das Ich
bisher noch in keiner Weise zu rechtfertigen vermocht, verlangen Meine
noch nicht erprobten Kräfte den Rath und Beistand erfahrener um den
Staat verdienter Männer. Sie zähle Ich zu den Ersten derselben und
in dieser Überzeugung wende Ich Mich an Sie ... Mein lieber Graf",
so schloß der junge Monarch; „Ich lade Sie als Mann von Ehre ein,

Mir mit festem Sinne und freiem Worte zur Seite zu stehen. Ich bedarf Ihren Rath und Ihre Unterstützung". Am 8. December theilte der
Feldmarschall den Inhalt des kaiserlichen Handschreibens seinen Truppen
mit: „Die Gnade meines Kaisers ist nicht mein ausschließliches Eigenthum, Ihr theilt es mit mir. Der Glanz, der gleich dem Abendroth
nach einem schönen Tage sich über den Abend meines Lebens verbreitet,
ist Euer Werk. Soldaten! bewahret fest in Eurer Brust die Worte
Eures Kaisers; ich werde Euch daran erinnern wenn die Feinde unseres
Vaterlandes uns wieder zum Kampfe rufen sollten". Ohnehin war es
im lombardisch-venetianischen Königreiche, außer den kaiserlichen Beamten
und jenen Mitgliedern der Stadtbehörden die sich nicht unter irgend
einem Vorwand losmachen konnten, fast nur das Militär das im Dome
zu Mailand, in Sant-Antonio zu Padua, in der Kathedrale zu Udine
und anderwärts bei jenen Kirchenfeierlichkeiten erschien, womit die Thronbesteigung öffentlich begangen wurde. In Mailand vernahmen es die
Nationalen mit großem Unwillen, daß der Erzbischof Romilli die Einladung zur Festtafel beim Marschall angenommen hatte. In Padua erfuhren die Häuser die Abends Lichter und Transparente aussteckten Pfeifen
und Zischen, wenn ihnen nicht gar die Fenster eingeschlagen wurden.
In Vicenza, wo nur die öffentlichen Gebäude erleuchtet waren, mußten
Streifwachen zu Fuß und zu Pferd die Straßen durchziehen um beab-
sichtigtem Unfug vorzubauen 2c.

Dieser gnädigen Auszeichnung der beiden Feldmarschälle folgten
andere für die von ihnen geführten Truppen auf dem Fuße. Besondere
Erwähnung verdient eine militärische Feier, die am 6. December in
Schönbrunn begangen wurde. Sie galt der Vertheilung goldener und
silberner Medaillen an die Soldaten vom Feldwebel und Wachtmeister
abwärts, die sich bei den Juni-Ereignissen in Prag, bei Vertheidigung
des Wiener Zeughauses am 6. October, dann bei der Belagerung und
Einnahme von Wien ausgezeichnet hatten. In Prag gab es aus diesem
Anlasse viel Nasenrümpfen und Ärger. Der Stadtverordnete Rott wollte
den Act zum Gegenstande einer Verwahrung machen, die der Bürgermeister Wanka nur durch die Bemerkung zu beseitigen wußte daß über
die besagte Feier keine amtliche Mittheilung vorliege und in der „Wiener
Zeitung" von der Medaillen-Vertheilung ohne Angabe einer besondern
Veranlassung die Rede sei. Die Prager Opposition wollte nicht einsehen,
daß die Pfingst-Katastrophe in ihrer Hauptstadt ein Aufstand wie ein

anderer gewesen war und daß die Soldaten, die zur Herstellung der Ordnung mitgewirkt, nur in ihrem Berufe gehandelt hatten [362]).

Mit Allerhöchster Entschließung vom 10. December entband der Kaiser gleich seinem Vorfahren „alle Generale Stabs- und Ober-Offiziere so wie die gesammte Mannschaft von der bei Thronbesteigungen sonst üblichen eigenen Eidesablegung", indem er sie „lediglich auf ihre aufhabende Eidespflicht verwies" [363]).

Wenn aber auch nach Lage der Verhältnisse die militärischen Angelegenheiten die Bedachtnahme des jungen Kaisers in hervortretender Weise in Anspruch nahmen, mußte man sich doch sagen, daß ihm die übrigen Staatsgeschäfte durchaus nicht gleichgiltig waren und daß er allem wichtigen, in was für ein Departement es einschlagen mochte, seine ernste Aufmerksamkeit zuwandte. Dazwischen war von seiner nächsten Umgebung so mancher schöne Zug zu vernehmen: ihn ziere Bescheidenheit mit der er von seinen jungen Jahren spreche; er verkenne nicht die Größe der Aufgabe die ihm geworden, der Verantwortlichkeit die auf ihm laste. Dem Geringsten seiner Unterthanen zugänglich, gewann er alle mit denen er in Berührung kam durch sein wohlwollendes Wesen, und wie man seinem Vorgänger den Beinamen des „Gütigen" zuerkannt hatte, so war auch bald für den jungen Nachfolger die Bezeichnung des „Freundlichen" gefunden. Zeigte er Deputationen gegenüber in der Regel einige Befangenheit und war er überhaupt vom ersten Augenblick kein besonderer Freund von feierlichen Ansprachen und Erwiederungen, so entfaltete sich die ganze Liebenswürdigkeit des jugendlichen Monarchen, wenn er nach geendeter Ceremonie in ungezwungenem Gespräche Worte an die Einzelnen richtete, die aus solchem Anlasse die vortheilhaftesten Eindrücke in ihre Heimat zurückbrachten. Die Troppauer Deputirten geriethen über das „huldvolle gewinnende Benehmen ihres blühenden jugendkräftigen Kaisers" in solche Entzückung, daß sie ihm als er den Saal verließ, alle Etiquette beiseite setzend, „die herzlichsten Wünsche eines dauernden Wohlergehens und langen Lebens" aus dem Stegreife nachriefen [364]).

Nach geschlossener Audienz wurden die Mitglieder der Deputation gewöhnlich zur kaiserlichen Tafel gezogen, an welcher der schlichte Bürgersmann und der junge Lieutenant der Hofwache eben so ihren Platz fanden als der ahnenreiche Cavalier und der dienstergraute ordenge-

ſchmückte General. Überhaupt war von altſpaniſcher Etiquette nichts
wahrzunehmen. Der junge Kaiſer hatte in den wenigen Wochen die er
im Felde zugebracht die heitere Ungezwungenheit des Lagerlebens kennen
gelernt, und es ſoll bei ſeiner Rückkunft nach Innsbruck mancher alte
Herr vom Hofe die Hände über den Kopf zuſammengeſchlagen haben,
als er den jungen Erzherzog duftige Tabakwölkchen in die Luft blaſen
ſah. Jedenfalls war er der erſte Beherrſcher der öſterreichiſchen Länder
welcher der herba nicotiana eine Huldigung darbrachte, die am preu=
ßiſchen Hofe mehr als hundert Jahre früher im „Tabak-Collegium"
Friedrich Wilhelm I. eine Stätte gefunden hatte. Im Publicum faßte
man dieſe neue Einführung anders auf als in den Hofkreiſen; wenn
man an ſeinem Erſcheinen in der Öffentlichkeit einen im Vertrauen ge=
hegten Wunſch nie in Erfüllung gehen ſah — „Schade nur, daß er im=
mer in der Uniform geht!" —, ſo war, was die Leute einigermaßen
wieder ausſöhnte und den ſoldatiſchen Monarchen bei ihnen populär
machte, ohne Frage . . . die Cigarre.

„Lebe wohl meine Jugend!" . . . das waren, wie man ſich allge=
mein erzählte, die Worte womit der jugendliche Fürſt ſeinen Entſchluß
ankündigte, mit männlichem Ernſt an die Erfüllung der Pflichten zu
ſchreiten die ihm ſein neues Amt auferlegte [365]). Von früheſter Jugend
an Fleiß und Arbeit gewöhnt, ſtand er ſehr zeitlich auf und benützte
die Morgenſtunden zum Abſchluß ſeiner juridiſch-politiſchen Ausbildung.
Als er ſpäter nach Wien zurückkam, wurde auch das Zeichnen wieder
vorgenommen das er mit wahrer Neigung betrieb; doch mußte es bei
dem wachſenden Drang der Geſchäfte bald wieder aufgegeben werden.
Die Stunden des Tages füllten die Erledigung der Geſchäftsſtücke deren
prüfender Durchſicht er vom erſten Augenblick ſeiner Regierung die ge=
wiſſenhafteſte Aufmerkſamkeit zuwandte, die Abhaltung von Audienzen,
der Empfang von Geſandten oder Courieren, die Entgegennahme von
Deputationen, der Verkehr mit ſeinen Miniſtern oder andern höher Be=
dienſteten. Raſche Ritte in der Umgebung oder ein Spaziergang durch die
die Stadt einſäumenden ſchon ganz winterlichen Alleen brachten zugleich
Bewegung und Erholung. Abends gönnte er ſich in der Regel den Be=
ſuch des Theaters für deſſen Zwecke man einige Mitglieder der Wiener
Hofbühne nach Olmüz hatte kommen laſſen, oder erſchien zum Thee bei
ſeiner erzherzoglichen Mutter, wo zeitweiſe ein von Künſtlern ausgeführ=
tes Concert die Geſellſchaft unterhielt.

In geschäftlicher Hinsicht war ein Einfluß von letzterer Seite nicht wahrzunehmen. Im Gegentheile, voreingenommen wie die allgemeine Meinung in diesem Punkte einmal war, hielt sie sich durch die selbstbe= wuſte Haltung des jungen Monarchen zur Erwartung von allerhand Schritten berechtigt die jenen Einfluß für immer brechen sollten; das erz= herzogliche Paar, hieß es gleich iu den ersten Tagen, werde nach München abreisen, die Lobkovic, die Falkenhayn bleibend vom Hofe entfernt werden 2c. In der That wählte der Kaiser seine nächste Umgebung nicht aus diesen Kreisen. Graf Grünne wurde sein General=Adjutant, die Majore Graf Mensdorff und Anton Schwarzl ernannte er zu Flügel=Adjutanten. Was die Constitutionellen von allem Anfang am meisten befriedigte, waren die unausgesetzten und unmittelbaren Berührungen die der Mon= arch mit den verantwortlichen Räthen der Krone unterhielt [366]). Am 5. December fand die erste Minister=Berathung unter seinem Vorsitz statt; seine unermüdete Aufmerksamkeit und das Treffende seiner Bemerkungen machte auf alle Mitwirkenden den vortheilhaftesten Eindruck. Und dieser Eindruck verstärkte sich bei ihnen Tag für Tag: es war nicht der Reiz der Neuheit der den jugendlichen Fürsten etwa blos in der ersten Zeit angespornt und der dann, nachdem ihm die Sache zur Gewohnheit ge= worden, nachgelassen hätte. Vor allem Fürst Schwarzenberg, der in seiner Stellung als Minister=Präsident am meisten mit ihm zu thun hatte, fühlte sich durch diese Wahrnehmung auf's tiefste gerührt und ergriffen. Es geschah nie ohne die aufrichtigste Bewunderung daß er von seinem jungen Gebieter sprach; man konnte dann das Auge des Mannes sich feuchten sehen, dessen Wesen nichts ferner lag als Gefühlsäußerungen blos spielen zu lassen und der alles andere war als Schmeichler. „Für Geschäfte", rühmte er ihm nach, „könne er ihn immer haben, zu jeder Stunde, für jeden Anlaß; die Pflichttreue, die strebsame Gewissenhaftig= keit, womit er seinem Berufe gerecht zu werden suche, flöße ihm täglich neues Staunen ein."

Schwarzenberg selbst war jetzt ein anderer als der er in Turin und in Neapel gewesen war, oder richtiger gesprochen: er selbst war der= selbe, aber die Umstände waren andere. Was vordem Ausnahme gewesen, daß er unmittelbar und mit persönlicher Mühewaltung eintrat, das wurde jetzt Regel; wenn früher nur ein und das andere von besonderer Wich= tigkeit gewesen war dessen Obsorge er nicht fremder Hand anvertrauen mochte, so war es jetzt alles und jedes, vom kleinsten bis zum größten.

Und so sehen wir denselben Mann, den wir auf seinen frühern Posten, wo er sich das erlauben durfte, als behaglichen Lebemann kennen lernten, von dem Momente wo die Zügel der Regierung seines großen Vaterlandes in seine Hände gelegt sind, eine wahrhaft aufreibende Thätigkeit entwickeln. Er spannt seine Aufgabe auf das höchste; er läßt keinen Vortrag aus was immer für einem Zweige der Verwaltung an seinen Monarchen gelangen, ohne daß er ihn durchgelesen erwogen, seine Mitwissenschaft wahrheitsgetreu bezeugt hätte. Ihm selbst aber, dem Kaiser gegenüber, bescheidet er sich von allem Anfang in die Rolle des Staatsdieners. „Meine Aufgabe ist", hören wir ihn sagen, „den jungen Monarchen selbständig zu machen. Er ist es der zu entscheiden hat. Verlangt Er meine Meinung nachdem Er die Seinige gefaßt, so stehe ich ihm mit meinem Rathe zu Gebot."

30.

Grübler in geschichtlichen Dingen ließen es in jenen Tagen nicht unbemerkt, daß der Thronwechsel von 1848 auf mährischem Boden und am Jahrestage der Dreikaiserschlacht von Austerlitz stattgefunden habe. Letzteres war wohl keine aufmunternde Erinnerung. Allein es wurde die weitere Betrachtung daran geknüpft, daß eben in jener Zeit ein S t a d i o n von seinem Kaiser berufen das Ruder des Staates ergriffen, das an den Rand des Abgrundes gebrachte Reich in überraschend kurzer Zeit zu neuen Kräften und Ansehen gebracht und dessen Völker zu jener gewaltigen National-Begeisterung aufgerichtet hatte, die Österreich in die Lage gebracht, von allen Mächten allein gelassen, dem bis dahin für unüberwindlich gehaltenen Franzosenkaiser die erste entscheidende Niederlage beizubringen. „Und abermals ist es ein S t a d i o n, der Sohn jenes hochbegabten und patriotisch gesinnten Staatsmannes, den wir in der ersten Reihe der Männer erblicken die dem Throne des jugendlichen Kaisers rathend zur Seite stehen, und abermals in einer Zeit da die Monarchie, kaum der Gefahr völligen Zerfalles entrissen und bis in ihre Tiefen erschüttert, den klaren Blick und die sichere Hand des Lenkers erwartet, der ihr die Ordnung und den Frieden einer nach außen achtunggebietenden, nach innen glückverheißenden neuen Gestaltung bringe."

Mit der Thronbesteigung des jungen Monarchen feierte zugleich der oberste Rath der Krone einen seiner glänzendsten Triumphe. Keine von all den Mittheilungen, die sich im Reichstagssaale von Kremsier an die Verkündigung jenes Ereignisses knüpften, wurde mit so allgemeinem, mit so lautem und anhaltendem Beifalle begrüßt als jene, daß Se. Majestät sich bewogen gefunden habe „das bestehende Ministerium in seiner Amts= führung zu bestätigen". Von den Deputationen, die ihren Weg nach Ol= müz nahmen an den Stufen des Thrones ihre Huldigung darzubringen, ließ keine die Gelegenheit unbenützt zugleich dem Gesammt=Ministerium das Vertrauen ihrer Absender zu bezeigen. Mehrere legten eigene Adressen in die Hände des Minister=Präsidenten, den Inhalt des ministe= riellen Programms zum Ausgangspunkt nehmend, einer Staatsschrift die „jeden Bekenner der wahren Freiheit, jeden treuen Anhänger des consti= tutionellen Thrones, jeden Freund des gemeinsamen österreichischen Vater= landes mit inniger Befriedigung, mit froher Hoffnung erfüllen muß" (Wiener Adresse). „Der mährische Landtag", sagten die Deputirten aus Brünn, „erkennt in diesem Programme, daß nur auf diesem Wege das innige Band zwischen der Krone und den Völkern gesichert, daß nur auf der wahren Freiheit das Wohl des Staates, auf der vollen Autonomie der Gemeinde und der Provinzen die Macht eines freien einigen und un= getheilten Österreich begründet werden könne." „Den erprobten Staats= männern", hieß es in der schlesischen Vertrauensschrift, „die mit seltener Vaterlandsliebe und Selbstaufopferung in einem so schwierigen Augen= blicke die Zügel der Regierung ergriffen und die Kraft und den Willen gezeigt haben, das Vaterland aus der ihm drohenden Gefahr zu retten, die Bestandtheile desselben zu einem organischen Ganzen zu vereinigen und ihm jene Stellung unter den europäischen Staaten zu behaupten die es durch die rühmlichsten Anstrengungen sich erkämpft hat, diesen Män= nern gebührt die vollste Anerkennung und das Vertrauen aller Staats= bürger."

In der That war es nicht das ministerielle Programm allein, ein gesprochenes Wort und ein beschriebenes Papier, was dem Ministerium Schwarzenberg=Stadion das Vertrauen und die Hoffnung, die Ergeben= heit und die gehobene Zuversicht der weitaus großen Mehrzahl der Be= völkerung in allen Theilen des Reiches entgegenbrachte: von seinem ersten

Auftreten zeigte es sich in allen seinen Schritten als ein solches, das den
Willen, den Muth, die Kraft besitze, seiner großen Aufgabe im vollsten
Maße gerecht zu werden. Dieses an's wunderbare gränzende Ansehen des
Ministeriums Schwarzenberg=Stadion, das Geheimnis seines vom ersten
Augenblick an nach allen Seiten hin Achtung gebietenden Wirkens, ruhte
vorzüglich in drei Stücken.

Erstens war es einig mit sich selbst und in sich selbst.
Als am 27. November, kaum daß der Beifall verklungen war womit
die Reichstagsabgeordneten die Verkündigung der ministeriellen Staats=
schrift begrüßt hatten, Schuselka mit drei Interpellationen hervortrat die
den Belagerungszustand in Wien, die gegen Ungarn beabsichtigten Maß=
regeln und die Hinrichtung Robert Blum's betrafen, erhob sich der Mi=
nister=Präsident und sprach: „Von dem Grundsatze ausgehend daß wir
nicht eine Anzahl Minister sondern ein Gesammt=Ministerium bilden, sind
wir zu dem Entschluße gekommen, jede Interpellation nur in Folge ge=
meinsamer Berathung zu beantworten. Der Herr Interpellant erwarte
also jetzt keine Antwort: sie wird erfolgen, und wenn die Frage schriftlich gestellt wird, wird sie um so umfassender und deutlicher sein." Diese
Gemeinsamkeit des Handelns in allen wichtigeren Angelegenheiten war
einer der Grundsätze, den Fürst Schwarzenberg seinen Collegen als un=
verbrüchliche Richtschnur vorzeichnete und hinsichtlich dessen er in seiner
Eigenschaft als Minister des Außern selbst mit dem besten Beispiele voran=
ging. War es bei den früheren Ministerien mitunter vorgekommen daß
diplomatische Schritte und Verhandlungen nicht blos der Öffentlichkeit,
sondern selbst den andern Ministern gegenüber als ein von der gemein=
samen Kenntnisnahme und Berathung ausgeschlossenes, etwa dem Ver=
kehre zwischen dem Conseils=Präsidenten und dem Monarchen vorbehaltenes
Gebiet betrachtet wurden, so brach Fürst Schwarzenberg durchaus mit
dieser Übung und legte jede wichtigere Depesche und die darauf zu er=
theilende Antwort eben so der Begutachtung seiner Collegen vor, wie er
von ihnen das Gleiche in Gegenständen ihres Ressorts verlangte. Dabei
war unverbrüchliche Wahrung des Dienstgeheimnisses für alle im Werden
begriffenen Angelegenheiten sowohl den Räthen der Krone, wie allen jenen
die bei solchen Angelegenheiten mit in das Vertrauen gezogen werden
mußten, als strenge Pflicht auferlegt. In welcher Weise das Ministerium
dieser Pflicht zu genügen wußte, dafür hatte es mit der Durchführung
des seit beinahe drei Wochen in seine Hände gelegten Thronwechsels die

schwierigste Probe bestanden. Es war dieses Fernhalten jedes vorzeitigen
Einblickes von außen nicht eine eigenthümliche Laune, worein das Ministerium sein besonderes Gefallen gesetzt hätte; es beruhte dasselbe auf
tiefer Berechnung. Auch schloß es bei Verhandlungen, deren Ergebnis die
Interessen der verschiedenen Kreise der Bevölkerung berührte, das Bei-
ziehen von Fach- oder Vertrauensmännern außerhalb der ministeriellen
Organe keineswegs aus; allein stets fand letzteres nur nach gepflogenem
Einverständnisse der Räthe der Krone und nur innerhalb der von denselben gemeinsam vorgezeichneten Gränzen statt.

Es war zweitens ein Ministerium der Kraft. Jeder Schritt
den es unternahm, jede Kundgebung die aus seinem Schoße hervorging,
lieferte den Beweis daß man es mit einer Regierung zu thun habe, die
sich klar bewußt war was und wohin sie wollte, und die mit festen
Schritten und ohne bemäntelnden Schein auf ihre Ziele losging. Das
Ministerium kannte, wo es sich um das Interesse des Dienstes handelte,
keine Schonung irgend einer Persönlichkeit; es kannte, wo es die Würde
des Thrones und das Ansehen des Staates galt, keine Schonung irgend
einer Macht.

Das Ministerium hatte sich mit seinem ersten Auftreten als ein
solches angekündigt das es als seine Aufgabe betrachtete: die Revolution
zu schließen. Es zögerte in diesem Punkte wie in allen andern keinen
Augenblick, sein Wort zur That werden zu lassen. An die Stelle die seit
den Mai-Tagen die Gewalt der breitesten Grundlage eingenommen, war
mit dem neuen Ministerium die Gewalt der obersten Spitze getreten und
begann sich auf dem wiedergewonnenen Boden mit jedem Tage zuversicht-
licher festzusetzen. Wenn auch das Ministerium keine der sogenannten
„Errungenschaften" in ihrem Wesen angriff, vielmehr seinen Willen bekundete mit denselben, sofern es irgend möglich, auf gutem Fuße zu
bleiben, so zeigte es sich doch eben so sehr entschlossen Misbräuche und
Auswüchse jener freiheitlichen Gewährungen auf keinen Fall zu dulden,
am wenigsten sie auf gleicher Höhe mit der Regierung zu halten oder
gar, wie dies früher in bedauerlicher Weise geschehen war, ihnen ungebührliche Herrschaft zu gestatten. Es ließ das Institut der Nationalgarde in den nicht unter dem Kriegsgesetze stehenden Gebieten unangetastet, es benützte dieselbe im Dienste der Ordnung und Sicherheit; aber
es gab andrerseits keinen ernsten Vorsatz zu erkennen, ihre Einrichtung
auf die durch die Natur der Sache und den Sinn der ursprünglichen

26

Gewährung gezogenen Gränzen zurückzuführen. Es gönnte der Presse freien Spielraum, mit Ausnahme von zwei Vorsichten deren Einhaltung die Erfahrungen einer eben so schmählichen als gefährlichen Vergangenheit als bringend geboten erscheinen ließen. „Das öffentliche Anschlagen von Placaten und Flugschriften, das Ausrufen und Verkaufen derselben an öffentlichen Orten und auf der Straße so wie das Hausieren damit" wurde „für jedermann unbedingt verboten", auf die Übertretung dieses Verbots Geld= oder Gefängnisstrafe gesetzt. Gleichzeitig wurden „Herausgeber Verleger und Redacteur einer Zeitung oder andern periodischen Schrift politischen Inhalts" verpflichtet „von jedem Blatte oder Hefte, ehe noch die Austheilung oder Versendung beginnt, ein Exemplar, mit der eigenhändigen Unterschrift des Redacteurs und mit der Angabe von Tag und Stunde der Vorlage versehen, der Behörde zu überreichen" [367]. Auch das Vereins= und Versammlungsrecht erfuhr vorläufig keine grundsätzlichen Beschränkungen; nur empfingen die Behörden den Auftrag ein wachsames Auge darauf zu haben, und die Staats=Beamten aller Stufen den Befehl sich jeder Theilnahme an politischen Clubs zu enthalten.

Seine Beamten waren es überhaupt, auf die das Ministerium ein besonderes Augenmerk richtete. Es kam ihm dabei wie in andern Stücken niemals auf die Person sondern überall nur auf die Sache an. Beispiele davon gaben zwei Persönlichkeiten von ganz verschiedenen Antecedentien: Dr. Fischhof und Graf Wickenburg. Fischhof war vom Ministerium Doblhoff her Rath im Ministerium des Innern; Stadion hatte gegen dessen Verbleiben nichts einzuwenden, nur verlangte er daß er sich der Politik des Ministeriums unbedingt anschließe; „vertrage sich dies nicht mit seiner Überzeugung, dann bleibe ihm nichts übrig als auf seinen Posten zu verzichten". Nach mehrwochentlicher Unschlüßigkeit wählte Fischhof das letztere und erhielt mit a. h. Entschließung vom 20. December die erbetene Entlassung. Wickenburg war ein Mann dessen Loyalität außer Frage stand; er war ein liebenswürdiger und freigebiger Cavalier, ein wahrer Wohlthäter der Provinz der er als Gouverneur vorstand, für deren Bestes und würdige Vertretung er die Kräfte seines eigenen Vermögens eingesetzt hatte. Auch wäre Wickenburg, wenn er nicht als Landes=Commandirenden einen General an seiner Seite gehabt hätte dessen grundsätzliche Unthätigkeit in den October=Tagen an die Gränzen der Feigheit streifte, kaum in die Lage gekommen sich, von den Fäusten und Stricken der Umsturz=Partei bedroht, jenen Act abtrotzen

zu laffen woburch er in amtlicher Weife und mit Ausfendung von ihm
unterfertigter Certificate ben Landsturm für Wien aufbot. Allerdings
nahm er, fobald er etwas Luft bekommen, feinen Befehl fchnell wieder
zurück; allein was gefchehen war, war nicht ungefchehen zu machen: bie
Thatfache ftand feft daß ein kaiferlicher Statthalter dem Aufftande gegen
kaiferliches Gebot und Heer fein Anfehen geliehen hatte. Graf Wickenburg wurde nach Olmüz vorgeladen, wohin er, fo wie in das Haupt-
Quartier des Fürften Windifchgräz, fchon früher ausführliche Denkfchrif-
ten zur Entfchuldigung feines Benehmens gefandt hatte. Der Feldmarfchall neigte zur Milde, fchrieb an das Minifterium in begütigendem
Sinne; in der Hauptftadt und im Lande Steiermark wurden unzwei-
beutige Sympathien für den allgemein beliebten Gouverneur laut. Doch
das Minifterium kannte keine Schonung. Es war eine unglückfelige Verwicklung worein Wickenburg gerathen war, allein im öffentlichen Leben
gibt es Lagen wo Unglück gleich Schuld ift. Das Minifterium war
der Sache der Ordnung und Gefetzlichkeit eine augenfällige Genugthuung fchuldig: Wickenburg wurde abgefetzt und Kreishauptmann v.
Marquet mit der einftweiligen Leitung der Provinz betraut [368]).

Die Penfionirung des Gouverneurs der Steiermark war der erfte
und zugleich der bedeutendfte Fall, wo das Minifterium zeigte in welchem Grade es feinen untergeordneten Organen gegenüber feine Macht
zu üben gewillt fei; es war derfelbe eine thatfächliche Anwendung jener
Grundfätze die der neue Minifter des Innern feinen Beamten in gleich
klarer wie entfchiedener Sprache bekannt gab. Es wurde bereits früher
jenes Rundfchreibens gedacht, das Stadion unmittelbar nach Veröffentlichung des minifteriellen Programms an die Länder-Chefs und Kreis-
vorfteher gerichtet hatte; auf daffelbe folgte vier Wochen fpäter (26.
December) ein anderes an das Perfonale der Central-Behörde. Hier
wie dort fprach er fich in unzweideutiger Weife darüber aus, wie er die
Stellung und die Pflichten des Beamten auffaffe und was er mit un-
nachfichtlicher Strenge von feinen Organen verlange. „Es ift ein dringendes Bedürfnis daß diefelbe Übereinftimmung, die das Minifterium
bei allen feinen Handlungen leiten wird, auch von allen öffentlichen Behörden begriffen werde. Jedem Beamten, der fich der Richtung des
Minifteriums nicht anfchließen zu können vermeint, fteht es frei aus dem
dienftlichen Verbande zu fcheiden; jeder, der fich hiezu als unfähig er-
weift, ift von feinem Poften zu entfernen. Ich werde an diefem meinen

Entschluße ohne irgend eine persönliche Rücksicht festhalten". „Der Be=
amte", lautete es in dem Rundschreiben vom 26. December, „wird vom
Staate nicht angestellt blos um versorgt zu werden, sondern es wird
ihm die Versorgung gewährt damit er seine ganze Thätigkeit dem öffent=
lichen Dienste weihe und nach allen seinen Kräften zur Förderung der
Staatszwecke mitwirke. Die Vorsteher der Ministerial=Departements und
alle übrigen Ministerial=Beamten haben hierin den Behörden in den
Provinzen mit gutem Beispiele voranzugehen. Sie werden ihre ganze
geistige Kraft als ein Eigenthum des Staates ansehen". Stadion ver=
langte dem von maßgebendem Orte Beschlossenen gegenüber unbedingte
Pflichterfüllung, er erwartete dagegen freie Meinungsäußerung angesichts
der erst im Stadium der Erwägung begriffenen Maßregeln. „Es wäre
unrecht und die Bescheidenheit würde den Anschein der Gleichgiltigkeit
annehmen, wenn mir Ansichten und Meinungen, Wahrnehmungen und
Erfahrungen vorenthalten würden, die zur glücklichen Lösung der Auf=
gabe des Ministeriums beitragen können. Ich werde vielmehr jede solche
Mittheilung mit Dank entgegennehmen. Ich kenne keine angenehmere
Pflicht, als dem wahren Verdienste, es möge sich in noch so bescheide=
nem Gewande zeigen, Geltung zu verschaffen und die Zukunft der Män=
ner zu sichern die dem Staate treu und eifrig dienen".

Der Inhalt dieser ministeriellen Rundschreiben machte nicht blos in
Beamtenkreisen, wo sie einen mit unwillkührlicher Achtung verbundenen
Schrecken verbreiteten, sondern auch im großen Publicum viel von sich
reden. Es gab Solche denen Stadion mit seinen Grundsätzen nicht
weit genug ging, und die gar nicht einsehen wollten warum der Staat
überhaupt bleibende Beamte anstellen müsse; es gab wieder Andere
die in den Anforderungen des Ministeriums etwas ganz ungeheuerliches
erblickten, das den geachteten Stand der Beamten in einen Haufen
willenloser Werkzeuge, in ein Heer von „Wohldienern und Heuchlern"
umschaffe [369]). Das eine wie das andere war Übertreibung, das letztere
noch überdies eine offenbare Inconsequenz. Denn was hatten nicht in
den März= und April=Tagen die Vertreter der kaum entfesselten öffent=
lichen Meinung zu schreien und zu schreiben, so lang Sedlnicky nicht
abgethan war, so lang der alte Staatsrath sein Dasein fortfristete, so
lang Graf Brandis seinen Posten als Statthalter von Tyrol innehatte
2c.! Wenn aber die jetzige Regierung von ihren Beamten Überzeugungs=
treue verlangte und jenen, die sich mit den Grundsätzen der neuen Re=

gierung nicht einverstanden fänden, den Austritt nahe legte oder mit Entlassung drohte, wie ließ sich da sagen, daß dies nichts anderes heiße als
„die Persönlichkeit der Minister mit dem Staate identificiren", daß dadurch „die Verwaltung des Landes zur blosen Maschine herabge-
würdigt" werde?! Oder befand sich etwa das März=Ministerium zu den
Männern, welche ausgesprochene Träger eines überwundenen Systems
waren, in einer andern Stellung als das November=Ministerium zu jenen,
die sich als Schleppträger der Partei des Umsturzes enthüllt hatten oder
die umgekehrt tief im alten Schlendrian steckten?!

Es wurde in der ersten Zeit selbst von wohlmeinender Seite der
Verdacht gehegt und von übelwollender mit Hohn und Schadenfreude
darauf hingewiesen, daß es im gegenwärtigen Staate eine Macht gebe
zu der selbst das Ministerium nicht hinanreiche, der gegenüber es eben so
willen= und kraftlos erscheine als es sich nach allen Seiten hin stark und
unnahbar hinzustellen suche [370]): die des Fürsten Windischgrätz. Diese
Meinung war nicht begründet. Allerdings hatte der Feldmarschall eine
Gewalt in Händen mit der er, so weit sie seine Sphäre betraf, unab-
hängig von dem Ministerium nach eigenem Ermessen verfügte; allerdings
geschah in dieser Richtung, insbesondere was die Zustände in der Reichs=
hauptstadt betraf, im Einzelnen manches womit die Minister nicht einverstanden waren und was sie in anderer Weise geschlichtet zu sehen
wünschten. Allein im großen Ganzen war das Ministerium von der
Überzeugung durchdrungen daß, in der gefahrdrohenden Lage in der sich
das Reich befand, eine außerordentliche Maßregel wie die dem Fürsten
Windischgrätz ertheilten Vollmachten sich als ein Gebot der Nothwendigkeit darstelle und daß dieselbe, bis der große Zweck erreicht sei, nicht
blos aufrecht erhalten werden, sondern mit der vollen Verantwortlichkeit
der Regierung gedeckt werden müsse. In diesem Sinne beantwortete
Stadion in der Reichstagssitzung vom 7. December die von Schuselka
am 27. November gestellte Interpellation: „Österreich", sagte er, „steht
unter keiner militärischen Dictatur. Die vollziehende Gewalt in allen
ihren Beziehungen wird von dem Monarchen unter Verantwortlichkeit
seiner Räthe geübt. Die Regierung Seiner Majestät wird niemals Anstand nehmen die volle Verantwortlichkeit für alle von ihr und ihren
Organen ausgehenden Handlungen anzuerkennen. Außerordentliche Verhältnisse haben die Ausnahmszustände in Wien und in Lemberg herl =

geführt. Es handelt sich um die Herstellung gesetzlicher Zustände; nicht blos das Interesse Österreichs, jenes der Gesittung und staatlichen Ordnung von ganz Europa ist dabei in Frage" 2c.

Dagegen bestand, wie wir wissen, ein Verhältnis anderer Art zwischen dem Ministerium und dem bevollmächtigten Feldmarschall, von dem jedoch weder Schuselka noch sonst jemand außer den unmittelbar Betroffenen Kenntnis hatte. Die außerordentliche Stellung des Fürsten Windischgrätz beschränkte sich nicht auf die Aufgabe in den nicht-italienischen Ländern das kaiserliche Ansehen herzustellen; es war ihm in der Zeit der Bedrängnis nicht blos die materielle Macht in die Hände gelegt, es war ihm zugleich maßgebender Einfluß auf alle organisatorischen Maßregeln zur Herstellung der Ordnung im ganzen Umfange des Reiches zugestanden worden. Fürst Schwarzenberg und seine Collegen hatten unter dieser — wenn auch nicht geschäftsmäßig formulirten — Bedingung ihr Amt übernommen, und der Feldmarschall ließ keinen Anlaß unbenützt sie an dies Versprechen zu erinnern. „Er wolle", so lautete sein stolzes Wort, „was vorangegangen, nicht umsonst geleistet haben". Er betrachtete als seine Mission nicht blos die physische, sondern ganz vorzüglich die moralische Besiegung der Revolution, und er identificirte sich mit dieser Mission; „von der betretenen Bahn wird nicht abgegangen", wiederholte er bei jedem Anlasse, „und wird davon abgegangen so geschieht es ohne mich". Er faßte die Ausrottung der Übel, die allen gesellschaftlichen und staatlichen Verhältnissen mit dem Untergang drohten, grundsätzlich und als Ganzes auf. Die Bezwingung des bewaffneten Aufstandes war nur ein Theil der Aufgabe deren Lösung ihm allein zustand, die Herstellung einer neuen Ordnung der Dinge war der andere der ihm und den Ministern gemeinschaftlich oblag. Zu diesem Zwecke verlangte er unabläßiges und unbedingtes Einverständnis der obersten Räthe der Krone mit ihm in allen entscheidenden Fragen. Das Ministerium war kaum gebildet als er seinem Schwager den Wunsch ausdrückte „sich mit den neuen Räthen der Krone zu verständigen; nur ein vollkommener Einklang zwischen uns kann zum Ziele führen und ein solcher kann mir allein in meiner schwierigen Stellung Kraft geben und überhaupt den Widerstand gegen die Anmaßungen und Übergriffe der Partei des Umsturzes so stellen daß er mit Erfolg gekrönt werde". „Stimmen die Herren Minister", schrieb er ein andermal, „mit meinen Ansichten überein, so schätze ich mich glücklich im Verein mit ihnen zur

Reconstruirung unseres Vaterlandes mitzuwirken; wo nicht, so hindern mich meine festen Überzeugungen mit ihnen zu gehen. Es wäre eine zu schwierige und nicht zu lösende Aufgabe, allein als der Repräsentant des Widerstandes gelten zu müssen". Auch in dem durch seinen Inhalt und durch seinen Ton gleich merkwürdigen Schreiben, das der Feldmarschall unmittelbar nach dem Thronwechsel an seinen neuen Gebieter richtete, vergaß er diesen Hauptpunkt nicht. „In der so schwierigen Stellung in der ich mich befinde, bei der so großen Aufgabe die mir die Vorsehung und Ihr Vertrauen beschieden hat, muß ich mir erlauben noch eine Bitte vorzubringen: daß vom Minister=Rathe nichts wichtiges ohne mein Vorwissen Euer Majestät vorgelegt werde, daß Allerhöchst=Dieselben nichts zu entscheiden geruhen ohne mir zu gestatten davon in Kenntnis zu kommen" [371]).

Wir wollen hier nicht vorgreifend darauf eingehen, ob ein Verhältnis wie das eben geschilderte zwischen Männern vom Schlage Windischgrätz' und Schwarzenberg's sich auf die Länge halten ließ, ob es nicht vielmehr den Keim frühern oder spätern Zerfalls von vorn herein in sich trug. Nur die Bemerkung gehört hierher, daß dieses Verhältnis, da und so lang es bestand, jedenfalls der Kraft des Ministeriums keinen Abbruch that. Es mochte in einzelnen Fragen der Raschheit seiner Entschließungen einen Hemmschuh anlegen; es mochte die Nothwendigkeit, sich vorerst mit dem in Ungarn operirenden Feldmarschall in's Einvernehmen zu setzen, manche Verzögerung herbeiführen — obgleich die dadurch herbeigeführte mehrseitige Erwägung bei organisatorischen Maßregeln von so großer Tragweite kaum ein Nachtheil zu nennen war —: allein Thatsache war es, daß das Ministerium vom ersten Augenblicke da es die Leitung übernahm in allen wichtigeren Angelegenheiten seinen Standpunkt festzuhalten, seine Ansichten durchzusetzen wußte und daß in dem großen Streite, auf den sich hinter der Bühne die Meinungsverschiedenheit zwischen den Räthen der Krone und dem hochgebietenden Feldherrn allmälig zuspitzte, nicht jene es waren die sich die Gewalt aus den Händen winden ließen.

Aber noch ein drittes war es, was dem Cabinete des neuen Kaisers allenthalben Achtung abnöthigte: es war im eminenten Sinne ein Ministerium der Initiative. Auch in dieser Hinsicht machte es zur Wahrheit was es in seinem Programme verheißen hatte. Es war nicht darum schweigsam weil es nichts zu verschweigen hatte, sondern deshalb weil es rastlos erst handelte und dann sprach. Das Ministerium schien es darauf angelegt zu haben die öffentliche Meinung mit seinen Thaten zu überraschen, ihre Erwartungen in allen Stücken zu über= holen. Der Langsamkeit des Reichstages gegenüber entwickelte das Mi= nisterium eine Thätigkeit die von der Bevölkerung mit reger Theilnahme begrüßt wurde. Das Ministerium that dies, wie es selbst erklärte, „in Anerkennung der Pflicht", daß es „bis zur Erlassung neuer Gesetze im constitutionellen Wege" darauf bedacht sein müsse „durch provisorische Anordnungen dafür zu sorgen, daß aus den geltenden gesetzlichen Vor= schriften alles entfernt werde was mit den Grundsätzen des neuen Staats= lebens durchaus unvereinbar ist oder sich doch als eine wünschenswerthe Reform darstellt". Dabei führte das Ministerium, entschlossen seinen Weg offen und gerade zu gehen, die Neuerung ein, daß auch die Vor= träge an des Kaisers Majestät, welche die Genesis und die Gründe der zur Allerhöchsten Schlußfassung vorgelegten Anträge entwickelten, der Öffentlichkeit übergeben wurden [372]).

Gleich am Tage nach der Thronbesteigung seines jungen Monarchen unterbreitete Graf Stadion einen Vorschlag, dem zufolge aus den bis= herigen Recrutirungs=Vorschriften alle nicht mehr zeitgemäßen Bestim= mungen entfernt werden sollten. Die Befreiung des Adels von der Mi= litär=Pflichtigkeit wurde als „im auffallendsten Widerspruche mit dem Zugeständnisse staatsbürgerlicher Gleichberechtigung" aufgehoben, die „Berufung zur Armee" dem Los anheimgegeben, der Beginn der Ver= pflichtung zum Wehrdienste vom 19. auf das 20. Jahr verlegt und de= ren Dauer mit dem vollendeten 26. Jahre geschlossen (Vortrag v. 3., A. h. E. v. 5. December). Schon hatte auch Stadion jenen Gegenstand, dem er bereits in Istrien seine besondere Vorliebe zugewandt und wäh= rend seines kurzen Waltens in Galizien einen Boden geschaffen hatte, die Regelung des Gemeindewesens in Angriff genommen. In den ersten December=Tagen war ein Gesetz=Entwurf vollendet, der für's erste einem ausgewählten Kreise von Abgeordneten der verschiedenen Länder=Gruppen vorgelegt und mit denselben in vertraulichen Zusammenkünften berathen wurde. Hand in Hand mit diesen organisatorischen Schritten gingen einschneidende Änderungen im Personal=Stande. Man sprach von einer Reduction der Departements der ehemaligen „böhmischen Hofkanzlei" auf zwölf, die eine jährliche Ersparung von beiläufig 30000 fl. zur

Folge haben sollte, wie auch im Finanz-Ministerium durch Auflassung der ungarischen Referate und Nichtbesetzung einiger durch Tod (Hofrath Schwabe) oder Austritt (Graf Prokop Lazansky) erledigter Departements Vereinfachung des Dienstes und bedeutende Kostenminderung bezweckt wurde. Einige wichtige Statthalter-Posten wurden neu besetzt: für Mähren wurde der bisherige Vice-Präsident Graf Leopold Lazansky, für Nieder-Österreich der frühere Hofrath und Kreishauptmann von Salzburg Graf Gustav Chorinsky bestimmt, nach Innsbruck Graf Cajetan Bissingen-Nippenburg geschickt. In der Reichstagssitzung vom 14. December nahm Dr. Aloys Fischer von seinen Collegen Abschied, „mit schwerem Herzen", wie er sagte, „daß er nicht theilnehmen könne das große Gesetz zu berathen unter dessen Schutz die Völker Österreichs ihre Zukunft verbringen werden". Es hatte ihn der Ruf auf den Statthalter-Posten von Ober-Österreich getroffen und das ganze Haus schenkte dieser Wahl lauten Beifall. „Es ist ein gutes und biederes Volk zu dem ich geschickt werde", sagte Fischer, „und ich hoffe mit gutem Willen auszureichen; Gerechtigkeit Offenheit Freiheit sollen mein Wahlspruch sein". Nicht minder suchte das Ministerium des Unterrichts, dessen Geschäftsführung bei der getheilten Berufsthätigkeit des Ministers und des Unter-Staatssecretärs hauptsächlich in der Hand des gefeierten Herbartianers Ministerial-Raths Exner lag, allen Anforderungen der Zeit gerecht zu werden. In diesem Sinne wurde die unmittelbare Leitung der mittleren und höheren Lehranstalten so wie die nächste Sorge zur Ausfüllung der an denselben entstandenen Lücken den betreffenden Lehrkörpern übergeben, die Abhaltung von Concurs-Prüfungen für die Wiederbesetzung von Lehrstellen von der Regel zur Ausnahme gemacht und selbst für diesen Fall zweckentsprechender geregelt (M. E. v. 11. December Z. 8309). An die Mitglieder der kais. Akademie der Wissenschaften erging, da das Ministerium, „um den Forderungen der Zeit und der ernsten Lage unseres Vaterlandes nur einigermaßen zu genügen, auf die kräftige Mitwirkung der fähigsten und geachtetsten Männer für jeden besondern Kreis von Thätigkeit hoffen und rechnen" müsse, die Einladung „sich bei Wiedereröffnung der Wiener Universität durch außerordentliche Vorlesungen zu betheiligen" (M. E. v. 16. December Z. 8114), eine Aufforderung die das Ministerium auch auf die Mitglieder der königl. böhmischen Gesellschaft der Wissenschaften ausdehnte (M. E. v. 19. December. §. 12). Das Institut der Privatdocenten, „eine Lebensbedingung der

höheren Lehranstalten", erhielt eine zweckmäßige Einrichtung (19. De=
cember Z. 8175); die älteren Privatdocenten fanden Eintritt in den
leitenden Lehrkörper und wurde hiedurch „die Leitung der österreichischen
höheren Lehranstalten in einer freieren Weise geordnet als dies bei irgend=
welchen auswärtigen gegenwärtig der Fall ist" (M. E. v. 18. Decem=
ber Z. 8168). Das Zwitterding der früheren „philosophischen" Jahrgänge
wurde aufgehoben, in Wien an den Gymnasien bei den Schotten und
in der Josephstadt der Anfang von acht=classigen „Ober=Gymnasien"
gemacht, Naturgeschichte und deutsche Sprachwissenschaft in den Kreis
der obligaten Lehrfächer einbezogen, die Aufhebung der Theresianischen
Ritter = Akademie aus Gründen der Ökonomie und der Unzulässigkeit
abgesonderter Standes = Interessen im Grundsatze ausgesprochen [373] zc.
Für das einer gründlichen Neugestaltung bedürftige Volksschulwesen
fielen die Blicke des Ministeriums, mit Beiseitesetzung aller bureau=
kratischen Bedenklichkeiten, auf einen praktischen Schulmann, den De=
chant P. Anton Krombholz von Böhmisch=Leipa, der dem an ihn
gerichteten Rufe mit freudiger Begeisterung folgte. Der neue Handels=
Minister, der den Hofrath Rueskäfer als Unter=Staatssecretär und
Männer wie Hock Schmidt Becher Löwenthal als Räthe in sein Mi=
nisterium berief, ließ das von seinem Vorgänger entworfene „provisorische
Gesetz für die Errichtung von Handelskammern" (v. 3. October) zur
öffentlichen Kenntnis bringen (10. December) und ordnete die Vorarbei=
ten zum Vollzuge desselben, namentlich zur Wahl der mit dem Vertrauen
ihrer Genossen zu bekleidenden Fachmänner an. Für Wien kam die Or=
ganisirung einer Körner= und Mehl=Börse zur Sprache [374]. Die seit
Jahren sich hinschleppenden Verhandlungen über die Richtung, welche
die Eisenbahnlinie zwischen Wien und Triest zu nehmen hätte, wurden
in ernstlichen Angriff genommen und schon entwarf der k. k. Rath und
Eisenbahn=Inspector Karl Ghega einen Plan, vom Reichenauer Thale
durch Überbrückung des Atlitzgrabens die Höhe des Semmerings und
mittelst Durchgrabung dieses Berges die steirische Seite und den Abfall
in das Mürzthal zu gewinnen. Auch von einem Plane Bruck's, dem
überseeischen Handel Österreichs durch Erwerbung der Insel Camorta
(Nikobaren), die bereits zu Maria Theresiens Zeiten (1778) von einer
österreichischen Expedition in Besitz genommen worden war, einen fernen
Colonisationspunkt zu verschaffen, wurde in commerciellen Kreisen ge=
sprochen. Der Justiz=Minister verfolgte die schon während seiner frühe=

ren Wirksamkeit betretene Bahn durchgängiger Sonderung der Rechts=
pflege von der Verwaltung. Er brachte den Parteien wie den Behörden
„die den Gerichtsbehörden mit völliger Unabhängigkeit von dem Justiz=
ministerium zustehende Rechtsprechung", deren Wesenheit die jahrhundert=
langen Gewohnheiten der Patrimonal=Justiz vielfach getrübt hatten, in
wiederholte Erinnerung (M. E. v. 4. December Z. 2545). Er hob die
Beiziehung politischer cameralistischer und montanistischer Repräsentanten
zu den Gerichten und das den ersteren eingeräumte Recht, von den zu=
ständigen Gerichtsbehörden geschöpfte Urtheile zu sistiren, als den Grund=
sätzen der Parteilosigkeit widersprechend und mit der Unverantwortlichkeit
des öffentlichen Ministeriums nicht vereinbar, auf. Vorbereitungen zum
mündlichen Verfahren wurden getroffen, die Arbeiten zu einer den neu
aufgestellten Grundsätzen entsprechenden Eintheilung der Gerichts= und
Verwaltungs=Behörden begannen in allen Ländern [375]). Die Ernennung
des Reichstags=Abgeordneten Dr. Strobach zum Appellations=Rath in
Prag war auf diesem Gebiete, wie die Ernennung Fischer's auf politi=
schem, der erste Fall wo eine parlamentarische Capacität, dabei aber
auch ein Jurist von eben so gediegenen Kenntnissen und scharfem Urtheil
als biederem unbestechlichen Charakter, mit Umgehung des gewöhnlichen
bureaukratischen Weges auf eine höhere Stufe gehoben wurde. Ein
dritter Fall ähnlicher Art betraf in der diplomatischen Sphäre den Frei=
herrn von Doblhoff, den Schwarzenberg vom einfachen Abgeordneten auf
den Gesandtschafts=Posten in Haag berief [376]). Auch das neu gegründete
„Ackerbau=Ministerium", wie man jenes „für Landes=Cultur und Berg=
wesen" im Publicum kurzweg hieß, machte schon von sich reden. Es be=
gann seine Thätigkeit damit daß es alle Landwirthschafts=Gesellschaften
einlud der weitern Verzweigung ihrer Vereine im Lande und einem
fruchtbringenden Verkehr derselben mit den Staatsbehörden ihr beson=
deres Augenmerk zuzuwenden; denn „nicht blos durch Schriften, sondern
vorzüglich durch lebendigen mündlichen Verkehr der Mitglieder und durch
nahe Beispiele" seien „bewährte Erfahrungen schnell zu verbreiten und
zur besseren Bewirthschaftung wirksam aufzumuntern"; „bei administrati=
ven Verfügungen wie bei Gesetzentwürfen" hingegen „sollen die die Land=
wirthschaft betreffenden Beschlüsse und Anträge mit den Landwirthen
selbst berathen und vorbereitet werden" [377]), Grundsätze, welche gegen
die engherzigen Anschauungen des frühern Systems, das alle Schritte
der Landwirthschafts=Gesellschaften unter bureaukratische Bevormundung

setzte, ihre Initiative von allen die bestehende Gesetzgebung und Verwaltung berührenden Angelegenheiten ausschloß, ihre Correspondenz mit auswärtigen Gesellschaften erschwerte und die Bildung von Filialen auf Kreisstädte beschränkte, in der vortheilhaftesten Weise abstachen. Selbst die Marine, das Stiefkind der bisherigen österreichischen Verwaltung, blieb nicht vergessen. Es handelte sich vor allem ihr einen tüchtigen Chef zu geben. F. M. L. Martini der diese Stelle einstweilen versah war ein kenntnisreicher verdienter Militär, jedoch mit dem Seewesen nicht hinreichend vertraut um seiner Aufgabe zu genügen; Fürst Schwarzenberg richtete seine Blicke auf Holland, das sicher bereit sein werde Österreich einen Admiral zu überlassen [378]). Auch eine Vermehrung unserer Flotte schien dringend geboten. Man schrieb nach England um Auskunft über mögliche Ankäufe zu erlangen; auch verlautete, Ägypten gedenke einen Theil seiner Kriegsschiffe wegzugeben, der k. k. General-Consul Laurin erhielt Befehl näheres darüber in Erfahrung zu bringen.

So war das Ministerium Schwarzenberg-Stadion kaum ein paar Wochen am Ruder und schon war seine Thätigkeit nach allen Richtungen hin wahrzunehmen, eine Thätigkeit die um so gerechteres Staunen erregte wenn man die Umstände erwog unter denen sie zu Tage trat. Denn zu der Riesenaufgabe deren Lösung die Minister übernommen hatten, kam die Beschwerlichkeit eines zwischen der Residenz des Monarchen, dem Standorte des Reichstags und dem Sitze aller Verwaltungsbehörden getheilten Dienstes. Ganz treffend bemerkte einer der Reichstagsredner, das Ministerium schwebe in einer beständigen „Ambulanz" zwischen Wien Olmüz und Kremsier. Die Minister hatten ihre Bureaus in Wien, ihre Absteig-Quartiere in Kremsier, ihre Wohnungen in Olmüz, oder umgekehrt diese in Kremsier und jenes in Olmüz [379]). Sie waren zeitweise getrennt, Thinnfeld meistens am Reichstagssitze, Schwarzenberg am häufigsten um die Person des Monarchen, Bruck gewöhnlich in Wien; dann aber fanden sie sich wieder an einem dieser Orte gleichzeitig ein, was nie verfehlte die allgemeine Aufmerksamkeit wach zu rufen und, bei der Verschwiegenheit die das Ministerium über Vorgänge in seinem Schoße zu bewahren wußte, Anlaß zu den mannigfaltigsten Vermuthungen über die wichtigen Dinge die da im Werke seien zu bieten.

Die Vertreter der auswärtigen Mächte blieben in Wien; nur einer von .... konnte auffallen, der russische Gesandte Graf Paul M .... Wohnung in Olmüz (Niederring Nr. 21) und

unterhielt von allen Diplomaten, wie es schien, den lebhaftesten und ver-
traulichsten Verkehr mit dem österreichischen Minister-Präsidenten.

31.

Einer Regierung von solchen Eigenschaften gegenüber konnte der
Reichstag mit seinem jugendhaften Parlamentarismus nur eine Neben-
rolle spielen. Dort klare Ziele, entschiedenes Wollen, mannhaftes Thun;
hier von alle dem das Gegentheil. „Was sind", frug man sich im
Publicum, „die Thaten unseres Reichstages? Anträge die einer den andern
drängen und die der Mehrzahl eher gelegenheitlichen Einfällen als staatsmännischer Erwägung ihren Ursprung verdanken! Eine Jagd nach unreifen Interpellationen die nur darauf angelegt zu sein scheinen dem
Interpellanten und seiner Partei die Freude nicht-verantwortlichen Mit-
regierens zu verschaffen! Endlich Proteste ohne Folgen, ohne Rechtswir-
kung, häufig ohne Sinn!" [380]) Die Wiener Belagerungs-Presse war unermüdlich dem Reichstage sein ziel- und ergebnisloses Treiben vorzuhalten; die Langsamkeit seiner Arbeiten bildete einen stehenden Witz des
Wiener „Punsch" [381]). Dazu kam das fortwährende Sticheln und Drängen
nach einer ausgiebigen „Purificirung" des Reichstages. Die Mistrauens-
Voten, seit Wochen vorbereitet und angekündigt, trafen im Lauf des De-
cembers eins nach dem andern aus Wien und aus Prag ein. Das gegen
Goldmark, datirt v. 30. November, und jenes gegen Füster druckte die
„Wiener Zeitung" gerade um die Zeit der Bekanntwerdung des Thron-
wechsels ab, 2. u. 3. December. „Sie", redeten die Wahlmänner von
Schottenfeld und Breitenfeld erstern an, „befreundet mit einer Partei . . .
die aus den Kloaken der längst entheiligten Aula und der demokratischen
Clubs ihre Weisheit schöpfte, welche die Revolution in Permanenz er-
klärt . . . und ihr Gewissen beladen hat mit einer Blutschuld die um
Sühne laut zum Himmel ruft, Sie, Herr Goldmark, haben jedweden
Anspruch auf das Vertrauen ihrer Wähler verloren". „Obwohl wir
wissen", hieß es in der Adresse des Wahlbezirks Mariahilf gegen Füster,
„daß unser nur zu gegründetes Mistrauen nicht die gesetzliche Kraft hat
Sie von Ihrem Sitz im Parlamente zu entfernen wenn Sie es mit der

Ehre verträglich halten denselben ferner einzunehmen, so glauben wir doch, ehe wir durch eine begründete Petition an den hohen Reichstag Ihre Versetzung in den Anklagestand erbitten, vorerst dieses Mittel in Anwendung bringen zu sollen um nicht länger durch einen Mann vertreten zu sein, der nach unserer Überzeugung als Priester seinem Stande und der Religion, als Professor der Bildung und Intelligenz, als Deputirter der Freiheit und dem Vaterlande weder Ehre noch Vortheil gebracht hat und bringen kann." Auf das Mistrauens-Botum gegen Füster folgte von Seite Stadion's dessen Suspendirung vom Lehramte der Religions-Wissenschaft an der Wiener Universität, und bald darauf vom Wiener erzbischöflichen Ordinariate ein Decret das ihm alle geistlichen Amtsverrichtungen im Umfange der Diöcese untersagte. Die Korneuburger erinnerten Violand in ihrer Adresse vom 13. December, er habe „öffentlich und feierlich erklärt daß er augenblicklich sein Mandat in die Hände seiner Wähler zurückzulegen bereit sei, sobald seine Haltung im Reichstage dem in ihn gesetzten Vertrauen nicht entspreche." Violand läugnete eine Erklärung in solcher Allgemeinheit abgegeben zu haben, auch sei alles in dem Schriftstück gegen ihn Vorgebrachte unwahr und unverdient; so habe er „in der Kammer nie eine zweideutige, sondern im Gegentheil eine sehr entschiedene Stellung" eingenommen, seine Reden hätten „niemals eine Herabsetzung des Monarchen oder eine grundlose Verdächtigung der Minister enthalten" ꝛc. Violand blieb auf Grund dieser Erklärung nach wie vor im Reichstage, auch Goldmark und Füster blieben, o h n e Erklärung. Misliebiges Aufsehen erregte um Mitte December das Mistrauens-Botum gegen Borrosch, nicht sowohl durch seinen Inhalt als durch die Art und Weise wie es ihm zukam: die Wähler der Prager Kleinseite schickten es an den Ordner Jelen der es ihm in Gegenwart zweier Zeugen überreichen mußte[382]). Gleichzeitig erfuhr man daß das Wiener Strafgericht seine Anklagen gegen gewisse Abgeordnete fortwährend aufrechthalte, die Untersuchung eifrig fortsetze. Am 18. December wurde der ärarische Haus-Inspector Michael Pauly in Begleitung eines Wiener Criminal-Rathes in die Ministerloge des Reichstages geführt, um die eintretenden Abgeordneten zu mustern und jenen zu bezeichnen der am 6. October im Hofe des Kriegsgebäudes, als jemand die Menge durch die Versicherung ablenken wollte: Latour habe sich bereits entfernt, die verhängnisvollen Worte gesprochen hatte: „Glaubt es nicht, er ist im Haufe!" Als Goldmark in den Saal trat erkannte ihn Pauly auf der

Stelle. Tags darauf wurde in derselben Angelegenheit der Ministerial=
Courier Karl Höchsmann bei dem Olmützer Garnisons=Auditoriate ver=
nommen.

Allein gerade dies Damokles=Schwert das viele Abgeordnete über
ihrem Haupte hängen sahen, war ein Grund mehr daß sie sich fester als
je an ihre Sitze klammerten, von denen sie ohne die Zustimmung des
gesammten Reichstages kein Untersuchungsrichter reißen konnte. War nun
nicht zu fürchten daß diese Zustimmung seitens ihrer Collegen so leicht
erfolgen könne [383]), so hatte die Ungewißheit in der sie fortwährend
schwebten gleichwohl die Folge daß sie sich, wenn nicht durch Nadelstich=
von der andern Seite auf's empfindlichste getroffen, in ihrem öffentlichen
Auftreten in einer Weise mäßigten die gegen ihren früheren Ton in
Wien gewaltig abstach. Daher einerseits die Klage der radicalen Jour=
nalistik: wie der Reichstag, die „souveraine“ Versammlung der Volks=
vertreter, in seiner neuen Umgebung so ganz seine frühere Bedeutung ver=
loren habe; wie er, das „Löwenkind der Revolution“, so zahm geworden
sei daß weder die Minorität es wage „den Zorn der Herren vom Militär
noch mehr zu vergrößern durch unbequeme Anfragen“, noch die Majorität
den Muth habe für das unter dem Säbel=Regimente knirschende Wien
in gleicher Weise in die Schranken zu treten wie dies kaum vier Monate
früher für das in gleicher Lage befindliche Prag geschehen sei; wie die
in Wien ausgearbeiteten Grundrechte und der Verfassungs=Entwurf in
Kremsier auf Schwierigkeiten in rückschrittiger Richtung stoße und der=
selbe Ausschuß, dem sie ihren Ursprung verdankten, jetzt erschrecke vor
seiner eigenen Freisinnigkeit von ehedem! [384]) Daher aber auch andrerseits
die Befriedigung und die Hoffnung aller gemäßigten Freunde des Fort=
schrittes daß der Reichstag, befreit von den beengenden Fesseln die ihm
das Drängen und Drohen der Wiener Straße und der Galerie der
Winter=Reitschule angelegt hatte, nunmehr eine besonnene Auffassung der
Verhältnisse vorwalten lasse, daß er den Anforderungen des Zeitgeistes,
aber auch den thatsächlichen Zuständen im staatlichen wie im gesellschaft=
lichen Leben Rechnung trage, daß er endlich mit der neuen Regierung,
die von ihrem ersten Auftreten so entschieden das allgemeine Vertrauen
gewonnen, sich auf gutem Fuße zu erhalten verstehen werde. In der That
ließ die ganze Haltung des Ministeriums erkennen daß es an seinem
ausgesprochenen Wunsche, mit dem Reichstage Hand in Hand zu gehen,
fortwährend festhalte. Obgleich in seiner Thätigkeit von dem Hofe in

Olmütz und von seinen Bureaux in Wien in gleichem Grade in Anspruch genommen, war es doch unausgesetzt durch eins oder das andere seiner Mitglieder am Sitze des Reichstages vertreten, betheiligte sich, wo es ein allgemeines Interesse galt, an der Debatte und an der Abstimmung, beantwortete, wenn auch mitunter etwas spät, die eingebrachten Inter=pellationen ꝛc. Daß es dem Ministerium mit dem Fortbestande des Reichs=tages Ernst war bewies es auch dadurch, daß es in seinen Organen oft in der schärfsten Weise jene Angriffe abwies die in entgegengesetztem Sinne auf Untergrabung des reichstäglichen Ansehens gerichtet waren [385]).

In der That schien in der ersten Zeit nach dem Thronwechsel der Reichstag über alles zufrieden zu sein, sich in seinem Fortbestande nicht bedroht, vom Throne als ein nothwendiges Glied der Gesetzgebung erklärt zu sehen. Einen so großen Sturm die Sanctions=Frage vor einigen Monaten in der Wiener Reitschule heraufbeschworen und so viel böses Gerede der Wille des Monarchen, sich die künftige Verfassung zur Prüfung vorlegen lassen zu wollen, hervorgerufen hatte, im Kremsierer Reichstage wagte niemand diesen Punkt zu einem Gegenstande des Zweifels zu machen.

Den ersten Anlaß der die verschiedenen Richtungen des Reichstages aneinanderbrachte, bot der erhitzte Kampf am 20. December wo es sich um die Erneuerung des Reichstags=Präsidiums für die nächsten vier Wochen handelte. Smolka hatte sich durch sein bisheriges Gebaren allge=meine Achtung und vielfaches Vertrauen erworben, während ein nicht ge=ringer Theil der Abgeordneten in der Erwählung Strobach's eine neue Begünstigung der „Čechen", die sich schon durch den Sitz des Reichstages auf slavischem Boden in unbilligem Vortheil befänden, zu erblicken meinte. Noch ehe es zur Wahl kam bot der Saal ein lebhaft bewegtes Bild, und durch das Getöse, welches das Hin= und Hergehen, das eifrige wenn auch halblaute Zureden und Abreden, die Anfragen der Parteigenossen, die Losungsworte der Führer verursachten, konnte sich die Stimme des Vorsitzenden kaum hörbar machen. Die Unruhe stieg als das Ergebnis der Wahl bekannt wurde: 143 Stimmen Smolka, 130 Strobach, 58 Mayer. Der Letztere war der Candidat jenes Theiles der Kammer, der politisch nicht mit der Linken, national nicht mit der Rechten sympa=thisirte und es mußte sich nun, da keiner der Bezeichneten die absolute Mehrheit für sich hatte, bei der Neuwahl zeigen ob bei dem Centrum die politische oder die nationale Abneigung die Oberhand behielt. Unter zunehmender Bewegung des Hauses wurde eine Bedenkzeit von zehn Minuten beantragt, bestritten, zuletzt gewährt. Die zweite Wahlhandlung ging vor sich; es waren 326 Wählende — 6 hatten sich nach der ersten Wahlhandlung entfernt*) —, folglich die absolute Mehrheit 164; die Zählung ergab jedoch nur 161 für Strobach, 160 für Smolka, während 5 noch zu Mayer hielten. Es mußte daher eine dritte auf die beiden Erstgenannten beschränkte Wahl stattfinden, wobei zuletzt Strobach 166 Stimmen erhielt, Smolka mit 157 in der Minderheit blieb; 3 Zettel waren leer. Der Parteikampf war insbesondere von Seite der Linken bei diesem Anlasse ein so leidenschaftlicher daß einige der Schildträger Smolka's in Folge der übergroßen Aufregung erkrankten [386]). Als Vice-Präsidenten gingen bei schon bedeutend gelichteten Reihen Doblhoff mit 213 Stimmen unter 233 und Haßlwanter mit 130 gegen 102, welche die Linke Pretis gegeben hatte, aus der Wahlurne hervor.

Ihren entschiedenen Willen die Regierung zu unterstützen bewies die Mehrzahl des Reichstags in der gleich darauf folgenden Sitzung des 21. December. Nachdem sich Schuselka zum Wort gemeldet, um dem Constitutions-Ausschuße den Wunsch auszusprechen: er wolle seine Arbeiten derart beschleunigen daß am 15. März kommenden Jahres die Verfassung beschworen werden könne, kam es zum Hauptgegenstand der Tagesordnung, der zweiten Lesung des Berichtes des Finanz-Ausschußes über den vom Finanzminister verlangten Credit von 80,000.000 fl.

Kraus hatte dieses Verlangen unter gleichzeitiger Uiberreichung des Voranschlages für 1849 in der Sitzung am 4. December gestellt und mit der Hinweisung begründet, sowohl auf die allgemeine Reichslage die für die kommenden Monate einen Doppelkrieg in Italien und in Ungarn in Aussicht stelle, als auf manche mit Kosten verbundene zeitgemäße Verkehrungen im Innern; Trennung der Justiz von der Administration, Aufhebung der Urbarial- und Zehent-Schuldigkeiten, während gleichzeitig die Einnahmen des Staates durch das Ausbleiben der regelmäßigen Zuflüsse aus den im Aufstand begriffenen Theilen des Reiches und durch manche Ausfälle bei den indirecten Abgaben um ein bedeutendes verringert seien [387]). Kraus verstand es bei aller Trockenheit

---

*) Die Zahl aller in Kremsier Erschienenen belief sich auf 342, während die Gesammtzahl beim Wiener Reichstage 368 gewesen war; allerdings standen um diese Zeit viele Neuwahlen noch aus.

…Das zeigte sich denn auch bei der Debatte des 21. Die Wider=
sacher der Regierung, diesmal nur Polen, wollten gar nichts bewil=
ligen. „Statt eines verfassunggebenden Reichstages“, sagte Borkowski,
„haben wir einen schuldenmachenden. Was thun wir denn anders als
was der Absolutismus gethan? So räumen wir ihm lieber das Feld,
er macht es jedenfalls geschwinder, als daß wir uns zum blosen Deck=
mantel gebrauchen ließen! Durch unsere Verweigerung wird die Staats=
maschine nicht in's stocken gerathen. Die Regierung wird sich die achtzig
Millionen wenn sie sie braucht auch ohne unser Mitthun verschaffen;
wir aber werden mindestens keine Mitschuldigen an einer That sein
welche Unglück über die von uns vertretenen Völker bringen kann. Lassen
wir uns nicht zum Sündenbock der Metternich'schen Regierung machen!
Denn wer steht uns dafür daß man es nicht versuchen wird, die ganze
alte Staatsschuld als ein morsches Gebäude durch unsere Bewilligung
zu unterstützen und zu halten? Die österreichische Staatsschuld beträgt
beinahe die Summe der zehnjährigen Einkünfte des Staates, folglich
fehlt nicht viel, daß sie die Hälfte des Werthes des ganzen Kaiserstaates
ausmache“. „Die Ausgaben“, meinte Bilinski, „müssen sich nach den
Einnahmen oder wenigstens nach der Erschwinglichkeit derselben richten.
Da sehen Sie einmal“, deducirte er weiter; „der Gesammtaufwand
des Staates ohne die Zinszahlung beträgt 111 Millionen was bereits
ein Deficit von 10 Millionen bildet, und überdies müssen noch 52 Mil=
lionen Schulden gemacht werden, um den Verbindlichkeiten gegen die
Staatsgläubiger nachzukommen. Oder: Die Staatseinnahmen betragen 101
Mill., die Zinsen der Staatsschuld 52 Mill., die Kosten der Krieg=
führung 59 Mill.; folglich haben Sie mit diesen beiden Posten schon
einen Ausfall von 10 Mill., während alle übrigen Zweige des
Staatsaufwandes nur durch Schuldenmachen versorgt werden können“.
Gegen die Kriegführung sprachen sie sich alle aus. „Wo sind die
Früchte all dieser bewaffneten Abenteuer, die so viel Geld und Men=
schenleben verschlungen haben und noch verschlingen? Ist es nicht
etwa der leere Wind den man Ruhm nennt?“ (Borkowski). „Was läßt
sich von der Bezwingung Ungarns erwarten? Ein misvergnügtes Land,
jeden Augenblick bereit zu neuer Erhebung! Darum würden Friedensan=
bote anzurathen sein und insbesondere jetzt, wo eine achtunggebietende
Macht die schon so große Vortheile errungen dem Ungarn entgegensteht“
(Bilinski). „Da wo eine ganze Nation in Waffen steht scheint es denn

doch der Mühe werth näher zu untersuchen, ob sie nicht einiges Recht
für sich habe und ob es zur Wiederherstellung der gestörten Ruhe und
Ordnung nicht noch andere Mittel gebe als gerade nur Gewalt und
Krieg und in Folge dessen außerordentliche Finanz-Maßregeln" (Durbasiewicz). Die drei Galizianer ließen übrigens nicht undeutlich merken,
daß es ihnen eigentlich nur darum zu thun sei etwas Scandal zu machen.
Borkowski sagte gleich im Eingange seiner Rede, es sei bereits bei der
ersten Anregung dieses Gegenstandes von dem Abgeordneten für Lemberg
(Ziemiałkowski) ein Antrag gestellt worden welcher der Würde der Versammlung entspreche; dieser Antrag sei aber „natürlich" verworfen worden. Die Mehrheit nahm das als einen schlechten Witz mit „Heiterkeit" auf; nur Neumann verlangte den Ordnungsruf, wozu jedoch der
Präsident keinen genügenden Grund fand. Borkowski stellte zuletzt den
Antrag, dem Finanzminister einen Credit von einer halben Million
zu bewilligen; er thue dies, fügte er bei, nur deshalb weil nach der
Geschäftsordnung ein Antrag der den Hauptantrag gänzlich vernichte
nicht angenommen werde". Strobach wollte mit einer jener geistvollen
Spitzfindigkeiten, die ihm in kritischen Augenblicken so häufig zu Gebote
standen, die Sache abschneiden, indem er sagte: er glaube den Antrag
„als Erläuterung der Geschäftsordnung" beiseite legen zu sollen. Allein
von den Bänken der Linken erhob sich Widerspruch, und obgleich Borkowski selbst geäußert hatte er wolle seinen Antrag nicht unterstützt haben,
mußte der Präsident dennoch die Unterstützungsfrage stellen, wobei sich
eine kleine, allein immerhin ausreichende Anzahl von Abgeordneten erhob. Wenn Borkowski mindestens witzig war so wurde Bilinski geradezu grob, als er seine gegen jede Bewilligung gerichtete Rede mit den
Worten schloß: „Die anders stimmen sind von der Intrigue umgarnt,
oder politisch unmündig denen Millionen nichts bedeuten". Diesmal
konnte sich der Präsident nicht enthalten, den Ordnungsruf ergehen zu
lassen, wogegen einige Mitglieder der Linken nicht säumten eine Verwahrung anzumelden. Durbasiewicz allein hielt sich inner den Gränzen
des Anstandes, indem er zum Schluße erklärte er wolle keinen Antrag
stellen, da er voraussehe daß ein solcher nicht durchgehen werde; „möge
die Kammer die verlangten achtzig Millionen und noch mehr dazu bewilligen, wir Andern wollen jedoch unsere Hände davon rein waschen".
Einen eigenen Standpunkt nahm Sierakowski ein, der sich schon in
der Wiener Reitschule durch seine cynischen Ausfälle gegen die Regierung

und besonders gegen den Grafen Stadion bemerkbar gemacht hatte. Indem er sich in eine weitläufige Kritik des Budgets einließ, ging er Post für Post durch wo etwa Ersparungen zu erzielen wären. Die Truppen in Italien, meinte er, sollten sich selbst erhalten; was unbedeckt bliebe wäre „in die Civilliste zu stellen, da die italienischen Provinzen nur gleich den Lustschlössern von Schönbrunn oder Laxenburg zum Vergnügen des Hofes dienen, der Gesammt-Monarchie aber keinen wesentlichen Nutzen bringen". Dann wandte er sich „an den Patriotismus der Herren Minister" die auf ihre Functions-Zulagen verzichten sollten; dasselbe hätte mit den Tafelgeldern der Statthalter zu geschehen; „was brauchen sie sich bei der Tafel mit Gästen die Zeit zu vertreiben? Sie sollen sie lieber den Geschäften des Landes widmen!"   Die Repräsentations-Zulagen für die Gesandten seien überflüssig, die Stellen der Vice-Präsidenten und Hofräthe bei den Gubernien wären aufzuheben, die vom Grafen Rudolf Stadion neu creirten Kreis-Commissäre „per 70 Köpfe" zu entlassen, die Diäten der Abgeordneten von monatlichen 200 fl. auf 150 herabzusetzen, die Zinsen der Staatsschuld „bis zur Pacificirung" um zwei Drittel zu vermindern, und wenn nach all dem noch immer ein Deficit von mehr als 13,000.000 bliebe, sei dieses durch Einführung der Einkommensteuer zu decken.

Doch diesen Einstreuungen einer augenscheinlich übelwollenden Opposition stellte sich die Phalanx der übrigen Redner mannhaft entgegen [368]). „Mein und meiner politischen Freunde Glaubensbekenntnis", sagte Mayer, „ist ein starkes einiges Österreich, und wer den Zweck will muß auch die Mittel wollen". „Wer dieses Bewustsein nicht hat der sollte", sprach Jonak offen aus, „die Wahl als österreichischer Abgeordneter gar nicht angenommen haben. Die Frage ist heute nicht ob wir dem Ministerium ein Vertrauens-Votum geben wollen; die Frage ist ob wir zu uns und unserer Zukunft Vertrauen haben, und wir haben es; ob wir den Muth haben diese Zukunft mit Aufopferung all unserer Kräfte anzustreben, und wir haben ihn!"   „Es mögen die Segnungen der neuen Zeit noch so groß sein", bemerkte Wiser, „mit e i n e m Übel werden und müssen wir sie erkaufen, nämlich mit dem, daß in der Übergangs-Periode der Staat mit großen Ausgaben in Anspruch genommen wird". „Wo Kriege glücklich geführt werden sollen, müssen dieselben rasch und ohne ängstliche Erwägung der nothwendigen Opfer geführt werden", betonte Škoda und knüpfte daran Bemerkungen über die eigentliche Bedeutung des ungarischen Krieges: „Der wahre Schwerpunkt der österreichischen Politik liegt weder im Westen noch im Süden, sondern in Süd-Ost. Dieser naturgemäßen Entwicklung Österreich's wagt es der eingekeilte Magyarismus rebellisch entgegenzutreten. Deswegen muß diese Partei besiegt und das herrliche gesegnete Land jenem Grade der Civilisation entgegengeführt werden dessen es fähig ist. Es erübrigt nur Krieg, und zwar gegen eine die eigentliche Mehrheit des Landes knechtende Faction". Was die zu bewilligende Summe betraf, so stand der Berichterstatter des Finanz-Ausschusses mit seinem 50 Millionen-Antrage allein. Vergebens rief er den Versammelten zu: „Ich frage Sie, meine Herren, ist es klug sich entbehrlich zu machen? Den Ereignissen auf so lange Zeit vorzugreifen? Bürgschaften aus der Hand zu geben auf welche die Kammern aller Völker und aller Zeiten so viel Gewicht gelegt haben?" Alle die der Regierung keine Verlegenheit bereiten wollten, waren darüber einig daß man an der vom Finanzminister gestellten Förderung nichts dürfe herunterhandeln wollen. Es wäre, zeigten sie, das unklügste System, jetzt einen kleineren Betrag, womit das Ministerium, wie der Finanz-Ausschuß meine, „eine Zeit hindurch" auskäme, und nach einigen Monaten wieder einen kleinen Betrag zu bewilligen. Auch würde die Börse eine festere Haltung annehmen, wenn man voll Vertrauen in die Zukunft auf einmal bewillige was man brauche, als wenn man mistrauisch eine ungenügende Summe mit dem Vorbehalte ausspreche, einen Versuch zu machen wie weit die Regierung etwa damit komme. „Es ist kein Zeichen von Vertrauen in die eigene Kraft", bemerkte Kraus mit Recht, „wenn man gegen Andere stets mistrauisch ist. Zugleich ist es eine Selbsttäuschung wenn man meint dadurch, daß man der Regierung weniger zugesteht, zu bewirken daß auch weniger gebraucht werde".

Als es zur Abstimmung kam, wurde erst der Antrag Sierakowski's gänzlich abgelehnt. Für den Antrag Borkowski's erhob sich niemand, auch keiner von denen die ihn früher unterstützt hatten. Der Vorschlag Nagele's (St. Veit in Kärnten): nur 30,000.000 zu bewilligen, das übrige durch Herabminderung der Armee auf die Hälfte, des Beamtenstandes auf ein Drittel hereinzubringen, wurde verworfen. Zuletzt ging der Antrag Wiser's: statt der vom Finanz-Ausschuße angesetzten 50,000.000 die vom Ministerium verlangten 80,000.000 zu bewilligen, mit eminenter Majorität durch.

Über den zweiten Absatz des Gesetzentwurfes: „das Ministerium

Ehre verträglich halten denselben ferner einzunehmen, so glauben wir doch,
ehe wir durch eine begründete Petition an den hohen Reichstag Ihre
Versetzung in den Anklagestand erbitten, vorerst dieses Mittel in Anwendung bringen zu sollen um nicht länger durch einen Mann vertreten
zu sein, der nach unserer Überzeugung als Priester seinem Stande und
der Religion, als Professor der Bildung und Intelligenz, als Deputirter
der Freiheit und dem Vaterlande weder Ehre noch Vortheil gebracht hat
und bringen kann." Auf das Mistrauens=Votum gegen Füster folgte von
Seite Stadion's dessen Suspendirung vom Lehramte der Religions=
Wissenschaft an der Wiener Universität, und bald darauf vom Wiener
erzbischöflichen Ordinariate ein Decret das ihm alle geistlichen Amtsver=
richtungen im Umfange der Diöcese untersagte. Die Korneuburger erinnerten Violand in ihrer Adresse vom 13. December, er habe „öffentlich
und feierlich erklärt daß er augenblicklich sein Mandat in die Hände
seiner Wähler zurückzulegen bereit sei, sobald seine Haltung im Reichs=
tage dem in ihn gesetzten Vertrauen nicht entspreche." Violand läugnete
eine Erklärung in solcher Allgemeinheit abgegeben zu haben, auch sei alles
in dem Schriftstück gegen ihn Vorgebrachte unwahr und unverdient; so
habe er „in der Kammer nie eine zweideutige, sondern im Gegentheil
eine sehr entschiedene Stellung" eingenommen, seine Reden hätten „nie=
mals eine Herabsetzung des Monarchen oder eine grundlose Verdächtigung
der Minister enthalten" rc. Violand blieb auf Grund dieser Erklärung
nach wie vor im Reichstage, auch Goldmark und Füster blieben, o h n e
Erklärung. Misliebiges Aufsehen erregte um Mitte December das Mis=
trauens=Votum gegen Borrosch, nicht sowohl durch seinen Inhalt als
durch die Art und Weise wie es ihm zukam: die Wähler der Prager
Kleinseite schickten es an den Ordner Jelen der es ihm in Gegenwart
zweier Zeugen überreichen mußte [382]). Gleichzeitig erfuhr man daß das
Wiener Strafgericht seine Anklagen gegen gewisse Abgeordnete fortwäh=
rend aufrechthalte, die Untersuchung eifrig fortsetze. Am 18. December
wurde der ärarische Haus=Inspector Michael Pauly in Begleitung eines
Wiener Criminal=Rathes in die Ministerloge des Reichstages geführt,
um die eintretenden Abgeordneten zu mustern und jenen zu bezeichnen der
am 6. October im Hofe des Kriegsgebäudes, als jemand die Menge
durch die Versicherung ablenken wollte: Latour habe sich bereits entfernt,
die verhängnisvollen Worte gesprochen hatte: „Glaubt es nicht, er ist im
Hause!" Als Goldmark in den Saal trat erkannte ihn Pauly auf der

Stelle. Tags darauf wurde in derselben Angelegenheit der Ministerial-Courier Karl Höchsmann bei dem Olmützer Garnisons-Auditoriate vernommen.

Allein gerade dies Damokles-Schwert das viele Abgeordnete über ihrem Haupte hängen sahen, war ein Grund mehr daß sie sich fester als je an ihre Sitze klammerten, von denen sie ohne die Zustimmung des gesammten Reichstages kein Untersuchungsrichter reißen konnte. War nun nicht zu fürchten daß diese Zustimmung seitens ihrer Collegen so leicht erfolgen könne [383]), so hatte die Ungewißheit in der sie fortwährend schwebten gleichwohl die Folge daß sie sich, wenn nicht durch Nadelstich von der andern Seite auf's empfindlichste getroffen, in ihrem öffentlichen Auftreten in einer Weise mäßigten die gegen ihren früheren Ton in Wien gewaltig abstach. Daher einerseits die Klage der radicalen Journalistik: wie der Reichstag, die „souveraine" Versammlung der Volksvertreter, in seiner neuen Umgebung so ganz seine frühere Bedeutung verloren habe; wie er, das „Löwenkind der Revolution", so zahm geworden sei daß weder die Minorität es wage „den Zorn der Herren vom Militär noch mehr zu vergrößern durch unbequeme Anfragen", noch die Majorität den Muth habe für das unter dem Säbel-Regimente knirschende Wien in gleicher Weise in die Schranken zu treten wie dies kaum vier Monate früher für das in gleicher Lage befindliche Prag geschehen sei; wie die in Wien ausgearbeiteten Grundrechte und der Verfassungs-Entwurf in Kremsier auf Schwierigkeiten in rückschrittiger Richtung stoße und derselbe Ausschuß, dem sie ihren Ursprung verdankten, jetzt erschrecke vor seiner eigenen Freisinnigkeit von ehedem! [384]) Daher aber auch andrerseits die Befriedigung und die Hoffnung aller gemäßigten Freunde des Fortschrittes daß der Reichstag, befreit von den beengenden Fesseln die ihm das Drängen und Drohen der Wiener Straße und der Galerie der Winter-Reitschule angelegt hatte, nunmehr eine besonnene Auffassung der Verhältnisse vorwalten laßen, daß er den Anforderungen des Zeitgeistes, aber auch den thatsächlichen Zuständen im staatlichen wie im gesellschaftlichen Leben Rechnung tragen, daß er endlich mit der neuen Regierung, die von ihrem ersten Auftreten so entschieden das allgemeine Vertrauen gewonnen, sich auf gutem Fuße zu erhalten verstehen werde. In der That ließ die ganze Haltung des Ministeriums erkennen daß es an seinem ausgesprochenen Wunsche, mit dem Reichstage Hand in Hand zu gehen, fortwährend festhalte. Obgleich in seiner Thätigkeit von dem Hofe in

Olmüz und von seinen Bureaux in Wien in gleichem Grade in Anspruch
genommen, war es doch unausgesetzt durch eins oder das andere seiner
Mitglieder am Sitze des Reichstages vertreten, betheiligte sich, wo es
ein allgemeines Interesse galt, an der Debatte und an der Abstimmung,
beantwortete, wenn auch mitunter etwas spät, die eingebrachten Interpellationen rc. Daß es dem Ministerium mit dem Fortbestande des Reichstages Ernst war bewies es auch dadurch, daß es in seinen Organen oft
in der schärfsten Weise jene Angriffe abwies die in entgegengesetztem
Sinne auf Untergrabung des reichstäglichen Ansehens gerichtet waren [385]).

In der That schien in der ersten Zeit nach dem Thronwechsel der
Reichstag über alles zufrieden zu sein, sich in seinem Fortbestande
nicht bedroht, vom Throne als ein nothwendiges Glied der Gesetzgebung
erklärt zu sehen. Einen so großen Sturm die Sanctions-Frage vor
einigen Monaten in der Wiener Reitschule heraufbeschworen und so viel
böses Gerede der Wille des Monarchen, sich die künftige Verfassung zur
Prüfung vorlegen lassen zu wollen, hervorgerufen hatte, im Kremsierer
Reichstage wagte niemand diesen Punkt zu einem Gegenstande des Zweifels
zu machen.

Den ersten Anlaß der die verschiedenen Richtungen des Reichstages
aneinanderbrachte, bot der erhitzte Kampf am 20. December wo es sich
um die Erneuerung des Reichstags-Präsidiums für die nächsten vier
Wochen handelte. Smolka hatte sich durch sein bisheriges Gebaren allgemeine Achtung und vielfaches Vertrauen erworben, während ein nicht geringer Theil der Abgeordneten in der Erwählung Strobach's eine neue
Begünstigung der „Čechen", die sich schon durch den Sitz des Reichstages
auf slavischem Boden in unbilligem Vortheil befänden, zu erblicken meinte.
Noch ehe es zur Wahl kam bot der Saal ein lebhaft bewegtes Bild,
und durch das Getöse, welches das Hin- und Hergehen, das eifrige wenn
auch halblaute Zureden und Abreden, die Anfragen der Parteigenossen,
die Losungsworte der Führer verursachten, konnte sich die Stimme des
Vorsitzenden kaum hörbar machen. Die Unruhe stieg als das Ergebnis
der Wahl bekannt wurde: 143 Stimmen Smolka, 130 Strobach,
58 Mayer. Der Letztere war der Candidat jenes Theiles der Kammer,
der politisch nicht mit der Linken, national nicht mit der Rechten sympa-
thisirte und es mußte sich nun, da keiner der Bezeichneten die absolute
Mehrheit für sich hatte, bei der Neuwahl zeigen ob bei dem Centrum

die politische oder die nationale Abneigung die Oberhand behielt. Unter
zunehmender Bewegung des Hauses wurde eine Bedenkzeit von zehn Minuten beantragt, bestritten, zuletzt gewährt. Die zweite Wahlhandlung
ging vor sich; es waren 326 Wählende — 6 hatten sich nach der ersten
Wahlhandlung entfernt[*]) —, folglich die absolute Mehrheit 164; die
Zählung ergab jedoch nur 161 für Strobach, 160 für Smolka, während
5 noch zu Mayer hielten. Es mußte daher eine dritte auf die beiden
Erstgenannten beschränkte Wahl stattfinden, wobei zuletzt Strobach 166
Stimmen erhielt, Smolka mit 157 in der Minderheit blieb; 3 Zettel
waren leer. Der Parteikampf war insbesondere von Seite der Linken bei
diesem Anlasse ein so leidenschaftlicher daß einige der Schildträger
Smolka's in Folge der übergroßen Aufregung erkrankten [386]). Als Vice-
Präsidenten gingen bei schon bedeutend gelichteten Reihen Doblhoff mit
213 Stimmen unter 233 und Haßlwanter mit 130 gegen 102, welche
die Linke Pretis gegeben hatte, aus der Wahlurne hervor.

Ihren entschiedenen Willen die Regierung zu unterstützen bewies die
Mehrzahl des Reichstags in der gleich darauf folgenden Sitzung des
21. December. Nachdem sich Schuselka zum Wort gemeldet, um dem
Constitutions-Ausschuße den Wunsch auszusprechen: er wolle seine Ar-
beiten derart beschleunigen daß am 15. März kommenden Jahres die
Verfassung beschworen werden könne, kam es zum Hauptgegenstand der
Tagesordnung, der zweiten Lesung des Berichtes des Finanz-Ausschußes
über den vom Finanzminister verlangten Credit von 80,000.000 fl.

Kraus hatte dieses Verlangen unter gleichzeitiger Ueberreichung des
Voranschlages für 1849 in der Sitzung am 4. December gestellt und
mit der Hinweisung begründet, sowohl auf die allgemeine Reichslage
die für die kommenden Monate einen Doppelkrieg in Italien und in
Ungarn in Aussicht stelle, als auf manche mit Kosten verbundene zeitgemäße Verkehrungen im Innern, Trennung der Justiz von der Administration, Aufhebung der Urbarial- und Zehent-Schuldigkeiten, während
gleichzeitig die Einnahmen des Staates durch das Ausbleiben der regelmäßigen Zuflüsse aus den im Aufstand begriffenen Theilen des Reiches
und durch manche Ausfälle bei den indirecten Abgaben um ein bedeutendes verringert seien [387]. Kraus verstand es bei aller Trockenheit

---

[*]) Die Zahl aller in Kremsier Erschienenen belief sich auf 342, während die Gesammtzahl beim Wiener Reichstage 368 gewesen war; allerdings standen um
diese Zeit viele Neuwahlen noch aus.

seines Vortrags seinem Gegenstande allerhand Seiten abzugewinnen, wo
er des Beifalls der Versammlung versichert sein kounte. So wenn
er sagte: „Ich glaube, daß es kein Finanzsystem auf die Dauer geben
kann das nicht auf der Grundlage der Gerechtigkeit beruht", und auf
die über seinen Antrag beschlossene Aufhebung der Judensteuer hinwies,
„die keinen geringen Ertrag abwarf, die aber ungerecht war". Oder
wenn er eine allmälige Beseitigung der Einfuhrverbote verhieß und dies
den Freunden des österreichischen Anschlußes an Deutschland zu Gefallen
damit motivirte: „So lang Einfuhr=Verbote in großer Anzahl bestehen
ist ein inniger Anschluß an irgend ein Land, also auch an Deutschland
nicht denkbar". Oder wenn er sich gar über die Verwerflichkeit des Lotto
aussprach und erklärte, das Ministerium sei für die Aufhebung dieses
Gefälles — allgemeiner großer Beifall —, wobei er jedoch so klug war
die Anmerkung nachzuschicken: „freilich könne daran erst gedacht werden
wenn der Ausfall, den diese Aufhebung in der Staatseinnahme nach sich
ziehen müsse, von anderer Seite her gedeckt sein werde." Auch vergaß er
nicht die Versammlung aufmerksam zu machen, welche Arbeit es gekostet
habe den Voranschlag zum erstenmal nach Ministerien gesondert erscheinen zu lassen; denn „weil jeder Minister für seinen Zweig verantwortlich
ist, muß jedes Ministerium mit den erforderlichen Mitteln versehen sein
um dem ihm vorgesetzten Zwecke zu entsprechen". Den verlangten Credit
betreffend, so werde man wo möglich einen Theil davon zur Ausgleichung mit der Bank verwenden, um diese in den Stand zu setzen die
Summe der sie belastenden Noten zu vermindern, das Verhältniß derselben zu dem Silbervorrathe und dem Münzumlaufe auf deffen natürliche Grundlage zurückzuführen und dadurch den freien Münzumsatz im
Verkehr mit dem Auslande wieder herzustellen. „Wenn die übrigen
Länder", bemerkte dabei Kraus, „die mit Österreich zu einer großen
Monarchie verbunden sind, nur einigermaßen in ebenbürtigem Verhältnisse mit den im Reichstage vertretenen Gebieten zu den allgemeinen
Staatserfordernissen beitragen werden, dürfte die Herstellung des Gleich-
gewichtes zwischen Ausgaben und Einnahmen sehr leicht erfolgen".

Der Vortrag des Finanzministers vom 4. December war von den
Männern des unbedingten Widerspruches natürlich mit großem Miße-
hagen aufgenommen worden. Kaum daß Baron Kraus geendet, hatte
Ziemiałkowski den Vorwand ergriffen: „man müsse vor allem sehen mit
dem Verfassungswerk, der eigentlichen Aufgabe dieses Reichstages, zu

doch der Mühe werth näher zu untersuchen, ob sie nicht einiges Recht für sich habe und ob es zur Wiederherstellung der gestörten Ruhe und Ordnung nicht noch andere Mittel gebe als gerade nur Gewalt und Krieg und in Folge dessen außerordentliche Finanz=Maßregeln" (Durba= siewicz). Die drei Galizianer ließen übrigens nicht undeutlich merken, daß es ihnen eigentlich nur darum zu thun sei etwas Scandal zu machen. Borkowski sagte gleich im Eingange seiner Rede, es sei bereits bei der ersten Anregung dieses Gegenstandes von dem Abgeordneten für Lemberg (Ziemiałkowski) ein Antrag gestellt worden welcher der Würde der Ver= sammlung entspreche; dieser Antrag sei aber „natürlich" verworfen wor= den. Die Mehrheit nahm das als einen schlechten Witz mit „Heiter= keit" auf; nur Neumann verlangte den Ordnungsruf, wozu jedoch der Präsident keinen genügenden Grund fand. Borkowski stellte zuletzt den Antrag, dem Finanzminister einen Credit von einer halben Million zu bewilligen; er thue dies, fügte er bei, nur deshalb weil nach der Geschäftsordnung ein Antrag der den Hauptantrag gänzlich vernichte nicht angenommen werde". Strobach wollte mit einer jener geistvollen Spitzfindigkeiten, die ihm in kritischen Augenblicken so häufig zu Gebote standen, die Sache abschneiden, indem er sagte: er glaube den Antrag „als Erläuterung der Geschäftsordnung" beiseite legen zu sollen. Allein von den Bänken der Linken erhob sich Widerspruch, und obgleich Bor= kowski selbst geäußert hatte er wolle seinen Antrag nicht unterstützt haben, mußte der Präsident dennoch die Unterstützungsfrage stellen, wobei sich eine kleine, allein immerhin ausreichende Anzahl von Abgeordneten er= hob. Wenn Borkowski mindestens witzig war so wurde Bilinski gerade= zu grob, als er seine gegen jede Bewilligung gerichtete Rede mit den Worten schloß: „Die anders stimmen sind von der Intrigue umgarnt, oder politisch unmündig denen Millionen nichts bedeuten". Diesmal konnte sich der Präsident nicht enthalten, den Ordnungsruf ergehen zu lassen, wogegen einige Mitglieder der Linken nicht säumten eine Ver= wahrung anzumelden. Durbasiewicz allein hielt sich inner den Gränzen des Anstandes, indem er zum Schluße erklärte er wolle keinen Antrag stellen, da er voraussehe daß ein solcher nicht durchgehen werde; „möge die Kammer die verlangten achtzig Millionen und noch mehr dazu be= willigen, wir Andern wollen jedoch unsere Hände davon rein waschen".

Einen eigenen Standpunkt nahm Sierakowski ein, der sich schon in der Wiener Reitschule durch seine cynischen Ausfälle gegen die Regierung

.Das zeigte sich denn auch bei der Debatte des 21. Die Wider=
sacher der Regierung, diesmal nur Polen, wollten gar nichts bewil=
ligen. „Statt eines verfassunggebenden Reichstages", sagte Borkowski,
„haben wir einen schuldenmachenden. Was thun wir denn anders als
was der Absolutismus gethan? So räumen wir ihm lieber das Feld,
er macht es jedenfalls geschwinder, als daß wir uns zum blosen Deck=
mantel gebrauchen ließen! Durch unsere Verweigerung wird die Staats=
maschine nicht in's stocken gerathen. Die Regierung wird sich die achtzig
Millionen wenn sie sie braucht auch ohne unser Mitthun verschaffen;
wir aber werden mindestens keine Mitschuldigen an einer That sein
welche Unglück über die von uns vertretenen Völker bringen kann. Lassen
wir uns nicht zum Sündenbock der Metternich'schen Regierung machen!
Denn wer steht uns dafür daß man es nicht versuchen wird, die ganze
alte Staatsschuld als ein morsches Gebäude durch unsere Bewilligung
zu unterstützen und zu halten? Die österreichische Staatsschuld beträgt
beinahe die Summe der zehnjährigen Einkünfte des Staates, folglich
fehlt nicht viel, daß sie die Hälfte des Werthes des ganzen Kaiserstaates
ausmache". „Die Ausgaben", meinte Bilinski, „müssen sich nach den
Einnahmen oder wenigstens nach der Erschwinglichkeit derselben richten.
Da sehen Sie einmal", deducirte er weiter; „der Gesammtaufwand
des Staates ohne die Zinszahlung beträgt 111 Millionen was bereits
ein Deficit von 10 Millionen bildet, und überdies müssen noch 52 Mil=
lionen Schulden gemacht werden, um den Verbindlichkeiten gegen die
Staatsgläubiger nachzukommen. Oder: Die Staatseinnahmen betragen 101
Mill., die Zinsen der Staatsschuld 52 Mill., die Kosten der Krieg=
führung 59 Mill.; folglich haben Sie mit diesen beiden Posten schon
einen Ausfall von 10 Mill., während alle übrigen Zweige des
Staatsaufwandes nur durch Schuldenmachen versorgt werden können".
Gegen die Kriegführung sprachen sie sich alle aus. „Wo sind die
Früchte all dieser bewaffneten Abenteuer, die so viel Geld und Men=
schenleben verschlungen haben und noch verschlingen? Ist es nicht
etwa der leere Wind den man Ruhm nennt?" (Borkowski.) „Was läßt
sich von der Bezwingung Ungarns erwarten? Ein misvergnügtes Land,
jeden Augenblick bereit zu neuer Erhebung! Darum würden Friedensan=
bote anzurathen sein und insbesondere jetzt, wo eine achtunggebietende
Macht die schon so große Vortheile errungen den Ungarn entgegensteht"
(Bilinski). „Da wo eine ganze Nation in Waffen steht scheint es denn

doch der Mühe werth näher zu untersuchen, ob sie nicht einiges Recht
für sich habe und ob es zur Wiederherstellung der gestörten Ruhe und
Ordnung nicht noch andere Mittel gebe als gerade nur Gewalt und
Krieg und in Folge dessen außerordentliche Finanz-Maßregeln" (Durbasiewicz). Die drei Galizianer ließen übrigens nicht undeutlich merken,
daß es ihnen eigentlich nur darum zu thun sei etwas Scandal zu machen.
Borkowski sagte gleich im Eingange seiner Rede, es sei bereits bei der
ersten Anregung dieses Gegenstandes von dem Abgeordneten für Lemberg
(Ziemialkowski) ein Antrag gestellt worden welcher der Würde der Versammlung entspreche; dieser Antrag sei aber „natürlich" verworfen worden. Die Mehrheit nahm das als einen schlechten Witz mit „Heiterkeit" auf; nur Neumann verlangte den Ordnungsruf, wozu jedoch der
Präsident keinen genügenden Grund fand. Borkowski stellte zuletzt den
Antrag, dem Finanzminister einen Credit von einer halben Million
zu bewilligen; er thue dies, fügte er bei, nur deshalb weil nach der
Geschäftsordnung ein Antrag der den Hauptantrag gänzlich vernichte
nicht angenommen werde". Strobach wollte mit einer jener geistvollen
Spitzfindigkeiten, die ihm in kritischen Augenblicken so häufig zu Gebote
standen, die Sache abschneiden, indem er sagte: er glaube den Antrag
„als Erläuterung der Geschäftsordnung" beiseite legen zu sollen. Allein
von den Bänken der Linken erhob sich Widerspruch, und obgleich Borkowski selbst geäußert hatte er wolle seinen Antrag nicht unterstützt haben,
mußte der Präsident dennoch die Unterstützungsfrage stellen, wobei sich
eine kleine, allein immerhin ausreichende Anzahl von Abgeordneten erhob. Wenn Borkowski mindestens witzig war so wurde Bilinski geradezu grob, als er seine gegen jede Bewilligung gerichtete Rede mit den
Worten schloß: „Die anders stimmen sind von der Intrigue umgarnt,
oder politisch unmündig denen Millionen nichts bedeuten". Diesmal
konnte sich der Präsident nicht enthalten, den Ordnungsruf ergehen zu
lassen, wogegen einige Mitglieder der Linken nicht säumten eine Verwahrung anzumelden. Durbasiewicz allein hielt sich inner den Gränzen
des Anstandes, indem er zum Schluße erklärte er wolle keinen Antrag
stellen, da er voraussehe daß ein solcher nicht durchgehen werde; „möge
die Kammer die verlangten achtzig Millionen und noch mehr dazu bewilligen, wir Andern wollen jedoch unsere Hände davon rein waschen".

Einen eigenen Standpunkt nahm Sierakowski ein, der sich schon in
der Wiener Reitschule durch seine cynischen Ausfälle gegen die Regierung

und besonders gegen den Grafen Stadion bemerkbar gemacht hatte. Indem er sich in eine weitläufige Kritik des Budgets einließ, ging er Post
für Post durch wo etwa Ersparungen zu erzielen wären. Die Truppen
in Italien, meinte er, sollten sich selbst erhalten; was unbedeckt bliebe
wäre „in die Civilliste zu stellen, da die italienischen Provinzen nur
gleich den Lustschlössern von Schönbrunn oder Laxenburg zum Vergnügen
des Hofes dienen, der Gesammt-Monarchie aber keinen wesentlichen Nutzen
bringen". Dann wandte er sich „an den Patriotismus der Herren
Minister" die auf ihre Functions-Zulagen verzichten sollten; dasselbe
hätte mit den Tafelgeldern der Statthalter zu geschehen; „was brauchen
sie sich bei der Tafel mit Gästen die Zeit zu vertreiben? Sie sollen sie
lieber den Geschäften des Landes widmen!" Die Repräsentations-Zulagen für die Gesandten seien überflüssig, die Stellen der Vice-Präsidenten und Hofräthe bei den Gubernien wären aufzuheben, die vom Grafen
Rudolf Stadion neu creirten Kreis-Commissäre „per 70 Köpfe" zu entlassen, die Diäten der Abgeordneten von monatlichen 200 fl. auf 150
herabzusetzen, die Zinsen der Staatsschuld „bis zur Pacificirung" um
zwei Drittel zu vermindern, und wenn nach all dem noch immer ein
Deficit von mehr als 13,000.000 bliebe, sei dieses durch Einführung
der Einkommensteuer zu decken.

Doch diesen Einstreuungen einer augenscheinlich übelwollenden Opposition stellte sich die Phalanx der übrigen Redner mannhaft entgegen [366]. „Mein und meiner politischen Freunde Glaubensbekenntnis",
sagte Mayer, „ist ein starkes einiges Österreich, und wer den Zweck will
muß auch die Mittel wollen". „Wer dieses Bewußtsein nicht hat der
sollte", sprach Jonak offen aus, „die Wahl als österreichischer Abgeordneter gar nicht angenommen haben. Die Frage ist heute nicht ob
wir dem Ministerium ein Vertrauens-Votum geben wollen; die Frage
ist ob wir zu uns und unserer Zukunft Vertrauen haben, und wir haben
es; ob wir den Muth haben diese Zukunft mit Aufopferung all unserer
Kräfte anzustreben, und wir haben ihn!" „Es mögen die Segnungen
der neuen Zeit noch so groß sein", bemerkte Wiser, „mit einem Übel
werden und müssen wir sie erkaufen, nämlich mit dem, daß in der Übergangs-Periode der Staat mit großen Ausgaben in Anspruch genommen
wird". „Wo Kriege glücklich geführt werden sollen, müssen dieselben
rasch und ohne ängstliche Erwägung der nothwendigen Opfer geführt
werden"; betonte Skoda und knüpfte daran Bemerkungen über die eigent-

liche Bedeutung des ungarischen Krieges: „Der wahre Schwerpunkt der österreichischen Politik liegt weder im Westen noch im Süden, sondern in Süd=Ost. Dieser naturgemäßen Entwicklung Österreichs wagt es der eingekeilte Magyarismus rebellisch entgegenzutreten. Deswegen muß diese Partei besiegt und das herrliche gesegnete Land jenem Grade der Civili=sation entgegengeführt werden dessen es fähig ist. Es erübrigt nur Krieg, und zwar gegen eine die eigentliche Mehrheit des Landes knechtende Fac=tion". Was die zu bewilligende Summe betraf, so stand der Berichter=statter des Finanz=Ausschusses mit seinem 50 Millionen=Antrage allein. Vergebens rief er den Versammelten zu: „Ich frage Sie, meine Herren, ist es klug sich entbehrlich zu machen? Den Ereignissen auf so lange Zeit vorzugreifen? Bürgschaften aus der Hand zu geben auf welche die Kammern aller Völker und aller Zeiten so viel Gewicht gelegt haben?" Alle die der Regierung keine Verlegenheit bereiten wollten, waren darüber einig daß man an der vom Finanzminister gestellten Forderung nichts dürfe herunterhandeln wollen. Es wäre, zeigten sie, das unklügste System, jetzt einen kleineren Betrag, womit das Ministerium, wie der Finanz=Ausschuß meine, „eine Zeit hindurch" auskäme, und nach einigen Mona=ten wieder einen kleinen Betrag zu bewilligen. Auch würde die Börse eine festere Haltung annehmen, wenn man voll Vertrauen in die Zu=kunft auf einmal bewillige was man brauche, als wenn man mistrauisch eine ungenügende Summe mit dem Vorbehalte ausspreche, einen Versuch zu machen wie weit die Regierung etwa damit komme. „Es ist kein Zeichen von Vertrauen in die eigene Kraft", bemerkte Kraus mit Recht, „wenn man gegen Andere stets mistrauisch ist. Zugleich ist es eine Selbsttäuschung wenn man meint dadurch, daß man der Regierung weni=ger zugesteht, zu bewirken daß auch weniger gebraucht werde".

Als es zur Abstimmung kam, wurde erst der Antrag Sierakowski's gänzlich abgelehnt. Für den Antrag Borkowski's erhob sich niemand, auch keiner von denen die ihn früher unterstützt hatten. Der Vorschlag Nagele's (St. Veit in Kärnten): nur 30,000.000 zu bewilligen, das übrige durch Herabminderung der Armee auf die Hälfte, des Beamten=standes auf ein Drittel hereinzubringen, wurde verworfen. Zuletzt ging der Antrag Wiser's: statt der vom Finanz=Ausschuße angesetzten 50,000.000 die vom Ministerium verlangten 80,000.000 zu bewilligen, mit eminen=ter Majorität durch.

Über den zweiten Absatz des Gesetzentwurfes: „das Ministerium

werde ermächtigt zur Deckung des bewilligten Credits verzinsliche Staats-
scheine mit oder ohne Staats=Curs auszugeben oder eine Staatsanleihe,
beides jedoch ohne Hypothek, aufzunehmen", erhob sich ein längerer
Zwischenkampf. Einige wünschten den Beisatz darum weg weil sie der
Finanz=Verwaltung ganz freie Hand lassen wollten, Andere jedoch des=
halb weil sie ihr begehrliches Auge auf gewisse Liegenschaften öffentlichen
Charakters warfen. „Sie haben ein großes Vertrauen in die Zukunft
ausgesprochen", sagte Borrosch, „ein großartiges Vertrauen in das ge=
genwärtig bestehende Ministerium; würde nicht eine Inconsequenz darin
liegen, wenn Sie jetzt die Clausel: ‚jedoch ohne Hypothek‘ in dem Be=
willigungsbeschluße stehen ließen?" „Der Credit", bemerkte Neuwall,
„ist von einer solchen Wesenheit und Natur, daß jede Beschränkung in
der Art seiner Gebrauchsnahme nur nachtheilig auf die Effectuirung. selbst
wirken kann". Dann meinte er aber: „Der Staat hat Hypotheken, und
wenn er sie nicht hätte wäre er in der Lage sie zu nehmen; er hat
die Güter der geistlichen Ritterorden; es sind sogar, worauf in den
Grundrechten hingewiesen wurde, Dispositionen über das Vermögen geist=
licher Stiftungen und Körperschaften vorbehalten"; und Brestel erklärte
ausdrücklich: „er habe sich schon im Finanz=Ausschuße dahin ausgespro=
chen, daß dem Finanzministerium die Möglichkeit nicht benommen werde
die Klostergüter zu benützen". Zuletzt wurde die Clausel doch angenom=
men, vorzüglich durch den Hinzutritt der Rechten, die aus föderalistischen
Gründen für deren Beibehaltung stimmte. „Ich kenne im Staate nur
eine Hypothek", meinte Klaudy, „und das ist der Staat selbst"; gegen
die Hypothecirung einzelner Objecte, worauf die Länder Rechte hätten
und worüber sich daher „ohne die Völker denen sie zunächst gehören zu
fragen" nicht verfügen lasse, müsse er sich aussprechen.

Zum Schluße hatte man es noch mit einer Anzahl wohlgemeinter
Forderungen zu thun, die von verschiedenen Abgeordneten an die Be=
willigung des geforderten Credits geknüpft werden wollten. So hatten
Haimerl die möglichsten und dringendsten Vorkehrungen zur Verbesserung
des Schul= und Unterrichtswesens, Trojan die „Beförderung der Volks=
bildung und Industrie, insbesondere durch Einführung von Gewerbs=
schulen" im Auge; Wienkowski und Schuselka befürworteten eine „ver=
hältnismäßige Entschädigung derjenigen, welche durch die über die Städte
Prag Lemberg und Wien verhängten Kriegsmaßregeln in Nothstand ver=
setzt wurden". Brauner erhob sich dagegen: „Die gestellten Anträge be=

treffen sehr beachtenswerthe und wichtige Gegenstände; aber, meine
Herren, der wichtigste ist der Collectiv-Gegenstand über den wir uns so
eben ausgesprochen haben. Wenn ich die Erhaltung von Österreich im
Auge habe, so denke ich weder an die verbrannten Mühlen von Prag,
noch an die in Flammen und Rauch aufgegangene Bibliothek von Lemberg, noch an die Verwüstungen in Wien, so sehr mir auch alle diese
Dinge zu Herzen gehen". Er meinte, diese und ähnliche Gegenstände
sollten als selbständige Anträge vor das Haus, das ihnen gewiß seine
besondere Beachtung nicht versagen werde, gebracht werden. Als sich der
Finanzminister in gleichem Sinne aussprach und bemerkte: „es könne
noch viele andere Gegenstände geben, die nicht minder wichtig seien und
nur deswegen nicht berührt würden weil sie eben keinem augenblicklich
beifielen, in der vom Finanz-Ausschuße beantragten Bewilligung des
Credites aber ‚zur Bestreitung des durch die laufenden Einnahmen nicht
gedeckten unaufschieblichen Staatsaufwandes‘ sei überhaupt alles enthalten was noth thue und besorgt werden könne", zogen Haimerl Trojan
Wienkowski und Schuselka ihre Anträge zurück und jener des Finanz-
Ausschusses wurde mit großer Mehrheit angenommen.

So hatte das Ministerium einen glänzenden Sieg davon getragen.
Alle Erwartungen der Radicalen, daß die auf Kremsierer Boden so ein-
geschüchterte Opposition mindestens bei diesem Anlasse ihre alte Kraft
zeigen werde [389]), wurden vollkommen getäuscht. Mit Ausnahme einiger
„Polen im Frack" und des Abgeordneten für St. Veit war kein Mitglied der Linken gegen die Regierung aufgetreten, Löhner war stumm geblieben, Schuselka und Borrosch hatten in beredter Weise für ein selbst
über die Anträge des Finanz-Ausschusses hinausgehendes Ausmaß der
Credit-Bewilligung gesprochen. Sehr zufrieden mit einander gingen die
Minister und die Abgeordneten vor der Weihnachtszeit auseinander, die
Einen um im Schoße der Ihrigen ein paar sitzungs- und ausschußlose
Tage zuzubringen, die Andern um die ihnen gegönnte kurze Frist so
gut als möglich zu ungestörtem Arbeiten benützen zu können.

32.

In der Hauptstadt des Reichs begann sich die Kunde von dem, was am 2. December in Olmüz vor sich gegangen, am Sonntag zu verbreiten. Etwas sicheres wußten die Wenigsten anzugeben. Es waren kaum fünfzig Exemplare der Kundmachung nach Wien gekommen, man mußte die halbe Stadt durchlaufen um sie endlich am Magistrats-Gebäude oder in irgend einer Vorstadt am Gemeindehause angeschlagen zu finden. Die Stadt war in einer Aufregung wie man sie seit den October-Tagen nicht gesehen. Überall bildeten sich Gruppen, überall eine Hast von Fragen und Antworten, überall ein sich drängender und kreuzender Schwall von Behauptungen Vermuthungen Deutungen, bald in gutem bald in bösem Sinne. Und letzteres hatte, so konnte es scheinen, die Oberhand; denn die Gutmeinenden waren wie immer die Stilleren Bescheideneren, während Sturmvögel jeder Art, von denen man lang nichts wahrgenommen, allenthalben auftauchten wo es lebhafter herging. Aus den bevölkerten Vorstädten liefen bedenkliche Nachrichten ein; es verlautete von Zusammenrottungen, von Rufen nach Waffen. Die Militär-Behörde traf ihre Anstalten; die Hauptwache im Kriegsgebäude erhielt Verstärkungen, Kanonen wurden aufgefahren, alle Casernen hatten Bereitschaft. Die Börse wurde durch all das wirre Treiben so aufgeregt daß die Curse im ersten Augenblicke um zwei Procent fielen [300].

War es der Ernst jener militärischen Maßregeln, oder war es die Unempfänglichkeit der Mehrzahl der Bevölkerung für neue Aufreizungen, allmälig verloren sich wieder die Zeichen drohender Unruhe um einer bessern Stimmung Platz zu machen. Noch wagte es zwar diese nicht sich offen kundzugeben. Man sah die Leute vor den Manifesten stehen, sie still vor sich hinlesen und dann ruhig weiter gehen. Sie sprachen kein Wort des Erstaunens, sie ließen keine Meinung laut werden, die Meisten waren offenbar sich selbst noch nicht darüber klar wie sie das Ereignis aufzufassen hätten, sie mußten erst näheres über Ursachen und Hergang in Erfahrung bringen. Diesem Bedürfnis verhieß zuerst der „Lloyd" Abhilfe. Gegen Mittag kündigte die Redaction an: daß sie mittelst eines

Couriers den Bericht der Reichstags-Sitzung vom 2. December erhalten
habe und selben im Laufe des Nachmittages hinausgeben werde. Nun
strömte es von allen Seiten in die Grünanger-Gasse, der Zudrang in
das Comptoir wuchs mit jedem Augenblick: Bürgerliche Soldaten
Officiere jeden Ranges, Landleute Dienstboten Jungen, alles wühlte
schob und stieß durcheinander. Wer so glücklich war ein Exemplar zu
erobern, konnte es um den zehn- und zwanzig-fachen Preis, ja noch viel
höher losschlagen. Oder es bildeten sich dichte Gruppen um ihn und er
mußte das Blatt vom Flecke weg laut ablesen. In allen Gassen gab es
derlei improvisirte Vorträge. Nun schlug auch endlich die wahre Stimmung der großen Mehrheit durch. Man weihte dem scheidenden Monarchen Gefühle des Mitleides, innigster Rührung und Dankbarkeit, aber
man hob zugleich mit hoffnungsvollem Ernst die Blicke auf den jugendkräftigen Nachfolger. Es war ein Wendepunkt in den Geschicken Österreichs eingetreten, dies Gefühl durchdrang alle, und daß er zum Heile
ausschlagen möge, das wünschte jeder der es mit dem Vaterlande gut
meinte. Es kamen wieder Auftritte, wie man sie seit den ersten schönen
Märztagen nicht erlebt hatte: es war eine Empfindung die alle Gemüther zu beherrschen schien; Unbekannte reichten sich die Hände und
gaben sich stumme Zeichen zufriedener Übereinstimmung [391]. In den
Tagen darauf kamen dann allerhand militärische und kirchliche Feierlichkeiten, Fest-Vorstellungen in den Theatern u. dgl. an die Reihe, Vorbereitungen für Adressen und Deputationen an die kaiserlichen Hoflager 2c.
Doch herzlicher als diese lauten Kundgebungen, bei denen sich mitunter
eine gewisse Scheu mit seinen wahren Gefühlen herauszutreten bemerkbar machte [392]), wurde manch stilles Fest begangen wo der gesunde Sinn
und Mutterwitz der bessern Bevölkerung ungekünstelt zum Ausdruck kam;
wie etwa in jenem Gasthause in der Jägerzeile, dessen Wirth seinen
Stammgästen erst einen alten „Österreicher" vorsetzte indem er sagte:
„Der ist gut und mild, und mit dem wollen wir die Gesundheit von
unserm Kaiser Ferdinand trinken", und darauf einen jungen: „Mit dem
stoßen wir auf die Gesundheit unseres neuen Kaisers an: ein edles Ge-
wächs das von Jahr zu Jahr besser wird; nur muß man darauf schauen
daß es keinen schlechten Einschlag kriegt!"

Der Wiener von altem Schlage hatte jetzt keinen heißeren Wunsch,
als seinen neuen Kaiser recht bald zu sehen. Daß der gute Ferdinand
nicht kommen wolle, sagte er sich, sei am Ende begreiflich; „es ist, so

wenig er es wollte, zwischen ihm und seinen Wienern Blut geflossen,
Kanonen haben den Zwist entscheiden müssen; aber ein neuer Regent
hat nichts damit zu schaffen, er hat uns und wir haben ihm nichts gethan, er kann uns mit Vertrauen entgegenkommen, wir werden es ihm
erwiedern". Kaum daß die Manifeste erschienen waren, hieß es: schon
die nächste Woche werde Franz Joseph nach Wien kommen. Als am 6.
von der Schmelz Kanonen=Donner in die Stadt drang, ließ man sich's
lang nicht nehmen, der junge Kaiser sei von Olmütz erschienen und habe
die Garnison ausrücken lassen. Bei jedem gegebenen Anlasse wurde
davon gesprochen, der Kaiser werde die Gelegenheit benützen und seinen
Einzug halten; der Umstand daß die Gemächer der Hofburg neu hergerichtet wurden, schien den Leuten ein Beweis mehr dafür zu sein. Die
schönere Hälfte der Bevölkerung Wiens aber steckte schon tief in den
ernstlichsten Heirats=Projecten. An der Hand des Gothaer genealogischen
Taschenbuchs wurden die Kemenaten aller europäischen Höfe durchstöbert,
dem jungen Kaiser eine Frau zu suchen. Einzelne dieser Combinationen
wurden selbst in der Öffentlichkeit besprochen. Zuerst verfiel man etwas
unsicher auf „eine nahe Verwandte des Großfürsten=Thronfolgers von
Rußland"; dann wurde bestimmter die Prinzessin Amalie von Sachsen=
Weimar — geboren am 20. Mai 1830, also um ein Vierteljahr älter
als der Kaiser — genannt. „Die verschiedene Confession", hieß es in
einer Berliner Correspondenz der „Presse", „würde um so weniger ein
Hindernis sein, als viele Erzherzoge der jetzigen Generation mütterlicher-
seits von protestantischen Prinzessinnen abstammen wie die Kinder des
Erzherzogs Karl und die des Palatinus von Ungarn".

Von verschiedenen Seiten waren es noch ganz andere Erwartungen
die sich an das Ereignis des Thronwechsels knüpften. „Die dem Feldmarschall Windischgrätz ausgestellten Vollmachten", meinte man, „seien
dadurch daß die ausstellende Person sich ihres Rechtes begeben außer
Kraft gesetzt; sie würden erneuert werden und sie müßten erneuert werden schon um Ungarns willen; allein zuverlässig werde Wien davon
ausgenommen sein, wie man denn nicht zweifle daß der Belagerungszustand keine acht Tage mehr dauern könne. So wünschenswerth es gewesen wäre daß auf dem letzten Blatte der Regierungsgeschichte Ferdinand's
nicht der blutige November stünde, für so klug müsse man es wieder
gethan halten, daß dem jungen Kaiser Gelegenheit gegeben sei den Antritt seiner Regierung mit Werken der Gnade zu bezeichnen. Sicher werde

nun an die Stelle eiserner Strenge landesfürstliche Milde treten und
der jugendliche Monarch auf den Rath seiner Minister den Antritt seiner
Regierung mit einer allgemeinen Amnestie bezeichnen. Gleichzeitig werde
der Ausnahmszustand aufgehoben, der Reichstag vertagt, auf kurze Frist
nach Wien wieder einberufen und hier durch den neuen Kaiser in Person
eröffnet werden". Einige gingen in ihren Voraussagungen noch weiter
und sahen in dem jungen Monarchen den Messias einer ganz neuen Zeit
die mit der jüngsten Vergangenheit auf einmal und vollständig brechen
werde: Einstellung der Feindseligkeiten gegen Ungarn und daher Abberufung des Fürsten Windischgrätz vom Ober=Commando, Wiederkehr von
Wohlstand und Wohlfeilheit der Lebensmittel, Wiedererscheinen der
Zwanziger u. a. standen in ihrem auf rosafarbigem Papier ausgegebenen
Programme. Die Meinung, daß es mit der dem Feldmarschall ertheilten
außerordentlichen Gewalt ein Ende habe, gewann in dieser Zeit auch
von anderer Seite her Boden: es lag ihr das Misverständnis der
Nachricht, F. M. L. Grueber sei mit dem „Armee=Commando" betraut
worden, zu Grunde, bis man besser belehrt zuletzt erfuhr, es sei damit
nur die Leitung der administrativen Angelegenheiten der Armee gemeint.
Wie sich dies Gerede als grundlos erwies, so war es auch mit den
übrigen Muthmaßungen. Amnestie wurde keine verkündigt, der Belagerungszustand wurde nicht aufgehoben, der Reichstag nicht nach Wien
zurück verlegt, der junge Kaiser erschien nicht in seiner Hauptstadt.
Mittelpunkt des Reiches blieb bis auf weiteres Olmüz: dort liefen von
allen Seiten die Fäden zusammen, dorthin flogen die Couriere, von
dorther eilten sie weg. Die Wiener Conjectural-Politiker legten bald ihren
sanguinischen Hoffnungen wegen Aufhebung des Belagerungszustandes
und Verlegung des Reichstages Zügel an. Eine unmittelbare Ausführung dieser Maßregeln, meinten sie, wäre denn doch nicht an der Zeit;
dafür werde das Ministerium den März 1849 „imposant" machen: bis
dahin, zur Jahreswende der glorreichen Errungenschaften des März
1848, werde die Verfassung beendigt sein und mit Verkündigung derselben alles was bisher noch traurige Nothwendigkeit sei außer Wirksamkeit treten....

In der That waren die Wiener Zustände für den Augenblick noch
keineswegs solche, um nach allen Seiten Beruhigung zu gewähren. Mitten unter den günstigen Wahrnehmungen, die man aus Anlaß des Ol=

müzer Ereignisses bei dem weitaus größten Theile der Bevölkerung
machen konnte, tauchten doch wieder andere auf, die auf einen fortdau-
ernden tiefen Groll, auf eine durch so beklagenswerthe Folgen noch
immer nicht gewitzigte, Schaden und Rache brütende Gesinnung schließen
ließen. Wo keine Organe der öffentlichen Sicherheit in der Nähe waren,
konnte man ganz laut Aeußerungen hören die an die Tage des blühend-
sten Radicalismus mahnten. „Die meinen, es könne nur jeder dem es
gerade einfällt die Regierung übernehmen; aber da müssen erst wir
gefragt werden, das souveraine Volk!" Die Worte sprach am 5. December ein anständig gekleideter Mann nachdem er die Olmüzer Manifeste gelesen; die Umstehenden sahen verblüfft auf ihn, der ruhig seines
Weges weiter ging. An mehr als einem Orte fanden sich über Nacht
die Placate mit beleidigenden oder aufreizenden Rand-Glossen versehen,
so daß man sie eilig abnehmen und durch andere ersetzen mußte [393]). In
Kneipen und Schankhäusern waren Reden voll Hohns und Ingrimms
zu hören, so daß General Frank neuerdings vor den ernsten Folgen
solch' strafbarer Unbesonnenheit warnte (Kundmachung v. 7. December).
Aufregend unheimliche Gerüchte waren an der Tagesordnung. „Die
Ungarn würden binnen kurzem von sich reden machen", raunten geheim-
nisvoll Unbekannte einem in's Ohr; „Kossuth sei mit einem Heere im
Anzug gegen Wien; das lange Hinausschieben des Feldzugs, die Befe-
stigung der Basteien, die verstärkte Besatzung des Neugebäudes und der
Türkenschanze seien lauter Anzeichen, wie sehr man sich im kaiserlichen
Lager vor einem neuen Anfall fürchte". Dazu kam daß Eingriffe in
fremdes Eigenthum, die beklagenswerthen Nachwehen einer fast gesetzlosen
Zeit, in bedenklicher Weise sich wiederholten, zum Theil mit einer Frechheit ausgeübt die aller Vorsichtsmaßregeln spottete [394]). . . . .

Die Folge solcher Erscheinungen war eher ein strafferes Anziehen
als ein milderndes Nachlassen der von den Organen der öffentlichen
Sicherheit gehandhabten Zügel. Die Streifwachen, welche die Straßen
noch vor Einbruch der Dämmerung durchzogen, wurden ansehnlich verstärkt. An der Befestigung der Basteien wurde mit erhöhtem Eifer gearbeitet. Ober dem Kärntner-Thor starrte beiderseits querüber eine Reihe
hoher Pallisaden; ober dem Carolinen-Thor beim Palais Koburg, auf
der Stubenbastei, bei der Salzgries-Caserne, auf der Mölker-Bastei
nächst dem Palais Luhomirski erhoben sich ähnliche kleine Verschanzungen, unter deren Schutz Kanonen von geringerem Caliber und hie und

da ein Bomben-Kessel gegen die Vorstädte drohten, Um die Pallisaden waren Laufgräben gezogen, über die an jenen Stellen wo man dem Publicum Durchgang gestattete kleine Brücken führten. Die ausgedehnteste dieser Befestigungen erhielt der gegen die Leopoldstadt und die Weißgärber ausblickende Vorsprung der Biber-Bastei; mit Wassergräben und einer dreifachen Pfahlreihe völlig abgesperrt, war da Raum für eine größere Anzahl von Geschützen, Munitions-Karren u. dgl. Zwischen den einzelnen Verpallisadirungen war eine telegraphische Verbindung hergestellt. In das Palais Koburg verlegte Welden „aus strategischen Rücksichten“ eine Abtheilung Truppen und forderte den Gemeinderath auf, die Genehmigung des Herzogs nachträglich einzuholen. Es war eines der Bonmots von altem Wiener Schlage als man hörte: Kaiser Franz habe seinen Unterthanen seine Liebe, Kaiser Ferdinand seinen Wienern ihre Bastei „vermacht“.

Ein besonders scharfes Auge wurde auf mehrere Vorstädte gerichtet. Haussuchungen und Verhaftungen auf der Wieden, in Mariahilf, Lichtenthal brachten eine große Zahl verdächtiger Leute, die keinen ordentlichen Erwerb nachweisen konnten, in Gewahrsam. Ehemalige Mitglieder der akademischen Legion wurden unter das Militär gesteckt, die am meisten beinzichtigten unter das Fuhrwerk der Kroaten. Die Fremden-Polizei wurde mit der größten Schärfe gehandhabt, da man der Anstiftung durch „fremde Emissäre“ eine Hauptschuld an den vorhandenen Übeln beimaß [395]. Gegen mehrere der entkommenen Parteiführer wie gegen Oscar Falke, Adolf Buchheim, Dr. Taufenau wurden nachträglich Steckbriefe ausgesandt [396], einzelne früher Verschonte wie der Schriftsteller Andreas Schumacher eingezogen. Auf die vollständige Ablieferung aller Waffen und Pulvervorräthe wurde mit unnachgiebiger Strenge gedrungen, und ein standrechtliches Urtheil, das wegen Außerachtlassung dieses Gebotes gegen einen Schmiedegesellen und ehemaligen Soldaten, Johann Horpáth mit Namen, am 7. December mittelst Pulver und Blei vollzogen wurde, traf wie ein Blitz aus heiterem Himmel die große Zahl jener Leichtfertigen, denen die immer wiederholten und eindringlichen Erlasse der Central-Commission, und des Gemeinderathes nur gleich leeren Drohungen gegolten hatten. Das gerichtliche Verfahren gegen die October-Schuldigen schritt ohne Unterbrechung seinen Gang fort. Es verging kaum eine Woche, wo nicht die Wiener Zeitung neue Verurtheilungen „auf Tod durch Strang“ kundzumachen hatte, wenn gleich diese

Strafe, dafern es nicht eidbrüchige Soldaten waren die sie traf, regel=
mäßig nachgesehen und in Schanzarbeit oder Festungs-Arrest umgewandelt
wurde [397]).

Den Vorfall mit Horváth benützte die Stadt-Commandantur zu
einer neuerlichen Einschärfung des Waffenverbotes, 8. Dec., wobei sie
ausdrücklich aufmerksam machte, „daß die Strenge des Gesetzes nur jene
treffe welche die Waffen vorsätzlich verheimlichten, nicht aber jene die,
obgleich die Frist schon lang verstrichen, zur Besinnung kämen und ihre
Waffen ablieferten.“ Viele der geschreckten Leute, die es trotz dieser Ver=
sicherung nicht über sich gewinnen konnten den offenen Weg zu gehen,
ergriffen den Ausweg die noch in ihrem Besitze befindlichen Waffen unter
dem Schutze der Dunkelheit in den Donau-Canal zu werfen; in der
zweiten Hälfte December konnte man da einen Mann im Kahne auf und
abfahren sehen, um Gewehre Carabiner Sattel=Pistolen Säbel heraus=
zufischen, die er gegen Entgelt an das Zeughaus ablieferte. Anzeigen von
verborgenen Waffenvorräthen liefen noch fortwährend ein, wenn gleich
die meisten davon als falsch sich erwiesen. Eines Tages wurde aus Anlaß
eines derartigen Gerüchtes der Galizin-Berg von einer Truppen-Abthei=
lung umstellt und der Steinbruch daselbst durchsucht; es fanden sich aber
nur vier Gewehre, welche die Arbeiter noch aus früherer Zeit zu ihrem
Schutze besessen hatten. Dagegen war es bekannt daß viele ärarische
Waffen, um sie der Ablieferung innerhalb des Belagerungskreises zu
entziehen, über die Gränzen desselben geschafft worden waren; die wäh=
rend der October-Tage in mehreren Gegenden versuchte Aufbietung des
Landsturms hatte der Bevölkerung manche Schußwaffen in die Hände
gespielt oder sie vermocht sich mit Spießen und aufrechten Sensen zu be=
wehren; endlich befanden sich, bei der Ausdehnung die man dem Insti=
tute der Nationalgarde weit über die Gränzen der ursprünglichen Fest=
setzung gegeben, im Besitze von Landstädten und Märkten zahlreiche
Waffen, die mitunter zu Jagd= und Waldfreveln, zur Einschüchterung
der gesetzlichen Behörden oder zu andern Misbräuchen herhalten mußten [398]).
Dazu kam daß der Aufruhr, der in der Hauptstadt in so scharfe Bande
geschlagen war, vielfach im offenen Lande neuen Boden suchte. Flüchtige
Aufwiegler, insbesondere Studenten oder solche die sich dafür ausgaben,
durchzogen die Ortschaften und suchten das Volk gegen die neue Ordnung
der Dinge aufzustacheln: „Die Herren hätten gewonnen; nun sei es um
den Bauer geschehen, man werde ihn ärger behandeln als das Vieh,

Zehent Robot und all die andern Lasten würden ihn zehnmal mehr als früher drücken; oder wenn auch das nicht eintrete, so werde die Entschä-digung so hoch bemessen werden daß er lieber den frühern Zustand zu-rückverlangen werde" [399]. Gaben sich auch trotz dieser Aufreizungen thatsächlich nirgends am Lande Wahrzeichen drohender Aufstände kund, so mochte es immerhin, besonders mit Rücksicht auf den bevorstehenden Kriegszug gegen Ungarn, von der Vorsicht geboten erscheinen die allge-meine Entwaffnung, insbesondere auch der Nationalgarden, über die Gränzen des Belagerungs-Umkreises auszudehnen. Nur wurde dabei mit-unter in sehr ungeschickter Weise vorgegangen. Den Anfang sollte das Viertel O. W. W. machen und vor allem die Kreisstadt St. Pölten mit einer Heeresmacht von zwei Bataillons und einer halben Batterie, eine Abtheilung Cavallerie als Vorhut mit gespanntem Hahn voran, ganz kriegsförmlich überfallen werden. Es waren nämlich Befürchtungen von drohendem Widerstande ausgesprochen worden, wovon aber nach der Hand nirgends eine Spur zu finden war; die Bürgerschaft, die nun erst erfuhr um was es sich handle, lieferte ohne Anstand ihre Waffen ab, und eben so wenig stieß die Ausführung des Gebotes an andern Orten auf Schwie-rigkeiten oder Hindernisse [400]. Dasselbe war im V. U. M. B. der Fall wo blos die Kreisstadt Korneuburg von der Waffenabnahme befreit blieb, weil sie die erste unter allen Landstädten Niederösterreichs gewesen war die sich offen und entschieden für die Herstellung der Ordnung aus-gesprochen hatte.

Die zahlreiche Classe der Spießbürger höheren und niederen Ranges war mit all diesen Vorkehrungen höchlich zufrieden. Sie verlangten keine Rücknahme oder auch nur Milderung derselben; sie verlangten nichts als — Ruhe. Sie schliefen behaglich unter dem Schutze der Windischgrätz'schen Kanonen, des „neuen Sicherheitsausschußes" wie sie der Volkswitz nannte, und wünschten nichts sehnlicher als daß sie möglichst lang auf den Stadt-wällen blieben. Sie blickten mit Andacht auf die neue riesiggroße schwarz-goldene Fahne, die gegen Mitte December statt der früheren etwas ver-witterten auf der Spitze des Stephansthurmes aufgezogen wurde, und bedauerten nur daß die kleinere, mit der man seit dem Einmarsch der Truppen die Josephs-Statue bedacht hatte, auf höhere Anordnung weichen mußte. Übrigens waren es diese „Fanatiker der Ruhe" nicht allein, es waren auch ganz praktische Leute, besonnene und einsichtsvolle Geschäfts-leute, die sich mit den obwaltenden Zuständen einverstanden erklärten.

28

Eine Anzahl Fabricanten von Gumpendorf hatte den Muth dieser Überzeugung offenen Ausdruck zu geben; sie setzten eine Petition um Fortdauer
der Ausnahmsmaßregeln für weitere sechs Monate auf, die bei dem
Gewerbs= und Handelsstande täglich neue Beitritte erfuhr. Auch wurde
der Belagerungszustand, jeder Vernünftige mußte sich das sagen, immer
milder gehandhabt so daß er dem seinem täglichen Berufe Nachgehenden
kaum eine Störung brachte. Im Grunde waren es gewisse militärische
Vorkehrungen und dann das Gebot der „Welden=Stunde" fast allein,
die es im täglichen Leben fühlen ließen daß man nicht in regelmäßigen
Verhältnissen lebe; allein auch in diesen beiden Richtungen kam man denselben schrittweise näher. Je weiter die Armee an die ungarische Gränze
rückte, desto mehr schwanden alle außergewöhnlichen kriegerischen Schauspiele in den Straßen der Stadt; vor Weihnacht loderte noch ein einziges
Wachtfeuer in der Leopoldstadt und auch dieses erlosch binnen kurzem.
Um dieselbe Zeit wurde auch der Durchgang durch das Hofkriegsraths=
gebäude, der seit dem 1. November dem Publicum versagt war, wieder
gestattet und damit das letzte Hindernis des freien Verkehrs in der innern
Stadt beseitigt. Die Sperrstunde der Gast= und Kaffeehäuser in den Vorstädten wurde am 5. December bis 11 Uhr Nachts gleich jener der innern Stadt hinausgeschoben, und die wiederholten Warnungen, welche
die Stadthauptmannschaft erlassen mußte diese Stunde pünktlich einzu-
halten, waren nur ein Beweis daß die Besucher öffentlicher Orte oft
genug selbst über jene Zeit hinaus ihrem Vergnügen nachhingen. Daum
konnte zwar eben so wenig zur Wiedereröffnung seines „Elysium" in den
unterirdischen Räumlichkeiten des St. Anna=Gebäudes, als Saphir zur
Abhaltung einer „humoristischen Vorlesung" die gewünschte Erlaubnis erhalten, und eben so wurden für den herannahenden Fasching Maskeraden
selbst in den kaif. Redouten=Sälen unbedingt verboten. Dagegen sollten
Bälle und Tanzbelustigungen „in eigens dafür bestehenden Tanzsälen" —
also mit Ausschluß gewöhnlicher Wirthshaus=Räumlichkeiten und Schank-
zimmer — gestattet sein und wurde nur rücksichtlich der Zeit die Beschränkung bis 2 Uhr nach Mitternacht beigefügt; daß „ein die Aufsicht
führender stadthauptmannschaftlicher Commissär" anwesend sein mußte und
auch Militär=Patrouillen „die Aufsicht zu führen" beordert waren, schien
eine durch den Ausnahmszustand gebotene Vorsicht. Auch die Verehrer
der dramatischen Muse mußten sich manchen Abbruch gefallen laffen. Di-
Militär=Behörde erhob gegen den Freiheits=Chor im „Don Juan" Ein

sprache; in den „Hugenotten" mußte das Costume der Geistlichen in der
Verschwörungs=Scene durch ein anderes ersetzt werden; vom Repertoir
des Hofburgtheaters verschwanden „Tell" und „Egmont", und auch die
Direction des Karl=Theaters hatte mit den „Sieben Mädchen in Uniform",
die nach der Anlage des Stückes auf der Bühne im Feuer zu exercieren
hatten, allerhand Anstände [401]). Doch dies und ähnliches waren Kleinig=
keiten, die man sich um des großen Zweckes willen für eine Zeit gefallen
lassen konnte.

Von allen Behörden, die während des Belagerungszustandes allmälig
ihre regelmäßige Thätigkeit wieder aufgenommen hatten, fiel die uner=
quicklichste Rolle dem Wiener Gemeinderath zu. Durch das Ausscheiden
einiger Radicalen aus seiner Mitte konnte er als „purificirt" gelten, und
die Art wie er am 11. December sein Bureau erneuerte fand allgemeine
Billigung. Der Advocat Dr. Seiller und Professor Stubenrauch traten
als Präsident und Vice=Präsident an die Spitze; der Domprediger P.
Setzer von St. Stephan, der Wiedener Hausbesitzer Ludwig Maurer,
Jur. Dr. Mayerhofer und Med. Dr. Klucky übernahmen die Stellen der
Schriftführer. Allein je weniger Persönlichkeiten solchen Charakters dem
zustimmen konnten was in den vorausgegangenen Wochen gethan oder an=
gestrebt worden, desto peinlicher mußten für sie die verschiedenartigen
Folgen und Nachwirkungen jenes unheilvollen Zwischenspieles sein mit
denen sie unausgesetzt zu ringen hatten. Keine Sitzung verging wo nicht
ein Anspruch, eine Nachforderung aus irgend einer Handlung erhoben
wurde die damals, wo die Väter der Stadt mit oder wider Willen mit
dem Strome schwimmen mußten, für löblich gegolten, deren Beurtheilung
aber unter den nun völlig geänderten Zuständen in das gerade Gegen=
theil umgeschlagen hatte. Bald schritt der Chemiker Gimper, der in den
October=Tagen bei der Erzeugung von Zündern das Augenlicht verloren,
um die ihm damals zugesagte „Versorgung" ein; der gegenwärtige Ge=
meinderath hatte Mühe ihn mit kleinern Aushilfen einstweilen zur Ruhe
zu bringen. Bald meldeten sich Daniel Fruhwirth um eine Summe von
400 fl. für Erzeugung von Kugeln, oder Arbesser um Ersatz der Kosten
von 674 Pfund Blei die er für denselben Zweck der Rossauer Nationalgarde geliefert hatte; man schob letzteres Begehren „zur Berichterstattung"
auf die lange Bank und war froh das erstere „aus Mangel an legalen
Beweisstücken" ganz zurückweisen zu können. Je zahlreicher die wohlha=
benderen Familien in die Stadt zurückkehrten, desto häufiger wurden jetzt

die Reclamationen jener Eigenthümer von Pferden, die während des
Octobers „unter Garantie des Gemeinderathes" zum Dienste der bewaffneten Mannschaft Wiens in Beschlag genommen, aber nicht wieder zurückgestellt worden waren, und vollends die „Pensionirungs-Gesuche" von
„Witwen und Waisen der Gefallenen" nahmen kein Ende. Hinsichtlich
der letztern half man sich für's erste damit, daß man sie entweder „zur
genaueren Erhebung der Umstände" an den Magistrat oder „zur allfälligen
Betheilung mit Unterstützungsbeiträgen" an die Sammlungs-Commission
leitete; die Gesuche jener Hinterbliebenen, deren Versorger am 6. October
bei Erstürmung des Zeughauses gefallen waren, glaubte man ganz und
gar abweisen zu dürfen, da letztere „nicht im Dienste der Commune gefallen" seien [402]. Endlich schritt man, um die leidige Angelegenheit ein
für allemal zum Abschluß zu bringen, auf Antrag Georg Röbl's zur
Bildung einer Commission „zur Erforschung, auf welche Weise der die
Versorgung der Witwen und Waisen der Gefallenen betreffende Beschluß
des Gemeinderathes in's Werk gesetzt werden könne", 19. December.

Daneben war die viel weiter greifende Entschädigungsfrage noch
immer nicht im Grundsatze entschieden. Der Gemeinderath hielt fortwährend an der Ansicht fest, daß nicht die Stadt Wien sondern das Reich
es sei dem die diesfällige Verbindlichkeit obliege. In der Sitzung vom
13. December stellte Bondi den Antrag: sich wegen Entschädigung der
durch die letzten Ereignisse so schwer betroffenen Bewohner Wiens „in-
begrifflich der den k. k. Truppen zugegangenen Schäden" an das Gesammt-
Ministerium und an den Reichsrath zu wenden. Der Vorschlag fand allgemeine Zustimmung und die Schadenerhebungs-Commission erhielt die
Weisung die hiezu nöthigen Daten binnen acht Tagen zu liefern; zugleich
wurde nach dem Vorschlag Stubenrauch's ein Ausschuß von Rechtsge-
lehrten zusammengesetzt, der die Entschädigungsfrage vom juridischen und
politischen Standpunkte in's klare bringen sollte. In der That wurde die
Erhebung des Schadens eifrig betrieben. Einzelne Gemeinderäthe theilten
sich nach Bezirken in die vielverzweigte unangenehme Arbeit; so waren
der Architekt Karl Schmidt für die Wieden, der Holzhändler Philipp Raab
für den Alsergrund, die Josephstadt, Breitenfeld und Alt-Lerchenfeld, der
Apotheker Rudolph Schiffner und der Wagen-Fabricant Johann B. Engl
für die Leopoldstadt thätig. Besonders der letztere lieferte eine muster-
giltige Darstellung indem er die Beschädigungen der Jägerzeile, je nachdem selbe bedeutendere Unternehmungen oder mindere Gewerbsleute und

Privatpersonen betrafen, in vier Claffen abtheilte und aus den letztern beiden die allerbedürftigsten ausschied, unter welche 4000 fl. als „augenblickliche Aushilfe" vertheilt wurden. Diefer Vorgang wurde dann auch in andern Bezirken beobachtet. Wo die Noth am größten, wo gänzliche Broblosigkeit in Folge der vorausgegangenen stürmischen Ereignisse eingetreten war, erhielt die Sammlungs-Commission den Auftrag entsprechende Summen zur Verfügung zu stellen.

Die genaue Summe alles erlittenen Schadens war noch lang nicht ermittelt. Der Schadenerhebungs-Ausschuß für die innere Stadt, die im Verhältnis am wenigsten gelitten hatte, bezifferte den Gesammtbetrag der bis 19. December sichergestellten Verlufte mit 188.539 fl. Das kaiserliche Geschenk von 200.000 fl., das der junge Monarch der großen Wiener Deputation zur Vertheilung an die Nothleidenden ihrer Stadt anweisen ließ, brachte willkommene Hilfe für die erste Zeit.

Wenn es sich um die Fortdauer des Belagerungszustandes handelte, so waren nicht blos die Elemente zu berücksichtigen die in Wien selbst nach einer so gewaltigen Katastrophe noch immer gährten, sondern in kaum minderem Maße verschiedene die aus der Ferne grollten und die, mit dem Augenblicke da die Ausnahmsmaßregeln aufhörten, ohne Zweifel ihre alte Heimat aufgesucht haben würden. Denn, wovon man sich in früheren Zeiten nichts träumen laffen, jetzt gab es neben der polnischen und italienischen eine österreichische, namentlich eine Wiener Emigration. Ein Theil derselben hatte sich, meist nach manch wechselvollen Abenteuern von Versteck und Flucht, in Leipzig zusammengefunden und hier war es, wo ihnen der Buchhändler Otto Wigand die Mittel bot durch Herausgabe einer ganz eigentlich dem Radicalismus der Wiener Expatriirten dienenden Zeitschrift sich für's erste ihren Lebensunterhalt zu fristen. Dieselbe erschien als Wochenschrift im Format der von Kuranda begründeten „Gränzboten" und führte den bezeichnenden Titel: „Wiener Boten". Als Herausgeber erschienen auf dem Titelblatte: Kolisch zuletzt Mitarbeiter des „Radicalen", Gritzner einer der Redacteure der „Constitution" und Mitkämpfer in den October-Tagen, Franck Herausgeber des „Wiener demokratischen Bürgerblatt's", und Engländer Redacteur der „Wiener Katzen-Musik". Die „Wiener Boten" begannen ihr Erscheinen mit 1. Jänner 1849; es sind aber zu einem sehr großen Theile Auffätze und Correspondenzen darin enthalten, deren Entstehen

die Reclamationen jener Eigenthümer von Pferden, die während des
Octobers „unter Garantie des Gemeinderathes" zum Dienste der bewaff=
neten Mannschaft Wiens in Beschlag genommen, aber nicht wieder zurück=
gestellt worden waren, und vollends die „Pensionirungs=Gesuche" von
„Witwen und Waisen der Gefallenen" nahmen kein Ende. Hinsichtlich
der letztern half man sich für's erste damit, daß man sie entweder „zur
genaueren Erhebung der Umstände" an den Magistrat oder „zur allfälligen
Betheilung mit Unterstützungsbeiträgen" an die Sammlungs=Commission
leitete; die Gesuche jener Hinterbliebenen, deren Versorger am 6. October
bei Erstürmung des Zeughauses gefallen waren, glaubte man ganz und
gar abweisen zu dürfen, da letztere „nicht im Dienste der Commune ge=
fallen" seien [402]). Endlich schritt man, um die leidige Angelegenheit ein
für allemal zum Abschluß zu bringen, auf Antrag Georg Röbl's zur
Bildung einer Commission „zur Erforschung, auf welche Weise der die
Versorgung der Witwen und Waisen der Gefallenen betreffende Beschluß
des Gemeinderathes in's Werk gesetzt werden könne", 19. December.

Daneben war die viel weiter greifende Entschädigungsfrage noch
immer nicht im Grundsatze entschieden. Der Gemeinderath hielt fortwäh=
rend an der Ansicht fest, daß nicht die Stadt Wien sondern das Reich
es sei dem die diesfällige Verbindlichkeit obliege. In der Sitzung vom
13. December stellte Bondi den Antrag: sich wegen Entschädigung der
durch die letzten Ereignisse so schwer betroffenen Bewohner Wiens „in=
begrifflich der den k. k. Truppen zugegangenen Schäden" an das Gesammt=
Ministerium und an den Reichsrath zu wenden. Der Vorschlag fand all=
gemeine Zustimmung und die Schadenerhebungs=Commission erhielt die
Weisung die hiezu nöthigen Daten binnen acht Tagen zu liefern; zugleich
wurde nach dem Vorschlag Stubenrauch's ein Ausschuß von Rechtsge=
lehrten zusammengesetzt, der die Entschädigungsfrage vom juridischen und
politischen Standpunkte in's klare bringen sollte. In der That wurde die
Erhebung des Schadens eifrig betrieben. Einzelne Gemeinderäthe theilten
sich nach Bezirken in die vielverzweigte unangenehme Arbeit; so waren
der Architekt Karl Schmidt für die Wieden, der Holzhändler Philipp Raab
für den Alsergrund, die Josephstadt, Breitenfeld und Alt=Lerchenfeld, der
Apotheker Rudolph Schiffner und der Wagen=Fabricant Johann B. Engl
für die Leopoldstadt thätig. Besonders der letztere lieferte eine muster=
giltige Darstellung indem er die Beschädigungen der Jägerzeile, je nach=
dem selbe bedeutendere Unternehmungen oder mindere Gewerbsleute und

Privatperfonen betrafen, in vier Claſſen abtheilte und aus den letztern beiden die allerbedürftigſten ausſchied, unter welche 4000 fl. als „augenblickliche Aushilfe" vertheilt wurden. Dieſer Vorgang wurde dann auch in andern Bezirken beobachtet. Wo die Noth am größten, wo gänzliche Broblofigkeit in Folge der vorausgegangenen ſtürmiſchen Ereigniſſe eingetreten war, erhielt die Sammlungs=Commiſſion den Auftrag entſprechende Summen zur Verfügung zu ſtellen.

Die genaue Summe alles erlittenen Schadens war noch lang nicht ermittelt. Der Schadenerhebungs=Ausſchuß für die innere Stadt, die im Verhältnis am wenigſten gelitten hatte, bezifferte den Geſammtbetrag der bis 19. December ſichergeſtellten Verluſte mit 188.539 fl. Das kaiſerliche Geſchenk von 200.000 fl., das der junge Monarch der großen Wiener Deputation zur Vertheilung an die Nothleidenden ihrer Stadt anweiſen ließ, brachte willkommene Hilfe für die erſte Zeit.

Wenn es ſich um die Fortdauer des Belagerungszuſtandes handelte, ſo waren nicht blos die Elemente zu berückſichtigen die in Wien ſelbſt nach einer ſo gewaltigen Kataſtrophe noch immer gährten, ſondern in kaum minderem Maße verſchiedene die aus der Ferne grollten und die, mit dem Augenblicke da die Ausnahmsmaßregeln aufhörten, ohne Zweifel ihre alte Heimat aufgeſucht haben würden. Denn, wovon man ſich in früheren Zeiten nichts träumen laſſen, jetzt gab es neben der polniſchen und italieniſchen eine öſterreichiſche, namentlich eine Wiener Emigration. Ein Theil derſelben hatte ſich, meiſt nach manch wechſelvollen Abenteuern von Verſteck und Flucht, in Leipzig zuſammengefunden und hier war es, wo ihnen der Buchhändler Otto Wigand die Mittel bot durch Herausgabe einer ganz eigentlich dem Radicalismus der Wiener Expatriirten dienenden Zeitſchrift ſich für's erſte ihren Lebensunterhalt zu friſten. Dieſelbe erſchien als Wochenſchrift im Format der von Kuranda begründeten „Gränzboten" und führte den bezeichnenden Titel: „Wiener Boten". Als Herausgeber erſchienen auf dem Titelblatte: Koliſch zuletzt Mitarbeiter des „Radicalen", Gritzner einer der Redacteure der „Conſtitution" und Mitkämpfer in den October=Tagen, Franck Herausgeber des „Wiener demokratiſchen Bürgerblatt's", und Engländer Redacteur der „Wiener Katzen=Muſik". Die „Wiener Boten" begannen ihr Erſcheinen mit 1. Jänner 1849; es ſind aber zu einem ſehr großen Theile Aufſätze und Correſpondenzen darin enthalten, deren Entſtehen noch in das Jahr 1848 fällt oder deren Inhalt sich mit dahin gehörigen Ereignissen beschäftigt, daher wir ohne einen Anachronismus zu begehen davon Gebrauch machen dürfen, wenn wir den Kreis von Ideen kennen lernen wollen in dem sich, den Zuständen in Wien und Kremsier und dem Ereignisse von Olmütz gegenüber, der von seiner eigentlichen Stätte vertriebene Radicalismus bewegte. Wir können damit einige Wiener Correspondenzen in Verbindung setzen die, aus demselben Horn nur mit etwas gedämpftem Tone blasend, ihren Weg in das „Constitutionelle Blatt aus Böhmen“ fanden, einer Zeitschrift die sich damals ohne eigene scharf ausgeprägte Richtung durch einen großen Reichthum von verschiedenfarbigen Original-Berichten aus allen Theilen der Monarchie auszeichnete. Überhaupt stand es mit den meisten Wiener und einer großen Anzahl Provinzial- und auswärtiger Blätter um diese Zeit ungefähr so, wie mit dem „Freund“ und dem „Feind“ in dem bekannten Schiller'schen Distichon: ließ sich jenen, nach Abschlag dessen was darin des guten etwa zu viel geleistet wurde, entnehmen was der neuen Wendung der Dinge zum Lobe nachzusagen war, so lernte man aus diesen kennen was an den von den Organen der Regierung ergriffenen Maßregeln bei den Schwankenden Bedenken, bei den Übelwollenden Mismuth Ärgerniß Haß erregte.

Und da waren es denn natürlich in erster Reihe die Zustände in Wien, über die man sich die haarsträubendsten Dinge schreiben ließ. „L'ordre règne à Vienne, könne Windischgrätz nach Olmütz berichten wie einst Paśkievič nach St. Petersburg. Alles Reden habe aufgehört, ja die Leute fürchten sich sogar vor Blicken, und so leben in Wien nur Stumme und Horcher und der letzteren noch dazu sehr viele freiwillige die nicht von der Polizei bezahlt würden. Abends im Wirthshause sehe einer den andern für einen Spion an, und wenn die Leute auch mit einander reden so geschehe es ganz leise damit man keine Zeugen habe; setze sich jemand an einen Tisch, so erfolge eine augenblickliche Stille die noch mehr auffalle. Furcht und wieder Furcht und immer nur Furcht beherrsche alle Kreise: die Denuncianten in Furcht der Rache der großentheils entlassenen Denuncirten anheimzufallen, die Hausherren und Wucherer in Furcht vor den abscheulichen Katzenmusiken, der Gemeinderath in Furcht vor den zu unterstützenden Witwen und Waisen und deren gerechten Ansprüchen auf 200 resp. 80 fl. Pension. Und dazwischen treibe die ‚gute‘ Presse es ärger als je früher die s. g. ‚schlechte‘ und gehen die Conservativen, diese revolutionären Ultras der Reaction, von Haus zu Haus um die eigene Schande, Unterschriften zu Mistrauens-Voten, einzusammeln oder ihrem hündischen Knechtsinn in Adressen an ihre Unterdrücker ein bleibendes Denkmal zu setzen. Habe doch die ehrenwerthe Bürgerschaft der Landstraße, das Deutschthum verläugnend, ihre unerschütterliche Sympathie für die Horden der Kroaten, die geplündert geschändet gemordet haben, in einer Adresse ausgesprochen!" Diese „feile Niederträchtigkeit des Spießbürgers" machte den Wiener Exulanten am meisten zu schaffen. „Wie doch Menschen das Joch so stolz wie einen Orden tragen und sich der Knechtschaft freuen können als wäre ihr Zittern ein Kampf gewesen!" rief Engländer aus (Wr. Boten I. S. 124). „Die Adresse der Bank-Directoren", schrieb Kolisch, „ist ohne Beispiel. Sie haben eine Gefahr für die Bank hingestellt die von den Proletariern hergerührt haben soll ohne den leisesten Grund für solch schwere Anklage, und diese Schamlosigkeit ist neu. Besäße ich Schätze, wahrlich ich wollte sie eher den Wiener Proletariern als den Bank-Directoren anvertrauen" (ebenda I. S. 58). Und zu all dem komme nun noch die materielle Noth! „Die Leute ohne Verdienst, kein Geschäft, keine Arbeit, Silberzwanziger gleich Cabinets-Raritäten. Wien verblutet sich schrecklich, und das Land nicht minder. Es ist rührend wie täglich Bauern in die Stadt kommen und sich erkundigen wo die Herren Studenten seien die ihnen stets durch That geholfen; jetzt gehe es ihnen wieder schlecht, die Obrigkeit drücke sie und nur die Studenten könnten ihnen helfen".

Aber wende man die Blicke von Wien nach Kremsier, so sehe es nicht besser aus. „Es ist die trübseligste Volksvertretung die derzeit in Kremsier ihr Schattenleben fristet, und die jetzt so wenig ihre Ohnmacht zu erkennen scheint als sie ehemals ihre Macht erkannt. Sie war und ist der bei weitem schwächere Theil der Regierung, anstatt der stärkere überlegene zu sein, als das Ergebnis des Sieges über die andere. Die Bewegung des 6. October zuckte wie ein Blitzstrahl in die Reichsversammlung zu Wien so daß sie galvanisch belebt wurde und den Sieg des Volkes, an dem sie weiter keinen Theil hatte als daß sie ihn zu entflammen geholfen, auf Augenblicke mitfühlte. Allein sie weigerte sich die Völker aufzurufen, ein Beweis daß sie sich mehr als eine der Regierung untergeordnete Behörde denn als eine Volksvertretung betrachtete. Bald stand die armselige muthlose Kammer schüchtern und unschlüssig zwischen

den zwei Gewalten der Revolution und Contre-Revolution, weil sie
ihre Macht und ihre Sendung, ihre Pflicht und Aufgabe nicht erkannt,
weil sie ihre Bedeutung, das Gewicht ihrer Entscheidung nicht begriffen".
(Kolisch: „Der österreichische Reichstag"; ebenda I. S. 5—9). Die Linke
habe nur die Kraft der Negation gehabt und darum geriethen ihre Mitglieder, nachdem das Volk sich erhoben, in die größte Bestürzung: „sie
wußten nicht wem sie opponiren sollten, alle krochen scheu zurück und es
konnte auf diesem glühenden Boden der Revolution mitten unter den
heldenmüthigen Kämpfen Wiens in dieser Kammer zu keinem andern
Entschluße kommen als Adressen auf Adressen zu fabriciren, die Schuselka
mit seinem glatten Zwanziggulden-Liberalismus abfaßte und Borrosch in
seinem Wortschwall abwusch und bis zur Bedeutungslosigkeit vereinbarte.
Zur Strafe dafür, daß sich der Reichstag im October aus der Revolution herausgeschoben und die Befreiung des Volkes nach den k. k. Ge-
setzbüchern auf einem abgezirkelten und abgewogenen Rechtsboden vollführen wollte, hat er den Fluch erhalten nicht scheintodt sondern schein-
lebend zu sein; man hat ihn in's Exil geschickt, Kremsier ist sein Pontus
geworden" (ebenda I. S. 206, 209). „Die Wechselwirkung zwischen
Volk und Volksvertretung schlägt jetzt mit mattem schweren Pulse, denn
Kremsier vermag kein Volk und keine Presse zu liefern. Der Reichstag
ist nicht mehr der frische Ausdruck des Völkerlebens, sondern der blaße
Abklatsch der Regierungs-Politik" (Const. Bl. a. B. Nr. 147 v. 19.
December) In Kremsier könne das Ministerium mit ihm machen was
es wolle, das beweise die jüngste Credit-Bewilligung der selbst Schuselka
beigestimmt: „Herr Schuselka will Minister werden, es kann nicht anders
sein als daß es ihm nach einem Staatsamt verlangt; wie konnte er sonst
ein Ministerium unterstützen das die Schritte des Fürsten Windischgrätz
zu verantworten hat! Wer könnte im December verläugnen wozu er sich
im October bekannt!?" (Kolisch I. S. 58).

Die neue Regierung bestehe aus Männern die insgesammt in die
Schule Metternich's gegangen zu sein scheinen. „Wir können wie Göthe
in seinem Faust ausrufen: Den Bösen sind wir los, die Bösen sind
geblieben". Im Ministerium des Außern seien „sämmtliche Vertraute
des jesuitischen Staatskanzlers noch immer in Amt Würde und Einfluß"; Baron Werner sei „ein Mann der als Metternich's geheimster
Gedanke betrachtet werden kann". An der Spitze des Handels-Ministe-
riums stehe Bruck der „als ein entschiedener Günstling Metternich's

wahrer conftitutioneller Freiheit kaum hold" fein werde; fein Unter=Staats=
Secretär verftehe höchftens „den fchnecenförmigen Actenlauf der wailand
k. k. Hoflammer", habe aber von dem Wefen des Handels keine Ahnung
(Correfpondenz aus Wien, ebenda I. S. 106). „Der Kaiferftaat ift fo=
gar fo glücklich einen Minifter zu befitzen der nicht zu den im Reichstag
vertretenen Ländern gehört und dennoch entfcheidende Stimme hat über
das Gefchick diefer Länder" (C. Bl. a. B. Nr. 143 v. 14. Dec.), „und
es erhebt fich nicht eine Stimme im Reichstage gegen die Zuläffigkeit
eines Minifters o h n e Portefeuille in das verantwortliche Minifterium
eines conftitutionellen Staates" (Wr. Boten I. S. 32)... Der einzige
der neuen Männer, der felbft unter den „Wiener Boten" einen Be=
wunderer und warmen Vertheidiger fand, war Stadion der „in feltener
Weife die umfaffendften Kenntniffe mit der entfchiedenften Willenskraft"
vereinige, den „ein höherer Geift, ein klares Erkennen unferer Zeit und
ihrer Anforderungen" belebe, der „das Vertrauen aller wahren Freunde
des Vaterlandes und der conftitutionellen Freiheit befitze" ꝛc. Allein die
Redaction machte zu diefen feurigen Ergüffen ihres Correfpondenten die
Anmerkung: er biete „das Bild eines Ertrinkenden der fich an einen
Strohhalm faßt um fich zu retten. So fchlimm fteht es mit der Frei=
heit und mit dem Recht in Öfterreich daß er, obgleich Demokrat, für
Stadion in die Schranken treten zu müffen glaubt, um nicht den ge=
retteten Schein von Freiheit gänzlich verfinken zu fehen" (a. a. O. S.
108). Noch fchärfere Lanzen als gegen die Minifter felbft legten die
„Wiener Boten" gegen zwei Perfönlichkeiten ein die in zweiter Reihe
ftanden. Der „feile" Helfert gegen deffen „tückifche Selbftfucht" Borrofch
„feine fcharf gefchliffenen Interpellationen verpuffte" (I. S. 7), „ein Mann
der fich ftets nur durch feine entfchieden reactionäre Gefinnung bemerk=
bar machte" (S. 107), habe im Reichstag zu Kremfier „fo ungefchickt"
debutirt „daß der Schwerhörigfte den lauten unverfteckten Ruf ‚nach rück=
wärts' vernehmen mußte" (S. 110). In der Reichstags=Galerie der
„Wiener Boten" paradirte er unter den „Central=Sophiften" (II. S.
76 f.) [403]; Füfter nannte ihn einen „vortrefflichen Minifterial=Knecht",
den „H e l f e r", den „Schildträger des wiffensfchweren Unterrichts=Mi=
nifters!" (II. S. 60). Was der zweite der minifteriellen Prügelknaben
der „Wiener Boten", Alexander Hübner, über fich ergehen laffen mußte,
das mögen die Abonnenten der h e u t i g e n „böfen Zungen", die etwa
darnach Verlangen tragen Vergleiche anzuftellen wie die d a m a l i g e n

zu zischeln verstanden, in dem Buche I. S. 31, 77 f. 107 u. a. selbst nachlesen; leider, müssen wir für sie beifügen, ist dasselbe so leicht nicht mehr zu haben. Was übrigens Hübner, der das ganze Jahr 1848 und auch vorher eigentlich nie vor die Öffentlichkeit getreten war, in den Augen der „Wiener Boten" verschuldet hatte daß sie so unbarmherzig auf ihn losschlugen, wissen wir nicht anzugeben. Jedenfalls fanden sie es unbegreiflich, wie man einer aus solchen Elementen bestehenden Regierung das geringste trauen könne. „Das Volk ist bis zum verzweifeln indolent. Mit kindlicher Naivetät klammert es sich hoffnungstrunken an die allgemeinen liberalen Phrasen des ministeriellen Programms, als ob es nicht gelernt hätte wie man Phrasen verdreht und umkehrt" (I S. 110)...

„In der Freiheit stehen wir gegen jeden Eingriff als Bertheid'ger —
Unerschütterlich nach unten, doch nach oben viel geschmeid'ger.

————

Autonomisch werden alle Landestheile sich gestalten —
Doch centrale Bajonnete wird das Militär behalten.

————

Das Programm zu halten geben wir einmüthig das Versprechen —
Sollt' es sich nicht ganz bewähren, werden wir es ehrlich brechen"...
          (Adolf Frankel „Ein Programm" I. S. 167).

Nun aber gar der Thronwechsel! „Der Kaiser mußte sich wie Karl V. lebendig in seinen Sarg legen, damit man dabei versuchen könne die Freiheit mit zu begraben. Ein Kind wurde auf den Thron gesetzt, damit die Völker Österreichs denken sollten auch sie seien noch unreife Kinder. In Wien sagt man sich — der Unterdrückte wird witzig! —: Neun Monate haben wir Wehen gehabt, jetzt haben wir einen Buben gekriegt" (Wr. Boten I. S. 30). Aber „das Gold der Krone ist heiß, es erhitzte das Gehirn des jungen Monarchen, und das erste Wort das er den Vertretern des österreichischen Volkes zurief war: er wolle die Verfassungs=Urkunde die sie ausarbeiten prüfen. Wahrlich dies eine Wörtchen das der neue Kaiser mit seiner jugendlichen Sopran= Stimme ausgesprochen, schallt als ein schriller fürchterlicher Miston durch alle Länder der weiten Monarchie. Schon das Ministerium in seinem Programm hat die Vollendung des Verfassungswerkes betont: ‚damit es dasselbe der Sanction Sr. Majestät unterbreiten könne'. Jetzt auf einmal wird aus einer constituirenden Versammlung ohne alle Zauberkünste eine vereinbarende gemacht" (Engländer ebenda I. S. 26, 28). Doch was vermöchte nicht ein Ministerium, das täglich

wahrhaft „Staunen erregende Kunststücke" ausführt, wie z. B.: „Hier
sehen Sie, meine Herren, einen freisinnigen constituirenden Reichstag,
und ich sage: eins zwei drei, allons von Wien nach Kremsier und —
Sie erkennen das zahme sanftmüthige Geschöpf nicht mehr; der unförm=
liche Schwanz, den es hinten nachschleppt und der die noch immer edle
Gestalt bis zur Carricatur entstellt und zum Kinderspott macht, das ist
die kaiserliche Sanction und Prüfung!... Hier sehen Sie ein an der
Sonne des März und Mai zum Manne, zur Selbstbestimmung heran=
gereiftes Volk, und ich sage: eins zwei drei, Volks=Souverainetät vor=
bei, und — Sie sehen ein kleines unmündiges Kind das wir väterlich
bevormunden müssen, dem wir jeden Brei vorkosten und nur, wenn wir
ihn unschädlich finden, ihm dann zu essen geben. Und alles nur Ge=
schwindigkeit, keine Zauberei!" (Correspondenz aus Prag, I. S. 109).
Durch das „prüfen" werde der constituirende Reichstag zu einer Art
„Concipisten". Seit den Märztagen habe sich Ferdinand als „constitu=
tioneller Kaiser" betiteln lassen; in den Manifesten des neuen Monarchen
lese man statt dieser Bezeichnung das alte „von Gottes Gnaden". Was
wolle man mit dieser Rückkehr zum alten? Sollen die Zeiten des Völ=
ferdruckes und der Herrscherwillkühr, die wir abgethan glaubten, zurück=
gerufen werden? Wolle man das was seit den Tagen der Freiheit er=
rungen worden rückgängig machen, wolle man in das frühere Geleise
einlenken? [404]) Und in der That, habe man jetzt etwas anderes zu ge=
wärtigen als ein vollendetes Säbel-Regiment? „Es ist nicht die unter=
thänige Volksversammlung in Kremsier, es ist nicht das Ministerium,
nicht die Bureaukratie, nicht die Aristokratie, nicht die haute banque,
von denen der Allerhöchste Wille abhängt, sondern es ist die Uniform
oder, besser gesagt, es ist das goldene Porte=epée das dem Hof imponirt.
Was gilt ein Minister im Vergleich zu einem Lieutenant! Gewiß tanzt
die neue Kaiser=Mutter mit irgend einer Militär=Charge die erste Contre=
dance im Fasching!" (Correspondenz aus Olmüz I. S. 76).

Was sei es auch mit Österreich?! „Das Wort Österreich hat gar
keinen höhern Sinn, es bedeutet den zufälligen Complex von Ländern
die eine despotische Politik durch eine eiserne Hand zusammenzuhalten
wußte, und von Nationalitäten die durch gar keine innere Verwandtschaft
sich einander näherten und auf keine Weise verständigen konnten" (Eng=
länder I. S. 45). „Ein blutig zusammengekneteter Völker=Bestand, hat
es keine Lebensfähigkeit mehr in sich: unter den galvanischen Versuchen

des achtzehnjährigen Experimentators zuckt es vielleicht noch einmal zusammen um dann für immer auseinanderzufallen" (Gritzner ebenda I.
S. 39.) Worin bestehe dieses Experimentiren? In der gleichmäßigen
Unterdrückung aller Völker! „Der Reichstag soll die Band-Fabrik sein
die für die ganze Monarchie die schwarz-gelben Bänder liefert. Möchten
doch die Slaven, die am meisten das Schwarzgelbthum stützen, bald einsehen lernen daß die deutsche Demokratie ihre nationalen Bestrebungen
liebevoll achtet und ihr Feind blos im Österreicherthum liegt welches
das selbständige Hervortreten einer Nationalität nicht zulassen kann.[405])
Die Regierung will nicht Österreich slavisch, sie will die Slaven österreichisch machen. Die Nationalitäten sollen sich bis zu einem gewissen
Grade entwickeln dürfen, allein stets nur auf dem Boden ihres Bewußtseins als Österreicher, gleichsam als gemeinsame Livrée-Träger desselben
Herrn. . . . ‚An die Spitze der Bewegung‘ wollen der neue Kaiser und
sein Ministerium treten! Doch wohl nur der jetzigen Bewegung? Denn
jetzt bewegt sich in Österreich alles abwärts" (Engländer: „Die Mini-
sterial-Politik und die Lage der Dinge in Österreich" a. a. O. I. S.
22 f. 28).

33.

Gritzner, einer der Herausgeber der „Wiener Boten", führt bei
einer Gelegenheit[406]) jene Stelle Macaulay's an, wo dieser in seiner
prickelnd scharfen Weise die eigenthümlichen Anschauungen und das Treiben politischer Verbannter und Flüchtlinge zergliedert: Dieselben seien
„im allgemeinen Leute von hitzigem Temperament und wenig gesundem
Urtheil", die gewöhnlich Land und Leute die sie verlassen „durch gefärbte
Gläser" sähen. Nichts könne einen solchen Menschen überzeugen „daß sein
Vaterland nicht eben so sehnsüchtig nach ihm wie er nach demselben
verlange; die Zeit, während sie den Eifer seiner in der Heimat zurück-
gelassenen Freunde abkühlt, steigert den seinigen. . . . Dieses Gaukelwerk
wird fast zum Wahnsinn wenn ein Haufen von Flüchtlingen an eine
fremde Küste geworfen zusammenlebt. Ihre Lieblingsbeschäftigung ist . . .
gegenseitig überspannte Siegeshoffnungen und Rachegedanken zu nähren" ꝛc.

Man würde daher groß irren, wollte man das, was in den Kreifen
misvergnügter Exulanten den täglichen Gesprächstoff bildete, als Maßstab
für die Gesinnung eines irgend erheblichen Bestandtheiles der im Lande
zurückgebliebenen Bevölkerung Österreichs gelten laffen. Einzelner, die
fo dachten wie die Herren Kolifch Frank und Engländer, gab es allerdings vorzüglich in den größeren Städten eine erkleckliche Anzahl; waren
fie es doch zu einem großen Theile, die Jenen den Stoff zu den pi-
quanteften ihrer Artikel lieferten. Andrerseits gab es gleich zu Anfang
der neuen Regierung mancherlei was den Unverföhnlichen im Lande
willkommenen Anlaß bot, felbst weitere Kreife mit den Maßregeln derfelben unzufrieden oder doch darüber stutzig zu machen. Die Lage der
Verhältniffe, die gebotene Wiederherstellung von Ordnung und Gefetzlichkeit, die Entfaltung einer Reihe von Verboten und Einschränkungen,
nothwendige Folge der vorausgegangenen Übergriffe und Ausschreitungen,
dazu die hoch-ariftokratifchen Namen deren Träger in der Verwaltung
und im Heerwefen an der Spitze ftanden, all das trug das feinige dazu
bei, vor den Augen Vieler das Gefpenst der Reaction auftauchen zu
laffen das ihnen mitunter bei ganz unscheinbaren Vorkommniffen drohend
feine Hand zu erheben fchien. Als um die Mitte November eine Ver-
fammlung der nieder-österreichifchen Landftände behufs Ausschreibung und
Repartirung der Grundsteuer einberufen wurde, meinten fie nichts ge-
ringeres, als die alten Poftulat-Landtage mit ihren Prälaten, mit ihren
Herren und Rittern feien im vollen Anzuge [407]). Als der Olmüzer
Festungs-Commandant den Studenten die ihnen von der Regierung ge-
liehenen Waffen abverlangte um fie zur Ausrüftung der Nationalgarde
in den mährifch-ungarifchen Gränzbezirken zu verwenden, fahen fie darin
die Auflösung aller akademifchen Legionen und in weiterer Folge die
Zurücknahme einer der März-Errungenfchaften, der Volkswehr. Das
minifterielle Verbot an alle Beamte fich an politifchen Vereinen zu betheiligen, war ihnen der erfte Schritt zur Aufhebung des Vereinsrechtes,
die Stadion'fche Verordnung gegen den Unfug mit Placaten und Flug-
fchriften eine allmälige Wiedereinfchmuggelung der Cenfur. „Die Regierung
erblickt alfo in der Ausübung des Affociations-Rechtes etwas ungehöri-
ges, in politifchen Vereinen ein Gebrechen des Staates. Sie beraubt
den Beamten des beften Mittels die Wünfche und Bedürfniffe des Volkes
kennen zu lernen; der Beamte hat fich alfo nicht darum zu kümmern
ob überall auf gefetzlichem Wege vorgegangen werde oder das Volk wider

Willen auf Abwege gerathe! Und ist nicht mit dem Verbote der Placate allen Vereinen ein Bein gestellt? Wie sollen sie ihre Programme und Protocolle zur Kenntnis der Öffentlichkeit bringen als im Wege der Presse? Wer wird noch Misbräuche Ungerechtigkeiten an den Pranger wohin sie gehören zu stellen wagen wenn er sich, zur Angabe seines Autor-Namens bei der Behörde verpflichtet, der Rache Aller preisgegeben sieht die sich durch seinen Freimuth getroffen finden? So wird die Oppositions-Presse, die Argus-äugige Wächterin der Volksfreiheit und der Volksrechte, ganz sacht in ein bureaukratisches Leichentuch gewickelt; man wird fortan in Österreich schön manierlich schreiben müssen und werden alle Zeitungen als Organe der Regierung das Volk zum Glücke des schweigenden Gehorsams erziehen!" So war gedruckt zu lesen in dem Olmützer politischen Tagesblatt „Die neue Zeit", die dabei gar nicht zu merken schien, wie sie durch diese ihre scharfe Sprache ihr eigenes Weh-klagen über die Fesselung der Oppositions-Presse Lügen strafte. Auch über die „sclavische Gemeinde-Ordnung" die Stadion vorbereitete erhoben böhmische und mährische Blätter ein wahres Zettergeschrei, bei deren manchen überhaupt eine Zügellosigkeit der Sprache zu Hause war, die an alles andere erinnerte als an ein Hereinbrechen der Reaction [408]). „Sei nicht den Gemeinden freie Verwaltung ihres Vermögens, freie Wahl ihrer Beamten, die nur den Willen der Gesammtheit auszuführen hätten, verheißen worden? Wie stehe es aber mit dieser Zusage, wenn ein Rückschritts-Minister eine Gemeindeordnung ausarbeiten lasse die an die Stelle der alleinberechtigten Gesammtheit einen nur zweimal des Jahres zu berufenden größeren Ausschuß setze, die das Wahlrecht für diesen Ausschuß von dem Ausmaße der Grundsteuer abhängig mache, die endlich die gesammte Thätigkeit in die Hände eines von der Regierung zu bestättigenden Bürgermeisters lege und diesem das Recht einräume, in Fällen wo es ihm gutdünke den Beschluß des Ausschußes nicht aus-zuführen, sondern die Berufung an die Oberbehörde einzulegen? Lasse dies alles nicht auf einen schmählichen und großartigen Plan zur neuer-lichen Knechtung der Völker Österreichs schließen, der die Gesammtheit zuerst in der Gemeinde zur stummen Person mache und, wenn einmal hier das Werk gelungen, die Verfassung selbst zu einem ohnmächtigen Werkzeuge in den Händen der Regierung umschaffen werde? Und würde man an so etwas oben zu denken wagen, wenn nicht das Militär zu neuen Kräften gekommen und dadurch bei den Fürsten die Hoffnung er-

wacht wäre ihre verlorene Gewaltherrschaft wieder zu erlangen? Aber
möge die Regierung acht haben daß sie sich damit nicht selbst ihr Grab
grabe! Möge man nicht daran denken die Völker in die früheren Scla
venfesseln zu schmieden, wenn man nicht nach wenig Jahren eine neue
und schrecklichere Erhebung der Gedrückten hervorrufen wolle, die nach
furchtbarem Blutvergießen mit der Vertilgung aller Großen und Mäch
tigen vom Erdboden endigen würde. Dann werde man die Masse der
Armen und Verwahrlosten aufstehen sehen und einen Kampf werde es
geben wie ihn die Welt nicht erlebte! Dann werden auch jene, die durch
ihre freiheitsmörderischen Schritte diesen Gräuel herbeigeführt, die Wahr
heit des Spruches kennen lernen: Handle dem Teufel zu Gefallen, er
wird Dir mit der Hölle lohnen!" [409])

Jeder Vernünftige mußte bekennen daß, wo Zeitungsblätter unge
rügt eine solche Sprache führen konnten, das Schreckbild einer Aufer
stehung der alten Censur gewiß sehr wenig am Platze war. Der Ge
meindegesetz-Entwurf war noch nicht über das Stadium der ersten Be
rathung im Schoße des Ministeriums hinaus und die Bestimmungen,
über die man sich von gewissen Seiten vorzeitig so sehr ereiferte, ver
folgten im Grunde nur das Ziel der Regierung: im Gemeindewesen wie
in allen andern Sphären das natur- und verfassungsmäßige Recht staat
licher Oberaufsicht zu wahren. Wenn man in den nationalen Kreisen
Prags von einer an alle Kreisämter ergangenen Weisung sprach, Ver
eine die dem Staatswohl feindliche Zwecke verfolgten aufzulösen, und
daran die Befürchtung knüpfte daß sich dann wohl ein Vorwand finden
lassen dürfte der Slovanska Lipa an den Leib zu gehen, so stand dieser
Besorgnis die Thatsache entgegen daß gerade damals der Gubernial
Vice-Präsident ihr sehr eifrig das Wort redete und sich über ihre Haltung
und Ziele in ganz anerkennender Weise aussprach. Und um dieselbe Zeit,
wo um eines höheren Zweckes willen die akademische Legion von Olmütz
ihre Waffen herausgeben mußte, berieth die Prager Studentenschaft in
einer Plenar-Versammlung über einige minder wesentliche Modificationen
die eine Regierungs-Verordnung in den Statuten der akademischen Legion
angeordnet hatte (10. December), und erfolgte von Seiten des Mini
steriums des Innern die Bestätigung des Buchhändlers Andreas Haase
in seiner Eigenschaft als Ober-Commandant der Prager Nationalgarde
(11. December). Der Befehl die Hauptwache im Altstädter Rathhaus
gebäude dem Militär einzuräumen widrigens dieses den Besitz derselben

mit Gewalt erzwingen werde, war nicht vom Ministerium ausgegangen
sondern vom Commandirenden auf Befehl des Fürsten Windischgrätz, und
reducirte sich am Ende auf einen vereinzelten Competenz=Streit [410]).
Allein den Unversöhnlichen im Lande, die bei diesen und andern Ge=
legenheiten die versteckten Hetzer abgaben, kam es eben nicht darauf an
ihr leichtgläubiges Publicum solch reifere Erwägungen anstellen zu lassen;
sie kannten ihre Leute und wußten daß diese immer aufgelegt waren das
dümmste zu glauben wenn es nur etwas schlimmes war. Unter allen
Städten der nicht=ungarischen Länder waren es jetzt Prag und Krakau
unter deren misvergnügten Volks=Classen die abenteuerlichsten Gerüchte
fruchtbaren Boden fanden. Um die Mitte December blieben, wahrschein=
lich in Folge von Schneeverwehungen auf den Bahnen, durch einige
Tage in Krakau die Wiener Zeitungen aus; sogleich wurde die Nach=
richt verbreitet: in Wien sei eine neue Revolution ausgebrochen, und die
ganze Stadt kam in Aufregung. Etwas ähnliches bewirkte eine bedeu=
tende Verspätung des Wiener Nachmittags=Zuges am 16. in Prag.
Gegen Abend verbreiteten sich Gerüchte von bedenklichen Unruhen in
Wien die, als eine Viertelstunde nach der andern verstrich ohne daß
die Ankunft des Zuges gemeldet wurde, mit immer mehr Einzelnheiten
aufgeputzt wurden; zuletzt wußte man ganz bestimmt, eine telegraphische
Depesche sei eingetroffen die melde: Aigner, der ehemalige Legions=
Commandant, habe sich an die Spitze der Arbeiter in den Vorstädten
gestellt, die Thore der innern Stadt seien gesperrt, man befürchte einen
Angriff. Endlich 11 Uhr Nachts fuhr der Zug in den Bahnhof ein
und die Nachrichten die er brachte verscheuchten allmälig die künstlich
angefachten Besorgnisse. In einer günstigeren Lage befand sich um diese
Zeit bereits Grätz, das früher nicht ohne Grund als der Hauptherd
aller misvergnügten Elemente verschrien war. Die militärischen Maß=
regeln die Nugent entfaltete hatten die ärgsten Störefriede aus der
Stadt weggescheucht; ein Theil davon hatte sich nach Klagenfurt ge=
wandt, wo sie aber auch nicht mehr den Boden fanden den sie such=
ten [411]). Die Hauptstadt Steiermarks gewann dadurch allmälig ein fried=
licheres Aussehen; die dreifarbigen Fahnen verschwanden, die Marseillaise
zog sich in abgelegene Kneipen zurück; die Volks=Hymne vom rauschen=
den Beifall aller Anwesenden begleitet nahm ihre Stelle ein und die best=
verläumdeten Soldaten der Armee, die „Kroaten", waren bald wie in
Wien gern gesehene Gäste [412]). Auch in den beiden Hauptstädten Schle=

siens wurde die Luft allmälig reiner. Dem Frankfurtianer Kolatschek, Professor der Philosophie an der evang. theol. Lehranstalt, war es in dem geänderten Dunstkreis seines Standortes nicht mehr geheuer und er zog sich mit seiner Familie von Teschen weg; er war Präsident des demokratischen Vereins daselbst, der sich bald darauf auflöste.

Thatsächlich war überhaupt für den Radicalismus im nicht-ungarischen Österreich nichts mehr zu schaffen. Einerseits die vermöglicheren und gebildeteren Theile, andrerseits die große Masse der Bevölkerung waren des tollen nebelhaften Treibens müde und sehnten sich nach geordneten Zuständen. Das Gerücht, das bald nach dem Thronwechsel in Galizien auftauchte und geschäftige Verbreitung fand: es solle im nächsten Frühjahr zu Halicz eine kaiserliche Sommer-Residenz gebaut werden und der junge Kaiser, um allen Nationalitäten gerecht zu werden, alljährlich eine Woche daselbst zubringen, sprach lauter als alles dafür daß selbst auf einem von der revolutionären Propaganda so durchfurchten Boden das Verlangen, sich zum eigenen Heil und Besten mit der neuen Regierung auf guten Fuß zu setzen, immer tiefere Wurzeln schlug. Das Ministerium hatte den besten Weg eingeschlagen die allgemeine Meinung für sich zu gewinnen. Wenn wir nicht irren war es Metternich der den Ausspruch gethan: „Die Völker haben vor allem e i n Bedürfnis: r e g i e r t z u w e r d e n!" Auf dies Regieren nun verstand sich das Cabinet des jungen Kaisers in ganz ausgezeichneter Weise, und die Folgen davon gaben sich in überraschender Fülle kund. Die rührige Thätigkeit, durch seine anregende Initiative in jeder Richtung geweckt, erstickte alles planlose Hin= und Herfahren der vorausgegangenen Monate oder stumpfte dessen Waffen zu einem ohnmächtigen Gaukelspiel ab. In Ländern von so vorwaltend praktischem Sinn wie Böhmen und Mähren hatte man bald besseres zu thun als auf das Gekläffe unzufriedener Störefriede zu horchen. Die angekündigte Neugestaltung der landesfürstlichen Behörden setzte alle Städte und größern Gemeinden im Gebiete der St. Wenzels=Krone in Thätigkeit, deren jede entweder ein Bezirks- oder ein Collegial=Gericht, eine Bezirkshauptmannschaft oder eine Kreisbehörde in ihren Mauern haben wollte. Führte dieser Wetteifer nicht selten zu bittern Feindschaften zwischen benachbarten Orten [413]), so waren das vorübergehende Erscheinungen, und wer dabei gewann war nur der Staatssäckel. Denn von allen Seiten strömten den Ministerial=Commissionen Anbote unentgeldlicher Überlassung oder Herstellung von Amts-

Localitäten zu, deren Erwerb im Wege des Kaufes dem sparsamen Kraus
manchen Schweißtropfen ausgepreßt haben würde. In die Beamtenwelt
kam ein frischer Geist. In Prag bildete das jüngere Personale des k. k.
Fiscal-Amtes einen juridischen Verein, um sich im freien Vortrage zu
üben und durch Erörterung rechts- und staatswissenschaftlicher Fragen
auf die Einführung von Mündlichkeit und Öffentlichkeit im Gerichtsver-
fahren vorzubereiten. Schon wurden die Räumlichkeiten im Wenzelsbade,
dem Schauplatze der ersten Flügelschläge der Freiheit im März, für
das bevorstehende Schwurgericht in Preßsachen, freilich aber auch jene im
alten Münzgebäude für Journalisten-Arreste hergerichtet; hatte doch, wie
man wissen wollte, der Staatsanwalt nicht weniger als sechzehn Preß-
Processe in Bereitschaft um damit in anständiger Weise seine neue Wirksamkeit beginnen zu können. Ähnliches zeigte sich in den andern Ländern. Allenthalben sahen sich die verschiedenen Schichten der Bevölkerung, denen Monate hindurch nichts als nebelhafte Truggebilde vorge-
gaukelt worden, mit einemmal auf das Gebiet praktischer Bestrebungen
versetzt, wo sie sichern Boden unter ihren Füßen fühlten und sich in gesunder Thätigkeit für klar erkannte Ziele ergehen konnten. Mit den
Personal-Veränderungen, welche die neue Regierung in den verschiedenen
Verwaltungszweigen getroffen, war man fast durchaus zufrieden. Sah
man manche im Dienste des alten Systems ergraute Männer, wie den
Staats- und Conferenz-Rath Baron Lebzeltern, den nied. österr. Appel-
lations-Präsidenten Baron Heß u. a. freiwillig scheiden, so dankte man
es dem Ministerium daß es andere von ihren bisherigen Posten entfernte, wie Hummelauer von seiner Verwendung in London wo er sich
durch sein Anbot der Abtretung der Lombardie unmöglich gemacht hatte.
Auch daß Hofrath Erb, Cabinets-Secretär bei Erzherzog Franz Karl,
und der staatsräthliche Referent Hofrath Pipitz ihrer bisherigen Stellung
entrückt wurden, nahm das Publicum, das diesen beiden Männern großen Einfluß in rückschreitender Richtung zuschrieb, beifällig auf. Erb
wurde an Stelle des schwer erkrankten Baron Clemens Hügel mit der
Direction des geheimen Staats-Archivs betraut — ein Posten für den
freilich niemand weniger taugte als er —, Pipitz, dessen bewährte Einsicht und Kraft man nicht brach liegen lassen durfte, zum Vice-Präsidenten des General-Rechnungs-Directoriums ernannt. An Heß' Stelle
kam der allseits beliebte Baron Sommaruga, bisher Vice-Präsident derselben Behörde deren Leitung er jetzt übernahm. Die Wahl der neuen

Gouverneure und Regierungs=Präsidenten machte den besten Eindruck.
Lajanskn hatte sich seit der Zeit, da ihm die provisorische Leitung des
mährisch=schlesischen Landes=Guberniums anvertraut worden, Sympathien
in den weitesten Kreisen erworben. Es war ihm schon aus Galizien,
wo er erst als Gubernial=Rath sich um die Verschönerung von Lemberg,
später als Gubernial=Vice=Präsident um die Beruhigung des aufgereg=
ten Landes Verdienste erworben, der beste Ruf vorausgegangen. Seine
Ernennung in letzterer Eigenschaft für Brünn fiel in den Sommer 1847,
wo in Schlesien der Hunger=Typhus zahlreiche Opfer forderte; die
menschenfreundliche Thätigkeit die er bei dieser Gelegenheit entfaltete war
im ganzen Lande in dankbarer Erinnerung. Wie Lajanskn aus Gali=
zien so brachte Chorinskn aus Salzburg die günstigste Vormeinung auf
seinen neuen Posten mit. „Wenn die unparteilichste Rechtlichkeit", schrieb
man von dort nach Wien, „gründliche Geschäftskenntnisse, ein unermüd=
licher Fleiß, dazu ein immerdar gleich freundliches Entgegenkommen und
die aus einem wahrhaft edlen Gemüthe hervorquellende Bereitwilligkeit
jedem nach Kräften zu nützen, Anspruch auf achtungsvolle Zuneigung ge=
währen, so hat sich Graf Chorinskn während seines achtjährigen Wir=
kens in Salzburg hierauf gewiß ein unbestreitbares Recht erworben" [414]).

Als eine den geänderten Zeitverhältnissen und der Gleichstellung des
Bürgerstandes mit den früher bevorzugten Classen dargebrachte Huldigung
wurde die Berufung Fischer's an die Stelle des in Ruhestand versetzten
Regierungs=Präsidenten Baron Skrbenskn in Linz ausgelegt. Aloys
Fischer aus Tyrol gebürtig, Sohn des wackeren Landecker Schützen=
hauptmanns Joseph, Vetter von J. M. Senn und J. Chr. Linser —
„Botztausend", rief Erzherzog Johann aus als er diese Genealogie ver=
nahm, „da haben Sie ja ein ganz besonders gutes Blut!" — war seit
1829 der am meisten beschäftigte Advocat in Salzburg, als ihn 1848
die Wahl in den Reichstag traf. Von Doblhoff in das Ministerium
des Innern gezogen, wo er mit dem Titel und Range eines Rathes
doch ohne Besoldung diente, wurde er gegen Ende August als Ministe=
rial=Commissär nach Tyrol geschickt, von wo er am 14. October nach
Wien zurückkam um sogleich wieder, von Kraus mit der Überbringung
von Depeschen an Wessenberg betraut, nach Olmüz abzugehen. Hier
lernte ihn Stadion näher kennen. Fischer erhob allerhand Bedenken
gegen seine Berufung, allein Stadion sagte: „Es hilft Ihnen nichts,
Sie müssen hingehen. Wir leben in einer bedrängten Zeit. Sollen

wir Minister uns vor die Bresche stellen, so haben wir das Recht das
gleiche von Andern zu verlangen" 415). Die Reichstags-Abgeordneten
von Ober-Österreich verkündeten ihren Wahlmännern sogleich Fischer's
Ernennung in einem eigenen „Aufruf"; er sei „der erste Unadelige der
je den Präsidenten-Sitz in Linz eingenommen". Um Weihnachten kam
Fischer in Linz an; am 26. stellten sich ihm der Gemeinde-Ausschuß und
der Magistrat vor, denen Fischer „Gerechtigkeit und Offenheit" als seinen Wahlspruch verkündete. „Ich bin ein aufgeschlagenes Buch", sagte
er, „in dem jedermann lesen kann. Cabinets-Geheimnisse kenne ich nicht.
Freiheit bis an die äußersten Gränzen des Gesetzes, aber darüber hinaus keinen Schritt! Unverbrüchliche Treue meinem constitutionellen Kaiser, mein Leben dem Volke!" In einer Kundmachung, die er aus Anlaß seines Amtsantrittes hinausgab, erklärte er seine volle Übereinstimmung mit der Politik des Gesammt-Ministeriums, mit den Grundsätzen
die in dem Programm vom 27. November ausgesprochen seien. Er verhieß, ganz im Stadion'schen Geiste, die Verwaltung offen und einfach,
fern von jedem überflüßigen Formwesen zu führen; „mein Amtszimmer
ist für jedermann geöffnet der mich zu sprechen verlangt, ohne Unterschied des Standes oder Berufes". Diese Sprache aus dem Munde
eines Chefs der Landes-Verwaltung war neu und sie gefiel den Leuten,
erweckte bei ihnen Vertrauen. Auch waren es nicht blos Worte die
Fischer sprach, er verstand es sich bekannt und beliebt zu machen; er
ging in diesem Punkte vielleicht weiter als es der schlichte Sinn des gemeinen Mannes sich von einem so hochgestellten Herrn dachte und verlangte. Jedenfalls bekundete Fischer vom ersten Augenblicke an ein
eifriges Streben, Land und Leute, ihre Wünsche und Bedürfnisse kennen
zu lernen; er verstand die Schäden der bisherigen Verwaltung, die Gebrechen in der Gerechtigkeitspflege, die Lücken und Mängel im Gemeindewesen; er hatte den aufrichtigsten Willen ihnen abzuhelfen und konnte
der Unterstützung des Ministeriums, dessen volles Vertrauen er besaß,
versichert sein.

Eine Persönlichkeit aus ganz anderem Stoffe, allein in der geld-
stolzen Handelsstadt Triest nicht minder an ihrem Platze als Fischer inmitten seiner ober-österreichischen Bürger und Bauern, war Graf Ghulai
in Triest. Bis Ende November hatte er das Militär-Commando, Alt-
graf Salm die Leitung der Civil-Verwaltung geführt; beide hatten sich
in ihren Stellungen das Zutrauen aller Freunde der Ordnung und Ge-

feglichkeit, aller Anhänger Öfterreichs erworben. Allein die kriegerifche
Lage der Dinge ließ auf einem fo ausgefegten Punkte wie Trieft die
Vereinigung der beiden Gewalten in einer Hand als geboten erfcheinen,
und fo wurde Salm Anfangs December nach Olmüz abberufen, Ghulai
zum Civil= und Militär=Gouverneur im Küftenland ernannt. Die lez=
tere Maßregel wurde mit allgemeiner Zuftimmung begrüßt. Ghulai war
der Abgott der Garnifon in die er, monatelang von der Seefeite feind=
lich bedroht, den beften Geift zu bringen verftanden; er genoß aber in
kaum geringerem Maße die Sympathien der Bevölkerung, die ihm rit=
terlichen Sinn, leutfelig vornehmes Wefen nachzurühmen wußte. Schon
am 5. December empfing Ghulai eine Vertrauens=Adreffe von 173 der
angefehenften Einwohner des Territoriums der Stadt. Die Damen von
Trieft und Görz beeilten fich die lezten Carreaux zu einem großen
Teppich zu vollenden, an dem fie für ihn feit mehreren Wochen arbeite=
ten. „So geringfügig die Sache an und für fich ift", fchrieb man aus
Trieft dem „Öfterr. Corresp.", „fo erfreulich ift die Harmonie die dar=
aus zu entnehmen ift, jene in den lezten Zeiten leider fo felten gewor=
dene Harmonie zwifchen denen die regieren und jenen die regiert wer=
den". Als er fich am 10. in den Dom begab wo die Thronbefteigung
des neuen Kaifers durch ein Tedeum begangen wurde, gaben ihm von
feiner Wohnung bis zur Kirche unausgefegte Jubelrufe für den Mon=
archen und deffen Stellvertreter das Geleite, die fich erneuten und bis
zum Donner verftärkten als er nach geendetem Gottesdienft die National=
garde, die Territorial=Miliz und die k. k. Truppen mufterte und über
den Corfo und Börfeplag vor fich defiliren ließ. Als er in den Gou=
verneur=Palaft zurückkehrte, fand er den Riefen=Teppich der inzwifchen
glücklich fertig geworden — er hatte 144 Geviert=Ellen im Flächenraum
— auf dem Boden feines Salons ausgebreitet und eine Deputation der
fchönen Spenderinen, die ihm den Dank für die väterliche Sorgfalt
ausdrückte die er in den Tagen der Gefahr ihrer Stadt und dem Lande
bewiefen. Das Gefühl banger Ungewißheit über die Zukunft Öfterreichs
fchwand allgemach, man blickte fchöneren Tagen entgegen, der Handel
begann fich zu beleben. Die Partei der Italianiffimi erlitt eine Nieder=
lage nach der andern. Als fie in der proviforifchen Municipal=Com=
miffion mit der Nichtigkeitserklärung mehrerer ihr misliebiger Wahlen
nicht durchdringen konnte, war Zifchen und pöbelhaftes Gefchrei ihrer
Anhänger auf den Galerien das einzige, womit fie ihrer üblen Laune

Luft machen konnte. An demselben Tage, 18. December, stand Bischof
Legat als Mitglied der Deputation, die im Auftrage des Municipiums
nach Olmüz und Prag zu gehen hatte, im Begriffe abzureisen, als eine
Botschaft der slavischen Gemeinden des Territoriums vor ihm erschien
und ihm die Bitte vorbrachte auch ihrer Gefühle Dolmetsch an den
Stufen des Thrones sein zu wollen. „Wir sind dieselben", sagte ihr
Sprecher, „die wir 1809 gewesen, heute wie damals bereit unser Gut
und Blut für den Kaiser, die Monarchie und alle braven Mitbürger
aufzuopfern, besonders jetzt wo wir dem Kaiser so viel zu danken haben.
Wir erziehen unsere Kinder in denselben Gesinnungen damit sie der
Dynastie und dem Gesammtvaterlande eben so treu bleiben wie ihre
Väter" [416]).

34.

Eben um die Zeit, da in Olmüz der Thronwechsel im Werke war,
hatte Kossuth verschiedene Schritte gethan um das seiner Sache drohende
Verhängnis theils in die Ferne zu rücken theils zu lähmen. In letzterer
Hinsicht stehen uns nur sehr unsichere Nachrichten zu Gebote [417]); daß
aber Kossuth mit Mitgliedern der Reichstags-Linken, mit der er ja in
Wien durch Pulszky auf so vertrautem Fuße stand, auch in Kremsier
Anknüpfungen gesucht und zum mindesten allgemeine Zusagen und Er-
munterungen empfangen habe, ist mehr als wahrscheinlich. Genau unterrichtet sind wir über die Versuche, die er in ersterer Richtung sowohl in
Olmüz als in Schönbrunn machte. Es war der americanische Geschäftsträger in Wien William H. Stiles, an den er sich diesfalls mit der
Bitte wandte die Rolle eines Vermittlers zu übernehmen. In der zweiten Hälfte November fand sich ein Vertrauter Kossuth's im Locale der
americanischen Gesandtschaft zu Wien ein und vermochte Stiles, da es
nur „Rücksichten der Humanität" seien um die es sich handle, zu einer
Unterredung mit dem eben in Wien anwesenden Fürsten Schwarzenberg,
die übrigens eben so wenig zu einem Ergebnisse führte als seine Audienz
beim Feldmarschall an den ihn jener gewiesen hatte. In der Nacht vom
1. zum 2. December erhielt Stiles in mysteriöser Weise ein neues

Schreiben Kossuth's, vom Staats-Secretär Pulszky mitgefertigt, worin die bestimmte Bitte um die Bewilligung eines Waffenstillstandes bis zum Frühjahr gestellt und der Wunsch ausgesprochen wurde, „dem Unheil eines für die Interessen beider Reiche so verhängnisvollen Krieges vorzubeugen" [418]). Am 2. December befand sich der Feldmarschall bekanntlich in Olmütz; Stiles konnte ihn erst am 3. sprechen, fand bei ihm wie das erstemal eine äußerst wohlwollende Aufnahme, doch in dem Hauptpunkte kein Gehör. „Er könne in der Sache nichts thun", äußerte der Fürst, „er habe den Befehlen des Kaisers zu gehorchen; er werde Pest in seine Gewalt bekommen und dann werde der Kaiser entscheiden was weiter zu geschehen habe; er für seine Person könne sich nicht dazu herbeilassen, mit Solchen die sich im Zustande der Rebellion befinden zu unterhandeln, er müsse unbedingte Unterwerfung fordern". Noch denselben Tag theilte Stiles dem Präses des ungarischen Landesvertheidigungs-Ausschusses das Ergebnis seiner Schönbrunner Verhandlung und in einem P. S. die weitere Nachricht mit, daß Kaiser Ferdinand zu Gunsten des ältesten Sohnes seines Bruders abgedankt und dieser unter dem Namen Franz Joseph I. den Thron bestiegen habe [419]).

Die Kunde schlug wie ein Blitzstrahl in das Lager der magyarischen Partei. Die Männer der Leidenschaft wie Csányi hätten am liebsten gleich den Thron für erledigt erklärt; allein die Vorsichtigeren erwogen daß dies einer Auflösung der zum größten Theile dynastisch gesinnten Armee gleichkäme. Feine Köpfe wie Görgei ersahen bald einen Vortheil aus der geänderten Lage, da man jetzt den Zweiflern und Ängstlichen gegenüber mit gutem Gewissen gegen die Windischgrätz, die Jelačić und Urban 2c. in's Feld ziehen könne: denn focht man jetzt nicht für Ferdinand V. den rechtmäßig gekrönten König von Ungarn, den die Camarilla erst monatelang in Olmütz gefangen gehalten, um ihn zuletzt durch einen Usurpator vom Throne stoßen zu lassen?! Das war denn auch der Ton den, wie auf Commando, die ungarischen Regierungsblätter anstimmten. Schon am 4. December waren dunkle Gerüchte in den beiden Schwesterstädten im Umlauf; am 5. kamen aus Presburg, an den Landesvertheidigungs-Ausschuß gesandt, die Olmützer Manifeste dahin. Es waren: ein Abdankungs-Manifest des Kaisers Ferdinand und ein Antritts-Manifest des Kaisers Franz Joseph, beide für die ungarischen Länder besonders berechnet und darum im Wortlaut von den für die übrigen Theile des Reiches erlassenen verschieden. „Im Augenblicke", sprach der junge König,

„wo es, könnten Wir dem Zuge Unseres Herzens folgen, Unsere erste
und liebste Regentenpflicht wäre, Unser ganzes Streben der friedlichen
Förderung des Glückes und der Wohlfahrt Unserer ungarischen Völker
zu widmen, wird Uns die Erfüllung dieses Vorsatzes leider zur Unmöglichkeit." Der gestörte Friede, die zerrissene Ordnung im Königreiche lege
ihm „die schwerste der königlichen Pflichten" auf, das Land und „die
große Mehrzahl seiner wohlgesinnten Bewohner von dem tyrannischen
Druck der Empörer mit der Gewalt der Waffen" zu befreien. „Tief be-
trübt über dies Gebot der Nothwendigkeit" schreite er „dennoch mit ru-
higem Gewissen zur Ausübung desselben; denn nur auf diesem Wege"
zeige sich „nach den beklagenswerthen Ereignissen der letzten Zeit die
Hoffnung, den Völkern Ungarns die Segnungen des Friedens, die volle
Anerkennung und Gewährleistung aller Nationalitäten und das Aufblühen
ihrer Wohlfahrt sichern zu können." Es folgte sodann die Bestätigung
der von seinem erlauchten Vorgänger gefaßten Beschlüße und Verfügungen
vom 6. und 7. November, so wie der Vollmacht des Fürsten Windischgrätz
in deren ganzem Umfange, die Aufforderung sich dessen Befehlen zu unter-
terordnen 2c.

Mit einer wahren Berserkerwuth fielen die Pester Blätter über diese
königlichen Kundgebungen her. „Den König kann seines Thrones nur der
Wille der Nation entsetzen, sonst niemand. Wenn ein anderer ihn vom
Throne stoßt, so ist er ein Tyrann, ein Usurpator. Ferdinand V. haben
nicht die Ungarn, es hat ihn die Hof-Camarilla in Olmütz abgesetzt, und
den minderjährigen Sohn der Sophie lassen sie sagen, es werde seine
erste Sorge sein die Empörer niederzukämpfen, worunter man ohne Zweifel
uns versteht; denn der Hof ist unverschämt genug sich den Anschein zu
geben, als ob nicht er sondern wir rebellirt hätten. Scandal! schmählicher
Scandal! Und wie kommt dieser Franz Karl dazu, zu sagen daß auch
er resignire und die Krone die gar nicht ihm gehört seinem Sohne Franz
Joseph übergebe? Über Schafställe und Lämmerheerden läßt sich so verhandeln, daß Ferdinand sie dem Franz Joseph übergibt wenn es ihm
beliebt; die ungarische Nation aber ist keine Lämmerheerde, Ungarn kein
Schafstall, die Krone des h. Stephan keine Schlafmütze die man ohne
Einwilligung der Nation von einem Kopf auf den andern stülpen kann.
Ferdinand V. ist gekrönter König, ohne Einwilligung der Nation kann
er nicht abdanken; wenn er ein Verräther ist verliert er die Krone, wenn
er untauglich, wird die Nation für eine Vormundschaft forgen; aber sine

me de me kann er den Thron Ungarns nicht von Peter auf Paul über=
gehen laffen. Unfere Armee hat Ferdinand V. Treue gefchworen, Ferdi=
nand V. ift nicht mehr, folglich find unfere Armeen und alle unfere Be=
amten der Treue gegen Ferdinand V. entbunden und mit keinerlei Treue
irgend einer Perfon mehr verpflichtet. Ferdinand V. ift nicht mehr, die
Nation und die Verfaffung find aber noch; der Reichstag forge für einen
Gubernator!" [420]).

Am 6. December wurde über die beiden Manifefte von dem Re=
präfentanten-Haufe unter Beiziehung von Mitgliedern der Magnaten=
Tafel in einer vormittägigen und einer nachmittägigen Privat-Conferenz
berathen, und ein Befchluß gefaßt der am 7. Vormittags zur öffentlichen
Verhandlung kam. Es wurden zuerft die Manifefte gelefen was, wie es
in einem Berichte über diefe Sitzung hieß, „allgemeine Heiterkeit" er=
regte; „alles lachte über das Vornehmthun des königlichen Knaben. Es
genügt ihm nicht, fich mit dem Titel eines Kaifers von Öfterreich zu
fchmücken; er eignet fich auch den Titel König von Ungarn und von Je=
rufalem an. Wir glauben daß er eben fo wenig König von Ungarn als
König von Jerufalem ift." [421]).   Darauf ging es an die Verlefung des
Befchlußes der beiden Häufer. Nach einer Einleitung, worin erzählt wird
welche Ereigniffe „aus Druckfchriften die auf Privatwegen in das Land
gekommen" zur Kenntnis des Reichstages gelangt feien, hieß es u. a.:
„Ungarn und die damit verbundenen Länder und Gebiete, fo wie fie nie
Theile der öfterreichifchen Monarchie waren, find es auch heute nicht...
Der Königsthron Ungarns kann ohne vorausgegangene Einwilligung der
Nation nach einem der ganzen Welt gemeinfamen Gefetz nur durch den
Tod des gekrönten Königs erledigt werden. Diefen einzigen Fall ausge=
nommen kann in dem Befitze des ungarifchen Königsthrones keinerlei
Veränderung rechtmäßig erfolgen. Da es ferner, auch in dem Falle wenn
der regierende König fich den Herrfcherforgen nicht gewachfen fühlt, zu
den Rechten der Nation gehört eine einftweilige Landesregierung anzu=
ordnen, und da die willkürliche Entfagung auf den öfterreichifchen Kaifer=
thron an der Selbftändigkeit, der Verfaffung und den Grundrechten des
auch fonft nicht zur öfterreichifchen Monarchie gehörigen Königreiches Un=
garn nicht das geringfte ändern kann: deßhalb wird allen Kirchen=, bürger=
lichen und Militär-Behörden, Beamten Truppen und fämmtlichen Be=
wohnern Ungarns und der verbundenen Theile aufgetragen und befohlen,
daß fie keinerlei Jurisdiction weß immer, den das Gefetz, die Verfaffung

und der Reichstag als hierzu berechtigt nicht erklären, anerkennen oder einem solchen gehorchen, jede in die Angelegenheiten unseres Landes beabsichtigte Einflußnahme als eine rechtswidrige Anmaßung betrachten und es für ihre heiligste Pflicht gegen das Vaterland halten, es vor jeder fremden Usurpation Einmischung oder feindseligem Angriff zu schützen und zu vertheidigen, widrigenfalls sie der gesetzlichen Bestrafung des Landesverrathes verfallen" [122]). In der Debatte die sich an diese Vorlage knüpfte waren es vor allem die beiden Madarász, die in einer allen Anstand und Sitte verletzenden Maßlosigkeit der Sprache sich gegenseitig überbieten zu wollen schienen. „Der Prätendent erzählt uns", sagte Joseph, „daß er sich die Krone auf das Haupt gesetzt habe (Heiterkeit); allein dazu bedarf er unserer Einwilligung. Und was sagt dieses Bürschchen weiter? Einen Staatskörper will er bilden, unterwerfen will er uns, unser Land der Monarchie als Provinz einverleiben! Aber wer sind denn seine Helden? Etwa der Davonlaufer Jelačić? oder der grausame Menschenschlächter Windischgrätz?" „Dieser Franz Joseph", ergänzte Ladislaus, „hat noch nicht einmal sein volles Alter, das doch von jedem Volksvertreter gefordert wird. . . . Wir haben gesehen zu was für unverantwortlichen Dingen unser letzter Palatin, der doch seine dreißig Jahre zählte, sich hat gebrauchen lassen; was würden wir erst von einem unreifen Knaben zu gewärtigen haben?! Wir haben jetzt einen abgetretenen König, einen mit Machtvollkommenheit bekleideten König, nämlich den Jelačić, und einen noch nicht erwachsenen König; aber einer ist es so ungesetzlich wie die andern. Der erste hat selbst erklärt daß er unfähig sei ein Volk zu beherrschen; unser zweiter König ist ein schurkischer Räuber, ein gemeiner Dieb und widerspänstiger Rebell; der dritte endlich ist die unreife Frucht eines verdorbenen Stammes, ein unmündiger Knabe dessen erster Act Verrath an der ungarischen Freiheit gewesen ist. . . . Etwas enthalten aber doch die Manifeste das ganz possierlich ist. Der alte König sagt uns nämlich, daß seine Schultern nicht länger die Last der Regierung tragen können. Das habe ich längst gewußt; ich meine nämlich, daß er unfähig ist. Aber hinter diesem König steht eine Frau, die sich nicht getraut hat offen als Herrscherin hervorzutreten; darum haben sie ihr unreifes Kind an die Spitze gestellt." Nach Madarász' von „Heiterkeit" begleiteter, von Lachen unterbrochener, mit „Éljen" beklatschter Rede entstand eine gewaltige Aufregung, bis sich der blinde Wesselényi erhob und von seinem Sitze rief: „Was streiten wir um die Anerkennung eines

Königs? Wir müssen wissen was wir beschließen. Das aber wird allen
klar sein daß für Ungarn eine einzige Staatsform paßt, und das ist die
republicanische. Ich will eine föderirte Donau=Republik mit all jener Ela=
sticität deren eine Föderativ=Republik fähig ist. Im Osten wollen wir
uns mit den Dako=Romanen, im Süden mit den Slaven, im Westen
mit den vereinigten Staaten von Deutschland im weiteren Verbande fö=
deriren. Ungarn bildet dann den Central=Staat und Buda=Pest könnte
die Metropolis von Central=Europa werden" 2c. Kossuth hielt diesmal
an sich, es blieb ihm, nach dem was die Andern gesprochen, kaum etwas
zu sagen übrig; er äußerte nur kurz daß der neue Kaiser ein Usurpator
der ungarischen Krone sei, den man des Thrones für verlustig erklären
müsse. Bei der darauf folgenden Special=Debatte ging Punkt für Punkt
des gestellten Antrages einstimmig durch, und dasselbe fand Tags darauf
im Hause der Magnaten statt, worauf der Reichstags=Beschluß an den
Landesvertheidigungs=Ausschuß mit dem Auftrage geleitet wurde, ihn an
alle Jurisdictionen zu senden und für dessen allgemeine Kundmachung
und Darnachachtung Sorge zu tragen. Kossuth selbst war unermüd=
lich in diesem Geiste zu wirken. Zu dem Volke sprach er von den Be=
drängnissen des armen Königs Ferdinand, man müsse ihm mit den Waffen
in der Hand die Krone wieder erringen. Seinen Anhang aber ließ er in
anderem Sinne wirken: „Wir sind ein monarchisches Volk, mit der Re=
publik geht es bei uns nicht. Ferdinand hat die Krone niedergelegt, Franz
Joseph ist nicht gekrönt, wir haben augenblicklich keinen König. Warum
wollen wir nicht Kossuth Lajos dazu machen? Etwa weil er keinem Herr=
scherstamm entsprossen ist? Erinnern wir uns an den größten unserer
Könige Mathias Corvinus! War nicht dieser, ist nicht Kossuth ein ge=
borner Magyar? Haben nicht beide von der treulosen österreichischen Re=
gierung Verfolgung und Haft erdulden müssen?". . .

Dieser Meinung war nun General Görgei durchaus nicht, wohl
aber war er mit der Hauptrichtung des Reichstags=Beschlußes vom 7.
und 8. December einverstanden. Am 10. erschien, von ihm und von
Csányi unterzeichnet, eine „Erklärung der königl. ungarischen Armee an
der obern Donau" worin es hieß: „Ohne Zustimmung der Nation
darf sich bei Lebzeiten des gekrönten Landesfürsten niemand königliche
Rechte anmaßen, noch weniger kann die Erbfolge mittelst privater Fa=
milien=Übereinkünfte abgeändert werden. Das ungarische Königthum fußt
auf einem zweiseitigen Vertrage. . . Die Armee erklärt: daß sie die ge=

seßliche Unabhängigkeit Ungarns und die conftitutionellen Rechte der Nation den Befehlen des Reichstages gemäß zu wahren und zu schützen für ihre Pflicht hält, und niemand für berechtigt anerkennen wird dessen Oberherrschaft das Land und die Verfassung nicht anerkannten" [423]) ....

Aber so wie die ehrgeizigen Führer dachten nicht die Völkerschaften Ungarns. Wenn es jenen auch gelang der magyarischen Bevölkerung das kommende Reich Ludwig III. oder Ludwig IV. aus dem (slovaki= schen) Hause Kossuth annehmbar zu machen, sie selbst die Stammesge= nossen des künftigen Herrschers und all die andern, die Serben Kroaten Romanen Sachsen, mochten von der neuen Heilslehre nichts wissen. Sie zogen es vor unter Österreichs Schutze zu bleiben, ihnen stand neben ihren National=Farben das kaiserliche Schwarz=Gold höher als das un= garische Roth=weiß=grün. Der junge Monarch und dessen thatkräftiges Ministerium waren ihnen wie der Messias einer bessern Ordnung der Dinge die, auf den Grundsatz der politischen und nationalen Gleichbe= rechtigung erbaut, aus dem großen Reiche ein Ganzes schaffen würde in dessen Umfang hochmüthige Überhebung der Einen und rücksichtslose Be= drückung der Andern nicht weiter Raum werde finden können. Schon wurden im Westen des Reiches immer mehr Stimmen laut, die auf eine baldige Gesammt=Vertretung der Völker Österreichs hinwiesen.[424]) Schon erklang aus Böhmen die Forderung, die im Kampfe gegen den Magyarismus begriffenen Völkerschaften Ungarns einzuladen, durch Be= schickung des österreichischen Reichstages sich an der Gesammt=Constitui= rung der Monarchie zu betheiligen [425]). Schon sprach man im Publicum davon, in der Wiener Winter=Reitschule würden Anstalten getroffen wei= tere zweihundert Deputirte aufzunehmen die aus den ungarischen Ländern kommen würden, und war man aus diesem letzteren Grunde selbst in Kremsier auf eine Vertagung des Reichstages bis nach Beendigung der ungarischen Wirren gefaßt [426]). Eine Kundgebung des Ministeriums kam diesen Wünschen und Erwartungen in bedeutsamer Weise zu Hilfe. Unter den Fragen, die der Finanz=Ausschuß aus Anlaß der Achtzig= Millionen=Anleihe der Regierung vorgelegt, befanden sich auch diese: „Sollen die unter der Krone Ungarns vereinten Länder gleich allen andern im Reichstage vertretenen Ländern organische Theile des einigen conftitutionellen Kaiserstaates werden? Welches Verhältnis in gesetzge= bender und administrativer Hinsicht will die Regierung zwischen Ungarn und den übrigen Ländern durch den Krieg anstreben?" Hierauf erfolgte die Antwort: „Die Herstellung eines kräftigen organischen Verbandes zwischen den am constituirenden Reichstage vertretenen Ländern und jenen der ungarischen Krone, die Gleichberechtigung aller Nationalitäten in denselben, zugleich aber die Begründung und Befestigung der Einheit und Untheilbarkeit der Monarchie sind das Ziel nach welchem das Ministerium strebt. In welcher Form und durch welche Einrichtungen dieser Zweck werde erreicht werden, darüber kann sich das Ministerium nicht bereits gegenwärtig mit Bestimmtheit ausdrücken, indem man es für unumgänglich nothwendig hält die Wünsche der verschiedenen Völkerstämme welche die ungarischen Länder bewohnen vorläufig zu vernehmen und in entsprechender Weise zu berücksichtigen" (18. December).

Allein nicht blos mit Worten bekundeten der junge Monarch und dessen Regierung ihren ernsten Entschluß, eine neue alle Landestheile und Volksstämme des Reiches auf dem Boden der Gleichberechtigung umfassende staatliche Ordnung zu begründen. Die Berufung des griechisch-katholischen Landpfarrers Gregor Szaszkiewicz als Mittelsrath in die oberste Unterrichts-Behörde, die Einleitungen die der Justizminister traf um die Reichsgesetze gleichmäßig und mit gleicher Geltung in allen Sprachen des Reiches kundzumachen, zeugten dafür daß es der Regierung mit ihrem Vorhaben Ernst sei. Als die Deputation des mährischen Landtages am 8. December vor dem jungen Monarchen erschien, fügte sie ihrer deutschen Ansprache ein paar Sätze in böhmischer Sprache bei, worauf der Kaiser gleichfalls böhmisch antwortete: „Ich habe allen Nationalitäten freie Entwicklung und gleiche Berechtigung zugesagt und werde Mein Versprechen zu erfüllen wissen. Welcher Sprache sich die Völker dieses großen Reiches bedienen mögen, Ich vertraue daß sich alle als treue Söhne des Gesammt-Vaterlandes bekennen und bewähren werden".

Von noch größerer Bedeutung war, was unmittelbar nach der Thronbesteigung zu Gunsten der ungarischen Süd-Slaven geschah. Auf die Berufung Kulmer's in den obersten Rath der Krone folgte bald die Ernennung des vormaligen königl. ungarischen Statthaltereirathes Metell Ožegović zum Ministerial-Rath im Departement des Innern. Am 2. December empfing Jelačić zwei kaiserliche Handschreiben, deren eines ihn zum Gouverneur der Stadt und Landschaft Fiume (Rieka) „die sein entschiedenes Auftreten dem kaiserlichen Ansehen und der gesetzlichen Ord-

nung erhalten habe" ernannte, während ihm das andere den Posten
eines Civil= und Militär=Gouverneurs von Dalmatien verlieh und die
Belebung der Anhänglichkeit sowie die Förderung des Wohles dieser
Provinz seiner besonderen Sorgfalt empfahl [427]. „Mit Jubel", sprach
der Banus in einer Proclamation vom 10. December seine „guten und
braven Dalmatiner" an, „sehe ich in meiner Person das Band der nationalen Brüderlichkeit wieder angeknüpft, das mit vereinter Sorgfalt die
wichtigsten Interessen aller Glieder eines Stammes auf freiem verfassungsmäßigen Boden zu wahren geeignet sein wird".

In Agram, wohin die Nachricht von dem Olmüzer Ereignis am
4. und 5. December gelangte, so wie in ganz Kroatien und Slavonien
riefen die jüngsten kaiserlichen Entschließungen ungetheilte Freude hervor;
in Dalmatien dagegen trat sogleich die unglückselige Parteiung der national gemischten Bevölkerung des Landes zum Vorschein. Die Reichstagsabgeordneten der Provinz, mit einer einzigen Ausnahme [428], richteten in der Sitzung vom 11. December eine Interpellation an das Ministerium. „Dalmatien", sagten sie, „sei immer so lang es österreichisch
gewesen als ein getrenntes und besonderes Königreich betrachtet worden,
habe in allen Epochen selbst zur Zeit des römischen Reiches seine eigenen Statthalter gehabt; die von der ungarischen Krone auf Dalmatien
erhobenen Ansprüche, von Thatsachen und Urkunden entkräftet, seien von
der österreichischen Regierung stets zurückgewiesen worden; wenn der
Banus von Kroatien und Slavonien zugleich den Titel ‚von Dalmatien'
geführt habe, so sei dies nur eine Würde ad honorem; und sie müßten
sich darum die Anfrage erlauben, ob die jetzige Ernennung des Banus
Jelačić eine Änderung in der eben so ersehnten als nothwendigen Sonderstellung Dalmatiens erwarten lasse?" Allein schon die Sprache in
welcher diese Interpellation abgefaßt war — sie wurde nach dem italienischen Urtexte vom Schriftführer Streit in deutscher Übersetzung verlesen —, und mehr noch die laute Verwahrung welche der dem slavischen
Club angehörige Abgeordnete Petranovich in der folgenden Sitzung dagegen einlegte, ließen abnehmen von welcher Seite der erhobene Widerspruch stamme und in welchem Sinne er zu nehmen sei. Der Schritt
der dalmatinischen Abgeordneten rief einen Schrei der Entrüstung im
Lande hervor, dessen weit überwiegende Mehrzahl die Ernennung des
Banus mit begeistertem Jubel begrüßte und laut fragte, woher acht
italienisch=gesinnte Vertreter der Provinz die Berechtigung herleiteten den

Wünschen einer fast durchaus slavischen Bevölkerung entgegen zu handeln [429]). Das Ministerium antwortete durch Stadion's Mund am 18. December; es beschwichtigte die Besorgnisse der Interpellanten, da die neue Regierung keineswegs die Absicht habe die provinzielle und administrative Selbständigkeit ihres Landes zu beeinträchtigen; es bekannte aber zugleich offen „daß es bei jener Ernennung dem slavischen Elemente, das sowohl in Dalmatien als im Küstenlande bis zum Isonzo das bei weitem überwiegende ist, Rechnung tragen wollte".

Der neue Gouverneur säumte nicht sich mit dem Bladika von Montenegro auf guten Fuß zu stellen. Er machte ihm seine Ernennung bekannt und benützte den Anlaß ihm „die Hand zu reichen, nicht nur als Sprach= und Stammgenosse sondern auch als nächster Nachbar durch Beruf und amtliche Stellung"; es sei sein „einziger Wunsch daß diese Freundschaft und gegenwärtige Nachbarschaft ein Schritt zum Frieden und zur Eintracht zwischen den verschwisterten Ländern Dalmatien und Ernagora werde" ıc.

Bald nachdem die Bezwingung Wiens auf dem serbischen Kriegsschauplatze bekaunt geworden, hatte die in Waffen stehende Nation eine Deputation an das kaiserliche Hoflager abgeschickt. Sie bestand aus den serbischen Schtiftstellern Dr. Jovan Subbotić und Alex. Stojačković, dem jugendlichen National=General Georg Stratimirović [430]), Konstantin Bogdanović Geheimschreiber des Metropoliten, und Janko Šuplikac einem Verwandten des Generals. Die Bitten welche Subbotić im Namen des serbischen National=Ausschußes formulirte, waren: „1) Politische Unabhängigkeit der serbischen Nation unter österreichischer Herrschaft, 2) Bestätigung der Woiwodschaft in ihren bisherigen Gränzen, 3) Anschluß der serbischen Nation an das dreieinige kroatisch=slavonisch=dalmatinische Königreich". Sie fanden bei den Olmüzer Ministern freundliche Aufnahme, die Thronbesteigung des jungen Kaisers begrüßten sie mit erwartungsvoller Freude; an dem großen Fackelzuge am 5. December nahmen Stratimirović Bogdanović und Šuplikac — Subbotić und Stojačković hatten Olmüz bereits verlassen — in ihrem mahlerischen National=Costüm Theil und riefen dem Monarchen ein dreimaliges Živio zum Söller hinauf. Auch der junge Michael Obrenović befand sich zur selben Zeit in Olmüz. Am 6. December hatte die serbische Deputation Audienz beim Kaiser den sie in deutscher und slavischer Sprache anredeten. Ein neuer

Geist, eine frische frohe Zuversicht schien über die Angehörigen jener ur-
kräftigen Völkerschaften gekommen zu sein, deren nationales Selbstbe-
wußtsein sich bisher nur schüchtern an die Oberfläche getraut hatte.
„Mögen Euer Majestät", sagten sie, „bei allen übrigen Völkern der Gesammt-Monarchie jene aufrichtige Hingebung für das Allerhöchste Herrscherhaus, jene Begeisterung und Ausdauer in der Anstrebung der gemeinschaftlichen Staats-Interessen finden, welche die serbische Nation seit
jeher an den Tag gelegt". Der Kaiser antwortete deutsch und böhmisch;
er lobte „das tapfere Volk der Serben". „Ich hoffe", fügte er bei, „mit
Gottes Beistand bald in der Lage zu sein die billigen Wünsche der verschiedenen Nationen des Gesammt-Vaterlandes Meinen ausgesprochenen
Absichten gemäß zu erfüllen".

Von den besten Hoffnungen erfüllt begaben sich die Deputirten nach
Kremsier, wo ihnen am 14. Abends im Gartensaale des Hepner'schen
Gasthofes von der Rechten des Reichstages ein glänzendes Abschiedsfest
bereitet wurde. Es waren da von den Böhmen: Palacký Rieger Brauner
Strobach, von den Mährern: Pražák Brazdil Oberál Jos. Beck, von
den Ruthenen: Bischof Jachimowicz, der neu ernannte Ministerial-Rath
Szaszkiewicz, von den Dalmaten: Petranović ꝛc. „Seit der Prager
Slaven-Congreß auseinandergegangen", berichtete ein mährisches Blatt,
„haben sich so viel aufrichtige Slaven nicht an einem Orte zusammengefunden." Nur von den galizischen Abgeordneten war keiner geladen oder
hatte keiner die Einladung angenommen; trennten sie doch von jeher ihre
besondere Sache von der allgemeinen der österreichischen Slaven! Doch
ließ man das „Volk" der Polen leben, „das nicht hinter der Minorität
seiner aristokratischen Vertreter steht." Bogdanović erwähnte: „in Böhmen
sei der letzte serbische Patriarch gestorben, auf mährischem Boden werde
ihnen ein neuer erstehen". Brauner brachte das Wohl des mährischen
Landes und Volkes aus. „Vor tausend Jahren", sagte er unter anderm,
„drang man den Slaven durch Deutsch-Franken das Christenthum auf;
es gedieh aber nicht, weil damit die nationale Unterjochung Hand in
Hand ging. Von Mähren aus aber wurzelte das Christenthum im Frieden
tief und breit sich ein. Etwas ähnliches geht in der Gegenwart vor sich.
Frankfurter Deutsche wollten die Slaven zur Freiheit ,selbst mit dem
Schwerte' zwingen. Es ging nicht. Hoffen wir daß auch jetzt die wahre
nationale Freiheit still und geräuschlos vom mährischen Boden aus über
Österreich sich verbreiten werde". Brazdil antwortete im Namen seiner

Heimat verbindlich und erinnerte, „wie die Böhmen schon längst die Wohlthat des Christenthums den Mährern vergolten hätten durch ihr mannhaftes Vertheidigen der wahren nationalen Freiheit Mährens mit Wort und That." Auch das neue Ministerium wurde nicht vergessen. Strobach brachte ihm ein Hoch aus „in der Erwartung daß es der Politik der Gerechtigkeit treu bleiben werde." Zuletzt wurden Lieder angestimmt; die Ruthenen sangen das „Mnohaja lita"; Brauner trug unter großem Beifall ein von ihm selbst verfaßtes, einer allbekannten Melodie angepaßtes Volkslied vor ɾc.

Am Tage nach diesem Kremsierer Slaven=Feste erfolgte in Olmüz die vom Minister Stadion gegengezeichnete Allerhöchste Entschließung über die serbische Petition. Laut derselben fanden sich Se. Majestät bewogen, „die oberste kirchliche Würde des Patriarchen, wie sie in früheren Zeiten bestand und mit dem erzbischöflichen Stuhle von Karlovic verbunden war", in der Person des bisherigen Erzbischofs Joseph Rajačić wiederherzustellen und zugleich die auf den General=Feldwachtmeister Stephan Šuplikac de Vitez gefallene Wahl zum Woiwoden der serbischen Nation zu bestätigen. „Es ist Unser kaiserlicher Wille und Absicht", hieß es zum Schluße, „durch Wiederherstellung dieser obersten geistlichen und weltlichen Würde Unserer treuen und tapfern serbischen Nation eine Bürgschaft für eine nationale, ihren Bedürfnissen entsprechende innere Organisation zu gewähren. Gleich nach hergestelltem Frieden wird es eine der ersten Sorgen Unseres landesväterlichen Herzens sein eine solche nationale innere Verwaltung nach dem Grundsatze der Gleichberechtigung aller Völker zu regeln und festzustellen."

35.

In ganz anderer Stimmung als die übrigen Theile der Monarchie, voll Angst und Besorgnis, wo nicht gar voll Schrecken und Wehklagen, gingen die Tage der wichtigen Wandlung in Olmüz auf den verschiedenen Punkten des ungarischen Kriegsschauplatzes vorüber. Einen Tag vor dem Eintritte derselben am 1. December brach Schlick von Dukla in Galizien, einen Tag später, am 3., Frischeisen von Teschen in Schlesien,

an der Spitze bewaffneter Heerhaufen gegen Ungarn auf; erst mehrere
Tage darnach auf dem Marsche erfuhren sie was sich auf mährischem
Boden zugetragen und theilten ihren Truppen und durch diese der Bevölkerung, durch deren Gebiete sie zogen, die überraschende Kunde mit.
Um vieles später noch, selbst zwei Wochen darnach, gelangte dieselbe
in die entlegenen südöstlichen Theile der Monarchie, wo durch die Kriegsereignisse aller regelmäßige Postenlauf unterbrochen war.

Dahin gehörte vor allem Siebenbürgen. Nachdem die Csík zur
Unterwerfung gebracht, sollte der tapfere Rittmeister Heydte gegen die
Szekler der Háromszék vorrücken und stand bereits bei Felsö-Rákos als
er Haltbefehl erhielt; denn auch von da waren Anbote zur Unterwerfung
gemacht worden. Der im Burzenlande commandirende F. M. L. Gedeon
traute voreilig diesen Versicherungen und stellte, um das Friedenswerk
nicht zu stören, seinen vorbereiteten Einmarsch ein. Allein die äußerste
Partei behielt in diesem Landstriche die Oberhand und vereitelte alle
Bemühungen der Mehrheit, die sich nach Ruhe und Ordnung sehnte,
aber nicht Kraft genug besaß um der Schreier und Dränger Herr zu
werden. Eiferer für die Sache der Union wußten die Beutelust der bewaffneten Haufen zu reizen. Ein Honvéd-Bataillon, zwei Szekler Gränz-
Bataillone, vier Schwadronen Szekler- und eben so viel Máthás-Husaren bildeten eine Macht von mehr als 4000 Mann, zu denen der Landsturm wohl das Fünffache stellen konnte. Als die wahren Absichten der
unbotmäßigen Szekler immer klarer wurden, überfiel Hauptmann Stráva
an der Spitze einer Abtheilung romanischen Landsturms und Gränzer
am 23. November Buzau (Bodza), tödtete ihnen 6 Mann, nahm 31 gefangen und jagte die übrigen in die Flucht. Die Kronstädter hatten am
24. die Freude die Gefangenen in ihre Stadt gebracht zu sehen: der
klägliche Zustand in welchem sie ankamen galt ihnen als Beweis, wie
armselig es mit dem Aufstand in der Háromszék bestellt sei; sie hatten
keine Ahnung daß zur selben Zeit sich das Blatt bereits gewendet hatte.
Denn während noch ein Theil der Landstürmler um die in Buzau gemachte Beute haderte — die Mehrzahl hatte sich bereits wieder verlau-
fen — kehrten die Aufständischen mit verstärkter Macht zurück und warfen die Romanen aus dem Orte heraus; Lieutenant Rakier mit 54
Gränzern zog sich in das Gebirge und von da weiter auf walachischen
Boden zurück. Ein Angriff, den eine andere Abtheilung Szekler am 28.
auf Árapatak machte, wurde zurückgeschlagen; allein besseres Glück hatten

sie zwei Tage später in Marienburg. Die Besatzung des Ortes war abgezogen, nur eine halbe Compagnie Gränzer und eine Schaar von etwa 200 Landstürmlern zurückgeblieben, als die Szekler mit überlegener Macht aus ihrem Stanblager Hidvég die Stadt überfielen, nach kurzem Kampfe an der Alt-Brücke die Oberhand gewannen und nun sengend und brennend, plündernd und mordend in dem Orte hausten. Allerdings brach Oberst Stutterheim, von dem Unglück Marienburg's benachrichtigt, schleunig von Honigberg auf; seine Cavallerie kam nur noch zur rechten Zeit, um die Szekler beutebelaben und einige Geißeln mit sich schleppend in der Richtung von Sepsi-Szent-György abziehen zu sehen. Stutterheim setzte sich nun wohl in Marienburg fest; allein besser wäre es gewesen wenn man es nie von feiner Garnison entblößt hätte [431]. Von Norden machte Heydte eine Bewegung vorwärts und sprengte eine Rebellen-Abtheilung bei Köpecz, 2. December, fühlte sich aber mit seinen 2000 Landstürmlern, 1 Compagnie Bianchi, 1 Escadron SavoyenDragonern und 2 Doppelhacken zu schwach, um den Alt-Fluß weiter hinabzudringen wo die Hauptmacht der Aufständischen beisammen stand.

Diese wurden mit jedem Tage verwegener. Am 5. December fielen sie wie ein Heuschreckenschwarm über das blühende Honigberg her. In einer halben Stunde war das Dorf in Flammen, was zu rauben war wurde geraubt, mit Kanonen-Kugeln der Eingang in die befestigte Kirche erzwungen, wo sie dem Christus-Bilde auf dem Altare eine Art Schlafmütze aufsetzten und diese zur Zielscheibe für ihre Schüsse machten. Im Orte fielen cannibalische Gräuel vor. Einem wehrlosen Gemeindebeamten Georg Schmidts stachen sie die Augen aus, schnitten ihm Nase und Lippen ab daß die Zunge über die Zähne herabhing, rissen ihrem halbtobten Schlachtopfer die Kleider vom Leibe und ließen ihn dann im Straßenkoth verröcheln. Einem andern schlitzten sie den Mund zu beiden Seiten bis an die Ohren auf, ehe sie ihm den Gnadenstoß gaben. Während noch die Kanonen gegen Honigberg donnerten rückten andere Szekler-Haufen von drei Seiten gegen Tartlau an. Die geringe Besatzung des Marktes, großentheils Landsturm, zog sich in Eile zurück, die Gemeinde bat um Gnade und erhielt sie mit der Versicherung: man komme als Freund nicht als Feind, es solle niemand ein Haar gekrümmt werden. Doch gleich beim Einrücken wurden die Thorwachen niedergemacht, mehrere verspätete Landstürmler erschossen, andere von Máthás-Husaren weit über Feld und Acker verfolgt, im Orte wehrlose

Männer und Weiber vor den Thüren ihrer Häuser getödtet, der Notar und einige Beamte mishandelt, entkleidet, ihrer Stiefel beraubt, durch den Schnee unter Schimpf und Drohungen aller Art nach der Kököser Brücke abgeführt wo der hohe Kriegsrath beisammen saß. Der Markt mußte eine Brandschatzung von 1632 fl. C. M. zahlen, sämmtliche Waffen ausliefern und eine szeklerische Besatzung aufnehmen, die ihn von da an durch achtzehn Tage systematisch aussaugte. Ein gleichzeitiger Angriff gegen Marienburg wurde von Oberst Stutterheim zurückgeschlagen. Um so ärger erging es den fast durchaus von Romanen bewohnten Siebendörfern bei Kronstadt. Noch wochenlang darnach, meldet ein gleichzeitiger Bericht, „lagen neben Csernátfalu etwa siebenzehn romanische Leichen auf schauderhafte Weise verstümmelt und zerstückelt, zum Theil noch mit dem Strick um den Hals an dem sie bei lebendigem Leibe durch den Straßenkoth geschleift worden. Wir sahen um diese Leichen Rudel von Hunden und einige derselben halb aufgefressen. . . . Das Schicksal dieser so schönen Dörfer ist wahrhaft entsetzlich und beide Nationalitäten, die so viele Jahre friedlich nebeneinander gewohnt haben, sind nun durch die Verführungen Aufwiegelungen und Gräuelthaten dieser Háromszéker dahin gebracht daß sie sich gegenseitig auszurotten drohen" [432]).

Am selben Tage, wo Honigberg niedergebrannt, Tartlau plündernd besetzt und Marienburg angegriffen wurde, mußte sich auch Rittmeister Heydte gegen eine starke Szekler-Abtheilung unter Gál Sándor weiter gegen Barghas hinaufziehen. Kaum hatte er eine Compagnie als Verstärkung an sich gezogen, als er wieder angriffsweise vorging, die Szekler zwischen Felsö-Rákos und Köpecs faßte und mit bedeutenden Verlusten zurückschlug, 9. December [433]). Auf die Kunde dieser Schlappe sammelten sich die Aufständischen der Háromszék, drängten Heydte wieder hinter den Barghas zurück, während von der Csík aus Oberst Sombori mit 8000 Mann, 2 Escadronen und 4 Geschützen in drei Colonnen gegen ihn anrückte. Heydte's Landstürmler stoben auseinander, er selbst war in Gefahr abgeschnitten zu werden, als Oberlieutenant Kolarovits seine Bianchi-Compagnie zum Sturm vorführte und die Feinde zum weichen brachte, worauf Heydte den Ritkó-Bach überschritt und sich nach Reps zurückzog, 13. December.

So waren es keine frohen Tage die man im südöstlichen Siebenbürgen gerade zu der Zeit verbrachte, wo in den meisten übrigen Theilen

der Monarchie theils dankbare Rührung theils freudige Hoffnungen sich
mit dem großen Ereignisse beschäftigten das kurz zuvor stattgefunden.
Zu dem getreuen Sachsenvolk, zu den um ihre Befreiung ringenden
Romanen war die Kunde davon noch nicht gedrungen; wohl aber eine
Nachricht anderer Art die nur niederschlagend auf sie wirken konnte. Auf
eine bis heutigen Tages nicht aufgeklärte Weise war in Olmütz am 14.
November, also noch vor der formellen Berufung des neuen Ministeriums und jedenfalls ohne dessen Vorwissen, ein Allerhöchstes Handschreiben erwirkt worden, laut dessen das Klausenburger Gubernium in seinem Fortbestande bestätigt und Graf Emerich Mikó zum Präsidenten
desselben ernannt wurde. Anfangs December gelangte die Kunde von
dieser kaiserlichen Entschließung nach Siebenbürgen und erregte in sächsischen wie in romanischen Kreisen die größte Bestürzung. Die Sachsen
schickten sogleich den jungen Eugen v. Friedenfels, Mitglied des Pester
Reichstages, als Vertrauensmann ab, der auf dem großen Umwege
durch die Bukowina und Galizien um die Mitte December in Olmütz
eintraf um daselbst eine Rücknahme des überraschenden Befehles zu erwirken. Das romanische Comité in Hermannstadt setzte am 5. December
eine Adresse in gleichem Sinne auf. „Wir sind fest überzeugt Euer
Majestät", hieß es darin, „daß durch die unterbrochene Communication
die wahren Zustände Siebenbürgens zu Allerhöchst-Dero Kenntnis nicht
gelangen konnten, woraus wir uns die von der gewohnten Milde Euer
Majestät ergangene Verordnung zum Fortbestande des vorigen, jetzt höchst
compromittirten Landes-Guberniums leicht erklären". Die Zusammensetzung desselben, lautete es weiter, sei eine rein magyarische, die sächsische Nation darin nur höchst unvollkommen, die romanische gar nicht
vertreten; das Klausenburger Gubernium habe in der letzten Zeit eine
durchaus anti-dynastische Haltung angenommen, die Ablegung der Waffen den treuen Unterthanen Sr. Majestät angeordnet, während die Ungarn
und Szekler ihre Auflehnung mit bewehrter Hand fortsetzten; Graf
Mikó sei derselbe der die szeklerische Volksversammlung von Agyagfalva
geleitet 2c. [434]) Dem Vertrauensmann der sächsischen Nation war es
ein leichtes die Minister Schwarzenberg und Stadion von der bedenklichen Tragweite des Schrittes, zu dem man den abgetretenen Kaiser
vermocht, zu überzeugen. Man hatte nun die unangenehme Aufgabe vor
sich, den gleichfalls in Olmütz anwesenden Grafen Mikó zur Herausgabe
des kaiserlichen Handschreibens das er bereits in Händen hatte, und zur

Verzichtleistung auf den ihm gewordenen Beruf den er noch gar nicht angetreten, zu bewegen. Er fand sich dazu herbei, und für Siebenbürgen wurden andere Vorkehrungen getroffen von denen an einem andern Orte die Rede sein wird.

Die Kunde des Thronwechsels gelangte in das Großfürstenthum wohl am spätesten von allen Gebieten des Kaiserstaates. Erst vom Ende December datiren die beiden Adressen, in denen die sächsische Nation dem abgetretenen Kaiser ein dankendes Lebewohl nachsandte und dem neuen ihre Huldigung darbrachte. „Seit einer langen Reihe von Jahren glücklich unter der Regierung von Österreichs glorreichen deutschen Beherrschern", hieß es in der letzteren, „erwartet sie das Heil ihrer Zukunft einzig und allein von dem engsten Anschlusse an die österreichische Gesammt-Monarchie und von der vollständigen Theilnahme an all den Institutionen der wahren Freiheit und Gleichheit die Österreichs neue Verfassung seinen Völkern verleiht".

Auch auf dem serbischen Kriegsschauplatze verfloß die erste December-Hälfte voll Unruhe und Aufregung. Der alte Berger in Arad war auf das äußerste bedrängt, der Proviant ging auf die Neige, er sandte Hilferufe nach Temesvár. Die Belagerungs-Truppen Mariássy's dagegen erhielten fortwährend Verstärkungen. Ein Bataillon Szekler, eins Bekeser Nationalgarde, sechs Zwölf-Pfünder, zwei siebenpfündige Haubitzen, vier Bomben-Mörser stießen zu ihm. Am 3. December marschirte die Polen-Legion Bysocki's, mit klingendem Spiel eingeholt, unter lautem Éljen in Neu-Arad ein, wodurch die Stärke des Corps über 8500 Mann anwuchs. Unmittelbar darauf leitete Mariássy einen Überfall der Festung ein. Nach Mitternacht waren seine Pioniere mit dem Überbrücken der Gräben fertig, in aller Stille rückten die Angreifenden hinüber und besetzten das Ravelin zwischen den beiden westlichen Bastionen. Nun brannten aber die Honvéds im Übermuth ihres Erfolges Freudenschüsse ab, brachen in Éljens aus. Die Besatzung in der Festung wurde munter, Sturmglocken Trommel- und Trompeten-Signale ertönten, alles eilte auf die Wälle und begrüßte die Angreifenden mit lebhaftem Feuer, die sich zuletzt nicht ohne empfindliche Verluste — bei 100 Todte, darunter Major Zikó — in Unordnung zurückziehen mußten.

Einen Tag später, 5. December, ordnete Kiß, der von Pest zurückgekehrt wieder den Oberbefehl im Banate übernommen hatte, einen Angriff gegen Tomašovac an. Hier war am rechten Ufer der Temeš ein nach serbischen Begriffen ganz vorzüglicher Brückenkopf angelegt, der nur den kleinen Fehler hatte nach rückwärts offen zu sein; etwa 800 Schritte vom linken Ufer des Flußes entfernt lag der Ort Tomašovac, ein blühendes serbisches Dorf ohne alle Vertheidigungsmittel, von wo auf die andere an den meisten Stellen steil abfallende Flußseite eine hölzerne Brücke führte. Im Brückenkopf befehligte Knićanin seine Serbianer und das 1. Bataillon Deutsch-Banater, zusammen 2800 Mann mit 12 Geschützen. Der Plan Kiß' nun war darauf gebaut: von Groß-Becskerek aus mit zwei kleineren Colonnen den Brückenkopf von der Stirnseite zu fassen, während eine stärkere etwas unterhalb bei Orlovat auf das linke Temeš-Ufer setzen und den offenen Ort einnehmen sollte. Kiß hatte 9 Bataillons, 11 Escadrons, 32 Geschütze, zusammen 12.000 Mann unter seinem Befehle, wovon auf die Haupt-Colonne 5 Bataillons und 3 Escadrons mit 18 Geschützen fielen; von der letztern sollte das Zeichen zum Angriff ausgehen. Allein der Brückenschlag über die Temeš wurde statt um 7 Uhr Morgens erst gegen Mittag fertig. Kiß vor den Verschanzungen verlor die Geduld und ließ angreifen; die Serben antworteten mit ausgiebigem Feuer, unter dessen Wirkungen besonders das tapfere 10. Honvéd-Bataillon litt. Um 3 Uhr N. M. gab Kiß den Befehl zu stürmen, augenblicklich bedeckten sich die Wälle mit Serben die mit Handžar und Messer die Angreifenden zurückwarfen; nachdem drei Stürme abgeschlagen, führte Kiß seine Leute außer Kanonen-Schußweite zurück. Jetzt erst war die Umgehungs-Colonne an ihrem Ziele angelangt, aber nun konnte auch Knićanin einen Theil seiner Truppen, 200 auserlesene Serbianer und 1 Division Deutsch-Banater, auf das andere Ufer werfen. Die Ungarn hatten das offene Tomašovac im ersten Anlauf genommen, schon befanden sie sich auf dem Kirchplatze, als die Serben gegen sie anrücken und sie aus dem Orte herausdrängen. Drüben am andern Ufer schweigt alles, Kiß kann seine ermüdeten Truppen nicht von neuem in's Feuer führen und so muß die Umgehungs-Colonne nicht ohne Verluste ihren Rückzug antreten; sie hat nicht Zeit hinter sich die Brücke abzutragen, deren ganzes Material den Serben in die Hände fällt [435]).

Rajačić befand sich um diese Zeit in Karlovic, General Šuplikac in Pančova; am 7. December hatten sie eine Zusammenkunft in Semlin, wo 105 Artilleristen und 6000 Stück Gewehre aus Agram eintrafen.

Kurz zuvor hatte Rittmeister Baron Bruckenthal dem Patriarchen 50.000 fl. Kriegsunterstützung überbracht. Essegg und Peterwardein wur= den fortwährend im Auge behalten; ein Erlaß des Metropoliten ver= fügte die gänzliche Auflassung der an der Straße zwischen den beiden Festungen liegenden Post=Stationen Čerević Illok Opatovac. Aus Essegg und Peterwardein warfen viele Officiere sehnsüchtige Blicke nach den kaiserlichen Truppen; allein nur wenigen wollte es glücken, der Vorsicht ihrer magyarisch gesinnten Befehlshaber zu spotten und in ein benach= bartes Serbenlager zu entkommen [436]). Die meiste Gefahr drohte letzte= ren jedoch immer im Banate, wo am 12. December ein neuer Angriff gegen Tomašovac vorbereitet wurde, während gleichzeitig Damianich von Werschetz, Gergely von Zichydorf aus gegen Karlsdorf und Alibunar vorrückten. In Karlsdorf commandirte Oberlieutenant Baraić, der sich durch zwei Stunden so tapfer wehrte daß ihm die Angreifer selbst ein aner= kennendes: „Éljen a Baraić" zuriefen; zuletzt mußte er seine Leute gegen Alibunar zurückführen. Dort befanden sich die Serben in aus= dauerndem Kampfe gegen Gergely, als die Karlsdorfer Flüchtlinge die Nachricht von dem Anrücken eines zweiten ungarischen Corps unter Da= mianich brachten; nun wurde auch hier der Rückzug angetreten, der bald, trotz der Gegenbemühungen des Serben=Führers Michael Jovanović, in ungeregelte Flucht ausartete. Die einzelnen Abtheilungen mußten sich mit dem Bajonnet den Weg nach Neudorf bahnen, auf dem sie Abthei= lungen von Württemberg=Husaren heftig bedrängten. Zwei Geschütze, mehrere Munitions=Karren, Mörser Fahnen Waffen in großer Menge fielen in die Hände der Sieger, die kaum 100 Todte und Verwundete gegen das vier= oder fünffache auf Seite der Serben zählten. Am andern Tage, 13. December, zogen Damianich und Gergely über Jlancsa und Jarkovac, deren größtentheils magyarische Bewohner sie mit Freuden= bezeugungen und reichlicher Bewirthung empfingen, gegen das linke Ufer der Temeš weiter.

Die Schläge von Karlsdorf und Alibunar hatten unter den Serben weithin Angst und Schrecken verbreitet; Familienväter in Pančova such= ten die Ihrigen in Sicherheit zu bringen, von Semlin eilten befreundete Fahrzeuge herbei die Flüchtlinge aufzunehmen. Suplikac aber errieth schnell daß das ganze Unternehmen nur gegen Tomašovac gerichtet sei, das von zwei Seiten mit Macht angegriffen nicht zu halten war, und zog die Besatzung des Brückenkopfs bei Zeiten an sich heran. In Neudorf sam=

melte er seine Kräfte, rückte den Ungarn nach und stand am 14. drei
Uhr nach Mitternacht vor Jarkovac, wo die ungarischen Vorposten sich
plötzlich mit Flintenschüßen angegriffen sahen. Bald mischt sich Kanonen=
Donner darein, die Serben dringen, die ungarischen Vorposten vor sich
hertreibend, in den Ort wo unglaubliche Verwirrung einreißt. Beim
Aufsitzen, an der Thürschwelle, im Gemach werden die Feinde niederge=
macht, aus Scheunen, aus Fenstern, hinter Umzäunungen hervor fallen
Schüsse auf sie; einzelne Schaaren sammeln sich, mit Messer und Bajonnet
wird in den Straßen gekämpft; scheu gewordene Husaren=Pferde rennen
reiterlos umher und vermehren die Unordnung. Ein großer Theil der
Ungarn flüchtet über den Canal, einen andern führen Major Kiß Pál
und Hauptmann Assermann unter fortwährenden Kämpfen mit den Ser=
ben in der Richtung von Dobrica ab. Mittlerweile hat Damianich das
9. Honvéd=Bataillon und eine Abtheilung Wasa=Infanterie außerhalb des
Ortes gesammelt und bringt gegen 6 Uhr Morgens über den Canal wie=
der vor. Ein neuer erbitterter Kampf entbrennt. Das zweite Treffen
der Serben geräth in Unordnung, ein Bataillon wendet sich zur Flucht,
als Suplikac heransprengt sie zum Stehen zu bringen. Die im Orte
sind vom Feinde umzingelt, Haus um Haus wird von den Ungarn blutig
erstürmt; eine Schaar von etwa 50 Serben, von Paul Putnik geführt, bahnt
sich in festem Klumpen den Weg zu denen draußen die der General mit=
lerweile wieder in Schlachtordnung aufgestellt hat. In Jarkovac wüthen
jetzt die Ungarn, stecken die Häuser, nachdem sie sie ausgeplündert, Waffen
Pferde Schlachtvieh herausgeholt, in Flammen, machen die Einwohner
nieder [437]), während gleichzeitig von Tomašovac Kanonendonner herüber=
schallt. Es ist Kiß der den Brückenkopf mit Geschütz angreift, bis er
wahrnimmt daß derselbe von seinen Vertheidigern verlassen ist. Die Ver=
schanzungen werden dem Erdboden gleich gemacht, das Serbenlager von
Tomašovac hat aufgehört zu bestehen. Dann kommt die Reihe an das
Dorf. „Im Orte", heißt es in einem ungarischen Berichte, „fand sich
nur eine Handvoll Menschen, von denen man vier gefangen nahm; die
andern schickte man in Abraham's Schoß. Nun ging's an das plündern,
allein die Beute war gering. Hierauf wurde das Dorf von mehreren
Seiten in Brand gesteckt". Die Ungarn mußten zuletzt die rauchenden
Trümmer verlassen und gingen auf's andere Ufer der Temes zurück.

Die Serben hatten in den Kämpfen vom 12. bis zum 14. mehrere
hundert Mann eingebüßt, darunter den National=Hauptmann Pekić. Der

Verlust war empfindlich, allein der südliche Theil des Banats war gerettet: „Suplikac parirte das über Pancova gezückte Schwert". Kiß und
Damlanich gingen nach Becskerek und Werschetz zurück; sie mußten für
ihre von verschiedenen Seiten bedrohten Verbindungslinien sorgen [435]).
Denn um dieselbe Zeit, wo sich die erzählten Ereignisse zwischen der
Temes und Karas zutrugen, wurde auch in der Gegend von Peterwardein
gekämpft. Am 13. December hatten die Serben bei Karlovic ein Bataillon über die Donau gesetzt und die Ungarn bis zum Calvarien-Berge
zurückgedrängt, als diesen aus der Festung ein Bataillon Este, eine Compagnie Dom Miguel und eine Abtheilung Husaren mit drei Kanonen
zu Hilfe kamen, und nun ein erbitterter Kampf bei Maria-Schnee entbrannte. Gleichzeitig drangen die Ungarn gegen Bukovac vor, wo sie
mit den dort wohnenden Deutschen heimliche Verbindungen hatten, und
gewannen anfangs festen Fuß im Orte wo einige Häuser in Brand geriethen, bis die Serben sich zusammenschaarten und mit Hacken und Heugabeln bewaffnet die Angreifer zurückwarfen. Der magyarisch gesinnte
Ortsrichter und zwei deutsche Bauern wurden ergriffen, nach Karlovic
abgeführt und dort am 14. hingerichtet. Auch bei Maria-Schnee ließen
die Ungarn zuletzt vom Kampfe ab und zogen sich hinter die Wälle von
Peterwardein zurück. Bald darauf rückte eine Abtheilung Zanini die von
Peterwardein zum Vorpostendienst beordert war, vom Hauptmann Maaß-
burg geführt, mit fliegender Fahne und klingendem Spiel bei der Römerschanze ein, wo sie von den Caikisten mit brüderlichem Gruß empfangen
wurde [439]).

Ungleich wichtiger als diese Vorgänge im Banat war die Wendung
der Dinge bei Arad. Auf die wiederholten Hilferufe Berger's hatte sich
Nikolaus an Puchner in Siebenbürgen gewendet, von welchem Oberst-
lieutenant Johann Berger von Bianchi-Infanterie beordert wurde von Száß-
Város (Broos) mit einer Entsatz-Colonne aufzubrechen. Sie bestand aus 7
Compagnien, 1¼ Escadron, 1200 Mann romanischen Landsturms, 60
Albertt'schen Lanzenreitern und 6 Drei-Pfündern. Bei Kossowa wurde
am 8. December die siebenbürgische Gränze überschritten; der Boden war
fest gefroren und glatt, die Reiter führten über die hohen Berge ihre
Pferde am Zügel. Am 11. kam man durch Lippa, wo eben zwei Szek-
ler-Compagnien auf zwei großen Plätten über die Maros nach Maria-
Radna hinüberschifften und auf die anreitenden Kaiserlichen eine wir-

kungslose Salve gaben. Am 14. befand man sich auf der weiten Fläche
von Engelsbrunn und gewahrte mit Freude lange Colonnen die auf der
Straße von Temesvár herangezogen kamen: es waren Bataillone von
Sivković und Leiningen und 4 Schwadronen Schwarzenberg=Uhlanen mit
ihren weitschimmernden Fähnleins, geführt von dem ritterlichen Christian
von Leiningen und dem tapfern Stanković. Der Kaiserlichen waren jetzt
im Ganzen bei 3000 Mann mit 3 Batterien gegen nahezu 10.000
Mann mit 30 Geschützen, die unter Mariássy's Befehlen standen. Er
hatte gegen die Festung die Arbeiten zur Eröffnung der ersten Parallele
von Sz. Miklos bis an die Maros so wie der Contravallationslinie
nahezu vollendet.

Um 9 Uhr bildete Leiningen seine Schlachtordnung: die Mitte derselben nahmen die Temesvárer Bataillone ein, vor ihnen die Geschütze,
den rechten Flügel bildete Bianchi=Infanterie in Sturm=Colonnen aufgelöst, den linken die Cavallerie vom Obersten Blomberg befehligt. Es
herrschte feierliche Stille, man konnte jedes Commandowort deutlich vernehmen. Die Sturm=Colonnen rücken vor, noch einmal wird Halt gemacht; im raschen Fluge jagt Leiningen, eine männlich schöne kräftige
Heldengestalt, seinen prächtigen Schimmel die aufgestellte Linie entlang,
hier Befehle austheilend dort ermunternd und aneifernd; donnernder Zuruf „Es lebe der Kaiser!" begrüßt ihn aus den Reihen der Truppen.
Die Volks-Hymne wird angestimmt, die Batterien fahren auf 40 Schritte
vor, die Geschütze protzen ab und beginnen ihr Feuer, während die
Sturm=Colonnen das Bajonnet fällend unter lautem Hurrah vordringen.
Der Angriff gilt dem Orte Klein=Sz.=Miklos das Mariássy mit allen
Kräften zu halten sucht. Barricaden müssen genommen, Haus um Haus
erstürmt werden; die „Kaisermühlen", durch Leiningen's Raketen in
Brand gerathen, lodern auf. Der erbittertste Kampf entbrennt um den
Besitz des ummauerten Friedhofs der von den gefürchteten Rothkapplern,
dem 29. Honvéd=Bataillon vertheidigt wird. Nun läßt Leiningen das
Centrum gegen die rechte Flanke des Feindes vorrücken — Oberlieutenant
Adolf Heilig von Sivković=Infanterie findet hier seinen Tod — und die
Cavallerie eine Umgehung demonstriren. Die walachischen Lanzenreiter
kommen dabei einer Abtheilung Hannover=Husaren auf ziemlich weite
Distanz entgegen, als die letztern den Rücken kehren und sich zur Flucht
wenden; sie hielten, wie aus den Aussagen Gefangener später hervor-
kam, die mit Pelzen und ungewohnter Kopfbedeckung erscheinenden Reiter

für Russen. Die Niederlage der Ungarn war entschieden. Noch recht=
zeitig hatten sie bei dem Csala'er Walde eine Brücke auf das rechte Ufer
der Maros geschlagen, über die sich nun alles derart drängte daß
Viele in den Fluß hinabstürzten und des Schwimmens Unkundige er=
tranken. Asztalos und Bysocki waren es, die mit einigen hundert Un=
garn und Polen tapfer den Rückzug deckten und größeres Unheil abhiel=
ten. Um 4 Uhr N. M. war der Kampf beendet. Noch auf dem Schlacht=
felde rief Leiningen alle Officiere zusammen und verkündete ihnen die
Thronbesteigung des jugendlichen Kaisers Franz Joseph I., was mit
donnerndem Zuruf begrüßt wurde.

Das hart bedrängte Arad war entsetzt. Aus seinen Mauern kamen
Officiere, ihre Kameraden herzlich grüßend. Graf Leiningen eilte in die
Festung, der greise Berger umarmte gerührt seinen jüngern Retter und
Waffenbruder. Die Trophäen des Tages waren 4 Haubitzen, eine zwölf=
pfündige Kanone, bei 200 Gefangene und Ausreißer; die Artilleristen,
die nur gezwungen der ungarischen Sache gedient, gingen in großer An=
zahl zum Entsatzheere über. Am 15. sah man im Nebel eine endlose von
Temesvár sich heranbewegende Colonne: es war ein Wagen= und Ochsen=
Transport zur Verproviantirung der Festung. Auch Mörser für dreißig=
und sechzigpfündige Bomben befanden sich dabei, mit denen Berger gleich
am 16. Versuche gegen das vom Feinde noch besetzte Alt=Arad machte [440]).

Unermeßlich war der Jubel in Temesvár als von Leiningen das
bescheidene Bulletin dahin kam: „Neu=Arad ist genommen, die Festung
entsetzt, mehrere Kanonen wurden erbeutet". Der Einzug der von ihrem
Siege heimkehrenden Truppen war ein Fest: Leiningen Stankovič Blom=
berg empfingen Lobpreisungen und Glückswünsche. In der Huldigungs=
Adresse, die das Temesvárer Central=Comité an den neuen Kaiser rich=
tete, lautete es in bezeichnender Weise: „Von dem bis jetzt mit Gottes
Hilfe wahrscheinlich zerstobenen Pester Revolutions=Tribunale für vogel=
frei erklärt, zum Theil unserer Güter beraubt und ausgeplündert, haben
wir uns auf Gott, auf die Gerechtigkeit unserer Sache und auf unsere
kleine aber heldenmüthige k. k. Garnison verlassen welche die unsterb=
liche Geschichte ihrer treuen Anhänglichkeit und Heldenthaten mit ihrem
Blute schreibt; und so wie wir an König und Vaterland und an dem
gesammten österreichischen Kaiserstaate festhalten, so sind wir auch bis
zum letzten Athemzuge bereit mit dem Throne und der Monarchie zu
stehen und zu fallen" [441]).

Anhang.

I.

1843.

Versuch eines Programms zum Unterrichte Seiner Kaiserlichen Hoheit des Durchlauchtigsten Herrn Erzherzogs Franz Joseph in den militärischen Wissenschaften.

In Folge der durch Herrn Obersten Grafen von Coronini erhaltenen Andeutungen für ein Programm zu den militärischen Studien Seiner Kaiserlichen Hoheit des Durchlauchtigsten Herrn Erzherzogs Franz Joseph, und mit dem Bestreben, in ihren Sinn und Geist einzudringen und selben zu verwirklichen, sind nachstehende Erörterungen und Vorschläge entstanden:

Das Ziel, welches durch den Unterricht bei einem einstigen Thronfolger erreicht werden soll, ist in vieler Rücksicht anders gestellt als in gewöhnlichen Fällen. Alle Berufswissenschaften umfassend soll ihm kein Zweig fremd bleiben, weil das Heil eines jeden von ihm ausgeht. Durch diese mehrseitigen Ansprüche entsteht zuerst der Umstand, daß durch Theilung auf ein Fach nur eine beschränkte und festbegränzte Zeit als erste unvermeidliche Bedingnis der Aufgabe erscheint. In diese müssen das Schema der Gegenstände und die Methode des Unterrichtes eingepaßt werden. Das Schema der Gegenstände des Unterrichtes besteht in den verschiedenen Gattungen oder Abtheilungen derselben, in der Bearbeitung oder Ausführung dieser bis in ein gewisses Detail, und endlich in den Hilfswissenschaften welche zum vollen Verständnis der Bearbeitung nothwendig sind. Es ist nicht das viele Wissen wenn es verworren und dunkel ist, sondern das bestimmte und klare Wissen, welches im Leben Nutzen gewährt.

Nicht blos auf das Verstandesvermögen, sondern auch auf die Bildung der Charaktere hat der Unterricht Einfluß, wenn er auch seltener berücksichtiget wird.

Ausgebreitete Kenntnisse geben Leichtigkeit und Muth sich in der Welt zu bewegen; die Scheu verliert sich, wo man weiß nur Bekanntes zu begegnen. Klare bestimmte Kenntnisse, übergegangen in innere Ueberzeugung, geben Festigkeit und Beharrlichkeit, schützen vor Täuschung und bewahren vor der Furcht getäuscht zu werden, aus der dann Mistrauen entsteht. Wegen dieser Gründe und weil es sich nicht um ein specielles Berufsfach handelt, kann weder an der Umfassung noch an der Gründlichkeit des Unterrichtes ohne Schaden etwas abgebrochen werden.

Das einzige Mittel welches also übrig bleibt und bei welchem Umstaltung möglich ist um die gegebene Masse in der gegebenen Zeit zu bewältigen, ist die **Methode** des Unterrichtes. Das Ziel, Vieles und gut in kürzester Zeit zu lernen, kann besonders dadurch erreicht werden daß man folgende Grundsätze nie aus den Augen verliert:

1. Eine Sache an der eigentlich streng genommen nichts Wissenschaftliches ist, sondern die in einer bloßen Fertigkeit oder Gedächtniskenntnis besteht, nicht zu einer Wissenschaft machen und in erhabenen abstracten Lehren vortragen zu wollen, was oft aus Eitelkeit der Lehrer, die sich um zu glänzen nur immer mit höheren Gegenständen zu befassen trachten, geschieht. In diesen Fällen fange man mit der einfachsten materiellsten Praxis an, und gebe erst später die Ursache an, die der Schüler dann willig und leicht begreift weil er bereits weiß wovon die Rede ist. Fängt man mit der Theorie an die ihn dann kalt läßt und die er nicht begreift, und geht dann zur Praxis über, so staunt er die ihm neuen Dinge von denen er sich eine irrige Vorstellung gebildet hatte an, und man sollte nach dem practischen Theile erst wieder einen theoretischen folgen lassen, weil der erste sich beinahe wieder verloren erweist. Es ist die fast tägliche Erscheinung, daß wir aus der Schule herausgekommen, wenn wir uns nach einiger Zeit practischer Arbeit in einem Fache befestigen wollen und daher oft die nämlichen Bücher wieder hervorgeholt haben, nicht begreifen können wie so einfache Dinge uns in der Schule nicht schon klar waren.

2. Bei allen Dingen die körperlich sind und durch die Sinne aufgefaßt werden können, nicht durch blosen Vortrag mit Worten auf die Vorstellungskraft des Schülers Anspruch zu machen und ihn dadurch oft zu übermäßiger geistiger Anstrengung und Folter zu zwingen. Es ist möglich einem Knaben von einer Spinnmaschine oder einer Dampfmaschine einen vollkommen klaren Begriff durch Anschauung derselben zu geben, während derselbe vielleicht die Bewegungen der einfachsten Mühle und Stampfe nach mehrtägigen Vorträgen am Schreibtische sich nicht vorstellen kann. In allen Fällen daher wo es der Unterricht mit der Körperwelt zu thun hat soll derselbe wo möglich an Ort und Stelle ertheilt, oder wo dies nicht möglich ist, die Natur durch Modelle oder Zeichnungen gleichsam ins Studierzimmer gebracht werden. Doch für viele dieser Fälle ist unser gewöhnliches Unterrichts-Material noch nicht vorbereitet genug. Hier ist es, wo zur Ersparnis der Zeit für den Verstand des Schülers der Lehrer den Stoff des Unterrichtes lange vorher umarbeiten sichten und ordnen, dann das Material an Natur- und Kunst-Producten, Modellen und Zeichnungen sammeln und vorbereiten muß um gefaßt zu sein einen Gegenstand in einer Stunde klar zu machen, dessen Vortrag auf herkömmliche Weise durch stufenweise Befruchtung der Phantasie Wochen gebraucht haben würde.

Die Schwierigkeit der Anbringung dieses Materials und der Zugänglichkeit der Quellen ist leider ein Hindernis für die Anwendung dieser Methode bei dem allgemeinen Volksunterrichte; doch gerade hierin stellt sich im Gegensatze der übrigen Schwierigkeiten ein wesentlicher Punkt zu Gunsten der Lösung der Aufgabe: einen Sprößling des Allerhöchsten Kaiserhauses in jeder Hinsicht gediegen auszubilden; endlich

3. Daß nur Der, welcher in einem Fache **arbeiten** kann, es auch vollständig zu verstehen und zu übersehen im Stande ist. Selbständige Lösung von Aufgaben ohne fremde Hilfe ist das Mittel hiezu. Je früher man diese dem Schüler gibt, um so früher kommt er zur klaren Einsicht. Nur sind zwei Rücksichten dabei zu beobachten: daß sie erstens geordnet stufenweise vom Leichten zum Schweren fortschreite und die Kräfte des Schülers nie übersteige, zweitens, daß man denselben auch früher vorbereite, um sie in Hinsicht der materiellen Arbeit mit Leichtigkeit und ohne zu große An-

ſtrengung, die uur Scheu und Überdruß erzeugt, zu löſen. Hieher gehören gewiſſe Fer=
tigkeiten, als: Schreiben, Rechnen, Zeichnen, Conſtruiren u. dergl., welche nicht blos
bekannt ſondern geläufig ſein müſſen. Billiger Weiſe könnte man von jemand keine
ſchriftliche Löſung einer wiſſenſchaftlichen Frage fordern, der die Buchſtaben noch einzeln
malen müßte.

In demſelben Verhältnis als nothwendiges Mittel befindet ſich die Geometral=
Zeichnung zur Fortification und allen techniſchen Zweigen. Wenn man aus Schonung
dem Schüler das Arbeiten erſparen will und ſich auf Vorträge beſchränkt, ſo wird
man ihn nur, um doch das Ziel zu erreichen, noch länger quälen müſſen und ihm nie
den Genuß des Bewuſtſeins verſchaffen ſelbſt ein Werk hervorgebracht zu haben. Hier
zeigt ſich wieder der Einfluß der Unterrichts=Methode auf den Charakter und die künftige
Stellung im Leben. Wer ſelbſt gearbeitet hat wird nie Unmögliches fordern, kann aber,
wenn es noththut, auch dem eine Unmöglichkeit vorgebenden Untergebenen die Art und
Weiſe ſie zu beſiegen angeben, und dann ſind ſeine Befehle der Ausführung gewiß.
Das Leben iſt eine Schule, jedes Geſchäft die Löſung einer Aufgabe unter gewiſſen
Bedingungen. Je mehr man daher die Schule dem Leben ähnlich, dem Schüler das
Lernen und die Aufgaben zum Geſchäft macht, um ſo mehr wird er die nöthigen
Eigenſchaften für die Zukunft erhalten, um ſo unmerklicher wird der Übergang von der
Schule in das Leben ſein.

Auf dieſe Anſichten — gemäß dem Geiſte der erhaltenen Andeutungen, und um
die dort gegebenen Anhaltspunkte im Einzelnen zu bezeichnen und überſichtlich zuſam=
menzuſtellen — iſt der Verſuch gegründet, in folgendem Schema die Zahl Reihenfolge
und Nothwendigkeit der Zweige der Kriegswiſſenſchaft nebſt den Hauptumriſſen der
darin zu befolgenden Unterrichts=Methode anzugeben.

Als Vorbereitung, um die für die ſpäteren Arbeiten nöthigen Geſchicklichkeiten zu erlangen.

Geometral=Zeichnung.

Ohne Geometral=Zeichnung iſt es kaum möglich die techniſchen Theile Nothwendigkeit
der Artillerie und Fortification gründlich zu erlernen, noch weniger Auf=
gaben darüber zu bearbeiten, deren Reſultate zu finden und darzuſtellen
ſie das einzige Mittel iſt. Ohne ſie würde es nicht möglich ſein, über
vorgelegte fortificatoriſche, architektoniſche oder ſonſtige techniſche Projecte
in Plänen und Riſſen eine Vorſtellung und ein eigenes Urtheil zu
erhalten.

Bei ſo wenig als möglich Vortrag ſo viel als möglich, und zwar Methode.
ſelbſtändiges Zeichnen. Vorzüglich gut iſt es, dem Schüler alle Aufgaben
in der Natur d. i. im Modell zu geben.

Da die Geometral=Zeichnung der Grund zu allem ferneren iſt, dürfte
mit ihr der Anfang gemacht werden müſſen; da ſie aber viel phyſiſche
Zeit bedarf um nur alle Hauptgattungen der Aufgaben zu löſen, die
ſchwierigeren auch erſt ſpäter in der Fortification ihre Anwendung finden,
ſo wäre es vortheilhaft, ſie auch die zwei nächſtfolgenden Jahre mit wo=
chentlich 1 bis 2 Stunden parallel mit den übrigen Studien, gleichſam
als Gehilfin zur Löſung der dort vorkommenden Aufgaben, fortlaufen zu
laſſen.

1*

... Arte ꝛc.

Terrain-Lehre.

... Waffen beendet ist, muß die
... die Kenntnis desselben

... Aufnahme, ohne diese beiden
... Fähigkeit Karten und Pläne
... Aufgaben und Entwürfe,
... und Strategie, wird ohne
... vollständig sein; und doch ist
... sondern besonders später
... Wichtigkeit.
... Planen von der ältesten bis auf
... jetzigen Darstellungsart zu be=

... ten, dann à la vue, endlich als

... die Gesetze kennen wornach die
... und weiset diese Formen und
... auf Karten und Plänen und der
... Modelle und Reliefs besonders er=

... bereits einen Vorsprung gewonnen
... unter die Situations-Zeichnung zu
... wöchentlich betrieben werden, im
... nehmen, bei deren Auszeichnung die
... Anwendung und Übung findet,
... die Terrain-Lehre zugleich mit der
... zum Frühjahre vollendet werden.

...gswissenschaften.

... Drei Waffen.

... wodurch die Truppen von einem Ort
... und wie die Wirksamkeit der Waffen

... auszuführen, was nicht, kurz des Umfan=

... mehr Kunst als Wissenschaft ist, muß es
... ...zen. mehr praktisch als theoretisch betrie=
... ...ungen größerer Truppenkörper gleichen ganz
... und complicirter Tänze, daher mit der Ab.
... ...telung Bewegung und Gebrauch der Waffen
... ...at.
... Bewegungen kleinerer und größerer Truppenkörper
... ...zen. und den dazu nöthigen Commando's.

Zusehen und später Eintreten, endlich Commandiren bei dem Exerciren der hier liegenden Regimenter.

Ausführung von auf dem Platz gegebenen Exercir-Zetteln an Ort und Stelle.

Im ersten Jahre könnte die Infanterie-Division und Escadron, im zweiten das Bataillon, die Division der Cavallerie, die Batterie, im dritten endlich die Brigade der zu commandirende Körper sein.

Militär-Arbeiten der Artillerie, Pioniere, Sappeure und Mineure.

Kenntnis der Waffen und Kriegsmaschinen, Waffengattungen, Über= *Nothwendigkeit.*
windung Benützung und Bildung der Hindernisse im Kriege.

Erklärung an Modellen, Besuche von Etablissements, der Werkstätten *Methode.*
und Übungsplätze der Corps.

Der innere Dienst und Haushalt (Administration) bis zum Regiment.

Kenntnis der Existenz des Soldaten, seiner Verwendung zur inne= *Nothwendigkeit.*
ren Sicherheit und als Werkzeug der Regierung; sein Leben und Treiben
im Frieden und Krieg.

Nebst dem Vortrage des Dienst-Reglements und hieher bezüglicher *Methode.*
Schriften, Zusehen bei Verrichtungen in Casernen, auf Wachen ꝛc.

Fortification.

Würdigung wieviel die Kunst leisten kann, damit eine kleinere An= *Nothwendigkeit.*
zahl einer größeren das Gleichgewicht halte.

Versinnlichung der Theorie mit Modellen, Bau im Kleinen aus *Methode.*
Lehm oder Modellirmasse, später aber besonders Ausarbeitung der Be=
festigung gegebener Punkte nach gegebenen Bedingungen.

Wo möglich Besichtigung nahe gelegener Festungen: Olmütz Komorn
Linz ꝛc.

Angewandte Taktik.

Kenntnis wie man einen gewissen Zweck mittelst der Truppen er= *Nothwendigkeit.*
reiche, und wie die drei Waffen zusammenwirken, wie sie ihrer Natur gemäß
auf dem Terrain verwendet werden sollen.

Vortrag der Beiträge zum praktischen Unterricht im Felde und der *Methode.*
höheren Kriegskunst für die k. k. Generale, dann aber hauptsächlich zahl=
reiche Beispiele auf Plänen ausarbeiten. Vorzüglich wären hiebei grö=
ßere Reliefs von verschiedenen Gebirgsgattungen.

Ausführung von Feldübungen mit den Truppen der Garnison, an=
gefangen von den kleinsten einfachen oder zusammengesetzten Truppen=
körpern bis zu den größeren, endlich eines ganzen Feldmanövers.

Geschichte des Kriegswesens.

Nur mit klarer Vorstellung des Zustandes jeder Zeit wird man *Nothwendigkeit.*
die Vorfälle dieser Zeit begreifen und würdigen.

Hauptsächlich durch Vorzeigung von Abbildungen, Besuchen von *Methode.*
Antiken-Kabineten und Waffensammlungen.

Allgemeine Kriegsgeschichte.

Nothwendigstes.　　Fremde Erfahrung zu benützen und Beweise für die Theorie der Strategie zu sammeln.

Rechte.　　Kurze aber lebendige Erzählung. Eintragung der Heereszüge auf Karten und einem plastischen Modelle des Schauplatzes der Kriegsgeschichte.

Die einzelnen Schlachten mit Verlegung der aufzunähenden Schlachtpläne.

Strategie.

Nothwendigstes.　　Zur Entwerfung eigener oder Beurtheilung fremder Operationspläne.

Rechte.　　Theilung der Strategie in reine und angewandte. Befestigung der Staaten.

Für alle diese Theile die gedruckten und ungedruckten Schriften Berner's u. s. w. Heben des Durchschlagendsten Erzherzogs Carl. Kritisches Lesen eines oder einiger Feldzüge. Auch hier später Aufgaben.

Dienst des Generalstabes.

Nothwendigstes.　　Kenntniß des Mechanismus, wie strategische Entwürfe ins Leben gerufen und Armeen bewegt werden.

Rechte.　　Nach kurzem Vortrage Besichtigung der Kanzleien des General-Quartiermeisterstabes.

Organisation der Armee.

Nothwendigstes.　　Zur Überwachung des guten Zustandes eines so wichtigen Theiles der Stärke des Staates als die Armee ist, und zur Beurtheilung der darüber gemachten Berichte.

Rechte.　　Nach kurzem Vortrage Besichtigung der Kanzleien des General-Commandos, des Hofkriegsrathes, von mehreren Etablissements Magazinen Bäckereien Gestüten zc.

––––––––––

Um den Unterricht eines jeden Zweiges auf die größte Vollkommenheit zu bringen, und doch alle zufolge des unerläßlich bedingten Princips der Einheit zu einem Ganzen mit Harmonie zu verbinden, dürfte es am zweckmäßigsten sein die meisten Abtheilungen, vorzüglich jene wo praktische Erfahrung unumgänglich nöthig ist, besonderen Lehrern zu übergeben, aber das Gesammte des Militär-Unterrichtes unter die Leitung und Aufsicht eines einzigen Individuums zu stellen. Von diesem sollten beim Anfange des ganzen Unterrichtes und vor jenem jedes einzelnen Zweiges die verknüpfenden Einleitungen, welche die Stellung des Speciellen zum Allgemeinen bezeichnen und verbreiten, gehalten werden; hierauf könnte der Vortrag der einzelnen Lehrer nach einem von ersterem entworfenen Programme, worin mit Rücksicht auf das Ganze des Unterrichtes das zu erreichende Ziel, die Anschauung und die Methode in dem besonderen Gegenstande scharf festgestellt ist, beginnen. Diese Detail-Programme wäre es zweckmäßig immer erst nach Maßgabe des Fortschreitens des Unterrichtes auszuarbeiten, um sie den jedesmaligen Umständen besser anpassen zu können. Auch bei den einzelnen Vorträgen würde die häufige Gegenwart des leitenden Individuums vortheilhaft sein

Obwohl in diesem Versuche, einen Weg anzugeben die Aufgabe zu lösen: „Seine kaiserliche Hoheit den Durchlauchtigsten Herrn Erzherzog troß der Beschränkung der Zeit, welche durch andere eben so nöthige Studien entsteht, in den Militär-Wissenschaften umfassend und doch zugleich gründlich und praktisch zu unterrichten", von den gewöhnlichen Methoden abgewichen und statt auf Theorien in Worten und Überredung, mehr auf Anschauung und Sebstbeschäftigung und die dadurch entstehende Überzeugung gebaut wurde, so dürfte doch mehrjährige Erfahrung zwar nicht in der ganzen Gesammtausdehnung und vollkommen gleicher Weise, doch in den einzelnen Zweigen und ähnlicher Art, gegründete Hoffnung zur Erreichung des gewünschten Zieles gestatten.

Wien, am 25. Mai 1843.

Hauslab m. p.
Oberst.

Anmerkung.

An dieses allgemeine Programm schloffen sich dann, wie der Unterricht in den einzelnen Zweigen fortschritt, folgende Einzeln-Programme:

1. Programm über den Unterricht Sr. kaif. Hoheit des Durchl. Hrn. Erzherzogs Franz Joseph in den Vorbereitungswissenschaften für das Militärwesen auf den Zeitraum vom 1. Jänner bis zur letzten Hälfte October 1844.
2. Programm für den zweiten Jahrgang des Unterrichtes rc. in der Taktif.
3. Programm für den dritten Jahrgang rc. in den militärischen Wissenschaften.
4. Programm für den vierten Jahrgang in den militärischen Wissenschaften.
5. Instruction für den Unterricht in dem Abrichtungs-Reglement der k. k. Infanterie.
6. Programm für den Unterricht Sr. k. H. d. D. Erzherzogs Franz Joseph im Exercier-Reglement der Infanterie.
7. Instruction für den Unterricht im Abrichtungs-Reglement der Cavallerie.
8. Programm über den Unterricht in der Artillerie als Waffengattung.
9. Programm über den Unterricht in den im Kriege angewandten Zweigen der Technik.
10. Programm für den Unterricht in den Pionier-Arbeiten.
11. Programm für den Unterricht in den Sapp-Arbeiten.
12. Programm für den Unterricht in den Mineur-Arbeiten.
13. Programm für den Vorgang des Unterrichtes in der Befestigungs-Kunst.
14. Programm über den Unterricht in der angewandten Taktif.
15. Programm über den Unterricht in der Heeres-Verfassung und dem innern Dienste.
16. Programm über den Unterricht Sr. k. H. d. D. Erzh. Franz Joseph in der Kenntnis des Artillerie-Materials und dessen Erzeugung (Artillerie-Technologie.)

Verluſt war empfindlich, allein der ſüdliche Theil des Banats war ge=
rettet: „Šuplikac parirte das über Pančova gezückte Schwert". Kiß und
Damianich gingen nach Becskerek und Werſchetz zurück; ſie mußten für
ihre von verſchiedenen Seiten bedrohten Verbindungslinien ſorgen [438]).
Denn um dieſelbe Zeit, wo ſich die erzählten Ereigniſſe zwiſchen der
Temes und Karaš zutrugen, wurde auch in der Gegend von Peterwardein
gekämpft. Am 13. December hatten die Serben bei Karlovic ein Ba=
taillon über die Donau geſetzt und die Ungarn bis zum Calvarien=Berge
zurückgedrängt, als dieſen aus der Feſtung ein Bataillon Eſte, eine Com=
pagnie Dom Miguel und eine Abtheilung Huſaren mit drei Kanonen
zu Hilfe kamen, und nun ein erbitterter Kampf bei Maria=Schnee ent=
brannte. Gleichzeitig drangen die Ungarn gegen Bukovac vor, wo ſie
mit den dort wohnenden Deutſchen heimliche Verbindungen hatten, und
gewannen anfangs feſten Fuß im Orte wo einige Häuſer in Brand ge=
riethen, bis die Serben ſich zuſammenſchaarten und mit Hacken und Heu=
gabeln bewaffnet die Angreifer zurückwarfen. Der magyariſch geſinnte
Ortsrichter und zwei deutſche Bauern wurden ergriffen, nach Karlovic
abgeführt und dort am 14. hingerichtet. Auch bei Maria=Schnee ließen
die Ungarn zuletzt vom Kampfe ab und zogen ſich hinter die Wälle von
Peterwardein zurück. Bald darauf rückte eine Abtheilung Zanini die von
Peterwardein zum Vorpoſtendienſt beordert war, vom Hauptmann Maaß=
burg geführt, mit fliegender Fahne und klingendem Spiel bei der Römer=
ſchanze ein, wo ſie von den Čaikiſten mit brüderlichem Gruß empfangen
wurde [439]).

Ungleich wichtiger als dieſe Vorgänge im Banat war die Wendung
der Dinge bei Arad. Auf die wiederholten Hilferufe Berger's hatte ſich
Rukavina an Puchner in Siebenbürgen gewendet, von welchem Oberſt=
Lieutenant Johann Berger von Bianchi=Infanterie beordert wurde von Szász=
Város (Broos) mit einer Entſatz=Colonne aufzubrechen. Sie beſtand aus 7
Compagnien, 1½ Escadron, 1200 Mann romaniſchen Landſturms, 60
Albert'ſchen Lanzenreitern und 6 Drei Pfündern. Bei Koſſowa wurde
am 8. December die ſiebenbürgiſche Gränze überſchritten; der Boden war
feſt gefroren und glatt, die Reiter führten über die hohen Berge ihre
Pferde am Zügel. Am 11. kam man durch Lippa, wo eben zwei Szek=
ler=Compagnien auf zwei großen Plätten über die Maros nach Maria=
Radna hinüberſchifften und auf die anreitenden Kaiſerlichen eine wir=

kungslose Salve gaben. Am 14. befand man sich auf der weiten Fläche
von Engelsbrunn und gewahrte mit Freude lange Colonnen die auf der
Straße von Temesvár herangezogen kamen: es waren Bataillone von
Sivković und Leiningen und 4 Schwadronen Schwarzenberg-Uhlanen mit
ihren weitschimmernden Fähnleins, geführt von dem ritterlichen Christian
von Leiningen und dem tapfern Stanković. Der Kaiserlichen waren jetzt
im Ganzen bei 3000 Mann mit 3 Batterien gegen nahezu 10.000
Mann mit 30 Geschützen, die unter Mariássy's Befehlen standen. Er
hatte gegen die Festung die Arbeiten zur Eröffnung der ersten Parallele
von Sz. Miklos bis an die Maros so wie der Contravallationslinie
nahezu vollendet.

Um 9 Uhr bildete Leiningen seine Schlachtordnung: die Mitte derselben nahmen die Temesvárer Bataillone ein, vor ihnen die Geschütze,
den rechten Flügel bildete Bianchi-Infanterie in Sturm-Colonnen aufgelöst, den linken die Cavallerie vom Obersten Blomberg befehligt. Es
herrschte feierliche Stille, man konnte jedes Commandowort deutlich vernehmen. Die Sturm-Colonnen rücken vor, noch einmal wird Halt gemacht; im raschen Fluge jagt Leiningen, eine männlich schöne kräftige
Heldengestalt, seinen prächtigen Schimmel die aufgestellte Linie entlang,
hier Befehle austheilend dort ermunternd und aneifernd; donnernder Zuruf „Es lebe der Kaiser!" begrüßt ihn aus den Reihen der Truppen.
Die Volks-Hymne wird angestimmt, die Batterien fahren auf 40 Schritte
vor, die Geschütze protzen ab und beginnen ihr Feuer, während die
Sturm-Colonnen das Bajonnet fällend unter lautem Hurrah vordringen.
Der Angriff gilt dem Orte Klein-Sz.-Miklos das Mariássy mit allen
Kräften zu halten sucht. Barricaden müssen genommen, Haus um Haus
erstürmt werden; die „Kaisermühlen", durch Leiningen's Raketen in
Brand gerathen, lodern auf. Der erbittertste Kampf entbrennt um den
Besitz des ummauerten Friedhofs der von den gefürchteten Rothkapplern,
dem 29. Honvéd-Bataillon vertheidigt wird. Nun läßt Leiningen das
Centrum gegen die rechte Flanke des Feindes vorrücken — Oberlieutenant
Adolf Heilig von Sivković-Infanterie findet hier seinen Tod — und die
Cavallerie eine Umgehung demonstriren. Die walachischen Lanzenreiter
kommen dabei einer Abtheilung Hannover-Husaren auf ziemlich weite
Distanz entgegen, als die letztern den Rücken kehren und sich zur Flucht
wenden; sie hielten, wie aus den Aussagen Gefangener später hervor-
kam, die mit Pelzen und ungewohnter Kopfbedeckung erscheinenden Reiter

für Russen.   Die Niederlage der Ungarn war entschieden.   Noch recht=
zeitig hatten sie bei dem Csala'er Walde eine Brücke auf das rechte Ufer
der Maros geschlagen, über die sich nun alles derart drängte daß
Viele in den Fluß hinabstürzten und des Schwimmens Unkundige er=
tranken.   Asztalos und Wysocki waren es, die mit einigen hundert Un=
garn und Polen tapfer den Rückzug deckten und größeres Unheil abhiel=
ten.   Um 4 Uhr N. M. war der Kampf beendet.   Noch auf dem Schlacht=
felde rief Leiningen alle Officiere zusammen und verkündete ihnen die
Thronbesteigung des jugendlichen Kaisers Franz Joseph I., was mit
donnerndem Zuruf begrüßt wurde.

Das hart bedrängte Arad war entsetzt.   Aus seinen Mauern kamen
Officiere, ihre Kameraden herzlich grüßend.   Graf Leiningen eilte in die
Festung, der greise Berger umarmte gerührt seinen jüngern Retter und
Waffenbruder.   Die Trophäen des Tages waren 4 Haubitzen, eine zwölf=
pfündige Kanone, bei 200 Gefangene und Ausreißer; die Artilleristen,
die nur gezwungen der ungarischen Sache gedient, gingen in großer An=
zahl zum Entsatzheere über.   Am 15. sah man im Nebel eine endlose von
Temesvár sich heranbewegende Colonne: es war ein Wagen= und Ochsen=
Transport zur Verproviantirung der Festung.   Auch Mörser für dreißig=
und sechzigpfündige Bomben befanden sich dabei, mit denen Berger gleich
am 16. Versuche gegen das vom Feinde noch besetzte Alt=Arad machte [440]).

Unermeßlich war der Jubel in Temesvár als von Leiningen das
bescheidene Bulletin dahin kam: „Neu=Arad ist genommen, die Festung
entsetzt, mehrere Kanonen wurden erbeutet".   Der Einzug der von ihrem
Siege heimkehrenden Truppen war ein Fest: Leiningen Stanković Blom=
berg empfingen Lobpreisungen und Glückswünsche.   In der Huldigungs=
Adresse, die das Temesvárer Central=Comité an den neuen Kaiser rich=
tete, lautete es in bezeichnender Weise: „Von dem bis jetzt mit Gottes
Hilfe wahrscheinlich zerstobenen Pester Revolutions=Tribunale für vogel=
frei erklärt, zum Theil unserer Güter beraubt und ausgeplündert, haben
wir uns auf Gott, auf die Gerechtigkeit unserer Sache und auf unsere
kleine aber heldenmüthige k. k. Garnison verlassen welche die unsterb=
liche Geschichte ihrer treuen Anhänglichkeit und Heldenthaten mit ihrem
Blute schreibt; und so wie wir an König und Vaterland und an dem
gesammten österreichischen Kaiserstaate festhalten, so sind wir auch bis
zum letzten Athemzuge bereit mit dem Throne und der Monarchie zu
stehen und zu fallen" [441]).

Anhang.

I.

1843.

Versuch eines Programms zum Unterrichte Seiner Kaiserlichen Hoheit des Durchlauchtigsten Herrn Erzherzogs Franz Joseph in den militärischen Wissenschaften.

In Folge der durch Herrn Obersten Grafen von Coronini erhaltenen Andeutungen für ein Programm zu den militärischen Studien Seiner Kaiserlichen Hoheit des Durchlauchtigsten Herrn Erzherzogs Franz Joseph, und mit dem Bestreben, in ihren Sinn und Geist einzudringen und selben zu verwirklichen, sind nachstehende Erörterungen und Vorschläge entstanden:

Das Ziel, welches durch den Unterricht bei einem einstigen Thronfolger erreicht werden soll, ist in vieler Rücksicht anders gestellt als in gewöhnlichen Fällen. Alle Berufswissenschaften umfassend soll ihm kein Zweig fremd bleiben, weil das Heil eines jeden von ihm ausgeht. Durch diese mehrseitigen Ansprüche entsteht zuerst der Umstand, daß durch Theilung auf ein Fach nur eine beschränkte und festbegränzte Zeit als erste unvermeidliche Bedingnis der Aufgabe erscheint. In diese müssen das Schema der Gegenstände und die Methode des Unterrichtes eingepaßt werden. Das Schema der Gegenstände des Unterrichtes besteht in den verschiedenen Gattungen oder Abtheilungen derselben, in der Bearbeitung oder Ausführung dieser bis in ein gewisses Detail, und endlich in den Hilfswissenschaften welche zum vollen Verständnis der Bearbeitung nothwendig sind. Es ist nicht das viele Wissen wenn es verworren und dunkel ist, sondern das bestimmte und klare Wissen, welches im Leben Nutzen gewährt.

Nicht blos auf das Verstandesvermögen, sondern auch auf die Bildung der Charaktere hat der Unterricht Einfluß, wenn er auch seltener berücksichtiget wird.

Ausgebreitete Kenntnisse geben Leichtigkeit und Muth sich in der Welt zu bewegen; die Scheu verliert sich, wo man weiß nur Bekanntes zu begegnen. Klare bestimmte Kenntnisse, übergegangen in innere Ueberzeugung, geben Festigkeit und Beharrlichkeit, schützen vor Täuschung und bewahren vor der Furcht getäuscht zu werden, aus der dann Mistrauen entsteht. Wegen dieser Gründe und weil es sich nicht um ein specielles Berufsfach handelt, kann weder an der Umfassung noch an der Gründlichkeit des Unterrichtes ohne Schaden etwas abgebrochen werden.

Das einzige Mittel welches alſo übrig bleibt und bei welchem Umſtaltung möglich iſt um die gegebene Maſſe in der gegebenen Zeit zu bewältigen, iſt die Methode des Unterrichtes. Das Ziel, Vieles und gut in kürzeſter Zeit zu lernen, kann beſonders dadurch erreicht werden daß man folgende Grundſätze nie aus den Augen verliert:

1. Eine Sache an der eigentlich ſtreng genommen nichts Wiſſenſchaftliches iſt, ſondern die in einer bloßen Fertigkeit oder Gedächtniskenntnis beſteht, nicht zu einer Wiſſenſchaft machen und in erhabenen abſtracten Lehren vortragen zu wollen, was oft aus Eitelkeit der Lehrer, die ſich um zu glänzen nur immer mit höheren Gegenſtänden zu befaſſen trachten, geſchieht. In dieſen Fällen fange man mit der einfachſten materiellſten Praxis an, und gebe erſt ſpäter die Urſache an, die der Schüler dann willig und leicht begreift weil er bereits weiß wovon die Rede iſt. Fängt man mit der Theorie an die ihn dann kalt läßt und die er nicht begreift, und geht dann zur Praxis über, ſo ſtaunt er die ihm neuen Dinge von denen er ſich eine irrige Vorſtellung gebildet hatte an, und man ſollte nach dem practiſchen Theile erſt wieder einen theoretiſchen folgen laſſen, weil der erſte ſich beinahe wieder verloren erweiſt. Es iſt die faſt tägliche Erſcheinung, daß wir aus der Schule herausgekommen, wenn wir uns nach einiger Zeit practiſcher Arbeit in einem Fache befeſtigen wollen und daher oft die nämlichen Bücher wieder hervorgeholt haben, nicht begreifen können wie ſo einfache Dinge uns in der Schule nicht ſchon klar waren.

2. Bei allen Dingen die körperlich ſind und durch die Sinne aufgefaßt werden können, nicht durch bloßen Vortrag mit Worten auf die Vorſtellungskraft des Schülers Anſpruch zu machen und ihn dadurch oft zu übermäßiger geiſtiger Anſtrengung und Folter zu zwingen. Es iſt möglich einem Knaben von einer Spinnmaſchine oder einer Dampfmaſchine einen vollkommen klaren Begriff durch Anſchauung derſelben zu geben, während derſelbe vielleicht die Bewegungen der einfachſten Mühle und Stampfe nach mehrtägigen Vorträgen am Schreibtiſche ſich nicht vorſtellen kann. In allen Fällen daher wo es der Unterricht mit der Körperwelt zu thun hat ſoll derſelbe wo möglich an Ort und Stelle ertheilt, oder wo dies nicht möglich iſt, die Natur durch Modelle oder Zeichnungen gleichſam ins Stubierzimmer gebracht werden. Doch für viele dieſer Fälle iſt unſer gewöhnliches Unterrichts=Material noch nicht vorbereitet genug. Hier iſt es, wo zur Erſparnis der Zeit für den Verſtand des Schülers der Lehrer den Stoff des Unterrichtes lange vorher umarbeiten ſichten und ordnen, dann das Material an Natur= und Kunſt=Producten, Modellen und Zeichnungen ſammeln und vorbereiten muß um gefaßt zu ſein einen Gegenſtand in einer Stunde klar zu machen, deſſen Vortrag auf herkömmliche Weiſe durch ſtufenweiſe Befruchtung der Phantaſie Wochen gebraucht haben würde.

Die Schwierigkeit der Anbringung dieſes Materials und der Zugänglichkeit der Quellen iſt leider ein Hindernis für die Anwendung dieſer Methode bei dem allgemeinen Volksunterrichte; doch gerade hierin ſtellt ſich im Gegenſatze der übrigen Schwierig=keiten ein weſentlicher Punkt zu Gunſten der Löſung der Aufgabe: einen Sprößling des Allerhöchſten Kaiſerhauſes in jeder Hinſicht gediegen auszubilden; endlich

3. Daß nur Der, welcher in einem Fache arbeiten kann, es auch vollſtändig zu verſtehen und zu überſehen im Stande iſt. Selbſtändige Löſung von Aufgaben ohne fremde Hilfe iſt das Mittel hiezu. Je früher man dieſe dem Schüler gibt, um ſo früher kommt er zur klaren Einſicht. Nur ſind zwei Rückſichten dabei zu beobachten: daß ſie erſtens geordnet ſtufenweiſe vom Leichten zum Schweren fortſchreite und die Kräfte des Schülers nie überſteige, zweitens, daß man denſelben auch früher vorbe=reite, um ſie in Hinſicht der materiellen Arbeit mit Leichtigkeit und ohne zu große An=

strengung, die uur Scheu und Überdruß erzeugt, zu lösen. Hieher gehören gewisse Fertigkeiten, als: Schreiben, Rechnen, Zeichnen, Construiren u. dergl., welche nicht blos bekannt sondern geläufig sein müssen. Billiger Weise könnte man von jemand keine schriftliche Lösung einer wissenschaftlichen Frage fordern, der die Buchstaben noch einzeln malen müßte.

In demselben Verhältnis als nothwendiges Mittel befindet sich die Geometral-Zeichnung zur Fortification und allen technischen Zweigen. Wenn man aus Schonung dem Schüler das Arbeiten ersparen will und sich auf Vorträge beschränkt, so wird man ihn nur, um doch das Ziel zu erreichen, noch länger quälen müssen und ihm nie den Genuß des Bewußtseins verschaffen selbst ein Werk hervorgebracht zu haben. Hier zeigt sich wieder der Einfluß der Unterrichts-Methode auf den Charakter und die künftige Stellung im Leben. Wer selbst gearbeitet hat wird nie Unmögliches fordern, kann aber, wenn es noththut, auch dem eine Unmöglichkeit vorgebenden Untergebenen die Art und Weise sie zu besiegen angeben, und dann sind seine Befehle der Ausführung gewiß. Das Leben ist eine Schule, jedes Geschäft die Lösung einer Aufgabe unter gewissen Bedingungen. Je mehr man daher die Schule dem Leben ähnlich, dem Schüler das Lernen und die Aufgaben zum Geschäft macht, um so mehr wird er die nöthigen Eigenschaften für die Zukunft erhalten, um so unmerklicher wird der Übergang von der Schule in das Leben sein.

Auf diese Ansichten — gemäß dem Geiste der erhaltenen Andeutungen, und um die dort gegebenen Anhaltspunkte im Einzelnen zu bezeichnen und übersichtlich zusammenzustellen — ist der Versuch gegründet, in folgendem Schema die Zahl Reihenfolge und Nothwendigkeit der Zweige der Kriegswissenschaft nebst den Hauptumrissen der darin zu befolgenden Unterrichts-Methode anzugeben.

Als Vorbereitung, um die für die späteren Arbeiten nöthigen Geschicklichkeiten zu erlangen.

Geometral-Zeichnung.

Ohne Geometral-Zeichnung ist es kaum möglich die technischen Theile der Artillerie und Fortification gründlich zu erlernen, noch weniger Aufgaben darüber zu bearbeiten, deren Resultate zu finden und darzustellen sie das einzige Mittel ist. Ohne sie würde es nicht möglich sein, über vorgelegte fortificatorische, architektonische oder sonstige technische Projecte in Plänen und Rissen eine Vorstellung und ein eigenes Urtheil zu erhalten. *Nothwendigkeit*

Bei so wenig als möglich Vortrag so viel als möglich, und zwar selbständiges Zeichnen. Vorzüglich gut ist es, dem Schüler alle Aufgaben in der Natur d. i. im Modell zu geben. *Methode.*

Da die Geometral-Zeichnung der Grund zu allem ferneren ist, dürfte mit ihr der Anfang gemacht werden müssen; da sie aber viel physische Zeit bedarf um nur alle Hauptgattungen der Aufgaben zu lösen, die schwierigeren auch erst später in der Fortification ihre Anwendung finden, so wäre es vortheilhaft, sie auch die zwei nächstfolgenden Jahre mit wöchentlich 1 bis 2 Stunden parallel mit den übrigen Studien, gleichsam als Gehilfin zur Lösung der dort vorkommenden Aufgaben, fortlaufen zu lassen.

1*

Situations-Zeichnung, Aufnahme, Terrain-Lehre.

Nothwendigkeit. Wenn die reine Taktik der drei Waffen beendet ist, muß die Anwendung auf dem Terrain folgen welche die Kenntnis desselben voraussetzt.

Ohne Situations-Zeichnung ist keine Aufnahme, ohne diese beiden keine Terrain-Lehre klar verständlich. Die Fähigkeit Karten und Pläne zu lesen und zu gebrauchen, sei es für taktische Aufgaben und Entwürfe, sei es bei dem Studium der Kriegsgeschichte und Strategie, wird ohne Kenntnis der Situations-Zeichnung nie vollständig sein; und doch ist diese Fähigkeit nicht allein für das Studiren, sondern besonders später bei Reisen oder Feldzügen von höchster Wichtigkeit.

Methode. Zuerst Vorzeigung von Karten und Plänen von der ältesten bis auf die neueste Zeit, um die Theorie der jetzigen Darstellungsart zu begründen.

Zeichnen vorzüglich nach Modellen.

Die Aufnahme, zuerst mit Schichten, dann à la vue, endlich als Recognosciren in der Umgegend.

Die Terrain-Lehre lehrt zuerst die Gesetze kennen wornach die Formen der Erdoberfläche gebildet sind, und weiset diese Formen und ihre gegenseitigen Beziehungen später auf Karten und Plänen und der Natur selbst nach. Auch hier sind Modelle und Reliefs besonders erleichternde Hilfsmittel.

Wenn die Geometral-Zeichnung bereits einen Vorsprung gewonnen hat, könnte den nächstkommenden Winter die Situations-Zeichnung zu gleicher Zeit mit 1 bis 2 Stunden wöchentlich betrieben werden, im Sommer 1844 die Aufnahme vorgenommen, bei deren Auszeichnung die Situations-Zeichnung die geeignetste Anwendung und Übung findet, und gegen Anfang des Jahres 1845 die Terrain-Lehre zugleich mit der reinen Taktik begonnen und bis zum Frühjahre vollendet werden.

Eigentliche Kriegswissenschaften.

Exerciren der drei Waffen.

Nothwendigkeit. Kenntnis des Mechanismus, wodurch die Truppen von einem Ort zum anderen gebracht werden, und wie die Wirksamkeit der Waffen ins Leben tritt.

Kenntnis, was möglich ist auszuführen, was nicht, kurz des Umfanges der Kraft.

Nachdem das Exerciren mehr Kunst als Wissenschaft ist, muß es auch, wie Reiten Fechten Tanzen, mehr praktisch als theoretisch betrieben werden. *Methode.* Selbst Bewegungen größerer Truppenkörper gleichen ganz dem Arrangement größerer und complicirter Tänze, daher mit der Abrichtung des Schülers in Stellung Bewegung und Gebrauch der Waffen begonnen wird; darauf folgt:

Unterricht in den Bewegungen kleinerer und größerer Truppenkörper mittelst geschnitzter Holzfiguren, und den dazu nöthigen Commando's.

Zusehen und später Eintreten, endlich Commandiren bei dem Exerciren der hier liegenden Regimenter.

Ausführung von auf dem Platz gegebenen Exercir-Zetteln an Ort und Stelle.

Im ersten Jahre könnte die Infanterie-Division und Escadron, im zweiten das Bataillon, die Division der Cavallerie, die Batterie, im dritten endlich die Brigade der zu commandirende Körper sein.

Militär-Arbeiten der Artillerie, Pioniere, Sappeure und Mineure.

Kenntnis der Waffen und Kriegsmaschinen, Waffengattungen, Über- Nothwendigkeit. windung Benützung und Bildung der Hindernisse im Kriege.

Erklärung an Modellen, Besuche von Etablissements, der Werkstätten Methode. und Übungsplätze der Corps.

Der innere Dienst und Haushalt (Administration) bis zum Regiment.

Kenntnis der Existenz des Soldaten, seiner Verwendung zur inne- Nothwendigkeit. ren Sicherheit und als Werkzeug der Regierung; sein Leben und Treiben im Frieden und Krieg.

Nebst dem Vortrage des Dienst-Reglements und hieher bezüglicher Methode. Schriften, Zusehen bei Verrichtungen in Casernen, auf Wachen rc.

Fortification.

Würdigung wieviel die Kunst leisten kann, damit eine kleinere An- Nothwendigkeit. zahl einer größeren das Gleichgewicht halte.

Versinnlichung der Theorie mit Modellen, Bau im Kleinen aus Methode. Lehm oder Modellirmasse, später aber besonders Ausarbeitung der Befestigung gegebener Punkte nach gegebenen Bedingungen.

Wo möglich Besichtigung nahe gelegener Festungen: Olmüz Komorn Linz rc.

Angewandte Taktik.

Kenntnis wie man einen gewissen Zweck mittelst der Truppen er- Nothwendigkeit. reiche, und wie die drei Waffen zusammenwirken, wie sie ihrer Natur gemäß auf dem Terrain verwendet werden sollen.

Vortrag der Beiträge zum praktischen Unterricht im Felde und der Methode. höheren Kriegskunst für die k. k. Generale, dann aber hauptsächlich zahlreiche Beispiele auf Plänen ausarbeiten. Vorzüglich wären hiebei größere Reliefs von verschiedenen Gebirgsgattungen.

Ausführung von Feldübungen mit den Truppen der Garnison, angefangen von den kleinsten einfachen oder zusammengesetzten Truppenkörpern bis zu den größeren, endlich eines ganzen Feldmanövers.

Geschichte des Kriegswesens.

Nur mit klarer Vorstellung des Zustandes jeder Zeit wird man Nothwendigkeit. die Vorfälle dieser Zeit begreifen und würdigen.

Hauptsächlich durch Vorzeigung von Abbildungen, Besuchen von Methode. Antiken-Kabineten und Waffensammlungen.

Allgemeine Kriegsgeschichte.

Nothwendigkeit.   Fremde Erfahrung zu benützen und Beweise für die Theorie der Strategie zu sammeln.

Methode   Kurze aber lebendige Erzählung, Eintragung der Heereszüge auf Karten und einem plastischen Modelle des Schauplatzes der Weltgeschichte. Die einzelnen Schlachten mit Vorlegung der aufzufindenden Schlachtpläne.

S t r a t e g i e.

Nothwendigkeit.   Zur Entwerfung eigener oder Beurtheilung fremder Operationspläne.

Methode.   Theilung der Strategie in reine und angewandte, Befestigung der Staaten. Für alle diese Theile die gedruckten und ungedruckten Schriften Seiner kais. Hoheit des Durchlauchtigsten Erzherzogs Karl. Kritisches Lesen eines oder einiger Feldzüge. Auch hier später Aufgaben.

Dienst des Generalstabes.

Nothwendigkeit.   Kenntnis des Mechanismus, wie strategische Entwürfe ins Leben gerufen und Armeen bewegt werden.

Methode.   Nach kurzem Vortrage Besichtigung der Kanzleien des General-Quartiermeisterstabes.

Organisation der Armee.

Nothwendigkeit.   Zur Überwachung des guten Zustandes eines so wichtigen Theiles der Stärke des Staates als die Armee ist, und zur Beurtheilung der darüber gemachten Vorschläge.

Methode.   Nach kurzem Vortrage Besichtigung der Kanzleien des General-Commandos, des Hoffkriegsrathes, von mehreren Etablissements Magazinen Bäckereien Gestütten rc.

––––––––

Um den Unterricht eines jeden Zweiges auf die größte Vollkommenheit zu bringen, und doch alle zufolge des unerläßlich bedingten Principes der Einheit zu einem Ganzen mit Harmonie zu verbinden, dürfte es am zweckmäßigsten sein die meisten Abtheilungen, vorzüglich jene wo praktische Erfahrung unumgänglich nöthig ist, besonderen Lehrern zu übergeben, aber das Gesammte des Militär-Unterrichtes unter die Leitung und Aufsicht eines einzigen Individuums zu stellen. Von diesem sollten beim Anfange des ganzen Unterrichtes und vor jenem jedes einzelnen Zweiges die verknüpfenden Einleitungen, welche die Stellung des Speciellen zum Allgemeinen bezeichnen und hervorheben, gehalten werden; hierauf könnte der Vortrag der einzelnen Lehrer nach einem von ersterem entworfenen Programme, worin mit Rücksicht auf das Ganze des Unterrichtes das zu erreichende Ziel, die Ausdehnung und die Methode in dem besonderen Gegenstande scharf festgestellt ist, beginnen. Diese Detail-Programme wäre es zweckmäßig immer erst nach Maßgabe des Fortschreitens des Unterrichtes auszuarbeiten, um sie den jedesmaligen Umständen besser anpassen zu können. Auch bei den einzelnen Vorträgen würde die häufige Gegenwart des leitenden Individuums vortheilhaft sein.

Obwohl in diesem Versuche, einen Weg anzugeben die Aufgabe zu lösen: „Seine kaiserliche Hoheit den Durchlauchtigsten Herrn Erzherzog troß der Beschränkung der Zeit, welche durch andere eben so nöthige Studien entsteht, in den Militär-Wissenschaften umfassend und doch zugleich gründlich und praktisch zu unterrichten", von den gewöhnlichen Methoden abgewichen und statt auf Theorien in Worten und Überredung, mehr auf Anschauung und Selbstbeschäftigung und die dadurch entstehende Überzeugung gebaut wurde, so dürfte doch mehrjährige Erfahrung zwar nicht in der ganzen Gesammtausdehnung und vollkommen gleicher Weise, doch in den einzelnen Zweigen und ähnlicher Art, gegründete Hoffnung zur Erreichung des gewünschten Zieles gestatten.

Wien, am 25. Mai 1843.

Hauslab m. p.
Oberst.

Anmerkung.

An dieses allgemeine Programm schlossen sich dann, wie der Unterricht in den einzelnen Zweigen fortschritt, folgende Einzeln-Programme:

1. Programm über den Unterricht Sr. kais. Hoheit des Durchl. Hrn. Erzherzogs Franz Joseph in den Vorbereitungswissenschaften für das Militärwesen auf den Zeitraum vom 1. Jänner bis zur leßten Hälfte October 1844.
2. Programm für den zweiten Jahrgang des Unterrichtes 2c. in der Taktik.
3. Programm für den dritten Jahrgang 2c. in den militärischen Wissenschaften.
4. Programm für den vierten Jahrgang in den militärischen Wissenschaften.
5. Instruction für den Unterricht in dem Abrichtungs-Reglement der k. k. Infanterie.
6. Programm für den Unterricht Sr. k. H. d. D. Erzherzogs Franz Joseph im Erercier-Reglement der Infanterie.
7. Instruction für den Unterricht im Abrichtungs-Reglement der Cavallerie.
8. Programm über den Unterricht in der Artillerie als Waffengattung.
9. Programm über den Unterricht in den im Kriege angewandten Zweigen der Technik.
10. Programm für den Unterricht in den Pionier-Arbeiten.
11. Programm für den Unterricht in den Sapp-Arbeiten.
12. Programm für den Unterricht in den Mineur-Arbeiten.
13. Programm für den Vorgang des Unterrichtes in der Befestigungs-Kunst.
14. Programm über den Unterricht in der angewandten Taktik.
15. Programm über den Unterricht in der Heeres-Verfassung und dem innern Dienste.
16. Programm über den Unterricht Sr. k. H. d. D. Erzh. Franz Joseph in der Kenntnis des Artillerie-Materials und dessen Erzeugung (Artillerie-Technologie.)

II.
1847.

Nr. 1317.

P.

Alleruntertänigster Vortrag
des
treugehorsamsten küstenländischen Gouverneurs **Franz Grafen v. Stadion**
über die Regulirung des Gemeindewesens in den beiden küstenländischen Kreisen.

Euer Majestät!

Bevor ich die neue Bestimmung antrete die **Euer Majestät** mir anzuweisen geruhten, und die Provinz verlasse deren Leitung Allerhöchstdieselben vor sechs Jahren mir allergnädigst anvertrauten, halte ich mich verpflichtet über die Regulirung des Gemeindewesens in den beiden küstenländischen Kreisen **Eurer Majestät** unmittelbar alleruntertänigste Rechenschaft abzulegen.

Ich sehe diese Regulirung als eine der wichtigsten Angelegenheiten des Landes an, die dasselbe aus dem traurigen Zustande, in dem es sich seit so vielen Jahren befindet, reißen soll und dessen wichtigste Interessen umfaßt. Da ich nun in dieser Angelegenheit und bei Ausführung dieser Maßregel einen Weg eingeschlagen habe den ich zwar für zweckmäßig und vollkommen anstandslos erkenne, der aber bei meinem so plötzlichen Abgehen aus der Provinz nicht jene Gewähr für die Stabilität und die Ausbildung dieses höchst wichtigen Institutes bietet die ich ihm wünschen und zusichern muß, da ich der festen Überzeugung bin nur das Beste des Allerhöchsten Dienstes und des Landes im Auge gehabt und dasselbe angebahnt zu haben, so sehe ich mich in der Lage mich an **Euer Majestät** unmittelbar zu wenden, weil nur in der Allerhöchsten Billigung meines Vorgehens die segenreichen Folgen der Entwicklung des Gemeindewesens gesichert erscheinen.

Diese Regelung der Gemeindeverhältnisse ist nämlich ohne Intervenirung der Landesstelle blos von mir im Einvernehmen mit den Kreishauptleuten und der Kammer-Procuratur ausgegangen und von den Kreisämtern durchgeführt worden. Es ist nicht mehr an der Zeit, ohne Gefährdung dieses hochwichtigen Gegenstandes selbst, die Sache auf den gewöhnlichen Weg zu leiten. Die Behandlung desselben auf dem gewöhnlichen Wege durch die Stellen ohne meine Intervenirung bei den Verhandlungen würde, wie ich glaube, das ganze Institut gefährden, da, wie ich so eben zu erwähnen die ehrfurchtsvolle Freiheit hatte, diese Regelung von mir allein ausging und sie von der Landesstelle, wenn diese auf sich allein beschränkt wäre, nicht leicht gehörig aufgefaßt und gewürdigt werden könnte. Nicht Ein Rath des Gremiums hat bei einem der Kreisämter in der Provinz gedient, nicht Einer hat die Kenntnis der sehr verwickelten Verhältnisse des Landes, der Örtlichkeiten, der Personen aus Selbstanschauung sich erworben, nicht Einer hat auch nur in einer flüchtigen Rundschau sich im Lande umgesehen und die Bedürfnisse, die Verhältnisse des Landes, die Mittel desselben am Orte selbst erschaut und geprüft. Alle ohne Ausnahme kennen das Land blos aus Exhibiten. Bei diesen Verhältnissen wage ich es daher, mit Übergehung des gewöhnlichen im vorliegenden Falle nicht praktischen Weges, die Sache in aller Ehrfurcht **Eurer Majestät** vorzutragen und die Zukunft dieser so wichtigen Landesverbesserung in die geheiligten Hände **Eurer Majestät** unmittelbar zu legen.

Als ich vor sechs Jahren die Leitung des Gouvernements übernahm, hielt ich es
für meine erste Aufgabe das Land kennen zu lernen dem **Euer Majestät** mich als
Gouverneur vorzusetzen geruhten. Dem Gemeindewesen, auf dem so wichtige Interessen beruhen, konnte ich meine Aufmerksamkeit nicht entziehen. Bei der traurigen Lage
aller Gemeindeangelegenheiten hielt ich mich doppelt verpflichtet, diesen Theil der Administration mit besonderer Sorgfalt zu prüfen und auf die Änderung des heillosen
Zustandes derselben Einfluß zu nehmen.

Ich fand allenthalben an der Spitze der Verwaltung der Gemeinden Leute ohne
Ansehen, ohne Einfluß, nicht selten ganz ohne Ahnung ihrer eigentlichen Aufgabe,
überall die den besseren Ständen angehörigen, durch Bildung und Besitz ausgezeich-
netern Männer dem Verwaltungswesen völlig entfremdet. Ich fand die meisten Gemeinden im verwahrlosesten Zustande, ohne Schulen, ohne Vorsorge für arme und hilflose
Kranke. Wo ich solche Anstalten traf, fand ich sie in herabgekommenstem Zustande,
schlecht oder gar nicht geleitet, schlecht verwaltet, die Verwaltung, die Dienstleistung
nicht überwacht. Die Anstalten für sanitätspolizeiliche Zwecke, besonders in Absicht
auf den in Istrien und auf dem Karste so drückenden Mangel an Wasser, im schlechtesten Zustande. Ich fand, daß keine Gemeindeverwaltung in der Kenntnis der eigentlichen Vermögenheiten der Gemeinde war, daß nirgends ein Inventar über selbe bestand, daß sie von Einzelnen ausgebeutet wurden, daß vieles verloren sei, und mehr
noch den Gemeinden zu verlieren bevorstehe, nicht selten alles. Ich sah daß da, wo
noch von einem Gemeindevermögen der Gemeinde etwas zu Gute kam, das Erträgnis
nicht im Verhältnisse stand, gewöhnlich dasselbe als res nullius von den Insassen angesehen, in der Regel ein wahres Raub-System eingeführt war, indem jeder zu nehmen
suchte was er konnte. Die Gemeinde ging über diese Wirthschaft beinahe zu Grunde;
von irgend einem Fortschritte konnte keine Rede sein, und der allgemeine National-
Wohlstand konnte bei diesem Beispiele von schlechter Wirthschaft, Unordnung und
öffentlich zur Schau getragener Unredlichkeit, die kaum mehr der Gemeinde gegenüber
dem Insassen als solche erschien, nicht gedeihen.

Als ich über diesen kläglichen Zustand den Kreis-, Bezirks-Beamten mein Befremden äußerte, ward ich allgemein versichert, daß sich niemand gern bei der Verwaltung
der Gemeinden betheilige, daß man froh sein müsse nur irgend jemand zu finden der
ein Gemeindeamt zu übernehmen sich nicht weigert, und daß man diese Männer mit
der allergrößten Nachsicht behandeln müsse, weil sie jeden Vorwand ergreifen den Dienst
niederzulegen. Die Gemeindeinsassen sprachen sich unverholen gegen mich aus, daß ein
Mann, der nur einigermaßen Einsicht und Ehrgefühl hat, sich unmöglich herbeilassen
kann, einen Dienst zu übernehmen in welchem er bei dem Mangel eines bestimmten
Wirkungskreises und Grundlage der Gemeindeverwaltung nur ungewiß über die sowohl
den Behörden als den Gemeindeinsassen gegenüber einzunehmende Stellung von dem
guten Willen eines jeden noch so untergeordneten Bezirksbeamten, ja oft Dieners und
seiner Laune abhänge, für die Mühewaltung und die unsäglichen Plackereien keinen
Dank, keine Anerkennung, wohl aber Verdächtigungen aller Art und Kränkungen zu
erwarten habe und sich doch keinen Erfolg versprechen könne, da er in den Vorschriften
keinen Leitfaden seines Vorgehens finde, daher nie wisse, ob er bei Einleitungen von
Seite der Behörden Unterstützung finde, ob er werde desavouirt werden, ob etwas in
seinem Wirkungskreise sei oder nicht, von wem und wie es zu veranlassen sei, und ob
er den Insassen gegenüber etwas, und was und wie zu vertreten habe. Nur Eine
Stimme ließ sich darüber hören, daß es höchste Zeit sei, diesen wahrhaft bedauerlichen
Übelständen ein Ende zu machen, daß es, wolle man noch etwas retten und nicht das

meiste verlieren machen, eine unabweisliche Nothwendigkeit sei, schleunigst Ordnung in das Gemeindewesen zu bringen.

Diesen Unordnungen zu steuern und die nöthige Reglung in das Gemeindewesen zu bringen, standen nur zwei Wege offen. Ich konnte die Erlassung eines ausführlichen Gemeindegesetzes beregen und dafür sorgen, daß durch die dazu berufenen Behörden die betreffenden Anträge erstattet und zur Erlangung der Allerhöchsten Sanction vorgelegt werden, oder ich konnte mich darauf beschränken, daß innerhalb der von den Organisirungs-Vorschriften vorgezeichneten Gränzen im administrativen Wege jene näheren Bestimmungen getroffen werden, welche nöthig sind um die Durchführung der vom Gesetzgeber gewollten Gemeinde-Organisirung, die in der höchsten Vorschrift nur in den äußersten Umrissen gezeichnet ist und nur die allgemeinsten Grundzüge zu einer Gemeindeverwaltung enthält, gleichmäßig im Geiste des Gesetzes und mit Rücksicht auf die Verhältnisse der einzelnen Gemeinden zu sichern.

Ich wählte den zweiten Weg. So sehr ich überzeugt war, daß ein detaillirtes Gemeindegesetz allein allen Anforderungen der Zeit und Verhältnisse entsprechen würde und im administrativen Wege so manches minder bestimmt, minder zweckmäßig eingerichtet bleiben müßte, so wie z. B. die Bestimmungen über die Verpflichtung zur Annahme des Gemeindeamtes zu dem man gewählt wird, unter Festsetzung einer Straf-Sanction für den der sich dieser öffentlichen Last zu entziehen sucht, über die Vereinigung der kleinen Gemeinden in Absicht auf die Verwaltung des Vermögens in Hauptgemeinden, über die Aufstellung einer Kreis-Congregation nach dem Beispiele der Gemeindeordnung im lombardisch-venetianischen Königreiche Verbesserungen des Gesetzes zu sein scheinen, die offenbar der Gesetzgeber allein festzusetzen vermag und im Administrations-Wege nicht geeignet surrogirt werden können, so glaubte ich doch die Rücksichten, welche für die schleunige Durchführung der bestehenden Gemeinde-Organisirungs-Vorschriften sprechen, höher stellen zu sollen, als die Vervollkommnung des Gesetzes selbst auf weitwendigem Wege.

Nachdem ich durch wiederholte Bereisung des Landes von allen seinen Verhältnissen Kenntnis erlangt, das Gemeindeverwaltungswesen mit den Kreisämtern, Bezirksvorstehern und den gebildeteren Insassen auf das umständlichste besprochen hatte, und auf diese Weise zur klaren Erkenntnis dessen gekommen war, was nothwendiger Weise und schleunigst verfügt werden muß um Ordnung in dieses Verwaltungswesen zu bringen, ist in mir auch der Entschluß zur Reife gediehen, die nöthigen Verfügungen selbst auf meine eigene Verantwortung hin zu treffen, weil ich von der Landesstelle eine wesentliche Beihülfe in dieser Angelegenheit nicht wohl erwarten konnte, da, wie ich schon oben zu bemerken mir erlaubte, keiner von den Gubernial-Räthen das Land selbst kennt und von seinen Verhältnissen nur so viel weiß als man aus den eingehenden Geschäftsstücken entnehmen kann. Die Landesstelle zu vermögen, daß sie meiner Überzeugung vertrauend das blindlings verfüge was ich ihr als nothwendig darstellen würde, schien mir nicht blos gegen die Würde der Landesstelle und gegen meine eigene zu verstoßen, ich hielt es sogar für pflichtwidrig, ihr nebst meiner Überzeugung auch noch die Verantwortung dafür aufzudringen. Hätte aber die Landesstelle den Muth nicht gehabt meiner Überzeugung zu folgen, hätte sie, um sich vor Verantwortung zu verwahren, den Gegenstand gleich jedem andern Geschäftsstücke behandelt wissen und sich, um in einer Angelegenheit, von der sie nicht aus eigener Wahrnehmung und Anschauung sondern nur aus den Acten urtheilen konnte, völlig sicher zu gehen, die höhere Sanction erbitten wollen, so hätte ich mich selbst von dem Vorwurfe nicht lossprechen können, die dringend nöthige Abhülfe blos zu meiner Bequemlichkeit in's unbestimmte hinaus verzögert, die Wohlfahrt des Landes dem formellen Geschäftsgange geopfert zu haben, blos aus Scheu die Verantwortlichkeit für das was geschehen soll allein zu übernehmen.

Mit Rücksicht auf die in den verschiedenen Theilen der Provinz bestandenen Einrichtungen: als der sogenannten Neun-Männer und giudici della banca in den ehemals zu Krain gehörigen Gemeinden, denen die Gemeindeverwaltung anvertraut war und die unter der österreichischen Regierung bis zur Abtretung an Frankreich bestanden, von diesem aufgehoben und dann nicht wieder eingeführt wurden, der in den ehemals venetianischen Gemeinden bestandenen Stadträthe, der in einigen Gemeinden des Karstes noch factisch bestandenen Versammlung der Ältesten zur Führung der Gemeindegeschäfte und der bei allen Wahlen und den bedeutenderen Gemeindegeschäften factisch bestandenen sogenannten Vicinien, die ohne vom Gesetze anerkannt zu sein trotz ihrer demokratischen Form und ihres tumultuarischen Vorganges in größerem oder geringerem Umfange überall in Übung waren und die Leitung der Geschäfte dem schreienden Haufen der Proletarier zuwiesen und die gebildeteren und einflußreicheren Insassen davon entfernten, kurz mit Rücksicht auf die bestandenen und bestehenden Einrichtungen glaubte ich die Durchführung der Vorschriften des Gesetzes, die Organisirung der Gemeinden betreffend, einleiten zu sollen.

Nach der gedruckten Organisirungs-Verordnung vom 13. September 1814 hat jede Gemeinde das Recht, ihr eigenes Vermögen selbst durch ihre Organe zu verwalten. An der Spitze der Gemeindeverwaltung steht der von der politischen Behörde ernannte Gemeinderichter, welchem zwei Ausschußmänner beigegeben werden, die von der Gemeinde erwählt werden und berufen sind die Gemeinde zu vertreten und nach der erläuternden Organisirungs-Verordnung vom 22. November 1814 das Recht haben im Namen der Gemeinde zu reden.

Innerhalb dieser vom Gesetze vorgezeichneten Gränzen war es demnach meine Aufgabe zu bestimmen, wie die Gemeinde ihre Ausschüße zu wählen habe, ferner wie die letzteren in die Lage zu versetzen seien, die Gemeinde zu vertreten und den Behörden die Beruhigung zu gewähren, daß sich die Gemeindeausschüße wirklich dem Willen der Gemeinde gemäß aussprechen, dann zu bestimmen, wem und wie die von der Behörde und der Gemeinde bestellten Verwalter des Gemeindevermögens Rechenschaft über ihre Gebahrung abzulegen haben, endlich den Wirkungskreis derselben genau zu bezeichnen und zu bestimmen, in welchen Angelegenheiten sie im Namen der Gemeinde zu sprechen und zu handeln haben. Die Erlassung dieser Detailbestimmungen hat der Gesetzgeber höchst weise den Behörden des Landes selbst überlassen, weil hiezu eine genaue Kenntnis der eigenthümlichen Verhältnisse des Landes erfordert wird, die man nur durch eigene Anschauung, durch unmittelbaren Verkehr mit dem Volke erlangen kann.

Weil die Landesbehörden es unterließen durch bündige dem Zwecke und den Landesverhältnissen angemessene Bestimmungen die durch das Gesetz bezielte ordentliche Verwaltung des Gemeindewesens sicher zu stellen, ist dieser höchst wichtige Zweig der Verwaltung verwahrlost worden, und an die Stelle der Ordnung und eines die Wohlfahrt der Gemeinden bezweckenden Fortganges der Administration Unwissenheit Willkühr und Sorglosigkeit getreten, der Gemeindesinn erstickt worden. Das Versäumte nachzuholen stellte ich mir als von der Pflicht gebotene Aufgabe, wie ich dies in meinem Erlasse an die Kreisämter vom 31. März 1845 Z. 920 dargestellt und den Gesichtspunkt auseinandergesetzt habe, aus dem ich diesen Gegenstand zu behandeln glaubte.

Dem Gesetze und den Grundsätzen, die sich mir bei dem Überblicke der besonderen Verhältnisse des Landes und ihrer Würdigung im Geiste des Gesetzes von selbst aufdrangen, folgend habe ich im Einvernehmen mit der k. k. küstenländischen Kammer-Procuratur, den verständigeren Gemeinde- und Bezirks-Vorstehern und den Kreisämtern die Instruction für die Gemeindeverwaltung verfaßt und die Kreisämter angewiesen, in jeder einzelnen Gemeinde nach der Steuerschuldigkeit eines jeden Infassen die Eintheilung der Gemeindeglieder in die verschiedenen Classen zu bestimmen, sich über die Anzahl der von ihnen zu wählenden Abgeordneten und Ersatzmänner auszusprechen, darnach für jede einzelne Gemeinde die in der Instruction offen gelassenen Stellen auszufüllen und dann zur Vollziehung der in derselben enthaltenen Verfügungen zu schreiten. Dieser für eine Gemeinde ordnungsmäßig ausgefüllten Instruction erlaube ich mir die allerunterthänigste Bemerkung beizufügen, daß ich keine Verlautbarung erließ und alles vermied was dieser Instruction das Ansehen einer neuen Einrichtung hätte geben können, während sie nichts als die Vollzugssetzung des schon bestehenden Gesetzes bezwecken wollte. Die Einführung dieser besseren Ordnung in den Gemeinden überließ ich den Kreisämtern als der in Gemeindesachen vom Gesetze berufenen Obervormundschaftsbehörde.

Welch' ein dringendes Bedürfnis diese Regulirung des Gemeindewesens war, beweist die allenthalben dadurch erzeugte Zufriedenheit; und daß die Bestimmungen der Instruction, besonders die Sicherstellung der Gemeinde-Interessen vor dem Pöbel-Regiment durch das der geringeren Anzahl der höher Besteuerten zugewendete Übergewicht über den großen Haufen der mindest Besteuerten, den Verhältnissen des Landes angemessen seien, beweist der Umstand, daß ihre Einführung nirgends auf Anstände stieß, nirgends Anlaß zu einem Zweifel, zu einer Beschwerde gab, und bisher auch nicht Ein Recurs bei der Landesstelle vorkam.

Ferner erschien mir eine Vorschrift nothwendig, in welcher der formelle Gang der Berathungen zur Erzielung eines gleichförmigen Vorganges in den verschiedenen Gemeinden vorgezeichnet und der Wirkungskreis so genau und bestimmt als möglich angedeutet ist, inner welchem sich der Gemeinderath zu bewegen hat, daß jedem Übergriffe, jeder Excursion auf ein ihm fremdes Feld gleich von vornhinein begegnet werde.

Geruhen Euer Majestät diese allerunterthänigste Rechenschaftsablegung über die von mir zur Regulirung des Gemeindewesens im Küstenlande getroffenen Verfügungen allergnädigst zur Nachricht zu nehmen.

Euer Majestät
treugehorsamster
Franz Graf Stadion m/p.

Trieft, am 26 April 1847.

III.

1848 Juli — August.

a) Graf Franz Stadion an Fürst Alfred Windischgrätz.

Durchlauchtig hochgeborner Fürst!

Der Kaiser hat den Völkern Concessionen gemacht. Warum und unter welchen Umständen ist nicht an mir zu untersuchen. Sie sind gemacht und von diesem Augenblicke Weihgut des Kaisers, Eigenthum des Volkes, heilig wie jedes andere Eigenthum. Dieses Eigenthum anzugreifen, es zu beschränken, hielte ich für das größte Unrecht. Ich darf und kann nicht zugeben, daß der Kaiser seinen Völkern lügt, ich werde nie der Ansicht sein, daß man ein den Völkern gegebenes kaiserliche Geschenk antaste. Wer das dem Kaiser riethe, träte des Kaisers Ehre nahe; wer es unternimmt das Recht des Volkes anzugreifen, begeht ein Unrecht wie der der wissentlich fremdes Eigenthum sich aneignet oder zerstört. Die Reaction halte ich deßhalb für Unrecht und unehrlich, und nie werde ich mich zu irgend einem Schritte bewegen oder bringen lassen, in dem die Tendenz zu irgend einer Reaction liegen könnte. Wenn ich nun in dieser Beziehung auch glaube, daß ich mit Eurer Durchlaucht ganz gleich gesinnt bin und Hochdieselben einer Reaction nie das Wort reden werden, so habe ich mit dieser kurzen Zusammenstellung beginnen wollen, um darauf zu kommen, daß bei den von Seiner Majestät gegebenen Rechten respective Befugnissen die Mittel nicht mehr ganz frei sind, deren man sich bedienen kann um Dasjenige durchzusetzen was im Interesse des Volkes zu sein erkannt wird, und daß nach meiner sehr bestimmten Ansicht der Rechtsboden nicht verlassen werden darf, der seit den Concessionen des Kaisers ein ganz anderer ist als früher, der Rechtsboden, der allein einen festen dauernden Boden geben kann für die Zukunft. Würde ich in der Lage sein mich von Wien zu entfernen und Eure Durchlaucht mündlich zu sprechen, würde ich in dieser Richtung mich äußern, und da ich absolut mich von Wien ohne plausiblen Grund nicht entfernen kann, da wir bei 24stündiger Abwesenheit einen Urlaub vom Präsidenten begehren müssen, der den ertheilten Urlaub und den Grund desselben dem Reichstage mitzutheilen hat, so nehme ich mir die Freiheit, Eurer Durchlaucht schriftlich mein Bedauern auszudrücken, daß ich während der Dauer des Reichstags Hochdenselben meine Aufwartung nicht machen kann.

Genehmigen Eure Durchlaucht den Ausdruck der ausgezeichnetsten Hochachtung mit der ich die Ehre habe zu sein

Eurer Durchlaucht
ergebenster Diener

Wien, den 30. Juli 1848. **Stadion** m./p.

b) Fürst Alfred Windischgrätz an Graf Franz Stadion (Concept).

An Grafen Franz **Stadion**
   am 2. August 1848.

       Hochgeborner Graf!

Wenn eine moralische Abhandlung gehalten werden will über das was das strenge Recht fordert, so dürfte man vorerst die Frage stellen bezüglich der Geschenke des Kaisers an seine Völker, welche Geschenke waren sein Eigenthum, denn fremdes Eigenthum kann man nicht verschenken, und trotz aller Gewalt kann jenes nicht als Eigenthum des Volkes betrachtet werden, was des Kaisers Eigenthum nicht war. In dieser Frage will ich on detail nicht eingehen, denn es würde viel zu weit führen, wenn auch man sagen muß, daß bei Behandlung des Gegenstandes unter der Firma des strengen Rechtes sich darüber sehr viel sagen läßt. Die Rechte und das Eigenthum jedes Einzelnen sind eben so heilig, als die mit Gewalt errungenen des Volkes es sein können. Der Rechtsboden auf dem wir uns befinden, ist daher zum wenigsten relativ in seinen Begriffen. Diese Zeilen sollen jedoch nur gelten als Erwiederung auf den Eingang Eurer Excellenz geehrten Schreibens.

Man spricht so viel von beabsichtigter Reaction. Wer sind die Reactionärs? Nicht ich oder andere Organe der Regierung, sondern Jene, die ihre Forderungen so weit treiben, daß sie auf einer Basis wie die von ihnen aufgestellte etwas nützliches und haltbares zu schaffen unmöglich machen.

Auf diesem Punkt stehen wir heute nach meiner Ansicht; und es erscheint daher unerläßlich, auf legalem Wege eine bessere Stellung zu gewinnen. Diese ist zu finden, wenn das Ministerium nicht entspricht, durch Bildung eines anderen, wenn der Reichs= tag, wie er sich zeigt, nach einer gewissen Zeit nichts zu schaffen vermag, durch Auf= lösung desselben. Über alles was hieraus entstehen kann, über die Behandlung des Gegenstandes, der wahrlich für die Monarchie und die Dynastie eine Lebensfrage ist, hätte ich sehr gewünscht mich mit Eurer Excellenz zu besprechen; ich bedauere wahrlich daß es nicht thunlich ist, und bedauere noch mehr daß wir uns nicht verstehen dürften. Über das was als Recht oder Unrecht erscheint, wird wohl keiner von uns beiden vom anderen eine nähere Auseinandersetzung benöthigen.

IV.
1848 24. August.
Rede des Abgeordneten für Tachau über den Kudlich'schen Antrag.

(Zur Erleichterung des Verständnisses dürfte es nöthig sein einiges vorauszu= schicken. In der Sitzung des constituirenden Reichstages vom 26. Juli wurde u. a. ein Antrag des Abgeordneten für Bennisch in Schlesien, Hans Kudlich, verlesen, also lautend:

> Von nun an ist das Unterthänigkeits=Verhältnis sammt allen daraus entsprungenen Rechten und Pflichten aufgehoben, vor= behaltlich der Bestimmungen ob und wie eine Entschädigung zu leisten sei.

Die Rede, womit Kudlich seinen Antrag geschäftsordnungsmäßig begründete, wurde mit wiederholtem lebhaften Beifall aufgenommen, und als darnach der Präsident die Unterstützungsfrage stellte, erhoben sich alle Abgeordneten von ihren Sitzen. Auf die weitere Frage des Vorsitzenden, wie die Angelegenheit zu behandeln sei, wußten es die Parteigenossen des Antragstellers durchzusetzen daß dieselbe nicht erst an die Abtheilun= gen verwiesen, sondern unmittelbar in Vollberathung genommen werde. Daraus ent= stand nun heillose Verwirrung. Einerseits die allgemeine Fassung des Kudlich'schen Antrags, anderseits die von Provinz zu Provinz sich offenbarenden Verschiedenheiten des Gegenstandes den er betraf, hatten zur Folge, daß sogleich Zusatz=, Verbesserungs=, Abänderungs=Anträge eingebracht wurden, deren von Tag zu Tag mehrere auftauchten. Hans Kudlich, ein blutjunger Mensch der eben erst seine Studien vollendet, hatte sich Umfang und Tragweite seines Vorschlags so wenig überdacht und wurde über die Jagd von Amendements, die derselbe in seinem Gefolge hatte, derart stutzig, daß er einige Tage später zu seinem eigenen Antrag selbst einen in fünf Punkte gegliederten „verbesserten Antrag" einbrachte und es nun durchsetzen wollte daß dieser sein zweiter Antrag sogleich in Vollberathung genommen werde, worüber es am 8. August eine sehr unerquickliche Debatte gab. Kudlich und seine Partei drangen mit ihrem Be= gehren nicht durch und die Einbringung von Amendements von andern Abgeordneten, so wie die geschäftsordnungsmäßige Begründung derselben durch die Antragsteller nahm ihren Fortgang. In der Sitzung vom 11. August, als sich eben der Abgeordnete für Tachau zur Begründung seines Amendements, es war bereits das 39. in der Reihe, erhob, begehrte Kudlich das Wort und wollte einen neuerlichen Vorschlag machen wie man die Verhandlung abkürzen könnte. Helfert aber bestand auf seinem Rechte und der Vice=Präsident Strobach ertheilte ihm das Wort. Seine Rede wurde mit eben so viel Beifall von der Rechten und aus dem Centrum aufgenommen, als sie die andere Seite mit Zischen, Zeichen des Misfallens und dem wiederholten Ruf „Zur Sache" begleitete, obgleich dies letztere nur Stellen betraf, wo sich der Redner über Aeußerungen früherer Redner, welche die Linke nicht „zur Sache" gerufen, hatte auslaßen wollen. In der darauffolgenden Sitzung vom 12. August brachte Kudlich, diesmal im Verein mit Löhner Baccano Hein Umlauft u. a., einen abermaligen Verbeßerungs=Antrag ein, durch den, wie er und seine Genoßen meinten, alle vorausgegangenen Amendements überflüssig werden sollten. Es half aber wieder nichts; die Abgeordneten, die ihre Verbeßerungs=Vorschläge noch nicht hatten begründen können, beriefen sich auf die Geschäftsordnung und mußten gehört werden. Endlich war man bei dem letzten der eingebrachten Amendements angelangt; es waren ihrer — die zahlreichen von ihren Urhebern wieder zurückgezogenen oder von der Versammlung nicht hinreichend unterstützten gar nicht mitgerechnet — nicht weniger als sechzig, darunter ziemlich umfangreiche, kleine Gesetze von einem Dutzend Paragraphen und auch wohl darüber. Für die eigentliche Vollberathung — denn alles vorangegangene galt nur der Einbringung und Begründung von Anträgen — hatten sich zwanzig Redner einschreiben laßen, deren Reigen noch in derselben Sitzung Dr. Eberhard Jonák, Abgeordneter für Brandeis a. d. E., eröffnete. Über den Grundsatz, das Unterthänigkeits=Verhältnis aufzuheben, war alles einverstanden; die Meinungsverschiedenheit bezog sich nur auf die Fragen: was als im Unterthänigkeits=Verhältniße inbegriffen anzunehmen, und: wie die Aufhebung deßelben durchzuführen sei. In letzterer Hinsicht spitzte sich die Verhandlung bald auf die Entschädigungs=Frage zu, die Kudlich in seinem ersten, in seinem zweiten und in seinem dritten Antrage blos als eine „etwaige" hingestellt hatte. Für die Entschädigung sprachen die Redner von der böhmischen Rechten ohne Ausnahme: Jonák Trojan Havelka Brauner Klaudi, die meisten Polen im Frack: Dylewski Smolka Lubomirski, die Tyroler: Gredler Ingram Laßer, auch Männer von ausgesprochen liberaler Farbe wie Wiser Szabel Borrosch Peitler; gegen die Entschädigung galizische und oberösterreichische „Grundwirthe" d. h. in der Regel Bauern: Kapuszczak, Mathias Brandl, Michael Popiel, dann die äußersten Linken: Violand Umlauft Bittner Goriup u. a. In der Sitzung vom 24. traten für und wider auf: Lubomirski Trzecieski Kautschitsch; der Abgeordnete Musil verzichtete auf das Wort — Beifall — und nun kam an die Reihe :)

Helfert. Meine Herren, wenn ich neulich nicht das Unglück gehabt hätte in meiner Rede öfter unterbrochen zu werden, würde ich Ihnen heute nicht mit der Bitte zu Last fallen mich nochmals anzuhören. Man hat damals gesagt, es gehöre nicht zur Sache, heute gehört es zur Sache und ich werde auf diesem meinen guten Rechte bestehen. Ich werde ferner darauf bestehen, daß, wenn die Worte gewißer Herren Redner vor mir angehört und folglich als zur Sache gehörig angenommen worden sind, auch meine Worte, wodurch ich jenen entgegnen will, angehört und als zur Sache gehörig angenommen werden müßen. Meine Herren, ich beharre auf meinem Antrage, ich beharre also erstens darauf, daß diese hohe Versammlung in Bezug auf dasjenige, was sogleich aufgehoben werden soll, sich beschränke auf diejenigen Rechte und Verbindlichkeiten, welche aus dem Unterthansverhältniße als solchem entspringen. (Ein Bravo.) Wenn ein verehrtes Mitglied [1]) nicht weiß welche Rechte aus dem Unterthansverhältnis als solchem entspringen, wenn es mich nicht verstanden hat was ich damit gemeint und nicht gemeint habe, so ist das nicht meine Schuld; ich muß da-

---

[1]) Löhner (Saaz) 19. August.

gegen offen erklären, daß ich jenes verehrte Mitglied auch nicht verstanden habe rück=
sichtlich der Theorie die es aufgestellt hat. Was ich nicht verstehe, davon pflege ich
nicht zu sprechen. Erwarten Sie daher nicht von mir, meine Herren, daß ich etwas
sagen werde von der Theorie des Staates als Assecuranz=Gesellschaft, weil ich in die
Tiefe dieser Theorie noch nicht gedrungen bin; erwarten Sie nicht von mir, meine
Herren, daß ich etwas sagen werde von der Auffassung dieser Reichsversammlung als
Jury, denn eine gesetzgebende Jury ist etwas was über den Bereich meines
Wissens hinausgeht.

Ich beharre ferner darauf, daß die Bestimmung: „Die Unterthansverhältnisse mit
allen daraus entspringenden Rechten und Verbindlichkeiten haben aufzuhören" — nur
in der Form eines Gesetzes aus unserer Mitte hervorgehen kann. Ein verehrliches
Mitglied dieses Hauses [2] hat uns zugerufen: Wir sollen uns frei machen vom Gän=
gelbande der Geschäftsordnung. Meine Herren, diesen Ausdruck muß ich mit Ent=
schiedenheit zurückweisen. Wir sind nicht unmündige Kinder die eines Gängelbandes
bedürfen (ein Bravo); wir sind freie Männer, die keinen Schritt thun der nicht auf
der gesetzlichen Bahn wäre (ein Bravo). Einem freien Volke muß das Gesetz über
alles heilig sein, denn ein freies Volk kennt nichts über sich als das Gesetz, und wir,
die Vertreter des freien Volkes, sollten ein Gesetz das uns bindet für ein Gängelband
erklären? Wollen wir meine Herren dem Krebs in der Fabel gleichen, der seinen
Jungen den Rath gibt vorwärts zu kriechen, während er selbst, der Krebs Vater, nach
rückwärts kriecht? (Heiterkeit.)

Der 3. Punkt über welchen ich mich weiter einlassen muß, betrifft die Entschädi=
gungsfrage. Die Entschädigungsfrage zerfällt in drei Unterfragen, in die Frage: ob?
in die Frage: wie? und in die Frage: von wem?

In Bezug auf die Frage ob theilen sich die Herren Redner vor mir und überhaupt
die verehrlichen Mitglieder dieses Hauses in zwei Classen, die wir kurz die Entschädi=
ger und die Nichtentschädiger nennen können. Ich gehöre bekanntlich zur ersteren Classe,
ich gehöre also unter diejenigen Leute deren Kopf, wie ein Herr Redner vor mir [3] gesagt
hat, nicht mehr werth ist als die Anatomie dafür bezahlt. (Heiterkeit.) Nun meine
Herren, ich bin genügsam, ich bescheide mich und bin froh, wenn ich nur nicht unter
jene Leute gehöre, deren Kopf nicht einmal so viel werth ist als die Anatomie
dafür bezahlt. (Gelächter.)

Abg. Borrosch. Wollen entschuldigen! Jener Redner hat das auf sich be=
zogen und auf seine Partei (Ruf: Nein! Zischen). (Das stenographische Protokoll zur
Hand nehmend:) Ja wohl, ich bitte es nur zu lesen.

Abg. Helfert. Es ist hier bereits von mehreren Herren Rednern die Heiligkeit
des Eigenthums angerufen worden; ich glaube, das verehrliche Mitglied für Kutten=
berg [4] war es zuerst das auf diesen Punkt hingewiesen hat. In einer andern Sitzung
hat das verehrliche Mitglied für Caslau [5] mit schlagender Schärfe hervorgehoben, daß
es sich bei unserer Frage um ein Doppeltes handle: um ein persönliches und um ein
sachliches Element, daß das persönliche Element in das verwerfliche Capitel der Leib=
eigenschaft, das sachliche Element hingegen in das unantastbare Capitel des Eigenthums

---

[2] Schuselka (Perchtoldsdorf) 16. August.
[3] Med. Dr. Johann Bittner (Hohenstadt, Mähren) 16. August.
[4] Klaudi 19. August.
[5] Havelka 18. August.

gehört. Nach ihm ist ein Herr Redner[6]) gekommen welcher gesagt hat, „es sei zwar in dieser Versammlung schon oft behauptet worden, es handle sich im gegenwärtigen Falle um das Eigenthum, aber man sei den Beweis schuldig geblieben." Nun, meine Herren, wer nicht sehen will, der hat seine Ursachen warum er nicht sehen will, und des Menschen Wille ist sein Himmelreich. Ich kann daher nur an diejenigen Herren sprechen die sehen wollen. Wir haben in derselben Sitzung sehr viel vom bürger= lichen Gesetzbuche verdauen müssen, man hat uns eine Menge gesagt was darin steht und was nicht darin steht, wessen sich das bürgerliche Gesetzbuch geschämt haben soll es hineinzusetzen. Nun ich will Sie auf etwas viel praktischeres aufmerksam machen als das bürgerliche Gesetzbuch ist, ich verweise Sie, meine Herren (das heißt diejenigen welche sehen wollen), auf die Landtafel, auf die Stadt= und Grundbücher, auf jeden bücherlichen Extract, sehen Sie jede Urkunde an, die über irgend ein Grundstück ge= schlossen wird, die irgend ein unbewegliches Gut, sei es Dominical oder Rustical, be= trifft, und dann läugnen Sie daß es sich hier um Eigenthum handle. Man hat uns gesagt, die obrigkeitlichen Forderungen rühren aus der Zeit des Faustrechtes, oder viel= mehr des Faustun rechtes her; ja! Man hat uns gesagt, die bäuerlichen Giebigkeiten verdanken ihren Ursprung einem Schutze, welcher in den gegenwärtigen Verhältnissen dasteht wie ein Ofen im Sommer; ja! Man hat uns gesagt, die bäuerlichen Lasten seien Überreste einer Leibeigenschaft, die sich mit einem freien Staate nicht mehr ver= tragen. Ja! ja! und nochmals ja! Aber folgt daraus irgend etwas für die gegen= wärtigen Verhältnisse? Nein! Folgt daraus etwas für den gegenwärtigen Besitzer eines Dominical=Grundstückes, das derselbe mit Berücksichtigung dieser obrigkeitlichen Forde= rungen qua Rechte gekauft hat? Nein! Folgt daraus etwas für die gegenwärtigen Besitzer der bäuerlichen Grundstücke, die ihre Grundstücke gekauft oder mit Privatrechts= Titeln übernommen · haben nach Abschlag der darauf haftenden Lasten? Nein! nein! und abermals nein! Oder will man den gegenwärtigen Besitzer eines Dominical= Grundstückes bestrafen für dasjenige, was vor vielen hundert Jahren die vermoderten Ahnen, die vielleicht nicht einmal s e i n e Ahnen waren, begangen haben? Oder will man den gegenwärtigen Besitzer eines Rustical=Grundstückes belohnen für dasjenige, was vor vielen hundert Jahren seine Väter, die vielleicht nicht einmal s e i n e Väter waren, erlitten haben? Ich sehe sehr wohl ein, daß man in einem freien Staate den Gutsherrn derjenigen Befugnisse für verlustig erklären müsse, deren Gebrauch, wie dies eine stetige Erfahrung bewiesen hat, nur zu leicht in Misbrauch ausartet; daß man ihn aber dieser Rechte, die er unter einem Privatrechts=Titel übernommen und welche er o h n e s e i n e Schuld vorgefunden hat, daß man ihn dieser Rechte ohne alle Ent= schädigung für verlustig erklären müßte, das sehe ich nicht ein. Ich sehe sehr wohl ein, daß man den Besitzer eines bäuerlichen Grundstückes derjenigen Lasten, welche der freien Bewirthschaftung seiner Gründe im Wege stehen, entheben müsse; daß man aber diesem bäuerlichen Grundbesitzer ein Geschenk machen müsse, ein Geschenk, welches im Jahre 1789 in Frankreich auf 133 Millionen berechnet worden ist, das, meine Herren, sehe ich wieder nicht ein. Ich bin aber bisher von der Voraussetzung ausgegangen, als ob wir schenken k ö n n t e n. Das ist aber gar nicht wahr! Wir von unserem Standpunkte aus können die Frage „ob" gar nicht aufwerfen. Wir m ü s s e n uns für die Entschädigung aussprechen, weil es nicht unser Eigenthum ist um das es sich handelt. Meine Herren! das wäre ein sehr wohlfeiler Liberalismus, etwas wegzuschenken was eines Anderen Eigenthum ist. (Beifall und Zischen.) Die Gutsherren können schen=

---

[6]) Anton G o r i u p, Bezirks=Commissär (Tolmein, Illyrien) 18. August.

ken, weil es ihr Eigenthum ist worum es sich handelt. (Beifall, wie oben.) Die feu=
dalen Landtage können schenken, weil auf ihnen die Gutsherren als solche vertreten
sind. Wir aber, die hohe Reichs=Versammlung, zusammengesetzt nicht nach gewissen
Stände=Classen, sondern aus dem gesammten Volke hervorgegangen, wir können nicht
schenken, wir können nicht Gnaden austheilen; wir können nur sprechen was Recht
und Billigkeit ist.

Ein verehrter Redner vor mir [7]) hat das Ansinnen, daß die Reichsversammlung
die Robot ohne Entschädigung aufheben solle, mit einem etwas harten Ausdrucke als
Diebstahl, als Raub bezeichnet. Dieser Redner hat eine bittere Wahrheit gesagt,
aber immer eine Wahrheit. Wenn ich etwas nehme was nicht mir gehört, so ist
das Diebstahl, und es hört nicht auf Diebstahl zu sein, wenn ich das Genommene nicht
für mich behalte, sondern einem Anderen zuweise. Es wäre dies eine neue Auflage
von der Geschichte des heil. Crispin, von dem die Legende erzählt, daß er den reichen
Leuten das Leder gestohlen habe um den armen Leuten Schuhe daraus zu machen. Das
Leder, worum es sich hier handelt, sind die obrigkeitlichen Forderungen; dieses Leder
beabsichtigt man den Gutsherren zu nehmen um den Bauern Schuhe daraus zu machen.

(Der Redner wird durch heftige Aufregung der Versammlung, durch Zischen von
der einen und Händeklatschen von der anderen Seite unterbrochen. Vielstimmiger Ruf:
„Zur Ordnung! — Der Redner soll zur Ordnung gewiesen werden.")

Kudlich. Ich fordere den Herrn Präsidenten auf den Redner zur Ordnung zu
weisen, weil er der Versammlung zumuthet sie könne im Stande sein einen Diebstahl
zu begehen.

(Mehrere bäuerliche Abgeordnete von der Linken springen von ihren Sitzen, ballen
die Fäuste gegen den Redner und scheinen gegen die Bühne stürmen zu wollen um ihn
herunter zu reißen. Der Präsident ruft: „Ich erkläre die Sitzung für unterbrochen",
was aber im Tumult nicht vernommen wird.)

Ein bäuerlicher Abgeordneter: Den Bauern hat man das Leder gestohlen.

Eine Stimme: Sind wir Diebe hier?

(Nachdem es einigen besonneneren Abgeordneten gelungen, die Bauern wieder auf
ihre Sitze zu bringen, und die Ruhe durch wiederholtes Gebrauchen der Glocke von
Seite des Präsidenten etwas wieder hergestellt, sagt der)

Präsident. Ich erlaube mir zu bemerken, daß ich nicht einsehe warum ein
Ordnungsruf stattfinden solle; es findet blos eine Citation eines früheren Redners statt.
Ich finde darin keine Persönlichkeit, und halte mich nicht befugt zur Ordnung zu
rufen. (Zischen und Beifall.)

Helfert. Da mich bereits der Herr Präsident vertheidigt hat, halte ich es nicht
erst für nöthig mich selbst zu vertheidigen. Ich habe mich darauf berufen, was von
einem anderen Herrn Redner gesagt wurde. Ich glaube, die hohe Reichsversammlung
kann Wahrheit anhören, wenn sie auch in eine etwas bittere Schale gehüllt sein sollte,
und ich frage nur, ob die Versammlung schon so souverain ist, daß man ihr nur
Schmeicheleien sagen darf! Ich habe mich auf das Recht berufen, ich habe damit nicht,
wie ein verehrtes Mitglied unverkennbar auf mich angespielt hat, in die juridischen
Explicationen geschaut, nicht das Schulpferd geritten, ich habe nicht jenes trockene pe=
dantische Paragraphen=Recht gemeint, obgleich ich selbst Professor des pedantisch'sten
aller Juristen=Rechte bin; ich habe jenes ewige lebendige natürliche Recht gemeint, das

---

[7]) Grebler (Schwaz, Tyrol) 16. August.

in jedes Menschen Brust liegt, und von diesem Rechte habe ich gesagt, es müsse mit der Freiheit Hand in Hand gehen.

Nun sollte ich zwar neulich belehrt werden [8]), Recht und Freiheit seien eins und dasselbe; ich muß aber gestehen, daß ich wenigstens in dieser Beziehung ein ungelehriger Schüler bin. Wir dürfen uns keine Täuschung machen, es gibt eine Freiheit ohne Recht — das ist die **Willkühr**! Und wohin kommen wir, wenn wir den Weg der Willkühr betreten und, wie ein Herr Redner vor mir [9]) schon trefflich hingewiesen hat, consequent auf diesem Wege fortfahren? Heute nehmen wir den Gutsherren ihre angekauften Rechte ohne Entschädigung, „car tel est notre plaisir"; morgen nehmen wir den Kirchen und Klöstern die Güter die ihnen von frommen Stiftern hinterlassen worden sind, „car tel est notre plaisir"; übermorgen nehmen wir den spießbürgerlichen Gemeinden die Güter die mit dem Schweiße ihrer Ahnen gekauft, car tel est notre plaisir"; über-übermorgen legen wir den Schätzen der Reichen, wie es schon in Frankreich versucht wurde, eine Milliarde Sondersteuer auf, „car tel est notre plaisir" (Eine Stimme: wir sind Deutsche), „es macht uns Vergnügen", „denn so ist's uns gefällig"; am fünften Tage bringt ein neuer Gracchus ein neues agrarisches Gesetz und es geht in der Versammlung durch, „denn so ist es uns gefällig"; am sechsten Tage werfen wir den übrigen Plunder auch noch zusammen, und so können dann am siebenten Tage, wie Gott nach seinem sechstägigen Schöpfungswerke, wir nach unserem sechstägigen Zerstörungswerke ausruhen, — ausruhen wie Marius auf den Trümmern von Carthago. (Beifall.)

Ich komme zur Frage: Wie? und habe hierüber nur zwei kurze Bemerkungen: Erstens spreche ich es noch einmal aus, daß ich vollkommen die Ansicht theile, es gebe gewisse Lasten die unbedingt und ohne alle Entschädigung aufzuhören haben, nämlich die auf keinem Rechte begründet sind, oder auf solchen Rechten die unser Zeitalter nicht mehr anerkennen kann. Ich glaube, das verehrte Mitglied für Bozen [10]) war es, welches hierüber drei treffliche Grundsätze aufgestellt hat, die ich nicht erst wiederholen will und auf die ich mich einfach berufe.

Was nun aber für die andern, die nicht in jene Kategorie gehören, das Maß der Entschädigung betrifft, so spreche ich mich für eine billigste und für eine solche Entschädigung aus, die den Landmann auf möglichst wenig empfindliche Art trifft. Der Vorwurf des verehrten Mitglieds von Korneuburg [11]), als ob diejenigen, welche das Princip der Gerechtigkeit in einer möglichst billigen Entschädigung aufrecht zu erhalten suchen, gerade dies Princip verstoßen, trifft nicht. Wer da weiß, wie an einem Robot-Tage gearbeitet wird, muß zugeben, daß ein solcher Robot-Tag bei weitem nicht einem andern Arbeitstage zu vergleichen und in gleichem Preise anzuschlagen ist. Wer ferner bedenkt, daß mit den obrigkeitlichen Rechten auch die obrigkeitlichen Pflichten aufhören, daß folglich diese gleichfalls, wenn man nach beiden Seiten gerecht sein will, in die Entschädigung eingerechnet werden müssen, der wird in der That gestehen müssen, daß ein solcher Robot-Tag nach seinem reellen Werthe nicht einen Gulden, sondern nur ein paar Kreuzer werth ist. Die billigste Entschädigung ist also gerade die **allein gerechte** Entschädigung. (Beifall.)

---

[8]) **Umlauft** (Leitmeritz) 17. August.
[9]) **Lasser** (Werfen) 23. August.
[10]) **Ingram**, 18. August.
[11]) **Violand**, 16. August.

Ich komme zur 3. Frage, von wem die Entschädigung geleistet werden
soll? Ich will vorher bemerken, daß ich nur über diejenigen Verhältnisse sprechen
will, die ich aus eigener Anschauung und näher kenne, nämlich nur über jene meines
besonderen Vaterlandes Böhmen, und daß ich das, was ich hierüber sagen werde, auf
andere Provinzen nicht bezogen wissen will. Überhaupt bin ich der Ansicht, daß man
die Entschädigungsfrage, so wie überhaupt die Unterthänigkeitsfrage nicht wird gleich=
mäßig in allen Provinzen beantworten können. Mag man dies eine Kirchthurm=
Politik nennen; ich sage aber, hüten wir uns, daß wir durch Vernachläßigung der
provinziellen Eigenthümlichkeiten nicht den Staat mit einer Stephansthurm=Po=
litik zu Grunde richten. In Galizien stehen die Verhältnisse so, daß die Entschädigung
von niemand Anderm als nur vom Staate ausgehen kann. In meinem Vaterlande
Böhmen hingegen muß ich feierlichste Verwahrung dagegen einlegen. Soll der Städter
dafür zahlen, daß der Bauer seiner Lasten frei wird? Sollen die kärglich abgefunde=
nen Geschwister noch etwas von ihrem Wenigen beitragen, damit ihr vom Glück be=
günstigter Bruder seinen Wohlstand vermehre? Soll der Gutsherr sich theilweise selbst
entschädigen und es so machen wie jener geizige Arzt, der, als er krank wurde und
sich selbst behandelte, das Geld aus einer Tasche herausnahm und als Honorar in die
andere Tasche steckte? Sollen diejenigen, welche vor mehreren Jahren mit schwerem
Gelde ihr Gut entlastet haben, jetzt neuerlich beitragen, um auch den Übrigen für eine
viel geringere Summe zu helfen? Ich glaube, es wäre die schreiendste Ungerechtigkeit.
Für mein Vaterland Böhmen muß ich ausdrücklich sagen, der Bauer kann zahlen,
der Bauer will die Robot ablösen, und der Bauer muß sie sogar ablösen. (Murren
von der Linken.) Ich bitte dies nur auf meine Provinz zu beziehen. Mir scheinen
mehrere Herren Vorredner hier zwei Stände mit einander vermischt zu haben. Man
scheint in Pausch und Bogen in den Bauernstand einen Stand einbezogen zu haben,
der bei weitem nicht dazu gehört. Was der dritte Stand sei, weiß seit der Flugschrift
des Abbé Sießès Jeder. Manche unterscheiden davon den vierten Stand, den Bauern=
stand; daß es aber überdies einen fünften Stand gebe, den Stand der Häusler und
der Inleute, weiß unter hundert von den sogenannten Gebildeten vielleicht nicht Einer.
Es gibt nicht nur eine Aristokratie des Adels, nicht nur eine Aristokratie der Städte,
ein städtisches Patricierthum, es gibt auch eine Dorf-Aristokratie, und diese ist in manchen
Gegenden bei weitem drückender als jede andere. (Beifall.) Der Bauer, ich spreche
nur von meinem Vaterlande (Heiterkeit), ist ein wohlhabender oft reicher Mann, der
einen einträglichen Grund von 60, 80, 100 und noch mehr Strich besitzt; diesen einen
Proletarier nennen zu wollen, diesen mit einer Parias=Kaste vergleichen zu wollen, ist
eine reine Lächerlichkeit; denn wer das behauptet, der beweiset damit, daß er noch in
seinem Leben in keinem Bauernhofe war, daß er noch nie einen Bauer in all der
patriarchalischen Würde, in all der Behäbigkeit gesehen welche diesem Stande eigen ist.

Der Bauer in Böhmen kann die Robot ablösen, und so viel ich mich bei meinen
Collegen im Vaterlande erkundigt habe, habe ich überall dasselbe vernommen: der
Bauer in Böhmen will die Robot ablösen, nur erwartet er, daß dieses geschehe auf
eine möglichst billige und für ihn möglichst wenig empfindliche Weise. (Bravo.)
Wenn das verehrte Mitglied von Perchtolsdorf [12]) mit schlecht verhehlter Ironie das
als Großmuth persifliren will, so bleibt es ihm unbenommen: mir aber wird es eben
so unbenommen bleiben, es aus zwei anderen Motiven herzuleiten, einerseits aus dem
Rechtlichkeitssinne und andererseits aus der Klugheit dieser ehrenwerthen Classe von

---

[12]) Schuselka.

Staatsbürgern (Hein: Bravo.) Aus der Klugheit, denn, meine Herren, ich habe drittens gesagt, der Bauer in Böhmen muß sogar die Robot ablösen, um seiner eigenen Sicherheit willen muß er es. Wissen Sie meine Herren, daß jetzt schon in Böhmen der Häusler mit scheelen Blicken auf den Bauer sieht, von dem er glaubt daß er die Robot geschenkt bekomme? Wissen Sie meine Herren, daß in Böhmen der Häusler jetzt schon mit Unmuth fragt: Der Bauer bekommt die Robot geschenkt, aber was bekomme ich? Wissen Sie meine Herren, daß in einigen Gegenden Böhmens der Häusler jetzt schon die Berechnung macht: Der Bauer gewinnt bei Aufhebung der Robot bei 100 Strich 30 Strich, diese muß er mir geben? Wissen Sie das, meine Herren, und brauche ich noch weiter zu erklären, wenn ich sage, in meinem Vaterlande Böhmen muß der Bauer die Robot ablösen um seiner eigenen Sicherheit willen? (Beifall.)

Ich habe noch einige Worte zu verlieren über den Antrag eines verehrten Mitgliedes dieser Kammer, das, obgleich zu wiederholten Malen und zwar auf ganz unparlamentarische Weise mit Namensausruf angegriffen, doch im Interesse der Sache auf sein Wort verzichtet hat. Da er mit Namen angegriffen worden ist, glaube ich ihn auch mit Namen vertheidigen zu müssen, oder vielmehr seinen Antrag; es ist das verehrte Mitglied Haimerl. Angegriffen wurde der erste Satz: „Die hohe Reichsversammlung wolle beschließen, daß das bisher in den meisten österreichischen Staaten bestandene Unterthansverhältnis mit allen Folgen jedenfalls aufzuhören habe, so wie nach und nach die nöthigen Einrichtungen getroffen sein werden, unter deren Voraussetzung diese Aufhebung im Interesse der Unterthanen Platz greifen kann."

Das ist nun bedeutend angegriffen worden; man will nicht so lang warten bis diese Anstalten getroffen sind, man kann nicht so lang warten; wir sollen ohne alle Rücksicht, mit Beiseitesetzung aller Bedenklichkeiten sogleich zu Werke gehen. Ich will, meine Herren, von den vielen Bedenklichkeiten, die hier zu berücksichtigen sind, nur Eine hervorheben. Es gibt Gegenden in meinem Vaterlande, es ist das Erzgebirg, wo kaum der Zweihundertste es ist der das Glück hat selbständiger Besitzer von Grund und Boden zu sein. Ein König ist dieser Grundbesitzer unter den übrigen zweihundert; hinter ihm steht ein Proletariat in großer täglich anwachsender Zahl, ein Proletariat, Mitleid, ja Schauder erregend, wie nur irgend eines sein kann, ein Proletariat das vor den Thüren des Bauers die hinausgeworfenen Kartoffelschalen auflies um damit seinen Hunger zu stillen, ein Proletariat, das aus den Kellern des Bauers die sauer gewordene Milch erbettelt zur Linderung seiner dahinschmachtenden Kranken. Ich brauche Ihnen nicht zu sagen, meine Herren, daß dieses Proletariat durch die Aufhebung, die plötzliche Aufhebung aller obrigkeitlichen, aller Unterthansverhältnisse nichts gewinnt. Ich werde Ihnen aber noch mehr sagen, meine Herren, dieses Proletariat verliert sogar durch den plötzlichen Umschwung in der Zwischen-Periode bis zur neuen Gestaltung der Dinge, es verliert den einzigen Schutz den es in seiner Noth hat, den obrigkeitlichen. Zu den obrigkeitlichen Verbindlichkeiten gehört, wie bekannt, das Sanitätswesen; die Obrigkeit muß die Ärzte unterhalten, und tausend und abermal tausend Arzneien werden in jenen Gegenden auf obrigkeitliche Kosten an die armen Leute vertheilt. Wenn wir die Robot und überhaupt die Unterthänigkeitsverhältnisse plötzlich aufheben, wenn wir die Obrigkeit aller Rechte für verlustig erklären, so wird sie sich schön bedanken, wenn sie die Pflichten die ihr obliegen noch weiter führen soll. Sie wird die Bezirksärzte einziehen, und was wird die Folge sein für das ungeheure Proletariat in der jetzigen Zeit, wo die asiatische Brechruhr im Anzuge ist?! Können wir also diese Verhältnisse aufheben, ohne etwas anderes an die Stelle gesetzt zu haben?

Ist es daher muthwillig, wenn man zur Besonnenheit ermahnt, geschieht es umsonst, oder nur um das wahre Gute, worin wir Alle einverstanden sind, aufzuhalten, wenn wir sagen, man soll nicht mit Vernachläſſigung aller dieſer vielen Verhältniſſe, die dabei zu beobachten ſind, man soll nicht mit Hintanſetzung aller dieſer Rückſichten, ſondern man soll mit Besonnenheit zu Werke gehen?!

Ich kann nicht beſſer enden, als mit den Worten eines verehrten Sprechers vor mir [13]), dem nur im Feuer ſeiner Begeiſterung das Unglück geſchehen iſt, daß er aus ſehr wahren Prämiſſen ſehr falſche Folgesätze ableitete. Dieſes verehrte Mitglied hat eben ſo ſchön als wahr darauf hingewieſen, daß wir aus dem Volke hervorgegangen ſind, daß wir daher die Intereſſen des Volkes zu vertreten haben. Ja, meine Herren, aber eben weil wir aus dem Volke, aus dem geſammten Volke hervorgegangen ſind, müſſen wir über allen Parteien ſtehen. Weil wir aus dem Volke, aus dem Geſammt-Volke hervorgegangen ſind, dürfen wir nicht, indem wir nach dem Beifalls-Jauchzen eines Theiles der Staatsbürger haſchen, den Fluch eines anderen Theiles der Staatsbürger auf unſer Gewiſſen laden. Weil wir aus dem Volke, aus dem Geſammt-Volke hervorgegangen ſind und weil die Gutsherren zufälliger Weiſe auch zum Volke gehören, ſo müſſen wir ihre Intereſſen eben ſo gut bewahren als die Intereſſen derjenigen, mit deren Laſten gewiß Jeder von uns das aufrichtigſte Mitleid hat. Das verehrte Mitglied hat ferner mit Recht hingewieſen, daß dieſer Schritt, den wir thun, der erſte iſt, der aus unſerer Mitte in die Öffentlichkeit heraustritt. Ja, meine Herren, das iſt er, aber eben deshalb wollen wir mit dieſem erſten Schritte keinen Act der Willführ, ſondern einen Act der Gerechtigkeit begehen. Wir wollen daß das ganze Volk mit Vertrauen auf uns hinblickt und mit Vertrauen der Vollendung des ſo großen Werkes entgegenſieht, das wir vor uns haben. Wir bauen ein Haus, in welchem alle Staatsbürger jedes bisherigen Standes und jeder Claſſe ſich wohnlich zurechtfinden ſollen. (Beifall von der Rechten, Ziſchen von der Linken.)

V.
1848. Anfang September.
Entwürfe kaiserlicher Manifeste für den Fall eines nothwendig werdenden Thronwechsels.

(Ob dem Hradschin zu Prag verfaßt und für den Gebrauch Ihrer Majeſtät der regierenden Kaiſerin in's Franzöſiſche überſetzt.)

1. Projet d'Abdication.

Profondément pénétré du désir le plus ardent de faire le bonheur des peuples que la Providence a réunis sous Mon sceptre, J'ai cru devoir céder aux demandes qui me furent présentées au mois de Mars et accepter pour Mes vastes Etats une forme de gouvernement constitutionnel, espérant par là contribuer au salut et au bien-être de Mes sujets. Je me suis démis volontairement d'une partie de Mes droits Souverains, croyant satisfaire ainsi aux voeux de Mes peuples.

Néanmoins les partis qui se sont formés dans Ma capitale de Vienne n'ont cessé de multiplier leurs éxigences, en les appuyant par de menaces à main

----

[13]) Mathias Brandl (Neufelden, Ober-Öſterreich) 22. Auguſt.

armée, et ont réussi ainsi à forcer le Ministère — pour ne pas compromettre la sûreté de Ma personne et du Trône — à révoquer l'acte de constitution déjà publié et à promettre la convocation d'une chambre constituante. J'ai ratifié encore ces nouvelles concessions, quoiqu'elles fussent entièrement contre Ma conviction, uniquement dans l'espoir de rendre ainsi possible le rétablissement de l'ordre et du repos.

J'ai cependant quitté Vienne, profondément blessé de voir combien Mes bonnes intentions étaient méconnues et payées d'ingratitude. Quoique résolu de séjourner bien long-temps encore auprès de Mes fidèles Tyroliens, J'ai cédé cependant aux instantes prières de la Chambre, qui craignait de voir éclater de nouveaux mouvemens à Vienne dans le cas où Mon absence se prolongerait encore; et Je suis retourné à Vienne pour donner par là une nouvelle preuve de Ma ferme volonté de ne vouloir rien négliger de ce qui peut servir à la satisfaction et au bonheur de Mes sujets.

Cependant on ne discontinue pas de former de nouvelles prétentions qui porteraient préjudice à la dignité de Ma Couronne, qui dans Ma conviction la plus profonde ne méneraient nullement au salut de Mes Etats et qu'en conséquence Je Me vois forcé à repousser avec fermeté.

Prêt à porter tous les sacrifices au bonheur de Mes peuples, J'ai conçu après mûre réflexion la résolution ferme et inébranlable de déposer la Couronne, la Providence ne paraissant pas M'avoir destiné à fonder et à affermir le bien de Mes Etats. Mon Auguste frère, Mr. l'Archiduc F. Charles, qui M'a accompagné si fidélement pendant toute cette époque si critique de Mon règne partageant parfaitement Mes vues et Ma manière de penser, M'a manifesté Son désir de renoncer au Trône en faveur de Son fils ainé Mr. l'Archiduc F. J., et J'abdique donc par conséquent en faveur de Mon Auguste neveu l'Archiduc F. J.

Puisse-t-Il parvenir à rendre l'Autriche grande forte et heureuse, le Ciel puisse-t-il Le soulager dans l'accomplissement de la grande tâche qu'il Lui impose.

J'exprime Ma plus vive reconnaissance à Ma brave armée, qui de tout temps a été le soutien du Trône par sa fidelité et sa valeur, et lui recommande de servir Mon successeur avec le même dévouement qu'elle a montré pour Moi en tant d'occasions.

2. Projet de Manifeste d'avénement.

Appelé par la renonciation de Mon Auguste père S. A. R. l'Archiduc F. Ch. à la succession, J'annonce solemnellement aux peuples autrichiens Mon avénement au Trône sous le nom de François II.

Je prends possession du Trône de Mes ayeux dans une époque des plus critiques. Grande est la responsabilité, grands sont les devoirs, que la Divine Providence M'impose. J'implore l'assistence du Tout-puissant, dans la grande oeuvre que Je dois entreprendre.

Quoique parfaitement étranger aux derniers événements, et sans être lié en aucune sorte par Ma parole Jmpériale, J'ai cependant formé, après de mûres reflexions, la résolution de conserver pour le Gouvernement de l'Autriche les formes constitutionnelles. Convaincu cependant que l'état de choses actuel, tant dans les provinces que dans la capitale, amené par le combat des partis, ne peut servir au salut de Mes Etats, Je me suis décidé à leur accorder une constitution à l'instar de celle de l'Angleterre, enviée depuis des siècles par toutes les nations de l'Europe.

Quoique prêt à partager Mes droits avec les représentants de Mes peuples, Je suis cependant décidé à conserver l'intégrité de la Monarchie autrichienne et de Mon Trône. Je chargerai les conseillers de Ma Couronne, de Me soumettre le projet de constitution et de convoquer les chambres aves lesquelles J'ai résolu de partager Mon autorité.

J'accorde en outre aux diètes provinciales de Mes différentes provinces, réunies dans une représentation plus étendue de l'état des bourgeois et des paysans, la liberté de délibérer sur toutes celles de leurs affaires intérieures qui ne sont point en rapport avec les interêts généraux de la Monarchie entière, et de soumettre à Mon consentement les modifications désirées par elles et fondées sur leur rapport local et national. Je déclare en outre maintenir dans toute leur étendue les libertés acquises par l'état des paysans, au prix d'une indemnité équitable, de même que J'ai formé la résolution inébranlable de ne plus faire des concessions ultérieures.

Je réclame en même temps de Ma brave armée la continuation des sentiments de fidélité et de dévouement qu'elle a toujours prouvée à Mes prédécésseurs, ainsi que J'attends d'elle qu'en toute occasion elle sera le plus ferme appui de Mon Trône et de la constitution octroyée par Moi.

VI.

1848. October bis erste Hälfte November.

1) Fürst Felix Schwarzenberg an Fürst Windischgräz.

Wien, am 8. October 1848.

Lieber Alfred!

Nach den gräulichen Vorfällen am 6. b. herrscht in Wien vollkommene Anarchie. Die Regierungsgewalt ist in den Händen eines Reichstags-Ausschußes der aus Mitgliedern der äußersten Linken zusammengesetzt ist.

Die Garnison, welche vorgestern Mittag auf dem Glacis versammelt worden ist, hat sich nicht gut benommen.

Die Oberleitung ist schwach und unsicher, die Generale ohne Energie, und die Truppen theils durch absichtliche seit langer Zeit vorbereitete Corruption, theils durch die Sorglosigkeit ihrer respectiven Führer, in einer Verfassung die wenig kräftiges zu unternehmen erlaubt.

Der Hof ist gestern früh abgereist, wir wissen nicht wohin und sind von dieser Seite ohne Weisungen.

Die Truppen haben vorgestern Abends im Schwarzenbergischen Garten und im Belvedere mit Besetzung der Belvedere-Linie eine Stellung genommen welche sie gegen einen Angriff halten können; indessen wird schon jetzt auf Verlassung dieser Stellung und auf das Einrücken in die verschiedenen Kasernen gedrungen. Die vorgerückte Jahreszeit, die Mittel die der Gegner hat unsere Verpflegung zu erschweren, machen unsere Lage um so unsicherer als die Schwäche der Garnison, die Quantität der

Truppen und besonders die Leitung des Ganzen jede Offensive gegen die Stadt so gut wie unmöglich machen. Wir brauchen also nothwendig Hilfe von außen und die Guten unter uns rechnen auf Dich. Wir brauchen Truppen und einen Commandanten: für beides rechnen wir auf D i ch.

So eben läßt Fst. Reuß wissen daß er mit 10 Bat. gegen Wien marschiren will — da es aber möglich ist daß sich der Hof nach Mähren gewendet hat, in welchem Fall der Commandirende seine Truppen dort benöthigen wird, scheint seine Bewegung hieher in Zweifel gestellt werden zu sollen. Wenn Fst. Reuß indessen die Verbindung auf der Nordbahn sichert und die Brücke und die Taborlinie besetzte, so wäre schon viel gewonnen. — Wir sind an Zahl und besonders moralisch zu schwach um lange halten zu können, es muß daher schnell und entschieden gehandelt werden.

Jell. steht in Altenburg — wir wissen noch nicht ob er kommen wird. Es wäre zu wünschen daß wir bald Nachrichten von ihm hätten, die aber auf g e h e i m s t e W e i s e zu schicken wären, indem selbst manchem der unsern nicht vertraut werden darf. Nun lebe wohl. Wir brauchen Hilfe, nur Du kannst sie bringen, wir bauen auf Dich.

2) Graf Grünne an Fürst Windischgrätz.

Durchlauchtigster Fürst, Mit Gottes Hülfe sind wir bis hieher; Fürst Felix den ich im höchsten Auftrage bereits von Herzogenburg aus an's Hoflager berufen, kann leider bis jetzt von Wien nicht abkommen, hat uns jedoch den Überbringer dieses, als den Mann seines Vertrauens geschickt — ebenso kennt derselbe Br. Kübeck's und Stadion's Ansichten vollkommen, und geht deßhalb unverzüglich zu Euer Durchlaucht um Sie von allem Vorgefallenen umständlich in Kenntnis zu setzen. Wir denken übermorgen Abends in Olmüz einzutreffen, und ich hoffe binnen kurzem persönlich Euer Durchlaucht die Gefühle jener unbegränzten Verehrung und Anhänglichkeit an den Tag zu legen, mit welcher ich die Ehre habe mich zu nennen

Euer Durchlaucht
gehorsamsten Diener
Grünne.

Szelowitz, 12. October.

3) Fürst Windischgrätz an Baron Wessenberg.

Hauptquartier Hetzendorf, den 2. November 1848.

Hochwohlgeborener Freiherr!

Ich hoffe, daß die Unpäßlichkeit E. E. nur eine vorübergehende war und Hochdieselben nun wieder ganz hergestellt sind.

Für E. E. verehrliche Zuschriften vom 30. und 31. v. M. bitte ich meinen verbindlichsten Dank zu genehmigen. Durch Fürst Felix Schwarzenberg werden E. E. von den Ereignissen der letzten zwei Tage umständlich in Kenntnis gesetzt worden sein. Ich erlaube mir dennoch die Hauptpunkte kurz zu berühren. Als am 30. v. M., nachdem die Unterwerfung der Stadt erfolgt war, die Wiener Insurgenten Kunde von der Annäherung der ung. Armee und von dem Treffen, das ich ihnen zu liefern im Begriffe stand, erhielten, übten sie Treubruch und schändlichen Verrath. Nachdem des Morgens die weißen Fahnen aller Orten aufgesteckt waren, griffen sie unter beständigen Signalen vom Stephansthurm zu den Waffen und erneuerten den Angriff auf meine Truppen von allen Seiten, so daß ich gezwungen war, eine neuerliche Beschießung anzuordnen.

Ich war so glücklich, am genannten Tage zwischen Schwechat und Schwadorf die

Ungarn, bei welchen sich Kossuth befand, so vollständig zurückzuschlagen daß sie all=
sogleich den österr. Boden verließen, und die Wiener, denen dieser letzte Hoffnungsanker
entschwand, boten mir in der Nacht vom 30. auf den 31. zum zweiten Male ihre Un=
terwerfung an. Die gesetzten Bedingungen wurden aber wieder nicht erfüllt und als
meine Truppen am 31. NM. auf die Glacis marschirten, wurden sie, obwohl an den
Thoren weiße Fahnen hingen, von Studenten und Proletariern mit Kartät=
schenfeuer empfangen, das von meinen Geschützen zum Schweigen gebracht wurde. Die
stark verbarricadirten Thore mußten eingeschossen werden und gestern Morgens rückten
die Truppen in die eroberte Stadt ein, welche noch durch Brandlegung der kais.
Burg geschändet und durch Plünderung bedroht war. Glücklicherweise erwuchs durch
erstere kein großer Schaden.

Nach solchen treulosen Vorgängen kann Milde unmöglich Platz greifen. Der Be=
lagerungszustand wird und muß mit aller Strenge durchgeführt werden und ich er=
warte mit Zuversicht, daß meine darauf Bezug habenden Maßregeln in keiner Weise
gestört werden. Nur so, ich wiederhole es, kann der große Zweck erreicht werden, den
mir Se. Majestät gesetzt haben. Jede Störung meines diesfälligen Wirkens würde
nicht allein für die Zukunft verderblich sein, sondern auch, was E. E. wohl einsehen
müssen, mich zwingen den Schauplatz zu verlassen. — Auch jeder Wohldenkende muß
sein Heil und seine fernere Ruhe davon erwarten.

Der Reichstag hat sich noch vorgestern versammelt und eine neuerliche Adresse an
an S. M. den Kaiser beschlossen, um die Verlegung des Reichstags nach Kremsier
zu verhindern. Da nur 174 Mitglieder anwesend waren, so ging der Antrag durch,
diese Adresse dennoch als den Ausdruck einer überwiegenden Anzahl von Abgeordneten
abgehen zu lassen. — Gestern Morgens wurden die Thore des Reichstagslocale's, da
die Versammlung nach dem kais. Ausspruche nun und nimmermehr legal in Wien
tagen kann, geschlossen. Dem ungeachtet höre ich, daß des Abends sich 72 Deputirte
durch einen Seiten=Eingang im Reichstagssaale einfanden und einen Protest aufsetzen.
Die Erneuerung solcher Vorfälle werde ich zu verhindern und zu ahnden wissen. —
Nach allem diesem stellt sich überhaupt die Nothwendigkeit heraus, die Häupter jener
Fraction des Reichstages, die mit der subversiven Partei eng verbunden war und dem
allen Gesetzen Hohn sprechenden Aufstande eine Art legale Weihe gab, zur strengen
Verantwortung und zur Strafe zu ziehen. Die moralischen Beweise ihrer Schuld liegen
klar am Tage und es sollte, denke ich, nicht schwer werden, auch die juridischen zu fin=
den. E. E., dessen bin ich überzeugt, können jetzt nach allem, was vorgefallen, un=
möglich einer anderen Meinung sein.

Genehmigen u. s. w.

4) Schwarzenberg an Windischgrätz.

Olmütz, am 3. November 1848.

Mein Verehrter Freund!

Deinen Brief vom 2. d. M. habe ich heute früh erhalten und danke Dir sehr
dafür. Bach brauchen wir nothwendig. Seine constitutionelle, aber streng monarchische
Gesinnung, sein entschieden parlamentarisches Talent, so wie sein vollkommen reiner
Privatcharakter stämpeln ihn zu einem nothwendigen Bestandtheile des neuen Mi=
nisteriums. Seinem Mangel an Kenntnissen über manche innere Verhältnisse der
Provinzen wird durch die Wahl einiger gutinformirter und verläßlicher Staats=
secretäre abgeholfen. Sein natürliches Talent, seine Energie werden das übrige

thun. Wenn seine Ernennung Aufregung verursachen sollte, so müssen wir dies hinnehmen und ihr zu begegnen trachten. Schmerling ist ultra-deutsch und, soviel ich weiß, viel zu sehr der Mann des Erzherzogs Johann um der Unsrige sein zu können. Übrigens weiß er von den Provinzen auch nichts. Stadion sollte meiner Ansicht nach noch geschont werden. Er selbst scheint es zu wünschen; er kann uns für den Augenblick in seiner jetzigen Stellung mehr nützen, als wenn er Minister wäre. Morgen hoffe ich Dir ein wohlausgearbeitetes Mémoire zu überschicken über das, was in Galicien veranlaßt wird, um in kürzester Zeit so viel Truppen als thunlich aus dieser Provinz zu ziehen, welche für Ungarn disponible werden. Ich schmeichle mir, daß Du diese Arbeit wirst benützen können, um an Hammerstein, Schlick ꝛc. die nöthigen Befehle zu erlassen. — Medem ist heute angekommen. Nach dem was er mir gesagt hat, zweifle ich nicht, daß wir auch von Seite Rußlands auf eine hinlänglich imponirende Haltung rechnen können, um jeder Schilderhebung in Polen vorzubeugen. Nach verläßlichen Nachrichten, die mir aus Galicien zukommen, ist überhaupt eine Bewegung im polnischen Sinn durchaus nicht zu befürchten. Im Gegentheil, müssen die an die dortigen Kreis- und Localbehörden zu erlassenden Weisungen so gestellt werden, daß nicht eher Mord- und Todschlag von Seite der Bauern gegen die Gutsherren erfolgt.

Bruck Handelsminister, Breda Justizminister sind bereits hier. Bach wird morgen erwartet. Sämmtliche neue Ernennungen, mit Ausnahme des Finanzministers, den wir noch nicht ausfindig machen konnten, werden in zwei längstens drei Tagen erscheinen.

Es wäre überaus nützlich, positive Daten über diejenigen Reichstagsmitglieder zu sammeln, die sich einer factischen Betheiligung an dem Aufruhr schuldig gemacht haben. Wenn wir juridische Beweise hätten, wäre es ein Leichtes die Betreffenden der gewöhnlichen gerichtlichen Behandlung zu überliefern. Füster, Violand, Pohl *) und noch mehrere andere sollen die beste Gelegenheit dazu gegeben haben. — Lebe recht wohl, erhalte Dich gesund. — Wessenberg ist entzückt über Deine Proclamation vom 1. November und vollkommen beruhigt über die Wirkung, die sie hervorbringen muß.

Mit aller Verehrung und inniger Anhänglichkeit

Dein
treu ergebener
Felix S.

5) An Seine des Herrn Minister-Präsidenten Freiherrn von Wessenberg Excellenz.

Mit Zuschrift vom 4. Nov. d. J. Z. 2789 wurde dem Reichstags-Vorstande die Mittheilung gemacht von jenen Vorkehrungen, welche zur Erlangung der nöthigen Reiseurkunden für die Abgeordneten getroffen wurden. Allein trotzdem, daß sich von Seite der Abgeordneten allem dem auf das bereitwilligste gefügt wird, ist soeben der Fall zur Kenntnis des Reichstagsvorstandes gekommen, daß der Abgeordnete Füster bei der Abreise angehalten und durch die Militär-Behörden gefänglich eingezogen wurde.

Die Unverletzlichkeit der Person der Abgeordneten wurde bisher in der europäischen constitutionellen Staatenwelt stets geachtet; die Aufrechthaltung derselben liegt im Interesse, in der Würde des Reichs und der Krone; die Nichtachtung dieser Unverletzlichkeit würde im Widerspruche stehen mit den kais. Zusicherungen, und wie man nicht zweifelt, auch im Widerspruche mit dem Willen Sr. k. k. Majestät.

*) ?

Selbſt in dem Falle, als ein Abgeordneter bei einem Verbrechen ergriffen wird, wegen Verübung eines ſolchen dem Geſetze verfällt, fordert es das conſtitutionelle Staatsweſen, der Kammer oder dem Parlamente über die gefängliche Einziehung die Anzeige zu erſtatten und die weitere Verfügung einzuholen.

So hat das letzte Miniſterium und an deſſen Spitze E. E. ſelbſt die Sache auf=gefaßt, wie dies der beiliegende Geſetzentwurf zeigt.

Dieſe Beſtimmungen ſind durch die Grundſätze jedes conſtitutionellen Staatslebens geheiliget, und wenn auch obiges Geſetz in der Kammer nicht berathen, alſo auch noch nicht angenommen worden iſt, ſo müſſen deſſen Beſtimmungen durch das proviſoriſche Wahlgeſetz, durch den Act der Einberufung des Reichstages als von Sr. k. k. Majeſtät gewährleiſtet betrachtet werden.

Die Erklärung des Belagerungszuſtandes kann einem nur prorogirten Reichstage gegenüber die den Abgeordneten als ſolchen conſtitutionell, nicht um ihrer ſelbſt willen, ſondern um des von ihnen vertretenen Volkes willen, zuſtehenden Rechte nicht misachten, ohne die Conſtitution, die Aufgabe des conſtituirenden Reichstages gefährdet zu erachten. Welchen Eindruck die Nichtbeachtung der Unverletzlichkeit auf die Offent=lichkeit, auf die Abgeordneten hervorbringen, und wie gefährdet die Reiſe nach Kremſier und die Verſammlung zu Kremſier erſcheinen müſſe, mögen E. E. reiflichſt erwägen; denn das Wohl des Staates, die Geſtaltung der Zukunft ſind hiebei nicht außer Frage.

Der Reichstagsvorſtand hält es für ſeine Pflicht, E. E. nicht nur von dieſer Vorfallenheit in Kenntnis zu ſetzen, ſondern auch um die Verwendung an Se. Durch=laucht Fürſt zu Windiſch=Grätz anzugehen, damit den conſtitutionellen Anforderungen Genüge geleiſtet werde und die Unverletzlichkeit der Abgeordneten geachtet bleibe, und bezüglich eines jeden Abgeordneten, alſo auch bezüglich des Abgeordneten Füſter, von den Militär=Behörden nach Inhalt obigen Geſetz=Entwurfes verfahren werde.

Nach zugekommenen Nachrichten ſoll der Abgeordnete Anton Füſter durchaus nicht auf irgend einer That, ſondern fern von Wien in Mödling aufgegriffen worden ſein, nachdem er, mit den nöthigen Papieren der Civil= und Militär=Behörden verſehen, die Reiſe angetreten hatte.

So eben langt das Schreiben dto. 4. November 1848 aus Wiener Neuſtadt ein, woſelbſt der Abgeordnete Dr. Alois Smreker gleichfalls verhaftet worden iſt.

Wien, am 6. November 1848.

.Vom Reichstags=Vorſtande Smolka m. p. Präſident.

Carl Wiſer m. p. Schriftführer.

6) Schwarzenberg an Windiſchgrätz.

Olmütz, den 8. November 1848.

Mein verehrter Freund!

Ich danke Dir ſehr für Deinen Brief vom 7. den ich heute früh erhalten habe. Es freut mich, daß Du mit den Inſtructionen an Hammerſtein und Zaleski zu=frieden biſt. Warum letzterer für den Augenblick im Amte bleiben muß, ſteht in dem früher beigelegten Mémoire.

Die Bildung des Miniſteriums hat heute eine Störung und mithin einen neuen Aufſchub erlitten; der Mann, der die Juſtiz angenommen hatte, iſt über Nacht närriſch geworden. Das iſt ziemlich begreiflich, und daß ich es noch nicht geworden bin, iſt viel mehr zu verwundern. Unter den gegenwärtigen Umſtänden ſträubt ſich jeder, eine ver=

antwortliche Stellung einzunehmen, und es wäre nicht schwerer ein Dutzend Galgen= candidaten als eben so viele Minister zu finden.

Ich gehe morgen Nachmittag mit sämmtlichen bereits existirenden Ministern nach Wien. Wir hoffen uns dort zu vervollständigen, und müssen auch vielen Behelfen näher sein, die wir zur Verfassung von manchen wichtigen Arbeiten brauchen. Ich habe auch mit Dir dringend über sehr wichtige Sachen zu sprechen.

Ich hoffe, Du hast meine telegraphirte Antwort wegen Füster erhalten. Die Reichstagsdeputirten sind nicht standrechtlich zu behandeln, wenn sie nicht in flagranti verhaftet werden können; sie sind auf freiem Fuß zu lassen; wohl aber alle rechtlichen Anzeigen zu sammeln, damit sie vom Reichstage in Anklagestand versetzt und den or= dentlichen Gerichten überliefert werden können. Ein anderes Verfahren würde uns die größten Schwierigkeiten bereiten. Entzieht sich ein angeschuldigter Reichstagsdeputirter der Untersuchung durch die Flucht, so ist er dadurch schon, und auch für die Zukunft, unschädlich gemacht.

Übermorgen früh werde ich mich in Schönbrunn melden. Lebe recht wohl. Mit aller Verehrung und Anhänglichkeit

Dein treuer
Felix S.

7) Wünsche der wohlgesinnten Bevölkerung von Grätz.

1. Eine Militär=Commission zur Untersuchung der October=Vorgänge in der Haupt= stadt und Provinz, besonders mit Bezug auf das Landsturm=Aufgebot.

2. Aufhebung des Studenten=Corps und Reorganisirung der Nationalgarde.

3. Entwaffnung der in Folge des Landsturm=Aufgebots mit k. k. Zeughaus=Ge= wehren ausgerüsteten Arbeiter.

4. Beschränkung und Überwachung der schlechten Presse, welche durch Kreuzerblät= ter den Samen des Communismus ausstreut und die Revolution in den untern Volks= classen permanent erklärt.

5. Aufhebung des demokratischen und Arbeiter=Vereines, als derjenigen, von denen die öffentliche Ruhe und Ordnung fortwährend bedroht ist.

6. Einen Garnisonswechsel jener Truppen=Abtheilungen, bei welchen bereits ein= zelne Versuche des Abfalls und Treubruches durch Geld und Versprechungen demokra= tischer Emissäre herbeigeführt wurden.

7. Ausweisung der croatischen Flüchtlinge (magyarisch=gesinnte Edelleute), welche als Agenten Kossuth's die halbe Division Alexander=Husaren zur Desertion verleite= ten und noch immer im Interesse der ultramagyarischen Partei die Aufregung mit un= garischem Gelde künstlich erhalten.

8. Verhaftung und Abführung der gefährlichen Wiener Flüchtlinge, welche sich gegenwärtig in Grätz ansammeln und neue Elemente der Gährung hervorrufen.

9. Eine gewisse Beschränkung des Universitätsbesuches, da sich bei der Schließung der Wiener und Prager Hochschule voraussehen läßt, daß die Grätzer Universität von der unruhigen Studenten=Jugend überschwemmt werden wird.

10. Einen energischen Militärcommandanten, der für den Fall eines Aufstandes mit den nöthigen Vollmachten versehen ist, um sogleich als Civil= und Militärgouver= neur fungiren zu können.

Für die wahrheitsgetreue Darstellung der öffentlichen Zustände in Grätz sowie für die obenangeführten in den Wünschen der dortigen Stadtbevölkerung begründeten

Punkte bürgen, die Unterzeichneten und sind bereit ihre Aussagen gerichtlich zu bekräftigen.

Grätz, 12. Nov. 1848.

Damian Graf Stadion m. p.

E. (?) Draxler m. p.

Redacteur des „Herold" im Namen des
constitutionellen Central=Vereins und
der Slovenja.

8) An Metropoliten von Karlovic, Geheimen Rath Rajacsich.

Schönbrunn, am 13. November 1848.

Aus dem von Allerhöchst Seiner Majestät erlassenen königlichen Manifeste wird es Eurer Excellenz bereits bekannt sein, daß ich mit dem Oberbefehle aller außer dem Königreiche Italien befindlichen k. k. Truppen betraut, mit meiner Armee das Königreich Ungarn betrete, um der daselbst ausgebrochenen offenen Empörung ein Ende zu machen.

Das Zusammenwirken aller getreuen Unterthanen unseres allergnädigsten Kaisers zur Förderung dieses Zweckes, durch welche die Erfüllung der väterlichen Absichten Seiner Majestät für das Wohl Allerhöchst Seiner Völker bedingt wird, ist eine unerläßliche Sache, und wird jedem Einzelnen um so mehr zur Pflicht, je größer der Einfluß ist, den er auf seine Mitbürger auszuüben vermag.

Das große Vertrauen, welches Eure Excellenz den unter Ihrer Jurisdiction stehenden Bewohnern des Landes einflößen, gibt mir die sicherste Gewähr, daß jene Treue und Anhänglichkeit an das Allerhöchste Kaiserhaus und die Gesammtmonarchie, die Eure Excellenz auch in der letzten Zeit auf eine so ehrenvolle Weise bethätigt haben, bei den tapferen Bewohnern der unteren Donaugegenden auch fernerhin den lebhaftesten Anklang finden wird.

Ich glaube daher mit vollster Zuversicht darauf zählen zu können, daß Eure Excellenz mit Ihrer erprobten Energie und Umsicht alles aufbieten werden, um die Bewohner der dortigen Gebietsbezirke in ihrer bewährten Treue zu bestärken, die sie ganz bestimmt von jedem Verkehr und aller Verbindung mit der rebellischen Kossuth'schen Faction fernhalten und sie jener Berücksichtigung würdig machen wird, die unser allergnädigste Monarch den billigen Wünschen seiner serbischen Unterthanen nicht entziehen wird.

VII.
2. bis 16. November 1848.
Blum — Fröbel — Messenhauser.

1) **Sr. Excellenz dem k. k. Feldmarschalllieutenant Herrn Freiherrn von Schowitz.*)**

Die unterzeichneten Abgeordneten der deutschen constituirenden Nationalversammlung zu Frankfurt sind im Laufe der letzten Wochen nach Wien gekommen und durch die Ereignisse zurück gehalten worden. Nach der jetzt eingetretenen Wendung der Dinge hoffen und wünschen dieselben, zu ihrem Berufe zurückkehren zu können und bitten Eu. Excellenz zu diesem Zwecke höflichst und ergebenst um den nöthigen Passirschein.

Um Eu. Excellenz nicht mit einer Antwort belästigen zu müssen, werden die Unterzeichneten sich erlauben, heute Nachmittag persönlich sich bei Eu. Excellenz einzustellen und den Nachweis über Person und Eigenschaft gehorsamst zu überreichen.

In der Erwartung einer gnädigen Gewährung ihrer gehorsamsten Bitte, zeichnen mit vollkommenster Verehrung

Wien, den 2. November 1848.

Eu. Excellenz

gehorsamste

Abgeordnete der deutschen constituirenden National=Versammlung.

Robert Blum aus Leipzig,

Albert Trampusch für den Wahlbezirk Weidenau in k. k. Schlesien,

Julius Fröbel für den Wahlbezirk der Fürstenthümer Reuß jüngere Linie,

Moritz Hartmann, aus Leitmeritz.

2) **Sr. Hochwohlgeboren Herrn General Cordon.**

Anliegend übersende ich Ihnen das Schreiben der deutschen constitutionellen Nationalversammlung, woraus Sie ersehen werden daß selbe eine persönliche Vorstellung bei mir beabsichtigen. Da der Herr General mit der Geschäftsleitung der Stadthauptmannschaft beauftragt sind, so habe ich diese Versammlung an Sie angewiesen, und bemerke schlüßlich, daß auf einige der unterzeichneten Versammlung ein besonders Augenmerk zu richten nicht unangemessen sein dürfte.

Wien, den 2. November 1848.

Csorich FML.

3) **Sr. Excellenz dem Herrn Generalmajor Baron von Cordon, Ritter zc. zc. **)**

Die unterzeichneten Mitglieder der deutschen constituirenden National=Versammlung zu Frankfurt a. M. wurden seit dem 20. October, an welchem Tage sie Wien verlassen wollten, hier durch die Ereignisse zurückgehalten. Nach der nunmehr eingetretenen Wen=

---

*) Statt „Csorich". Die Eingabe ist von Blum's Hand geschrieben.
**) Gleichfalls von Blum's Hand.

dung der Dinge erlaubten sich dieselben gestern sich an Se. Excellenz den Herrn FML
von Csorich zu wenden und von demselben die Erlaubnis zur nunmehrigen Rückreise
sich höflichst zu erbitten. Der Herr FML. hatte die Gnade uns mittelst gefälligen Schreibens an Eu. Excellenz zu verweisen.

Nachdem nun der Versuch, uns Eu. Excellenz persönlich zu nahen, durch den übergroßen Andrang von Bittstellenden zweimal gescheitert ist, erlauben sich die Unterzeichneten hiemit schriftlich die gehorsamste Bitte um gütige Ertheilung von Passierscheinen
zum Antritte der Rückreise auszusprechen, eventuell aber von Eu. Excellenz die Gnade
einer Audienz sich zu erbitten um die nöthigen Nachweisungen über Person und Eigenschaft überreichen zu können.

In der Erwartung daß Eu. Excellenz Gnade uns die Möglichkeit unsern wichtigen
Beruf wieder anzutreten gütigst gewähren wird, zeichnen wir mit vollkommenster
Verehrung

Wien, im Hotel zur Stadt London,
am 3. November 1848.

(Unterschriften wie ad. 1.)

(Auf den Rücken dieser in Briefform geschriebenen Eingabe wurde gesetzt:)
Die Stadthauptmannschaft wird beauftragt den angeblich im Hotel zur Stadt
London wohnhaften Herrn Robert Blum und Julius Fröbel in militärisch-ge-
richtlichen Verhaft zu nehmen, unter Beschlagnahme ihrer Papiere und Effecten.

Von der Central-Commission der k. k. Stadt-Commandantur.
Wien am 3. November 1848.

Cordon G. M.

4) Bruchstück eines Schreibens Messenhauser's an G. M. Karger.

Herr General!

Das Motiv meines gestrigen Schreibens *) war die Zerstreuung der Irrthümer
über den Grund und Zusammenhang meiner Bulletins vom 30. Die Untersuchungsbe-
hörde wird in Bälde die klare Einsicht in die wahre Sachlage erlangen, und wie
machtlos der Ober-Commandant dem stürmischen Andrang der öffentlichen Meinung
gegenüberstand, wo diese nach jeder Berechtigung haschte die von mir fast antonom eingeleitete Capitulation null und nichtig zu erklären.

Der Beweggrund meiner heutigen Eingabe ist mehr persönlicher und individueller
Art. Das Volk in Masse nennt mich einen Verräther weil ich mein Gewissen nicht mit
der Blutschuld beladen wollte: einen nutzlosen Verzweiflungskampf in der inneren Stadt
gutzuheißen.

Die Clubmänner und Radicalen, oder Republicaner wie ich sie lieber bezeichnen
möchte, hatten meinen sterblichen Leib wiederholt dem Verderben geweiht, weil ich unerschütterlich, und ohne mich durch eine Schattenpräsidentur à la Lamartine auch nur
eine Stunde födern zu lassen, zur Durchführung der Capitulation vorwärts schritt.

Ich kann besser als irgend jemand Zeugnis ablegen von der Verworfenheit in den
Absichten und Mitteln jener Elenden, welche taub gegen alle Ermahnungen und Warnungen nur den Eingebungen ihrer sinnlosen Leidenschaften fröhnten und einen ohnedies
fanatisirten tolldreisten Haufen zum äußersten Kampf mit den Waffen aufstachelten.

Ich habe die ernsteste Absicht dieser Bürger- und Menschenpflicht zu genügen; doch
ist mir hiezu ein Äußeres, das nicht in meiner Macht steht, nothwendig.

---

*) Uns nicht zu Gesicht gekommen.

Mein Zeugnis ist nur dann von unermeßlichem Gewicht für die öffentliche Meinung Europas wenn ihm die moralische Stärke nicht fehlt. Mein Zeugnis muß als der reine Ausfluß von Gewissen Überzeugung und Pflichtgefühl dem Urtheil der Welt vorliegen. Man darf mir keinerlei Motive von Furcht für meine Freiheit oder dergleichen unterschieben können. Die Anschuldigung ich sei erkauft, oder ich nähre wenigstens Hintergedanken mir dereinst eine glänzende Belohnung zu sichern, werde ich leicht entkräften können, da ich hier blos die nackte Wahrheit zu meiner Vertheidigung aufzurufen habe

Die Maßregeln Sr. Durchlaucht haben die ausschweifenden Hoffnungen der Eraltados factisch zertrümmert. Die gemäßigten Anhänger der constitutionellen Monarchie sind befreit worden von der allmählig unerträglichen Knechtschaft des revolutionären Joches. Nach den umwälzenden Stürmen der Freiheit darf man hoffen Ruhe und Erholung zu finden. Ich würde es als das größte öffentliche Unglück betrachten wenn jene Partei sich einen Rest von Achtung und Mitgefühl in der öffentlichen Meinung erhalten sollte. Um diese letzten Wurzelfasern des radicalen Fanatismus zu brechen, werden — (solches ist meine individuelle Ansicht als Denker und Mann der Wissenschaft) — die factischen Erfolge Sr. Durchlaucht nicht ausreichen. Sie müssen durch moralische Elemente von einer anderen Seite verstärkt werden. Die Veröffentlichung aller Gerichtsacten über die aus Anlaß der Octoberereignisse zur Haft gebrachten wird nicht den gleichen Einfluß auf das Urtheil der unabhängigen und selbständigen Geister haben als diejenige Schrift die ich gesonnen bin mit dem ganzen heiligen Ernst selbsterlebter Anschauungen niederzuschreiben und der Öffentlichkeit zu übergeben, wenn mir die obenbezeichnete Bedingung, die conditio sine qua non, nicht geradezu unmöglich gemacht wird, nämlich mir den klaren Nachweis meines freien, von keinem Einfluß abhängigen Handelns zu sichern.

Herr General! Ich höre die Schmähungen der Eraltirten über die Consequenzen meines Benehmens ohne Zorn mit Bedauern. Ich wünsche aber auch diesen selben Eraltirten zu zeigen daß ich unter keinerlei Einflüßen von Furcht gestanden, um zu dem Entschluß zu gelangen, ihre Principien und Endziele mit aller Macht meiner Erfahrungen und Zeugnisse öffentlich anzugreifen. Meine fernere Wirksamkeit zum Besten der neuen Ordnung der Dinge — mag sie auch noch so gering angeschlagen werden — kann nur dann eine volle sein, wenn es mir erleichtert wird: meinen völlig unabhängigen und neutralen Standpunkt zu behaupten. Ich habe in dieser Hinsicht Sr. Excellenz dem Herrn Finanzminister Baron Kraus die Bitte vorgelegt mir bei der hohen Militärbehörde meine Abreise in die tiefste Zurückge=

(Die Fortsetzung, beziehungsweise der zweite Bogen dieses halbbrüchig auf großem Formate abgefaßten Schreibens fehlt in den uns zur Einsicht gestatteten Papieren).

5) Messenhauser an Cordon.

Herr General!

So eben wird mir ein Placat mitgetheilt welches dem Gemeinderath zur Pflicht macht meine Person auszuliefern. Da meine Hausgenossen meinen wahren Namen und meinen wahren Charakter nicht kennen, ich auch vor meinem Bewußtsein keine Ursache zu haben glaube ein unparteiisches Gericht über meine Amtshandlungen zu scheuen, so habe ich die Ehre Euer Hochwohlgeboren mit meinem Ehrenwort anzuzeigen daß ich mich morgen Abends bei einbrechender Dämmerung auf der Commandantur freiwillig als Gefangener stelle. Bis dahin bitte ich mir die nöthige körperliche Ruhe nach so außerordentlichen Anstrengungen zu gönnen.

Ich communicire mit niemand von politischen Persönlichkeiten; denn niemand, wer er auch sein möge, hat entscheidenden Einfluß auf meine Handlungen gehabt, und von Denjenigen, welche die Strenge der Gerechtigkeit zu fürchten haben, ist vielleicht kaum Einer der nicht meinen großen Plan, die Monarchie in ihrer unverletzlichen Glorie zu bewahren, in wahnsinniger Verblendung durchkreuzt hat. Sie sind also entschieden keine Gegenstände meines Privat=Verkehrs.

Wien, am 4. November 1848 9½ Uhr Abends.

Messenhauser
ehem. prov. Ober=Cdt.

6) Messenhauser an Karger.

Herr General!

Nachdem mir gestern Abends eine Kundmachung zugekommen, worin die Auslie= ferung meiner Person verlangt wird, so habe ich allsogleich ein Schreiben an den Herrn General Cordon abgeschickt worin ich erkläre: mich heute Abends bei einbrechender Dun= kelheit auf mein Ehrenwort auf der Commandantur als Gefangener zu stellen.

Ich erlaube mir an Euer Hochwohlgeboren die ergebene Bitte zu richten, wenn es in Ihrer Macht steht, Punkt 6 Uhr einen Herrn Officier an die Brunnensäule am hohen Markt zu beordern. Wenige Minuten darnach werde ich in einem Fiacre anlangen und der Herr Officier kann mich dann geleiten wohin der Befehl des Herrn Stadtcomman= danten ihn anweist.

Verzeihen Euer Hochwohlgeboren meine Dreistigkeit, ich wünsche jedoch diesen un= umgänglichen Act so rasch als möglich und mit Vermeidung alles Aufsehens zu be= werkstelligen.

Genehmigen Sie Herr General den Ausdruck der tiefsten Hochachtung des Unter= zeichneten

Wien, am 5. November 1848 9½ Morgens.

Messenhauser
ehem. prov. Ober=Cdt.

7) Cordon an die Centralcommission der k. k. Stadt=Commandantur.

Nr. C. 222—223—224.

Der ehemalige Ober=Commandant der Wiener Nationalgarde Messenhauser hat sich, wie die beiliegenden Acten zu entnehmen geben, gestern Abends freiwillig als Ge= fangener gestellt, und ist unter einem in das hiesige Polizeihaus in Gewahrsam ge= bracht worden.

Nach den von ihm ausgegangenen Proclamationen war er es der die Anstalten zum äußersten Widerstand gegen das gesetzliche Einschreiten der Regierung selbst persönlich geleitet, ja selbst dann noch, als am 30. October der hiesige Gemeinderath eine eigene Deputation mit der Unterwerfung der Stadt an Se. Durchlaucht den k. k. Herrn Feld= marschall Fürsten zu Windischgrätz entsendet hatte, durch gedruckte Placate, die er vom Stephansthurm herunterwarf und wovon drei Stück den Acten beigeschlossen werden, bei Annäherung der hungarischen Armee in Anhoffung eines siegreichen Erfolges die Bevölkerung Wiens zur Erneuerung der aufrührerischen Widersetzlichkeit aufgerufen hat.

Da er somit als einer der Haupthebel der Empörung angesehen und bezeichnet werden kann, so hat die Untersuchungs=Commission gegen ihn nach den bestehenden

Gefeßen und den von Sr. Durchlaucht dem k. k. Herrn Feldmarfchall erlaffenen Proclamationen das Amt handeln zu laffen.

Gleichzeitig werden derfelben die Effecten des Verhafteten, in einer verfchloffenen
Reifetafche wozu er felbft den Schlüffel bei fich führt, zur vorfchriftmäßigen Behandlung zugefendet.

Wien, am 6. November 1848.

Cordon, G. M.

An
die k. k. Militär-Central-Unterfuchungs-Commiffion.

in tergo:

Von der Central-Militär-Unterfuchungs-Commiffion.

An das k. k. permanente Kriegsgericht zur fchleunigen
und ftreng analogen (?) Amtshandlung.

Wien, am 6. November 1848 Morgens 8½ Uhr.

Hipffich, G.-M.

.8) Aus dem erften Verhöre Meffenhaufer's, begonnen am 6. November 6 Uhr Abends.

. . . .

„In dem großen Streite zwifchen Volk und Thron war es noch nicht möglich zu
erkennen ob die Proclamationen Sr. Durchlaucht bindende Kraft für alle Körperfchaften
ohne Widerrede haben follen. Daß hierüber andere Anfichten fich geltend machten, liegt
factifch am Tage:

1. Weil der hohe Reichstag energifchen Proteft gegen ihre Publication eingelegt
und die Gründe feines Proteftes der Bevölkerung mitgetheilt hat.

2. Hat fich der Gemeinderath diefem Protefte eben fo feierlich angefchloßen und
feine Gründe der Bevölkerung mitgetheilt.

Mithin war die Bevölkerung im Protefte gegen die Proclamationen Sr. Durchlaucht, und ihre verbindliche Kraft konnte für das Ober-Commando um fo weniger
ifolirt vorliegen, da der hohe Reichstag es war der dem Ober-Commando den Auftrag ertheilte die Stadt Wien in Vertheidigungszuftand zu feßen, und daß folglich auch
der Reichstag es fein mußte, welcher, wenn der rechtskräftige Inhalt in den Proclamationen Sr. Durchlaucht für ihn feftftand, dem Ober-Commando die Weifung zu ertheilen hatte feine Aufgabe der Vertheidigung als nunmehr erlofchen anzufehen, alle darauf abzielenden Maßregeln fofort einzuftellen und die Niederlegung der Waffen, die
Auflöfung der bewaffneten Corps, es mochten bei den erhißten Leidenfchaften und Gemüthern Unruhen hervorgehen welche wollten, in's Werk zu feßen.

Meine in diefen Tagen erlaffenen Tagesbefehle und Proclamationen find nichts
als der Ausfluß der fchon erwähnten Protefte des Reichstages und Gemeinderathes.“

„Der ftandrechtlichen Behandlung kann ich mich auf Grund der erwähnten Proclamationen weder als Privatmann noch als Amtsvorfteher fchuldig gemacht haben
weil ein Mandat erft dann vollen Gehorfam anfprechen kann, wenn feine Rechtskraft
für eine gewiffe Mehrheit vorliegt. Da aber die Mehrheit, darunter die Mehrheit der
Vertreter des Volkes deren Amt es ift conftitutionelle Streitigkeiten auszulegen und zu
berichtigen, fich gegen die Rechtskraft des Mandates, welches ftandrechtliches Verfahren
anordnet, ausgefprochen, fo habe ich aus der Unterlaffung kein Vergehen begehen können,
weil ich hiezu nicht einmal den Vorfaß haben konnte.“

3*

(Über den ihm vorgeworfenen Capitulationsbruch sagte er u. a.)

„Man wolle nicht übersehen daß ich dem exaltirten Theil der Bevölkerung nicht den ruhigern Theil unter Waffen entgegen zu stellen hatte. Meine Waffen die ich den Abgesandten aller Clubs, aller Parteien entgegenzustellen hatte, waren die einzigen meiner Persönlichkeit — Worte, Beschwörungen, Appellationen an Vernunft und Gewissen. Die Aufregung in jenen Vorstädten (Wieden Gumpendorf Neubau, theilweise auch Josephstadt) erreichte bald einen Grad daß niemand mehr einen Befehl von mir überbringen, am allerwenigsten aber vorlesen wollte. Alle Personen meines Haupt=Quartiers, die ab= und zugehenden Personen aus Stadt und Vorstädten, Deputirte, Gemeinderäthe sind Zeugen der herben peinlichen und lebensgefährlichen Stellung, in welcher ich mich der Capitulation wegen von der Nacht vom 28. auf den 29. an befand und mit welcher redlichen Hingebung für das Gemeinwohl ich allen diesen Stürmen unerschütterlich und gewissenhaft die Stirne bot. Den ganzen 29. October beschäftigte ich mich theils mit der Fortsetzung der Unterhandlung, mit der Auswahl von Männern um den Halsstärrigen und Fanatisirten zuzusprechen und so, wenn gleich mit außerordlicher Mühe, aber dennoch die friedliche Unterwerfung zu erzielen. Ich sollte bald an verschiedenen Symptomen erkennen, daß man von verschiedenen Seiten überaus thätig sei meinen Plan um jeden Preis zu durchkreuzen. Doch hatte ich von einem eigentlichen Complotte, ungeachtet ich mir von dem Charakter der Denkungsart und den politischen Endzielen der Agitators und Parteiführer hinlängliche Kenntnis erworben, keine eigentliche Ahnung."

(Folgt die Erzählung der Vorgänge am 29. im großen Redouten-Saale, der Anschläge am Abend desselben Tages die kaiserliche Burg zu plündern rc.)

. . . „Womit es hindern? Es ist keine Verdächtigung gegen die loyalen Garden oder die entschiedenen Anhänger von Ruhe und Ordnung, aber das Ober=Commando konnte ihnen die dringendsten Aufforderungen schriftlich und mündlich zukommen lassen und sie beschwören, zum Schutze der öffentlichen Gebäude in imponirender Zahl unter Waffen zu treten; die Garden der innern Stadt, wenn sie nicht schon im speciellen Wachdienst verwendet waren und mithin für eine weitere Verwendung nicht mehr zur Verfügung standen, diese Herren Garden sind auf die dringendsten Befehle des Ober=Commando so gut wie beinahe gar nicht erschienen. Nicht einmal die nöthige Truppe zur Sicherheit des Haupt=Quartiers konnte aus zuverlässigen Garden aufgebracht werden. Der Stimmung war entschieden nicht zu trauen. In meiner höchsten Noth, um mein Capitulations=Werk nicht gleich zu Anfang vernichtet und die Ehre der Stadt Wien so wie des österreichischen Volksnamens durch einen freventlichen Angriff auf den Wohnsitz Sr. Majestät und anderes Privat=Eigenthum geschändet zu sehen, griff ich zu einem verzweifelten Mittel: Ich übertrug mittelst schriftlichem Befehl die Sicherheit der k. k. Burg und fürstlich Windischgrätz'schen Palais demjenigen Manne, von dem mir damals die erste Mittheilung gemacht worden, er agitire gegen mich und mein Friedenswerk, und der ganze Plünderungsplan könne von ihm und seinen Anhängern ausgegangen sein. Meine Menschenkenntnis hat mich nicht getäuscht. Die Sicherheit der bedrohten Gebäude ist nicht gefährdet worden."

(Am 30. morgens, erzählt er weiter, sei er in Entwaffnungsangelegenheiten im Gemeinderath gewesen, als ihm von befreundeter Hand, etwa um 9 Uhr V. M., ein Zettel zukam: „Hüthen Sie sich vor Fenneberg, Ihnen droht von ihm die größte Gefahr." Zugleich habe er den Anmarsch

der Ungarn, die neue Thätigkeit des Observatoriums auf dem Stephansthurm ꝛc. vernommen und sich hierauf dahin begeben, um :)

„nach den wahrgenommenen Beobachtungen zu dem Publicum zu sprechen. Ich hielt
das Anrücken eines ungarischen Heeres von vorn herein für eine Fabel. Als ich den
Stephansthurm betrat, fand ich Treppe und Balustraden von Ab- und Zugehenden gegen
die bestehenden Vorschriften förmlich belagert. Ungewöhnliche Anzeichen deuteten mir
daß etwas gegen die Ansichten des Ober-Commandos vorbereitet werde. Ich darf
wohl sagen daß zu jeder Minute hundert Personen auf dem Thurm anwesend waren
welche alle eine große ungarische Armee deutlich sehen wollten, die also die gestern
durch Majorität beschlossene Capitulation in ihrem Sinne für nichtig erklärten und die
augenblicklich fortliefen um auf ihre Faust Alarm zu schlagen und unter die Waffen
zu rufen. Zettel von Unsachverständigen, worunter ich besonders den damaligen Hauptleiter Herrn Groß rechne, wurden ausgegeben, im Studenten-Comité vorgelesen, und
so das Publicum für die besondern Zwecke der Wühler und Agitators alarmirt. Herr
Robert Blum, Herr Julius Fröbel und seine Anhänger waren bereits vorher auf dem
Thurm gewesen und hatten sich, wie mir berichtet worden, in den heftigsten Worten
über meine Capitulation, die man mit allen möglichen Titeln überhäufte, ausgesprochen.
In einem so ungewöhnlichen Augenblicke und unter so ungünstigen alle meine Pläne
mit Vernichtung bedrohenden Verhältnissen erkannte ich kein besseres Rettungsmittel als
Offenheit und Wahrheit. Was ich mit eigenen Augen sah, das konnte ich der Kenntnis des Publicums nicht vorenthalten, weil das Publicum schon andere Zettel hatte.
So ließ ich das erste Bulletin ausgeben, endlich auch das zweite; was hier den Nachsatz betrifft: „Im Falle ein geschlagenes Heer" ꝛc. — so ist dieser Nachsatz unter der
vollsten Einwirkung moralischen und physischen Zwanges geschrieben worden. Denn es
traten ohne Befehl des Ober-Commando die Garden in Waffen, es wurde ohne Befehl
allenthalben Alarm geschlagen, es kamen Aufforderungen über Aufforderungen, damit
den Vorstädten der Befehl zu der Wiederaufnahme der Feindseligkeiten ertheilt werde.
Der Ober-Commandant hat das letztere rund abgeschlagen, freilich nicht mit dem dürren
Worte: „Nein", sondern in derjenigen Sprache mit welcher der vereinzelte Mensch
wüthende Haufen zu seinem Zwecke zu leiten hat. In jenem außerordentlichen Augenblick traten die ersten Zweifel an mich, ob ich mein so schwieriges und dornenvolles
Amt bis zum Ende würde durchführen können ; sollten die Ungarn wirklich im siegreichen Vorrücken sein, sollte aus Anlaß dieses Ereignisses die Minorität zur Majorität
und die Waffen neuerdings ergriffen werden, so war es mein unwiderruflicher Entschluß meine Stelle niederzulegen, da ich zur Fortsetzung des Kampfes die Hand nicht
mehr bieten wollte."

„Bis gegen drei Uhr dauerte die Ungewißheit. Um jene Zeit hatte ich bereits
deutlich gesehen, daß ein ungarisches Ersatzheer Chimäre sei und mein drittes Bulletin
in diesem Sinne bereits erwogen, als Ereignisse der ernstesten Art auf dem Stephansthurm eintraten. Eine Deputation der Blutmänner, unter ihnen die Herren Hammer-
schmidt, Löwenstein, Becher traten an mich, um mich mit Ungestüm aufzufordern meine
Stelle zu Gunsten Fenneberg's sogleich niederzulegen. Ich sagte zu und solches war
meine Rettung. Im Complott war es ausgemacht worden mich bei einer Weigerung
vom Thurme herabzustürzen. Blos Herr Becher stimmte dafür mich im Thurme ein-
gesperrt zu halten, und sein Anschließen an die Deputation hatte blos den Zweck zu
verhindern daß sich an meiner Person vergriffen würde. Kaum hatte ich die erste
Deputation mit ja abgefertigt, so erschien die zweite bestehend aus Gliedern des Studenten-Comités, um mich in eben so heftigen und ungestümen Worten

Gunſten des Herrn Fenneberg, der für eine kräftigere Vertheidigung der Volksſache ſei, abzudanken. Ich ſagte dieſen Herren, was ich den erſteren geſagt, ich würde abdanken. Die jugendlichen Glieder des Studenten-Comités verlangten aber, ich ſoll es auf der Stelle thun. Der Abgeordnete Goldmark befand ſich zugegen, proteſtirte gegen die beiden Deputationen und trang lebhaft in mich dem Anſinnen dieſer Fractionen auf keinen Fall zu weichen, der Unterſtützung des Reichstagsausſchuſſes dürfte ich gewiß ſein, da Herr Fenneberg ſein Vertrauensmann durchaus nicht ſei."

„Ich war ſomit durch außerordentliche Hemmniſſe verhindert, mein drittes Bulletin welches der Bevölkerung alle Hoffnung auf ungariſche Hilfe dürr und trocken abge=ſprochen hätte, und welches ich in dieſem Sinne auch wirklich abfaßte und wenn ich nicht irre in 20.000 Exemplaren ausgeben ließ, noch an demſelben Abend zur Kenntnis des Publicums zu bringen."

(**Meſſenhauſer erzählt weiter, wie er ſein Entlaſſungsgeſuch in der Stallburg geſchrieben, wie ihn die Nationalgarde-Officiere zu bleiben be=ſchworen, wie man im Reichstags-Ausſchuß im Sinne Goldmark's geſprochen, wie er ſich entſchloſſen ſeine Entlaſſung zurückzunehmen, wie er mit Fenne=berg im rothen Igel eine Beſprechung gehabt, wobei dieſer den Dr. Becher, er ſelbſt den Gutsbeſitzer Baron Horetzky aus Mähren als Zeugen mitge=bracht, wie am 31. die Herrſchaft des Proletariats alle Bemühungen der Friedenspartei vereitelt, wie er, Meſſenhauſer, an den im Haupt-Quartier des Feldmarſchalls befindlichen Gemeinderath Dr. Kubenik ein Schreiben gerichtet:**)

„Es iſt in die Hände des Generals Karger gelangt welcher es noch in Verwah=rung hält und es mag als Beweis gelten ob ich der Mann ſein könne der ſich mit Willen und Vorſatz einen Capitulations-Bruch zu Schulden kommen ließ, oder ob ich nicht mich der Gefahr des grauſamſten Todes blosgeſtellt, nur um das Unterwerfungs=geſchäft mit den mindeſten Unordnungen zuſtaudzubringen. Ich hoffe von der Gerech=tigkeitsliebe meiner Herren Richter auf Grund der vorliegenden Thatſachen, für welche zahlloſe Zeugen ſich auffinden laſſen, vollkommen gerechtfertigt zu erſcheinen."

„Was das producirte Bulletin von 2 Uhr Nachm. vom Stephansthurm ausge=fertigt betrifft, ſo rührt es nicht von mir her, ſondern die Unterſchrift iſt ein Falſum, als welches es auch von den Individuen der Staatsdruckerei erkannt wurde, die aber gezwungen wurden es dennoch abzudrucken. Mein erwähntes 3. Bulletin erſchien am 31. morgens in großem Format und wurde angeſchlagen, jedoch abgeriſſen."

Fortgeſetzt am 7. November Vorm. 10 Uhr.

(**Gegen die ihm vorgelegte Lundenburger Proclamation beruft ſich Meſſenhauſer auf Reichstag, Gemeinderath und Miniſter Kraus.**)

„Wenn ſolche Ausſprüche der berufenſten Männer vorliegen, kann ſolchen, die keine Volksvertreter und keine Räthe der Krone ſind, ein Schwanken wo das conſtitutionelle Recht zu finden ſei nicht zum Vorwurf gemacht werden."

„Warum ich nicht ſelbſt ſogleich das Commando niederlegt, habe ich zu antworten: Hätte ich es gethan, ſo hätte jene Fraction welche mein Friedenswerk ohnedies durch=kreuzt ſogleich das Ruder an ſich geriſſen . . . . . Wien wäre der Schauplatz der gröb=ſten Unordnung geworden, wie es mir alle ruhigen und beſonnenen Bürger, die einen Blick in die Verhältniſſe gethan haben, auf ihr Gewiſſen beſtätigen müſſen." . . .

(Als ihm die Vollmacht an den Ortsrichter zu Neuhof vom 14. October zur Organiſirung eines freiwilligen Aufgebotes vorgewieſen worden :)

„Was die ausgeſtellten Vollmachten zur Organiſirung eines Landſturms betrifft, ſo ſind ſelbe im Einklang mit den Beſchlüſſen des Reichstages zur Vertheidigung in den durch die Vollmacht ausgedrückten Fällen ausgeſtellt worden. Allen denjenigen, die ſich zur Bildung eines Landſturmes bei dem Reichstage antrugen, iſt erwiedert worden, daß ſie gegen die kroatiſchen Schaaren blos eine beobachtende Stellung einzunehmen hätten und ſich jedes Angriffes enthalten und niemals nach Wien aufbrechen ſollten."

(Über ſeine Begegnungen mit Blum und Fröbel ſagte er u. A.:)

„Am 27. früh nahm ich die Vertheidigungslinien vom Donau-Arm bis zur St. Marrer-Linie in Augenſchein. Bei dieſer Gelegenheit fand ich Robert Blum an der Sophien-Brücke und hatte mit ihm die zweite und letzte Unterredung, wobei er bewaffnet und Commandant dieſer Abtheilung war. Er warf mir einige Worte über eine Präſidentur hin, die ich mit Beſtimmtheit und nachdrücklich zurückwies und beantwortete. Aus den ſämmtlichen Reden Blum's entnahm ich daß mein auch unter dem Getöſe des Kampfes auf Unterwerfung gerichtetes Syſtem ſeinen Beifall nicht habe. Von Oppoſitions-Gedanken gingen Robert Blum und Julius Fröbel auch zu Oppoſitions-Thaten über." . . .

(Am 31. habe er ſeine beiden Stellvertreter in den Gemeinderath geſandt für die Unterwerfung zu ſprechen :)

„Herr Fenneberg hielt Wort. Er ſprach offen daß es Wahnſinn ſei den Widerſtand fortzuſetzen, ungeachtet die Stadt noch ganz gut drei Tage vertheidigt werden könne. Herr Redl dagegen machte entſchiedene Anſtände zum letzten Werk der Unterwerfung die Hand zu bieten, und als Herr Stifft Vorſtand-Stellvertreter des Gemeinderathes ihm in Folge der ſich entſpinnenden hitzigen Debatte bemerkte, die Majoriät der Stadt werde ſich von einer Handvoll Akademiker und Proletarier keine Geſetze vorſchreiben laſſen, entfernte er ſich mit der Bemerkung er könne in dieſem Falle nichts thun, wovon der Gemeinderath Kenntnis hat. Ich vermuthe daß er ſich ſogleich auf die Aula begeben hat, um zur Widerſetzlichkeit gegen die Entwaffnungsbefehle des Ober-Commando aufzureizen, denn nun mehrten ſich die Beiſpiele von der Wiederbewaffnung von Abtheilungen und Corps, deren Führer mir bereits ihr Wort gegeben ſich ganz gewiß zu unterwerfen. Herr Emperger aus Steiermark ging mit einem ſolchen Treubruche voran, er bewog die ſteiriſche Legion welche ſich bereits entwaffnet die Waffen wieder zu ergreifen; ich gab dem Hrn. Hptm. Valentin den Auftrag ſich der Perſon des Emperger ſogleich zu bemächtigen; ſpäter und bei der Dringlichkeit der Umſtände erweiterte ich den Befehl dahin, Emperger ohne weiters niederzuſchießen. Daß Emperger die oberwähnten Geſinnungen ausführte müſſen die im Gemeinderathe vorkommenden Belege ausweiſen. Auch die ſteiriſche Legion wird davon wiſſen."

„Auch die weitern Agitatoren welche zum Widerſtand am 31. mitgewirkt haben, ſind: Dr. Becher, Baronin Perin, Hammerſchmid, Hauck (Mitarbeiter der Conſtitution) nebſt einer Anzahl von Studenten deren Namen im Gemeinderathe nicht genannt werden konnten; Schaßes *), den wir vom Gemeinderathe aus geſehen hatten wie er mit leidenſchaftlichen Geberden, offenbar in der Abſicht zum Kampfe anzufeuern, gegen die Schottenbaſtei zog."

„Als ſich der Kampf auf der Burgbaſtei wirklich entſpann, habe ich die im Hofe des Landhauſes verſammelten Abtheilungen haranguirt; ſie beſchworen die Alarmſchlagen-

---

*) Ohne Zweifel: Awrum Cheizes.

den zu verhaften oder auch niederzumachen, alle Straßen und Zugänge zur **Burg von**
Proletariern mit Anwendung der schärfsten Maßregeln zu säubern. Dem **Hauptmann**
des **Wimmer-Viertels** habe ich den Auftrag gegeben mit seiner Compagnie und mit
Zuhilfenahme der Brünner Garden auf die Bastei zu eilen und die feuernden **Kanoniere**
an den Geschützen gleichfalls ohne Umstände niederzuschießen. Jedermann suchte **Aus-**
flüchte; der Hauptmann verlangte einen schriftlichen Befehl, fand sich aber dann nicht
stark genug; die Brünner hatten ihre Munition bereits in Folge der Capitulation abgegeben. Die Abtheilung Gumpendorfer sagte mir sie werde auf ihre **Mitbürger** nicht
schießen. Ich selbst verfügte mich während des Kanonendonners ganz allein zu dem
ebenfalls noch nicht entwaffneten Corps des Obersten Wiedenberg auf der Stuben- und
Bieber-Bastei und es ist mir auch wirklich gelungen, diese Mobilen zu beschwichtigen
den Wortbrüchigen auf der Burg-Bastei nicht zu Hilfe zu kommen, vielmehr sogleich
in das Landhaus zu gehen und daselbst die Waffen zu strecken, was auch wirklich geschehen ist" . . .

Fortgesetzt am 8. November 1848.

(**Als ihm das versiegelte Decret an den Ortsrichter von Zuckerhandel vor-**
gewiesen wurde:)

„Die vorgewiesene Vollmacht ist eine von jenen welche ich in den ersten Tagen
meines Commandos erließ an jene Ortsrichter und Deputationen, die sich zu diesem
Zwecke im Reichstage gemeldet hatten; es wurde aber den Empfängern von mir gesagt daß sie durchaus nicht angriffsweise vorzugehen, sondern nur sich zu vertheidigen
hätten, wenn sie von den kroatischen Schaaren angegriffen würden, was zwar rücksichtlich der schlesischen Gemeinden keine Anwendung hat; allein diese hatten sich erboten
Wien zu Hilfe zu kommen. Als ich in den folgenden Tagen klarer zu sehen anfing,
stellte ich die Ausgabe der Vollmachten ein."

(Auf Vorweisung seiner Proclamation vom 25. October:)

„Diese Proclamation rührt von mir her, ich schrieb sie im Sinne des Reichstagsbeschlusses der an der Spitze steht. Die heftige Sprache kann ich nur mit den damaligen aufgeregten Verhältnissen entschuldigen, indem selbst der Gemeinderath, der aus
ältern Männern besteht, in ähnlicher heftiger Sprache in ihren Placaten sich ausließen."

9.) An die löbliche Central-Commission der k. k. Stadt-Comman-dantur zu Wien.

Haupt-Quartier Schönbrunn, am 8. November 1848.

Nachdem man so eben in Erfahrung brachte daß Robert Blum sich unter den in
Arrest gesetzten Aufwieglern befindet, so hält man sich verpflichtet, über denselben
Folgendes anzuzeigen.

Bei Gelegenheit als die k. k. Truppen gegen die St. Marrerlinie vorrückten,
wurde der Aufseher der Gasbeleuchtungs-Anstalt in Erdberg mit 22 dort angestellten
Arbeitern von den Kroaten gefangen und nach dem Corps-Haupt-Quartier in Inzersdorf
abgeführt. Aus dessen Aussage ergab sich jedoch daß derselbe sammt jenen 22 Arbeitern
an dem Kampfe gegen die k. k. Truppen gar keinen Antheil genommen hatte, daher
jener Aufseher sammt den Arbeitern zu Hetzendorf in Freiheit gesetzt wurde.

Als man demselben die betreffenden Papiere aushändigte, sagte er aus daß Robert
Blum die Gasbeleuchtungs-Anstalt mit mobiler Garde besetzen wollte um auf die k. k.
Truppen zu feuern und daß derselbe, als dieses Begehren nicht willfahrt ward, hierauf
die Barricade an der Sophienbrücke mit 15 Mann besetzte, welche er mit gezogenem
Säbel commandirte.

Da sich hiedurch |herausstellt, daß Robert Blum mit den Waffen in der Hand gegen die k. k. Truppen gekämpft hat, so wäre es höchst wichtig jenen Aufseher der Gasbeleuchtungs-Anstalt in Erdberg sammt einigen Arbeitern zu vernehmen, um zu ersehen ob selbe auf ihren Aussagen gegen Robert Blum beharren.

Mengewein, G.-M.

10) Standrechtliches Verfahren mit Robert Blum vom 8. November abends bis 9. November morgens.

Actum bei der Standrechts- und Kriegsrechts-Commission im Stabstockhause angefangen um 5½ Uhr Abends am 8. November 1848.

Protocoll:

welches auf Anordnung des k. k. Militär-Stadt-Commandos Act. 7. Nov. Nr. 251 in Betreff des in Haft gebrachten Robert Blum aufgenommen wurde.

Zur Grundlage dient:

Nr. 1. Auftrag des Herrn G. M. Cordon dto. 7. November Nr. 251 mit

    a. ein Zeitungs-Abbruck der Presse dto. 25. October,

    b. „ „ „ „ Ostdeutschen Post dto. 24. October.

    c. Auszug aus dem Sitzungs-Protokolle des Gemeinderathes der Stadt Wien dto. 18. October 1848.

Nr. 2. Bericht über die Arretirung Robert Blum's dto. 4. November mit

    a. Schreiben des Robert Blum, Julius Fröbel, Moritz Hartmann und Albert Trampusch.

    b. Schlüssel zu dem Koffer.

Nach Allegirung dieser Acten wurde Robert Blum vorgerufen, zur Angabe der Wahrheit erinnert und vernommen wie folgt:

„Ich heiße Robert Blum, zu Köln in Rhein-Preußen gebürtig, katholisch, Vater von 4 Kindern, bin Buchhändler zu Leipzig, 40 Jahre alt.

„Ich kam am 14. October mit Herrn Fröbel Trampusch und Hartmann als Abgeordnete in Frankfurt a. M. von dort nach Wien um zunächst den Wiener Behörden eine Adresse zu überreichen. Wir fanden die Verhältnisse anders als wir geglaubt hatten und ich habe, wahrscheinlich am 23. October, auf der Aula eine Rede gehalten deren Sinn dahin ging daß man an die Stelle des früheren Bandes der Gewalt, welches die verschiedenen Nationalitäten des österreichischen Kaiserstaates zusammengehalten, das Band der gemeinsamen Freiheit und der Anerkennung der gleichen Berechtigung aller Nationalitäten setzen müsse, damit die gemeinsame Freiheit sie inniger binde als es die Gewalt bisher vermochte. Sollte es im Innern des Staates noch Elemente geben welche die nicht-deutschen Nationalitäten nur durch das Band der Gewalt fesseln wollen, so müssen dieselben überwunden und vernichtet werden.

„Am 26. ließ ich und Fröbel auf Zureden des Commandanten Hauk in das Eliten-Corps mich einreihen, und wir wurden zu Hauptleuten gewählt, bezogen mit meiner Compagnie einen Posten an der Sophienbrücke beim Rosamofskischen Palais wo Kanonen in den Garten gegenüber dem Fluß gerichtet waren. Der Ober-Commandant Messenhauser kam dahin und ich sprach mit ihm so wie andern. Daß ich dort zu ihm geäußert hätte daß er die Präsidentur der Republik annehmen solle, darauf kann ich mich nicht erinnern und wenn dieses überhaupt gesprochen worden ist, so ist es nur im Scherze ausgesprochen worden.

„Ich habe in den Zeitungen allerdings die Anordnungen des Fürsten Windischgrätz bezüglich des Belagerungszustands gelesen.

„Wo Herr Fröbel an diesem Tage mit seiner Compagnie stand weiß ich nicht anzugeben.

„Hier muß ich bemerken daß das Gespräch bezüglich der Präsidentur nicht an der Sophienbrücke, sondern in einem Kaffeehause wie ich glaube auf der Landstraße stattfand wohin Messenhauser kam, als ich eben nebst andern Garden und Mitgliedern des Elitecorps an jenem Tage *) mich befand um Kaffee zu trinken. Was Messenhauser damals auf der Landstraße zu thun hatte weiß ich nicht; wahrscheinlich inspicirte er die aufgestellten Posten der unter seinem Commando stehenden Garden.

„Ich muß noch bemerken daß ich und Fröbel am 29. October früh die Waffen abgelegt haben weil das Elitecorps nicht zu dem Zwecke verwendet wurde zu welchem es ursprünglich bestimmt war, nämlich die innere Stadt in Ruhe und Ordnung zu halten.

„Ich muß hier auf jenes in Deutschland gültige Gesetz aufmerksam machen wornach ein Deputirter nicht verhaftet und in Untersuchung gezogen werden kann ohne vorher die Genehmigung der National-Versammlung einzuholen.“

Praelecta confirmat.   Robert Blum m. p.

Nach eigenhändiger Fertigung wurde das Protocoll geschlossen und unterzeichnet.

Franz Tiefenthaller Gemeiner		Adolf Compéis Gemeiner
Joseph Mahn (Maan?) Gefreiter		Joseph Wöhner(?) Gef.
Johann Mohr Corporal		Adalbert Simmer Corporal
Joh. von Ehrenfeld Feldwebel		Franz Hirschecker Feldwebel
Pokorny Lieutenant		Szeth Lieutenant
Zamagna Hauptmann		J. F. v. Bach (?) Rittmeister
Wolferom	Cordier Major	Johann Sailler
Hptm. Auditor.	Praeses.	qua actuar.

Urtheil

welches in dem auf Befehl des hohen k. k. Militär-Stadt-Commando in Wien zusammengesetzten permanenten Standrechte mit Einheit der Stimmen geschöpft wurde:

Herr Robert Blum zu Köln in Rhein-Preußen gebürtig, 40 Jahre alt, katholisch, verheurathet (sic!), Vater von 4 Kindern, Buchhändler zu Leipzig, welcher bei erhobenem Thatbestande durch sein Geständnis und durch Zeugen überwiesen ist, am 23. October l. J. in der Aula zu Wien durch Reden in einer Versammlung zum Aufruhre aufgeregt, und am 26. October l. J. an dem bewaffneten Aufruhr in Wien als Commandant einer Compagnie des Elitecorps thätigen Antheil genommen zu haben — Soll nach Bestimmung der Proclamation Sr. Durchlaucht des Feldmarschalls Fürsten zu Windischgrätz vom 20. und 23. October, dann nach §. 4 im 62. Artikel der Th. Gerichts-Ordnung mit dem Tode durch den Strang bestraft werden.

So gesprochen in dem Standrechte angefangen um ½6 Uhr Abends am 8. November 1848.

Cordier Major   Wolferom

Praeses.   Hauptmann-Auditor.

---

*) „Orte“?

Ist kund zu machen, und in augenblicklicher Ermangelung eines Freimanns mit Pulver und Blei durch's Erschießen zu vollziehen. Wien den 8. November 1848.

Im Namen Sr. Durchlaucht des Herrn Feldmarschalls

Lipssich, G. M.

Kundgemacht und mit Pulver und Blei durch Erschießen vollzogen am 9. November 1848 halb 8 Uhr Morgens.

Wolferom
Hauptmann-Auditor.

11) Standrechtliches Verfahren mit Julius Fröbel 10. bis 11. November.

(Aus dem Verhöre am 10. November im Stabsstockhause.)

. . . . . .

„Ich habe zwar gehört daß Herr Robert Blum einige Tage nach unserer Ankunft auf der Aula eine Rede hielt, bei der ich aber nicht zugegen war, ich hörte zwar davon sprechen, doch weiß ich den Inhalt nicht. . . .

„Ich erklärte (dem Hauck) daß ich mich auf militärische Commandos nicht verstehe, er sagte mir daß er mir einen andern Verständigen zur Seite geben werde was hernach nicht geschah" . . .

(Über seine Verwendung in der Jägerzeile am 27./28. October:)

„Ich bat am nächsten Morgen den General Bem mir einen andern Posten zu geben, da mir diese Position unhaltbar schien. Ich bemerkte dem Generalen, daß wir hiezu nicht bestimmt seien gegen die k. k. Truppen zu fechten und einige Leute bereits deßhalb fortgegangen sind. Er befahl mir, hierauf nicht merkend, eine andere Barricade zu besetzen. . . .

„Da ich aber nicht Lust hatte mich weiter hiebei zu verwenden so benützte ich die Veranlassung daß mehrere Leute über langen Dienst klagten um mich ablösen zu lassen, und ich marschirte mit meinen Leuten in die Stadt, als der erste Kanonenschuß aus der Jägerzeile fiel. . . . Ich habe auch am 28. als ich in die Stadt zurückmarschirte, auf dem Universitätsplatz mehrere Leute die zu meiner Compagnie bestimmt waren weggeschickt.

„Ferner muß ich auf Befragen bemerken, daß ich zwar an dem ersten Tage, wo das Ungarngefecht in der Nähe Wiens war, auf dem Stephansthurme mich befand, wobei auch Herr Blum durch das Fernglas sah, ich muß aber in Abrede stellen daß ich damals, wie mir vorgehalten wird, mich geäußert habe daß es eine Infamie Messenhauser's sei daß er capitulirt habe. Wohl aber habe ich häufig und an verschiedenen Orten meinen Unwillen über Herrn Messenhauser deßhalb geäußert, weil er sich zweideutig in der ganzen Sache benahm und über die Stellung der Ungarn widersprechende Nachrichten gab.

„Mir ist zwar zur Kenntnis gekommen aus dem Gespräche der Leute, daß die Stadt Wien von Seite des Fürsten Windischgrätz in Belagerungszustand erklärt worden sei, allein ich habe den Erlaß des Fürsten weder gelesen noch ist mir die genaue Bedeutung der Maßregel hinreichend bekannt gewesen. Vor allem habe ich nicht geglaubt, daß durch den Belagerungszustand der Reichstag aufgehört habe die höchste Behörde in der Stadt zu sein, und daß die Fremden von der Pflicht des Waffendienstes entbunden seien, ist mir erst später bekannt geworden.

„Zu meiner Vertheidigung erlaube ich mir noch Folgendes anzuführen:

„Ich bin nicht hieher gekommen mich thätig zu betheiligen, ich habe mir schon am 21. October einen Passierschein zur Rückreise geben laffen, denselben aber nicht benützt weil in der Stadt allgemein gesagt wurde daß die Reise durch das k. k. Heer verweigert werde. Dieser Passierschein wurde mir von Fenneberg ausgestellt. Ich habe überall in meiner politischen Wirksamkeit für die Demokratie zu wirken gesucht, aber niemals auf dem Wege der Gewalt, und wenn ich an einer Billigung der hiesigen Vorgänge theilgenommen habe (ohne diese jedoch auf einzelne empörende Handlungen ausdehnen zu wollen) so ist dies nur in der Meinung geschehen, daß dieselben durch einen Reactions=Versuch veranlaßt worden seien. Ich bin früher hier in Wien gewesen, und zwar vor einigen Monaten, und habe hier viel öffentlich gesprochen, viele öffent= liche Reden gehalten und einiges drucken laffen. Aber die ganze conservative Preffe z. B. die Wiener Zeitung, der Lloyd, die Ostdeutsche Post, haben einstimmig anerkannt, daß ich in meinen Ansichten gemäßigt sei, und haben sich namentlich auf meine Auto= rität gestützt, indem ich für die Integrität des österreichischen Staates gesprochen und geschrieben habe. Die betreffenden Artikeln müssen sich in den October=Blättern finden. Ich wurde sogar, weil ich damals in einem hiesigen Clubb dafür gesprochen daß nur der Kaiser Minister wieder entlassen könne, in radicalen deutschen Blättern, namentlich in der neuen rheinischen Zeitung vom Ende September, heftig angegriffen und mit dem Spottnamen eines Vereinbarungshelden belegt.

Namentlich berufe ich mich in Bezug auf meine gesammten politischen Ansichten mit Anwendung auf den österreichischen Staat auf meine hier erschienene Brochure „Wien Deutschland und Europa."

Julius Fröbel.

Als Zeugen daß meine Compagnie an keinem Kampfe theilgenommen habe, berufe ich mich auf die beiden Lieutenants der Compagnie Martini und Schmidt. Sonst habe ich nichts anzubringen.

Praelecta confirmat. Julius Fröbel.

Nachträglich gab Herr Julius Fröbel an:

In Bezug auf die Art, wie ich überhaupt die Verwirklichung meiner politischen Ansichten mir immer gedacht habe, berufe ich mich auf die Vorrede in meinem Buche System der socialen Politik, worin ich gesagt habe daß die Demokratie nur in einem langen Zeitraume und auf dem Wege langsamer Entwicklung verwirklicht werden könne Das ist alles.

Praelecta confirmat. Julius Fröbel.

Nr. 54. Von der permanenten Stand= und Kriegsrechts=Commission im Stabsstockhause.

An die hohe k. k. Militär=Central=Untersuchungs=Commission.

In Befolgung des hohen Auftrages vom 10. d. M. Nr. *) werden die Stand= rechts=Acten über Herrn Robert Blum zur hohen Verfügung gehorsamst unterlegt.

Zugleich überreicht die Standrechts=Commission den Standrechts=Act über den deut= schen Reichstags=Abgeordneten Julius Fröbel zu welchem jener über Blum das Allegat bildet zur hochgefälligen Einholung der Ratification des Urtheils mit der unmaßgeblichen ehr= furchtsvollsten Bitte, hierbei im Wege der Gnade auf die hervorgekommenen Milderungs= gründe:

---

*) Nicht ausgefüllt.

1. Daß Herr Fröbel in seiner politischen Ansicht nach dem Inhalte seiner im Drucke erschienenen Schriften und gehaltenen öffentlichen Reden als gemäßigt (sich) darstellt;

2. Daß er vor dem Beginn der Feindseligkeiten gegen das k. k. Militär von hier nach Frankfurt zurückkehren wollte, hieran aber durch die Hemmung der Passage gehindert wurde;

3. Daß er mit der Eliten-Compagnie, zu der er am 26. October eintrat und zu deren Hauptmann er ernannt wurde, nur zum innern Stadtdienste behufs der Erhaltung der Ruhe und Ordnung bestimmt gewesen zu seyn behauptet und, nachdem er dessenungeachtet in der Leopoldstadt zur Vertheidigung der Barricaden commandirt worden, sich am 2. Tage schon zurückgezogen habe, zu einem Zeitpunkte wo seine Abtheilung noch in keinen Kampf mit den k. k. Truppen gekommen war, worauf er noch am 28. October Abends das Commando und die Waffen ablegte —

nach hohem Ermessen Bedacht zu nehmen zu geruhen.

Wien, am 11. November 1848 — 10 Uhr Vormittags.

Cordier Major   Wolferom
Präses.   Hauptmann-Auditor.

Urtheil

welches in dem auf Befehl des hohen k. k. Militär-Stadt-Commando zu Wien zusammengesetzten permanenten Standrechte nach gemachter Umfrage mit Einheit der Stimmen geschöpft worden ist:

Herr Julius Fröbel zu Griesheim in Schwarzburg-Rudolstadt gebürtig, 43 Jahre alt, protestantischer Religion, verheirathet, Vater eines Sohnes, ehemals Professor in Zürich, nunmehr Reichstags-Deputirter in Frankfurt, welcher bei erhobenem Thatbestande geständig ist, nach Erklärung des Belagerungszustandes über die Stadt Wien und Umgebung in Folge der Proclamation Sr. Durchlaucht des Herrn Feldmarschalls Fürsten zu Windischgrätz vom 20. und 23. October 1848 an dem bewaffneten Aufruhre in Wien durch Commandirung einer Compagnie-Abtheilung des Eliten-Corps bei den Barricaden in der Leopoldstadt vom 26. bis 28. October l. J. thätigen Antheil genommen zu haben, worauf er am 28. October Abends das Commando ablegte ohne in einen Kampf mit dem k. k. Militär gekommen zu sein — soll nach Bestimmung dieser Proclamationen und §. 4 im 62. Art. der Theresianischen Gerichtsordnung mit dem Tode durch den Strang bestraft werden.

So gesprochen in dem Standrechte begonnen am 10. November 1848 um 5 Uhr Nachmittags zu Wien am 11. November 1848 11 Uhr Vormittags.

Cordier Major   Wolferom
Präses.   Hauptmann-Auditor.

In Berücksichtigung der aus den Untersuchungsacten geschöpften Milderungsgründe finde ich mich bewogen dem Julius Fröbel die wider ihn von dem Standrechte ausgesprochene Todesstrafe unbedingt nachzusehen, und ist daher derselbe gleich nach kundgemachtem Urtheile auf freien Fuß zu setzen.

Haupt-Quartier Schönbrunn, den 11. November 1848.

(L. S.)   Alfred Fürst zu Windischgrätz F. M.

Dieses Urtheil wurde heute Abends 6 Uhr kundgemacht und Herr Julius Fröbel des Arrestes entlassen. Wien, am 11. November 1848.

Wolferom
Hauptmann-Auditor.

12) Schluß des kriegsgerichtlichen Verfahrens mit Messenhauser 9. bis 16. November.

Weitere Aufklärungen daß es von mir vom Hause aus auf eine friedliche Lösung der Wirren abgesehen war:

1. Ich habe meine schwarzgelbe Umgebung beibehalten und sie auf kein Ansinnen der Bewegungspartei entfernt.

2. Ich habe von der ersten Stunde allen Parteien Versöhnlichkeit und Vermeidung aller Excesse geprediget.

3. Jede leidenschaftliche Äußerung, jedes Schimpfwort auf Schwarzgelbe habe ich untersagt und hierüber gleich zu Anfang Fenneberg eine scharfe Rüge gegeben, worüber sich dieser bitter im Haupt-Quartier ausließ.

4. Den Herrn Minister, den Reichstag, den Gemeinderath unaufhörlich beschworen Deputationen nach Olmütz zu schicken.

5. Selbst eine seitens aller Wehrkörper veranlaßt, deren Adresse jedoch nicht ich entwarf. Sie ist von den Deputations-Gliedern mir bereits fertig zur Mitunterzeichnung vorgelegt worden. Eingeladen an der Deputation sich zu betheiligen ist das Studenten-Comité mit Bedingungen aufgetreten, woran jede Versöhnung scheitern mußte.

6. Ich habe die Ungarn rasch durchschaut und mit Anwendung einer gesunden Politik fallen gelassen. Hierüber mich gegen Pulszky derb ausgesprochen.

7. Ich habe verhindert daß das Studenten-Comité Placate über die Tagesereignisse erlasse, woraus jedoch nothwendig folgte daß ich selbst die Sprache der öffentlichen Meinung führen mußte; auf keinen Fall aber durfte ich in einer Principien-Frage hinter dem Ausdruck der Meinung des Reichstages und Gemeinderathes zurückbleiben ohne mich verdächtig zu machen.

8. Habe ich Humanität, Schutz der öffentlichen Gebäude, des Privat-Eigenthums, Schonung der Familienväter beim Wehrdienst unaufhörlich ausgesprochen.

9. Habe ich Gefangene mit der größten Rücksicht behandelt, sie auf Ehrenwort überall hingehen lassen wo sie wollten. Doch hat das Volk durch seine Leidenschaftlichkeit mir diese Aufgabe sehr erschwert, wie es im Placat rücksichtlich der beiden kroatischen Officiere vorliegt.

10. Habe ich auf die ungestümen Forderungen der Ortschaften der Umgebung, den Angriff zu eröffnen, keine Rücksicht genommen.

11. Habe ich dem Landsturm Befehl gegeben auf keinen Fall anzugreifen, auch nicht nach Wien zu marschiren.

12. Den meisten Landsturmsbezirken habe ich selbst auf wiederholtes Ansuchen Officiere verweigert, wobei nicht zu übersehen ist daß alles öffentlich vorging und ich von unbekannten Anhängern der Exaltirten auf Schritt und Tritt controllirt wurde.

13. Alle Gewaltmaßregeln habe ich entschieden abgelehnt — keinen der Volksmeinung verdächtigen Bezirks-Chef oder Officier abgesetzt — einen Hauptmann der Bürger-Artillerie und seinen Begleiter, die beschuldigt worden die Kanonen bei der Mariahilfer-Linie dem k. k. Herrn Generalen ausliefern gewollt zu haben, habe ich durchschlüpfen lassen — diesen und ähnliche Vorfälle in keinerlei Art zur Vermehrung der Unruhe ausgebeutet —; ich habe die Dienst-Pakete, wie es von mir in SturmPetitionen gefordert worden, nicht erbrochen, ungeachtet die Post zu diesem Zweck wiederholt angehalten worden — ebenso habe ich aufgefangenes Geld sogleich wieder freigegeben.

14. Enthebungskarten sind von mir zu tausenden ertheilt worden, und ich habe keinem eine solche verweigert.

15. Schutzwachen habe ich überall hin gegeben wo sie gefordert wurden.

16. General Bem habe ich jeden Ausfall, und selbst wenn die Ungarn siegreich unter den Mauern Wiens erschienen wären, wiederholt und ausdrücklich verboten.

17. Deßgleichen habe ich alle Angriffe bei den Linien untersagt; doch war bei der in immer beklemmenderer Nähe eintretenden Umzinglung und den hiedurch auf das gewaltsamste aufgereizten Leidenschaften die Eröffnung der Feindseligkeiten nicht mehr aufzuhalten.

18. Als Hauptbeweis daß ich stets eine rasche Entscheidung durch friedliche Unter- werfung im Auge hatte, wird folgendes dienen müssen: Jedem der sich um eine Anstel- lung meldete habe ich gesagt, die ganzen Rüstungen dauern von heute auf morgen. Über Nacht schon könne die ganze Vertheidigung zu Ende sein. Zuletzt habe ich gar keine Aspiranten, ungeachtet sie in Masse sich einfanden, angenommen, was großen Ver- dacht gegen mich erweckte.

19. Alle Erfindungen, berechnet auf großartige Zerstörungs-Effecte, habe ich zu- rückgewiesen.

20. Als der Kampf durch das ewige Scharmuziren am 28. endlich unvermeidlich geworden war, habe ich immer den Barricadenbau im weitern Umfang verhindert.

21. Nach dem Kampf am 28. habe ich allsogleich und ohne zu zaudern die Ca- pitulation eingeleitet, wobei mich aus meiner anwesenden Umgebung, Haug und Aigner ausgenommen, niemand unterstützte.

22. Der Vorstadt Wieden habe ich getrotzt, welche wegen der Capitulation bewaff- net in die Stadt kommen wollte.

23. Die Capitulation habe ich ganz allein, gegen Hunderte von Deputationen wüthender Vorstädter vertheidigt, und dabei mehr als einmal mich den gefährlichsten In- sulten blosgestellt. Als Zeugen können hiefür die der Bewegungs-Partei nicht angehö- rigen Herren Officiere des Haupt-Quartiers sammt und sonders dienen; besonders Oberst Schaumburg und Hauptmann Thurn.

24. Die Capitulation habe ich am 29. gegen die Vertrauensmänner aller Compa- gnien siegreich vertheidigt; wofür Herr Kuranda und der von Sr. Majestät in seiner Anstellung bestätigte Hauptmann Schneider mir besonders, jeder in seiner Art, als Zeugen dienen können.

25. Meine Autorität und Stellung war aber durch die Bewegungsmänner bereits untergraben.

26. Nichtsdestoweniger habe ich alle Parteiführer zu mir kommen lassen; habe ihnen zugesprochen und durch Vorstellungen über die Nothwendigkeit der Dictatur des Herrn Feldmarschalls, sowie durch Übermittlung der ihnen etwa nothwendigen Reise- kosten, sie mit der unvermeidlichen Katastrophe nach und nach ausgesöhnt.

27. Habe ich die übergegangenen Soldaten und ihren böswilligen Commandanten Sternau beruhigt, und ihnen die Einwilligung zur Capitulation geradezu - abgekauft; wozu mir niemand einen Fingerzeig gegeben.

28. Habe ich die directe Bitte an den Herrn Feldmarschall gestellt, in die Stadt zu rücken. Siehe mein Schreiben an den Herrn Gemeinderath Kubeny. *)

29. Habe ich aus Rücksicht für mein seit dem 28. October stündlich bedrohtes Leben mich nicht bestimmen lassen abzudanken, weil dadurch keineswegs das Unterwerfungswerk

---

*) Recte: Kubenik.

beschleunigt, sondern im Gegentheil das Steuerruder in die Hände der Bewegungs=
Partei gekommen wäre. Die Bewegungs=Partei aber hätte, wie das am 29. zustande
gekommene Complot aufhellt, den Widerstand verbunden mit allen Gräueln eines aus=
schweifenden Terrorismus coute qui coute verlängert, da mittlerweile schon Gerüchte
von der geringen Stärke der k. k. Truppen in's Publicum gedrungen waren.

30. Habe ich mich stets gehütet die k. k. Armee als getheilt auszugeben.

31. Haben das Handels=Gremium, der Gemeinderath, die gemäßigten Garden mir
wiederholt ihren Dank über meinen unermüdlichen Eifer ausgedrückt, die Katastrophe
mit dem mindesten Blutvergießen zu Ende zu bringen. Sie werden nicht anstehen,
falls es nöthig werden sollte, für mich dasselbe Zeugnis vor Gericht zu wiederholen.

32. Habe ich seit dem 28. kein Pulver mehr erzeugen, und auf den Bastien die
nothwendigen Befestigungen und Erdarbeiten nicht vornehmen lassen.

33. Wenn ich mein ganzes Benehmen vom 13. an durchgehe, und jede einzelne
inmitten der so heftigsten Parteistürme gefaßte Maßregel zum Ganzen verbinde, so
kann ich kein anderes Urtheil über mich fällen als das folgende: Ich habe aus Ver=
nunft und Gewissen gegen Dynastie Vaterland und Volk so gehandelt, als wenn ich
Instructionen aus Olmütz gehabt hätte. Wäre dieses aber auch der Fall gewesen, hätte
ich solche Instructionen gehabt, so hätte ich gleichwohl, gemäß einer gesunden, Mittel
und Verhältnisse richtig berechnenden Politik, nicht anders handeln können als ich
gehandelt habe. Über mehr Hilfsmittel zur Pacification, als die in meiner Persönlich=
keit lagen, hatte ich, wie jedermann und am besten Se. Excellenz der Herr Minister
Kraus weiß, nicht zu verfügen. Der öffentlichen Meinung, gestützt auf die Proclama=
tionen Sr. Durchlaucht gegen welche Reichstag und Gemeinderath protestirten, trotzen,
hieß so viel als den Stier bei den Hörnern angreifen. Ich mußte Explosionen der
schlimmsten Art in der Stadt verhindern, das Ruder durfte in die Hände keines Über=
spannten kommen. Solches habe ich — — verhindert. Alle unterrichteten und un=
befangenen Bürger werden mir dieses Zeugnis nicht vorenthalten.

Mein Charakter, meine Denkungsart bürgen für die moralische Wahrheit meiner
Aussage. Ich habe bis vor dem 13. October ganz einsiedlerisch gelebt, mich der Theil=
nahme an allen Bewegungen enthalten, jede politische Verbindung systematisch ausge=
schlagen, und für meine passive Betheiligung an den Stadthändeln wird wohl der
Umstand hinlängliches Licht verbreiten: daß ich noch am 12., wie meine Freunde wissen,
mit Abfassung eines Raimundischen Zaubermährchens eifrigst beschäftigt war. Zur
Candidatur des Ober=Commandos bin ich ganz zufällig gelangt. Ob.=Comd. Braun
kannte mich, ließ mich holen und frug mich: ob ich, falls mir die Ministerial=Bestäti=
gung zutheil würde, sein Nachfolger werden wollte. Warum ich bejahte? Weil ich
mich und meine Gesinnungen gegen die Dynastie, so wie meinen ewigen Abscheu gegen
alle auflösenden Tendenzen kannte. Die zerstörenden Elemente der Aula, das Studen=
ten=Comité hatte ich in ihrem fürchterlichen Umfange kaum geahnt, geschweige denn sie
als gewappnete Realität in den Kreis meiner Combination gezogen. — Wenn die
Bewegungs=Partei meine von Vernunft und Gewissen dictirten Pläne aufzuhalten
versuchte, so ist das ein Unglück für mich, ein Unglück für das Ganze — vollständig
aber hat sie meinen Friedensbau doch nicht zertrümmern können.

Wien, am 9. November 1848.

Wenzel Messenhauser.

Fortſetzung des Verhörs am 10. November.
(Nachdem ihm ſein Quittirungs=Revers vorgehalten worden:)

„Ich habe den Quittirungs=Revers allerdings, mit der mir vorgehaltenen Clauſel unterfertigt, ausgeſtellt; jedoch glaube ich daß dieſer Revers formell durch den Über= gang der unbeſchränkten Monarchie in eine conſtitutionelle Staatsform nach ihrem Grundſatz im Weſen erloſchen iſt. Denn in jeder conſtitutionellen Staatsform iſt des Falles Erwähnung gethan, wo ein Volk ſich zu bewaffnetem Widerſtande berechtigt fühlen kann.“

(Über Vargas, der ihm die Erklärung der ungariſchen Armee überreichte:)

. . . „es lag auch ein Zettel bei welcher ‚Pulszky‘ unterzeichnet war; dieſer Zettel ſprach ſich dahin aus daß die Ungarn mit ihrer Hauptmacht morgen d. i. den 20. October von Bruck aufbrechen und am 21. bei Schwechat eine Schlacht zu liefern gedächten. In dieſem Zettel glaubte ich Pulszky’s Handſchrift wirklich zu er= kennen ꝛc. . . . .

Was Herrn Pulszky anbelangt, ſo meine ich wohl, daß er in Wien für Demon= ſtrationen thätig geweſen ſei, doch iſt ſolches blos meine individuelle Anſicht und habe ich keine eigentlichen Beweiſe. . . .

Am 16. oder 17. glaube ich, hatte ich mit ihm eine Unterredung, worin ich ihm in bittern Ausdrücken die abſichtlichen oder unabſichtlichen Täuſchungen des Wiener Publicums vorwarf, und ihm trocken erklärte, ſoweit es von mir abhänge, die be= waffnete Bevölkerung ohne Zögern und Schwanken zu einer friedlichen Ausgleichung hinzulenken, worauf er mir einen Zettel ſchrieb, er reiſe ab, und ich möge darauf hin= wirken, daß die Wiener nur noch einen oder zwei Tage aushalten; denn das ungari= ſche Heer werde gewiß kommen. Dies war am 17. October.“

Votum informativum des Hauptmann=Auditors v. Wolferom.
(Im Auszuge.)

Der Thatbeſtand, rückſichtlich die Schuld Meſſenhauſer’s: 1. die Vertheidigung Wiens geleitet, den Landſturm aufgeboten zu haben ꝛc.; 2. Erlaſſung von Proclama= tionen mit heftigen Ausfällen gegen die Miſſion des Feldmarſchalls W. und terroriſti= ſchen Maßregeln gegen die Bevölkerung der Stadt; 3. Bruch der eingegangenen Capi= tulation — „wiewohl er hiezu nach ſeiner Behauptung phyſiſch und moraliſch gezwun= gen war“ — ſei erhoben ſowohl durch die bezüglichen Proclamationen ꝛc. als durch ſein mit den Erforderniſſen des 32. Artikels der Th. G. O. verſehenes Geſtändnis.

Als Verbrechen ſtelle ſich nach §. 4 im 62. Artikel der Th. G. O. in Ver= bindung mit Hofkriegsr. Verdg. v. 18. Auguſt 1813 Z. 594: „Aufruhr unter erſchwe= renden Umſtänden“ heraus.

Als perſönlich erſchwerend komme ſeine einflußreiche Stellung als N. G. Ober=Commandant in Betracht, „und daß er als quittirter k. k. Officier ſeiner im Reverſe ausgeſprochenen Angelobung gegen die k. k. Truppen nicht zu kämpfen zu= wider handelte.“

Als mildernd, „wenn gleich nicht im Wege Rechtens doch im Wege der Gnade“, erſcheine:

1. die Verwirrung der Begriffe und Grundſätze im Strome der Revolution;

2. ſeine Bemühungen nutzloſe Zerſtörung hintanzuhalten, die Hofburg u. a. öffent= liche und Privat=Gebäude zu ſchützen, „namentlich auch jenes Sr. Durchlaucht des Herrn Feldmarſchalls Fürſten Windiſchgrätz“; zudem ſei er es geweſen der zur Capitulation

gerathen, wozu noch komme daß er bei diesen seinen Bemühungen „durch die losge-
lassene Hyänenwuth der Proletarier sogar in Lebensgefahr gerieth":

3. daß er am 31. October gesucht habe den Einmarsch der Truppen zu beschleunigen (Schreiben an Dr. Kubenik) und die Wiederergreifung der Waffen zu vereiteln
(Befehl an Kaffa); endlich

4. daß er sich selbst gestellt habe.

Da jedoch diese Milderungs=Gründe, angesichts der erschwerenden Umstände, von
keinem solchen Gewichte seien „daß im Wege Rechtens von der im Gesetze angedrohten
Strafe abgegangen werden könnte", so könne im Urtheil nur auf Tod durch Strang
angetragen werden; jedoch

„mit Vorbehalt der Ratification desjenigen dem solche zusteht."

————————

Wien, am 11. November 1848.

Kriegsrechtliches Protocoll,
aufgenommen auf Befehl des h. k. k. Militär-Stadt-Commandos zu Wien
behufs der Aburtheilung des Herrn Wenzel Messenhauser bei der permanenten Kriegs- und Standrechts-Commission.

Der genannte Herr Inquisit wurde vor das versammelte Kriegsrechts=Assessorium
gerufen und nach Eröffnung daß man im Begriffe sei zu seiner Aburtheilung zu
schreiten befragt:

1.

Ob er gegen jemanden der Herren Beisitzer und Mitrichter
etwas gegründetes einzuwenden habe?

ad 1.

Ich habe gegen keinen der Beisitzer irgend etwas einzuwenden.

Hierauf wurde dem Assessorium die in dem Dienst=Reglement II. Th. S. 40 vor-
geschriebene Erklärung gemacht, in Gegenwart des Herrn Inquisiten der Richtereid abgenommen, ihm seine Aussagen noch einmal vorgelesen und die weitere Frage gestellt:

2.

Ob er diese seine Aussagen bestätige und noch etwas anzubringen habe?

ad 2.

Ich bestätige meine mir vorgelesenen Aussagen sowie meine
eingelegten Aufklärungen, Nr. 13, und habe nur noch hinzuzufügen, daß, wenn ich im Kampfe gegen den Inhalt der
Proclamationen Sr. Durchlaucht gefehlt haben sollte, solches
im Verein einer großen Majorität der constitutionellen Behörden
und der Bevölkerung Wiens geschehen ist und daß, wiewohl der
Inquisit von der Nothwendigkeit einer Dictatur zur Wiederherstellung der gesetzlichen Ordnung durchdrungen ist, die Wahrheit in diesem unglückseligen Principienstreite nur auf dem langsamen Wege der Erfahrung und des Nachdenkens für ihn und
für Tausende aufgehen könne.

Wenzel Messenhauser.

Nach der eigenhändigen Unterschrift und der Abführung des Herrn Inquisiten
wurde das Votum informativum nebst den wesentlichen Actenstücken vorgetragen, die

Beisitzer zur Berathung entlassen und bei ihrem classenweisen Wiedereintritte folgende Stimmen zu Protocoll genommen:

1. Der Gemeinen:

Herr Wenzel Messenhauser, gewesener Nationalgarde-Ober-Commandant hier, soll wegen Leitung des bewaffneten Aufstandes zu Wien zu Ende October 1848 und der Vertheidigungs-Maßregeln gegen die k. k. Truppen während des verhängten Belagerungszustandes, dann wegen Aufreizung zum Aufruhre und Versuch die k. k. Truppen zum Treubruche zu verleiten mit dem Tode durch den Strang bestraft werden.

(S.) Franz Tiefenthaler,   (S.) Adolf Compeis,
      Gemeiner.   Gemeiner.

Der Gefreiten:
(Erklärung von Wort zu Wort gleichlautend.)

(S.) Joseph Wöhr (?),   (S.) Joseph Mahn,
      Gefreiter.   Gefreiter.

Der Corporale:
(Erklärung dto.)

(S.) Johann Moser (?),   (S.) Albert Simmer,
      Corporal.   Corporal.

Der Feldwebel:
(Erklärung ebenso.)

(S.) Johann v. Ehrenfeld,   (S.) Franz Hirscheck,
      Feldwebel.   Feldwebel.

Der Herren Lieutenants:
(Erklärung wie oben.)

(S.) Anton Pokorny,   (S.) Heinrich Szeth,
      Lieutenant.   Lieutenant.

Der Herren Hauptleute:
(Desgleichen.)

(S.) Ludwig Zamagna,   (S.) Graf Johann Caboga,
      Hauptmann.   Hauptmann.

Des Herrn Präses:
(Erklärung dieselbe.)

(S.) Ludwig Cordier, Major,
      Präses.

Des Hauptmann-Auditors:
(Gleicher Wortlaut.)

(S.) Leopold v. Wolferom, Hptm.-Auditor.

Urtheil

welches auf Befehl des hohen k. k. Stadt-Commando zu Wien in dem zusammengesetzten und beeideten permanenten ganzen Kriegsgerichte mit Einheit der Stimmen zu Recht erkannt wurde:

Herr Wenzel Messenhauser, zu Proßnitz in Mähren gebürtig, 35 Jahre alt, katholisch, ledig, Schriftsteller — ist in der mit ihm abgeführten kriegsrechtlichen Untersuchung geständig und der Thatbestand hergestellt, daß er — nachdem er unterm 12.

4*

October l. J. zum provisorischen Nationalgarde-Ober-Commandanten in Wien ernannt den bewaffneten Aufruhr in Wien, Umgebung und einigen Provinzen durch Placate und Aufgebote zum Landsturm eingeleitet hatte — selbst auch nach der Verhängung des Belagerungszustandes über die Stadt Wien nebst Vorstädten und Umgebung mittelst der Proclamationen Sr. Durchlaucht des Herrn Feldmarschalls Fürsten zu Windischgrätz vom 20. und 23. October l. J. — durch sein Placat vom 25. October und dessen Nachtragsbefehl vom nämlichen Tage zum Aufruhr gegen die zur Herstellung der Ruhe und Ordnung von Sr. Majestät dem Kaiser gegen Wien entsendeten Truppen aufgereizt und die k. k. Truppen zum Treubruche zu verleiten versucht, dann durch terroristischen Befehl die Vertheidigung Wiens gegen die anrückenden Truppen bis zum Äußersten angeordnet und sonach den bewaffneten Widerstand fortgesetzt habe, ja daß er sogar nach abgeschlossener Capitulation mit Sr. Durchlaucht dem Herrn Feldmarschall Fürsten zu Windischgrätz wegen Übergabe der Stadt am 30. October Mittags zwei Bulletins über das siegreiche Vorschreiten der durch Placat vom 28. October bereits angekündigten Heeresmacht der Ungarn erlassen habe, wodurch der Bruch der Capitulation befördert wurde.

Dieser Herr Inquisit soll demnach in Gemäßheit der citirten Proclamationen Sr. Durchlaucht vom 20. und 23. October und jener vom 1. November in Verbindung mit §. 4 im 62. Artikel der Theres. Gerichts-Ordnung mit dem Tode durch den Strang bestraft werden.

Wien, am 11. November 1848.

(L. S.) Ludwig Cordier, Major,
Präses.

(L. S.) Leopold v. Wolferom,
Hauptmann-Garnisons-Auditor.

Ist auf ausdrücklichen Befehl Seiner Durchlaucht des Herrn Feldmarschalls Fürsten zu Windischgrätz vollen Inhalts kundzumachen und gesetzmäßig zu vollziehen.

Mit Vorbehalt der Ratification desjenigen, dem solche zusteht.

Wien, den 13. November 1848.

(L. S.) Hipssich, G.-M.

Kundgemacht am 14. Nov. 1848 in der Früh um 9 Uhr.

v. Sauer,
Hauptmann-Auditor.

In Folge hohen Erlaß der Central-Untersuchungs-Commission ist dieses Todesurtheil durch Pulver und Blei zu vollziehen; daher solches dem Inquisiten um ³/₄4 Uhr NM. kundgemacht wurde.

Wien, am 14. November 1848.

Cordier, Major,
Präses.

v. Sauer,
Hauptm.-Auditor.

Vollzogen durch Pulver und Blei in gesetzlicher Vorschrift am 16. November 1848 um ¹/₂9 Uhr Früh.

v. Sauer,
Hptm.-Auditor.

VIII.
Denkschrift des k. k. Hofrathes Karl von Hummelauer über die ungarische Frage.

Schönbrunn, 16. November 1848.

Die Wiener Revolution ist bald gewahr geworden, daß die Existenz eines abgesonderten Ministeriums und die aus dieser Thatsache nothwendig folgende Negation des Wiener Ministeriums als allgemeines Reichs-Ministerium, was selbes in der früher bestandenen Ordnung der Dinge war, der Todesstoß für Wien und die Interessen der Wiener Revolution sein würde: welche letztere, um sich den Völkern Österreichs sowohl als der Meinung von Europa gegenüber rechtfertigen zu können, nothwendig sich zur Central-Gewalt des Reiches machen mußte.

Der Moment wo dies erkannt wurde, ward auch nothwendig der Anfang eines unversöhnlichen Gegensatzes zwischen Kossuth und dem Wiener Ministerium, welches letztere seine politische Existenz und die Revolution, welche es vertrat, nur retten konnte, wenn es ihm gelang die Länder der Krone Ungarns in den Bereich seiner Competenz zu ziehen.

Das Ministerium mußte hiebei dem Widerstande der Stände von Ungarn welche die Rechte der ungarischen Krone, und jenem der Dynastie welche den Besitz dieser Krone zu vertheidigen hatte, auf dem Felde der pragmatischen Sanction begegnen.

Die pragmatische Sanction ist ein zwischen den Ständen von Ungarn für die Krone von Ungarn und der über die österreichischen Erblande regierenden Dynastie abgeschloßener Vertrag. Der Beweggrund lag in dem Bedürfnisse gegenseitiger Hilfeleistung und in der Unfähigkeit Ungarns durch sich selbst die innere Ruhe und den Bestand des Königreiches sicherzustellen. Die Stände von Ungarn schloßen diesen Vertrag mit dem österreichischen Herrscherhause allerdings nur, weil dieses Herrscherhaus in den österreichischen Erbstaaten die für die Sicherheit Ungarns benöthigten Elemente der Macht besaß, sie schloßen ihn jedoch nicht mit diesen Erbstaaten selbst ab: eine Wahrheit welche mit der unläugbarsten Evidenz aus der zwischen den Ständen von Croatien und demselben Herrscherhause abgeschloßenen pragmatischen Sanction hervorgeht, wo ausdrücklich gesagt ist, daß Croatien sich dem österreichischen Herrscherhause unterwirft, welches Steiermark Kärnthen und Krain besitzt und in Österreich residirt. — Ob und in wie ferne zur Zeit des Abschlußes der pragmatischen Sanction zwischen dem Kaiser und den Ständen der österreichischen Erblande ein Vernehmen statt gefunden, bin ich nicht im Stande anzugeben, abgeschloßen hat jedoch der Kaiser, nicht diese Stände. — Daß durch den Abschluß mit dem Herrscherhause der Vertrag auch bindend für die beherrschten Lande wurde, geht aus der Natur der Verhältnisse in welchen der Kaiser damals zu seinen österreichischen Erblanden stand hervor, constituirt aber diese Lande nicht als contrahirenden Theil.

In Ungarn hat die Ansicht über den Charakter des Verbandes mit Österreich, nach dem Zwecke welchen die Parteien verfolgten, modificirt. — Die Partei welche Trennung von Österreich wollte und daher ein Interesse hatte den Verband so lose als möglich darzustellen, behauptete der Vertrag bestehe lediglich zwischen Ungarn und der Dynastie; während die Partei der Aufrechthaltung des Verbandes, um diesem eine möglichst breite Grundlage zu geben, behauptete, daß der geschloßene Vertrag sich auch auf die unter dem Scepter des Kaisers befindlichen Länder beziehe: kein ungarischer Staatsmann hat aber je die Ansicht admittirt, als sei die pragmatische Sanction ein zwischen den gegenseitigen Ländern abgeschloßener Vertrag. Die pragmatische Sanction als einer der wichtigsten Bestandtheile des ungarischen Staatsrechtes muß aber, wenn man anders redlich zu Werke gehen will, in der Weise interpretirt werden, in welcher selbe stets von den ungarischen Staatsmännern verstanden worden ist, und es wäre ein nicht zu rechtfertigender Vorgang, wenn es gestattet sein sollte sich zwischen die Stände von Ungarn und das Kaiserhaus mit einer Interpretation einzudrängen, der beide Parteien, welche diesen Vertrag eingegangen haben, stets fremd geblieben sind. — Dies ist aber eben der Weg, welchen die österreichische Revolution eingeschlagen hat und einschlagen mußte, da ihr ein redlicher Weg nicht zu gebote stand und es sich für sie um Sein oder Nichtsein handelte.

Das österreichische Ministerium getraute sich zwar nicht, den Ständen von Ungarn und dem seit den Märztagen aufgetauchten ungarischen verantwortlichen Ministerium gegenüber, directe und offen eine Competenz in den ungarischen Angelegenheiten anzusprechen; dem Kaiserhause gegenüber trat es aber mit dem Ansinnen vor, daß, da der Haus= Hof= und Staatskanzler Fürst von Metternich eine Oberleitung der ungarischen Angelegenheiten geübt habe, so befinde der Freiherr von Wessenberg als Minister des kaiserlichen Hauses sich in derselben Competenz und Obliegenheit, in seiner Eigenschaft als Mitglied des österreichischen verantwortlichen Ministeriums könne er aber nichts für sich allein thun und müsse daher auch die ungarischen Angelegenheiten der Berathung des Conseils unterstellen; und das Ministerium verhehlte nicht, daß es die Prätension des Kaiserhauses, die ungarischen Angelegenheiten als eine dynastische Angelegenheit anzusehen, nicht admittiren könne, da es sich als allgemeines Reichs=Ministerium befugt und verpflichtet fühle die ungarischen Angelegenheiten in den Bereich seiner Competenz zu ziehen.

Um den praktischen Werth dieses zwiefachen Ansinnens des österreichischen Ministeriums zu würdigen, ist es nöthig in eine genauere Erwägung der gegenseitigen staatsrechtlichen Stellungen Österreichs und Ungarns einzugehen.

Zur Zeit der Übereinkunft der pragmatischen Sanction befand sich das österreichische Herrscherhaus zu seinen österreichischen Erblanden in dem Verhältnisse, welches seit dem Auftreten der revolutionären Principien mit dem Namen der absoluten Monarchie belegt worden ist. Mit den absoluten Kaisern ward die pragmatische Sanction abgeschlossen, mit jenen Kaisern welche in den Rechten der Stände ihrer österreichischen Erblande wohl Schranken finden konnten, aber sich nichts destoweniger im ungeschmälerten Besitze der gesetzgebenden und executiven Gewalt befanden, und deren Minister nur ihnen allein verantwortlich waren. — An die Stelle dieser Kaiser soll nunmehr der constitutionelle Kaiser treten, der gesetzgebenden Macht bis auf ein bedingtes Veto beraubt, an executiver Macht ein bloser Namenträger, mit einem Parlamente welches aus den untersten Schichten des Volkes hervorgehen soll, und mit Ministern welche für alle und jede ihrer Handlungen diesem Parlamente verantwortlich sind. Sollte nun die pragmatische Sanction auf den constitutionellen Kaiser ihre Anwendung wie früher auf den absoluten finden, so würde die Krone von Ungarn, die sich dem österreichischen Herrscherhause gegeben hat, mit dem constitutionellen Kaiser in jene Abhängigkeit von dem Parlamente nicht=ungarischer Länder übergehen, welche dem Kaiser durch die österreichische Revolution aufgedrungen werden will. Ein solches Verhältnis kann aber von der Krone von Ungarn nie angenommen und von den ungarischen Ständen nie zugelassen werden. Die Krone von Ungarn hat sich dem österreichischen Herrscherhause, und nicht den österreichischen Völkern gegeben, und hat daher auch die Autorität der constitutionellen Vertreter dieser letzteren sowie jene von Ministern, welche diesen Vertretern verantwortlich sind, nicht anzuerkennen. Nach gewöhnlichen Rechtsgrundsätzen ist ein Pact als aufge=

löset anzusehen, sobald Einer der Factoren desselben die Bedingungen auf deren Grunde mit ihm contrahirt wurde, zu erfüllen unfähig wird, und dieser Grundsatz muß hier um so mehr seine Geltung haben als durch die Veränderung, welche die staatsrechtliche Stellung des Herrscherhauses durch die Constitutionalisirung Oesterreichs erfahren soll, der Krone von Ungarn eine unbefugte Abhängigkeit zugemuthet werden würde, welche mit ihren Rechten, mit ihrer Unabhängigkeit und mit ihrer Würde durchaus unverträglich wäre.

Hiermit findet sich auch die Ansicht derjenigen erledigt, welche glauben es habe die bisher bestandene Spaltung zwischen Ungarn und Österreich ihren Grund darin gehabt, daß Österreich absolut und Ungarn constitutionell war, und es öffne die Constitutionalisirung Österreichs die Bahn zur bequemen Verschmelzung beider. Aus dem so eben Gesagten geht im Gegentheile unwidersprechlich hervor, daß Österreich grade durch seine Constitutionalisirung in dem heutigen Sinne dieses Wortes die Rechtskraft der pragmatischen Sanction aufhebt und die Krone von Ungarn in die Lage setzt, sich von dem Kaiserhause in völlig legaler Weise lossagen zu können. Aus dieser Lage der Dinge geht hervor, daß, falls in Österreich auf der Einführung einer repräsentativen Verfassung im heutigen Sinne des Wortes bestanden wird, wir in betreff des Verbandes mit Ungarn die pragmatische Sanction nicht mehr als einen Rechtstitel anzusprechen befugt sind, und daß die Erhaltung dieses Verbandes lediglich auf dem Felde der gegenseitigen materiellen Bedürfnisse und politischen Interessen, und folglich nur durch Abschließung eines neuen Pactes mit den Ständen von Ungarn erreicht werden kann.

Es stellt sich nunmehr auch der wesentliche Unterschied heraus, welcher zwischen der respectiven Competenz des Fürsten von Metternich und des Freiherrn von Wessenberg besteht. — Der Haus= Hof= und Staatskanzler des absoluten Kaisers war, der Machtvollkommenheit seines Herrn gemäß, befugt und verpflichtet seinen Einfluß auf die Angelegenheiten Ungarns zu erstrecken, während der Freiherr von Wessenberg als österreichisch verantwortlicher Minister des constitutionellen Kaisers hiezu durchaus weder geeignet noch befugt sein konnte.

Dasselbe gilt nun auch von der zweiten Prätension des österreichischen Ministeriums. Das Ministerium des absoluten Kaisers war ipso facto allgemeines Reichs-Ministerium der Monarchie, weil es dem Kaiser allein verantwortlich war in dessen Person der Verband mit Ungarn begründet war. Ein constitutionelles Ministerium der deutschen Erbstaaten, selbst mit Inbegriff der italienischen Provinzen und Galiziens, kann, so lang es sich um die Aufrechthaltung des Verbandes mit Ungarn handeln wird, nicht allgemeines Reichs=Ministerium sein, weil kein Bürger der ungarischen Erbstaaten, von welcher Nationalität er immer sei, die Autorität desselben anerkennen kann. — Wenn daher einerseits auf der Constitutionalisirung Österreichs bestanden und zugleich der Verband mit Ungarn aufrecht erhalten werden soll, so müßte vor allem die Möglichkeit eines über dem constitutionellen Wesen beider Länder stehenden Ober-Reichs-Ministeriums gefunden werden: eine Aufgabe deren Lösung, nach allem was mir von den in Ungarn bestehenden Dispositionen bekannt ist, ich für unmöglich halte.

Gleichwie das Bestehen auf einem constitutionell-verantwortlichen Ministerium, wie die österreichische Revolution es will, mit der Aufrechthaltung des Verbandes mit Ungarn sich als unvereinbar darstellt; so wäre auch ungarischerseits das Bestehen aus einem getrennten verantwortlichen ungarischen Ministerium mit diesem Verbande unverträglich. Die Schwierigkeiten, welche von Seite der Ungarn das Bestehen auf dem vollen Gehalte der März=Concessionen darbieten könnte, wären indeß leicht zu beseitigen. Es haben ganze Nationalitäten sich dagegen erhoben und dadurch bereits ihre Giltigkeit invalidirt, während die Partei welche diese Concessionen erhalten hat, selbe durch den Gebrauch, welchen sie von denselben gemacht hat, vollends verwirkt hat, so daß im Falle des Sieges der k. k. Waffen das Hinderniß, welches aus der Rechtskraft dieser Concessionen hervorgehen könnte, als entfallen angesehen werden dürfte.

Es ist die Frage angeregt worden ob die in Ungarn stattgehabten Vorgänge dem Kaiser nicht das Recht geben, bei dem Siege seiner Waffen sich von seinem auf die Constitution geleisteten Eide loszusagen und Ungarn gleich seinen übrigen Staaten zu regieren. — Dies kann nur unbedingt verneint werden. — Die in Ungarn gegen die Rechte der Krone begangenen Vergehen rühren blos von dem magyarischen Stamme her. Der König beschwört die Constitution nicht blos diesem Stamme, sondern allen nationalen Elementen der Länder der ungarischen Krone, und das Vergehen eines einzelnen Stammes kann ihn nicht des Schwures entbinden, den Er seinen sämmtlichen ungarischen Erbstaaten geleistet hat.

Es ist jedoch Thatsache, daß seit einer Reihe von Jahren sich in dem ungarischen Reichstage fortschreitend ein Geist der Auflehnung gegen die Krone mit immer steigender Macht erhoben hat, der in Kossuth und seinem Anhange zum concreten Ausdruck gekommen, in den Märztagen der sämmtlichen Monarchie das Signal des Aufruhrs gegeben, dem Könige Concessionen entrissen, welche man tyrannisch den andern Nationalitäten aufdringen wollte, und endlich als offener Verbündete des Aufruhrs in Wien das kaiserliche Heer auf dem österreichischen Boden zu bekämpfen wagte, und daß die Faction das sämmtliche magyarische Element ihrem Streben dienstbar zu machen wußte. Es beweist diese Thatsache, daß in dem gegenwärtigen Systeme der Repräsentation am Reichstage ein fortschreitendes Übel walte, gleich unverträglich mit der Sicherheit der Krone und mit jener der übrigen Nationalitäten. Dieses Übel muß ausgerottet werden, und es werden dies die übrigen Nationalitäten fordern, denn was könnte eine Gleichstellung an politischen Rechten bedeuten ohne eine Organisation der Repräsentation am Reichstage, welche diesen Rechten Sicherheit gewährt? — Es besteht aber jenes Übel in der fortwährenden Entwicklung der Folgen der Neuerungen, durch welche seit dem Beginne des Reichstags des Jahres 1825 die ungarischen Verhältnisse dem ursprünglichen Geiste der Constitution entfremdet worden sind, und durch welche Ungarn, welches nach der Natur seiner Elemente durchaus monarchisch und aristokratisch ist, sich gewaltsam auf den Abhang demokratischer Bewegung versetzt findet und mit einer socialen Umwälzung bedroht ist. Das Stimmrecht in den Comitaten und die Repräsentution am Reichstage müssen einer Revision unterzogen werden und zwar zu dem Zwecke diese beiden Stufen der Landesvertretung wieder möglichst auf den ursprünglichen Sinn der Constitution zurück zu führen.

Ungarn befindet sich in einer Lage gänzlich verschieden von der Lage anderer Länder. — Ungarn besteht nicht aus denselben Elementen wie die anderen europäischen Länder und hat daher auch nicht dieselben politischen Bedürfnisse wie diese. Das Volk in Ungarn hat Neigung für aristokratische Verhältnisse und die königliche Macht ist ihm Bedürfniß. Demokratische Tendenzen liegen nicht in seiner Natur, und die zahlreiche von den revolutionären Ideen der Zeit trunken aufgeklärte Mittelclasse der europäischen Länder existirt nicht in Ungarn, während eine historisch begründete, die Sanction der Jahrhunderte habende, jedem Ungarn theuere aristokratisch-monarchische Constitution vorhanden ist, und es sich darum handeln müßte diese Constitution von den schädlichen Neuerungen der letzteren Zeiten zu reinigen und ihre praktische Anwendung in einer den Umständen angemessenen Weise zu regeln. Es handelt sich in

Ungarn in Bezug auf die Vertretung sowohl in den Comitaten als auf dem Reichs=
tage vor allem um Rückschritt, in so ferne der zur Vertretung des Landes
nicht geeignete Theil des Adels von der Theilnahme an dieser Vertretung gesetzlich
ausgeschlossen werden muß, und um Rückschritt, indem die demagogischen Umtrieben
zugänglichen Elemente, welche in neuerer Zeit gesetzlich zur Vertretung zugelassen
wurden, neuerdings aus derselben entfernt werden müssen. Es müssen daher eine An=
zahl von Reichstagsbeschlüssen außer Kraft gesetzt werden und es müssen neue Normen
festgestellt werden, in einem Geiste verschieden von dem Geiste der Reichstage dieser letzten
Zeit. Eine Reform dieser Art kann nicht im legal=constitutionellen Wege statt finden:
es ist aber das nothwendig eintretende Militär=Provisorium ganz einzig hiezu geeignet.
Die Reform geschieht um den von den Magyaren beeinträchtigten Nationalitäten die
geforderte Gerechtigkeit zu gewähren und wird aufgebrungen dem Elemente, von welchem
die Bedrückungen ausgingen und welches dem Könige gegenüber sein Recht auf Auf=
rechthaltung der neueren politischen Einrichtungen durch den Aufruhr verwirkt hat. Es
kann daher in Ungarn unternommen werden, was vielleicht in keinem andern Lande in
Europa zu unternehmen räthlich wäre: offenbarer entschiedener Rückschritt;
nur muß man entschlossen sein sich nicht um das Gepolter der europäischen öffentlichen
Meinung zu kümmern, und man kann sich hiezu unbedenklich entschließen, da man die
Meinung der einzigen Regierung deren Eindrücke in Bezug auf ungarische Wirren
der geographischen Lage nach zu berücksichtigen sind, die Meinung Rußlands auf's be=
stimmteste für sich haben wird.

Wird die demokratische Richtung, für welche die liberale Partei Ungarn vorbe=
reitet und in welche Kossuth das Land mit der verwegensten Energie geschleudert
hat, nicht gewaltsam gebrochen, so ist deren fortschreitende Entwicklung nicht aufzuhalten,
und Ungarn ist rettungslos verloren in einem socialen Umsturze, den namenlose Gräuel
begleiten werden und in welchem der Thron des Herrscherhauses gleichfalls zu Grunde
gehen wird. — Gelingt es hingegen in Ungarn der demokratischen Bewegung Einhalt
zu thun und durch das Festhalten an den Grundlagen der historischen Constitution das
Königreich vor dem demokratischen Constitutionalismus der gegenwärtigen Zeit zu be=
wahren, so würde der kaiserliche Thron in der Krone von Ungarn eine weit vortheil=
haftere Stellung haben als jene ist, die der deutsch=österreichische Constitutionalismus dem=
selben auch in der günstigsten Voraussetzung gewähren wird. — Über das endliche Er=
gebnis der Revolution in den nicht=ungarischen Staaten des Kaisers ist vor der Hand
durchaus noch keine Vorberechnung möglich. Was hierüber an Erwartungen und
Hoffnungen gehegt wird, beruht auf willkürlichen und benevolen Annahmen ohne sichere
Gewähr, und selbst die Frage: ob **Eine allgemeine Constitution** für die nicht=
ungarischen Staaten zu Stande zu bringen möglich sein werde? — ist
noch keineswegs entschieden. Den nicht=ungarischen Provinzen der Monarchie hat die
Revolution den Boden genommen, auf welchem sie als politische Einheit gestanden hatten,
und es ist sehr zweifelhaft ob, nachdem das Prestigium der Treue an das Kaiserhaus
gebrochen ward, man im Stande sein werde einen neuen Boden politischer Einheit für
sie zu finden, während die dem Könige ausdrücklich beschworene Integrität der
Krone von Ungarn und die alte Constitution eine Grundlage darbieten, auf welcher
alle Nationalitäten, obgleich sie gegenwärtig in innerem Streite begriffen sind, wenn in
angemessener Weise vorgegangen wird, in ein Ganzes fester als zuvor vereinigt werden
können. Die gegenwärtige Lage der Dinge in Ungarn wird transitorisch sein,
wenn man sie als transitorisch ansehen will — sie wird feste Wurzeln schlagen,
wenn man sie als festgewurzelt ansehen will. Die Kossuth'sche Faction muß nicht ge=

schlagen, nicht unterbrückt werden, sie muß vernichtet werden, und **sie kann ver=
nichtet werden**, eben weil die demokratische Revolution in Ungarn noch nicht in
die Tiefe des National=Charakters gedrungen ist.

Eine Politik, welche den im Kerne noch gesunden Theil der Monarchie, mit dem
von der Seuche tief ergriffenen, — den Theil welcher dem Throne noch eine feste
Grundlage bietet, mit dem Theile wo die Möglichkeit einer solchen Grundlage zweifel=
haft ist, verschmelzen wollte, würde den Interessen, um deren Vertheidigung es sich
handeln muß, nicht angemessen sein. **Dies ist offenbar nur das Bedürfnis
der österreichischen Revolution**, und war die Politik des letzten Wiener
Ministeriums.

Hummelauer m. p.

IX.

1848. December.

(Zum Verständnis der folgenden beiden Schriftstücke eine kurze Bemerkung! Von
allem Anfang hatte Fürst Windischgrätz, so oft von Seite der kaiserlichen Familie die
Abbankung des Monarchen zur Sprache kam, mit Nachdruck es betont: 1. daß dieser
wichtige Act nur im Falle unausweichlicher Nothwendigkeit vorgenommen werden möge,
und 2. daß derselbe, was insbesondere den scheidenden Kaiser betreffe, in einer Weise
geschehe die es vor aller Welt offen lege, mit welchem Undank ihm für all die Güte
gelohnt worden sei, womit er die Wünsche seiner Völker zu erfüllen sich bereit gefunden.
Auf dieses „Sünden=Register", wie er es nannte, legte Windischgrätz großes Gewicht;
wir finden es in dem vom Prager Hrabschin an die Kaiserin Maria Anna gesandten
„Projet d'Abdication" (Anhang V, 1), und so war es auch — bereichert durch die
inzwischen stattgefundene Ermordung Latour's und die nothgedrungene abermalige Ent=
fernung des Kaisers von seiner Residenz — in dem mit den Ministern verabredeten
Entwurfe des Abschieds=Manifestes enthalten. Es vergingen inzwischen Wochen und
der 2. December kam heran. Windischgrätz war, wie alle Andern, während des Actes
im Saale der fürsterzbischöflichen Residenz so ergriffen, daß er auf die Verlesung der
Actenstücke nicht besonders aufhorchte und alles nach Wunsch abgethan glaubte als er
nach Schönbrunn zurückkehrte. Hier erst wurde er, aus Anlaß eines Gespräches mit
seinem Schwager Fürsten von Schönburg, darauf aufmerksam, daß Veränderungen in
dem ursprünglich vereinbarten Texte vorgenommen worden sein mußten, ließ sich die
gedruckten Manifeste vorlegen und fand nun zu seinem großen Erstaunen, daß in der
That die ganze jenes „Sünden=Register" enthaltende Stelle weggelassen worden war.)

1) Windischgrätz an Schwarzenberg.

Haupt=Quartier Schönbrunn, den 3. December 1848.

Durchlauchtigster Fürst!

Ich ersuche Eure Durchlaucht den Herrn Minister des Innern wiederholt und
bringend auf den anliegenden abschriftlichen Bericht des F. M. L. Grafen Kheven=
hüller behandelten Gegenstand aufmerksam zu machen. Dem zügellosen frechen Treiben
der Prager Presse muß ein Ende gemacht werden. Der Geist der Bevölkerung hat
sich zwar daselbst in letzter Zeit im Allgemeinen durch die Rückwirkung der Wiener

Ereignisse bedeutend gebessert, allein bei der fortgesetzten gefährlichen Thätigkeit der dortigen Journalisten ist zu befürchten, daß die Gemüther neuerlich aufgeregt werden. Ich habe diesen wichtigen Gegenstand bereits öfter in meiner Correspondenz nach Olmütz angeregt und mich diesfalls auch unmittelbar mit Baron Mecséry in Verbindung gesetzt, aber bisher ohne allen Erfolg. Letzterer entschuldigt sich damit, daß ihm keine administrativen Mittel zur Unterdrückung der schlechten Presse zu Gebote stehen. Ich hoffe, daß Graf Stadion solche dem Herrn Vorstand des böhmischen Guberniums auch vor Erscheinen eines definitiven kräftigen Preßgesetzes an die Hand geben und ihm auch die Anweisung ertheilen wird, daß der Begriff constitutioneller Lehrfreiheit nicht so weit ausgelegt werden darf, um revolutionären der Jugend verderblichen Universitäts-Vorträgen Vorschub zu leisten, die nun und nimmermehr in einem geordneten Staate geduldet werden können.

Wie auch in kleineren Städten die Ruhe durch fremde Aufwiegler gestört wird, zeigt die weiter beigeschlossene Zuschrift eines gewissen Thomas Korrelitsch zu Berg-Reichenstein in Böhmen.

Ich ersuche den Herrn Grafen von Stadion angelegentlich, die verschiedenen politischen Behörden zur thätigen Amtshandlung und Handhabung der Gesetze anzuweisen, damit Fällen wie den oben angeführten und auch der vom Grafen Khevenhüller berührten Unterlassung der vorschriftsmäßigen Recrutirung künftighin begegnet werde. Diese bedauerliche Desorganisation der Provinzialbehörden führt zu einer vollständigen Auflösung aller socialen und politischen Verhältnisse. Sie ist vorzüglich der unglückseligen Nachgiebigkeit und Schwäche der vorgehenden Centralregierungen zuzuschreiben, allein es darf um so weniger Zeit verloren gehen, um diesem unhaltbaren Zustande ein Ziel zu setzen. Ich zweifle nicht, daß Graf Stadion diesem wichtigen Gegenstande nebst den vielen ihm obliegenden großen Aufgaben seine unermüdete Thätigkeit zuwenden wird. Die anliegenden Berichte des F. M. L. Grafen Spannocchi und deren Beilagen, so wie eine weiter mitfolgende anonyme Zuschrift werden ihn überzeugen, daß auch die Provinz Kärnthen und insbesondere Klagenfurt, wo ein demokratischer Club sein unverschämtes Wesen treibt, in dieser Beziehung ein besonderes Augenmerk verdient.

Was das besprochene Conscriptionsgesetz betrifft, ersuche ich Eure Durchlaucht, mir gefälligst dasselbe vor der Vorlage am Reichstage zur Einsicht zuzusenden. Bei dieser Gelegenheit bin ich in dem Falle an die Herren Minister wiederholt das Ansuchen zu stellen, jedes wichtige Gesetz und überhaupt jede Maßregel von Bedeutung mit mir früher zu besprechen. Ein solches Einvernehmen ist in unserer gegenseitigen Stellung unerläßlich und ich muß unbedingt darauf bestehen. Im entgegengesetzten Falle würde die riesenhafte mir zugefallene Aufgabe erschwert, wenn nicht unmöglich gemacht. Einheit in unserer Denk- und Handlungsweise ist eine wesentliche Bedingung zum Ziele zu gelangen.

In Betreff der nach dem Wunsche der Herren Minister im Belagerungszustande einzutretenden Modificationen habe ich die mir an der Seite stehenden Rechtsmänner berathen und einen gleichen Auftrag an F. M. L. Baron Welden erlassen.

Noch muß ich erwähnen, daß in der vollen Überzeugung, in dem Abschieds-Manifeste des Kaisers Ferdinand könne keine Änderung vorgenommen werden, ich bei Vorlesung desselben in Olmütz keine besondere Aufmerksamkeit verwendet habe. Ich erinnere mich indeß, daß mir des Manifestes Kürze auffiel. Bei der neuerlichen Lesung der gedruckten Exemplare bemerke ich aber mit wahrem Bedauern, daß die in dem früheren Entwurfe aufgenommene historische Übersicht dessen, was der Kaiser gegeben und was er dagegen zu erdulden hatte, größtentheils weggestrichen worden ist. Und gerade diese Deductio-

nen hätten auf das empfängliche Volk einen günstigen Eindruck geübt, indem sie voll=
kommen geeignet waren, den hochwichtigen Schritt zu erklären. Jedenfalls kann ich
nicht genug mein Befremden ausdrücken, daß man mich auf eine so wichtige Abände=
rung des Manifestes nicht besonders aufmerksam machte.

Genehmigen ꝛc.

P. S *) Je Vous avoue, mon cher ami, que je ne puis m'expliquer pourquoi le Manifeste de l'Empereur a été tronqué de cette manière, si ce n'est la
crainte de tenir un langage trop positif envers le parti révolutionnaire. Je le
déplore vivement sous deux rapports, le premier parceque le Manifeste a perdu
par là tant pour l'Intérieur que pour l'Etranger toute sa valeur; secondement
parceque je puis apprécier par là le degré de fermeté à attendre du Ministère.
Je dois même ajouter et je vous prie d'en prévenir ces Messieurs que de cette
manière je ne pourrai marcher avec eux; je suis trop intimement convaincu que
cette voie ne peut nous mener à notre but.

2) Schwarzenberg an Windischgrätz.

(Geheim **) Olmütz, am 4. December 1848.

Mein verehrter Freund!

Über den moralischen und materiellen Zustand der meisten Provinzen machen
wir uns keine Illusionen. Das alte Regime scheint aus Grundsatz schwache unfähige
Männer in die höheren Sphären der Administration gestellt zu haben — die Ereignisse
der letzten Monate haben sämmtliche Behörden so zu sagen ohne Widerstand annullirt,
und so lang das neue Ministerium nicht durchaus neue kräftige Organe geschaffen
hat, ist auch seine Wirksamkeit außerhalb des nächsten Kreises auf eine traurige Weise
gelähmt. Es müssen noch viele Entsetzungen und Ernennungen statt finden bevor wir
so auftreten können wie es die Umstände erfordern; da aber die tauglichen Individuen
selten sind und Misgriffe vermieden werden müssen, braucht die Reorganisirung des
Personals eine gewisse Zeit.

Graf Mensdorff hat mir Deinen Wunsch mitgetheilt mich bald in Wien zu
sehen, ich werde ihm sobald als möglich entsprechen. Heute kommen sämmtliche Colle=
gen nach Olmütz, morgen ist Ministerrath unter dem Vorsitze des Kaisers.

Donnerstag ist Reichstags=Sitzung wobei ich erscheinen muß, und am Abend des=
selben Tags gedenke ich nach Wien abzureisen um Freitag und Sonnabend dort zu
bleiben. Mich erwarten dort viele Geschäfte des Departements, fremde Diplomaten
und eine Masse Papiere. Ich hoffe Freitag vor Tisch Dich in Schönbrunn zu
sehen.

Das Manifest des abtretenden Kaisers hat mir viele unangenehme Stunden ver=
schafft. Die Minister mit Ausnahme eines einzigen unter ihnen haben sämmtlich die
Theorie verfochten, daß der Monarch weder grollend noch klagend scheiden dürfe, daß
er größer erscheine wenn er das erduldete blos andeute und in seinem Abschiede, der in
seiner ursprünglichen Fassung geblieben ist, nur Worte der Milde und des Vergebens
ausspreche, den Treuen danke und die übrigen zur Pflicht ermahne. Ich habe viel
disputirt und die geschichtliche Wahrheit der Darstellung geltend zu machen gesucht, so
wie die Nützlichkeit sie bei dieser Veranlassung ganz und frei zu sagen. Ich habe

---

*) Im Original ohne Zweifel eigenhändig.
**) Das ganze Schreiben von Schwarzenberg's eigener Hand.

endlich nach vielen Stunden à la guerre doch einen Theil der Arbeit geopfert, Nach dem was ich höre hat das Manifest den gewünschten Eindruck hervorgebracht. Daß dieser Eindruck, wenn man Alles gesagt hätte, ein stärkerer und tiefer eingreifender gewesen wäre, davon ist niemand mehr überzeugt als ich. Ich wäre sehr glücklich wenn Du, mein verehrter Freund, die großen Schwierigkeiten meiner Stellung erwägen und derselben billige Rechnung tragen wolltest. Ich bin berufen das Ministerium zu leiten, und will auch dafür einstehen daß sein Gang ein correcter sein wird und keine Abweichungen statt finden sollen. Ich soll zu gleicher Zeit die Wünsche des Hofes, der mir volles Vertrauen schenkt, die aber in manchen Fällen nicht genau mit den Umständen in Einklang stauden, vertreten und muß nothwendig das Mittelglied bilden zwischen dem Ministerium und Dir, dessen Ansichten zu Zeiten ziemlich schroff aufge= stellt sind und dessen Dienste der Monarchie und dem jungen Kaiser absolut unentbehr= lich sind. Daß es mir unter solchen Umständen und den gegenwärtigen Verhältnissen nicht oft widerfährt es Allen recht zu thun, muß ich zugeben, dafür kann ich aber bürgen daß es nicht meine Schuld ist. Du kennst mich genug um zu wissen daß das juste milieu nicht in meinem Charakter liegt — ich glaube Beweise geliefert zu haben daß ich über das was ich für Pflicht halte nicht transigire.

Daß ich in meiner jetzigen Stellung die Rolle des Vermittlers übernehmen muß fällt mir hart genug und ich nehme es als das größte Opfer das ich dem Dienste in dieser schwierigen Zeit bringen kann. Ich habe aber die Überzeugung so handeln zu müssen, denn, ohne mich überschätzen zu wollen, sehe ich niemand dem Du, mein ver= ehrter Freund, dem die jetzt nothwendigen Minister, und dem der Hof so viel Ver= trauen schenken würden als mir. Wenn ich einen andern wüßte der mich ersetzen könnte — nicht etwa wegen meiner hervorragenden Talente und nothwendiger Kennt= nisse, sondern in Anbetracht des eben angeführten zufälligen Zusammentreffens der Um= stände — ich würde den Mann mit Dank und Freude an meine Stelle gesetzt sehen. Verzeihe daß ich so lang von mir spreche, aber weil mir so viel daran gelegen ist von Dir nicht falsch beurtheilt zu werden, ist es mein Bedürfnis auf die Schwierigkeit meiner Stellung hinzuweisen und an Dein Gerechtigkeitsgefühl zu appelliren.

Nun lebe recht wohl und genehmige den Ausdruck meiner aufrichtigsten Verehrung und Ergebenheit.

Dein treuer
Felix S.

Anmerkungen.

1) S. 2. Solches that erst in späteren Tagen nachträglich der „Hans Jörgel" Heft 39 S. 10 f: „Es wär wirkli eine schöne Ministerkombinazion: Lavora Minister des Äußern, weil er sie leicht von ein'm Äußersten zum andern kummt; Füster Minister des Unterrichts und des Kultus, ein so würdiger Geistliche, dem man alles nachsagt, nur nir gutes; Violant Finanzminister, weil der die Vereinigung mit den ung'rischen und italienischen Geldern am besten zu Stand bräch; Borresch Minister der Justiz, der den Tod des Latour g'wiß glei g'rächt hätt, weil er ihn nicht verhindern kunnt; Umlauft Minister des Innern, wo's alleweil konfus war, und der Polizei, die er als geschmeidige und servile Kreatur des Sedlnitzky kennen g'lernt hat; Goldmark Kriegsminister, weil wir da keine Soldaten brauchten, denn wenn er zum reden anfangt, lauft der Feind davon; Lausenau Minister des Handels, zu dem er als Jud am besten taugt. Unterstaatssekretär für die Finanzen: Camillo Hell, vorzüglich gut für's Schultenwesen, und Mahler ad latus zum Lausenau für den Handel, Kublich als Landsturm=Arrangeur für den Krieg. Wenn dös kein volksthümliches Ministerium is, hernach kann i no zehn Andre nennen, denn wir hab'n ein'n Vorrath von solchen Volksthümlichkeiten."

2) S. 3. CresCe Deo et hoMInI VIVeqVe feLIX, tV Vera spes fVtVrI. „Felix Fürst zu Schwarzenberg. Ein biographisches Denkmal" von Ad. Franz Berger (Leipzig, Otto Spamer 1853) S. 162. Man wird das Verdienst dieser sorgfältigen Lebensbeschreibung um so höher anschlagen wenn man weiß in wie verhältnißmäßig kurzer Zeit nach dem Tode des Gefeierten sie zustande kam. Zu bedauern ist daß die Veröffentlichung des dritten Theiles unterblieb, der eine kritische Zusammenstellung der unmittelbar nach dem Tode des Fürsten laut gewordenen Zeitstimmen enthalten sollte. Es thut unserer vollen Anerkennung des Werthes dieser Arbeit nicht den mindesten Abbruch wenn wir nicht überall in der Auffassung oder, auf Grund eigener Forschungen, in der Erzählung selbst mit dem pietätvollen Verfasser übereinstimmen.

3) S. 9. „La franchise m'a été facile, puisque nous savons ce que nous voulons et puisque nous ne voulons que ce qui est conforme aux principes de la raison et de la justice." Die Stelle ist einer Depesche vom 17. Jänner 1849 an unsern damaligen Geschäftsträger in Paris Ritter von Thom entnommen, dem Schwarzenberg den Inhalt einer Unterredung mittheilt, die er „en m'explicant envers eux nann rôtlounce" mit de la Cour und Humann über die sogenannte italienische Frage hatte.

4) S. 9. Vermuthlich ist es diese Eigenschaft Schwarzenberg's und das im Texte erwähnte Zerwürfnis wegen des Salzhandels, was Springer II. S. 592 zu dem unüberlegten Ausspruche veranlaßt: „auch in Turin" habe sich Schwarzenberg „durch sein persönliches Auftreten bald unmöglich gemacht." Abgesehen von der vollständigen Unrichtigkeit dieser Behauptung, da Schwarzenberg bis zu seinem Abgange nach Neapel sowohl mit König Karl Albert als mit dessen Minister trotz mancher geschäftlicher Differenzen thatsächlich auf dem besten Fuße stand, müssen wir offen bekennen daß wir uns an allen europäischen Höfen und vorzüglich im Gebäude am Ballplatze lauter österreichische Diplomaten wünschen, die sich in gleichem Sinne „unmöglich machen" wie Felix Schwarzenberg in Turin.

5) S. 13. Man findet die Ansprache Schwarzenberg's an die Wähler von Krumau abgedruckt bei Berger S. 399 f. woselbst sie als eine „schlichte ungeschminkte populäre, aber warme und treuherzige" bezeichnet wird. Das „ungeschminkte" geben wir zu, vielleicht auch das „schlichte", alles andere aber kaum. Nicht als ob wir der Ansicht wären daß Schwarzenberg anders gesprochen habe als er es, in jenem Augenblicke mindestens, in seinem Innern meinte; im Gegentheil, in dieser Hinsicht finden wir sein Auftreten auch hier offen und gerade wie dies in seinem Charakter lag. Allein soviel wir den Fürsten aus Anschauung und Umgang kennen zu lernen Gelegenheit hatten, können wir es uns nicht anders vorstellen, als daß die eminent vornehme Miene und Haltung desselben auf die in jener Zeit gegen alles aristokratische Wesen aufgehetzten Landleute nur die entgegengesetzte Wirkung von dem hervorbrachte was er erzielen wollte. In einer Versammlung von Großgrundbesitzern würde Schwarzenberg ohne Zweifel durchgedrungen sein; da würde er aber auch anders gesprochen haben, nämlich so wie es ungezwungen in seiner Art lag. Es bleibt eben für alle Zeiten wahr: „Eines schickt sich nicht für alle." Sein siegreicher Mitbewerber um den Abgeordnetensitz war Johann Kaim aus Meisel-schlag; in der Zeit der Verlegung des Reichstages von Wien nach Kremsier machte er sich in seiner Heimat einer Majestäts-Beleidigung, wie wir uns zu erinnern glauben, schuldig; über die Einleitung gerichtlicher Untersuchung darüber wurde vom Reichstage in geheimer Sitzung verhandelt, wobei die Trunkenheit des Beschuldigten eine große Rolle spielte.

6) S. 13. Privat (Staatsk.) „Wien 11. August: „Le Cte de Latour a eu le mérite de faire désigner le Pce Felix pour aller au quartier général assister le Mal dans les affaires diplomatiques." — Item v. 27.: „On forme un bureau diploma-tique pour le Prince Felix à Milan . . . Cela prouve que la négotiation princi-pale reste entre ses mains ce qui ne seroit pas si l'on n'etoit décidé ici à la maintenir sur des bases honorables".

7) S. 18. R. Hirsch, Franz Graf Stadion (Wien, Hügel 1861) S. 102. — Das Büchlein hat unstreitig drei Vorzüge: erstens daß es von warmer dankender Ver-ehrung für den unvergeßlichen Mann durchweht, zweitens daß es zu einem großen Theil auf die eigene Anschauung des Verfassers gebaut, und drittens daß es eben das einzige ist was unsere Literatur über eine der interessantesten Persönlichkeiten des österreichischen Amts- und Staatslebens besitzt. Doch hätte es der Verfasser unterlassen sollen, einen ein Jahrzehnt früher geschriebenen mit seinem Vorwurfe nur lose zusammenhängenden Zeitungs-Artikel S. 57—75 wieder abdrucken zu lassen; und geradezu häßlich müssen wir es nennen, daß Hirsch S. 88 dem „verehrlichen" Marschall Radetzky eins anhän-gen zu dürfen glaubt, blos um S. 89 f. seiner eigenen Eitelkeit einen Gefallen erweisen zu können.

8) S. 21. Daß übrigens die Gesinnungsweise dall' Ongaro's keineswegs unbe-achtet blieb, beweist folgender Fall: Der Abate hatte in eines seiner Lesebücher

bekannte Geschichte von dem weißen Bäcker und dem schwarzen Rauchfangkehrer, die ewig nicht zu einander passen, aufgenommen; anfangs fand man keinen Anstoß daran, bis man aufmerksam wurde, daß das Gleichnis wohl auf das Verhältnis zwischen dem Italiano und Tedesco ausgelegt werden könnte, worauf das Lesestück ausgeschieden wurde.

9) S. 21. Dr. Aloys Fischer, pens. k. k. Statthalter von Ober-Oesterreich: Aus meinem Amtsleben (Augsburg, J. N. Hartmann 1860) S. 185.

10) S. 23. Hirsch a. a. O. S. 101 f.

11) S. 23. Hinsichtlich der Beschränkung des Ziegenhaltens erhielten wir auf unsere Anfrage durch die Güte des k. k. Ministerial-Rathes und Vice-Präsidenten der Statthalterei von Triest, jetzt Sections-Chefs im Ministerium für Cultus und Unterricht Karl Fidler nachstehende Aufklärung: „Die Stadion'sche Gubernial-Verordnung vom 13. Juli 1844 Z. 7507 besteht noch in Kraft und wurde mit Statthalterei-Kundmachung vom 26. September 1870 im Einvernehmen mit den Landesausschüssen von Istrien und Görz republicirt, nachdem leider, wegen seither eingetretener milderer Handhabung des Verbotes, die Ziegenwirthschaft in einigen Gegenden Istriens und des Alpentheiles von Görz wieder überhandgenommen hatte."

12) S. 27. Vollinhaltlich abgedruckt in L. A. Frankl's „Sonntagsblätter" 1848 S. 308—310 und in (Dr. Constant Wurzbach) Galizien in diesem Augenblicke (Wien, Lechner 1848) S. 19—23.

13) S. 29. Aloys Fischer in seinem „Amtsleben" S. 192—214 hat dem verdienstvollen Öttel ein schönes Denkmal gesetzt.

14) S. 32. Frankl's „Sonntagsblätter" S. 305—308: Die Bureaukraten Galiziens; S. 328—331: Die Deutschen in Galizien, und A. A. Ztg. Nr. 125 v. 4. Mai 1848 S. 1990 f.

15) S. 33. Der Auftritt in Stanislawow, von dem zu jener Zeit so vielerlei zu vernehmen war, hatte, wie wir theils mündlichen theils schriftlichen Mittheilungen dabei betheiligt gewesener Persönlichkeiten entnehmen, diesen Verlauf: Die Stadt beherbergte vor dem März 1848 sehr wenig unruhige Elemente; seit den ersten Nachrichten aus Wien aber zogen täglich, ja stündlich Edelleute und Mandatare mit Anhang, darunter viele herabgekommene und darum unzufriedene Leute in die Stadt, wo man nun eifrig die Bildung der Nationalgarde betrieb, Patrouillen derselben auf eigene Rechnung die Straßen durchzogen, Kirchen-Paraden zur Feier der Constitution, Trauergottesdienste für die in Wien Gefallenen, festliche Theater-Vorstellungen, Stadtbeleuchtung und dgl. veranstaltet wurden. An der Spitze der Kreisverwaltung stand Gubernial-Rath von Festenburg der von allem Anfang große Schwäche zeigte, wie er denn z. B. der aus dem Stegreif entstandenen Nationalgarde jene Waffen auslieferte, welche die im Jahre 1846 errichtete, dann aber wieder aufgelöste Sicherheitswache beim Kreisamte deponirt hatte. Von Militär befand sich in Stanislawow der Stab von Mazzuchelli-Infanterie Nr. 10 mit Oberst-Lieutenant Mandel als Commandanten und General-Major Kalliany als Brigadier, die es beide der unzeitigen Nachgiebigkeit des Kreishauptmannes gegenüber an Abmahnungen nicht fehlen ließen. Von Lemberg wurde die Organisirung der Nationalgarde für unstatthaft erklärt; wiederholte Deputationen und Adressen dahin brachten keine Änderung dieses Beschlusses zuwege, was unter der städtischen Bevölkerung großes Mißvergnügen gegen die Landesbehörde hervorrief, während sich unter dem Landvolk Aufregung in entgegengesetzter Richtung wahrnehmen ließ. Dies war die Lage von Stanislawow, als am 10. April Gubernial-Rath Graf Leo Thun mit ausgedehnten Vollmachten von Lemberg eintraf und in einem Gasthause abstieg. Des an-

dern Tages, wo Thun mit Kallianz und Mandel wegen Entwaffnung der National=
garde Rücksprache pflog, war schon bedeutende Unruhe in der Stadt wahrzunehmen.
Am 12. verfügte sich Thun, nachdem er mit dem General sich neuerdings berathen, in
das Kreisamts=Gebände und daselbst die Angelegenheit zu Ende zu bringen und begann
damit, Festenburg zu suspendiren, an dessen Stelle er den Kreis=Commissär Neusser mit
der einstweiligen Führung der Geschäfte betraute. In der Stadt war die Aufregung
fortwährend im Steigen. Nachmittags begab sich eine Bürger=Deputation zu Thun
der sich in dem Amtszimmer des Starosten installirt hatte, und begehrte von ihm die
Gestattung der Nationalgarde; Thun verweigerte es in der entschiedensten Weise und
warnte vor weiterer Halsstarrigkeit, um es nicht zu gewaltthätigem Einschreiten kom=
men zu lassen. Die Verhandlung wurde hitziger; einen Magistrats=Beamten der sich
durch eine besonders kecke Sprache hervorthat behielt Thun in seinem Bureau, die
Deputation dagegen ließ zum persönlichen Schutze ihres Mitgliedes einen National=
garden zurück der mit blankem Säbel vor der Thüre Posto faßte. Vor dem Gebände
hatte sich inzwischen eine unruhige Menschenmenge angesammelt die, als sie das un=
günstige Ergebnis der Deputation erfuhr, in's Innere drang, die Stiege hinaufstürmte,
die Gänge und Bureaus überfluthete, so daß Festenburg für Thun's Sicherheit besorgt
eilends dessen Zimmer von außen absperrte. Die Beamten verließen entsetzt ihre
Pulte und flohen, theilweise barhaupt und mit den Federn hinter dem Ohr, auf
die Hauptwache: „Das Kreisamt werde gestürmt, Graf Thun sei in größter Lebens=
gefahr, vielleicht schon gemordet!" Schrecken verbreitete sich durch die Stadt, überall
flüchteten Einwohner in ihre Häuser. Oberst=Lieutenant Mandel, auf einem Rund=
gange begriffen, eilte auf die Hauptwache, ertheilte Befehl die Garnison zu alarmiren
und begab sich auf das Kreisamt, wohin er auf dringendes Bitten der geängstigten
Beamten vier Mann nachzuschicken befahl. Als er im zweiten Stockwerke wohin ihn
der tobende Lärm leitete erschien, sah er wie ein Theil der Eingedrungenen den Staro=
sten, „Niech žije Festenburg!" rufend, auf ihren Schultern wie im Triumphe her=
umtrug, während von Andern der Kameral=Rath Žulawski, der zu vermitteln suchte,
mit Faustschlägen an die Wand gestoßen und hart bedrängt wurde. Als die Aufge=
regten Mandel's ansichtig wurden, ertönte vielstimmiger Ruf: „Wojsko précz!" (Mili=
tär fort). Einige Bürger die ihn aus gesellschaftlichen Berührungen kannten traten an
ihn heran und erklärten ihm mit Wuth in ihren Blicken, daß „dieser Hund der nach
ihrem Blute lechze" daran müsse, daß sie ihn aus dem Fenster werfen würden u. dgl.
Mandel, um Zeit zu gewinnen, stellte sich unwissend und erklärte daß er nicht von
der Stelle weichen werde bevor er nicht die Ursache dieses eigenthümlichen Vorfalls
erfahren habe und die Ruhe hergestellt sei. Während ihm nun jene auseinandersetzten
dieser „Hund" sei Thun „der stets mit Blutvergießen drohe", und sich immer mehrere
an ihn heran drängten so daß er selbst schon in Gefahr gerieth, kam mit einemmal
von der obersten Stufe der Treppe eine Bajonnet=Spitze und ein Czako zum Vorschein,
hinter diesem ein zweiter, dann ein dritter und vierter, nicht ohne einiges Gepolter
das die im Stiegensteigen nicht sehr geübten bewaffneten Landeskinder unwillführlich
verursachten. Im Nu war jetzt die Scene geändert. Um den Oberst=Lieutenant wurde
es lichter, der Starost wurde von seinen lebendigen Karyatiden auf die Erde gesetzt,
Žulawski losgelassen, alles zog sich mit zunehmender Eile gegen die am andern Ende
des Ganges befindliche zweite Treppe; zuletzt blieben nur wenige der persönlichen Be=
kannten Mandel's zurück, bis auch ihnen das Eintreffen eines Officiers der eine Mel=
dung brachte einen schicklichen Vorwand bot sich zu entfernen. Festenburg eilte die
Thüre seines Bureau=Zimmers aufzuschließen, in welcher alsbald Thun, der keine

Ahnung zu haben schien in welcher Gefahr er sich befunden hatte, zornfunkelnden Auges erschien: „wer sich erlaubt habe ihn einzuschließen?" Für den Tag war Ruhe, die aber am 13. Abends von neuem bedrohlichen Zusammenrottungen wich. Eine bewaffnete Patrouille der Nationalgarde erschien vor der Hauptwache und forderte die Parole, zog aber, als ihr dieselbe verweigert wurde, wieder ab; der Platz war von einer aufgeregten Menge erfüllt; Oberst-Lieutenant Mandel mahnte zum Auseinander- gehen, wies auf seine durch die vielfachen Alarmirungen in den letzten Tagen erbitter- ten Truppen und sandte der Nationalgarde-Patrouille eine militärische nach, die jene entwaffnete und gefangen auf die Hauptwache brachte, worauf sich die Menge verlief. Am Abend des 14., des Tages wo Graf Thun abreiste, erschienen drei anständig ge- kleidete Herren beim General Kalliany, um demselben zu erklären daß die National- garde aus Achtung für sein im Dienst ergrautes Haar und um das Militär nicht auf- zureizen ihre Waffen abgeben werde, was auch erfüllt wurde. — Dies der Sachverhalt. Von einem „tactlosen brüsken Benehmen des Grafen Thun" wie es in Wurzbach's o. a. Schrift, wo S. 18 f. der Vorfall mehr angedeutet als geschildert wird, heißt, ist uns nichts bekannt; die Worte, die dem Grafen Thun S. 18 aus Anlaß der ersten Nachricht von den Wiener Ereignissen in den Mund gelegt werden, hat er nie ge- sprochen, und wer ihn kennt wird sie ihm auch nicht zutrauen. Ebendaselbst S. 64 f. erfahren wir auch „die garstige Geschichte bei Cucylow, wo Beamte das Bauernvolk neuerdings gegen die Edelleute hetzten", die eine besondere „durch mehr als 60 Unter- schriften von Männern aller Farben" bekräftigte Schrift: „Sprawa Cucylowska", aber auch eine im Amtsblatt der Regierungs-Zeitung veröffentlichte Widerlegung derselben zur Folge hatte. „Wem soll man glauben?" bemerkt Wurzbach hiezu. In der ausführlichen am 13. Mai an Pillersdorf gerichteten Denkschrift Stadion's (abgedruckt in der „Wiener Zeitung" Nr. 154 v. 3. Juni S. 731 f.) heißt es: „Bemerkenswerth um zu wissen wie eine Partei in Galizien Geschichte macht, ist nur daß achtzig Individuen aus Stanislawow als Zeugen für die Auftritte in Cucylow, wie sie die Lügen-Presse erzählt, aufgetreten sind, obschon sie bei der That so wenig gegenwärtig waren als die s. g. galizische Deputation; von einem blutigen Auftritte in Hoftow ist weder mir noch sonst jemand etwas bekannt."

16) S. 33. A. A. Ztg. Nr. 125 v. 4. Mai 1848 S. 1991.

17) S. 34. Das Actenstück v. 13. Mai, wir haben es in der Anm. 15) citirt, ist eigentlich eine galizische Verwaltungsgeschichte der Stadion'schen Zeit im kleinen. Es ist in hohem Grade lesenswerth, seines Inhaltes wegen, aber auch um der mann- haft offenen Sprache willen in der es geschrieben ist; wir weisen in dieser Hinsicht insbesondere auf die Stellen über die Verhältnisse zwischen Bauer und Edelmann, über die Haltung der Regierungs-Organe, über die Ereignisse von 1846 welche letzteren, wie es unter anderm heißt, von derselben Partei fortwährend angezogen würden auf deren Seele jene Schauderscenen lasteten: „Die Ereignisse des Jahres 1846 sind für diese Partei die Blutflecken auf der Hand von Macbeth's Weib." Dem Schreiben eines Zeitgenossen, dessen gütiger Zuvorkommenheit wir mehrere höchst werthvolle Mit- theilungen über Stadion's damaliges Wirken verdanken, entnehmen wir folgende Stelle: „Meiner Ansicht nach war Stadion damals in seinem Apogäum . . . diese Denkschrift ist vielleicht der letzte schattenlose Punkt in seinem öffentlichen Wirken. Damals stand er über den Ereignissen: auf dieser Höhe hat er sich im weiteren Verlaufe nicht er- halten. In seinem Wirken im Reichstag und dann auch in Olmüz und Kremsier sehen wir leider öfters, ja vielleicht in successiver Steigerung, die Klarheit des Wollens verdunkelt, die Entschiedenheit im Ausführen gebrochen." — Im „Const. Blatt aus

Böhmen" Nr. 57 v. 6. Juni Beil. finden wir die Notiz, daß sogleich nach Veröffent=
lichung der Stabion'schen Antwort die polnische Deputation durch den Advocaten Dr.
Zbyszewski beim Ministerium des Innern eine Schrift eingereicht und darin gefordert
habe, daß Stabion wegen Entstellung der Thatsachen und Schmähung der polnischen
Nationalität vor ein öffentliches Gericht gestellt werde.

18) S. 36. Der S=Correspondent des „Const. Bl. a. Böhmen" Nr. 47—48 vom
26. Mai fürchtete sogar, wenn die Nachricht bekannt würde, einen förmlichen Aufstand.
„Einer der letzten Schritte des Hofes war ein sehr unpopulärer, man lud den Grafen
Stabion aus Lemberg ein, hier ein Ministerium zu bilden und als Minister des
Innern an die Spitze zu treten. Nun muß man aber wissen wie viel gegen Stabion
hier vorliegt, wie viel unconstitutionelle Erlasse! Ich bin überzeugt daß, wenn die
Sache public wird, ein neuer Sturm losbricht."

19) S. 36. Doch haben wir eine Stimme zu verzeichnen die in einer Zeit, wo
Stabion's Name aus dem polnischen Lager her jeden Unglimpf erfuhr, wo die radicale
Presse aller Länder ihn als den wüthendsten Reactionär und Diener der Camarilla
verlästerte, wo schon sein Grafen=Titel und seine Eigenschaft als „vormärzlicher" k. k.
Gouverneur als schwarzer Mackel galt, die Kühnheit besaß, laut und offen auf den
Mann hinzuweisen der als Graf geboren — „wofür er ja nichts kann!" — „seine
Zeit begriffen habe als in den höheren Regionen noch alles schlief", und der der einzige
sei der „Kraft Muth Kenntnisse der complicirten Verhältnisse der Monarchie und
Vaterlandsliebe genug besitze das lecke Staatsschiff noch glücklich durch die tobende
Brandung, durch die Verderben drohenden Klippen zu leiten." Die Stimme erschallte
aus Stabion's getreuem Triest; der Mann dem sie angehörte schrieb sich Dr. Johann
Konrad Platner, und daß wirklich Muth dazu gehörte für eine Persönlichkeit von
Stabion's damals verrufenem Namen vor aller Welt eine Lanze zu brechen, dafür
liegt der sprechendste Beweis in dem Umstande, daß weder das „Journal d. österr.
Lloyd" noch die Wiener „Donau=Zeitung" den Aufsatz in ihre Spalten einzurücken
wagte, bis er zuletzt im „Tyroler Boten" Juli Nr. 84 und 85 erschien. Der Auf=
satz trug das Datum vom 17. Juni und erschien darauf auch als Flugblatt, ½ Bog.
in 4., gedruckt bei M. Weis.

20) S. 36. Hand=Billet an den Fürsten Windischgrätz v. 10. Juni: „Wir er=
warten in den nächsten Tagen den Grafen Franz Stabion, welcher die Aufgabe über=
nommen hat ein neues kräftiges Ministerium zu bilden."

21) S. 38. Reichstags=Gallerie. Geschriebene Portraits der hervorragendsten
Deputirten ꝛc. (Wien 1848, Jasper Hügel und Manz) 2. Heft S. 53—56. Die
Worte „einen Aussatz" sind auch im Original gesperrt gedruckt. — Gegen die maß=
losen Angriffe, die während der Reichstagszeit gegen Stabion gerichtet wurden, ant=
wortete er nur ein einzigesmal, und auch dies würde er besser unterlassen haben. Es
galt einem Artikel in Nr. 127 v. 25. August der Häfner'schen „Constitution" über
eine „Verschwörung" „welche nichts anderes beabsichtigt als . . . die Bildung eines
Ministeriums Stabion." Stabion's Erwiederung in der „Allg. Österr. Ztg.", Abend=
blatt Nr. 148 v. 28. August war nichts als ein matter Abklatsch seiner kraftvollen
Denkschrift vom 13. Juni. Seine stillen Verehrer bedauerten darum diesen Schritt,
den sie als einen ganz verfehlten bezeichneten; „car dans sa position il vaut mieux
s'effacer pour le moment que paroitre d'une manière pâle." Privat (Staatsf.)
Wien 30. August. — Aus derselben Quelle (23. und 25. Juli) erfahren wir von
einem „mémoire ou programme rédigé pour la tâche à remplir par la Diéte
pour la conservation de la Monarchie dans sa puissance et son intégrité . . .

5*

Il avoit le projet de former une réunion de députés pour concentrer la marche.à suivre pour atteindre le but indiqué ... Malheureusement l'auteur l'a retiré, n'ayant trouvé presque personne qui eut le courage de se rallier au drapeau qu'il vouloit élever et qui étoit celui de la Monarchie." Diese Denkschrift Stadion's soll bereits lithographirt gewesen sein, wir kennen sie nicht. — Das treffendste und zugleich wirksamste was Stadion während seiner ganzen parlamentarischen Thätigkeit öffentlich gesprochen hat, war wohl am 7. September seine Antwort auf die Anklage Hubicki's vom 6. (Verhandlungen des österr. Reichstages nach der stenogr. Aufnahme II S. 277 f. und 281 f.); der ganze Vorfall kann zugleich als Beispiel dienen, mit welch eingefleischter Wuth die Polen der Linken ihren verhaßten Gegner verfolgten.

22) S. 41. Vermöge einer Familien-Convention vom 31. December 1845 war das Majorat der Friedericianischen Linie nach Ableben des erstgeborenen Grafen Eduard, † 13. April 1844, mit Überspringung des zweitgebornen Grafen Walther auf den Grafen Franz übergegangen, der es aber mit einer zweiten Familien-Convention vom 1. Jänner 1846 auf seinen jüngeren Bruder, den viertgebornen Grafen Rudolf übertrug. Graf Franz verbat sich in Folge dessen in der ersten Zeit auch die Ansprache: „Erlaucht"; doch da gesellschaftliche Höflichkeit ein übriges thun zu müssen glaubte und ihm immer wieder jenen Titel gab, so nahm er dies zuletzt stillschweigend hin.

23) S. 43. Von Stadion's berühmtem Vater berichten die „Lebensbilder aus den Befreiungskriegen" I S. 287: „Dieser Edelmann par excellence in Wort Schrift und That führte doch sonst immer das: ‚nein nein, ein Parvenu will weiter parveniren' im Munde und hatte die kleine Schwäche, feuerroth zu werden wenn etwa ein als Ordensritter gleichfalls hoffähiger Bürgerliche ihm bei Hof auf demselben Parquet zu nahe kam." In dieser Hinsicht glich der jüngere Stadion nicht seinem Vater und das gleiche war von Schwarzenberg zu sagen; beide liebten es vielmehr, Parvenus zu schaffen, und hatten von der politischen Befähigung ihrer eigenen Standesgenossen im allgemeinen eine möglichst ungünstige Meinung. — Was den Fall mit dem jungen Camillo Hell (Freiherrn Slechta von Bšehrd) betrifft — der am 9. December 1848 verurtheilt, dessen Urtheil aber erst viel später, ohne Zweifel wegen der Glossen und Spitzreden zu denen die Nicht-Publicirung Anlaß gab, in der „Wiener Zeitung" v. 10. Februar 1849 abgedruckt wurde , so haben wir im Texte eben nur bezeichnen wollen, wie die allgemeine Meinung denselben damals auslegte, die natürlich bei dieser Gelegenheit wieder an das eingewerfelte: „Der Mensch fängt erst beim Baron an" anknüpfte. Wenn anders die Nicht-Publicirung von Windischgrätz selbst ausgegangen, was durchaus nicht sichergestellt ist, so waren es jedenfalls nicht Standes-Interessen die ihn dabei leiteten. Im Gegentheile, von der Schwäche, in die damaligen Umtriebe verflochtene Standesgenossen gegen Andere zu schonen, war Windischgrätz so frei daß er gerade über diese, die in seinen Augen doppelt schuldig waren, mehr als gegen Andere aufgebracht sich zeigte. Das bewies z. B. die Verhaftung des Grafen Louis Batthyányi dessen Schuld keineswegs so evident oder so heraußstechend war um eine so auffallende Maßregel noch vor dem Einrücken in die Landeshauptstadt zu rechtfertigen.

24) S. 51. Da der Verfasser hier genöthigt ist von sich selbst zu reden, so hält er sich verpflichtet seinem eigenen Urtheil einige theils wohlwollende theils misgünstige von anderer Seite gegenüberzustellen. Anerkennendes über sein erstes Auftreten im Reichstage am 11. August f. „die Presse" Nr. 40 v. 12. S. 160, über sein zweites am 24. in dem (von Fischhof und Löhner, zwei der entschiedensten parlamentari=schen Gegner Helfert's, herrührenden) Artikel „Österreich von Eröffnung des Reichs=tages" zc. in der „Gegenwart" X S. 244 f. Dagegen fällt in den „Federzeichnungen

aus dem Reichstage" von Siegfried Kapper der Vergleich zwischen Helfert und Jonák sehr zu Ungunsten des ersteren aus („Bohemia" Nr. 178 v. 24. u. Nr. 180 v. 27. Sept. 1848) und entschieden misfällig lautet das Urtheil in den „Wiener Boten", wovon später. Was den Haß betrifft mit dem Helfert von der radicalen Journalistik verfolgt wurde, so sei als Beispiel eine Stelle aus dem Feuilleton des „Radicalen" Nr. 94 v. 4. Oct. S. 384 nur darum herausgehoben, weil sie mindestens den Vorzug der Kürze hat; es ist ein „Gespräch auf der Gallerie im Reichstage" (mitgetheilt von C. Grüner) und A. fragt: „Kennen Sie auch den Herrn neben Gleispach?" B. „Das ist Herr Helfert, Chorknabe des Centrums, blinder Postgänger" (vielleicht: Paß-Gänger) „in der Regierungs-Manege, leidet an dem Wichtigkeitsfieber eines politischen Parvenüs, gibt sich ein Ansehen wie ein altes Tintenfaß und spricht in so erhabenen Ausdrücken, daß er vom Präsidenten gewöhnlich zur Ordnung gerufen wird. Sonst gänzlich unbedeutend." — Die günstige Charakteristik in der „Prager Zeitung" Nr. 26 v. 30. Juli 1848, die dann auch in Wiener Blätter überging, rührt wahrscheinlich von befreundeter Hand (Leop. v. Hasner) her und fällt in die Zeit vor Helfert's Auftreten im Reichstage.

25) S. 56. Wenn wir im Terte von einem „bürgerlichen" Kaufmann und Schiffsherrn sprachen, so ist das insofern etwas uneigentlich, als gerade Bruck auf das „von" vor seinem Namen einen besonderen Werth legte und es, nach norddeutschem Brauche, in Rede und Schrift vorzusetzen nie unterließ.

26) S. 56. Das Gespräch brachte aus den „Gränzboten" die „A. A. Ztg." Nr. 193 v. 12. Juli 1849 Beil. S. 2983 f. — Über das Vorleben Bruck's benützten wir vielfach das Büchlein: „Finanzminister Carl Freiherr von Bruck." Von C. A. S., k. k. Staatsbeamten (Wien, Förster 1861).

27) S. 58. „Häuser vor denen man stehen bleiben soll." VII. Der Heiligenkreuzer-Hof. Von Friedrich Kaiser. (Im Feuilleton des „N. Wr. Tagblatt.") Der Aufsatz enthält, wie alle derlei Waare, leichtfertige Urtheile und Behauptungen vermischt mit einzelnen den Stempel der Wahrheit tragenden Zügen. Wenn es z. B. gleich im Eingange von den beiden Männern, deren Kaiser beim Anblick des Heiligenkreuzer-Hofes gedenkt, heißt: „Der Eine wurde hier geboren, der Andere starb hier; es wäre vielleicht besser gewesen, wenn beides nicht geschehen wäre", so enthält der erste dieser vier Sätze eine Unrichtigkeit, da der Heiligenkreuzer-Hof nicht in Loosdorf steht, und der letzte einen Unsinn, da der uralte Castelli einmal doch sterben mußte.

28) S. 60. Heinrich Reschauer „Geschichte der Wiener Revolution." (Wien, R. v. Waldheim) S. 142. Der emsige Forscher — aus dessen Feder übrigens nur der erste Band dieses Werkes herrührt; die Fortsetzung desselben hat Moritz Smetacko übernommen — hat sich unverkennbar nach allen Seiten hin bemüht dem wahren Gange der Ereignisse in jener Zeit auf die Spur zu kommen; vielfach sind es persönliche Erinnerungen von Betheiligten die ihm zu Gebote gestellt wurden und deren Wiedergabe in den meisten Fällen, wenn man sich dabei die politische Richtung des Verfassers gegenwärtig hält, keine wesentlichen Bedenken erregt.

29) S. 60. Siehe bei Reschauer S. 250 f. das Capitel: „Dr. Bach als Belehrer des Volkes." Es mag nicht alles buchstäblich wahr sein was da erzählt wird; allein der Hauptsache nach haben wir durch unsere eigenen Erkundigungen über Bach's Haltung in jenen Tagen nicht viel anderes vernommen. Nach: „Politische Charaktere in Österreich" (Leipzig, Keil & Comp. 1850) 1. Heft S. 45 hätte sogar Bach „in den Kreisen der damaligen stillen Opposition unverhohlen als Demokrat im äußersten Sinne dieses Prädicats und zwar mit unbedingter Forderung republicanischer Staats-

einrichtung" gegolten. Siehe dagegen „Alexander Bach. Politisches Charakterbild"
(Leipzig 1850, literarisches Museum) S. 12, wo auf die im Tone der Begütigung
gehaltene, von A. Auersperg, Ferdinand Colloredo, Arthaber, Bauernfeld und Aler.
Bach am 14. unterzeichnete Ansprache: „Liebe Freunde und Mitbürger!" hingewiesen
und dazu bemerkt wird, daß schnecke wohl nicht nach dem „vormärzlichen Republicaner."
„Bach und ein vormärzlicher Republicaner! Wir getrauen uns zu behaupten, daß
vor dem März in der großen Monarchie unter sämmtlichen 36,000.000 Einwohnern
sich auch nicht Ein Republicaner vorgefunden; jeder Gedanke von Republik lag so
fern, wie ein Gedanke an die Ereignisse die nachher über das Kaiserthum hereinbrachen."

30) S. 60. Reschauer S. 373.

31) S. 61. Reschauer S. 323 f. Wenn es daher in der „A. A. Ztg." Nr.
336 v. 1. Dec. 1848 S. 5296 Anm. heißt: „Als die Allgemeine Zeitung die Excesse
der 26. Mai-Revolution bekämpfte, ward sie ... vom Wiener Gemeinde- und Sicherheits-
Ausschuße auf Herrn Aler. Bach's des jetzigen Justiz-Ministers Antrag in Acht und Bann
gethan", so dürfte dem eine Verwechslung mit Dr. August Bach zu Grunde liegen.

32) S. 62. „Von den Wahlmännern des VII. Wahlbezirkes, Mariahilf, an ihre
Urwähler" (Wien, Juli 1848, J. Keck und Sohn) S. 5—8.

33) S. 62. Also nicht, wie Friedrich Kaiser a. a. O. behauptet, vor den
Wahlmännern von Mariahilf hat Bach jene Worte gesprochen, die dem nachmaligen
Minister des Innern Verdruß genug bereiteten. In der, wie es scheint, von ihm inspi-
rirten o. a. Schrift: „Alexander Bach" ꝛc. heißt es darüber S. 20. f.: „Nun aber,
wenn auch der reactionäre Rigorismus zugleich mit der radicalen Perfidie sich an diese
Phrase klammert, was gewinnen beide dabei? Höchstens die einseitige Ansicht, daß ein
jugendlicher Staatsmann im Feuer der Rede, in der Neuheit des parlamentarischen
Lebens über die Linie festgestellter Grundsätze hinausgegangen sei, die Begriffe einer
damals zum Schlagwort des Tages erhobenen Theorie nicht scharf genug gesondert und,
um Vertrauen zu gewinnen dessen er bedurfte, eine Phrase gesprochen habe. Ei ihr
Bummler der Reaction und ihr Hanswurste der Anarchie, secirt die Leichname eurer
eigenen Reden und seht welch morsches Skelett die Grundlage derselben bildet."

34) S. 64. Bach's Schilderung in: „Politische Charaktere in Österreich" ist ganz
in diesem Sinne gehalten; z. B. die Stelle S. 62: „Konnte es geschehen, daß ein
Mann des Volkes, voll biedern Sinnes, vom besten Willen, von den edelsten Bestrebungen für die Freiheit durchglüht, von dem Volke verehrt gesucht und durch diese
Popularität auf die höchste bürgerliche Stufe gehoben, das Volk vergessen hat?" Und
S. 63: „Hinter sich die Menschheit in unendlichem Drängen nach dem nahen Licht,
aber es fehlt die Brücke zur Wiederkehr unter die Brüder; Bach selbst hat sie abge-
tragen! Vor sich den gähnenden Abgrund worin sich über kurz oder lang stürzen wird
alles was die Freiheit läugnet: Legitimität und Autorität von Gottes Gnaden und
vom Geldsäckel! Mit ihnen wird Bach zu Grabe gehen." „Die Motive zu so entschiedenem reactionären Handeln", heißt es S. 48 f., müsse man „in einer Conferenz
suchen die Bach am 15. März 4 Uhr N. M. mit der ‚hohen Frau' in der k. k. Hofburg hatte. Die kühne Mutter des jungen Thronerben war dem populären Advocaten
nicht Feindin, und an jenem Tage capitulirte sie im Namen der Dynastie mit dem
Volke von Österreich, repräsentirt in Bach. Diese einzige notorische Thatsache welche
aus einem langen vor- und nachmärzlichen Verkehr der fraglichen Personen heraus-
gerissen und der Öffentlichkeit übergeben wird, ist der Schlüssel zu dem Reden und
Handeln des Volksmannes, des Ministers, des Reformers Bach."

35) S. 66. In der Reichstagssitzung des 23. October wurde ein Schreiben Bach's

verlesen, worin er als „Mitglied der conſtituirenden öſterreichiſchen Reichsverſammlung" ſich mit einem Unwohlſein entſchuldigte das ihn hindere ſeinen Sitz im Reichstage einzunehmen. Nachdem das Schreiben zu Ende geleſen, erſcholl ein Ruf: „Woher iſt die Zuſchrift datirt? Den Ort anzeigen!" Präſident: „Die Zuſchrift iſt vom 17. October 1848 datirt, der Ort iſt nicht angegeben."

36) S. 66. Auf eine Mittheilung des ⧣ Correſpondenten der A. A. Ztg. v. 12. November, wo erzählt wurde Graf Breda habe das ihm angetragene Portefeuille ausgeſchlagen „weil er ſeine Geſinnung mit der des beabſichtigten Miniſteriums nicht habe in Einklang bringen können", antwortete der Graf am 20. mit der Erklärung daß er dieſer Geſinnung „vollkommen beiſtimme" und nur wünſchen könne „daß das neue Miniſterium jene Anerkennung und Unterſtützung finde, welche es ihm allein möglich machen wird ſeine ſo ſchwierige Aufgabe glücklich zu löſen." A. A. Ztg. Nr. 320 v. 15. Nov. S. 5042 und Nr. 329 v. 24. Nov. S. 5185.

37) S. 67. Privat (Diplomatie), Olmütz 3. November. In dem vertrauten Briefwechſel jener Tage einigten ſich nicht ſelten Abſender und Empfänger in vorhinein über gewiſſe Namen, die ſie den bedeutenderen der Perſönlichkeiten geben würden über deren Verhältniſſe und Lage ſie ſich gegenſeitig Mittheilungen machen wollten; ſo war in der Correſpondenz der wir die folgende Stelle entnehmen unter „Marie" Schwarzenberg, unter „Fanny" Stadion gemeint: „A mon avis Marie et Fanny feraient bien de se caser ensemble, et quoique ces dames prétendent que c'est parcequ'elles appertiennent à la même coterie qu'elles ne veulent pas afficher une intimité qui pourrait donner lieu à de sots propos, je crois moi, que la véritable raison qui les empêche d'habiter sous le même toit, c'est qu'impérieuses l'une et l'autre elles prévoient que la grande difficulté entre elles serait que l'une et l'autre voudraient avoir un droit égal à faire les honneurs de la maison, ce qui mettrait nécessairement la confusion dans le ménage. Toutefois il pourroit aisément arriver qu'elles se voient contraintes par les circonstances de loger sur le même palier." Daß der Briefſteller, ſo nahe er nach ſeiner äußern Stellung maßgebenden Kreiſen ſich befand, mit ſeinem hier ausgeſprochenen Argwohn auf ganz falſchem Wege war, und daß eine Eiferſucht ähnlicher Art zwiſchen „Marie" und „Fanny" nie beſtanden hat, brauchen wir nach allem, was wir über den Charakter dieſer beiden „Damen" angeführt, nicht erſt des näheren nachzuweiſen.

38) S. 68. Schwarzenberg an Windiſchgrätz v. 8. November.

39) S. 68. Den damals über dieſen Punkt herrſchenden Zwieſpalt der Meinungen klar zu machen, wollen wir die Urtheile von zwei der conſervativſten Richtung angehörigen Blättern einander gegenüberſtellen. Der „Hans-Jörgel" ſchreibt im 37. Heft (19. oder 20. November 1848) S. 8 f. aus Anlaß der von Kraus gegen jene Beamte, die ſich im October von Wien entfernt hatten, ergriffenen Maßregel: „J möcht' bo den Finanzminiſter frag'n, ob er die Gehalte mit ſeiner innern Überzeugung hat ſperr'n laſſen, oder ob er durch den Terrorimus, den die Linke des Reichstags ausg'übt hat, dazu zwungen word'n is? Wenn i nun ihn frag', hat er den Gehalt verdient, wo er auf der Miniſterbank ſitzen blieb'n is, während die Reſidenz in offener Rebellion war? Wo er auf der Miniſterbank ſitzen blieb'n is, während Latour an der Latern ſchmählich gemordet g'hängt is? Während Bach nur mit genauer Noth ſein Leben gerettet hat? Während man laut in der Stadt g'ſchrien hat, die Erzherzogin Sophie und die Umgebung des Kaiſers muß a g'henkt werd'n? Während das Zeughaus geplündert, das Proletariat bewaffnet, das Militär auf Befehl des Reichstags zurückzog'n word'n is? Während ſich der Kaiſer geflüchtet hat und das durch ein'n Deputirten aufgewiegelte Landvolk in Stein die

Brucken abbrechen wollt — hat er da seinen Gehalt verdient?" Dagegen lesen wir in
der „Geißel" Nr. 67 v. 9. Nov. 1848 S. 278 f. über denselben Finanz=Minister
Freiherrn v. Kraus: „Der Glanzpunkt seiner Geschäftsführung fällt in die zweite Hälfte
des Monates October 1848. Wir sahen in ihm den treuen Diener seines Herrn, den
warmen Freund seines Vaterlandes. Einsam und allein gelassen auf der veröbeten Mi=
nisterbank, mit einer Bürde die Tausende an seiner Stelle zu Boden gedrückt hätte be=
lastet, den wüthendsten Leidenschaften entgegengestellt und bedroht von offener Gewalt,
war dieser hochherzige Staatsmann, in welchem die executive Macht endlich allein
sich concentrirte, berufen die schwer geführdeten Rechte des Thrones und des Volkes
zu bewahren. Allein stand er den Parteiungen gegenüber, ganz allein hielt er aus
in dem Kampfe mit Unverstand Anarchie und Empörung, die heiligen Rechte des Fürsten
und des Volkes mit kluger Hand vereinend. Ein einziges unkluges Wort, eine einzige
Miene die nicht dem herrschenden bösen Geiste entsprach, und es war um ihn und uns
geschehen. Sein Kaiser und Er standen fast ganz allein auf rein constitutionellem Boden.
... Die Handlungsweise dieses Mannes wurde selbst von den schändlichsten Sudel=
blättern niemals bemackelt. Jungfräulich ging er aus dem Sturme hervor, dessen
Wüthen er allein zu beschwören suchte. Kein zweiter Staatsmann dieser Kate=
gorie kann sich dessen rühmen. Hoher Dank gebührt ihm von seinem Fürsten und Herrn,
hoher Dank von dem Volke; denn im Momente seines Rücktrittes in den bekannten wüsten
Tagen würde die Anarchie den Höhepunkt erreicht und uns nur überlassen haben den Ruin
der stolzen Kaiserstadt zu beweinen! Darum ein Lebehoch dem treuen Diener seines Herrn,
ein Lebehoch dem besten Freunde seines Vaterlandes!" Der Artikel ist überschrieben: „Ein
treuer Diener seines Herrn" und unterzeichnet: „Paumgartten".

40) S. 69. Abgedruckt in Ebersberg's „Zuschauer" Nr. 168 v. 11. Novem=
ber 1848 S. 1370 f.

41) S. 71. S. ihren Bericht an den Präsidenten der ungarischen National=Ver=
sammlung in Janotyck's Archiv III. S. 382.

42) S. 72. Das wortreiche Actenstück, aus dem wir im Texte nur die bezeichnendsten
Stellen zusammengedrängt haben, ursprünglich in magyarischer Sprache abgefaßt, findet
sich in theilweise verschieden lautender Verdeutschung in Janotyck's Tagebuch III.
S. 294—297, in dessen Archiv III. S. 204—209, bei Therese Pulszky II. S.
93—103; der Hirtenbrief ebenda S. 103—109 und in Janotyck's Archiv III.
S. 270—273.

43) S. 73. (Albert Hugo) Ungarische Tabletten aus der Mappe eines Indepen=
denten (Leipzig, Hirschfeld 1844) S. 175 f. über Graf Anton Szécsen: „Seine Be=
redsamkeit gleicht einer sprudelnden Gebirgsquelle. Schade, daß deren helles reines
Wasser sich in den lehmigen Boden des Privilegiums verliert!" Ungarn's politische
Charaktere (Mainz, Wirth 1851) S. 8—10 über Emil Dessewffy: „Ein armer Cava=
lier ohne Renten, von der Regierung für 12.000 fl. Jahresgehalt erkauft — es ist
entsetzlich! Er führte den Buda=Pesti=Hiradó, kein officielles, sondern ein officiöses Or=
gan, das aber ohne Scheu der Politik der Oppositions=Partei, die doch damals eine
große Majorität gebildet hatte, mit den verächtlichsten Ansichten in das Gesicht schlug
2c." Ebenda S. 6 f. über Eduard Zsedényi: „Jammerschade daß er in seinen na=
tionalen Gesinnungen einer der verächtlichsten Menschen seiner Nation ward. Die
Politik Europa's nach conservativ=tyrannischen Grundsätzen verfolgend, hatte er die schönste
Aussicht Kanzler, ja Minister, und dazu der beste Nachkömmling macchiavellistischer Schule
zu werden 2c." Siehe dagegen die anerkennungsvolle Charakteristik Zsedényi's in (Hugo's)
Neue Croquis aus Ungarn (Leipzig, Hirschfeld 1844) II. S. 230—235.

44) S. 76. Im Pester Repräsentanten=Hause sagte zwar Kossuth am 9. November:
„Die Heerführer waren der Meinung daß unser Schritt von keinem Erfolge gekrönt
sein werde und viele Officiere sträubten sich die Gränzen zu überschreiten … da reichte
ein Officier einen Plan ein, daß unsere Armee troß einer etwaigen Schlappe nicht ver=
loren gehe und daß nichts übrig bleibe als vorwärts zu gehen … dieser Officier
war Görgei." (Eljen!) — Allein siehe dagegen unsern I. Band S. 213 f. 368 f.;
hiernach ist auf die Behauptung Kossuth's kein Gewicht zu legen, er stellte in seiner
Rede die Sache so dar wie er sie eben für den Augenblick brauchte.

45) S. 77. Correspondenz. der Nár. Now. Nr. 213 v. 16. December 1848 S.
840. Von ernstern Auftritten wird der Kampf eines Serežaners erzählt, der sich
plötzlich von sieben Husaren angesprengt sah; schnell gewann er mit dem Rücken einen
Baum, drückte seine Büchse, seine zwei Gürtel=Pistolen los die jede ihren Mann trafen,
und wehrte sich mit dem Muthe der Verzweiflung, bis einer der Husaren vom Pferde
stieg, sich unbemerkt an den Baum heranschlich und den Serežaner von rückwärts um=
faßte, der nun widerstandsunfähig niedergehauen wurde.

46) S. 77. Erlaß des k. k. Finanz-Ministeriums v. 24. November 1848 Z. 7024
F. M., kundgemacht mit „Circulare" der nied. österr. Landesregierung v. 26. Z.
3015 P.

47) S. 77. Die s. g. Wilhelmine Baronin v. Beck (Memoiren einer Dame
während des letzten Unabhängigkeitskrieges in Ungarn. London 1851, Franz Thinne)
beschreibt S. 12—23 ausführlich die Abenteuer und Gefahren, unter denen sie bald
als Fischerjunge, bald als Obsthändlerin, als Bauernweib oder Botenfrau verkleidet,
durch die kaiserlichen Vorposten und zurück gekommen sei.

48) S. 78. Z. B. August Trefort, dessen Entschuldigungsschreiben am 9. Novem=
ber im Abgeordnetenhause, wo er für die Pester Vorstadt Theresienstadt saß, verlesen
wurde und große Heiterkeit erregte, weil er sein Fortgehen dadurch motivirte: „daß er
für gewiß annehme daß Jelačić Buda=Pest einnehmen werde, er aber unter diesem
nicht stehen wolle." Ob die im Terte früher genannten drei ungarischen Volksvertreter
Szirmay Nagályi und Hettyei sich bei der Einnahme Wien's nicht etwa gern fangen
ließen, wissen wir nicht. Von Officieren die Urlaub genommen um nicht wieder zurück=
zukehren, nennen wir den Lieutenant Fr. Szügyi von Württemberg=Husaren, den
Hauptmann Alexander von Csapo und Lieutenant Karl Schwarz von Wasa=Infanterie:
siehe die Aufforderungen zurückzukehren in Janotyck's Archiv III. S. 491, 510,
564 2c. Entlassung nahmen in der ersten Hälfte September Oberst Georg Marciani
Ritter v. Sacile von Ernst-Infanterie, der aus Gräz im October eine „Erklärung"
veröffentlichte daß er „nie aufgehört habe der Armee, aus der er hervorgegangen und
deren Sohn sich nennen zu können er stolz sei, mit Leib und Seele anzugehören"
(„Soldatenfreund" Nr. 35/36 v. 23. Nov. 1848 S. 163 f.); gegen Ende October
General Franz Holtsche, zuletzt Oberst bei Hohenzollern=Chevaurlegers, dem Kossuth am
9. November im Repräsentantenhause einen bedauernden Nachruf widmete (Archiv III.
S. 278) u. a. m.

49) S. 78. Der Fall Pálffy kam im Repräsentanten=Hause am 31. October zur
Sprache; s. Janotyck's Tagebuch III. S. 289: „Madaraß L. spricht in kurzen
aber gemüthlichen Worten über diesen Renegaten und Landesverräther. Wer seine
Nation und sein Vaterland feige verläßt, verläugnet seine Menschheit und hat aufge=
hört Mensch zu sein. Redner wünscht die Sache dem Landesvertheidigungs=Comité zu
überlassen das die Strenge des Gesetzes über diesen ungerathenen Sohn des Vater=
landes ausüben wird (Allgemeine Zustimmung)." Vom Landesvertheidigungs=Aus=

... [Text stark verblaßt] ... Fischer's Name ... die Proklamation ... Aber ... ... die Deputation verlangt. Gegen diese Maßregeln verwahrt ... Wien's ... im Schönbrunn 4. November ... Erklärung ... der ... Nr. 214 ... B ... Nr. 150 berichtet. — Jene ... daß in ... Wien ... Demüth 6 November ... ... Meierei ... ein Schreiben ... Nr. 70 ... 23 November S 329

... Seiner Hauptquartier: Banus) 2 Nov. „Wo ist denn aber die Constitution hingekommen? Sind sie mit uns ... marschirt? Wann sind sie kräftig aufgetreten für den Kaiser für ihre Vorschläge, für ihre Rechte? Noch weiter. Die Jugend ist nach und nach zur Armee getreten, zum Theil unter die Honvéds gegangen, zum Theil in die italienische Armee unter Radetzky, zum Theil ganz verschwunden. Das Alter verhält sich neutral, und wer großes Vermögen hat, der läßt einen Sohn in der schwarzgelben, den andern bei den Honvéds dienen, mag es zerfallen wie es will. Sein Vermögen wird ihm wenigstens nicht confiscirt, weder von ihnen noch von uns."

... Die Klagen über diesen Aufsatz waren allgemein: „Unsere Journale haben nicht eine authentische Nachricht aus Wien, und jedermann weiß daß ihnen überhaupt wegen der Preßfreiheit nicht zu glauben ist weil sie alle aus einem Loch gleisen." Unabhängigere Blätter spotteten laut über diese Annoncen. „Was unser Moniteur Kladivo schreibt, entfernt sich allerdings nicht weit von der Wahrheit", hieß es fortwährend im Figyelmező vom 28. November: „so z. B. daß der entscheidende Sieg den die Unsern über Simunic erfochten haben sich später als das gerade Gegentheil herausstellte, und daß wir noch zur Stunde nicht den eigentlichen Verlauf der Schlacht bei Schwechat kennen. Aber wie kommt es daß, während wir fortwährend lesen wie unsere Zeller die Munonen zu Kraut verbacken, immer neue Truppen aus Ungarn nach Siebenbürgen geschickt werden? Daß Urban-Buchner u. a. vernichtet sind und doch plötzlich Klausenburg ohne Schwertstreich genommen und geplündert wurde? Nach unsern Nachrichten ist am 14. October in der Lombardie eine neue Insurrection ausgebrochen; aber wie erklärt es sich dann, daß wir nach mehr als einem Monat noch nichts Sicheres davon erfahren haben? Unlängst soll es wieder in Prag losgegangen sein, und alles das sind Lügen. Wahr ist das einzige daß es mit unserer Sache ganz erbärmlich steht."

... S. 80. Janotyak's Archiv III. S. 231 f. — Was die „Wiener Zeitung" betrifft, so wollte man von einer falschen, in demselben Format in Pest umgedruckten Ausgabe wissen; darin habe Kossuth den Feldmarschall die gräulichsten Metzeleien und Hinrichtungen an Magyaren in Wien begehen, ein andermal wieder Windischgrätz und Jelačić wegen der Beschießung Wien's vom Kaiser für Hochverräther erklären lassen u. dgl. m.; im Hauptquartier zu Schönbrunn habe man eines Tages ein Blatt dieser falschen „Wiener Zeitung" herumgezeigt.

... S. 80. In einem Correspondenz-Bericht aus Presburg v. 23. November (Archiv III S. 301) heißt es: „Ich mag niemanden denunciren, sonst ... könnte ich ... einen gewissen Hauptmann ... Fischer nennen der, zum Dank dafür daß er auf Milgarn ungarischem Boden lebt, nicht nur die allerschwarzgelbsten Zeitungen eher liest als eines unserer ungarischen oder deutsch-ungarischen Journale, sondern obendrein in Gegenwart wirklich aufrichtiger Patrioten den Freiheitsmördern neuester Zeit unverhohlen das Wort redet." — In Siebenbürgen kam es vor daß ein Emissär der Pest Ofner Regierung Namens Orosházy von Széklern seiner eigenen Partei, trotzdem daß er einen von Kossuth selbst unterschriebenen Paß bei sich führte, als Spion

:rſchoſſen werden ſollte; nur durch accreditirte Leute die ihn erkannten und durch Be=
redſamkeit entging er der Volksjuſtiz.

54) S. 80. Görgei Leben und Wirken I. S. 110: „Die Comitate Presburg ꝛc.
ſind eben ſo viele Treibhäuſer, wenn auch nicht der offenen Antipathie gegen uns, ſo
doch der erbärmlichſten Indolenz.“

55) S. 81. Das Schreiben der Erzherzogin Dorothea, die damals in der Buko=
wina weilte, datirt von Czernowitz den 8. November.

56) S. 81. In Ofen erkrankten vom 12. October bis 25. November 748 Perſonen,
von denen 443 ſtarben; in Peſt dauerte die Cholera bis Anfang December. In Pres=
burg begann ſich die Krankheit um die Mitte November zu zeigen und zwar nach
Görgei I. S. 108 ſo arg, daß von 29 Perſonen 11 ſtarben.

57) S. 82. Am 8. November erſchienen in Peſt zwei Flugblätter: „Nicht ver=
zagt!“ und: „Wien iſt alſo gefallen“ (Archiv III. S. 223 – 225), ſinnloſe Ausbrüche
einer ohnmächtigen Wuth: „Hat das biedere öſterreichiſche Volk darum ſeit Jahr=
hunderten an dieſer heuchleriſchen Dynaſtie gehangen, um durch den böhmiſchen Canni=
balen mit ſeinem Schwager verwüſtet und zerſtört zu werden? Wahrlich das öſter=
reichiſche Herrſcherhaus hat in den letzten Monaten ſo viel Verbrechen begangen, daß
alle Sünden ihrer Väter zuſammengenommen kein ſolches Gewicht in die Wagſchale
der ewigen Gerechtigkeit werfen, als dies nur die einzige Sünde der Eroberung Wiens
vor dem Richterſtuhle Gottes ausmachen wird. Wenn Teufel ſelbſt im Rathe des
Königs geſeſſen hätten, die Pläne der Politik nach dem Grundſatze ‚divide et impera‘
konnten nicht hölliſcher geſchmiedet ſein!“ u. ſ. w.

58) S. 82. Peſter Zeitung Nr. 829 v. 16. November S. 5020 f., Nr. 837 v.
25. S. 5056 f. u. a. m.

59) S. 82. Janotyckh Archiv III. S. 318.

60) S. 84. Ebenda S. 384 f.

61) S. 85. Ebenda S. 399 – 407.

62) S. 86. Peſter Zeitung Nr. 847 v. 7. December S. 5095. — Janotyckh's
Archiv III. S. 372 f. 373 375 (Ernſt Preßlern Ritter von Sternau: „Offenes
Sendſchreiben an den k. k. Feldmarſchall Fürſten Alfred zu Windiſchgrätz“, vom 30.
November), 413 – 416 (Barsi Józſef: „Sonntags=Gedanken über das Manifeſt vom
6. November“, vom 2. December), 425 f. u. a. m. In Barsi's Flugſchrift kamen
die Stellen vor: „Lüge Verläumbung Tücke Heuchelei ohnmächtiger Zorn und grau=
ſame Drohungen bilden den Stoff des liebloſen Schreibens“ (des Manifeſtes vom 6.
November) . . . „Gleich einer verrätheriſchen Dalila möchte man den lang genug
verblendet geweſenen Simſon, das Volk, mit gleisneriſchen Worten bethören um ihn
den Philiſtern zu überliefern . . . Wir wiſſen es nur zu gut daß Koſſuth über keine
Hercules=Musculatur zu verfügen hat, aber wie der Tod Moſes' die Kinder Iſraels
nicht am Einzuge in das gelobte Land hindern konnte, wie der Tod Jeſu die Ver=
breitung des Lichts und der Wärme, die ſein Wort enthielt, nicht abbrach, ſo werden
dem neuen Meſſias, dem Erwecker von den Todten, ſelbſt im traurigſten Falle treue
Jünger den Troſt zurufen: Das Vaterland lebt, wir werden es zu jenem Blüthenkranze
unter den Völkern machen, den Du gewollt und gehofft!“ — Das „offene Sendſchrei=
ben“ Sternau's gehörte ohne Frage zu dem gemeinſten pöbelhafteſten, was von
dieſer Sorte damals in Ungarn das Licht der Welt erblickte. Daß darin Windiſch=
grätz als „Bombenfürſt“, als „oberſter Befehlshaber der Henkersknechte der Freiheit“
begrüßt wurde, war nicht neu, das hatten ſchon vor ihm Andere geſagt; eigene Er=
findung Sternau's waren aber jedenfalls Stellen wie dieſe: „Erbärmliches Weſen,

das heute sich im Fürstenmantel bläht und morgen die Stelle schändet, wo es mit verzerrten Zügen nackt und entstellt am Pfahle hängt" ... „Weisheitstrunkener Träumer, lächerlicher Thor, Auswurf der Menschheit, falle in den Staub Du Creatur und erkenne Deine teuflische Verruchtheit!" und in diesem Tone noch lang fort. Daß des Verfassers Bruder einer der im Stadtgraben Hingerichteten war, mag als mildernder Umstand für die wahrhaft berserker=wüthige Sprache angesehen werden.

63) S. 86. Privat (altconserv.) v. 19. November 1848: „La seule chose qui me fasse mal, c'est la conviction qui involontairement se raffermit de plus en plus en moi: qu'en conséquence de la malencontreuse position où l'intrigue, la vanité, le fanatisme ont mis notre malheureux pays, ni moi ni mes amis nous ne serons en état de prendre une part active aux arrangements définitives. Il y aura de trop grands sacrifices à faire; une dure nécessité réglera toutes ces relations, une nécessité que nous saurons subir, mais dont nous ne saurions être les interprêtes vis-à-vis de nos compatriotes."

64) S. 87. Görgei I. S. 90 f.

65) S. 88. Strack Beiträge S. 17 f. Nach andern Angaben hätte Guyon nur 8000 Mann und 24 Geschütze, dagegen bei 24 Escadrons unter seinem Befehle gehabt. Die regulären Truppen gehörten den Regimentern Prinz von Preußen Nr. 34 und Erzherzog Ernst Nr. 48 an. Auch eine Compagnie Presburger Nationalgarde wirkte mit.

66) S. 89. Näheres über den Marsch von Tyrnau bis Göding bei Strack S. 15—22, M. H. (Michael Hodža? Miloslav Hurban?) in Nar. Now. Nr. 181 v. 9. November S. 712 und Wr. Ztg. Nr. 315 v. 24. November S. 1159. In Pester Flugblättern hieß es freilich: „Simunić hat sich aus Furcht vor unserer starken gegen ihn anrückenden Macht in's Gebirge zurückgezogen und hat in Eile drei Kanonen zurückgelassen"; oder: „Zuverlässigen Nachrichten zufolge wurde Simunić an einem Tage dreimal geschlagen: bei Nábas, bei Jablonic und bei Senic", und eine „amtliche Mittheilung" vom 8. brachte die „erfreuliche Kunde, daß Simunić geschlagen und ihm vier Kanonen abgenommen wurden." Janotych's Tagebuch III. S. 297, 299 und Archiv III. S. 222 f. Allein Klapka Nationalkrieg I. S. 86 f. klagt nicht ohne Grund: „So wurde eine der besten Gelegenheiten versäumt, die bei Schwechat erlittene Schlappe auszuwetzen und durch eine glänzende Waffenthat, als gutes Vorzeichen für den kommenden großen Kampf, ermuthigend und erhebend auf den Geist der Armee und des Volkes zu wirken." Besonnene Fachmänner aber setzten die Kriegsthat Simunić', wenn auch in kleinem Rahmen, den gelungensten Unternehmungen solcher Art an die Seite. „Dieser Marsch Simunić'", heißt es in einer über „die magyarische Revolution" (Zweite Auflage, Pest, Heckenast 1850) erschienenen Schrift S. 61 f. „war eine der gewandtesten Waffenthaten im ungarischen Kriege; selbst die magyarische Partei zollte seinem meisterhaften Zuge hohes Lob und zählte ihn fortwährend zu den gefährlichsten kaiserlichen Generalen." Und im M. S. Heller's v. Hellwald lesen wir: „Der Rückzug des F. M. L. Simunić aus dem Waag= Thal auf Göding ist ein schönes Manoeuvre und wird in der Kriegskunst bleibend sein."

67) S. 90. Pröhle „Aus dem Kaiserstaat" S. 249 f. Der Verfasser befand sich nach dem Einzug der kaiserlichen Truppen in Presburg und macht als Deutscher die Bemerkung: „Gegenüber der Indifferenz und den Verirrungen der Deutschen muß uns der nationale Eifer der Slovaken mit Bewunderung und, wenn wir an die Zukunft und an die übrigen slavischen Stämme denken, mit Besorgnis erfüllen. Sie haben in dieser Zeit natürlich viel gelitten" ꝛc. Eine Scene auf dem Schlosse der

Gräfin Elisabeth Erdödy, geb. Mayer, Witwe des gewesenen ungarischen Hoffanzlers Joseph Erdödy (geb. 1754, gest. ?), von ihrer Herkunft allgemein unter dem Namen „Fiaker-Liesel" bekannt, schildert novellistisch, allein nicht ohne historischen Hintergrund, Martini in: „Bilder aus dem Honvédleben" (Kober und Markgraf 1860) S. 175—181. Über Baron Johann Jeszenák, „Commissär der Republik in der Slovakei", der sich „so ziemlich nach dem Vorbilde des Plenipotentiärs Lebru Rollin und des französischen Schreckens-Conventes betragen haben" soll, s. Levitschnigg „Kossuth und seine Bannerschaft" II. S. 114—116. Über einige mährische Opfer der magyarischen Verfolgungswuth, s. Nár. Nov. Nr. 194 v. 24. Nov. S. 764: „Z Moravy", wo ein Mährer Brůdek, der auf der Festung Leopoldstadt gefangen gehalten wurde und für den seine Brüder in Mähren Kostgeld zahlen mußten, und ein aus Zlin gebürtiger Wanderbursche Johann Hrobařík genannt werden, welcher letztere in Rosenberg, Liptauer Comitat, aufgeknüpft wurde. „Wartet ihr Henker", soll er vor seinem Tode ausgerufen haben, „ich bin der letzte aus Mähren den ihr schuldlos hinrichtet; dann kommt die Reihe an euch!"

68) S. 90. Brünner Tages-Courier Nr. 141 v. 14. Nov. S. 564. Die Signale sollten von den k. k. Finanz-Wachposten in Welká und Sudoměřic ausgehen, auf dem Antoni-Berge oder Blatnic ein Feuer sichtbar gemacht und von da durch weitere Zeichen die Kunde tiefer in's Land hinein befördert werden.

69) S. 91. Slovakische Correspondenz der Nár. Nov. Nr. 194 v. 24. Nov. S. 764 f. — In einem Berichte an den Feldmarschall vom 11. November klagte Simunić daß er noch immer keinen Auditor habe, was ihn nöthige die ergriffenen compromittirten Individuen nach Olmüz zu senden.

70) S. 91. Janotyáh's Archiv III. S. 444—446. Der Notar Dohány in Jablonic, der dem Geistlichen in Hradiště einen Auftrag des kaiserlichen Oberbefehlshabers zu überbringen hatte, stellte sich statt dessen dem Hauptmann Xivković in Jokö, der ihn an Orbódy schickte. Von diesem und dessen Officieren kam darauf ein Schreiben dto. Nádas 1. December: „Der tapfere Soldat, der mit der Waffe in der Hand seinen Feind offen und ehrlich bekämpft, stehe nicht auf solche Lumpenpapiere an, um durch dieses niedrige Mittel der Aufwieglerei seinen Zweck zu erreichen; das Brigade-Commando fühle sich aufgefordert, den Herrn Generalen zu ersuchen, sich in Zukunft der Verbreitung von derlei Proclamationen zu enthalten."

71) S. 91. Johann Balogh, ein Demagog der gemeinsten Sorte, der sich „in Vidin seiner Vaterschaft an der gräulichen Mordthat auf der Budapester Schiffsbrücke noch gerühmt haben soll"; Levitschnigg a. a. O. II. S. 190.

71b) S. 92. Siehe über diese Vorfälle die großsprecherischen Berichte von ungarischer Seite in Janotyáh's Archiv III. S. 343, 350 f., 358—360, 420, den Bericht Kosztolányi's aus Presburg 20. November in der Pester Ztg. Nr. 839 S. 5064 f. und Klapka Nationalkrieg I. S. 101. Es stehen uns, um über diese einseitigen Darstellungen die Gegenprobe anzustellen, keine Berichte aus dem kaiserlichen Lager zu Gebote was jedenfalls dafür zu sprechen scheint daß es durchaus unbedeutende Ereignisse waren. Bei der Unternehmung gegen Magyarfalu wird von ungarischer Seite Hauptmann Söll mit seinen „braven Tyroler Scharfschützen" auszeichnend erwähnt: „eine Zierde unserer Armee und ein vom ganzen Lager mit Recht geehrter und geliebter Held."

72) S. 93. Correspondenz aus Polsterau 20. Nov. in Draxler's „Herold" S. 336: „Die Ungarn sind fort und wir zum Glücke nicht geplündert worden, denn ihre Flucht von Friedau war zu eilig. Indessen ganz leer ging es doch nicht ab;

so wurde z. B. dem Wirthe an der Straße der Wein ausgetrunken, Speck und Fleisch roh weggefressen, die Bienenstöcke geraubt und aus ein Paar Häusern alles, sogar die Kinderfetzen mitgenommen. Allein zur Ehre des deutschen National-Charakters muß ich auch der Wahrheit getreu sagen, daß die deutschen Österreicher (darunter Wiener Schusterbuben von 14 bis 16 Jahren), die sich unter den Ungarn befanden, Wein und Brod meistens bar bezahlten. Einige preußische Schlossergesellen, die ich im Wirths-hause sprach, bekannten offen, daß die fremden Gesellen zum Landsturm gezwungen wurden und daß sie sehr schlau unter Stockungarn vertheilt worden waren. Der ungarische Landsturm, reine Magyaren, besteht aus wahren Räubern; in ihrem Be-nehmen wurden sie jedoch wo möglich noch durch die Kossuth'schen Freiheitsheldinen, meist eckelhaft aussehende Gassendirnen der letzten Classe, an Keckheit Diebs- und Plünderungssucht übertroffen. Auffallend war es daß die Wiener nichts von der Belagerung und Einnahme Wiens durch unsere Truppen wußten und über diese Nach-richten ganz verblüfft wurden; blos ein Wiener Legionär wollte durchaus behaupten daß an der ganzen Sache kein wahres Wort sei." — Die Kaiserlichen zählten laut Nugent's Dienstschreiben an den Landes-Commandirenden Grafen Spannocchi v. 8. November 5 verwundete Soldaten, 3 todte Pferde. Den Verlust Perczel's fanden wir irgendwo auf 1 Todten, 3 schwer und 11 leicht Verwundete geschätzt; außerdem blieben mehrere Gefangene in den Händen der Kaiserlichen. Ausführlicheres über den Kampf in der Grätzer Zeitung Nr. 239 v. 13. Nov.; darnach hätten die Ungarn ihre Todten und Verwundeten „auf mehr als 18 theils eigenen theils requirirten Wagen" mit sich fortgenommen, so daß „deren numerische Zahl nicht bestimmt werden" könne. Ebenda Nr. 240 v. 14. finden sich die Namen zweier schuldlosen Frauens-Personen, die von Perczel's Kriegern „wie zum Spaß" erschossen wurden; und Perczel's Aufruf v. 26. October, worin er (im Gegensatz zu seinem Unternehmen v. 8. November) die nächstgelegenen steirischen Bezirke versichert hatte daß er „weder die Bestimmung noch die Absicht habe, ein Land und ein Volk mit einer Invasion zu überziehen mit welchem Ungarn immer und insbesondere in letzter Zeit im besten Einvernehmen stand." — Dem gewesenen Militär-Arzt, nun practicirenden Arzt in Friedau, Letinschegg, der sich furchtlos während des Gefechtes und nach demselben um die Verwundeten angenommen, stattete General Burich im Namen seines Officiers-Corps öffentlichen Dank ab; Gr. Ztg. Nr. 242 v. 16. November. — Perczel's sehr wortreicher Bericht über die kriege-rischen Ereignisse vom 8. November findet sich in Janotych's Archiv III. S. 292–294. Perczel bewirkte nach dem Friedauer Tage die Beförderung seines ge-treuen Bangya zum Major.

73) S. 93. Namentlich Pfarrer Jelenić von Dubrava (Dubrovac) und Caplan Fridecky von Prelog, letzterer ein Stock-Magyar in einer ganz slavischen Gegend; dem erstern wurde nachgesagt er habe einen Monat früher die Niederlage Bornemissa's durch Verrath herbeigeführt, ja während des Kampfes auf kroatische Gardisten aus einem Hinterhalt geschossen. Auch Pfarrer Katanec von Koturiba(?), der im Septem-ber Proviant-Transporte der Kroaten verrathen, als Spion gedient, die Ungarn zum Kampfe gehetzt haben soll, befand sich unter den Eingezogenen.

74) S. 94. In einem Schreiben Bangya's an Zerffi (Janotych Archiv III. S. 463—465) lesen wir über diese nichtssagende Affaire: „Perczel war der Held des Tages. Alle Augenblicke sah man ihn mit seinem schwarzen Republicaner-Hute mit rother Feder im heftigsten Kugelregen von einer Batterie zur andern eilen; dort an-gelangt stellte er sich neben die Mündung der Kanone, besah aus seinem Fernrohr die Stellung des Feindes und alsbald wird aus dem Feldherrn ein Artillerist. Seine

Schüffe waren aber auch gut angebracht; denn kaum brannte die Kanone ab, so sah man den Feind aus den Schanzen laufen und hörte ein Wehklagen zum Erschüttern." S. auch Perczel's Bericht, ebenda S. 410—412. Die Kroaten zählten während des fünfstündigen Artillerie-Feuers 2 Todte und 5 Verwundete.

75)· S. 94. Batthyányi's pomphafter Bericht in Janotyck's Archiv III. S. 331—333.

76) S. 95. Auszüge aus den amtlichen Berichten Gál's an Böröß vom 23.—28. October 1848 brachte J. B. Weis Öfterr. Volks-Ztg. 1850 Nr. 152 v. 5. Juli S. 603 f. Nach der Erecution im Lager bei Vilagos am 24. October ließ Gál dem Henker-Zigeuner 15 Stockstreiche aufmessen „weil er sich durch ohrfeigen der Erhängten das gesetzliche Urtheil zu verhöhnen erfrechte." Bezeichnend ist, daß Gál am 28. in Pankota seinem weitern Vorgehen Einhalt that, „bis sein bisheriges Verfahren nicht beurtheilt und er für das künftige mit einer neuen Instruction versehen sein werde, da ·der Regierungs-Commiffär für den Landsturm die vielen Opfer des Aufstandes nicht zu billigen scheine."

77) S. 95. „Presse" Nr. 111 v. 12. Nov. 1848 S. 436, Correspondenz aus Szegedin vom 19. October: „Rózsa Sándor der berüchtigte Räuberhauptmann wurde, wie wir erwarteten und hofften, pardonnirt. Als dies vorgestern dem Volke bekannt gemacht wurde, weilte Rózsa schon in unsern Mauern. Auf jedem Schritte folgten ihm Tausende von Menschen; jeder will den gewesenen Räuberhauptmann sehen. Sein Äußeres ist durchaus nicht bewundernswerth, aber seine Geschicklichkeit und sein Verstand rettete ihn oft aus den Händen der Gerechtigkeit. Gott gebe daß er der Abdel-Kader Ungarns werde, denn er ist wahrlich ein Sohn der Wüste. Er wird mit 150 Mann in das Lager ziehen."

78) S. 96. Vetter's Dankschreiben an den Landesvertheidigungs-Ausschuß für seine Ernennung zum General in Janotyck's Archiv III. S. 284 f.

79) S. 96. Ungarische Berichte über die Affaire bei Lagerdorf ebenda S. 290 f. 341—343. Damianich lobte nicht blos die ausnehmende Tapferkeit der „freiwilligen Männer", sondern stellte ihnen auch das beste Sittenzeugnis aus: „Wenn man diese Leute kämpfen sieht", hieß es in seinem amtlichen Berichte, „glaubt man die Söhne der Wüfte vor sich zu sehen; bald auf dem Berg bald im Thal sieht man sie in größter Schnelligkeit auf ihren Pferden dem Feinde nachjagen; bald treiben sie mit der schlauesten Achtsamkeit das erbeutete Vieh vor sich her und, wenn sie vom Feinde bemerkt werden, nehmen sie ihn ihren Fang verlassend sogleich auf's Korn und kehren wieder zu ihrer Beute zurück. Ihr besonders gutes Betragen gereicht ihnen zur Ehre. Rózsa Sándor schenkte vielen Gefangenen die er machte großmüthig das Leben, und den Weibern die Säuglinge an der Brust trugen schenkte er Geld auf Lebensmittel." Dagegen heißt es in einer amtlichen Proclamation des Temesvárer k. k. Kriegsrathes v. 21. November: „Die Ortschaft Lagerdorf wurde durch eine Horde unter Anführung des berüchtigten Räubers Rózsa eingeäschert, ausgeraubt, die Einwohner ohne Unterschied von Alter und Geschlecht niedergemetzelt, der pensionirte Salz-Einnehmer Schmidt, ein neunundsiebenzigjähriger Greis, sammt seiner Gattin hingeschlachtet, und dies wahrscheinlich unter den Augen von Officieren die ehemals in der k. k. Armee dienten und denen der Kriegsgebrauch und das allen civilifirten Nationen stets heilige Völkerrecht nicht unbekannt sein kann."

80) S. 96. Aus einem uns nicht näher bekannten Blatte: „Der Serbe" brachten die Mor. Nowiny eine Correspondenz aus Verkasovo v. 13. November, nach der die Zahl der in Piroš um's Leben gekommenen Serben, deren Leichen zum Theil in den Kuku-

einrichtung" gegolten. Siehe dagegen „Alexander Bach. Politisches Charakterbild"
(Leipzig 1850, literarisches Museum) S. 12, wo auf die im Tone der Begütigung
gehaltene, von A. Auersperg, Ferdinand Colloredo, Arthaber, Bauernfeld und Alex.
Bach am 14. unterzeichnete Ansprache: „Liebe Freunde und Mitbürger!" hingewiesen
und dazu bemerkt wird, das schmecke wohl nicht nach dem „vormärzlichen Republicaner."
„Bach und ein vormärzlicher Republicaner! Wir getrauen uns zu behaupten, daß
vor dem März in der großen Monarchie unter sämmtlichen 36,000.000 Einwohnern
sich auch nicht Ein Republicaner vorgefunden; jeder Gedanke von Republik lag so
fern, wie ein Gedanke an die Ereignisse die nachher über das Kaiserthum hereinbrachen."

30) S. 60. Reschauer S. 373.

31) S. 61. Reschauer S. 323 f. Wenn es daher in der „A. A. Ztg." Nr.
336 v. 1. Dec. 1848 S. 5296 Anm. heißt: „Als die Allgemeine Zeitung die Excesse
der 26. Mai=Revolution bekämpfte, ward sie ... vom Wiener Gemeinde= und Sicherheits=
Ausschuße auf Herrn Alex. Bach's des jetzigen Justiz-Ministers Antrag in Acht und Bann
gethan", so dürfte dem eine Verwechslung mit Dr. August Bach zu Grunde liegen.

32) S. 62. „Von den Wahlmännern des VII. Wahlbezirkes, Mariahilf, an ihre
Urwähler" (Wien, Juli 1848, J. Keck und Sohn) S. 5—8.

33) S. 62. Also nicht, wie Friedrich Kaiser a. a. O. behauptet, vor den
Wahlmännern von Mariahilf hat Bach jene Worte gesprochen, die dem nachmaligen
Minister des Innern Verdruß genug bereiteten. In der, wie es scheint, von ihm inspi-
rirten o. a. Schrift: „Alexander Bach" 2c. heißt es darüber S. 20. f.: „Nun aber,
wenn auch der reactionäre Rigorismus zugleich mit der radicalen Perfidie sich an diese
Phrase klammert, was gewinnen beide dabei? Höchstens die einseitige Ansicht, daß ein
jugendlicher Staatsmann im Feuer der Rede, in der Neuheit des parlamentarischen
Lebens über die Linie festgestellter Grundsätze hinausgegangen sei, die Begriffe einer
damals zum Schlagwort des Tages erhobenen Theorie nicht scharf genug gesondert und,
um Vertrauen zu gewinnen dessen er bedurfte, eine Phrase gesprochen habe. Ei ihr
Bummler der Reaction und ihr Hanswurste der Anarchie, secirt die Leichname eurer
eigenen Reden und seht welch morsches Skelett die Grundlage derselben bildet."

34) S. 64. Bach's Schilderung in: „Politische Charaktere in Österreich" ist ganz
in diesem Sinne gehalten; z. B. die Stelle S. 62: „Konnte es geschehen, daß ein
Mann des Volkes, voll biedern Sinnes, vom besten Willen, von den edelsten Bestrebungen für die Freiheit durchglüht, von dem Volke verehrt gesucht und durch diese
Popularität auf die höchste bürgerliche Stufe gehoben, das Volk vergessen hat?" Und
S. 63: „Hinter sich die Menschheit in unendlichem Drängen nach dem nahen Licht,
aber es fehlt die Brücke zur Wiederkehr unter die Brüder; Bach selbst hat sie abge-
tragen! Vor sich den gähnenden Abgrund worin sich über kurz oder lang stürzen wird
alles was die Freiheit läugnet: Legitimität und Autorität von Gottes Gnaden und
vom Geldsäckel! Mit ihnen wird Bach zu Grabe gehen." „Die Motive zu so entschiedenem reactionären Handeln", heißt es S. 48 f., müsse man „in einer Conferenz
suchen die Bach am 15. März 4 Uhr N. M. mit der ‚hohen Frau‘ in der k. k. Hofburg hatte. Die kühne Mutter des jungen Thronerben war dem populären Advocaten
nicht Feindin, und an jenem Tage capitulirte sie im Namen der Dynastie mit dem
Volke von Österreich, repräsentirt in Bach. Diese einzige notorische Thatsache welche
aus einem langen vor= und nachmärzlichen Verkehr der fraglichen Personen heraus=
gerissen und der Öffentlichkeit übergeben wird, ist der Schlüssel zu dem Reden und
Handeln des Volksmannes, des Ministers, des Reformers Bach."

35) S. 66. In der Reichstagssitzung des 23. October wurde ein Schreiben Bach's

verlesen, worin er als „Mitglied der conftituirenden österreichischen Reichsverfammlung" sich mit einem Unwohlsein entschuldigte das ihn hindere seinen Sitz im Reichstage einzunehmen. Nachdem das Schreiben zu Ende gelesen, erscholl ein Ruf: „Woher ist die Zuschrift datirt? Den Ort anzeigen!" Präsident: „Die Zuschrift ist vom 17. October 1848 datirt, der Ort ist nicht angegeben."

36) S. 66. Auf eine Mittheilung des # Correspondenten der A. A. Ztg. v. 12. November, wo erzählt wurde Graf Breda habe das ihm angetragene Portefeuille ausgeschlagen „weil er seine Gesinnung mit der des beabsichtigten Ministeriums nicht habe in Einklang bringen können", antwortete der Graf am 20. mit der Erklärung daß er dieser Gesinnung „vollkommen beistimme" und nur wünschen könne „daß das neue Ministerium jene Anerkennung und Unterstützung finde, welche es ihm allein möglich machen wird seine so schwierige Aufgabe glücklich zu lösen." A. A. Ztg. Nr. 320 v. 15. Nov. S. 5042 und Nr. 329 v. 24. Nov. S. 5185.

37) S. 67. Privat (Diplomatie), Olmütz 3. November. In dem vertrauten Briefwechsel jener Tage einigten sich nicht selten Absender und Empfänger in vorhinein über gewisse Namen, die sie den bedeutenderen der Persönlichkeiten geben würden über deren Verhältnisse und Lage sie sich gegenseitig Mittheilungen machen wollten; so war in der Correspondenz der wir die folgende Stelle entnehmen unter „Marie" Schwarzenberg, unter „Fanny" Stadion gemeint: „A mon avis Marie et Fanny feraient bien de se caser ensemble, et quoique ces dames prétendent que c'est parcequ'elles apperçeunent à la même coterie qu'elles ne veulent pas afficher une intimité qui pourrait donner lieu à de sots propos, je crois moi, que la véritable raison qui les empêche d'habiter sous le même toit, c'est qu'impérieuses l'une et l'autre elles prévoient que la grande difficulté entre elles serait que l'une et l'autre voudraient avoir un droit égal à faire les honneurs de la maison, ce qui mettrait nécessairement la confusion dans le ménage. Toutefois il pourroit aisément arriver qu'elles se voient contraintes par les circonstances de loger sur le même palier." Daß der Briefsteller, so nahe er nach seiner äußern Stellung maßgebenden Kreisen sich befand, mit seinem hier ausgesprochenen Argwohn auf ganz falschem Wege war, und daß eine Eifersucht ähnlicher Art zwischen „Marie" und „Fanny" nie bestanden hat, brauchen wir nach allem, was wir über den Charakter dieser beiden „Damen" angeführt, nicht erst des näheren nachzuweisen.

38) S. 68. Schwarzenberg an Windischgrätz v. 8. November.

39) S. 68. Den damals über diesen Punkt herrschenden Zwiespalt der Meinungen klar zu machen, wollen wir die Urtheile von zwei der conservativsten Richtung angehörigen Blättern einander gegenüberstellen. Der „Hans-Jörgel" schreibt im 37. Heft (19. oder 20. November 1848) S. 8 f. aus Anlaß der von Kraus gegen jene Beamte, die sich im October von Wien entfernt hatten, ergriffenen Maßregel: „J möcht' do den Finanzminister frag'n, ob er die Gehalte mit seiner innern Überzeugung hat sperr'n lassen, oder ob er durch den Terrorismus, den die Linke des Reichstags ausg'übt hat, dazu zwungen word'n is? Wenn i nun ihn frag', hat e r den Gehalt verdient, wo er auf der Ministerbank sitzen blieb'n is, während die Residenz in offener Rebellion war? Wo er auf der Ministerbank sitzen blieb'n is, während Latour an der Latern schmählich gmordet g'hängt is? Während Bach nur mit genauer Noth sein Leben gerettet hat? Während man laut in der Stadt g'schrien hat, die Erzherzogin Sophie und die Umgebung des Kaisers muß a g'henkt werd'n? Während das Zeughaus geplündert, das Proletariat bewaffnet, das Militär auf Befehl des Reichstags zurückzog'n word'n is? Während sich der Kaiser geflüchtet hat und das durch ein'n Deputirten aufgewiegelte Landvolk in Stein die

einrichtung" gegolten. Siehe dagegen
(Leipzig 1850, literarisches Museum)
gehaltene, von A. Auersperg, Ferdin
Bach am 14. unterzeichnete Ansprac
und dazu bemerkt wird, das schmecke
„Bach und ein vormärzlicher Repu
vor dem März in der großen M.
sich auch nicht Ein Republicaner
fern, wie ein Gedanke an die Creiz

30) S. 60. Reschauer S
31) S. 61. Reschauer S
336 v. 1. Dec. 1848 S. 5296
der 26. Mai-Revolution bekämp'
Ausschuße auf Herrn Aler. Bach
gethan", so dürfte dem eine Be

32) S. 62. „Von den E
Urwähler" (Wien, Juli 1848
33) S. 62. Also nicht,
Wahlmännern von Mariahilf
Minister des Innern Verdru
rirten o. a. Schrift: „Aler
wenn auch der reactionäre L
Phrase klammert, was gewi
jugendlicher Staatsmann i
Lebens über die Linie festg
damals zum Schlagwort de
um Vertrauen zu gewinnen
Bummler der Reaction un
eigenen Reden und seht w

34) S. 64. Bach's S
in diesem Sinne gehalten
Mann des Volkes, voll b
bungen für die Freiheit
Popularität auf die höch'
S. 63: „Hinter sich di
aber es fehlt die Brücke
tragen! Vor sich den gä
alles was die Freiheit l
vom Geldsäckel! Mit ih
denem reactionären Hai
suchen die Bach am 15.
burg hatte. Die kühne f
nicht Feindin, und an
Volke von Österreich, r
aus einem langen vor-
gerissen und der Öffentl
Handeln des Volksmanne
35) S. 66. In der

. .en wir
. .anz-Minist
. .zweite Häl
. .nes Herrn, d
. .er verödeten
. .gedrückt hätte
. .a offener Gew
. .acht endlich all
. .erne und des Vo
. .allein hielt er
. .ügen Rechte des Für
. .ze Wort, eine ei
. .es war um ihn und
. .constitutionellem Vo
. .den schändlichsten S
. .dem Sturme hervor, I
. .Staatsmann dieser
. .seinem Fürsten und f
. .Stimme in den bekannten v
. .anvertrauen haben den
. .dem treuen Diener seines
. .Der Artikel ist überschrieben:
. .Kunsgarten".

Irlauer" Nr. 168 v. 11. No

. .der ungarischen National
. .N
. .wir im Texte nur die bezeichnen
. .ungarischer Sprache abgefaßt,
. .in Janotyckh's Tagebu
. .bei Therese Pulszky
. .und in Janotyckh's Archi

. .aus der Mappe eines Jul
. .Graf Anton Szécsen: „Sein
. .Schade, daß deren helles
. .verliert!" Ungarn's pol
. .Emil Dessewffy: „Ein armer
. .12800 f. Jahresgehalt erkauft
. .ein officielles, sondern ein officiöse
. .Partei, die doch damal
. .Ansichten in das Gesicht
. .Jammerschade daß er in seine
. .seiner Nation ward
. .verfolgend, hatte er die
. .mling macciavellistischer
. .Charakteristik Zsedényi's in (S
44) II. S. 230—235.

76. ｜ f ｜ zwar Koſſuth am 9. November :
ührer n daß : tt von keinem Erfolge gekrönt
und Officiere en ſich die u zu überſchreiten ... da reichte
er einen Plan ein, daß un re Armee troz einer etwaigen Schlappe nicht ver=
he und daß nichts übrig he als vorwärts zu gehen ... dieſer Officier
rgei." (Eljen!) — Allein ſiehe dagegen unſern I. Band S. 213 f. 368 f.;
y iſt auf die Behauptung Koſſuth's kein Gewicht zu legen, er ſtellte in ſeiner
die Sache ſo dar wie er ſie eben für den Augenblick brauchte.

45) S. 77. Correſpondenz der Nár. Now. Nr. 213 v. 16. December 1848 S.
Von ernſtern Auftritten wird der Kampf eines Serežaners erzählt, der ſich
zlich von ſieben Huſaren angeſprengt ſah; ſchnell gewann er mit dem Rücken einen
aum, drückte ſeine Büchſe, ſeine zwei Gürtel=Piſtolen los die jede ihren Mann trafen,
nd wehrte ſich mit dem Muthe der Verzweiflung, bis einer der Huſaren vom Pferde
ſtieg, ſich unbemerkt an den Baum heranſchlich und den Serežaner von rückwärts um=
faßte, der nun widerſtandsunfähig niedergehauen wurde.

46) S. 77. Erlaß des k. k. Finanz=Miniſteriums v. 24. November 1848 Z. 7024
F. M., kundgemacht mit „Circulare" der nied. öſterr. Landesregierung v. 26. Z.
3015 P.

47) S. 77. Die f. g. Wilhe 2 v. Beck (Memoiren einer Dame
während des lezten Unabhängigkeits u n Ungarn. London 1851, Franz Thinne)
beſchreibt S. 12—23 ausführlich die enteuer und Gefahren, unter denen ſie bald
als Fiſcherjunge, bald als Obſthän lerin, als Bauernweib oder Botenfrau verkleidet,
durch die kaiſerlichen Vorpoſten und zurück gekommen ſei.

48) S. 78. Z. B. Auguſt Trefort, deſſen Entſchuldigungsſchreiben am 9. Novem=
ber im Abgeordnetenhauſe, wo er für die Peſter Vorſtadt Thereſienſtadt ſaß, verleſen
wurde und große Heiterkeit erregte, weil er ſein Fortgehen dadurch motivirte: „daß er
für gewiß annehme daß Jelačić Buda=Peſt einnehmen werde, er aber unter dieſem
nicht ſtehen wolle." Ob die im Terte früher genannten drei ungariſchen Volksvertreter
Szirmay Ragályi und Hettyei ſich bei der Einnahme Wien's nicht etwa gern fangen
ließen, wiſſen wir nicht. Von Officieren die Urlaub genommen um nicht wieder zurück=
zukehren, nennen wir den Lieutenant Fr. Szüghi von Württemberg=Huſaren, den
Hauptmann Alexander von Csapo und Lieutenant Karl Schwarz von Waſa=Infanterie:
ſiehe die Aufforderungen zurückzuke n in Janotyck's Archiv III. S. 491, 510,
564 ꝛc. Entlaſſung nahmen in der erſten Hälfte September Oberſt Georg Marciani
Ritter v. Sacile von Ernſt=Infan rie, der aus Grätz im October eine „Erklärung"
veröffentlichte daß er „nie aufgehört habe der Armee, aus der er hervorgegangen und
deren Sohn ſich nennen zu können er ſtolz ſei, mit Leib und Seele anzugehören"
(„Soldatenfreund" Nr. 35/36 v. 23. Nov. 1848 S. 163 f.); gegen Ende October
General Franz Holtſche, zulezt Oberſt bei Hohenzollern=Chevaurlegers, dem Koſſuth am
9. November im Repräſentantenhauſe einen bedauernden Nachruf widmete (Archiv III.
S. 278) u. a. m.

49) S. 78. Der Fall Pálffy kam im rä am 31. October
Sprache; ſ. Janotyck's Tagebuch III. daraß L. ſvr in
aber gemüthlichen Worten über dieſen N t tsverrä r. :
Nation und ſein Vaterland feige ve ßt, ve et je W und bat =
hört Menſch zu ſein. Wohner mün die d Land er i gs zu
überlaſſen das e Ge s die i r m
landes ausüben wird g ne)." Landesver

schuffe wurde darauf Pálffy's Name auf die Proscriptions=Liste gesetzt, über sein Ver=
mögen die Sequestration verhängt. Gegen diese Maßregeln vorzüglich war Pálffy's
ziemlich ausführliche aus Schönbrunn 6. November datirte Erklärung in der „Preſſe"
Nr. 114 v. 16. Nov. S. 450 gerichtet. — Siehe auch das „an Graf Moriz Pálffy"
aus Olmütz 20. November „von einigen k. k. Officieren" gerichtete offene Schreiben
in der „Geißel" Nr. 79 v. 23. November S. 329.

50) S. 78. Privat (Haupt=Quartier b. Banus) 12. Nov.: „Wo ſind denn aber
die Conservativen hingekommen? Sind ſie mit armes et bagages in's Lager Batthyányi=
Koſſuth marſchirt? Ganz und gar nicht. Sind ſie kräftig aufgeſtanden für den
Kaiſer, für ihre Grundſätze, für ihre Rechte? Noch weniger. Die Jugend iſt nach
und nach aus der Armee getreten, zum Theil unter die Honvéds gegangen, zum Theil
in die italieniſche Armee unter Radecky, zum Theil ganz verſchwunden. Das Alter
verhält ſich neutral, und wer großes Vermögen hat, der läßt einen Sohn in der ſchwarz=
gelben, den andern bei den Honvéds dienen; mag es ausfallen wie es will, ſein
Vermögen wird ihm wenigſtens nicht confiscirt, weder von ihnen noch von uns."

51) S. 79. Die Klagen über dieſen Unfug waren allgemein: „Unſere Journale
haben nicht e i n e authentiſche Nachricht aus Wien, und jedermann weiß daß ihnen
überhaupt trotz der Preßfreiheit nicht zu glauben iſt weil ſie alle aus einem Loch
pfeifen." Unabhängigere Blätter ſpotteten laut über dieſe Manoeuvres. „Was unſer
Moniteur ‚Közlöny' ſchreibt, entfernt ſich allerdings nicht weit von der Wahrheit",
hieß es ſarkaſtiſch im Figyelmezö vom 26. November: „ſo z. B. daß der entſcheidende
Sieg den die Unſern über Simunić erfochten haben ſich ſpäter als das gerade Gegen=
theil herausſtellte, und daß wir noch zur Stunde nicht den eigentlichen Verlauf der
Schlacht bei Schwechat kennen. Aber wie kommt es daß, während wir fortwährend
leſen wie unſere Szekler die Rumunen zu Kraut verhacken, immer neue Truppen aus
Ungarn nach Siebenbürgen geſchickt werden? Daß Urban=Puchner u. a. vernichtet
ſind und doch urplötzlich Klauſenburg ohne Schwertſtreich genommen und geplündert
wurde? Nach unſern Nachrichten iſt am 18. October in der Lombardie eine neue
Empörung ausgebrochen; aber wie erklärt es ſich dann, daß wir nach mehr als einem
Monat noch nichts ſicheres davon erfahren haben? Unlängſt ſoll es wieder in Prag
losgegangen ſein, und alles das ſind Lügen. Wahr iſt das einzige daß es mit unſerer
Sache ganz erbärmlich ſteht."

52) S. 80. Janotyckh's Archiv III. S. 231 f. — Was die „Wiener Zeitung"
betrifft, ſo wollte man von einer falſchen, in demſelben Format in Peſt umgedruckten
Ausgabe wiſſen; darin habe Koſſuth den Feldmarſchall die gräulichſten Metzeleien und
Hinrichtungen an Magyaren in Wien begehen, ein andermal wieder Windiſchgrätz
und Jelačić wegen der Beſchießung Wien's vom Kaiſer für Hochverräther erklären
laſſen u. dgl. m.; im Haupt=Quartier zu Schönbrunn habe man eines Tages ein Blatt
dieſer falſchen „Wiener Zeitung" herumgezeigt.

53) S. 80. In einem Correſpondenz=Bericht aus Presburg v. 23. November
(Archiv III. S. 361) heißt es: „Ich mag niemanden denunciren, ſonſt . . . könnte
ich . . . einen gewiſſen Hauptmann . . . F i ſ c h e r nennen der, zum Dank dafür daß
er auf billigem ungariſchen Boden lebt, nicht nur die allerſchwarzgelbſten Zeitungen
eher lieſt als eines unſerer ungariſchen oder deutſch-ungariſchen Journale, ſondern oben=
drein in Gegenwart wirklich aufrichtiger Patrioten den Freiheitsmördern neueſter Zeit
unverhohlen das Wort redet." — In Siebenbürgen kam es vor daß ein Emiſſär der
Peſt=Ofner Regierung Namens Oroszhegyi von Szeklern ſeiner eigenen Partei, trotz=
dem daß er einen von Koſſuth ſelbſt unterſchriebenen Paß bei ſich führte, als Spion

erschossen werden sollte; nur durch accreditirte Leute die ihn erkannten und durch Beredsamkeit entging er der Volksjustiz.

54) S. 80. Görgei Leben und Wirken I. S. 110: „Die Comitate Presburg ꝛc.
find eben so viele Treibhäuser, wenn auch nicht der offenen Antipathie gegen uns, so
doch der erbärmlichsten Indolenz."

55) S. 81. Das Schreiben der Erzherzogin Dorothea, die damals in der Bukowina weilte, datirt von Czernowitz den 8. November.

56) S. 81. In Ofen erkrankten vom 12. October bis 25. November 748 Personen,
von denen 443 starben; in Pest dauerte die Cholera bis Anfang December. In Presburg begann sich die Krankheit um die Mitte November zu zeigen und zwar nach
Görgei I. S. 108 so arg, daß von 29 Personen 11 starben.

57) S. 82. Am 8. November erschienen in Pest zwei Flugblätter: „Nicht ver-
zagt!" und: „Wien ist also gefallen" (Archiv III. S. 223 – 225), sinnlose Ausbrüche
einer ohnmächtigen Wuth: „Hat das biedere österreichische Volk darum seit Jahrhunderten an dieser heuchlerischen Dynastie gehangen, um durch den böhmischen Canni-
balen mit seinem Schwager verwüstet und zerstört zu werden? Wahrlich das österreichische Herrscherhaus hat in den letzten Monaten so viel Verbrechen begangen, daß
alle Sünden ihrer Väter zusammengenommen kein solches Gewicht in die Wagschale
der ewigen Gerechtigkeit werfen, als dies nur die einzige Sünde der Eroberung Wiens
vor dem Richterstuhle Gottes ausmachen wird. Wenn Teufel selbst im Rathe des
Königs gesessen hätten, die Pläne der Politik nach dem Grundsatze ,divide et impera'
konnten nicht höllischer geschmiedet sein!" u. s. w.

58) S. 82. Pester Zeitung Nr. 829 v. 16. November S. 5020 f., Nr. 837 v.
25. S. 5056 f. u. a. m.

59) S. 82. Janotyckh Archiv III. S. 318.

60) S. 84. Ebenda S. 384 f.

61) S. 85. Ebenda S. 399 – 407.

62) S. 86. Pester Zeitung Nr. 847 v. 7. December S. 5095. – Janotyckh's
Archiv III. S. 372 f. 373 375 (Ernst Preßlern Ritter von Sternau: „Offenes
Sendschreiben an den k. k. Feldmarschall Fürsten Alfred zu Windischgrätz", vom 30.
November), 413 – 416 (Barsi Josef: „Sonntags-Gedanken über das Manifest vom
6. November", vom 2. December), 425 f. u. a. m. In Barsi's Flugschrift kamen
die Stellen vor: „Lüge Verläumdung Tücke Heuchelei ohnmächtiger Zorn und grausame Drohungen bilden den Stoff des lieblosen Schreibens" (des Manifestes vom 6.
November) ... „Gleich einer verrätherischen Dalila möchte man den lang genug
verblendet gewesenen Simson, das Volk, mit gleisnerischen Worten bethören um ihn
den Philistern zu überliefern ... Wir wissen es nur zu gut daß Kossuth über keine
Hercules-Musculatur zu verfügen hat, aber wie der Tod Moses' die Kinder Israels
nicht am Einzuge in das gelobte Land hindern konnte, wie der Tod Jesu die Verbreitung des Lichts und der Wärme, die sein Wort enthielt, nicht abbrach, so werden
dem neuen Messias, dem Erwecker von den Todten, selbst im traurigsten Falle treue
Jünger den Trost zurufen: Das Vaterland lebt, wir werden es zu jenem Blüthenkranze
unter den Völkern machen, den Du gewollt und gehofft!" – Das „offene Sendschreiben" Sternau's gehörte ohne Frage zu dem gemeinsten pöbelhaftesten, was von
dieser Sorte damals in Ungarn das Licht der Welt erblickte. Daß darin Windischgrätz als „Bombenfürst", als „oberster Befehlshaber der Henkersknechte der Freiheit"
begrüßt wurde, war nicht neu, das hatten schon vor ihm Andere gesagt; eigene Erfindung Sternau's waren aber jedenfalls Stellen wie diese: „Erbärmliches Wesen,

das heute sich im Fürstenmantel bläht und morgen die Stelle schändet, wo es mit verzerrten Zügen nackt und entstellt am Pfahle hängt" ... „Weisheitstrunkener Träumer, lächerlicher Thor, Auswurf der Menschheit, falle in den Staub Du Creatur und erkenne Deine teuflische Verruchtheit!" und in diesem Tone noch lang fort. Daß des Verfassers Bruder einer der im Stadtgraben Hingerichteten war, mag als mildernder Umstand für die wahrhaft berserker=wüthige Sprache angesehen werden.

63) S. 86. Privat (altconserv.) v. 19. November 1848: „La seule chose qui me fasse mal, c'est la conviction qui involontairement se raffermit de plus en plus en moi: qu'en conséquence de la malencontreuse position où l'intrigue, la vanité, le fanatisme ont mis notre malheureux pays, ni moi ni mes amis nous ne serons en état de prendre une part active aux arrangements définitives. Il y aura de trop grands sacrifices à faire; une dure nécessité réglera toutes ces relations, une nécessité que nous saurons subir, mais dont nous ne saurions être les interprêtes vis-à-vis de nos compatriotes."

64) S. 87. Görgei I. S. 90 f.

65) S. 88. Strack Beiträge S. 17 f. Nach anderu Angaben hätte Guyon nur 8000 Mann und 24 Geschütze, dagegen bei 24 Escadrons unter seinem Befehle gehabt. Die regulären Truppen gehörten den Regimentern Prinz von Preußen Nr. 34 und Erzherzog Ernst Nr. 48 an. Auch eine Compagnie Presburger Nationalgarde wirkte mit.

66) S. 89. Näheres über den Marsch von Tyrnau bis Göding bei Strack S. 15—22, M. H. (Michael Hodža? Miloslav Hurban?) in Nar. Now. Nr. 181 v. 9. November S. 712 und Wr. Ztg. Nr. 315 v. 24. November S. 1159. In Pester Flugblättern hieß es freilich: „Simunić hat sich aus Furcht vor unserer starken gegen ihn anrückenden Macht in's Gebirge zurückgezogen und hat in Eile drei Kanonen zurückgelassen"; oder: „Zuverläffigen Nachrichten zufolge wurde Simunić an einem Tage dreimal geschlagen: bei Nádas, bei Jablonic und bei Senic", und eine „amtliche Mittheilung" vom 8. brachte die „erfreuliche Kunde, daß Simunić geschlagen und ihm vier Kanonen abgenommen wurden." Janotyck's Tagebuch III. S. 297, 299 und Archiv III. S. 222 f. Allein Klapka Nationalkrieg I. S. 86 f. klagt nicht ohne Grund: „So wurde eine der besten Gelegenheiten versäumt, die bei Schwechat erlittene Schlappe auszuwetzen und durch eine glänzende Waffenthat, als gutes Vorzeichen für den kommenden großen Kampf, ermuthigend und erhebend auf den Geist der Armee und des Volkes zu wirken." Besonnene Fachmänner aber setzten die Kriegsthat Simunić', wenn auch in kleinem Rahmen, den gelungensten Unternehmungen solcher Art an die Seite. „Dieser Marsch Simunić", heißt es in einer über „die magyarische Revolution" (Zweite Auflage, Pest, Heckenast 1850) erschienenen Schrift S. 61 f., „war eine der gewandtesten Waffenthaten im ungarischen Kriege; selbst die magyarische Partei zollte seinem meisterhaften Zuge hohes Lob und zählte ihn fortwährend zu den gefährlichsten kaiserlichen Generalen." Und im M. S. Heller's v. Hellwald lesen wir: „Der Rückzug des F. M. L. Simunić aus dem Waag-Thal auf Göding ist ein schönes Manoeuvre und wird in der Kriegskunst bleibend sein."

67) S. 90. Pröhle „Aus dem Kaiserstaat" S. 249 f. Der Verfasser befand sich nach dem Einzug der kaiserlichen Truppen in Presburg und macht als Deutscher die Bemerkung: „Gegenüber der Indifferenz und den Verirrungen der Deutschen muß uns der nationale Eifer der Slovaken mit Bewunderung und, wenn wir an die Zukunft und an die übrigen slavischen Stämme denken, mit Besorgnis erfüllen. Sie haben in dieser Zeit natürlich viel gelitten" ꝛc. Eine Scene auf dem Schlosse der

Gräfin Elisabeth Erdödy, geb. Mayer, Witwe des gewesenen ungarischen Hofkanzlers Joseph Erdödy (geb. 1754, gest. ?), von ihrer Herkunft allgemein unter dem Namen „Fiaker=Liesel" bekannt, schildert novellistisch, allein nicht ohne historischen Hintergrund, Martini in: „Bilder aus dem Honvèdleben" (Kober und Markgraf 1860) S. 175 — 181. Über Baron Johann Jeszenák, „Commiffär der Republik in der Slovakei", der sich „so ziemlich nach dem Vorbilde des Plenipotentiärs Lebru Rollin und des franzö= sischen Schreckens=Conventes betragen haben" soll, s. Levitschnigg „Kossuth und seine Bannerschaft" II. S. 114 — 116. Über einige mährische Opfer der magyarischen Ver= folgungswuth, s. Nár. Nov. Nr. 194 v. 24. Nov. S. 764: „Z Moravy", wo ein Mährer Průdek, der auf der Festung Leopoldstadt gefangen gehalten wurde und für den seine Brüder in Mähren Kostgeld zahlen mußten, und ein aus Zlin gebürtiger Wanderbursche Johann Hrobařík genannt werden, welcher letztere in Rosenberg, Lip= tauer Comitat, aufgeknüpft wurde. „Wartet ihr Henker", soll er vor seinem Tode ausgerufen haben, „ich bin der letzte aus Mähren den ihr schuldlos hinrichtet; dann kommt die Reihe an euch!"

68) S. 90. Brünner Tages=Courier Nr. 141 v. 14. Nov. S. 564. Die Signale sollten von den k. k. Finanz=Wachposten in Welká und Sudoměřic ausgehen, auf dem Antoni=Berge oder Blatnic ein Feuer sichtbar gemacht und von da durch weitere Zeichen die Kunde tiefer in's Land hinein befördert werden.

69) S. 91. Slovakische Correspondenz der Nár. Nov. Nr. 194 v. 24. Nov. S. 764 f. — In einem Berichte an den Feldmarschall vom 11. November klagte Simunić daß er noch immer keinen Auditor habe, was ihn nöthige die ergriffenen compromittirten Individuen nach Olmüz zu senden.

70) S. 91. Janotyčh's Archiv III. S. 444 — 446. Der Notar Dohány in Jablonic, der dem Geistlichen in Hradiště einen Auftrag des kaiserlichen Oberbefehls= habers zu überbringen hatte, stellte sich statt deffen dem Hauptmann Živković in Jokö, der ihn an Erdödy schickte. Von diesem und deffen Officieren kam darauf ein Schreiben dto. Nádas 1. December: „Der tapfere Soldat, der mit der Waffe in der Hand seinen Feind offen und ehrlich bekämpft, stehe nicht auf solche Lumpenpapiere an, um durch dieses niedrige Mittel der Aufwiegelei seinen Zweck zu erreichen; das Brigade=Commando fühle sich aufgefordert, den Herrn Generalen zu ersuchen, sich in Zukunft der Verbreitung von derlei Proclamationen zu enthalten."

71) S. 91. Johann Balogh, ein Demagog der gemeinsten Sorte, der sich „in Vidin seiner Vaterschaft an der gräulichen Mordthat auf der Budapester Schiffsbrücke noch gerühmt haben soll"; Levitschnigg a. a. O. II. S. 190.

71b) S. 92. Siehe über diese Vorfälle die großsprecherischen Berichte von ungari= scher Seite in Janotyčh's Archiv III. S. 343, 350 f., 358 — 360, 420, den Bericht Kosztolányi's aus Presburg 20. November in der Pester Ztg. Nr. 839 S. 5064 f. und Klapka Nationalkrieg I. S. 101. Es stehen uns, um über diese einseitigen Darstellungen die Gegenprobe anzustellen, keine Berichte aus dem kaiserlichen Lager zu Gebote was jedenfalls dafür zu sprechen scheint daß es durchaus unbedeutende Ereig= niffe waren. Bei der Unternehmung gegen Magyarfalu wird von ungarischer Seite Hauptmann Söll mit seinen „braven Tyroler Scharfschützen" auszeichnend erwähnt: „eine Zierde unserer Armee und ein vom ganzen Lager mit Recht geehrter und ge= liebter Held."

72) S. 93. Correspondenz aus Polsterau 20. Nov. in Draxler's „Herold" S. 336: „Die Ungarn sind fort und wir zum Glücke nicht geplündert worden, denn ihre Flucht von Friedau war zu eilig. Indessen ganz leer ging es doch nicht ab;

so wurde z. B. dem Wirthe an der Straße der Wein ausgetrunken, Speck und Fleisch
roh weggefressen, die Bienenstöcke geraubt und aus ein Paar Häusern alles, sogar die
Kinderfetzen mitgenommen. Allein zur Ehre des deutschen National-Charakters muß
ich auch der Wahrheit getreu sagen, daß die deutschen Österreicher (darunter Wiener
Schusterbuben von 14 bis 16 Jahren), die sich unter den Ungarn befanden, Wein und
Brod meistens bar bezahlten. Einige preußische Schlossergesellen, die ich im Wirthshause sprach, bekannten offen, daß die fremden Gesellen zum Landsturm gezwungen
wurden und daß sie sehr schlau unter Stockungarn vertheilt worden waren. Der
ungarische Landsturm, reine Magyaren, besteht aus wahren Räubern; in ihrem Benehmen wurden sie jedoch wo möglich noch durch die Kossuth'schen Freiheitsheldinen,
meist eckelhaft aussehende Gassendirnen der letzten Classe, an Keckheit Diebs- und
Plünderungssucht übertroffen Auffallend war es daß die Wiener nichts von der
Belagerung und Einnahme Wiens durch unsere Truppen wußten und über diese Nachrichten ganz verblüfft wurden; blos ein Wiener Legionär wollte durchaus behaupten,
daß an der ganzen Sache kein wahres Wort sei." — Die Kaiserlichen zählten laut
Nugent's Dienstschreiben an den Landes-Commandirenden Grafen Spannocchi v. 8.
November 5 verwundete Soldaten, 3 todte Pferde. Den Verlust Perczel's fanden wir
irgendwo auf 1 Todten, 3 schwer und 11 leicht Verwundete geschätzt; außerdem blieben
mehrere Gefangene in den Händen der Kaiserlichen. Ausführlicheres über den Kampf
in der Grätzer Zeitung Nr. 239 v. 13. Nov.; darnach hätten die Ungarn ihre Todten
und Verwundeten „auf mehr als 18 theils eigenen theils requirirten Wagen" mit sich
fortgenommen, so daß „deren numerische Zahl nicht bestimmt werden" könne. Ebenda Nr.
240 v. 14. finden sich die Namen zweier schuldlosen Frauens-Personen, die von Perczel's
Kriegern „wie zum Spaß" erschossen wurden; und Perczel's Aufruf v. 26. October,
worin er (im Gegensatz zu seinem Unternehmen v. 8. November) die nächstgelegenen
steirischen Bezirke versichert hatte daß er „weder die Bestimmung noch die Absicht habe,
ein Land und ein Volk mit einer Invasion zu überziehen mit welchem Ungarn immer
und insbesondere in letzter Zeit im besten Einvernehmen stand." — Dem gewesenen
Militär-Arzt, nun practicirenden Arzt in Friedau, Letinschegg, der sich furchtlos
während des Gefechtes und nach demselben um die Verwundeten angenommen,
stattete General Burich im Namen seines Officiers-Corps öffentlichen Dank ab; Gr.
Ztg. Nr. 242 v. 16. November. — Perczel's sehr wortreicher Bericht über die kriege-
rischen Ereignisse vom 8. November findet sich in Janotych's Archiv III. S.
292 – 294. Perczel bewirkte nach dem Friedauer Tage die Beförderung seines getreuen Bangya zum Major.

73) S. 93. Namentlich Pfarrer Jelenić von Dubrava (Dubrovac) und Caplan
Fridecky von Prelog, letzterer ein Stock-Magyar in einer ganz slavischen Gegend; dem
erstern wurde nachgesagt er habe einen Monat früher die Niederlage Bornemissa's
durch Verrath herbeigeführt, ja während des Kampfes auf kroatische Gardisten aus
einem Hinterhalt geschossen. Auch Pfarrer Katanec von Koturiba (?), der im September Proviant-Transporte der Kroaten verrathen, als Spion gedient, die Ungarn zum
Kampfe gehetzt haben soll, befand sich unter den Eingezogenen.

74) S. 94. In einem Schreiben Bangya's an Zerffi (Janotych Archiv III.
S. 463—465) lesen wir über diese nichtssagende Affaire: „Perczel war der Held des
Tages. Alle Augenblicke sah man ihn mit seinem schwarzen Republicaner-Hute mit
rother Feder im heftigsten Kugelregen von einer Batterie zur andern eilen; dort an-
gelangt stellte er sich neben die Mündung der Kanone, besah aus seinem Fernrohr die
Stellung des Feindes und alsbald wird aus dem Feldherrn ein Artillerist. Seine

Schüsse waren aber auch gut angebracht; denn kaum brannte die Kanone ab, so sah man den Feind aus den Schanzen laufen und hörte ein Wehklagen zum Erschüttern." S. auch Perczel's Bericht, ebenda S. 410—412. Die Kroaten zählten während des fünfstündigen Artillerie-Feuers 2 Todte und 5 Verwundete.

75) S. 94. Batthyányi's pomphafter Bericht in Janotyckh's Archiv III. S. 331—333.

76) S. 95. Auszüge aus den amtlichen Berichten Gál's an Böröß vom 23.—28. October 1848 brachte J. B. Weis Österr. Volks-Ztg. 1850 Nr. 152 v. 5. Juli S. 603 f. Nach der Execution im Lager bei Világos am 24. October ließ Gál dem Henker-Zigeuner 15 Stockstreiche aufmessen „weil er sich durch ohrfeigen der Erhängten das gesetzliche Urtheil zu verhöhnen erfrechte." Bezeichnend ist, daß Gál am 28. in Pankota seinem weitern Vorgehen Einhalt that, „bis sein bisheriges Verfahren nicht beurtheilt und er für das künftige mit einer neuen Instruction versehen sein werde, da ·der Regierungs-Commissär für den Landsturm die vielen Opfer des Aufstandes nicht zu billigen scheine."

77) S. 95. „Presse" Nr. 111 v. 12. Nov. 1848 S. 436, Correspondenz aus Szegedin vom 19. October: „Rózsa Sándor der berüchtigte Räuberhauptmann wurde, wie wir erwarteten und hofften, pardonnirt. Als dies vorgestern dem Volke bekannt gemacht wurde, weilte Rózsa schon in unsern Mauern. Auf jedem Schritte folgten ihm Tausende von Menschen; jeder will den gewesenen Räuberhauptmann sehen. Sein Äußeres ist durchaus nicht bewundernswerth, aber seine Geschicklichkeit und sein Verstand rettete ihn oft aus den Händen der Gerechtigkeit. Gott gebe daß er der Abdel-Kader Ungarns werde, denn er ist wahrlich ein Sohn der Wüste. Er wird mit 150 Mann in das Lager ziehen."

78) S. 96. Vetter's Dankschreiben an den Landesvertheidigungs-Ausschuß für seine Ernennung zum General in Janotyckh's Archiv III. S. 284 f.

79) S. 96. Ungarische Berichte über die Affaire bei Lagerdorf ebenda S. 290 f. 341—343. Damianich lobte nicht bloß die ausnehmende Tapferkeit der „freiwilligen Männer", sondern stellte ihnen auch das beste Sittenzeugnis aus: „Wenn man diese Leute kämpfen sieht", hieß es in seinem amtlichen Berichte, „glaubt man die Söhne der Wüste vor sich zu sehen; bald auf dem Berg bald im Thal sieht man sie in größter Schnelligkeit auf ihren Pferden dem Feinde nachjagen; bald treiben sie mit der schlauesten Achtsamkeit das erbeutete Vieh vor sich her und, wenn sie vom Feinde bemerkt werden, nehmen sie ihn ihren Fang verlassend sogleich aufs Korn und kehren wieder zu ihrer Beute zurück. Ihr besonders gutes Betragen gereicht ihnen zur Ehre. Rózsa Sándor schenkte vielen Gefangenen die er machte großmüthig das Leben, und den Weibern die Säuglinge an der Brust trugen schenkte er Geld auf Lebensmittel." Dagegen heißt es in einer amtlichen Proclamation des Temesvárer k. k. Kriegsrathes v. 21. November: „Die Ortschaft Lagerdorf wurde durch eine Horde unter Anführung des berüchtigten Räubers Rózsa eingeäschert, ausgeraubt, die Einwohner ohne Unterschied von Alter und Geschlecht niedergemetzelt, der pensionirte Salz-Einnehmer Schmidt, ein neunundsiebenzigjähriger Greis, sammt seiner Gattin hingeschlachtet, und dies wahrscheinlich unter den Augen von Officieren die ehemals in der k. k. Armee dienten und denen der Kriegsgebrauch und das allen civilisirten Nationen stets heilige Völkerrecht nicht unbekannt sein kann."

80) S. 96. Aus einem uns nicht näher bekannten Blatte: „Der Serbe" brachten die Mor. Nowiny eine Correspondenz aus Berkasovo v. 13. November, nach der die Zahl der in Piroš um's Leben gekommenen Serben, deren Leichen zum Theil in den Kuku-

ruz=Feldern gefunden wurden, gegen anderthalbhundert betragen hätte. „Ein gewiffer Plačko aus der Stadt in seine Wohnung zurückkehrend traf da die Leiche feines er= schlagenen Bruders und beforgte einen Sarg, als jener Wütherich (der calvinische Pfar= rer) mit feiner Rotte neuerdings in Plačko's Wohnung erschien, die Leiche aus dem Sarge warf, ihn felbft hineinthat und mit eigener Hand tödtete." Wir überlaffen na= türlich die Verantwortlichkeit für die Wahrheitstreue diefer Berichte dem erwähnten Correspondenten und glaubten diefelben nur als Zeichen der Zeit nicht übergehen zu follen.

81) S. 96. Janotyďh's Archiv III. S. 192—196.

82) S. 97. Aufruf von Ludwig Freiherrn v. Piret, k. k. FML. und commandi= renden General im Banat v. 31. October, Kundmachungen des „verfammelten k. k. Kriegsrathes" vom 6. (betreffend Bukovics) und 12. (betreffend Kulterer), und die o. a. Proclamation v. 21. November. — Der im Texte erwähnte Eid lautete im wefent= lichen dahin: „dem conftitutionellen Kaifer und König treu und gehorfam zu fein, die Verfaffung zu beobachten und zu befchützen, den k. k. Generalen und Vorgefetzten zu gehorchen, gegen jeden Feind in und außer der Feftung Temesvár auf den Umkreis von zehn Meilen zu jeder Zeit zu ftreiten, die Truppen und Fahnen nie zu verlaffen, und auf diefe Weife mit Ehre zu leben und zu fterben."

83) S. 98. Über die Affaire bei Lippa am 13. Nov. 1848 konnten wir leider einen einzigen etwas eingehenderen Bericht von Czets in Klapka's Nationalkrieg S. 149—151 benützen. Darnach hätten die Ungarn 50 Mann an Todten und Ver= wundeten verloren, die Kaiferlichen aber 300, „meiftens Walachen". S. dagegen „Te= mesvár im Jahre 1849" S. 52: „Bei diefer Expedition war es das erfte= und einzige= mal wo die Mitwirkung des Landfturmes mit aller Vorficht in Anwendung gebracht wurde. Der Verfuch mislang vollkommen, indem die Landftürmler die vor dem Feinde flohen fich auf dem Heimwege Eigenmächtigkeiten und hie und da felbft Plünderungen erlaubten. Major Anthoine nahm Lippa nach einem eben fo hitzigen als rühmlichen Kampfe auch ohne Landfturm ein." Den Einwohnern von Lippa wurde eine Brand= fchatzung von 25.000 fl. auferlegt.

84) S. 100. Czets in Klapka's Nationalkrieg II. S. 191 f.: „Er war ein gewandter tüchtiger Officier voll Talent und militärifcher Kenntniffe; aber es fehlte ihm die Begeifterung für die Sache der Freiheit, das National=Bewuftfein lebte in ihm durch den langen öfterreichifchen Dienft erdrückt nur noch in fchwach glimmender Afche."

85) S. 102. Bericht Balinte's in: „Die Romanen der öfterreichifchen Monarchie" (Wien Gerold 1849/50) S. 72—75.

86) S. 103. Näheres über diefes Gefecht im „Winterfeldzug des Revolutions= kriegs in Siebenbürgen" S. 139—142 vgl. mit: Beiträge zur Kenntnis Sächfifch= Reens (Hermannftadt 1870) S. 194—204. Auf fzeklerifcher Seite commandirten bei Szent=Jvány Oberft Franz Dorfner von Dornimthal und Oberft=Lieutenant Jofeph Betzmann vom I. Szekler Gr.=Inf.=Reg. Urban verlor vom Feldwebel abwärts 36 Mann; Lieutenant Hönig vom II. Romanen=Gr.=Inf.=Reg. fiel im Kampfe, Lieutenant Thomas Kalliwoda vom Militär=Gränz=Cordon, fchwer verwundet, wurde von den nach= rückenden Szeklern getödtet.

87) S. 104. „Aus Siebenbürgen, 15. November" im Conft. Bl. a. B. Nr. 135 v. 5. December, Zweite Beil. In den o. a. „Beiträgen" findet man das namentliche Verzeichnis von 8 Männern und 1 Frau, „gewiß die Mehrzahl der daheimgebliebenen Bürger deutfcher Nationalität," die bei der Kataftrophe zu Grunde gingen; erft

hieher gehört denn auch die von uns Bd. I. S. 145 nach B o n e r 's Mittheilung er=
zählte Mishandlung des Regener Bürgers Lutsch. Den im Texte angeführten Befehl
Dorsner's, heißt es in den „Beiträgen", habe er mit Thränen im Auge gegeben; denn
er selbst habe nur höherer Weisung gefolgt. Letztere könnte nur von Berzenczei aus=
gegangen sein, der übrigens damit nur ein Wort Napoleon's vor der Katastrophe von
Moskau nachäffte.

88) S. 105. Winter=Feldzug in Siebenbürgen S. 143 – 151. Der Parlamentär
Gedeon's vor Maros=Vásárhely war Lieutenant Friedrich Lacroix de Laval von Savoyen=
Dragonern. Der Verlust der Szekler betrug nach dem „Soldatenfreunde" 1853 Nr. 3
v. 8. Jänner S. 17 an Todten Verwundeten und Gefangenen über 100 Mann; von
den Kaiserlichen fiel e i n Landstürmler. S. auch Correspondenz v. 9. Nov. der
„Pester Zeitung" 1848 Nr. 836 v. 24. November: „Was nützt es uns daß das
sächsische Städtchen ganz und gar durch Plünderung und Brand zu Grunde gegangen
ist, da wir Vásárhely und damit fast ganz Siebenbürgen verloren haben." — Unter
den Gefangenen von Radnot befand sich Rittmeister Gregor von Pünkösty vom 11.
Husaren=Regiment.

89) S. 107. Czetz (Bem's Feldzug in Siebenbürgen) weiß nicht genug von der
bewundernswerthen Haltung der Háromszék zu erzählen: „Die Bewohner des Három=
széker Stuhles während der Dauer des Krieges von allen Seiten angefeindet haben sich
standhaft gehalten, eine so heroische Ausdauer, solch alles umfassende, alles gestaltende
Energie, eine solche wahrhaft römische Tugend und Festigkeit bewährt, daß ihr Name
in der vaterländischen Geschichte als ein glänzendes Meteor strahlen, die Muse der
Geschichte ihre Thaten mit goldenen Buchstaben in das Buch der Heroen aller Jahr=
hunderte verzeichnen wird"; S. 58 f. Die ganze männliche Bevölkerung habe zu
den Waffen gegriffen und die weibliche sei nicht zurückgeblieben; „manche derselben
zogen sogar in Männerkleidern mit in den Kampf und zeichneten sich durch verwegene
Bravour aus; oft genug jagte die gute Hausfrau den Herrn Gemahl oder Sohn mit
einem Topfe siedenden Wassers oder einem Bratspieße wieder in das Lager zurück wenn
sie sich unterstanden dasselbe aus Bequemlichkeit oder Feigheit zu verlassen"; S. 136 f.
Übrigens berichtet hier überall Czetz nicht als Augenzeuge sondern nur vom Hören=
sagen, und schneidet dann noch mehr auf als sonst oft genug.

90) S. 107. Wortlaut der vom 12. November datirten Háromszéker Adresse und
des Hermannstädter Bescheides vom 16. im „Winter=Feldzug in Siebenbürgen" S.
152 f. und „Die Romanen der österr. Monarchie" S. 85 – 91.

91) S. 107. Näheres über diese Personal=Änderungen f. „Die Romanen b. österr.
Mon." S. 95 — 101.

92) S. 108. In den „Reminiscenzen" heißt es, die dem Landsturm beigegebenen
kaiserlichen Officiere und Cavallerie=Abtheilungen hätten alles mögliche gethan die Rach=
gier und Raubsucht der Romanen zu zügeln; sie durchstreiften mit gezogenen Säbeln
während des anderthalbstündigen Durchzuges der Landstürmler die Straßen auf und
ab, und jagten mit Hieben über Kopf und Rücken einzelne Ausreißer und Nachzügler
die sich in die Häuser schleichen und plündern wollten in die Reihen zurück. Nach
J a n c u dagegen (Die Romanen der öst. Mon. II. S. 10) waren es nicht die Walachen
sondern die ihnen nachrückenden sächsischen Garden, die sich Räubereien erlaubten,
„worüber die Stadtvorsteher sich mittels eines Schreibens an den commandirenden
General beklagt, das Benehmen der Romanen im Gegentheil als musterhaft dargestellt
haben." Auch S e v e r u sagt in seinem Berichte (a. a. O. II. S. 100) ausdrücklich:
„Gegen 30.000 Romanen durchzogen diese Stadt, deren Grausamkeiten gegen die

6

Romanen noch im frischen Angedenken waren, ohne einen Halm zu brechen." Das letztere bestätigt der dem Landsturm beigegebene Hauptmann Gratze (a. a. O. II. S. 218). Rücksichtlich der „Reminiscenzen" ist zu bemerken, daß leider nicht alles in dem Buche eigene Reminiscenz, sondern oft genug Reminiscenz von anderswo Gelesenem oder Gehörtem ist. Wie vorsichtig man überhaupt sein muß, die theils von magyarischer theils von romanischer Seite gebrachten Berichte über haarsträubende Grausamkeiten der andern Seite als buchstäblich wahr anzunehmen, dafür möge ein Beispiel gelten das uns gerade zur Hand liegt: „Ein Haufe Szekler" — so lesen wir an einem Orte — „zieht gegen das romanische Dorf Kalota in der Nähe von Sz. Királyi (bei Bánffy-Hunyad) mit der weißen Fahne an der Spitze; die Bewohner von Kalota erwiedern den Gruß, stecken gleichfalls die weiße Fahne auf, reichen ihnen die Hände zum Brudergruß, nehmen sie in ihre Häuser auf; in der Nacht erheben sich die Szekler, fallen über ihre Wirthe her und erschlagen sie." Ein anderer Bericht dagegen lautet: 3000 Romanen unter Darabantiu und Tortessu stoßen auf dem Marsche aus dem Zarander Comitate gegen Bánffy-Hunyad am 7. November beim Orte Zám-Szintkraj (romanisch: Kalota-Szent-Király) auf eine Abtheilung Magyaren und fordern sie auf die Waffen zu strecken; diese aber antworten mit Flintenschüssen, worauf die Romanen über sie herfallen, sie in die Flucht schlagen und das Dorf in Asche legen; über Nacht ziehen aber die Magyaren Verstärkungen an sich, greifen die Romanen an und treiben sie, die bald ihr Pulver verschossen haben, in's Gebirge zurück. (Die Romanen d. österr. Mon. II. S. 12 f.) Es scheint uns keinen Zweifel zu leiden, daß es eine und dieselbe Begebenheit sei die hier in so verschiedener Weise erzählt wird; dabei hat uns die letztere Version die größere Wahrscheinlichkeit für sich.

93) S. 108. Jancu in seinem Berichte (a. a. O. II. S. 10 f.) erzählt: „Als die Romanen den Ort besetzten, fanden sie eine Menge in Kalkgruben von den Magyaren hingeworfener und auf diese teuflische Art erstickter Romanen, dann gebrandmarkte und verstümmelte Leichen von romanischen Priestern — hinreichender Anlaß zur Aufstachelung ihrer Rachsucht."

94) S. 110. Das Kossuth'sche Verdict wider die Nationalgarde von Dées „wegen ihres beispiellos feigen Benehmens" in Janotych's Archiv III. S. 516. — Hinsichtlich der Geldbußen, die nun nacheinander den von kaiserlichen Truppen besetzten Orten auferlegt wurden, führt Jancu (S. 101 f.) einen etwas spätern Erlaß v. 18. November an worin es hieß: „Durch das auf diese Art eingehende Geld hofft man einen ziemlich ergiebigen Fond zu erhalten, womit man in den Stand gesetzt werden wird, den durch die Wuth des Feindes an ihrem Eigenthum Verunglückten eine Aushilfe zukommen zu lassen."

95) S. 112. Winterfeldzug in Siebenbürgen S. 169—172. Ganz verschieden, wie es scheint auf die kurzen Andeutungen bei Czez (Bem's Feldzug S. 68) gestützt, erzählt die Affaire bei Szamosfalva der „Österr. Soldatenfreund" 1853 S. 18; der Ort sei bei dem Anrücken der Kaiserlichen in Brand gerathen, Urban habe die Rebellen durch das brennende Dorf verfolgt; außerhalb desselben aber habe „die etwas unordentlich debouchirenden Kaiserlichen" ein heftiges Kartätschen- und Kleingewehrfeuer der vortheilhaft postirten Rebellen empfangen 2c. Czez a. a. O. S. 69 meint auch, Urban hätte sich durch jenen Unfall „wirklich für so sehr geschlagen" gehalten, „daß er bis Bálaszút zurückwich, von wo ihn erst am dritten Tage die Klausenburger Friedens-Deputation in das Weichbild der Stadt hereinholte." Wieder anders erzählt die Begebenheit derselbe Czez in Klapka's Nationalkrieg II. S. 203. —

Über Ereignisse und Zustände in Klausenburg s. Janotyck's Archiv III. S. 363—366 aus der Pester Zeitung v. 26. November.

96) S. 113. Winterfeldzug in Siebenbürgen S. 175 f.

97) S. 114. Über das Treffen bei und die Einnahme von Dées s. Winterfeldzug in Siebenbürgen S. 179—181. Beim Einmarsch in den Ort wurden die Kaiserlichen mit Flintenschüssen aus den Häusern empfangen; Rittmeister Anton von Lambert von Mar-Chevaurlegers stürzte von 5 Kugeln getroffen vom Pferde. Sonst hatten die Kaiserlichen 10 Mann und 16 Pferde an Todten und Verwundeten, die Ungarn verloren mit den Gefangenen über 100; außerdem fielen mehrere Munitions- und Proviant-Wagen nebst unterschiedlichem Gepäck in die Hände der Sieger. Wie unmenschlich die Ungarn während ihres viertägigen Aufenthaltes in Dées gehaust, läßt das officielle Verzeichnis der Menschenopfer des siebenbürgischen Revolutionskrieges schließen, wo 26 Personen aufgezählt werden die durch sie vom Leben zum Tode gebracht wurden. Auf seinem Verfolgungsmarsche von Dées gegen Nagy-Somkút ließ Urban 32 aufgeknüpfte Romanen-Leichen herabnehmen und beerdigen. Urban hatte ein Recht, in einer Proclamation die er nach seiner Ankunft in Klausenburg herausgab — a. a. O. S. 182 ff. — sich und seine Truppen zu rühmen: „Die feigen feindlichen Führer sind mit ihren Concubinen entflohen, haben ihre Rebellen-Horde sich selbst, ihre Kranken uns überlassen; wir haben letztere brüderlich gepflegt, sie sind sicher. Ich hatte das volle Recht Dées, wo wüthende Weiber meuchelmörderisch auf meine Truppen geschossen, in Asche zu legen; die Stadt wurde von Brand und Plünderung verschont." Zum Schluße ermahnt er seine Romanen „keinen Gefangenen zu mißhandeln oder gar zu tödten, das geraubte und getheilte Gut der Herrschaften ungesäumt zurückzustellen, die Waldungen nicht anzugreifen, überhaupt jede schändliche Gewaltthat bei Todesstrafe zu unterlassen." — Über Urban's kategorische Aufforderung an die Stadt Nagybánya sich zu unterwerfen und der Gemeinde angsterfülltes Bestreben diesem Gebote nachzukommen s. Janotyck's Archiv III. S. 465—467.

98) S. 114. Czetz Bem's Feldzug S. 76—78. Noch am 13. December klagte Berzenczei den Ober-Commissär Bay an, derselbe habe theils durch Ungeschicklichkeit theils durch schlechten Willen alle Bestrebungen der Szekler vereitelt und den Fall Siebenbürgens herbeigeführt. Zugleich beantragte er daß „Statarial-Commissionen" abgeschickt werden „die den Galgen an ihrer Seite haben" und durch Terrorismus die Achtung vor dem Gesetze herstellen. Auch Besze empfahl den Commissionen Terrorismus ꝛc. Janotyck's Tagebuch III. S. 320 f.

99) S. 115. Vollständiger Wortlaut s. Winterfeldzug in Siebenbürgen S. 150 f.

100) S. 116. Eine Compagnie Karl Ferdinand und eine halb-invalide Compagnie Romanen-Gränzer unter Befehl des Ober-Lieutenants, ehemaligen Waldbereiters im 1. Rom.-Gr.-Inf.-Regm. Ferdinand Kerupotich; ihre Artillerie bestand in einer zweipfündigen Caikisten-Kanoe.

101) S. 116. Am 6. December 10 Uhr V. M. wurden vier Männer, drei davon schon öfter wegen Diebstahl Raub Gewaltthätigkeit bestraft, die von einer Streifwache am 15. November auf der Straße von Valassina mit langen Messern ausgerüstet ergriffen worden, in Mailand mit Pulver und Blei hingerichtet; drei Tage später erfolgte ein neues Todesurtheil gegen einen gewissen Giu. Martiguoni, das aber wegen untadelhaften Vorlebens des Verurtheilten in fünfjährige Zwangsarbeit in Eisen umgewandelt wurde; s. Mailänder „Raccolta" I. S. 295 f. 299 f.

102) S. 117. Wir finden zwar ausführliche Nachricht von einem Ausfall der Venetianer am 19. November, gegen den der kaiserliche General Nic. Mastrović und

Oberſt Georg Jelačić Commandant von Meſtre, bei Zeiten davon benachrichtigt, ſo
klägliche Anſtalten getroffen, daß die Ausfallenden, meiſt Crociati, durch verſtellte Flucht
ihrer Gegner in den Ort hineingelockt, ſodann unverſehens in die Mitte zweier Feuer
genommen und da jämmerlich zugerichtet worden — 200 todt und 700 gefangen —, ſo
daß nur wenig nach Malghera zurückgekommen ſeien Nachricht von dem großen Unglück zu bringen. Wenn uns aber dieſen detaillirten Angaben gegenüber ſchon das
gänzliche Stillſchweigen der Memoiren Pepe's, der „Raccolta" und anderer venetianer
Berichte ſtutzig machen mußte, ſo war doch das Verſtummen unſerer eigenen Quellen,
ſowohl der officiellen „Kriegsbegebenheiten" als des ſehr eifrigen Σ Correſpondenten „vor
Venedig" des Conſt. Bl. a. V. geradezu entſcheidend. Wohl unterläßt es das letztge-
nannte Blatt ebenſowenig als die A. A. Ztg. und andere Journale, obige Erzählung
ſeinen Leſern ausführlich mitzutheilen, allein es bringt ſie aus einer tyroler Zeitung,
dem „Boten für Tyrol und Vorarlberg", dieſer beruft ſich auf „verläßliche" Nachrichten
aus Verona, und letzteren dürfte einfach folgendes Zuſammentreffen von Umſtänden zu
Grunde liegen: In Padua hörte man am 19. November von Venedig her Kanonendonner der von 11 Uhr V. M. bis gegen 5 Uhr N. M. währte ; andern Tags vermeinten
öſterreichiſche Officiere gewiſſe Paduaner Geſichter etwas „lang" zu finden und zogen
daraus den Schluß, es müſſe am Saume der Lagunen einen neuen Kampf gegeben
haben der für die Sache des freien Italien ungünſtig ausgefallen ſei; die Berichtigung
„es habe nur ein Manoeuvre keineswegs ein Ausfall ſtattgefunden", galt ihnen als
leere Ausflucht (Correſpondenz aus Padua vom 20. Nov. A. A. Ztg. Nr. 332 v. 27.
S. 5136), und darnach thaten die Phantaſie und Fama das weitere dazu. Daß aber
um dieſelbe Zeit in der That eine große Muſterung und Waffenübung der Guardia
civica auf dem Mars-Felde von Venedig ſtattgefunden habe, erfahren wir aus P.
C o n t a r i n i Memoriale Veneto storico-politico (Capologo 1850) S. 125. — Von
Geſchichtswerken über die ober-italieniſchen Kriegs-Ereigniſſe iſt es allein der ſehr un-
kritiſche „Feldzug der Öſterreicher in der Lombardie unter dem Gr. FM. Radecky"
(Stuttgart, Heinrich Köhler, 1854, neue Ausgabe), wo S. 145 die Erzählung des
Tyroler Boten, und zwar ganz mit deſſen Worten, aufgenommen erſcheint.

103) S. 117. Die Venetianer „Raccolta" enthält V S. 123 einen Tagesbefehl
Pepe's, womit er einen Officier der neapolitaniſchen Freiwilligen Vincenzo Statella,
der ſich ohne Urlaub auf mehrere Monate in ſeine Heimat begeben hatte und zurückgekehrt entſchuldigen wollte er habe dies bei einem „freiwillig" Dienenden für kein ſo
großes Verbrechen gehalten, einfach aus dem Dienſte entfernte. Ein anderer Tagesbefehl
Pepe's vom 12. November ſowie ein Decret der Triumviren vom 17. December („Raccolta" S. 99 und 308 f.) waren gegen jene Officiere gerichtet, die ſich unter dem
Vorwand von Krankheit oder von Privat-Geſchäften dem Dienſte entzogen, aber dabei
ihren Sold fortbeziehen zu können meinten.

104) S. 117. Mitglieder der Commiſſion waren: Antonovich, Lazanéo, Rarato-
vich, Petronio, offenbar geborne Dalmatiner oder Iſtrianer; zwei ihrer Aufrufe „ai
giovani dalmato-istriaci desiderosi di combattere per l' indipendenza italiana"
(„per combattere in campo aperto l' austriaca tirannide") bringt die „Raccolta"
V S. 116 f. 375 f. In dem erſteren hieß es u. a.: „No, l' Istria e la Dalmazia
marittima non sono, no possono essere, non saranno mai germaniche o slave, chè
non lo consentono natura nè la storia delle politiche loro vicende, non la lingua,
la religione, i costumi."

105) S. 118. Johann D e b r u n n e r Erlebniſſe der Schweizer-Compagnie in
Venedig (Zürich und Frauenfeld, Chr. Beyel 1850) S. 121—123.

106) S. 119. Die römischen Freiwilligen nahmen eine von dem dankbaren Venedig ihnen geweihte Fahne mit, die ihrem Kriegs-Minister überreicht und zum bleibenden Andenken auf dem Capitol aufbewahrt werden sollte. — Den römischen Gebieten gehörten in Venedig vier „Legionen" an, die zusammen ein Bataillon von 1000 Mann bildeten, und Pepe wartete nur auf die Gelegenheit wo er sie nach einer kühnen Waffenthat als „die tausend Römer" würde anreden können. Ihrem Commandanten aber, dem rasch zum General-Lieutenant beförderten Ferrari, wußte Pepe nichts gutes nachzurühmen; Pepe Histoire des révolutions etc. S. 209—212.

107) S. 119. Debrunner schildert im 9. Capitel S. 111—117 unter der Überschrift: „Die schlimmste Zeit" den Zustand der venetianer Spitäler als überaus mangelhaft; „Gleichgiltigkeit der Ärzte, Nachläßigkeit der Wärter, Zudringlichkeit der Capuciner" hätten zusammengewirkt, den armen Kranken den Aufenthalt daselbst zu einer wahren Pein zu machen. Dazu kamen manche Eigenthümlichkeiten der transalpinischen Spitals-Einrichtungen die dem ungewohnten Deutschen kein besonderes Vertrauen einflößen konnten. „Daß die Medicin in einer großen Flasche gegeben wurde, die auf einmal ausgetrunken werden mußte, kam meinen Schweizern gar befremdend vor; es erinnerte sie allzusehr an die daheim in der Vieharzneikunst gebräuchlichen Roßtränke." Das Aderlassen war den Wärtern überlassen, die damit so roh umgingen daß oft förmliche Wunden entstanden die erst nach Tagen zuheilten; einem Thurgauer wurde bei einer solchen Gelegenheit der Arm so übel zugerichtet daß er zeitlebens ein Krüppel geblieben wäre, hätte ihn nicht der Tod auf anderem Wege von seinem Übel befreit. Wenn etwas von den Leidenden dankbar empfunden wurde, so war es die liebevolle Sorgfalt eines Vereins edler venetianer Damen — Teresa Mosconi-Papadopoli, Elena Michiel-Giustinian, Antonietta dal Cerè Benvenuti standen an der Spitze desselben —, welche die Verwundeten besuchten, für die Aufnahme einzelner in Privat-Häuser sorgten, den Kranken Pomeranzen Citronen Eis und andere Erfrischungen zukommen ließen, Sammlungen von Geldbeiträgen Linnen und Bettzeug veranstalteten u. dgl.

108) S. 119. Das berichtet ausdrücklich der General-Consul Clinton G. Dawkins am 12. December an Lord Palmerston: „Übrigens gewinnt die Partei die Manin entgegenwirkt täglich an Zahl und Kraft. Die den Handelsleuten und der Bevölkerung auferlegten schweren Lasten lassen sie eine schnelle Lösung des gegenwärtigen Standes der Dinge wünschen." Histoire de la République de Venise sous Manin par M. Anatole de la Forge (Paris, Amyot) II. S. 372. Davon weiß der ⊠|| Correspondent der A. A. Ztg. Nr. 346 v. 11. December Beil. S. 5460 allerdings nichts; nach ihm ist in Venedig Überfluß an allem: an Lebensmitteln, an Opferwilligkeit der Einwohner, an Volksthümlichkeit der Regierung.

109) S. 120. Als sich in der zweiten Hälfte October, vielleicht aus Anlaß der Widmung Pepe's, das Gerücht verbreitete die Regierung gehe damit um die werthvollsten Gemälde der Stadt zu veräußern, erhoben „moltissimi Veneziani veri amanti della propria patria" dagegen nachdrückliche Einsprache: „Noi speriamo che un Governo che vanta amor per la patria e zelo per la religione non arriverà mai all' esecuzione di cosa che giammai passò per la mente a barbara dominazione."

110) S. 120. Raccolta V. S. 350 f. Überhaupt zeigte sich die venetianische Geistlichkeit in dieser Beziehung ungemein thätig; siehe z. B. ebenda S. 99—102 die Predigt des Pfarrers Robecco in Vigevano um „carità per Venezia": „Oggi verrà alle vostre case a domandarvi la limosina, indovinate chi? Una mendica, una povera, che una volta era ricca e adesso non lo è più, che una volta era felice e

adesso è nella miseria, che una volta commandava e adesso combatte per non ser-
vire, una povera, una mendica illustre, più illustre di quanti illustrissimi abbiate
conosciuto, conoscete e conoscerete" — Im November erließ der Circolo italiano
einen Aufruf „ai preti d' Italia", von Altar und Kanzel in diesem Sinne zu wirken; ebenda S. 166 f. Der Aufruf ist unterzeichnet von A. Alessandri, Da Camin,
Giuriati, Minotto, Sirtori, Baré.

111) S. 121. In der Sitzung des Gemeinderathes vom 6. November hob Ni-
colò Priuli diesen Gesichtspunkt hervor, indem er gleichzeitig die finanzielle Lage der
Stadt bei der Stockung von Handel und Gewerbe und der abgebrochenen Verbindung
mit der Terraferma in den düstersten Farben schilderte: „Una casa pei vivi, voglio
intendere questo palazzo, un terreno pei morti, voglio alludere al cimiterio, sono
le sole possidenze del Comune di Venezia". Raccolta V. S. 161—165.

112) S. 121. In der Raccolta S. 299—302 finden sich die Einnahmen und
Ausgaben der Republik im Monate November, und ebenda S. 311—314 Betrachtungen darüber, wo namentlich die Lauheit des übrigen Italien sehr scharf mitgenommen
wird: „Questi meschini risultamenti posti in confronto alla urgenza dello scopo
ed alle moltiplicate esortazioni che furono adoperate per attenerlo, sono una cru-
dele mortificazione per chi ha fede nella energica volontà del popolo italiano, per
chi ne desidera oltre il vantaggio l' onore" etc. — Genua hatte im ersten Eifer
für Venedig 1,000.000 votirt, auch die Zustimmung des Ministeriums dafür erlangt;
allein von einer Verwirklichung dieses Beschlußes war weiter keine Rede.

113) S. 121. Bullettino ufficiale degli atti legislativi etc. (Venezia Andreo-
la). S. 44—50. Der Gemeindezuschlag betrug 25 Cent. auf die L., wodurch jährlich
im Ganzen 600.000 L. hereingebracht werden sollten. Die von der Gemeinde ausgegebenen Noten waren zu 1, 3, 5 Lire. Von der „moneta patriottica" wurden um dieselbe Zeit neben den früheren kleinen Noten auch solche zu 50 und zu 100 L. ausgegeben; Kundmachung des „Consiglio di Reggenza della Banca nazionale" v. 17.
November, Bullettino S. 41—43. Es muß übrigens bemerkt werden, daß die provisorische Regierung alles mögliche that das Vertrauen in die Verläßlichkeit ihrer Credit-
Operationen durch pünktliche Einhaltung der übernommenen Verbindlichkeiten bei Lust
und Kraft zu erhalten. Vom 28. November begann die Auszahlung der Interessen der
im Mai und Juni aufgenommenen Anleihen; am 20. December 12 Uhr Mittags
wurde eine Summe von 197.333 L. der moneta patriottica, die in anderer Weise ihre
Deckung gefunden, den Flammen übergeben; am 27. begann die Ausgabe der Schuld-
verschreibungen des im Juli und August aufgenommenen Gold- und Silber-Anlehens ꝛc.
Bullettino S. 46, 62—64.

114) S. 123. Als vereinzelt uns bekannt gewordenes Beispiel sei hier angeführt,
daß vier lombardische Gutsbesitzer, Georgio Raimondi, Massimiliano Stampa, Gia.
Poli, Vitalino Crivelli 600 Stück venetianischer Actien der italienischen Anleihe, zusammen
30.000 L. zeichneten und dabei die zehnpercentige Prämie bei Abnahme von zehn Stück
Actien großmüthig ablehnten. Dr. Hermann von Reuchlin Geschichte Italiens ꝛc.
(Leipzig, S. Hirzel 1860) II. 2, S. 136 schreibt: „Nicht zu übersehen ist daß jene
offenbar Mazzinistischen Brandbriefe, welche in die Lombardie geschleudert wurden, das
nächste Motiv zu diesen Confiscations-Plänen waren; um dieser willen sollten also die
hervorragendsten kön. piemontesisch gesinnten Familien eines großen Theiles ihres angestammten Gutes beraubt werden! Mazzini konnte sich in jedem Betracht über diese
Bestrafung seiner Gegner nur freuen; schließlich aber mußte die Strafe für dieses
Durcheinanderwerfen des Mazzinismus und der monarchischen Nationalpartei, womit

Österreich lang seine Gläubigen verblendete, auf Österreich selbst fallen." Viele
mögen das recht scharfsinnig und geistreich combinirt finden; wahr ist es aber schon
darum nicht, weil das Auftauchen und der Inhalt der Mazzinischen "Istruzioni ai
Lombardi-Veneti" erst um die Mitte November, also gleichzeitig wo nicht später als
die Proclamation vom 11. in den Mailänder Regierungskreisen bekannt wurde. Wenn
sich Reuchlin S. 140 weiter darauf beruft, daß "die österreichische Verfassung . . .
die Confiscation als Strafe aufgehoben hatte", so scheint dieser Satz einer misver-
standenen, in ganz anderem Sinne und Zusammenhange gebrauchten Stelle bei Schönhals (Erinnerungen II. S. 163: "Die Milde der österreichischen Gesetze kennt keine
Güter-Confiscation") seinen Ursprung zu verdanken, wie denn auch sowohl die Bestimmungen als die angedrohten Folgen (Sequestratur) der Proclamation vom 11.
November etwas ganz anderes waren als die schon durch den 11. Absatz des Kund-
machungs-Patentes zum österreichischen Strafgesetze vom 3. September 1803 gänzlich
abgeschaffte "Einziehung der Güter."

115) S. 124. Den Kern seiner trügerischen Beweisführung faßte er in den
Satz zusammen: "Il maresciallo non può vedere in essi che, o degli abitanti d'un
paese momentaneamente occupato, o dei sudditi del suo imperatore; nel primo
caso essi sono sotto la fede della capitolazione e dell' armistizio, nel secondo
sono sotto la fede delle parole imperiali espresse nel bando dell' amnistia." —
Am 22. November richtete die Consulta lombarda eine von demselben Mauri gezeichnete
Denkschrift sowohl an die königliche Regierung als an die Vertreter der beiden Ver-
mittlungsmächte, deren Text die venetianer Raccolta V. S. 215—217 bringt. S. auch
daselbst S. 283 f., 297 f. zwei Eingaben des Vorsitzenden des Comités von Mirano,
Demetrius Mircovich an die provisorische Regierung von Benedig.

116) S. 126. Die niederösterreichische Stadt, aus deren Wählerkreisen im Juli
niemand geringerer als Ernst von Violand in den Reichstag geschickt worden war,
Korneuburg, war die erste die es wagte fast unmittelbar nach der Bezwingung Wiens,
4. November, dem Fürsten Windischgrätz und dessen "wohlverdienten Truppen" ihren
"innigsten und wärmsten Dank" auszudrücken. "Die Tage der dringendsten Gefahr
sind vorüber, der Kampf mit der rebellischen Partei ist zu Ende, die gerechte Sache
trug den glänzendsten Sieg davon. Endlich sind die Gutgesinnten befreit aus der
Gewalt und Schreckensherrschaft der Rebellen . . . Ruhe Ordnung und Gesetzlichkeit
werden wiederkehren, die von unserm gütigen Monarchen gegebene Freiheit . . . wird
zur Wahrheit werden und das ganze Volk wird wieder die Segnungen der weisen und
gütigen Regierung unseres allgeliebten Kaisers ungestört und unverkümmert genießen."
S. den vollen Wortlaut in der Abend-Beilage z. W. Ztg. v. 6. November Nr. 197
S. 771. — Am 13. November beschloß der verstärkte ständische Ausschuß in Krain
eine Huldigungs-Adresse an den Kaiser, worin es u. a. hieß: "Gewiß mit blutendem
Herzen sahen Sich Eure Majestät genöthigt, als alle gütlichen Wege fruchtlos versucht
waren, energische Maßregeln eintreten zu lassen um die so tief erschütterte Ruhe in der
Stadt Wien wieder herzustellen und den Gesetzen jene Achtung zu verschaffen ohne
welche eine Regierung eine Unmöglichkeit ist. Es ist gelungen, Ruhe und Ordnung
werden wiederkehren" 2c. Besondere Beilage z. Laib. Ztg. v. 18. November. Eine
ähnliche Adresse, in italienischer deutscher slovenischer und kroatischer Sprache abgefaßt,
gelangte aus der Stadt Triest an das kaiserliche Hoflager; den Wortlaut derselben
haben wir nicht kennen gelernt. — Am 1. Dec. 1848 veranstaltete das privilegirte
Schützen-Corps von Zißin in der Dechantei-Kirche ein feierliches Todtenamt "für den
auf kanibalische Weise in Wien gemordeten k. k. Kriegs-Minister Latour so wie für alle die

bei dem Kampfe zur Aufrechthaltung des österreichischen constitutionellen Staats, der Gesetze und zur Unterdrückung der Anarchie als blutige Opfer in und bei Wien fielen."

117) S. 126. Nach einer Correspondenz des J. d. ö. Lloyd Nr. 261 vom 21. December (f. auch Gatti Ereignisse d. J. 1848 in der Steiermark S. 288) wären die den Grätzer Legionären begegnenden Gränzer dieselben gewesen die unmittelbar nach der Einnahme Wiens die gefangenen Grätzer Akademiker im Schwarzenberg-Garten bewachten. Nach andern Berichten erfolgte die Ablieferung der Waffen erst am 21. — Ein Gerücht, daß eine Deputation der Prager Studentschaft den F. M. L. Khevenhüller um Überlassung von Kanonen gebeten habe, wurde aus ihrem eigenen Schoße in Abrede gestellt; „Bohemia" Nr. 213 v. 4. November. Anderseits floßen allerdings „Beiträge zur Armirung der akademischen Legion in Prag" noch fortwährend ein; so z. B. in der Zeit v. 6. September bis 26. October 2937 fl. 57 kr. Beil. zur „Bohemia" Nr. 216 v. 8. November.

118) S. 126. Erlaß des Gouverneurs Grafen Wickenburg v. 5. November; abgedruckt bei Gatti S. 287. — Petition des uniformirten Bürger-Corps von Grätz an den Gouverneur v. 12. November 1848, f. Ebersberg's Zuschauer Nr. 179 v. 1. Dec. S. 1469 f.

119) S. 127. Correspondenz aus Krakau 15. Nov., Conſt. Bl. a. B. Nr. 118 v. 18. Nov. 1848.

120) S. 127. Abgedruckt in Drarler's „Herold" S. 375.

121) S. 127. Unter der Rubrik „Patriotische Gaben" berichtete die Wr. Ztg. Nr. 347 v. 30. December S. 1546 von einer Deputation aus dem Dorfe Mierzyszczow die bei Gelegenheit eines in Brzezan abgehaltenen Trauergottesdienstes für Latour, 9. December, in der Kreisstadt erschien und geführt von ihrem Ortsrichter Paul Koszmena 2 fl. 30 kr. überreichte als den Beitrag einer unter ihnen veranstalteten Collecte für „ihren guten Kaiser, der für sie schon so viel gethan und sie mit Gnaden überhäuft hat, während sie ihrer Armuth halber für ihn noch gar nichts thun konnten." Es waren die Tauben der armen Wittwe!

122) S. 129. Ein schöner Aufruf in diesem Sinne erging vom provisorischen Landtag des Herzogthums Steiermark — gezeichnet: Ignaz Graf von Attems Landeshauptmann, C. G. v. Leitner erster st. st. Secretär — am 8. November an die Bevölkerung des Landes, wo es u. a. hieß: „Vertraget Euch untereinander, schlaget die Blätter unserer ruhmvollen Geschichte auf, und Ihr werdet finden daß der deutsche den slavischen Steier nie verließ und daß der Slave dem Deutschen nie die Bruderhand entzog. Nun ist durch die Freiheit ein neues und schönes Band um Alle geschlungen, möge es auch fest werden und im herrlichen Vereine mit der Liebe zum Fürsten und Vaterlande unsern späten Enkeln zeigen, wie kräftig das Volk der Steirer mit unwandelbarem Brudersinne zum Wiederaufbaue eines großen und einigen Österreichs, unseres gemeinsamen Vaterlandes, beitrug." Für Böhmen erschien seit 1. November 1848 „der Vaterlandsfreund", Redacteur Dr. Stephan Vater, Verlag von C. W. Medau in Leitmeritz, dessen Programm ausdrücklich den Frieden unter den Nationalitäten, „den Grundsatz der Gleichberechtigung für alle Menschen und für alle Völker", ein einiges großes Österreich, im Auge hatte. Ein Gedicht in Nr. 2 v. 4. November S. 6 trägt die Überschrift: „Der Friede sei mit Euch", dessen zweite Strophe lautet:

> Der Friede sei mit Euch! Seht, Berg und Wald umfrieden
> Das Land so schön und reich, von Ost West Nord und Süden.
> Der Schöpfer selber rief, als Teut und Čech noch schlief:
> Ein einzig Böhmen werde, ein ganzes, auf der Erde! . . .

Unter den Furchtsamen jener Zeit spielten die Prager Siebenundsechziger eine hervorragende Rolle: „Eine große politische Windstille wie sie jetzt bei uns herrscht kann es wohl kaum in dem belagerungsbeglückten Wien geben; alles was einer öffentlichen Angelegenheit ähnlich sieht wird theilnahmslos beiseite geschoben, ja in jedem politischen Gesprächsstoff fürchtet man schon den Keim einer Revolte und ein hereinbrechendes Kartätschen- und Bombengewitter"; Constl. Bl. a. B. Nr. 113 v. 9. November. Eine ähnliche Stimmung herrschte in den Bürgerkreisen von Brünn: „Wenn man hier das rege Leben im October mit dem gegenwärtigen Zustande vergleicht, so wird man versucht zu denken Brünn sei gleichfalls im Belagerungszustande. Von den hiesigen hohen Civil- und Militär-Behörden ist zwar seit langem weder etwas zu sehen noch zu hören, aber eine gewisse Schüchternheit, eine Beängstigung, ein Vermeiden aller Zusammenkünfte und gemeinschaftlichen Gespräche gibt deutlich kund daß ein schwerer Druck auf der Stadt laste"; Correspondenz aus Brünn 18. November, a. a. D. Nr. 123 v. 21. Nov.

123) S. 130. Siehe eine Correspondenz aus Iglau in den Mor. Now. November 1848: „Zwlásstě Wjdeň byla posslednj čas semenisstě wsseho zlého; a obtamtud uprchlj sstudenti a dělnjci blaudj sem tam po wlasti nassj, hulákagjce lidu, že dřjwe páni, kněžj a auřadnjcj musegj býti zawražděni, nežli lid bude swoboden, cjsař že už měl dáwno býti ze swěta zprowoden a t. d."

124) S. 130. Wie z. B. in dem Falle, December 1848, zwischen dem Redacteur der Grätzer „Volkszeitung" Julius Gretschnigg und einigen Gränz-Officieren die sich um ihre gemeinen Diebstahls beschuldigte Mannschaft annahmen; die näheren Umstände dieses Vorfalls kennen wir leider nur aus der einseitigen Darstellung des genannten Blattes Nr. 29, 31. An dieser Hetze gegen das Militär nahm auch der provisorische Ausschuß des kärntnerischen Volksvereins rühmlichen Antheil. Als am 16. November in Wien auf die Einbringung jedes Emissärs der Soldaten zum Treubruch verleiten wollte eine Prämie von 25 fl. ausgesetzt wurde, veröffentlichte derselbe am 22. einen Aufruf an das „Volk von Kärnten", worin er sich entschieden dagegen verwahrte „daß in der gegenwärtigen so bedrängten finanziellen Lage zu solchen Zwecken das Geld des Volkes vergeudet werden soll", und „alle freigesinnten Kärntner" warnte „sich aller Gemeinschaft und Gespräche mit dem Militär zu enthalten, da es wohl leicht geschehen dürfte daß man durch irgend eine unschuldige Äußerung in eine schlaue militärisch-polizeiliche Falle gerathen könnte."

125) S. 130. Einen andern Sinn hatte die Verwahrungs-Adresse welche auf (Moriz?) von Kaiserfeld's Antrag der provisorische Landtag von Steiermark gegen die Proclamation des Fürsten Windischgrätz v. 1. November an das Gesammt-Ministerium richtete; es wurde darin „die Nothwendigkeit außerordentlicher Maßregeln welche gegen die von einer Faction beherrschte Hauptstadt ergriffen werden mußten" nicht geläugnet, sondern nur gegen die Form Verwahrung eingelegt, da es weder im Geiste des constitutionellen Princips noch im Sinne der A. h. Proclamation v. 19. October gelegen sein könne, daß mit Übergehung der verantwortlichen Regierungs-Organe es dem blosen Ermessen eines k. k. Generals anheimgestellt sei über einzelne Ortschaften oder Provinzen Maßregeln zu verhängen durch welche denselben die gewährten Freiheiten, wenn auch nur temporär, entzogen werden." Gatti S. 283 f. 286 f.

126) S. 131. „Polabský Slovan" Nr. 29 v. 19. November S. 116.

127) S. 132. „In einigen Wirthshäusern wird an Sonntagen immer die Marseillaise und unmittelbar darauf die Volks-Hymne gespielt; ersteres ruft bei einzelnen Tischen wüthenden aber nicht vollstimmigen Beifall hervor, während das Volks-

lied von anhaltendem Beifallsdonner begrüßt wird." Correspondenz aus Grätz v. 18., Const. Bl. a. B. Nr. 123 v. 21. November.

128) S. 132. Mittheilung des „Österr. Corresp." aus Krakau, 12. December: „Denn abgesehen davon, daß die sich täglich zahllos mehrenden Emigranten, unter welchem Namen viele in= und ausländische Vagabunden sich im Lande herumtreiben, diesem in den heutigen gedrückten Zeiten zur fühlbaren Last werden, so ist noch der weit wichtigere und folgenschwerere Übelstand damit verbunden, daß diese Individuen in ihrer Beschäftigungslosigkeit, und sich um das tägliche Leben nicht zu kümmern brauchend, da ihnen dies durch die fast forcirte Einquartirung bei hiesigen Bürgern gesichert ist, nichts besseres zu thun wissen als unausgesetzt zu conspiriren und auf= zuwiegeln. Es ist nämlich erwiesen daß bereits eine große Anzahl Emigranten und sonstiger diesen Namen führenden jungen Leute nach Ungarn gezogen sind, um gegen die kaiserlichen Truppen zu kämpfen, und welche Garantien der Krone die hoch= trabenden Phrasen von Loyalität und Mäßigung der hiesigen und galizischen Bevölke= rung bieten, möge das ebenfalls erwiesene Factum zeigen, daß sämmtliche Individuen von hier mit Reisegeld und entweder von einem Mitgliede der „Centralisation" oder einem ihn vertretenden Agenten unterzeichneten und gestempelten Freipässen versehen werden, vermöge deren sie in ganz Galizien, wo sogenannte Landposten von Station zu Station errichtet sind, freie Überfahrt und Unterhalt bei den Gutsbesitzern und Be= förderung über die Gränze finden. Es ist ferner erwiesen daß dies heute noch fort= dauert und daß die hiesige Emigration, um den vorerwähnten Maßregeln zu entgehen, dies auf solche Weise thut und in ihrer Erbärmlichkeit sich dadurch rächen will, daß sie auf der Durchreise die elendesten Lügen unter's Volk streut, ihm weiß machen will, daß die bekannt gemachte Thronentsagung Sr. Majestät des Kaisers Ferdinand erdichtet und daß derselbe kurzweg von Olmütz verjagt sei; daß die Pro= vinzen seinen Nachfolger nicht anerkennen, und Galizien das Gleiche thun solle u. dgl. m. Auf solche Art will man sich bemühen, die bekannte Anhänglichkeit und kindliche Pietät des galizischen Landvolkes gegen das Allerhöchste Kaiserhaus irre zu leiten, um es dann desto leichter zu seinen Zwecken benützen zu können. Zum Glücke aber ist die verblendete Thorheit eben so maßlos als die erbärmliche Schlechtigkeit, und man macht hier auch nach dem Sprichworte die Rechnung ohne den Wirth, denn der galizische Landmann von heute ist nicht das mehr was er vor 80 Jahren gewesen."

129) S. 132. So in Tarnow, wo sich am 21. November Abends die Mitglieder der Rada Narodowa im Magistrats=Saale versammelten und die im Texte angeführ= ten Beschlüsse faßten.

130) S. 133. Als bald darnach verlautete, es sei in Sachen der Kuranda'schen Katzenmusik eine neue Untersuchungs=Commission, vom Kreis=Commissär Anton Helfert geleitet, in Kolin erschienen, 24. October, erlaubte sich das Prager Abend=Blatt Nr. 126 v. 3. November S. 740 die Frage: „Warum hat man keine Commission in Wien gegen jene eingeleitet, die den böhmischen Reichstags=Deputirten an seinem Leben bedrohten? Was ist jenen in Wien geschehen die mit Waffen in die Reichstags= Sitzung eindrangen um die böhmischen Deputirten zu tödten? Was hat man da gemacht? Nichts! Und Kuranda's wegen wird so viel Wesens gemacht?"

131) S. 134. Der „Wiener Zuschauer" jubelte laut als er davon hörte und votirte Nr. 170 v. 15. November S. 1385 f. eine eigene „Dank=Adresse an den Prager Bürgermeister Herrn J. U. Dr. Wanka und dessen Deputirte": „Vergeßt Be= wohner Wiens den Mann mit seinen Deputirten nicht, der Prag im rechten Augen= blicke unmöglich gemacht hat! ... Denn ohne ein so unzeitiges oder vielmehr über=

zeitiges unbescheidenes anmaßendes Einschreiten, selbst dann noch als die Gefahr des Aufsitzens unverkennbar vorlag, war Wien rettungslos verloren."

132) S. 134. Siehe z. B. Pražský weč. list Nr. 148 v. 25. Nov. S. 671.

133) S. 135. Dr. Springer's Antrittsrede zu den Vorlesungen über die neueste Geschichte Europa's, „Bohemia" November 1848 Nr. 131—133.

134) S. 136. Inkey Rückerinnerung S. 5 f. Der Oberst erhielt Mitte September ein amtliches Schreiben aus Pest, worin ihm zugleich eine hohe Stelle im ungarischen Heere angeboten wurde. Schon früher waren seine Besitzungen in Ungarn, gleich denen anderer fahnentreuen Officiere und Anhänger der Dynastie, von durchziehenden ungarischen Truppen auf das gräulichste verwüstet worden.

135) S. 137. Die Namen der letztern wurden genannt: Leon Piniński und ein Gorczkowski. Ein Bericht des Österr. Corresp. aus Lemberg 14. Dec. erwähnt, Barco habe „vor kurzem aus Anlaß seiner Beförderung zum General-Major die besondere und in unserer Armee bisher ungewöhnliche Auszeichnung erhalten, daß ihm von den Unter-Officieren und Primaplantisten seines Regiments ein Ehrensäbel überreicht wurde, welches von dem guten Geiste dieses Regiments überhaupt einen unwiderleglichen Beweis liefert, von dem auch nur ein geringer Theil der Mannschaft der Verführung einiger Officiere und dem magyarischen Gelde · zugänglich gewesen." Damit stimmt dann nicht zusammen was wir an andern Orten fanden: die Officiere und die Chargen seien vor ein Kriegsgericht gestellt, die Mannschaft aber mit Zurücklassung von „Pferden Armatur und Riemzeug" und „ohne Urlaubsverpflegung" nach Ungarn entlassen worden. Der tapfere Barco, eine ächte Husaren-Natur, den wir persönlich kannten ohne daß wir die Gelegenheit ersahen mit ihm über den Vorfall zu sprechen, ist leider schon unter den Todten; vielleicht lebt aber noch ein und der andere seiner damaligen Cameraden, der über die Einzelnheiten jenes Vorfalls, die in so verschiedener zum Theil widersprechender Weise erzählt werden, nähere Auskunft zu geben wüßte.

136) S. 139. Über die ganze Affaire bei Königinhof am 30. October, bei der das von Josephstadt herbeigerufene sehr saumselige Militär eine etwas eigenthümliche Rolle spielte, s. Polabský Slovan Nr. 23 v. 5. November S. 92, und ebenda „Bubny a tma" Nr. 27 v. 14. und Nr. 28 v. 17. November.

137) S. 139. Nach einer Correspondenz aus Olmüz v. 10. Dec. (Österr. Courier Nr. 290 v. 13. December S. 1166) wurden am 9. Abends 58 Husaren eingebracht. Die Nationalgarden von Walachisch-Mezeřič und Neutitschein erhielten Belobungen und für jeden eingebrachten Mann die gebührende Taglia von 25 fl.; Brünner Tags-Courier v. 11. December S. 672.

138) S. 140. Näheres im Const. Bl. a. Böhmen Nr. 140 v. 11. Dec. 2. Beil.

139) S. 143. Die Devise „Offenheit Consequenz und Energie" kehrte in schriftlichen und mündlichen Äußerungen Windischgrätz' sehr häufig wieder; von Schwarzenberg aber führt uns Drarler im „Herold" Nr. 93 v. 9. December 1848 S. 371 ein Wort an, das er aus dessen eigenem Munde vernommen haben will: „Glaubt denn wirklich jemand, eine Revolution mit gütlichem Zureden und diplomatischem Nachgeben niederhalten zu können? Zum Regieren in unserer Zeit gehören unerläßlich drei Dinge: erstens Offenheit, zweitens ernster Wille und drittens Energie!"

140) S. 143. Am 25. Juli sprach Windischgrätz auf dem Hradschin zu Dr. Johann Prasch: „Mit den Freiheiten des März hat Se. Majestät als unumschränkter Monarch seinen Völkern ein Geschenk gemacht das jeder biedere Unterthan wünschen und billigen mußte; denn der Genuß dieser Freiheiten innerhalb der von der Vernunft gebotenen

Schranken der Ordnung und Gesetzlichkeit waren eine Forderung der Zeit. Die Errungenschaft des Mai jedoch wurde dem Kaiser durch die rohe Gewalt einer anarchischen bewaffneten Faction ohne Mandat abgezwungen." „Wage" 1849 S. 100; aus einem längern Aufsatze Prasch': „Zur Charakteristik des Feldmarschalls Fürsten v. Windischgrätz."

141) S. 144. Schreiben des Feldmarschalls an Graf Stadion aus seinem Haupt-Quartier zu Schönbrunn den 16. November 1848.

142) S. 144. Windischgrätz an Schwarzenberg am 9. und 21. Nov. und 6. Decemb. 1848.

143) S. 145. Derselbe an denselben 29. November, 3. und 4. December 1848.

144) S. 145. Windischgrätz an Wessenberg am 5. November.

145) S. 146. Windischgrätz an Schwarzenberg am 14. November.

146) S. 147. So hieß es schon am 30. October in dem kaiserlichen Handschreiben auf die Tyroler Adresse: „Um aber ein so großes und wichtiges Unternehmen" (die Wiedergeburt des gemeinsamen freien Vaterlandes) „zum Besten Meiner Staaten baldigst zu vollenden, bedarf es des kräftigen Zusammenwirkens von Regierung und Reichstag."

147) S. 148. Eine solche erhielt unter andern der Deputirte für Saaz Dr. Löhner am 19. November vom „patriotischen Verein für Ruhe und Ordnung, Recht und Wahrheit" zu Groß-Lippen und eben so vom „Gewerbs-Innungs-Meister-Verein" zu Saaz: „Daß Euer Wohlgeboren sich für Kremsier gleich aussprachen und schon dort sind, beweist deutlich daß Sie die Wichtigkeit des Augenblickes nicht verkennen und auch ein gutes Gewissen haben." An diese Kundgebungen knüpfte sich aber eine weitere Polemik, die zwischen verschiedenen Wählerkreisen im „Boten von der Eger" Nr. 33—36 ziemlich lebhaft fortgeführt wurde. — Hieher gehört wohl auch der Aufruf des slovenischen Vereins in Laibach „an die krainischen Herren Reichstags-Abgeordneten möglichst bald und vollzählig in Kremsier zu erscheinen." Laib. Ztg. Nr. 142 v. 25. November.

148) S. 148. Hans Jörgel 39. Heft S. 12 f.: „Der Borrosch hat im Reichstag g'sagt, jeder Mann von Ehre wird auf ein solches Mistrauens-Botum geh'n. I bin begierig, ob er wenigstens in diesem Fall zeigt daß er eine Ehre hat." Siehe auch Wr. Ztg. Nr. 331 v. 12. December S. 1328: „Für die durch die letzten Ereignisse verunglückten Familien: Wir sind begierig auf seine Consequenz, und ob die Gesetze die er für's Volk stellt auch er selbst zu achten gedenkt, oder ob er meint: Richtet Euch nach meinen Worten, nicht nach meinen Werken!"

149) S. 150. „Würde die October-Revolution haben ausbrechen können, wenn der Reichstag seine Aufgabe besser verstanden und fleißiger gearbeitet hätte? Man kann nachrechnen, daß die Abhaltung des Reichstages monatlich bei 100.000 fl. kostet und daß die Kämpfe und Wirren des Monats October, die bei dem früheren Erscheinen der Verfassung nicht mehr möglich gewesen wären, an Privat- und National-Vermögen einen Schaden von vielen Millionen verursachten. Das immerwährende Lärmen über eine Reactionspartei wäre überflüssig und ist dem Toben eines Grundbesitzers zu vergleichen, der immer lärmt wenn ihm sein Nachbar eine Furche wegackert, aber nie es unternimmt seine Gränze abmarken zu lassen." Anton Karrer: An die Herren Wahlmänner für den constituirenden Reichstag in Wien. Krems den 4. November 1848 (Flugblatt in kl. Fol.). — Die weitgediehene Mißachtung, unter welcher der Reichstag nach dem October zu leiden hatte, gibt selbst Schuselka zu, nur daß er diesen, von seinem Standpunkte, als schuldloses Opfer darstellt: „Von

den Ministern mit übermüthiger Geringschätzung behandelt, von den Völkern durch tausenderlei offene und geheime Polizei-Kniffe verdächtigt, von der Regierungspresse auf eine in der civilisirten Welt beispiellose und unerhörte Weise geschmäht, . . . hat er dennoch die Theilnahme aller Gebildeten und Edlen der Welt errungen"; Revolutionsjahr, S. 444. Wir müssen uns die Berichtigung erlauben daß der Verfasser kaum ein Beispiel nachzuweisen vermöchte, wo der Reichstag, so lange er bestand, von der „Regierungspresse" auf gemeine Art geschmäht worden wäre; allerdings war letzteres von mehreren Wiener und Provinzial-Blättern zu sagen, die aber, wohlgemerkt, erstens von der Regierung wegen dieses ihres maßlosen Tones eine amtliche und öffentliche von ihnen und ihrem Publicum sehr schwer empfundene Rüge erhielten, und die sich zweitens eine solche Sprache unmöglich herausnehmen konnten, wenn sie sich nicht bewußt waren damit nur der großen Masse ihrer Leser zu Gefallen und Dank zu reden.

150) S. 150. So hatte sich z. B. Löhner in einer seiner Reichstagsreden über die Besitzstreitigkeiten zwischen den ehemaligen Obrigkeiten und Unterthanen ausgelassen und dabei gesagt: „er selbst sei Gutsbesitzer gewesen und habe einen Amtmann gehabt, und müsse daher wissen wie man sich einen Grund aneignete, wie man die Provisorien benützte, wie man bei der Kreis-Commission verfuhr" 2c. Löhner's ehemaliger Amtmann Franz Ott, im Jahre 1848 Amts-Director in Slabec, forderte am 20. September und, da er hierauf keine Antwort erhielt, nochmals am 12. December seinen früheren Dienstherrn auf, ihm einen einzigen Fall nachzuweisen wo Löhner, „unter Benützung meiner Ehrlosigkeit und der Pflichtwidrigkeit der Kreisbehörde", in der angegebenen Art gegen seine Unterthanen verfahren sei. Löhner antwortete am 20. December entschuldigend und legte seinem Schreiben ein Exemplar der betreffenden Reichstagssitzung bei, da Ott den Sinn seiner Worte nicht gehörig aufgefaßt habe. Das erste Schreiben Ott's findet sich in der „Prager Zeitung" Nr. 77 v. 28. Sept. in der Beilage: „Allgemeines Conversations-Blatt" S. 71; das zweite und die Antwort Löhner's brachte der „Österreichische Correspondent", dessen Numer und Seitenzahl wir leider aufzuzeichnen vergessen.

151) S. 151. „Auch wir sind Männer aus dem Volke und wissen die gesetzliche Freiheit zu würdigen." Aufruf des Officiers-Corps von Mantua an die italienische Armee im „Österreichischen Soldatenfreund" Nr. 35,36 v. 23. November 1848; Radecky hatte die Veröffentlichung des Aufsatzes genehmigt.

152) S. 151. Siehe unsern Bd. I. S. 298 f. und Anm. ²¹⁰) und „Österr. Soldatenfreund" Nr. 37 v. 25 Nov. S. 168, wo es aus Anlaß der „Angabe daß ein Bataillon des 49. Regiments sich zur Verfügung des Reichstages gestellt habe" unter anderm heißt: „Hochgeehrt müßte sich jeder Theil des österreichischen Heeres fühlen, einen Reichstag, in dem die Intelligenz jeder Provinz der Monarchie... vertreten sein würde, der ehrlich an's große Werk der Reformen die Frieden, Versöhnung bietende Hand gelegt hätte... mit dem Walle seiner Leiber zu schirmen... Aber die Zumuthung, einem Reichstage sich zu unterordnen aus dem Intelligenz und Charakter gewichen waren, in dem Gesinnungslosigkeit und Schwäche der blutigen den Verfall des Staates heraufbeschwörenden Revolution die unwürdigsten Zugeständnisse machten: diese Zumuthung muß mit Abscheu, mit der ganzen Kraft des verletzten Ehrgefühls von jedem Theil der Armee, der zurechnungsfähig, abgewiesen werden."

153) S. 152. Windischgrätz an Stadion am 16. November.

154) S. 153. Privat (Staatskanzlei) Wien, 6. November: „Les Min   res qu'on va nommer me semblent bien choisis. Helfert pour l'instruction publi(   )st

représenté comme un homme capable et bien pensant. Bach Mayer Bruck sont, dit-on, gens de bien et habiles."

155) S. 157. Privat (Haupt-Quartier Wind.) Hetzendorf 25. October, wo Adolf-Windischgrätz, Familie-Armee, Madrid-Prag: „Daß wir den Adolf wie unsern Aug-apfel bewachen, wird hier eben so nothwendig als es in Madrid war; jedoch haben wir mit dem Jungen Teufelsnoth, er will von Vorsicht nichts wissen. Indeß wir handeln in dieser Beziehung ohne ihn zu fragen … Im Ganzen ist die Gesammt-Familie ge-sund und guter Dinge, nur fängt das Volk der nächsten Umgebung Adolf's das ihn hieher begleitete an, mit Jenen eifersüchtig zu werden die wir hier gefunden und die da beweisen wollen daß sie unsere Anhänglichkeit an Adolf noch übertreffen. Das ist eine Unmöglichkeit" ꝛc.

156) S. 157. Aus dem „Standard" (Nr. und Datum uns nicht bekannt): „We have no more to say upon the subject, but that Prince Windisch-Grätz is much wanted at Francfort, and it is not impossible that, as soon as he shall have ar-ranged affairs on the Danube, he may visit the Maine."

157) S. 157. S. auch das Gedicht Marsano's „An die brave österreichische Armee unter dem Befehle des Fürsten Alfred zu Windischgrätz"; als Flugblatt gedruckt, 2 Blatt in 4, bei Karl Gerold und Sohn. — In den Papieren des verstorbenen Feldmarschalls fanden sich Dank- und Huldigungsschreiben vom greisen Radetzky, vom Grafen Hoyos der mit Windischgrätz in den Märztagen in Berührung gekommen war, von Heß der den Wunsch ausspricht daß auf den ersten Sieg bald der zweite „in Un-garn" folgen möge, von Graf Leo Thun, von Prokesch, von Prinz Emil von Hessen und bei Rhein k. k. FML. der seit Jahren außer allen Beziehungen zu unserm Fürsten gestanden ꝛc.

158) S. 157. Privat (Österreichische Aristokratie) Datum unbekannt: „Wie habe ich mit meinen mangelhaften Kräften für diesen großen Mann gebetet! Wie wird seine verklärte Frau die ihn so unendlich geliebt hat für ihn gebetet haben! … Ach er bedarf des Tributs meiner Bewunderung nicht, aber ich bedarf es meine schwache Stimme mit Jenen zu vereinen, die in diesem großen Mann den Retter der Monarchie verehren! Wie stolz bin ich darauf mich zu seinen Verwandten zählen zu dürfen!" — Ein anderes (Staatskanzlei) Wien 6. November: „En vrai Chrétien il rapport au Seigneur toute la gloire de ses succès, du triomphe de la bonne cause … Il est vrai que dans toutes les grandes actions les hommes ne sont que les instru-mens entre les mains de la Providence; mais ceux que Dieu choisit pour l'exé-cution de ses décrets, ce sont là les héros de l'histoire!" — Ein anderes (Ausw. Arist.) 18. November: „À mesure que le Prince Windischgrätz s'est élevé dans de proportions gigantesques, qu'il a acquis une considération sans égal et sous certains rapports sans exemple parmi les contemporains, ce même homme aug-mente en modéstie et en simplicité, je n'en trouve pas un second exemple dans l'histoire."

159) S. 160. C. A. Ritter's Tagebuch der letzten October- und ersten Novem-bertage Wiens entwirft II. S. 3—6 ein gelungenes wenn auch vorwiegend düsteres Bild dieses Zeitabschnittes.

160) S. 161. „Die Neue Zeit. Olmützer Blätter für nationale Interessen." Nr. 86 v. 8. Nov. unter der Überschrift „Trauerbild Wiens." Nach dem Charakter der Zeitung worin der Artikel erschien war die Jeremiade, inbegriffen die „Katzen-musiken", allerdings ganz ernsthaft gemeint. Der Verleger rühmte sich, daß sein Blatt unter allen Provinz-Blättern jener Tage die freieste Sprache führe. Wir wollen die

Richtigkeit dieser Behauptung dahingestellt sein lassen; jedenfalls hat die „Neue Zeit" einen vergleichsweise anständigen Ton einzuhalten gewußt und sich nicht zu jener Pöbelhaftigkeit der Sprache und der Ausfälle erniedrigt, deren sich dazumal manches andere Tagblatt außerhalb Wien schuldig machte.

161) S. 161. Siehe den Aufsatz: „Wien im November 1848 und die Correspondenten der Allg. Ztg." in den Hist. pol. Blätt. 1849 I. S. 136 f. 141 f. u. a.

162) S. 161. Diese Strophe, einem Gedichte Ludwig Bowitsch' entnommen, hat Ritter dem o. a. II. Theile seines Tagesbuches als Motto vorgesetzt.

163) S. 162. Fälle von Verrücktwerden ereigneten sich wiederholt; unter andern wurde in den Tagesblättern von der achtzehnjährigen Tochter eines auf der Windmühle wohnenden Schneidergesellen erzählt und ausdrücklich die vorausgegangenen Schreckenstage, namentlich die fortwährenden Alarmirungen als Wurzel ihres Übels angegeben. — Ein erst in die zweite Hälfte November fallender Selbstmordversuch hat durch die Persönlichkeit des Thäters besonderes Aufsehen gemacht. Am 24. November Abends stürzte sich nämlich ein Mann, der die Überfuhr nächst den Weißgärbern benützte, in den Donau-Canal, wurde aber ungeachtet seines heftigen Widerstandes von nachspringenden Schiffsleuten gerettet und in das Inquisiten-Spital gebracht. Daselbst erkannte man in ihm den ehemaligen Caplan im k. k. Garnisons-Spital, dann Prediger im Odeon-Saal Hirschberger, über dessen trauriges Ende zwölf Jahre später wir Bd. II. Anm. 222) berichteten.

164) S. 164. Aus dem Leben eines Wiener Staatsgefangenen von 1848. Von Wilhelm Ehrlich. Neues Wiener Tagblatt Nr. 338 v. 8. December 1868.

165) S. 165. Frankfurter Stenogr. Bericht V. S. 3420. — Darnach möge man ermessen was von der Wahrheitsliebe Grüner's zu halten ist, wenn er in seiner „Geschichte der October-Revolution" S. 327 zum 5., sage fünften November erzählt: „An diesem Tage begegnete ich noch Robert Blum mit Fröbel, sie sagten mir daß sie in ein paar Tagen abreisen wollten, sie gingen öffentlich ohne Furcht überall herum" 2c. Auch der von Schuselka „Revolutionsjahr" S. 408 f. angeführte Umstand, er habe in der „Stadt London" keine Ahnung davon gehabt mit Blum und Fröbel unter einem Dache zu wohnen, spricht dafür daß die Beiden ihr Zimmer nicht verließen, weil sie sonst aller Wahrscheinlichkeit nach sich mit Schuselka gesehen und getroffen haben würden.

166) S. 168. Dahin gehörte auch die Redaction der A. A. Ztg., welche an die bezügliche Klage eines ihrer Correspondenten die eben so boshafte als blöde Bemerkung knüpfte: „Graf Sedlnicky wird sich freuen daß man zu seinem Systeme zurückzukehren auf dem besten Wege scheint; es aber nur vierzehn Tage festzuhalten, möchte heute etwas schwieriger sein"; Nr. 311 v. 6. Nov. S. 4902. S. dagegen „Österr. Corresp." Nr. 26 aus Wien v. 27. November: „Das Unangenehme ist allerdings vorgekommen daß nicht gleich in den ersten paar Tagen alle angehäuften Briefe konnten ausgegeben werden, hiezu noch das Schreckliche daß nicht alsbald die Zeitungen vertheilt wurden, dann vollends das Schrecklichste des Schrecklichen daß dieses Los auch die Allgemeine Zeitung traf. Werden in unsern Tagen alte Institutionen niedergeworfen, fährt der eiserne Wagen des Radicalismus zermalmend über die Interessen von Tausenden dahin, sehen Hunderte ihre fernere Existenz gefährdet, so soll der Ausdruck: ‚das ist unvermeidlicher Übergang' dies alles rechtfertigen beschönigen; wenn aber der Übergang aus einem anarchischen und terroristischen Zustand in einen geordneten und beruhigenden die Hinausgabe von Zeitungsblättern verspätet, das Personale der Postbeamten für einige Tage hindert so zahlreich oder so pünktlich zu se

Dienste sich einzufinden wie es wohl selbst gern wünschen mochte, dann fällt dies alles ausschließlich dem Belagerungszustand zur Last, soll dieser unerträglich sein und wird jede Erinnerung an dasjenige, was zu dessen Anordnung zwang, sorgfältig vermieden; da gibt es keinen Übergang aus dem Gesetzlosen zum Geregelten."

167) S. 168. „Wie Don Quirotte gegen die Windmühlen, so ist der Wiener Demokrat schon längst gegen das Traumgebilde der Reaction in den Kampf gezogen. Als aber die Windmühle sich in einen wirklichen Riesen verwandelte, da vermochte der Ritter der neuen Romantik nichts gegen den letzteren, weil er in dem phantastischen Kampfe gegen die erstere alle Kraft erschöpft hatte." Gränzboten 1848 IV. S. 356. — S. auch Const. Bl. a. B. Nr. 112 v. 8. Nov. Beil., wo es von der Stimmung der besiegten und entwaffneten Partei in den ersten Tagen nach der Einnahme heißt :„ Trotzdem existirt noch ein ganzes großes Regiment unentwaffnet innerhalb der Linien und Mauern Wiens; ein Regiment das auf Flügelrossen einherreitet, das mit seinen Geschoßen meilenweit die Thurmknöpfe trifft, und das unbesiegbar ist trotz allen Armeen Bomben und Granaten. Die Montur dieses Regiments ist wolkenblau mit nebelgrauen Aufschlägen, und der Inhaber desselben ist seit uralten Zeiten die allbekannte Familie ‚Wenn‘. Das Regiment ‚Wenn‘ hat noch Gewehr Bajonnet und wohlgefüllte Patrontasche, und jeden Moment gibt es eine Salve wovon das gesunde Urtheil und die politische Raison viel leidet. Die eine Salve heißt: wenn die Ungarn früher gekommen wären! Die andere: wenn der Landsturm gekommen wäre! Die dritte: wenn die Soldaten übergegangen wären! Die vierte: wenn der Reichstag eine provisorische Regierung eingesetzt hätte! Die fünfte: wenn man die Reichen nicht fortgelassen hätte! Die sechste: wenn man am 6. gleich nach Schönbrunn wäre und den Kaiser hereingebracht hätte! Die siebente: wenn die Olmützer den Kaiser hergebracht hätten! Die achte: wenn die Ungarn gesiegt hätten! Die neunte: wenn der Reichsverweser die Belagerung verboten hätte! Die zehnte: wenn die Italiener wieder aufgestanden wären! Die eilfte: wenn man das Auersperg'sche Lager gleich angegriffen hätte! Die zwölfte: wenn man den Räuberhauptmann Jelačić mit seinen Horden vernichtet hätte! Mit diesem Dutzend wird der Leser einen Begriff haben, daß das Regiment ‚Wenn‘ weder zu besiegen noch zu entwaffnen ist. Wer Irrwische für Meilenzeiger hält glaubt den rechten Weg zu gehen, selbst wenn er im Sumpfe watet." — In humoristischer Weise läßt „der Bote von der Eger" Nr. 36 v. 10. Dec. einen „ruinirten Demokraten" von seinem Diener erzählen: „Wir sind ruinirt, ruft er aus so oft er eine neue Verurtheilung liest. Er zählt die Schritte die jeder Soldat macht, und bringt dann freilich eine hübsche Zahl ‚Fortschritte der Militär-Despotie' heraus. Er sieht des Tages nur Spießbürger und starre Conservative, träumt des Nachts nur von russischen Allianzen, und ist des Morgens müde von gestrigen Neuigkeiten und heutigen Befürchtungen. Samstag Abends will er regelmäßig auswandern, wenigstens nach Hamburg, um dort sogleich in ein Schiff nach America zu springen sobald er vom Einrücken der ersten Kozaken hört."

168) S. 168. Zwei Fälle der letzern Art, die man sich damals in der ganzen Stadt erzählte, brachten die „Gränzboten" IV. S. 364. Eine charakteristische Schilderung jener „Hyänen der Reaction" s. im N. Wr. Tagblatt 1870 Nr. 315 v. 14. November: „Das Denuntianten-Corps." Auch Lyser (1. Auflage S. 104) erzählt — ob es wahr ist, bleibe dahingestellt —, wie ihm „ein solches Subject" gedroht habe ihn „als liberalen Schriftsteller" bei der Stadthauptmannschaft anzugeben, wenn er sich nicht mit 17 fl. C.-M. „auslöse." „Solche himmelschreiende Thatsachen, die

auch den Friedfertigsten zur Wuth und Widersetzlichkeit gegen die Behörden, unter deren Augen sie sich begeben, reizen müssen, möge man nicht übersehen."

169) S. 171. Daher war es völlig grundlos wenn die Redaction noch am 8. klagte (Nr. 313 S. 4931 f.): „noch habe Windischgrätz ihren Blättern, die in Öster= reich Leser nach Tausenden zählen, den Eingang nicht gestattet." Die A. A. Ztg. verletzte überhaupt durch den verbitterten Ton und vielfache Entstellungen des wahren Sachverhaltes die österreichischen Patrioten weit und breit, wie sich denn unter andern Prokesch in Athen veranlaßt sah Freiherrn von Cotta, den er persönlich kannte, auf diese Haltung seines Blattes aufmerksam zu machen.

170) S. 172. Hist. polit. Blätter 1849 I. S. 177. S. auch ebenda S. 140 f.: „Man muß absichtlich über das Vorhergegangene hinwegsehen oder in demselben bei weitem nicht den abnormen Zustand erblicken dessen Befürchtung tausende und aber tausende durch ihre eilige Flucht aus Wien an den Tag legten, um schon am 5. November von ‚Härte des Belagerungszustandes‘, von ‚unerhörten Polizei=Maßregeln‘ zu sprechen, die ‚so quälender und erschütternder Art, zugleich so pedantisch und lächer= lich‘ wären, daß ‚nicht genug Worte der Entrüstung‘ zu finden seien." In gleichem Sinne schrieb der durchaus nicht wohldienerische —d Correspondent des Const. Bl. a. B. (Nr. 113 v. 9. Nov. Beil.) schon am 7.: „Stände das Militär nicht auf den offenen Plätzen um die Feuerstellen wo sie sich wärmen und das ärmliche Essen kochen, man wüßte nichts von Belagerung Bombardement und Militär=Herrschaft." — Den Vorfall mit dem Flötenspiel des Bäckermeisters Gerber am Peter erwähnt Heinrich Reschauer in einem Feuilleton=Artikel: „Die Nachtigall am Peter" im „N. Wr. Tagbl." (Anfangs Juni 1870.)

171) S. 172. Dunder S. 886. — Mit Kundmachung vom 2. November wurden vom Gemeinderath „sämmtliche Auszahlungen an Löhnungsbeträgen, sowie die Ver= abreichung von Brod und Wein gänzlich eingestellt."

172) S. 173. Mitglieder der Arbeiter=Commission waren: Dr. Jur. Ferd. Mayer (Leopoldstadt), Zimmermeister Franz Jacks (Rossau), Handelsmann Jos. Graf (Marga= rethen), Med. Dr. Hier. Beer (Neubau), Stadtbaumeister Karl Prantner (Marg.), Prof. Karl Rösner (Kärnt. V.), Zimmermeister Christoph Scheuerle (Rossau), Gold= arbeiter Aloys Müller (Schottenfeld), Tischler Karl Steinsdorfer (Alser), Prof. Ludwig Förster (Leop.), Holzhändler Aloys Angerer (Landstr.) und Maschinen=Fabricant Vincenz Prick (Landst.). Mit der Arbeiter=Sichtung wurde der schon bei der frühern Sich= tungs=Commission verwendete stadthauptmannschaftliche Commissär Prucha mit Beihilfe von drei Tagschreibern betraut; Prof. Förster bildete das Mittelglied zwischen diesem Bureau und dem Gemeinderathe.

. 173) S. 173. Die Widmung lautete oft ausdrücklich‘ „für die Hinterbliebenen der in den letzten Kämpfen Gefallenen." — In den Verzeichnissen, welche die Wiener Blätter veröffentlichten, spielte bei den Einsendern von Unterstützungsgeldern das Schwarzgelbthum eine hervorragende Rolle: „Von einer schwarzgelben Beamtenfrau, eingehändigt durch eine schwarzgelbe Tyrolerin", „ein schwarzgelber Schlesier, Mährer, Czech", „ein Schwarzgelber in fest aufgetragener Farbe", „Halt's fest z'samm', constitu= tionelle Schwarzgelbe" u. dgl. a.

174) S. 174. Hist. pol. Blätter a. a. O. S. 173. Übrigens ging es den armen Teufeln, die meist keine Idee hatten wie viel so ein bedrucktes Stück Papier bedeute und dann einzig an die Ehrlichkeit der Wechselnden angewiesen waren, mitunter ziem= lich schlecht; siehe z. B. „Österr. Courier" Nr. 262 v. 12. November S. 1054: „Verunglückter Geniestreich zweier industrieller Damen"; und irgendwo im Öster=

7

Korresp.: „Ein Bäcker wurde bei Baden von einem Kroaten mit Halt angerufen. Der Posten trat heran und hielt eine Zwei-Gulden-Note in den Augen. Der Reisende hielt ihm einige Zwanziger mit etwas Kupfermünze entgegen. Der Kroate nahm sich sechs Stück Zwanziger und ging lachend weiter. Kurz darauf heißt es wieder Halt! und es erscheint ein Zweiter mit einem Guldenzettel. Einer der Angerufenen hält ihm zwei Groschen, die letzten die er hat, dem neuesten Gebrize hin. Der Kroate greift in die Tasche, holt zwei schmutzige Zwanziger hervor, tauscht sie aus und geht seiner Wege."

175) S. 171. Pröhle „Aus dem Kaiserstaat" S. 229 f. — Das Büchelchen, das er in den Händen der Soldaten sah, war ohne Zweifel der damals bei Karl Ueberreuter in Wien erschienene „Zpěvník slovanský", dessen erstes Heftchen zehn, von Karl Havliček's köstlichem Humor travestirte böhmische Volkslieder enthielt.

176) S. 174. „Das Militär beträgt sich, einzelne Fälle ausgenommen, gut und freundlich." C. A. Ritter (Redacteur des frühern „Wiener Postillon", nichts weniger als belagerungsfreundlich) a. a. O. S. 6. — „Das deutsche böhmische und italienische Militär hielt strenge Mannszucht und ließ sich keinen Erceß zu Schulden kommen." Eyser in der noch nicht „in usum Delphini" umstalteten ersten Ausgabe seiner „Wiener Ereignisse" S. 99. — „Hier im Innern der Stadt hielt das Militär auch von vornherein im Ganzen strenge Mannszucht; höchstens bat ein zerlumpter Kroat mit freundlichem Grinsen um eine kleine Gabe." Gränzboten IV. S. 394. — „Die Officiere — Recht dem Recht gebührt! — tragen durch ihr Benehmen viel dazu bei, die Stimmung des Wiener Gemüthes einem ruhigeren Hafen zuzulenken. Ich habe Gelegenheit gehabt viele von ihnen kennen zu lernen und muß gestehen, in einer Mehrzahl in der der Einzelne zur Nullität verschwindet, eine ganz achtbare Ansicht in Betreff der so vielfach für gefährdet gehaltenen Freiheiten gefunden zu haben." Const. M. a. W. Nr. 113 v. 9. Nov. Beil. — Vgl. unsern Band I. Anm. ²⁹⁸).

177) S. 175. Correspondenz der Nár. Now. Nr. 179 v. 7. Nov. S. 704: „Z Wídně dne 2. listopadu."

178) S. 175. Pröhle a. a. O. S. 226 f.: „Gutmüthig lächelt uns die Militär-Herrschaft aus den Augen dieser Kroaten an" 2c. „Und die Schwarzgelben geben ihnen mit Andacht. ,Ach, entschuldigen Sie', fragt dort ein altes Mütterchen einen besonders dumm und unsauber aussehenden Soldaten, der von Kindern und Ammen neugierig betrachtet wird, ,sind Sie nicht ein Kroat?' Und da er mit dem Kopfe nickt, legt sie einen Kreuzer in seine Hand und geht dann mit verklärtem Angesicht, als hätte sie ihn in den Gotteskasten geworfen, weiter." — Tagebuch eines Officiers aus der Suite des Banus: „Sehr gut geht es den Gränzern; wo sich ein solcher zerlumpter Held zeigt, drückt ihm ein vorübergehender Schwarzgelber, besonders Damen, ein Geldstück in die Hand." — „Der Lloyd" Abendblatt v. 30. Dec. Nr. 300 S. 2 brachte eine Erklärung des Gemeinde-Vorstandes von Inzersdorf am Wiener Berge „im Einverständnisse der Gemeinden Rothneusiedel und Ober-Laa" gegen „die albernsten Ausstreuungen", die unter dem Landvolke über die Kroaten herrschen und sie „als eine Horde Plünderer und Meuterer ohne alle Mannszucht" schildern; solchen Verläumdungen gegenüber geben die genannten Gemeinden „der Wahrheit Zeugniß, daß die Kroaten ein durch die strengste Disciplin, durch ein humanes Benehmen und durch Religiosität ausgezeichneter Truppenkörper seien" 2c. — Am bezeichnetsten dürfte wohl die Parallele sein, welche die „Volks-Zeitung" Gretschnigg's, ein eben so deutsch-thümelndes als militär-feindliches Blatt zwischen den kroatischen Officieren und jenen der s. g. deutschen Regimenter zieht (Nr. 30 v. 9. December „Wien in Belagerungs=

zuſtand" S. 118): „Zur Steuer der Wahrheit muß man bekennen·daß die kroatiſchen
Officiere, obſchon ſie nicht immer die feinſten Manieren haben, das achtungswertheſte
Corps ſind. Sie ſchämen ſich nicht ihrer Mutterſprache, leſen Journale, ſprechen
ganz human mit den Bürgern und ſcheinen das was ſie ſind in der That durch militäriſches Verdienſt geworden zu ſein, während die meiſten deutſchen Officiere von dem
Geiſte der Soldateska in des Wortes ſchlimmſter Bedeutung beſeelt ſind. Dieſe Letzteren
ſcheinen für nichts anderes zu kämpfen als für das Recht, Civilperſonen ungeſtraft
inſultiren zu dürfen, wie in der alten Zeit in welcher die Officiere einer Compagnie
ganze Städtchen zu tyranniſiren pflegten."

179) S. 176. Ausführliches darüber in der „Abend-Beil. z. Wr. Ztg." Nr. 200
v. 9. November. — Wir brauchen wohl nicht zu bemerken, daß wir hier keine Analyſe
von Jelačić' Charakter geben, ſondern nur die Eindrücke ſchildern wollen, die ſeine
Erſcheinung und ſein Weſen auf Solche machte die zu jener Zeit mit ihm in Berührung
kamen. „Dieſer Mann", hieß es z. B. im „Öſterr. Correſp." 1848 Nr. 7, „ſoll
einen wunderbaren Zauber auf alle ausüben die in ſeine Nähe kommen. . . . Sein
Inneres liegt klar vor jedem, Geheimniſſe hat er nicht." — Ein ungariſcher Alt-
Conſervativer ſchreibt am 14. November: „Je l'ai vu pour la première fois, c'est
un caractère rempli de feu et d'énergie, une intelligence active et remarquable,
une volonté de fer." Bewunderer des Fürſten Windiſchgrätz ſetzten freilich dieſen
feurigen Lobpreiſungen einen Dämpfer auf: „La figure de J. avec l'éclat inconte-
stable de son génie et de ses services, auquel s'attache cependant quelque chose
d'un peu théatral, semble placée là tout exprès pour faire ressortir une grandeur
d'une nature plus pure et plus élevée" (Privat, Staatskanzlei 27. Nov.). Schranken-
los aber war die Anhänglichkeit an ihn, die Verehrung für ihn, die Bewunderung all
ſeines Thun und Laſſens bei den jüngeren Officieren ſeiner Umgebung, zu denen auch
ſein feuriges theilnahmsvolles Weſen mehr paßte als zu den ältern Herren à la Zeisberg. „Wir ſprachen viel von alten Zeiten und lachten viel", trug einer der Erſtern
während des Wiener Aufenthaltes in ſein Tagebuch ein. „Wie ernſt ihn auch die
Gegenwart beſchäftigen mag, die Erinnerungen ſeiner Jugend ſind ihm eine Phantas-
magorie, ſtets willkommen in allen Wechſelfällen ſeines merkwürdigen Lebens. Das
Genie hat immer eine gewiſſe Naivetät die in Herz und Gemüth wurzelt." — In der
„Geißel" Nr. 78 v. 22. November S. 325 veröffentlichte eine Gräfin Théodore de
Pierreclau ein Huldigungs-Gedicht: À Son Excellence Mr. le L. G. Baron Jellachich,
Ban de Croatie", von Weil in's Deutſche überſetzt, das übrigens mehr Schmeichelei
als Geſchmack und guten Sinn verräth.

179b) S. 178. Am 16. November veröffentlichten ſie von Prag aus eine Erklärung, daß ſie ſich, entgegen den Gerüchten die ſie gefangen oder erſchoſſen ſein ließen,
im beſten Wohlſein befänden; Deutſche Ztg. a. B. Nr. 49 v. 18. November S. 350.

180) S. 178. Siehe: „Eine politiſche Flucht" in Kolatſchek's Deutſcher
Monatſchrift IV. S. 323: „Ich ſchloß die Augen und ſprang in den Graben; kein
heißes Blei pfiff mir nach, ich lag auf weichem kühlen naſſen Boden." Er ſchildert
ſodann ſeine Gefühle als er ſich, beſtaubt und beſchmutzt, gerettet ſah: „Nein, dieſe
Erde, die auf meinem Kleide haftete, war mir die Natur; ich hatte Monate lang ver-
geſſen daß es eine Natur gebe, ich war aus dieſem Häuſermeer nicht einen Augenblick
herausgekommen, und nun athmete ich die freie würzige Luft ein, ich ſah grüne Berge
vor mir, immer mehr und mehr war ich von dem Bilde ergriffen. Statt des Sturm-
geläutes, an das mein Ohr ſich einen Monat hindurch gewöhnt hatte, hörte ich ein
Summen und Weben in den ſtillen Lüften, jeder Schritt, den ich, nachdem ich die

wenigen Häuser zurückgelegt hatte, auf der freien Landstraße weiter machte, war eine
geistige Rettung. Anstatt des Angstrufes der Weiber, des Brummens der Bomben
und Kanonenkugeln, anstatt der Leichen, anstatt der kaiserlichen Soldaten sah ich die
Natur vor mir, die so lang für mich nicht bestanden hatte" u. s. w. — Eine aus=
führliche Beschreibung seiner Verstecke und seiner schließlichen Flucht besitzen wir auch
von Max Gritzner „Flüchtlingsleben, mit einem einleitenden Capitel von Moritz
Hartmann" (Zürich, Schabelitz 1867) vergl. mit „Wiener Boten" I. S. 64—72,
152—164, 241—246, 302—307. Einer seiner Schlupfwinkel war eine Kammer in
einer abgelegenen Wohnung, wo sich eine mit einer kaum bemerkbaren Tapetenthür
geschlossene Wandnische befand; in das unterste Fach, etwa drei Schuh im Gevierte,
hatte man Silberzeug verborgen das nun ausgeräumt wurde. „Ich kroch in den
Käfig wo ich mit gebücktem Kopfe, die Knie an der Nase, Platz fand; vor mich ließ
ich ein Madonnen=Bild stellen das gerade in den Raum paßte, und vor dieses etwas
Wäsche legen, so daß man, selbst wenn der Schrank entdeckt und geöffnet ward, das
Bild füglich für den Hintergrund des Faches halten konnte; zu mir nahm ich einen
Laib Brod, eine Flasche Wasser und noch ein unaussprechliches Gefäß. Die Tapeten=
thür wurde geschlossen und der Kleiderschrank vorgeschoben" (S. 11). Ungefähr vier
Stunden brachte er in diesem Raume zu, als ihm aufgekündigt wurde und er weiter
mußte; er fand einen Bekannten bei dem er eine Nacht zubrachte. Inzwischen hatte
er sich „den Paß eines Freundes", sein Vater ihm einen alten Knebelbart verschafft
den er „mit vieler Sorgfalt" in einen mächtigen Schnurrbart umwandelte und mit
Gummi festklebte; das Gesicht bräunte er sich „mit einer aus verschiedenen Ingredien=
tien zusammengebrauten Sauce", färbte sich, dem Schnurrbart entsprechend, Haar
und Augenbrauen „mit Cosmetique" und schnitt sich, da in der Personsbeschreibung
des Passes als „besonderes Kennzeichen" eine Narbe nächst dem Munde angegeben
war, mit dem Federmesser eine leichte Wunde in die Wange die rasch verharschte.
Endlich fand er am 4. November theils in einem Fiacre theils zu Fuß Mittel an
den Linienwall zu kommen, kroch an einer günstigen Stelle gebückt über die Höhe,
sprang von den Wachen unbemerkt in den Graben, auf der andern Seite wieder hin=
auf und war im Freien. Auf dem Wege über die Berge zwischen Heiligenstadt und
Greifenstein, wo sich ihm ein Bursche zugesellte, kam ihnen ein livrirter Bediente ent=
gegen, der sie fragte was „die rebellischen Hunde in der Stadt" machten. Sie prü=
gelten ihn weidlich durch, sie waren zwei gegen einen. Denken wir uns den Fall
umgekehrt, daß Gritzner zwei „Schwarzgelben" in den Wurf kam, denen gegenüber
ihm eine Frage über die „verthierten Söldlinge in Wien" entschlüpft wäre und die
ihn dafür durchbläuten, so würde das Gritzner ohne Zweifel einen Act ungeheurer
Rohheit und Gemeinheit genannt haben. Allein zu Unvorsichtigkeiten solcher Art ließ
es der Flüchtling nicht kommen. Wo er die Mehreren gegen sich hatte, zog er, wie in dem
Omnibus auf der Fahrt zwischen Wolkersdorf und Nikolsburg, „das dummste Gesicht"
und stellte sich „sehr erbaut" von den Reden der Andern (S. 43) oder schlug, wie in
der Bahnhof=Restauration von Lundenburg, „wie ein Liguorianer die Augen nieder"
(„Wiener Boten" a. a. O. S. 241; im „Flüchtlingsleben" hat Gritzner diese
Stelle unterdrückt, vielleicht auch „wie ein Liguorianer"?), oder mischte sich wohl gar
mit einem: „Wahrlich Sie haben Recht" scheinbar billigend in das Gespräch der
Übrigen (S. 46). Einen ganzen Tag in Lundenburg aufgehalten benützte er die ihm
gegönnte Muße, jene Stellen des Passes, die nicht recht auf ihn paßten, zu beschmutzen
und dadurch unkenntlich zu machen, fuhr dann mit dem Nachtzug ab und kam, ohne
von seinem falschen Ausweise Gebrauch machen zu müssen, bei Oderberg glücklich über

die Gränze auf preußisches Gebiet. — Fenneberg erzählt über die Umstände
seines Entkommens aus Wien in seiner „Geschichte der Wiener Octobertage"
nichts; in gleichzeitigen Tagesblättern aber war, angeblich auf Grund seiner eigenen
Mittheilungen, folgendes zu lesen: „Er war im Hause eines Schwarzgelben zufällig
anwesend, als eben Haussuchung angestellt wurde; eine mitleidige alte Magd versteckte
ihn in einen Backtrog den sie mit Teig überzog; über die Linie gelangte er in einer
mit Büchern garnirten Kiste, die zum Scheine an einen hohen Adeligen adressirt war."
— Über Mahler s. Gritzner a. a. O. S. 81—84 und „Geißel" Nr. 69 v. 11.
November S. 289: „Mahleriade":

> Herr Mahler aber, unser Held,
> Der nahm von Wien das Fersengeld,
> als kaum das Haus noch brannte;
> warf die Perrücke ab sogar
> und floh mit echtem rothen Haar —
> wer weiß wohin er rannte! ꝛc.

181) S. 179. Schuselka Revolutions-Jahr S. 432.

182) S. 181. Über Terzky's Verhaftung s. Fröbel Briefe über die Wiener
October-Revolution S. 50—52; über Padovani ebenda S. 58—61. Schütte wußte
sich's, wie er in seiner „Wiener October-Revolution" S. 81 f. selbst erzählt, nicht zu
erklären wienach ihn der Feldmarschall neben dem Polen Bem und dem Ungarn Pulszky
auf die Liste der Auszuliefernden habe setzen können; „etwa nur damit er als Deutscher
die Trias vollmache?" Zu viel Ehre thut sich Schütte jedenfalls an wenn er meint,
Windischgrätz habe ihm gegrollt weil er, Schütte, am 19. März an der Spitze einer
Deputation die Enthebung des Fürsten verlangt habe der dann auch „unmittelbar darauf"
zurückgetreten sei; dies habe ohne Zweifel bei Windischgrätz „einigen persönlichen Haß"
zurückgelassen. Die Sache war ganz einfach die, daß der Feldmarschall Schütten für
ein gefährlicheres Individuum hielt als er in Wahrheit war. Als die neuen Minister
in der ersten Hälfte November nach Wien kamen, muß die Meinung von Schütte drohendem Verderben noch immer verbreitet gewesen sein, weil Stadion ausdrücklich zu dem
Zweck, Windischgrätz vor einer Voreiligkeit in dieser Hinsicht zu warnen, Eduard Warrens nach Schönbrunn sandte. Nachdem Warrens hier seinen Wunsch, vorerst mit General Mertens über den Gegenstand zu sprechen, an Mann gebracht hatte, wurde er
von einem ältern ganz einfach gekleideten Herrn in ein Zimmer gezogen, wo er sich
seines Auftrages mit aller Vorsicht entledigte. „Was meinen Sie denn?" fragte der
Andere nachdem er ihn angehört; „hält man uns für Wütheriche, die Leute, die uns
nicht gefallen, auf blosen Verdacht hin hängen und erschießen lassen?" Warrens bat
nun, die Sache an den Fürsten gelangen zu lassen. „Ja, welchen Fürsten meinen Sie
denn?" „„Den Fürsten Windischgrätz, den Feldmarschall."" „Nun, dann brauchen
Sie sich nicht weiter zu bemühen, der bin ich selbst." Ohne Zweifel hatte sich Warrens
den vielverschrienen Wau-wau, dem „der Mensch erst vom Baron" anfing, in Haltung
und Sprache ganz anders vorgestellt als ihm der Vertrauen erweckende Herr, der sich
ohne Anstand mit „Herr General" anreden lassen, erschienen war. — So viel uns
von den Einzelnheiten bestimmter Verhaftungen, z. B. Blum's Fröbel's Messenhauser's,
bekannt geworden, ging alles nicht blos mit Anstand sondern auch mit möglichster
Rücksicht und Schonung der Betroffenen vor sich; dies stimmt auch mit dem zusammen was im allgemeinen über die löbliche Haltung des Militärs und das maßvolle
Benehmen der Officiere in Wien verlautete. In einzelnen Fällen mögen allerdings —
unser Herr hat ja verschiedene Kostgänger! — Ausschreitungen und Rohheiten unter-

laufen sein; so lang uns aber für derartige Vorgänge, wie z. B. daß man die Perin im Polizeihause geschlagen, bei den Haaren gerissen; daß man die Schauspielerin Villata, die über einen Gefangenen Auskunft geben sollte, in unvollendetem Anzuge und mit blosem Kopfe zwischen Sicherheitswachmännern aus der Vorstadt in die Stadt geführt; daß man die in den Wehen befindliche Gattin Fenneberg's drei Stunden außer Bett gehalten, ihr zuletzt 25 fl. und zwei silberne Löffel gestohlen habe u. dgl. m.; so lang uns, sagen wir, für derlei Vorgänge keine glaubwürdigeren Zeugen vorgeführt werden als E. Grüner (October=Revolution S. 327) oder Fenneberg (Geschichte der Wiener Octobertage II. S. 435*), so lang müssen wir uns erlauben dieselben in das Bereich leerer Erfindungen oder doch arger Übertreibungen zu verweisen.

183) S. 182. Fröbel Briefe S. 72 f.

184) S. 182. Fröbel a. a. O. S. 79 f. — Selbst die „Wiener Boten" heben „das wahrhaft aufopfernde gemäßigte, ja freisinnige Verfahren der Central=Commissions= Beisitzer Felsenthal Festenburg Seemann, und vor allem des menschenfreundlichen und hochherzigen General=Auditors Linhart" mit Ausdrücken wärmster Anerkennung hervor; s. Correspondenz aus Wien v. 8. Jänner 1849 I. S. 105.

185) S. 189. In den Augen gewisser Partei=Genossen konnte das Benehmen von Officieren gar nicht anders als gemein roh „brutal" erscheinen, und so dürfen wir uns denn über die Beschreibung die uns Füster (Memoiren II. S. 227—229) von den Einzelheiten jenes Besuches macht durchaus nicht wundern. Wenn er aber diesen Officier sagen läßt: „Ich bin der Sohn des Präsidenten von Gagern" und wenn er von einem Cameraden desselben die Bestätigung dieses Umstandes erhalten haben will, so können wir nur bedauern, weder in dem Militär=Schematismus von 1848 noch im freiherrlichen Taschenbuch dieses und des folgenden Jahres einen Sohn Gagern's, oder wie der Frankfurtianer Füster schreibt „Gaggern's", der dies gewesen könnte, gefun= den zu haben.

186) S. 189. In einem durch mehrere Numern des N. W. Tagblatt 1868 oder 1869 erschienenen Feuilleton=Artikel: „Häuser vor denen man stehen bleiben soll: Die Salzgries=Caserne" gibt Friedrich Kaiser an, er sei, nachdem er für seine Person bereits die Freiheit wiedererlangt, eines Tages in das Stabsstockhaus vorgeladen worden um über Franck Zeugenschaft abzulegen, was er denn auch nach seiner innigsten Überzeugung durchaus zu dessen Gunst gethan habe.

187) S. 190. Bezeichnend in Smolka's Eingabe ist es, daß er von dem am 1. November unter seinem Vorsitze gefaßten Beschlusse, sich am 15. wieder „in Wien" zu versammeln, nichts erwähnt; im Gegentheil, unter den Gründen, die für die sogleiche Freilassung der verhafteten Reichstags=Abgeordneten sprächen, führt er auch den an, „wie gefährdet" im andern Falle „die Reise nach Kremsier und die Versammlung zu Kremsier erscheinen müsse." Die Nachricht von der Gefangenhaltung Füster's im Stabsstockhause war Smolka ohne Zweifel auf mündlichem Wege zugekommen; die Verhaftung Smreker's in Wiener=Neustadt erfuhr er durch eine Zuschrift, welche sechs eben in Gloggnitz befindliche in der Abreise in ihre Heimat begriffene Reichs= tags=Abgeordnete am 4. November 9 Uhr Abends an ihn richteten; es waren Franz Wojtech (Wildon, Stei.), Karl Königshofer (Grätz, rechtes Mur=Ufer), Niclas Forcher (Judenburg, Stei.), Joseph Halm (Leibnitz, Stei.), Jos. Schlegel (Völkermarkt, Illyrien), Karl Wiser (Linz). — In der Biographie Smolka's von Widmann (Karol Wid- mann. Franciszek Smolka. Wspomnienie biograficzne. Lwów, Jasieński, 1868) muß man stets auseinanderhalten: was Smolka in seinen von Widmann benützten zeitgenössischen Briefen sagt, und was uns der Verfasser im Texte erzählt. Tragen

jene begreiflicherweise den Stempel subjectiver Befangenheit des mitten in die Ereig=
nisse hineingestellten Briefschreibers an sich, so läßt dieser in der Verehrung für seinen
Helden die Thatsachen mitunter in einem Lichte erscheinen das dem wahren Sachver=
halte nur zum geringsten Theile entspricht. Ein auffallendes Beispiel liefert die so
eben besprochene Eingabe Smolka's an Wessenberg. Wir haben in unserem Texte
S. 190 den Hauptinhalt derselben angedeutet, wir haben ihren vollständigen Wortlaut
in unseren Anhang S. 27 f. aufgenommen. Nun vergleiche man damit was man
bei Widmann zu lesen bekommt! Smolka habe, heißt es daselbst S. 202 f., Ver=
wahrung eingelegt „daß er auf keine Weise gestatten könne daß Reichstagsabgeordnete
vor, Gericht geladen werden; sie zu verhören erlaube er nur in seiner Gegenwart und
in seinem Präsidialbureau und nur als Zeugen; er behalte sich darum auch das Recht
vor, die gerichtliche Untersuchung jeden Augenblick zu sistiren („każdej chwili vstrzy-
mać indagacyę) sobald er wahrnehme daß man den Abgeordneten nicht als Zeugen
sondern als Beschuldigten vernehmen wolle." In Folge dieser Einsprache Smolka's,
erzählt Widmann weiter, sei man davon abgegangen die Abgeordneten vor Gericht
zu laden; „dagegen fand sich das Gericht selbst, bestehend aus zwei Generalen und
einer ganzen Reihe von Subalternen bis zum Unter=Officier, im Bureau Smolka's
ein und nahm da mit allen militärischen Ehren (z wszelką czcią wojskową) die
Einvernehmung der als Zeugen eingeladenen Abgeordneten vor."

188) S. 191. Über Füster's Schicksale vom 1. bis 9. November f. „Memoiren"
II. S. 227—241.

189) S. 191. Friedrich Kaiser a. a. O. will uns namentlich von der Salz=
gries=Caserne glauben machen, „kein Morgen" sei vergangen „an welchem nicht drei
bis zehn solcher Füsilladen vorgenommen wurden." Er weiß uns von einem „blut=
jungen Menschen" zu erzählen, der im Dominicaner=Keller in einem Zeitungsblatte
„wieder eine Menge von der Herzensgüte des Fürsten Windischgrätz zeugende Begna=
digungen, nämlich vom Galgen zu Pulver und Blei" gelesen und dabei ausgerufen
habe: „Wenn's der Windischgrätz so forttreibt, so geht's ihm noch wie dem Latour";
er wurde gepackt, in die Caserne am Salzgries gezerrt, daselbst verhört verurtheilt und
am andern Morgen im Hofe derselben erschossen. — Prüfen wir den Werth der
Kaiser'schen Behauptungen! Für's erste erzählt er nicht als Augenzeuge, sondern
nur vom Hörensagen; er hat, während er durch einige Tage, und zwar in der ersten
November=Woche, im Stabsstockhause gefangen saß, aus der benachbarten Salzgries=
Caserne Schüsse vernommen, und da hat er sich gesagt oder irgend einer vom Gefan=
genhaus=Personale hat es ihm gesagt: „auf jeden Schuß ein Student!" Denn daß
manche Individuen jener Kategorie ein grausames Spiel damit trieben, die Angst der
armen Gefangenen durch Mittheilungen oder versteckte Andeutungen solcher Art zu
erhöhen, war leider Thatsache. Was nun die Erzählung von dem „blutjungen Menschen"
betrifft dessen Namen Friedr. Kaiser übrigens nicht angibt, so fällt gleich auf daß,
wenn derselbe in einer Zeitung „wieder eine Menge" Windischgrätz'scher Begnadigun=
gen vom Strick zur Kugel gelesen haben soll, dies erst in der zweiten Hälfte
November, also zu einer Zeit wo Kaiser lang schon wieder frei und ledig war, geschehen
sein kann; denn das erste Todesurtheil stand in der „Wiener Zeitung" vom 10., das
zweite vom 11., das dritte vom 12., worauf dann in der Abend=Beilage vom 15. und
im Morgenblatt vom 16. drei vollzogene Todesurtheile auf einmal zu lesen waren.
Einen Tag später, 8 Uhr Früh, wurde ein gewisser Anton Brogini standrechtlich er=
schossen, weil er „in einem hierortigen Gasthause in Gegenwart mehrerer Gäste vom
Civil= und Militär=Stande . . . Drohungen über die nothwendige Ermordung hoher

Verfahren" ausgetauscht hatte. Das nur als Inneise, wenn man dem Ausdrucke "Absetzung" eine etwas weitere Deutung geben will — Bergan war 29 Jahre alt —, der von F. Kaiser anderen Zeit nur reine Dramen nicht wie Kaiser erzählt, im Orte der Salzgries-Gaserne erhalten sondern im Stadtverwies er wurde auch nicht hormals erschossen sondern standrechtlich nach verublich erfolgtem Urtheil. Wenn uns Kaiser erzählt, er sei nahezu einer Rache Bartmaruschs Fitzers gewesen, "welchen man, als er von Bremsen nach Gin den ersten Novembertage ¹) über die vermischte Grenze flüchten wollte, in Bunzlo arretirt hatte" ¹): aber wenn er uns glauben machen will, daß er im französischen Berichte in einem Augenblicke wo es sich bei ihm um Leben und Tod handelte, sich verschmet habe wie er am 13. März der erste die Constitution verkündet, wie er am 13. Mai die Sturm-Petition mitgemacht, wie er am 26. Mai Legionäre in die Stadt auf die Barrikaden geführt, wie er am 6. October das ihm "gegenübersiehende Bataillon Nassau in die Flucht geschlagen": so kann man über derlei Dinge, die ein Belletrist unter dem Strich seinen Lesern auftischt, achselzuckend hinwegsehen. Aber geradezu gemißbilligt muß man es nennen, wenn ein Schriftsteller von vielfach geachtetem Namen Bedauerungen von tief ernster Bedeutung, wie sie von den alltäglichen "Füsillaten" in der Salzgries-Gaserne, mit einem Tone der Zuversicht wagt, der 99 unter 100 Lesern eines weitverbreiteten Blattes verleiten muß Thatsachen für erwiesen anzunehmen die eben so gehäßig als unwahr sind. — Wie nach Friedrich Kaiser in der Salzgries-Gaserne, so ging es nach einem Artikel des Pariser "National", von der Wr. Ztg. Nr. 342 v. 24. December in deutscher Übersetzung abgedruckt, in Hetzendorf her. (Eines Tages wurden 12 "Studenten" unter den rohesten Beschimpfungen und Mishandlungen gezwungen ihr eigenes Grab zu graben; dann sollten sie die Augen sich verbinden lassen und niederknien; allein einer von ihnen rief aus: "Es ist an Euch, elende Söldlinge, die Knie vor uns zu beugen"; zwei Minuten später haben diese "Kinder" ihr Leben ausgehaucht. Diese ganze Scene hat "ein Gefangener des Fürsten Windischgrätz" mit eigenen Augen angesehen; man hatte ihn eigens für diesen Zweck aus seiner Haft "in's Freie geführt"!!! In einem Artikel der Wr. Ztg. Nr. 344 v. 27. Dec. S. 1500 wird im Hinblick auf diese und ähnliche Schamlosigkeiten des französischen Journals versichert, daß von 200 Gefangenen, die sich durch zwei oder drei Tage in Hetzendorf befanden, nur zwei mit den Waffen in der Hand Ergriffene, darunter ein abtrünniger Soldat, "kriegsgerichtlich behandelt und mit Pulver und Blei hingerichtet" worden seien.

100) S. 102. Schuselka "Revolutionsjahr", der übrigens bei seiner ganzen Erzählung S. 408 f. allein Blum im Auge hat, spricht vielleicht eben darum nur von "einem" Wagen in den er "einige Männer" steigen sah; allein Fröbel Briefe S. 48 sagt ausdrücklich, jeder von ihnen sei "gesondert" nach dem Stabsstockhause transportirt worden.

101) S. 103. S. den vollständigen Wortlaut bei Arthur Frey "Zur Erinnerung an einen Todten! Robert Blum" 2c. (Mannheim, Grohe, 1849) S. 188.

102) S. 104. Fröbel sprach diesen Verdacht in seiner Frankfurter Rede (stenogr. Ber. V, S. 3420 f.) ziemlich unverhüllt aus ohne jedoch einen Namen zu nennen, so daß Schütte "October-Revolution" S. 77 auf Preßlern von Sternau rieth. Allein in Wien blieb es nicht lang unbekannt wer Blum's und Fröbel's Stubengenosse gewesen, und Parovani veröffentlichte nun einen scharfen, französisch geschriebenen Brief an Fröbel, der ihm in einem ausführlichen deutschen Schreiben ausweichend antwortete; beides abgedruckt im Anhang zu Fröbel's Briefen S. 98—105. In seinen späteren Briefen über die October-Revolution bezichtigte Fröbel Parovani

zwar nicht ausdrücklich der Spionage, allein er läßt sich S. 59—61 über dessen zwei=
deutiges Benehmen und Schicksal in einer Weise aus, die merken läßt daß sein anfäng=
licher Verdacht keineswegs gewichen sei. Die Umstände, die Fröbel zu diesem seinen
Argwohn führten, verrathen eine sehr kleinstädtische Auffassung. Einmal Padovani's
äußere Erscheinung und auffallendes Tragen: er sei in die Haft gekommen „sehr fein"
gekleidet, „neue Glacé=Handschuhe an den Händen"; sein Koffer sei „mit allen mög=
lichen Bequemlichkeiten" versehen gewesen; ein „prachtvoller" seidener Schlafrock, ein
goldgestickter Tabaksbeutel habe sich in der kerkerlichen Umgebung „sehr wunderlich"
ausgenommen 2c. Dann Padovani's Verhalten bei dem Protest am 8.: er sei es
vorzüglich gewesen auf dessen „eifriges Zureden" Blum den Protest aufgesetzt, und der
dann „im höchsten Grade zudringlich" sich angeboten habe den Aufsatz in's reine zu
schreiben „wofür er seine Langeweile als Motiv angab" 2c. Warum sollte denn dieses
Motiv, so meinen wir, kein wahres gewesen sein? Fröbel scheint geargwohnt zu haben,
daß Padovani in die Reinschrift allerhand hineinbringen möchte was im Aufsatze nicht
stand. Aber war denn so etwas auch nur denkbar? Blum und Fröbel hätten ja die
Reinschrift jedenfalls zur Beisetzung ihrer Namen noch einmal in die Hand bekommen!
Ferner bringt Fröbel die Überreichung des Protestes, auf die Padovani so „eifrig"
gedrungen, mit Blum's Schicksal in die unmittelbarste Verbindung. „Dieser Protest
ist allerdings berücksichtigt worden", sagte Fröbel am 18. November in der reformirten
Kirche; „Sie sehen es in dem Tode Blum's, auf welche Weise; Blum's Tod ist die
augenblickliche Antwort auf diesen Protest. Der Protest wurde geschrieben um 4 Uhr,
um 6 Uhr wurde Blum zum Verhör gerufen, um 8 Uhr war das Verhör aus, am
andern Morgen um 6 Uhr wurde ihm das Urtheil angekündigt und er um 7 Uhr
erschossen." Fröbel berechnete dann weiter: „Die Zeit von zwei Stunden ist ungefähr das
was nothwendig war, um den Protest nach Hetzendorf zum Fürsten Windischgrätz zu
bringen und einen Befehl als Antwort zu erhalten." Im Zusammenhange mit diesen
Ausführungen Fröbel's steht, was er in seinen Briefen S. 48 f. ausführt, daß der
Entschluß einen von ihnen beiden „mit dem Tode büßen zu lassen" nicht unmittelbar
nach ihrer Verhaftung, sondern „erst später, ich glaube definitiv erst am 8. entstanden
ist." Fröbel's Schlußfolgerung war also diese: „Der eigentliche Grund warum man
Blum hingerichtet, war, um der deutschen National=Versammlung in Frankfurt einen
Schimpf anzuthun; dazu bedurfte man eines eclatanten Schrittes von Blum's Seite
womit er seine Eigenschaft als Mitglied geltend machte; nm ihn zu diesem Schritte zu
vermögen, wurde Padovani als agent provocateur zu den Beiden in's Gefängnis
gegeben; nachdem man hatte was man wollte brachte man ventre-à-terre den Aufsatz
nach Hetzendorf, damit der Fürst Einsicht nehme ob der Protest nach Wunsch formulirt
sei, um ihm dann durch die Erschießung Blum's in auffallender Weise zuwiderhandeln
zu können." Wenn Fröbel seinen verschwommenen Vermuthungen in solcher Weise
feste Gestalt gegeben hätte, würde er selbst mit besonnenem Ernst daran haben glauben
können?! Was namentlich die Verzögerung des Verhörs vom 4. bis zum 8. betrifft,
so erklärt sich dieselbe ganz einfach daraus, daß man um der größern Vollständigkeit
der Untersuchung willen erst noch einiger anderer der Hauptbetheiligten habhaft werden
wollte, wie denn in der That bei Blum's Verhör am 8. bereits eine der Aussagen
Messenhauser's benützt wurde. Außerdem wurden am 8., noch vor dem Verhöre mit
Blum, vernommen: Pietro Giacomuzzi Besitzer der Spezerei=Handlung im Schlosser=
Gassel, der Wirth Mathias Kohlbauer, der Zahlkellner Franz Maireder und der
Kellner Leopold Übel des Gasthauses „zum rothen Igel", Orte wo die Leute des
October=Aufstandes einander zu treffen pflegten; dann Ignaz Kuranda Eigenthümer

Dienste sich einzufinden wie es wohl selbst gern wünschen möchte, dann fällt dies alles ausschließlich dem Belagerungszustand zur Last, soll dieser unerträglich sein und wird jede Erinnerung an dasjenige, was zu dessen Anordnung zwang, sorgfältig vermieden; da gibt es keinen Uebergang aus dem Gesetzlosen zum Geregelten."

167) S. 168. „Wie Don Quirotte gegen die Windmühlen, so ist der Wiener Demokrat schon längst gegen das Traumgebilde der Reaction in den Kampf gezogen. Als aber die Windmühle sich in einen wirklichen Riesen verwandelte, da vermochte der Ritter der neuen Romantik nichts gegen den letzteren, weil er in dem phantastischen Kampfe gegen die erstere alle Kraft erschöpft hatte." Gränzboten 1848 IV. S. 356. — S. auch Const. Bl. a. B. Nr. 112 v. 8. Nov. Beil., wo es von der Stimmung der besiegten und entwaffneten Partei in den ersten Tagen nach der Einnahme heißt :„ Trotzdem existirt noch ein ganzes großes Regiment unentwaffnet innerhalb der Linien und Mauern Wiens; ein Regiment das auf Flügelrossen einherreitet, das mit seinen Geschoßen meilenweit die Thurmknöpfe trifft, und das unbesiegbar ist trotz allen Armeen Bomben und Granaten. Die Montur dieses Regiments ist wolkenblau mit nebelgrauen Aufschlägen, und der Inhaber desselben ist seit uralten Zeiten die allbekannte Familie ,Wenn'. Das Regiment ,Wenn' hat noch Gewehr Bajonnet und wohlgefüllte Patrontasche, und jeden Moment gibt es eine Salve wovon das gesunde Urtheil und die politische Raison viel leidet. Die eine Salve heißt: wenn die Ungarn früher gekommen wären! Die andere: wenn der Landsturm gekommen wäre! Die dritte: wenn die Soldaten übergegangen wären! Die vierte: wenn der Reichstag eine provisorische Regierung eingesetzt hätte! Die fünfte: wenn man die Reichen nicht fortgelassen hätte! Die sechste: wenn man am 6. gleich nach Schönbrunn wäre und den Kaiser hereingebracht hätte! Die siebente: wenn die Olmüzer den Kaiser hergebracht hätten! Die achte: wenn die Ungarn gesiegt hätten! Die neunte: wenn der Reichsverweser die Belagerung verboten hätte! Die zehnte: wenn die Italiener wieder aufgestanden wären! Die eilfte: wenn man das Auersperg'sche Lager gleich angegriffen hätte! Die zwölfte: wenn man den Räuberhauptmann Jelačić mit seinen Horden vernichtet hätte! Mit diesem Dutzend wird der Leser einen Begriff haben, daß das Regiment ,Wenn' weder zu besiegen noch zu entwaffnen ist. Wer Irrwische für Meilenzeiger hält glaubt den rechten Weg zu gehen, selbst wenn er im Sumpfe watet." — In humoristischer Weise läßt „der Bote von der Eger" Nr. 36 v. 10. Dec. einen „ruinirten Demokraten" von seinem Diener erzählen: „Wir sind ruinirt, ruft er aus so oft er eine neue Verurtheilung liest. Er zählt die Schritte die jeder Soldat macht, und bringt dann freilich eine hübsche Zahl ,Fortschritte der Militär-Despotie' heraus. Er sieht des Tages nur Spießbürger und starre Conservative, träumt des Nachts nur von russischen Allianzen, und ist des Morgens müde von gestrigen Neuigkeiten und heutigen Befürchtungen. Samstag Abends will er regelmäßig auswandern, wenigstens nach Hamburg, um dort sogleich in ein Schiff nach America zu springen sobald er vom Einrücken der ersten Kozaken hört."

168) S. 168. Zwei Fälle der letztern Art, die man sich damals in der ganzen Stadt erzählte, brachten die „Gränzboten" IV. S. 364. Eine charakteristische Schilderung jener „Hyänen der Reaction" s. im N. Wr. Tagblatt 1870 Nr. 315 v. 14. November: „Das Denuntianten-Corps." Auch Lyser (1. Auflage S. 104) erzählt — ob es wahr ist, bleibe dahingestellt —, wie ihm „ein solches Subject" gedroht habe ihn „als liberalen Schriftsteller" bei der Stadthauptmannschaft anzugeben, wenn er sich nicht mit 17 fl. C.-M. „auslöse." „Solche himmelschreiende Thatsachen, die

auch den Friedfertigsten zur Wuth und Widersetzlichkeit gegen die Behörden, unter deren Augen sie sich begeben, reizen müssen, möge man nicht übersehen."

169) S. 171. Daher war es völlig grundlos wenn die Redaction noch am 8. klagte (Nr. 313 S. 4931 f.): „noch habe Windischgrätz ihren Blättern, die in Österreich Leser nach Tausenden zählen, den Eingang nicht gestattet." Die A. A. Ztg. verletzte überhaupt durch den verbitterten Ton und vielfache Entstellungen des wahren Sachverhaltes die österreichischen Patrioten weit und breit, wie sich denn unter andern Prokesch in Athen veranlaßt sah Freiherrn von Cotta, den er persönlich kannte, auf diese Haltung seines Blattes aufmerksam zu machen.

170) S. 172. Hist. polit. Blätter 1849 I. S. 177. S. auch ebenda S. 140 f.: „Man muß absichtlich über das Vorhergegangene hinwegsehen oder in demselben bei weitem nicht den abnormen Zustand erblicken dessen Befürchtung tausende und aber tausende durch ihre eilige Flucht aus Wien an den Tag legten, um schon am 5. November von ,Härte des Belagerungszustandes‘, von ,unerhörten Polizei-Maßregeln‘ zu sprechen, die ,so quälender und erschütternder Art, zugleich so pedantisch und lächerlich‘ wären, daß ,nicht genug Worte der Entrüstung‘ zu finden seien." In gleichem Sinne schrieb der durchaus nicht wohldienerische —d Correspondent des Const. Bl. a. B. (Nr. 113 v. 9. Nov. Beil.) schon am 7.: „Stände das Militär nicht auf den offenen Plätzen um die Feuerstellen wo sie sich wärmen und das ärmliche Essen kochen, man wüßte nichts von Belagerung Bombardement und Militär-Herrschaft." — Den Vorfall mit dem Flötenspiel des Bäckermeisters Gerber am Peter erwähnt Heinrich Reschauer in einem Feuilleton-Artikel: „Die Nachtigall am Peter" im „N. Wr. Tagbl." (Anfangs Juni 1870.)

171) S. 172. Dunder S. 886. — Mit Kundmachung vom 2. November wurden vom Gemeinderath „sämmtliche Auszahlungen an Löhnungsbeträgen, sowie die Verabreichung von Brod und Wein gänzlich eingestellt."

172) S. 173. Mitglieder der Arbeiter-Commission waren: Dr. Jur. Ferd. Mayer (Leopoldstadt), Zimmermeister Franz Jacks (Rossau), Handelsmann Jos. Graf (Margarethen), Med. Dr. Hier. Beer (Neubau), Stadtbaumeister Karl Prantner (Marg.). Prof. Karl Rösner (Kärnt. B.), Zimmermeister Christoph Scheuerle (Rossau), Goldarbeiter Aloys Müller (Schottenfeld), Tischler Karl Steinsdorfer (Alser), Prof. Ludwig Förster (Leop.), Holzhändler Aloys Angerer (Landstr.) und Maschinen-Fabricant Vincenz Prick (Landst.). Mit der Arbeiter-Sichtung wurde der schon bei der frühern Sichtungs-Commission verwendete stadthauptmannschaftliche Commissär Prucha mit Beihilfe von drei Tagschreibern betraut; Prof. Förster bildete das Mittelglied zwischen diesem Bureau und dem Gemeinderathe.

173) S. 173. Die Widmung lautete oft ausdrücklich ‚für die Hinterbliebenen der in den letzten Kämpfen Gefallenen." — In den Verzeichnissen, welche die Wiener Blätter veröffentlichten, spielte bei den Einsendern von Unterstützungsgeldern das Schwarzgelbthum eine hervorragende Rolle: „Von einer schwarzgelben Beamtenfrau, eingehändigt durch eine schwarzgelbe Tyrolerin", „ein schwarzgelber Schlesier, Mährer, Czech", „ein Schwarzgelber in fest aufgetragener Farbe", „Halt's fest z'samm', constitutionelle Schwarzgelbe" u. dgl. a.

174) S. 174. Hist. pol. Blätter a. a. O. S. 173. Übrigens ging es den armen Teufeln, die meist keine Idee hatten wie viel so ein bedrucktes Stück Papier bedeute und dann einzig an die Ehrlichkeit der Wechselnden angewiesen waren, mitunter ziemlich schlecht; siehe z. B. „Österr. Courier" Nr. 262 v. 12. November S. 1054: „Verunglückter Geniestreich zweier industrieller Damen"; und irgendwo im Öster-

7

Corresp.: „Ein Bankier wurde bei Baden von einem Kroaten mit Halt angerufen. Der Posten trat heran und hielt eine Zwei Gulden-Note in den Augen. Der Reisende hielt ihm einige Zwanziger mit etwas Kupfermünze entgegen. Der Kroate nahm sich sechs Stück Zwanziger und ging lachend weiter. Kurz darauf heißt es wieder Halt! und es erscheint ein Zweiter mit einem Guldenzettel. Einer der Angerufenen hält ihm zwei Groschen, die letzten die er hat, vom neuesten Gepräge hin. Der Kroate greift in die Tasche, holt zwei schmutzige Zwanziger hervor, tauscht sie aus und geht seiner Wege."

175) S. 174. Pröhle „Aus dem Kaiserstaat" S. 229 f. — Das Büchelchen, das er in den Händen der Soldaten sah, war ohne Zweifel der damals bei Karl Überreuter in Wien erschienene „Zpěvník slovanský", dessen erstes Heftchen zehn, von Karl Havlíček's köstlichem Humor travestirte böhmische Volkslieder enthielt.

176) S. 174. „Das Militär beträgt sich, einzelne Fälle ausgenommen, gut und freundlich." C. A. Ritter (Redacteur des frühern „Wiener Postillen", nichts weniger als belagerungsfreundlich) a. a. O. S. 6. — „Das deutsche böhmische und italienische Militär hielt strenge Mannszucht und ließ sich keinen Exceß zu Schulden kommen." Lyser in der noch nicht „in usum Delphini" ummantelten ersten Ausgabe seiner „Wiener Ereignisse." S. 99. — „Hier im Innern der Stadt hielt das Militär auch von vornherein im Ganzen strenge Mannszucht: höchstens bat ein zerlumpter Kroat mit freundlichem Grinsen um eine kleine Gabe." Gränzboten IV. S. 394. — „Die Officiere — Recht dem Recht gebührt! — tragen durch ihr Benehmen viel dazu bei, die Stimmung des Wiener Gemüthes einem ruhigeren Hafen zuzulenken. Ich habe Gelegenheit gehabt viele von ihnen kennen zu lernen und muß gestehen, in einer Mehrzahl in der der Einzelne zur Nullität verschwindet, eine ganz achtbare Ansicht in Betreff der so vielfach für gefährdet gehaltenen Freiheiten gefunden zu haben." Const. Bl. a. B. Nr. 113 v. 9. Nov. Beil. — Vgl. unsern Band I. Anm. ²⁹⁶).

177) S. 175. Correspondenz der Nár. Now. Nr. 179 v. 7. Nov. S. 704: „Z Wídně dne 2. listopadu."

178) S. 175. Pröhle a. a. O. S. 226 f.: „Gutmüthig lächelt uns die Militär-Herrschaft aus den Augen dieser Kroaten an" ꝛc. „Und die Schwarzgelben geben ihnen mit Andacht. ,Ach, entschuldigen Sie', fragt dort ein altes Mütterchen einen besonders dumm und unsauber aussehenden Soldaten, der von Kindern und Ammen neugierig betrachtet wird, ,sind Sie nicht ein Kroat?' Und da er mit dem Kopfe nickt, legt sie einen Kreuzer in seine Hand und geht dann mit verklärtem Angesicht, als hätte sie ihn in den Gotteskasten geworfen, weiter." — Tagebuch eines Officiers aus der Suite des Banus: „Sehr gut geht es den Gränzern; wo sich ein solcher zerlumpter Held zeigt, drückt ihm ein vorübergehender Schwarzgelber, besonders Damen, ein Geldstück in die Hand." — „Der Lloyd" Abendblatt v. 30. Dec. Nr. 300 S. 2 brachte eine Erklärung des Gemeinde-Vorstandes von Inzersdorf am Wiener Berge „im Einverständnisse der Gemeinden Rothneusiedel und Ober-Laa" gegen „die albernsten Ausstreuungen", die unter dem Landvolke über die Kroaten herrschen und sie „als eine Horde Plünderer und Meuterer ohne alle Mannszucht" schildern; solchen Verläumdungen gegenüber geben die genannten Gemeinden „der Wahrheit Zeugnis, daß die Kroaten ein durch die strengste Disciplin, durch ein humanes Benehmen und durch Religiosität ausgezeichneter Truppenkörper seien" ꝛc. — Am bezeichnetsten dürfte wohl die Parallele sein, welche die „Volks-Zeitung" Gretschnigg's, ein eben so deutschthümelndes als militär-feindliches Blatt zwischen den kroatischen Officieren und jenen der s. g. deutschen Regimenter zieht (Nr. 30 v. 9. December „Wien in Belagerungs-

zuſtand" S. 118): „Zur Steuer der Wahrheit muß man bekennen daß die kroatiſchen
Officiere, obſchon ſie nicht immer die feinſten Manieren haben, das achtungswertheſte
Corps ſind. Sie ſchämen ſich nicht ihrer Mutterſprache, leſen Journale, ſprechen
ganz human mit den Bürgern und ſcheinen das was ſie ſind in der That durch militäriſches Verdienſt geworden zu ſein, während die meiſten deutſchen Officiere von dem
Geiſte der Soldateska in des Wortes ſchlimmſter Bedeutung beſeelt ſind. Dieſe Letzteren
ſcheinen für nichts anderes zu kämpfen als für das Recht, Civilperſonen ungeſtraft
inſultiren zu dürfen, wie in der alten Zeit in welcher die Officiere einer Compagnie
ganze Städtchen zu tyranniſiren pflegten."

179) S. 176. Ausführliches darüber in der „Abend-Beil. z. Wr. Ztg." Nr. 200
v. 9. November. — Wir brauchen wohl nicht zu bemerken, daß wir hier keine Analyse
von Jelačić' Charakter geben, ſondern nur die Eindrücke ſchildern wollen, die ſeine
Erſcheinung und ſein Weſen auf Solche machte die zu jener Zeit mit ihm in Berührung
kamen. „Dieſer Mann", hieß es z. B. im „Öſterr. Correſp." 1848 Nr. 7, „ſoll
einen wunderbaren Zauber auf alle ausüben die in ſeine Nähe kommen. . . . Sein
Inneres liegt klar vor jedem, Geheimniſſe hat er nicht." — Ein ungariſcher Alt-
Conſervativer ſchreibt am 14. November: „Je l'ai vu pour la première fois, c'est
un caractère rempli de feu et d'énergie, une intelligence active et remarquable,
une volonté de fer." Bewunderer des Fürſten Windiſchgrätz ſetzten freilich dieſen
feurigen Lobpreiſungen einen Dämpfer auf: „La figure de J. avec l'éclat inconte-
stable de son génie et de ses services, auquel s'attache cependant quelque chose
d'un peu théatral, semble placée là tout exprès pour faire ressortir une grandeur
d'une nature plus pure et plus élevée" (Privat, Staatskanzlei 27. Nov.). Schranken-
los aber war die Anhänglichkeit an ihn, die Verehrung für ihn, die Bewunderung all
ſeines Thun und Laſſens bei den jüngeren Officieren ſeiner Umgebung, zu denen auch
ſein feuriges theilnahmsvolles Weſen mehr paßte als zu den ältern Herren à la Zeisberg. „Wir ſprachen viel von alten Zeiten und lachten viel", trug einer der Erſtern
während des Wiener Aufenthaltes in ſein Tagebuch ein. „Wie ernſt ihn auch die
Gegenwart beſchäftigen mag, die Erinnerungen ſeiner Jugend ſind ihm eine Phantas-
magorie, ſtets willkommen in allen Wechſelfällen ſeines merkwürdigen Lebens. Das
Genie hat immer eine gewiſſe Naivetät die in Herz und Gemüth wurzelt." — In der
„Geißel" Nr. 78 v. 22. November S. 325 veröffentlichte eine Gräfin Théodore de
Pierreclau ein Huldigungs-Gedicht: Á Son Excellence Mr. le L. G. Baron Jellachich,
Ban de Croatie", von Weil in's Deutſche überſetzt, das übrigens mehr Schmeichelei
als Geſchmack und guten Sinn verräth.

179b) S. 178. Am 16. November veröffentlichten ſie von Prag aus eine Erklärung, daß ſie ſich, entgegen den Gerüchten die ſie gefangen oder erſchoſſen ſein ließen,
im beſten Wohlſein befänden; Deutſche Ztg. a. B. Nr. 49 v. 18. November S. 350.

180) S. 178. Siehe: „Eine politiſche Flucht" in Kolatſchek's Deutſcher
Monatſchrift IV. S. 323: „Ich ſchloß die Augen und ſprang in den Graben; kein
heißes Blei pfiff mir nach, ich lag auf weichem kühlen naſſen Boden." Er ſchildert
ſodann ſeine Gefühle als er ſich, beſtaubt und beſchmutzt, gerettet ſah: „Nein, dieſe
Erde, die auf meinem Kleide haftete, war mir die Natur; ich hatte Monate lang ver-
geſſen daß es eine Natur gebe, ich war aus dieſem Häuſermeer nicht einen Augenblick
herausgekommen, und nun athmete ich die freie würzige Luft ein, ich ſah grüne Berge
vor mir, immer mehr und mehr war ich von dem Bilde ergriffen. Statt des Sturm-
geläutes, an das mein Ohr ſich einen Monat hindurch gewöhnt hatte, hörte ich ein
Summen und Weben in den ſtillen Lüften, jeder Schritt, den ich, nachdem ich die

7*

wenigen Häuser zurückgelegt hatte, auf der freien Landstraße weiter machte, war eine
geistige Rettung. Anstatt des Angstrufes der Weiber, des Brummens der Bomben
und Kanonenkugeln, anstatt der Leichen, anstatt der kaiserlichen Soldaten sah ich die
Natur vor mir, die so lang für mich nicht bestanden hatte" u. s. w. — Eine aus=
führliche Beschreibung seiner Verstecke und seiner schließlichen Flucht besitzen wir auch
von Max Grißner „Flüchtlingsleben, mit einem einleitenden Capitel von Moritz
Hartmann" (Zürich, Schabeliß 1867) vergl. mit „Wiener Boten" I. S. 64—72,
152—164, 241—246, 302—307. Einer seiner Schlupfwinkel war eine Kammer in
einer abgelegenen Wohnung, wo sich eine mit einer kaum bemerkbaren Tapetenthür
geschlossene Wandnische befand; in das unterste Fach, etwa drei Schuh im Gevierte,
hatte man Silberzeug verborgen das nun ausgeräumt wurde. „Ich kroch in den
Käfig wo ich mit gebücktem Kopfe, die Knie an der Nase, Platz fand; vor mich ließ
ich ein Madonnen=Bild stellen das gerade in den Raum paßte, und vor dieses etwas
Wäsche legen, so daß man, selbst wenn der Schrank entdeckt und geöffnet ward, das
Bild füglich für den Hintergrund des Faches halten konnte; zu mir nahm ich einen
Laib Brod, eine Flasche Wasser und noch ein unaussprechliches Gefäß. Die Tapeten=
thür wurde geschlossen und der Kleiderschrank vorgeschoben" (S. 11). Ungefähr vier
Stunden brachte er in diesem Raume zu, als ihm aufgekündigt wurde und er weiter
mußte; er fand einen Bekannten bei dem er eine Nacht zubrachte. Inzwischen hatte
er sich „den Paß eines Freundes", sein Vater ihm einen alten Knebelbart verschafft
den er „mit vieler Sorgfalt" in einen mächtigen Schnurrbart umwandelte und mit
Gummi festklebte; das Gesicht bräunte er sich „mit einer aus verschiedenen Ingredien=
tien zusammengebrauten Sauce", färbte sich, dem Schnurrbart entsprechend, Haar
und Augenbrauen „mit Cosmetique" und schnitt sich, da in der Personsbeschreibung
des Passes als „besonderes Kennzeichen" eine Narbe nächst dem Munde angegeben
war, mit dem Federmesser eine leichte Wunde in die Wange die rasch verharschte.
Endlich fand er am 4. November theils in einem Fiacre theils zu Fuß Mittel an
den Linienwall zu kommen, kroch an einer günstigen Stelle gebückt über die Höhe,
sprang von den Wachen unbemerkt in den Graben, auf der andern Seite wieder hin=
auf und war im Freien. Auf dem Wege über die Berge zwischen Heiligenstadt und
Greifenstein, wo sich ihm ein Bursche zugesellte, kam ihnen ein livrirter Bediente ent=
gegen, der sie fragte was „die rebellischen Hunde in der Stadt" machten. Sie prü=
gelten ihn weidlich durch, sie waren zwei gegen einen. Denken wir uns den Fall
umgekehrt, daß Grißner zwei „Schwarzgelben" in den Wurf kam, denen gegenüber
ihm eine Frage über die „verthierten Söldlinge in Wien" entschlüpft wäre und die
ihn dafür durchbläuten, so würde das Grißner ohne Zweifel einen Act ungeheurer
Rohheit und Gemeinheit genannt haben. Allein zu Unvorsichtigkeiten solcher Art ließ
es der Flüchtling nicht kommen. Wo er die Mehreren gegen sich hatte, zog er, wie in dem
Omnibus auf der Fahrt zwischen Wolkersdorf und Nikolsburg, „das dummste Gesicht"
und stellte sich „sehr erbaut" von den Reden der Andern (S. 43) oder schlug, wie in
der Bahnhof=Restauration von Lundenburg, „wie ein Liguorianer die Augen nieder"
(„Wiener Boten" a. a. O. S. 241; im „Flüchtlingsleben" hat Grißner diese
Stelle unterdrückt, vielleicht auch „wie ein Liguorianer"?), oder mischte sich wohl gar
mit einem: „Wahrlich Sie haben Recht" scheinbar billigend in das Gespräch der
Übrigen (S. 46). Einen ganzen Tag in Lundenburg aufgehalten benüßte er die ihm
gegönnte Muße, jene Stellen des Passes, die nicht recht auf ihn paßten, zu beschmutzen
und dadurch unkenntlich zu machen, fuhr dann mit dem Nachtzug ab und kam, ohne
von seinem falschen Ausweise Gebrauch machen zu müssen, bei Oderberg glücklich über

die Gränze auf preußisches Gebiet. — Fenneberg erzählt über die Umstände
seines Entkommens aus Wien in seiner „Geschichte der Wiener Octobertage"
nichts; in gleichzeitigen Tagesblättern aber war, angeblich auf Grund seiner eigenen
Mittheilungen, folgendes zu lesen: „Er war im Hause eines Schwarzgelben zufällig
anwesend, als eben Haussuchung angestellt wurde; eine mitleidige alte Magd versteckte
ihn in einen Backtrog den sie mit Teig überzog; über die Linie gelangte er in einer
mit Büchern garnirten Kiste, die zum Scheine an einen hohen Adeligen adressirt war."
— Über Mahler s. Gritzner a. a. O. S. 81—84 und „Geißel" Nr. 69 v. 11.
November S. 289: „Mahleriade":

> Herr Mahler aber, unser Held,
>
> Der nahm von Wien das Fersengeld,
>
> als kaum das Haus noch brannte;
>
> warf die Perrücke ab sogar
>
> und floh mit echtem rothen Haar —
>
> wer weiß wohin er rannte! ꝛc.

181) S. 179. Schuselka Revolutions-Jahr S. 432.

182) S. 181. Über Terzky's Verhaftung s. Fröbel Briefe über die Wiener
October-Revolution S. 50—52; über Padovani ebenda S. 58—61. Schütte wußte
sich's, wie er in seiner „Wiener October-Revolution" S. 81 f. selbst erzählt, nicht zu
erklären wienach ihn der Feldmarschall neben dem Polen Bem und dem Ungarn Pulszky
auf die Liste der Auszuliefernden habe setzen können; „etwa nur damit er als Deutscher
die Trias vollmache?" Zu viel Ehre thut sich Schütte jedenfalls an wenn er meint,
Windischgrätz habe ihm gegrollt weil er, Schütte, am 19. März an der Spitze einer
Deputation die Enthebung des Fürsten verlangt habe der dann auch „unmittelbar darauf"
zurückgetreten sei; dies habe ohne Zweifel bei Windischgrätz „einigen persönlichen Haß"
zurückgelassen. Die Sache war ganz einfach die, daß der Feldmarschall Schütten für
ein gefährlicheres Individuum hielt als er in Wahrheit war. Als die neuen Minister
in der ersten Hälfte November nach Wien kamen, muß die Meinung von Schütte drohendem Verderben noch immer verbreitet gewesen sein, weil Stadion ausdrücklich zu dem
Zweck, Windischgrätz vor einer Voreiligkeit in dieser Hinsicht zu warnen, Eduard Warrens nach Schönbrunn sandte. Nachdem Warrens hier seinen Wunsch, vorerst mit General Mertens über den Gegenstand zu sprechen, an Mann gebracht hatte, wurde er
von einem ältern ganz einfach gekleideten Herrn in ein Zimmer gezogen, wo er sich
seines Auftrages mit aller Vorsicht entledigte. „Was meinen Sie denn?" fragte der
Andere nachdem er ihn angehört; „hält man uns für Wütheriche, die Leute, die uns
nicht gefallen, auf blosen Verdacht hin hängen und erschießen lassen?" Warrens bat
nun, die Sache an den Fürsten gelangen zu lassen. „Ja, welchen Fürsten meinen Sie
denn?" „„Den Fürsten Windischgrätz, den Feldmarschall."" „Nun, dann brauchen
Sie sich nicht weiter zu bemühen, der bin ich selbst." Ohne Zweifel hatte sich Warrens
den vielverschrienen Bau-wau, dem „der Mensch erst vom Baron" anfing, in Haltung
und Sprache ganz anders vorgestellt als ihm der Vertrauen erweckende Herr, der sich
ohne Anstand mit „Herr General" anreden lassen, erschienen war. — So viel uns
von den Einzelheiten bestimmter Verhaftungen, z. B. Blum's Fröbel's Messenhauser's,
bekannt geworden, ging alles nicht blos mit Anstand sondern auch mit möglichster
Rücksicht und Schonung der Betroffenen vor sich; dies stimmt auch mit dem zusammen was im allgemeinen über die löbliche Haltung des Militärs und das maßvolle
Benehmen der Officiere in Wien verlautete. In einzelnen Fällen mögen allerdings —
unser Herr hat ja verschiedene Kostgänger! — Ausschreitungen und Rohheiten unter-

laufen sein; so lang uns aber für derartige Vorgänge, wie z. B. daß man die Perin im Polizeihause geschlagen, bei den Haaren gerissen; daß man die Schauspielerin Villata, die über einen Gefangenen Auskunft geben sollte, in unvollendetem Anzuge und mit blosem Kopfe zwischen Sicherheitswachmännern aus der Vorstadt in die Stadt geführt; daß man die in den Wehen befindliche Gattin Fenneberg's drei Stunden außer Bett gehalten, ihr zuletzt 25 fl. und zwei silberne Löffel gestohlen habe u. dgl. m.; so lang uns, sagen wir, für derlei Vorgänge keine glaubwürdigeren Zeugen vorgeführt werden als C. Grüner (October-Revolution S. 327) oder Fenneberg (Geschichte der Wiener Octobertage II. S. 435*), so lang müssen wir uns erlauben dieselben in das Bereich leerer Erfindungen oder doch arger Übertreibungen zu verweisen.

183) S. 182. Fröbel Briefe S. 72 f.

184) S. 182. Fröbel a. a. O. S. 79 f. — Selbst die „Wiener Boten" heben „das wahrhaft aufopfernde gemäßigte, ja freisinnige Verfahren der Central-Commissions-Beisitzer Felsenthal Festenburg Seemann, und vor allem des menschenfreundlichen und hochherzigen General-Auditors Linhart" mit Ausdrücken wärmster Anerkennung hervor; f. Correspondenz aus Wien v. 8. Jänner 1849 I. S. 105.

185) S. 189. In den Augen gewisser Partei-Genossen konnte das Benehmen von Officieren gar nicht anders als gemein roh „brutal" erscheinen, und so dürfen wir uns denn über die Beschreibung die uns Füster (Memoiren II. S. 227—229) von den Einzelnheiten jenes Besuches macht durchaus wundern. Wenn er aber diesen Officier sagen läßt: „Ich bin der Sohn des Präsidenten von Gagern" und wenn er von einem Cameraden desselben die Bestätigung dieses Umstandes erhalten haben will, so können wir nur bedauern, weder in dem Militär-Schematismus von 1848 noch im freiherrlichen Taschenbuch dieses und des folgenden Jahres einen Sohn Gagern's, oder wie der Frankfurtianer Füster schreibt „Gaggern's", der dies gewesen könnte, gefunden zu haben.

186) S. 189. In einem durch mehrere Numern des N. W. Tagblatt 1868 oder 1869 erschienenen Feuilleton-Artikel: „Häuser vor denen man stehen bleiben soll: Die Salzgries-Caserne" gibt Friedrich Kaiser an, er sei, nachdem er für seine Person bereits die Freiheit wiedererlangt, eines Tages in das Stabsstockhaus vorgeladen worden um über Franck Zeugenschaft abzulegen, was er denn auch nach seiner innigsten Überzeugung durchaus zu dessen Gunst gethan habe.

187) S. 190. Bezeichnend in Smolka's Eingabe ist es, daß er von dem am 1. November unter seinem Vorsitze gefaßten Beschlusse, sich am 15. wieder „in Wien" zu versammeln, nichts erwähnt; im Gegentheil, unter den Gründen, die für die sogleiche Freilassung der verhafteten Reichstags-Abgeordneten sprächen, führt er auch den an, „wie gefährdet" im andern Falle „die Reise nach Kremsier und die Versammlung zu Kremsier erscheinen müsse." Die Nachricht von der Gefangenhaltung Füster's im Stabsstockhause war Smolka ohne Zweifel auf mündlichem Wege zugekommen; die Verhaftung Smrekar's in Wiener-Neustadt erfuhr er durch eine Zuschrift, welche sechs eben in Gloggnitz befindliche in der Abreise in ihre Heimat begriffene Reichs-tags-Abgeordnete am 4. November 9 Uhr Abends an ihn richteten; es waren Franz Wojtech (Wildon, Stei.), Karl Königshofer (Gräz, rechtes Mur-Ufer), Niclas Forcher (Judenburg, Stei.), Joseph Halm (Leibnitz, Stei.), Jos. Schlegel (Völkermarkt, Illyrien), Karl Wiser (Linz). — In der Biographie Smolka's von Widmann (Karol Wid-mann. Franciszek Smolka. Wspomnienie biograficzne. Lwów, Jasieński, 1868) muß man stets auseinanderhalten: was Smolka in seinen von Widmann benützten zeitgenössischen Briefen sagt, und was uns der Verfasser im Texte erzählt. Tragen

jene begreiflicherweise den Stempel subjectiver Befangenheit des mitten in die Ereignisse hineingestellten Briefschreibers an sich, so läßt dieser in der Verehrung für seinen
Helden die Thatsachen mitunter in einem Lichte erscheinen das dem wahren Sachver-
halte nur zum geringsten Theile entspricht. Ein auffallendes Beispiel liefert die so
eben besprochene Eingabe Smolka's an Wessenberg. Wir haben in unserem Texte
S. 190 den Hauptinhalt derselben angedeutet, wir haben ihren vollständigen Wortlaut
in unserem Anhang S. 27 f. aufgenommen. Nun vergleiche man damit was man
bei Widmann zu lesen bekommt! Smolka habe, heißt es daselbst S. 202 f., Verwahrung eingelegt „daß er auf keine Weise gestatten könne daß Reichstagsabgeordnete
vor Gericht geladen werden; sie zu verhören erlaube er nur in seiner Gegenwart und
in seinem Präsidialbureau und nur als Zeugen; er behalte sich darum auch das Recht
vor, die gerichtliche Untersuchung jeden Augenblick zu sistiren („každej chwili vstrzy-
mać indagacyę) sobald er wahrnehme daß man den Abgeordneten nicht als Zeugen
sondern als Beschuldigten vernehmen wolle." In Folge dieser Einsprache Smolka's,
erzählt Widmann weiter, sei man davon abgegangen die Abgeordneten vor Gericht
zu laden; „dagegen fand sich das Gericht selbst, bestehend aus zwei Generalen und
einer ganzen Reihe von Subalternen bis zum Unter-Officier, im Bureau Smolka's
ein und nahm da mit allen militärischen Ehren (z wszelką czcią wojskową) die
Einvernehmung der als Zeugen eingeladenen Abgeordneten vor."

188) S. 191. Über Füster's Schicksale vom 1. bis 9. November f. „Memoiren"
II. S. 227—241.

189) S. 191. Friedrich Kaiser a. a. O. will uns namentlich von der Salzgries-Caserne glauben machen, „kein Morgen" sei vergangen „an welchem nicht drei
bis zehn solcher Füsilladen vorgenommen wurden." Er weiß uns von einem „blutjungen Menschen" zu erzählen, der im Dominicaner-Keller in einem Zeitungsblatte
„wieder eine Menge von der Herzensgüte des Fürsten Windischgrätz zeugende Begna-
digungen, nämlich vom Galgen zu Pulver und Blei" gelesen und dabei ausgerufen
habe: „Wenn's der Windischgrätz so forttreibt, so geht's ihm noch wie dem Latour";
er wurde gepackt, in die Caserne am Salzgries gezerrt, daselbst verhört verurtheilt und
am andern Morgen im Hofe derselben erschossen. — Prüfen wir den Werth der
Kaiser'schen Behauptungen! Für's erste erzählt er nicht als Augenzeuge, sondern
nur vom Hörensagen; er hat, während er durch einige Tage, und zwar in der ersten
November-Woche, im Stabsstockhause gefangen saß, aus der benachbarten Salzgries-
Caserne Schüsse vernommen, und da hat er sich gesagt oder irgend einer vom Gefan-
genhaus-Personale hat es ihm gesagt: „auf jeden Schuß ein Student!" Denn daß
manche Individuen jener Kategorie ein grausames Spiel damit trieben, die Angst der
armen Gefangenen durch Mittheilungen oder versteckte Andeutungen solcher Art zu
erhöhen, war leider Thatsache. Was nun die Erzählung von dem „blutjungen Menschen"
betrifft dessen Namen Friedr. Kaiser übrigens nicht angibt, so fällt gleich auf daß,
wenn derselbe in einer Zeitung „wieder eine Menge" Windischgrätz'scher Begnadigun-
gen vom Strick zur Kugel gelesen haben soll, dies erst in der zweiten Hälfte
November, also zu einer Zeit wo Kaiser lang schon wieder frei und ledig war, geschehen
sein kann; denn das erste Todesurtheil stand in der „Wiener Zeitung" vom 10., das
zweite vom 11., das dritte vom 12., worauf dann in der Abend-Beilage vom 15. und
im Morgenblatt vom 16. drei vollzogene Todesurtheile auf einmal zu lesen waren.
Einen Tag später, 8 Uhr Früh, wurde ein gewisser Anton Brogini standrechtlich erschossen, weil er „in einem hierortigen Gasthause in Gegenwart mehrerer Gäste vom
Civil- und Militär-Stande . . . Drohungen über die nothwendige Ermordung hoher

Personen" ausgestoßen hatte. Das wäre also ungefähr, wenn man dem Ausdrucke
„blutjung" eine etwas weitere Deutung geben will — Brogini war 29 Jahre alt —,
der von Fr. Kaiser erzählte Fall; nur wurde Brogini nicht, wie Kaiser erzählt,
im Hofe der Salzgries-Caserne erschossen sondern im Stadtgraben; er wurde auch nicht
heimlich erschossen, sondern öffentlich nach förmlich gefälltem Urtheil. Wenn uns
Kaiser erzählt, er sei während einer Nacht Wandnachbar Füster's gewesen, „welchen
man, als er von Kremsier aus" (in der ersten Novemberwoche!?) „über die preußische Gränze flüchten wollte, in Ratibor arretirt hatte" (!?); oder wenn er uns glauben
machen will, daß er im kriegsgerichtlichen Verhöre, in einem Augenblicke wo es sich
bei ihm um Leben und Tod handelte, sich gerühmt habe, wie er am 13. März der
erste die Constitution verkündet, wie er am 13. Mai die Sturm-Petition mitgemacht,
wie er am 26. 800 Legionärs in die Stadt auf die Barricaden geführt, wie er am
6. October das ihm „gegenüberstehende Bataillon Nassau in die Flucht geschlagen":
so kann man über derlei Dinge, die ein Belletrist unter dem Strich seinen Lesern auftischt, achselzuckend hinwegsehen. Aber geradezu gewissenlos muß man es nennen,
wenn ein Schriftsteller von vielfach geachtetem Namen Behauptungen von tief ernster
Bedeutung, wie die von den alltäglichen „Füsilladen" in der Salzgries-Caserne, mit
einem Tone der Zuversicht wagt, der 99 unter 100 Lesern eines weitverbreiteten Blattes
verleiten muß Thatsachen für erwiesen anzunehmen die schon so gehässig als unwahr
sind. — Wie nach Friedrich Kaiser in der Salzgries-Caserne, so ging es nach einem
Artikel des Pariser „National", von der Wr. Ztg. Nr. 342 v. 24. December in deutscher Übersetzung abgedruckt, in Hetzendorf her. Eines Tages wurden 12 „Studenten"
unter den rohesten Beschimpfungen und Mißhandlungen gezwungen ihr eigenes Grab
zu graben; dann sollten sie die Augen sich verbinden lassen und niederknien; allein
einer von ihnen rief aus: „Es ist an Euch, elende Söldlinge, die Knie vor uns zu
beugen"; zwei Minuten später haben diese „Kinder" ihr Leben ausgehaucht. Diese
ganze Scene hat „ein Gefangener des Fürsten Windischgrätz" mit eigenen Augen angesehen; man hatte ihn eigens für diesen Zweck aus seiner Haft „in's Freie geführt"!!!
In einem Artikel der Wr. Ztg. Nr. 344 v. 27. Dec. S. 1500 wird im Hinblick auf
diese und ähnliche Schamlosigkeiten des französischen Journals versichert, daß von
200 Gefangenen, die sich durch zwei oder drei Tage in Hetzendorf befanden, nur zwei
mit den Waffen in der Hand Ergriffene, darunter ein abtrünniger Soldat, „kriegsgerichtlich behandelt und mit Pulver und Blei hingerichtet" worden seien.

190) S. 192. Schuselka „Revolutionsjahr", der übrigens bei seiner ganzen Erzählung S. 408 f. allein Blum im Auge hat, spricht vielleicht eben darum nur von „einem"
Wagen in den er „einige Männer" steigen sah; allein.Fröbel Briefe S. 48 sagt
ausdrücklich, jeder von ihnen sei „gesondert" nach dem Stabsstockhause transportirt
worden.

191) S. 193. S. den vollständigen Wortlaut bei Arthur Frey „Zur Erinnerung
an einen Todten! Robert Blum" ꝛc. (Mannheim, Grohe, 1849) S. 188.

192) S. 194. Fröbel sprach diesen Verdacht in seiner Frankfurter Rede (stenogr.
Ber. V. S. 3420 f.) ziemlich unverhüllt aus ohne jedoch einen Namen zu nennen,
so daß Schütte „October-Revolution" S. 77 auf Preßlern von Sternau rieth. Allein
in Wien blieb es nicht lang unbekannt wer Blum's und Fröbel's Stubengenosse
gewesen, und Padovani veröffentlichte nun einen scharfen, französisch geschriebenen
Brief an Fröbel, der ihm in einem ausführlichen deutschen Schreiben ausweichend
antwortete; beides abgedruckt im Anhang zu Fröbel's Briefen S. 98—105. In
seinen späteren Briefen über die October-Revolution bezichtigte Fröbel Padovani

zwar nicht ausdrücklich der Spionage, allein er läßt sich S. 59—61 über deſſen zweideutiges Benehmen und Schickſal in einer Weiſe aus, die merken läßt daß ſein anfänglicher Verdacht keineswegs gewichen ſei. Die Umſtände, die Fröbel zu dieſem ſeinen Argwohn führten, verrathen eine ſehr kleinſtädtiſche Auffaſſung. Einmal Padovani's äußere Erſcheinung und auffallendes Tragen: er ſei in die Haft gekommen „ſehr fein" gekleidet, „neue Glacé=Handſchuhe an den Händen"; ſein Koffer ſei „mit allen möglichen Bequemlichkeiten" verſehen geweſen; ein „prachtvoller" ſeidener Schlafrock, ein goldgeſtickter Tabaksbeutel habe ſich in der kerkerlichen Umgebung „ſehr wunderlich" ausgenommen ꝛc. Dann Padovani's Verhalten bei dem Proteſt am 8.: er ſei es vorzüglich geweſen auf deſſen „eifriges Zureden" Blum den Proteſt aufgeſetzt, und der dann „im höchſten Grade zudringlich" ſich angeboten habe den Aufſatz in's reine zu ſchreiben „wofür er ſeine Langeweile als Motiv angab" ꝛc. Warum ſollte denn dieſes Motiv, ſo meinen wir, kein wahres geweſen ſein? Fröbel ſcheint geargwohnt zu haben, daß Padovani in die Reinſchrift allerhand hineinbringen möchte was im Aufſatze nicht ſtand. Aber war denn ſo etwas auch nur denkbar? Blum und Fröbel hätten ja die Reinſchrift jedenfalls zur Beiſetzung ihrer Namen noch einmal in die Hand bekommen! Ferner bringt Fröbel die Überreichung des Proteſtes, auf die Padovani ſo „eifrig" gedrungen, mit Blum's Schickſal in die unmittelbarſte Verbindung. „Dieſer Proteſt iſt allerdings berückſichtigt worden", ſagte Fröbel am 18. November in der reformirten Kirche; „Sie ſehen es in dem Tode Blum's, auf welche Weiſe; Blum's Tod iſt die augenblickliche Antwort auf dieſen Proteſt. Der Proteſt wurde geſchrieben um 4 Uhr, um 6 Uhr wurde Blum zum Verhör gerufen, um 8 Uhr war das Verhör aus, am andern Morgen um 6 Uhr wurde ihm das Urtheil angekündigt und er um 7 Uhr erſchoſſen." Fröbel berechnete dann weiter: „Die Zeit von zwei Stunden iſt ungefähr das was nothwendig war, um den Proteſt nach Hetzendorf zum Fürſten Windiſchgrätz zu bringen und einen Befehl als Antwort zu erhalten." Im Zuſammenhange mit dieſen Ausführungen Fröbel's ſteht, was er in ſeinen Briefen S. 48 f. ausführt, daß der Entſchluß einen von ihnen beiden „mit dem Tode büßen zu laſſen" nicht unmittelbar nach ihrer Verhaftung, ſondern „erſt ſpäter, ich glaube definitiv erſt am 8. entſtanden iſt." Fröbel's Schlußfolgerung war alſo dieſe: „Der eigentliche Grund warum man Blum hingerichtet, war, um der deutſchen National=Verſammlung in Frankfurt einen Schimpf anzuthun; dazu bedurfte man eines eclatanten Schrittes von Blum's Seite womit er ſeine Eigenſchaft als Mitglied geltend machte; um ihn zu dieſem Schritte zu vermögen, wurde Padovani als agent provocateur zu den Beiden in's Gefängnis gegeben; nachdem man hatte was man wollte brachte man ventre-à-terre den Aufſatz nach Hetzendorf, damit der Fürſt Einſicht nehme ob der Proteſt nach Wunſch formulirt ſei, um ihn dann durch die Erſchießung Blum's in auffallender Weiſe zuwiderhandeln zu können." Wenn Fröbel ſeinen verſchwommenen Vermuthungen in ſolcher Weiſe feſte Geſtalt gegeben hätte, würde er ſelbſt mit beſonnenem Ernſt daran haben glauben können?! Was namentlich die Verzögerung des Verhörs vom 4. bis zum 8. betrifft, ſo erklärt ſich dieſelbe ganz einfach daraus, daß man um der größern Vollſtändigkeit der Unterſuchung willen erſt noch einiger anderer der Hauptbetheiligten habhaft werden wollte, wie denn in der That bei Blum's Verhör am 8. bereits eine der Ausſagen Meſſenhauſer's benützt wurde. Außerdem wurden am 8., noch vor dem Verhöre mit Blum, vernommen: Pietro Giacomuzzi Beſitzer der Spezerei=Handlung im Schloſſer=Gaſſel, der Wirth Mathias Kohlbauer, der Zahlkellner Franz Maireder und der Kellner Leopold Übel des Gaſthauſes „zum rothen Igel", Orte wo die Leute des October=Aufſtandes einander zu treffen pflegten; dann Ignaz Kuranda Eigenthümer

und Dr. Eduard Wössel Mitarbeiter der „Ost=deutschen Post", letztere beide als Augen=
und Ohrenzeugen von Blum's Auftreten am 23.

193) S. 194. Derselbe findet sich abgedruckt im Anhang zu Fröbel's Briefen
S. 94—97.

194) S. 195. Wer nach dieser Scene und nach Blum's vorwaltender Gemüthsstim=
mung in den Tagen zuvor glauben will, er habe den Abend des 8. in Gesellschaft der
Andern in heiterer Unterhaltung zugebracht, viel gelacht und dann einen gesunden ruhigen
Schlaf gethan, wie Fröbel von einem der Haftgenossen Blum's an jenem Abend
vernommen haben will (Briefe S. 51 und S. 56 f.), der mag es thun; wir können
es nicht.

195) S. 197. Robert Blum's letzte Stunden. Man hat, so viel wir
in Erfahrung bringen konnten, nur drei Zeugen die über diesen Gegenstand aus un=
mittelbarer Anschauung berichten: den Geistlichen der Blum zum Tode vorbereitete und
zur Richtstätte geleitete, s. den Aufsatz: „Robert Blum's Ende. Sendschreiben an die
Redaction der historisch=politischen Blätter" 1849 I. S. 113—118; den Officier der
mit Blum im Wagen saß und bis zu seinem Tode in dessen unmittelbarer Nähe war,
dessen Wahrnehmungen wir aus dem Briefe jenes „über den Parteien stehenden"
Mannes kennen lernen, an den sich Laube „bald nach der Katastrophe" mit der
Bitte um Auskunft wandte, weil er ihn in der Lage wußte „den Hergang wenigstens
so genau erforschen zu können, als dies einem unbefangenen mit Hoch und Niedrig
bekannten Privatmanne überhaupt möglich ist", Laube's deutsches Parlament III.
S. 158—161; endlich einen der wenigen Zuschauer, die in der Brigittenau den Vor=
gang bei der Hinrichtung aus einiger Entfernung beobachten konnten, aus dessen
„Privatbriefe" das „Prager Abendblatt" 1848 Nr. 141 S. 813 einen Auszug brachte.
Der Geistliche erwähnt nichts vom Officier und der Officier nichts vom Geistlichen,
weil sich beide geradezu und unmittelbar nur mit Blum selbst beschäftigen; die Mit=
theilung des dritten Zeugen kann ihrer Natur nach nichts erhebliches bringen; sie ist
mager und ungenau. Als vierten „classischen" Zeugen müßte man noch jenen Haft=
genossen Blum's vom 8. Abends zum 9. Morgens gelten lassen, von dem Fröbel
Mittheilungen erhalten haben will; allein Fröbel befand sich, wie aus seiner eigenen
lebhaften Schilderung hervorgeht, die ganze Zeit hindurch in einem so aufgeregten
Zustande, daß er alles was ihm von dritter Seite zukam nur mit halbem Ohre ge=
hört zu haben scheint, woraus Misverständnisse entstanden die er mit Einbildungen
seiner eigenen Phantasie ergänzt haben dürfte; vergl. die vorige Anm. Nach den
Mittheilungen der zuerst angeführten drei Zeugen haben wir das Wahre über Blum's
letzte Stunden zusammenzustellen gesucht; nun müssen wir uns aber auch mit der reich=
haltigen Lügen=Chronik beschäftigen, deren Gewäsch sich noch bis auf den heutigen
Tag in widerspruchsvoller Weise breit macht. Wir wollen unsern Stoff theilen und
handeln zuerst von: 1) Blum's Vorbereitung zum Tode. In den hist. pol.
Blättern a. a. O. heißt es hierüber: „Man mag über Blum und seine Hinrichtung
ein Urtheil fällen welches es sei, der Katholik hat Ursache die Gnade Gottes zu prei=
sen die auch dem Irrenden sich darbietet ob er sie ergreifen wolle; er hat die Pflicht
demjenigen, der nun der menschlichen Gerechtigkeit durch seinen Tod genuggethan hat,
alles dasjenige angedeihen zu lassen was die christliche Liebe einem Gliede der Kirche
zu erweisen ermahnt." P. Raimund Benedictiner bei den Schotten erhielt etwas
vor Mitternacht am 8. den Auftrag sich morgens 5 Uhr im Stabsstockhaus einzu=
finden; wer auf ihn verfallen sei, wußte er eben so wenig, als was er im Stabsstock=
hause zu thun habe; doch konnte er sich denken was es gelte. Als er zur bestimmten

Stunde im Gebäude eintraf erfuhr er im Wachtzimmer von den Officieren die Gewiß=
heit, und daß es Robert Blum sei mit dem er sich zu beschäftigen habe; ein Officier
führte ihn darauf in das Gemach wo Blum saß, und es erfolgte nun alles was im
Texte von uns erzählt worden. Damit übereinstimmend heißt es in der „Wiener
Kirchenzeitung“ Nr. 117 v. 28. Dec. 1848 S. 472: Robert Blum „hat gut katholisch
die heil. Sacramente empfangen. So sagt der Priester der zu ihm gerufen wurde.“
Bei Laube III. S. 163 heißt es nur kurz, ein „Geistlicher aus Österreich“ habe ihm
erzählt „daß der Priester von den Schotten, welcher zu Blum in’s Gefängnis geschickt
wurde, sich sehr günstig über ihn geäußert habe“; Laube spricht dann S. 165 des
breitern seine Meinung aus, daß ihm das nicht unwahrscheinlich sei: Blum sei „nicht
ohne Empfänglichkeit für Gott und göttliche Dinge“, er sei „nicht hartnäckig oder
gar dogmen=eigensinnig“ gewesen. „Es möge dahin gestellt bleiben ob Blum sich
wirklich und förmlich, wie der österreichische Geistliche mir versicherte, zur katholischen
Kirche wieder bekannt und die entsprechenden Tröstungen und Befreiungen hingenom=
men habe. In diesem förmlichen Punkte ergänzt die priesterliche Erzählung gar leicht.
Aber ich bezweifle gar nicht daß Blum sich weich und hingebend erwiesen, auch dann
wenn er die Vollstreckung des Todesurtheils nicht erwartet hat.“ Weiter als Laube,
der nur für seine Person nicht alles was der „österreichische Geistliche“ ihm versichert
buchstäblich hinnehmen will, gehen schon Auerbach Tagebuch aus Wien S. 224 f., der
Blum blos mit dem Geistlichen „über Unsterblichkeit“ sich „unterhalten“ läßt und von
allem übrigen nichts erwähnt, und F. A. Nordstein Geschichte d. Wiener Revolution
(Leipzig, Lorck 1850) S. 362 f., dem zufolge Blum die Beichte geradezu abgewiesen
habe, der Geistliche „möge sich keine Mühe geben“ ꝛc.; „beim Abschiede“ habe Blum
zum letzten gesagt: „Es hat mich sehr gefreut, in Ihnen zum Unterschiede von leider
so vielen Pfaffen die man in Deutschland findet einen ehrenhaften wahrhaft geistlichen
Mann gefunden zu haben. Ich möchte Ihnen gern ein Andenken hinterlassen, allein
ich habe jetzt nichts mehr als meine Haarbürste; wollen Sie diese von mir nehmen,
so machen Sie mir noch eine Freude!“ Die Geschichte von der Haarbürste erzählen
auch Andere. Ganz erstaunliche Mühe aber gibt sich Fröbel (Briefe S. 56 f.), um
seinen Freund von dem Mackel zu reinigen, als sei derselbe mit der Kirche versöhnt,
als Christ, oder gar als Katholik gestorben! Ein religiöses Gespräch sei in den Tagen
ihres gemeinschaftlichen Beisammenseins „nicht geführt“ worden; nur „um einen
Zeugen zu haben daß er muthig sterbe“, habe er einmal zu Fröbel geäußert, „möchte
er (Blum) um die Begleitung eines Geistlichen bitten“; auch am Abend des 8. sei
„kein Wort von einem religiösen Gespräche mit seinen Gesellschaftern“ vorgekommen.
Nun das mag ja alles zugegeben werden: aber steht es mit der Erzählung P. Rai=
mund’s im geringsten Widerspruch? Wurde ja dieser, wie er selbst erzählt, noch am
Morgen des 9. von Blum abwehrend empfangen und erfolgte erst allmälig Blum’s
Umstimmung! — 2) **Blum’s letzter Brief an seine Frau.** Abschriften davon
waren bald im Umlauf; abgedruckt findet er sich bei Frey S. 194 f., bei Nordstein
S. 363, und sonst noch oft. Bei Nordstein fehlt der Schluß von: „Morgens 5
Uhr, um 6 Uhr habe ich vollendet“, bis zu: „Man kommt, lebe wohl, wohl!“, gegen
dessen Fassung uns überhaupt einige Zweifel aufsteigen. Im übrigen kommen hier
und anderwärts unwesentliche Varianten im Abdrucke vor; das Wesen ist überall das=
selbe wie es P. Raimund, der zuerst die Zeilen gelesen, bezeichnet. Zwar kommt das
Wort „Gottesfurcht“ in dem Briefe, wie er uns heute in Druck und Abschrift vor=
liegt, nicht vor; auch lautet der Anfang wörtlich nicht so wie ihn P. Raimund aus
dem Gedächtnisse wiedergibt: „Du wirst bald keinen Gatten, ihr werdet bald keinen

Vater haben"; allein der Sinn geht im allgemeinen auf das eine wie auf das andere
hinaus und man kann daher den in den gedachten Druckwerken uns vorliegenden Brief,
mit Ausnahme etwa des Schlusses, für ächt halten. — 3) Blum's Todesgang.
Nach Auerbach S. 224 habe Blum, als ihm zuerst das Todesurtheil angekündigt
worden, gesagt: „Es trifft mich nicht unerwartet", wogegen der Verfasser der „Ursache
und Geschichte der October=Ereignisse" (Leipzig, 1848) S. 129 f. versichert, Blum
habe nicht glauben wollen an diese „Komödie", und der Officier habe alle Mühe ge=
habt ihn zu überzeugen daß es Ernst sei. Derselbe Schriftsteller läßt Blum beim
Austritte aus seinem Kerker S. 130 f. eine lange Rede an die Officiere und Soldaten
halten, bis ihn erstere unterbrechen und nicht weiter reden lassen. Nach Frey S. 186
war „zu der Execution eine außerordentliche Menge Militär ausgerückt; man schätzte
sie auf 2000 Mann." Nachdem man sich in Marsch gesetzt, wurde, wie Nordstein
S. 363 und Andere wollen, an der Reiter=Caserne Halt gemacht; man wollte Blum
„nach Gebrauch" Ketten anlegen, doch er sträubte sich: „Sie werden mir auf mein
Wort glauben daß ich keinen Versuch machen werde zu entkommen; ich will als freier
deutscher Mann sterben!" Dagegen erzählt der sehr ungenaue Berichterstatter in den
hist. polit. Blättern 1848 II. S. 729, Blum habe, noch als er schon zum Augarten
hinausgeführt wurde, gesagt: „man möge ihn doch mit dem Possenspiel der Vorberei=
tungen zu einer unmöglichen Hinrichtung verschonen"; als er jedoch den Ernst gesehen,
sei er weinend und halb ohnmächtig zusammengesunken und habe die zur Hinrichtung
commandirten „böhmischen" Jäger beschworen nicht auf einen deutschen Mann Feuer
zu geben! Daß Blum erst sich die Augen nicht habe verbinden lassen wollen, wird
richtig von allen Schriftstellern angeführt; nur Grüner October=Revolution S. 328
f. läßt ihn dabei die heroischen Worte sprechen: „Ich habe so oft dem Tode in die
Augen gesehen, ich werde es auch jetzt!" Nach Auerbach a. a. O. band sich Blum
das Tuch selbst um die Augen; seine letzten Worten waren: „Aus jedem Blutstropfen
von mir wird ein Freiheits=Märtyrer entstehen", oder wie Frey und Nordstein
wollen: „Ich sterbe für die deutsche Freiheit für welche ich gekämpft; möge das Vater=
land meiner eingedenk sein." Ganz anders wird die Scene in „Ursache und Geschichte
der October=Ereignisse" S. 131 erzählt: Am Richtplatz habe Blum noch einmal, wie
bei seinem Austritt aus dem Stabsstockhause, eine Rede halten wollen, was ihm aber
vom Officier mit den Worten verwehrt worden sei: „Sie haben genug gesprochen in
Ihrem Leben"; Blum habe dann noch an Frau und Kinder gedacht, „armes Deutsch=
land" geseufzt und zuletzt gerufen: „So mordet einen deutschen Mann!" . . . Alles das
ist eitel Phantasie. Blum hat auf der Richtstätte weder eine Ansprache gehalten noch
eine solche halten wollen; sie hätte auch keinen Zweck gehabt, da nur wenig Leute, und
diese ziemlich entfernt, zugegen waren; übrigens sprach der Officier zu Laube's Ge=
währsmann III. S. 161 „subjectiv die Meinung aus, daß er Blum in jenem Augen=
blicke nicht hinlängliche Fassung zu einer Anrede zugetraut hätte. Mit einem Worte"
— fährt derselbe fort und trifft damit ohne Frage das richtige — „Blum ist nicht
feig, er ist aber auch nicht als Held gestorben; er hatte nicht geglaubt daß sein Urtheils=
spruch vollzogen werde, hatte sich mit der Idee des Todes nicht vertraut gemacht und
war auch nicht mehr an der Zeit sich zu fassen. Sie haben in der Voraussetzung
ganz Recht, daß Messenhauser durch die Art wie er gestorben auch bei dem Militär
Mitgefühl gefunden habe; er allein und kein Anderer!" Wenn Fröbel S. 92 f.
erzählt: Lieutenant „Pokorny" (Pokorny) habe „die männliche Haltung" gerühmt „mit
der Blum sein Schicksal erduldet", und hinzugefügt „daß selbst vom Militär viele
Thränen für ihn geflossen seien", so hat entweder Pokorny, etwa um dem Genossen

Blum's etwas zu Gefallen zu thun, mehr gesagt als er gesehen und erfahren, oder Fröbel hat mehr gehört als ihm gesagt wurde. Von allen Schriftstellern der radicalen Seite scheint Lyser allein das richtige von dem Ende Blum's gewußt und daran festgehalten zu haben, wenn er in seinen „Wiener Ereignisse" (erste Auflage) S. 101 seinem Unmuth darüber in den Worten Luft macht: „Er bewies bei seiner Hinrichtung wenig männlichen Muth, was meine früher über ihn ausgesprochene Ansicht bestätigt." Hieher gehört auch die Redactions-Anmerkung des Österr. Corresp. Nr. 11 v. 14. Nov. S. 41: „Nach Berichten von Augenzeugen der Hinrichtung soll er (Blum) keineswegs so muthig gestorben sein als öffentliche Blätter gemeldet haben." — 4) Blum's Leiche. Von den drei Kugeln die Blum getroffen, war die eine durch das linke Auge in's Gehirn gedrungen, die beiden anderen hatten Herz und Lunge getroffen. Die Leiche wurde auf einem Leiterwagen in's Militär-Spital und von da später auf den Währinger Friedhof gebracht, wo sie in ein großes allgemeines Grab gesenkt wurde. Anfang December erschien ein gewisser Dr. Franz Hartmann in Wien, der im Namen der Witwe an General Frank die Bitte um Ausfolgung von Blum's Leichnam stellte; sie wurde abgeschlagen und der Fürsprecher aus Wien gewiesen. Vgl. Const. Bl. a. B. Nr. 138 v. 8. Dec. Beil., wo es über das bestehende Gesetz die Leichen Hingerichteter nicht auszuliefern heißt: „Achilles gab die Leiche Hektors dem flehenden Priamos hin. Jenseits der Scheidelinie die man Tod nennt sollte es keine Justiz mehr geben. Das ertödtet das rein menschliche Gefühl in jeder Brust und hat gar keinen stichhältigen Grund für sich."

196.) S. 200. So sehr die Selbstschilderung von Fröbel's Seelenzustand während der bangen Stunden der Ungewißheit über sein Schicksal (Briefe S. 63—77) den Eindruck der Wahrhaftigkeit macht, so wenig läßt sich dasselbe von der Erzählung seines Verhörs und seiner Freisprechung (ebenda S. 78—90) sagen. Denn hier ist es ihm, vielleicht halb unbewußt und unwillführlich, vor allem darum zu thun sich als den Mann hinzustellen der in Haltung Benehmen und Aussprüchen nicht einen Augenblick den Vorkämpfer der demokratischen Ideen verlängnete, seiner republicanischen Würde in keiner Weise etwas vergeben habe. Alle anderen Zeugenschaften dagegen sagen aus (und nach Fröbel's selbsteigener Darstellung seines Seelenzustandes in den Tagen vorher ist nichts anderes anzunehmen), daß er nach seiner Begnadigung tiefe Reue und Zerknirschung zu erkennen gegeben habe; ja es wird behauptet, er habe zu dem Commissär der ihn an die Gränze begleitete geäußert, „daß er sich vom Gebiete der Politik für alle Zukunft fernhalten und ins Privatleben zurückziehen wolle". -- Daß die gänzliche Straflosigkeit Fröbel's neben Blum's unverzüglicher Hinrichtung die verschiedenartigste Auslegung erfuhr, war begreiflich. Die sich gar keinen Rath wußten, nannten sie „eine aristokratische Laune" des eigenwilligen kaiserlichen Feldherrn; Andere wollten wissen, Fröbel sei auf unmittelbaren Befehl aus Olmütz entlassen worden; wieder Andere, „die kräftige Einsprache des schweizerischen Gesandten" habe ihn gerettet; denn, wie sich Kühne Tagebuch S. 540 f. aus Wien schreiben ließ, „Fröbel, ein Deutscher aus Rudolstadt gebürtig, war glücklicher Weise Bürger von Zürich". Auch der Verleumdung entging Fröbel nicht. Er habe sein Leben durch niederträchtige Angaben und Verrätherei erkauft, sagten von ihm Solche die ihn lieber neben Blum als zweiten Helden und Märtyrer der Freiheit mochten preisen können; s. dagegen Fröbel's Erklärung v. 22. in der Beil. z. A. A. Ztg. Nr. 332 v. 27. Nov. S. 5242.

197) S. 201. Kühne Mein Tagebuch in bewegter Zeit S. 545—547.

198) S. 202. Blum selbst hat hierüber ein ähnliches Geständnis abgelegt wie Dowiat (f. unsern Bd. II. S. 318), nur daß es dieser gedruckt und öffentlich that,

Blum blos mündlich und unter vier Augen. „Auf der Reise von Frankfurt nach Wien,"
sagt Fröbel a. a. O. S. 57, „erzählte er mir und unsern Begleitern, daß er den
Deutsch-Katholicismus durchaus nur als eine Schule der Demokratie betrachtet habe".
Und wer an unserem Ausdruck „Komödie" Anstoß finden möchte, dem empfehlen wir
die Schilderung jener constituirenden Versammlung bei Laube III. S. 163—165,
wie Blum „mit einem lustspielartigen Leichtsinn an die Errichtung dieser sogenannten
Kirche gegangen." Der harmlose Schufelka nahm freilich alles für bare Münze,
wenn er uns z. B. im „Revolutions-Jahr" S. 408 mit einer gewissen Würde erzählt, wie er 1847 mit Blum in dem deutsch-katholischen „Concil" gesessen und wie sie
beide damals der „conservativen Kirchen-Partei" angehört. Ging doch selbst ein so
bedeutender Mann wie Gervinus damals bös in die Falle!

199) S. 202. „Blum hatte für die Menge das Wort gefunden, das aufzurufen
und zu beschwichtigen wußte. Sein Zorn gegen alles was er als Tyrannei bezeichnete
war eben so stark und aufrichtig, wie ihn das angeborene Phlegma seines Naturells
immer wieder antrieb das Maß der Besonnenheit festzuhalten". Kühne S. 545.

200) S. 203. Arthur Frey S. 106 f.

201) S. 203. Ebenda S. 196.

202) S. 203. Blum war bekanntlich nach Wien gekommen, nicht um dort zu bleiben; er wollte heimreisen aber er konnte nicht, oder glaubte mindestens er könne es
nicht. „Die abgebrochene Rückzugslinie nöthigte ihn aus seinem eigentlichen Wesen
herauszutreten. Damit verließ er seinen eigenen Zauberkreis, und der Zauber verließ
ihn — er ging verloren. Dies Schicksal ist nicht ohne Ähnlichkeit mit dem Schicksale
Lichnowski's. Jeder gerieth unmittelbar an seine Todfeinde: Lichnowski an die handelnde Demokratie, Blum an die handelnde, nicht mehr blos nippende und versuchende
Revolution". Laube III. S. 155.

203) S. 204. In einem Artikel der „Baseler Zeitung", den wir übrigens nur
aus dritter Hand kennen, heißt es in dieser Beziehung: „Wahrlich wir sind nicht
Freunde von politischen Todesurtheilen, wir wissen daß das vergossene Blut häufig eine
Saat schweren Unglücks gewesen ist, wir wünschten daß Deutschland die noch zu bestehenden Krisen nicht durch Bluturtheile bald gegen diese bald gegen jene Partei bezeichnen möchte; aber daß Blum's Hinrichtung ganz Deutschland in Bewegung setzt,
daß eine Kammer nach der andern ihren Abscheu darüber ausspricht, daß Todtenfeiern
und Volks-Subscriptionen veranstaltet werden, nachdem die Mordthat an Auerswald und
Lichnowski fast stillschweigend hingenommen worden war, das ist nicht Wirkung menschlichen Gefühls sondern revolutionären Ingrimms. Jene beiden Männer waren in
Frankfurt gefallen wo sie von Amtswegen als Volksvertreter hingehörten, sie waren
gefallen wegen ihrer als Volksvertreter geäußerten Ansichten; Blum dagegen hatte
seinen Posten als Volksvertreter verlassen, hatte sich auf den Barricaden der legalen
Obrigkeit entgegengestellt, hatte nach geschlossener Capitulation die Waffen wieder ergriffen, hatte zu blutigem Terrorismus aufgefordert! Eben darin nun, daß die Handlungen der anarchischen Partei so schnell vergessen und beschönigt, daß die beim Widerstand etwa begangenen Fehler so schonungslos beurtheilt werden, eben darin zeigt
sich uns die Kraft und Intensität der revolutionären Meinung, der schauerliche Abgrund an welchem Deutschland steht". Von dem Gebote: was du nicht willst rc. wollten
die Radicalen jener Tage offenbar nichts wissen, und über die Anwendung des: heute
mir morgen dir, waren sie in hohem Grade empört. „Meint ihr Ordnung und Gesetz
dadurch zu weihen daß ihr den wilden Spruch der Rachsucht sanctionirt: Aug um

Auge, Mann gegen Mann, Blum für Latour. Das ist Beduinen=Recht, kaiserlich aber ist es nicht!"

204) S. 205. Die bezüglichen Stellen bei Held Deutschlands Lehrjahre S. 332, 334; Kühne Tagebuch S. 537. — Füster in seinen Memoiren II. S. 238 erzählt, man habe ihn an demselben Tage seiner Haft entlassen an welchem Blum erschossen wurde, „vielleicht um den Gegensatz recht lebhaft hervorzuheben, um das deutsche Parlament um so heftiger zu beleidigen und dadurch noch greller an den Tag zu legen, daß die österreichische Regierung, die im October durch Hilfe der Slaven gerettet worden war, um Deutschland sich gar nicht kümmere".

205) S. 205. Enthüllungen aus Österreichs jüngster Vergangenheit S. 207.

206) S. 205. Eingehend wird dieser Punkt erörtert in der Abend=Beilage zur Wr. Ztg. Nr. 218 vom 30. November 1848 S. 855.

207) S. 205. „Ich selbst wurde", so theilten die „Gränzboten" IV. S. 392 aus einem Wiener Privat=Briefe mit, „als ich von einigen Proletariern einmal gepreßt war, von dem Bezirks=Commando, auf meine Angabe daß ich kein Österreicher sei, sogleich entlassen".

208) S. 206. „Blum's Ende" in Ebersberg's Zuschauer Nr. 176 v. 25. Nov. 1848 S. 1437—1440: „Und um einen solchen Mann, der ungerufen als Fremdling nach Wien gelaufen kommt und sich da gleich dem berüchtigsten Räuberhauptmann gebärdet, nichts als Mord und Todschlag predigt, der eifrigst mithilft Wien in's größte Verderben zu stürzen und der mit einem Siege Wiens gewiß sein Lieblings=Thema, das ‚latourisiren' begonnen und auf breitester Basis durchgeführt haben würde, wagt man sich noch besonders anzunehmen?" — Mathias Koch „Noch eine Ansicht über Blum's Hinrichtung" ebenda Nr. 177 v. 28. Nov. S. 1445 — 1447: „Wenn Mitglieder der National=Versammlung Österreich in der Absicht bereisen um die Brandfackel der Revolution dahin zu tragen oder die Flammen des Bürgerkrieges durch ihre Mitwirkung noch stärker anzufachen, so sind sie doppelt straffällig und verdienen vor allen Übrigen zur Verantwortung gezogen zu werden; denn ihre Verbrechen sind nicht allein gemeiner Hochverrath, sondern auch Gastrechtsverletzung und Vertrauensverrath der Nation als deren Repräsentanten sie gelten." Siehe auch den Aufsatz: „Einige Worte über die Hinrichtung des Reichstagsabgeordneten Robert Blum" von Dr. Friedrich Ludwig Eltz in der Beilage zum Morgenblatt der Wr. Ztg. v. 28. November, wo es u. a. heißt: „Welcher volksfreundliche Zweck führte den Herrn Reichstagsabgeordneten zu einer Zeit, wo zu Frankfurt über die wichtigsten Interessen des Vaterlandes berathen und namentlich die künftige Verfassung desselben festgestellt wurde, nach Wien dem Herde der Anarchie, von wo sich die meisten Wohlgesinnten geflüchtet hatten und wo die wenig Rückbleibenden nur in der getäuschten Hoffnung ausharrten, durch ihren Einfluß das Vaterland dem unvermeidlichen Verderben entgegenführende Faction in Schranken zu halten? . . . Man muß absichtlich die Schlechtigkeit nicht sehen wollen, wenn man der Reise des Herrn Robert Blum nach Wien eine andere Absicht unterstellen will als daselbst den deutschen Danton zu spielen und so in Wien jenen Zweck zu erreichen der in Frankfurt durch die von der Central=Gewalt zur Unterdrückung des vorzüglich auch durch die von ihm mit=redigirte ‚Frankfurter Reichstagszeitung' provocirten Aufstandes angewendete Energie vereitelt wurde."

209) S. 207. D. M. (Mitrichter) im „Österr. Courier" Nr. 271 v. 23. November: „Robert Blum's Verurtheilung." — Ausführlicheres: „Über die Verurtheilung Robert Blum's und J. Fröbel's" in der Abend=Beilage zur Wr. Ztg. Nr. 217 v. 29. Nov. bis Nr. 219 v. 1. Decemb. 1848. Eigenthümlich faßt die Frage auf

der Verfasser des Aufsatzes: „Robert Blum vor dem Standrechte in Wien" („Wiener
Gedanken eines von Frankfurt Heimgekehrten." V.) Beil. z. Abendb. b. Wr. Ztg. v.
19. December, indem er nachzuweisen versucht, das Gesetz vom 30. September sei aller=
dings für Österreich rechtsgiltig, allein daselbst nicht beachtet worden und könne in
letzterer Hinsicht niemandem ein Verschulden zur Last gelegt werden. — Über den
Beschluß v. 30. September, welcher „ein neues Privilegium geschaffen, inhaltsschwerer
gefährlicher und gehässiger als deren jemals die deutsche Rechtsgeschichte eines gekannt
hat", findet man treffende Bemerkungen in den Histor. polit. Blättern 1848 II. S.
726 f. Ein Frankfurter Blatt bezeichnete jenes Gesetz als „eine Verletzung der
Rechtsgleichheit aller Deutschen, welche für Volksmänner das erste Augenmerk bleiben
müsse"; wenn wir nicht sehr irren, war es die „Reichstagszeitung" welche dieses Urtheil
aussprach, also gerade jenes Blatt an dem sich Robert Blum in hervorragender Weise
betheiligte. Das hinge dann auch mit dem zusammen, was Beda Weber in der Sit=
zung vom 29. November der Linken vorhielt, wie gerade sie von jenem Gesetze ge=
sagt habe daß es gar nichts tauge: „es hat jemand aus diesem Hause auch gesagt
daß er auf dieses grundschlechte Gesetz sogar verzichte, und ich glaube es ist das in
unserer Versammlung ausgesprochen worden"; in Österreich lese man die hier ge=
sprochenen Reden, man halte sie „für ernstlicher als sie eigentlich gemeint sind", und
eben die Linke behaupte daß sie vorzugsweise das Vertrauen des Volkes besitze; um
so natürlicher also daß man in Österreich das Schutzgesetz nicht sonderlich geachtet,
das ohnehin „seine Spitze und Kraft verloren, als es hatte dienen sollen für ein
Privilegium der Aufruhrprediger, als Privilegium der Volksaufrührer und Straßen=
aufwiegler." Vgl. Beda Weber Charakterbilder (Frankfurt a. M. J. D. Sauer=
länder 1853) S. 476 f. — Nach all dem Gesagten hatte daher das Wiener Kriegs=
gericht gar nicht nöthig, wie wohl Einige meinten (z. B. Kühne Tagebuch S. 536),
sein Urtheil so rasch als möglich zu vollstrecken „um keine Bedenken solcher Art"
(wegen Blum's Eigenschaft als deutscher Volksvertreter) „aufkommen zu lassen"; jene
Raschheit gehörte vielmehr mit zu den gesetzlichen Eigenheiten des Verfahrens, gemäß
welchem vom Urtheil bis zu dessen Vollstreckung keine 24 Stunden verfließen durften.

210) S. 208. „Denn offenbar kann sich die der Person eines jeden Deputirten
gegönnte Freiheit nur auf den Fall erstrecken daß er im normalen, im Friedensstande
des Staates ein Verbrechen begeht. Verläßt aber ein Deputirter seinen Sitz um mit
der Waffe in der Hand gegen die legale Macht des Staates in den Kampf zu treten,
so ist er nicht mehr Deputirter, er ist ein bewaffneter Feind des Staates und
kann sich nicht als ausgenommen betrachten von den Folgen des ausnahmslos ausge=
sprochenen Kriegszustandes, und hier des Standrechtes, denen er sich dadurch selbst unter=
wirft." Prager Ztg. Nr. 117 v. 14. Nov. 1848. — Hören wir wie sich der Ameri=
caner William H. Stiles, den man in dieser Sache gewiß als unbefangenen Be=
urtheiler wird gelten lassen, a. a. O. II. S. 138 über diese Frage ausspricht: „Those
deputies if they had not, in coming to Vienna, transcended the limits of their
inviolability, certainly did identify themselfes with a rebellion in which they
could not be properly and legitimately concerned. So far from being sent
officially by the Francfort Assembly, they voluntarily abandoned their
duties as members of that body to engage in a foreign insurrection, in which
they were proven to have been deeply implicated, and especially as, after the
declaration of martial law of which they were duly advised, their civil rights,
even if they could operate as a protection in the commission of such high
offenses, became by the supremacy of military power annulled." Dasselbe

sagte kürzer im Vorstadt-Patois der „Hans Jörgel" 1848 39. Heft S. 2: „Wir hab'n in Wien nit den Deputirten, sondern den Rebellen, den Volksaufwiegler, den Meuterer Robert Blum erschossen, und daß er nebstbei Deputirter war, is nur desto schändlicher für ihn." — Eine interessante Kundgebung aus Blum's zweiter Heimat Sachsen enthielt der Medau'sche „Vaterlandsfreund" 1848 Nr. 10 S. 39 f., wo es u. a. hieß: „Blum hatte das Maß seiner geheimen und öffentlichen Umtriebe erfüllt; wie von einer unvermeidlichen Macht getrieben wurde er dem Rächer seiner Frevel ausgeliefert; er starb wie er gewünscht und angestrebt und laut verkündet hatte daß die Fürsten und Könige Deutschlands insgesammt sterben sollten."

211) S. 208. Von dieser Seite faßte auch Schuselka in seiner Interpellation vom 27. November die Frage auf. „Blum", sagte er, „war Mitglied des deutschen Parlaments, er war Stadtverordneter einer der größten Städte Deutschlands. Würde man es den gemeinsten politischen Begriffen angemessen finden, ein Mitglied des französischen oder englischen Parlaments in der Art, ohne auch nur eine Anzeige zu machen, so zu verurtheilen? (Zischen von der Rechten, Beifall von der Linken.) Ich erinnere mich in dieser Beziehung sogar, daß einmal in Wien ein ganz gewöhnlicher russischer Edelmann eines ganz gemeinen Verbrechens wegen verurtheilt werden sollte, und daß man es für diplomatisch nöthig gefunden habe vorerst in St. Petersburg anzufragen."

212) S. 209. Jürgens Zur Geschichte des deutschen Verfassungswerkes I. S. 370 f. vgl. mit S. 388 Anm. 6 Alinea. Auch Raumer Briefe aus Frankfurt und Paris II. S. 162 gibt zu, daß die Beleidigung nicht von Österreich gegen Frankfurt sondern von Frankfurt gegen Österreich ausgegangen sei, wenn er über die §§. 2 und 3 sagt: „Diese Bestimmung war offenbar ein für Österreich hingeworfener Fehdehandschuh, mindestens eine Unhöflichkeit oder, wie die Studenten sagen, ein Tusch; und so hat Österreich sie betrachtet und aufgenommen."

213) S. 211. „Diese Stimmung fand ich in meiner bekannten aufrichtigen und natürlichen Auffassungsweise der Ereignisse so allgemein, so entschieden, so derb ausgedrückt daß sie mir nicht als ganz anständig einleuchten wollte, weil ich oft wunderliche ja fast christliche Bedenken gegen diese Äußerungen der gebildeten Kaufmannswelt hatte." B. Weber a. a. O. S. 482. Der Aufsatz dem diese Stelle entlehnt ist: „Die Trauerfeierlichkeit für Robert Blum zu Frankfurt a. M. im December 1848" ist Wiederabdruck eines im Decemberhefte der Hist. polit. Blätter 1848 II. S. 794—811 erschienenen Artikels.

214) S. 213. „Volkswuth ist immer blind und sie traf in der Irre nach einem Ziel zum gerechten Ausbruch diesmal zugleich das Haus eines ehrenwerthen Patrioten der Stadt, der für Volkswohl und Linderung des Elends sich vielfach Verdienste erworben." Kühne Tagebuch S. 538.

215) S. 215. Beda Weber S. 483. f., an den wir uns bei der ganzen Beschreibung dieser Scene hielten, selbstverständlich mit steter Zurhandnahme des stenographischen Berichtes V. S. 3265—3271.

216) S. 215. „Die ganze Versammlung mußte dafür aufstehen, denn es galt ihr eigenes Gesetz", sagt Laube III. S. 168 f.; „wenn die österreichischen Behörden ein Reichsgesetz ignoriren zu dürfen glaubten, in einer solchen Frage um Leben und Tod, so war es doch wenigstens nicht Sache der Reichsversammlung dies in Ordnung zu finden". — Unter den dagegen Stimmenden befanden sich Graf Deym, Beda Weber, Lasaulr, v. Linde, in deren Namen die A. A. Ztg. Nr. 332 v. 27. November eine Art Verwahrung brachte.

217) S. 216. Wir meinen namentlich die Stelle: „Sie werden in der Art wie ich behandelt wurde eine gewisse Raffinerie bemerken, die ich so auslege, daß man mit einem Opfer schon genug zu haben glaubte, daß man aber mich wenigstens so empfindlich als möglich zu strafen suchte" ꝛc. Wir müssen unsere im Texte gebrauchte Bezeichnung „abscheulich und lügenhaft" bezüglich dieser Stelle um so mehr aufrecht erhalten, als aus Fröbel's selbsteigener Darstellung in seinen späteren „Briefen" hervorgeht: erstens daß an der furchtbaren Todesangst, die er von Mitternacht bis nach 5 Uhr N. M. am 9. ausstand, niemand anderer Schuld war als er selbst der die offenbar Blum betreffenden Worte „gehängt" und „um fünf Uhr" irrthümlich auf sich bezogen hatte; zweitens daß sein Transport vom Stabsstockhause in's Polizeihaus und von da wieder zurück auf einem blosen Misverständnisse beruhte; drittens daß die Abänderung seines Todesurtheils in vollständige Begnadigung nicht in vorhinein beschlossen war — weil „man mit einem Opfer schon genug zu haben glaubte" —, sondern im letzten Augenblick erfolgte; viertens endlich, daß, wie er selbst am 18. November schließlich nicht umhin konnte zu gestehen und wie er in seinen „Briefen" wiederholt erklärt und zu erkennen gibt, seine Behandlung von Anfang bis zu Ende eine so rücksichts= ja selbst theilnamsvolle war, wie sie unter solchen Umständen nur immer sein konnte. Über Fröbel's leichtfertige Beschuldigung Padovani's s. unsere Anm. ¹⁹²), der wir hier nur beizufügen haben daß mit dieser Beschuldigung gleichzeitig Fröbel's Richter getroffen waren, die dann auch über keine Stelle in dessen Rede in dem Grade empört waren als über seine zuversichtliche Behauptung, man habe zu Blum und ihm einen Spion in's Gefängnis gesteckt. — Eine verdiente Abfertigung erfuhr Fröbel in der Abendb. z. Wr. Ztg. Nr. 221 v. 4. Dec. S. 867 f. Daselbst heißt es ausdrücklich daß Fröbel nach seiner Begnadigung mit Thränen in den Augen „unaufgefordert betheuert" habe, „daß er es sich zur Warnung sein lassen werde und daß er viel zu tief gerührt sei um seine Dankbarkeit gegen die Fürsten und seine Richter auszusprechen."

218) S. 217. „Keinem Helden der auf dem Felde der Ehre, keinem Dichter, keinem Genius irgend welcher Art der für Deutschlands Ruhm verblutet, keinem Könige und Fürsten hat noch je deutsches Volk so im Tode gehuldigt", ruft hierbei Kühne aus, der S. 543—549 die Feierlichkeit beschreibt; er hatte mit Blum in derselben Bürgerwehr=Compagnie gestanden und bezog am 26. die Ehrenwache in der Nicolai=Kirche. — Mit den Trauerfeierlichkeiten im Jahre 1848 war es übrigens nicht überall zu Ende. In Frankfurt sah man alljährlich am 9. November von unbekannten Händen eine Trauerfahne ausgesteckt, die in der Regel polizeilich entfernt wurde; 1868 wehte sie von der Spitze des Domthurmes, 1869 von jener der Nicolai=Kirche, eine andere in der Taunus=Anlage nahe der Büste Guiollet's.

219) S. 219. Unter dem Titel: „Die Feier für Robert Blum" brachte die Haude und Spener'sche Berliner Zeitung folgendes: „Die Brandenburgische Provinzial=Versammlung der verbundenen monarchisch=constitutionellen Vereine,

im Hinblick auf den Beschluß der deutschen National=Versammlung, welcher eine Todtenfeier für Robert Blum angeordnet,

in Erwägung 1) daß genanntes Mitglied als Freischärler ergriffen und nach standrechtlichem Urtheil hingerichtet ist, wegen Aufreizung zum Aufruhr (wie er auch von denen selbst die er dazu getrieben hat hinterher als Verführer verwünscht ist), so wie wegen Theilnahme am Aufruhr im Zusammenhange mit einer ungarischen Verschwörung, also wegen Hoch= und Landesverraths; 2) daß die Frankfurter Beschlüsse hinsichtlich der gerichtlichen Verfolgung eines Abgeordneten dies Proceß=Verfahren nicht aufhalten konnten ·in rechtlicher Hinsicht (wenn man nicht aus politischen Gründen Nachsicht üben wollte), da sowohl diese Beschlüsse als die Beschlüsse der deutschen National=Versammlung überhaupt in Österreich noch keine Anerkennung und Gesetzes= kraft erhalten haben; 3) daß die Würde eines Abgeordneten so wenig als ein hervor= stechendes Talent ein Freibrief zu Verbrechen, im Gegentheil ein erschwerender Umstand ist; 4) daß die Feier ausnahmsweise zu Ehren eines Mannes der den Tod des Ver= brechers gestorben — nachdem selbst für so edle Märtyrer wie Auerswald und Lichnow= ski, die für Gesetz und Freiheit von Mörderhand fielen, keinerlei Todtenfeier ange= ordnet war —, geeignet ist in der deutschen Nation das ohnehin geschwächte Gefühl für Recht zu beschädigen und die Gewissen zu verwirren;

spricht ihr tiefes Bedauern aus daß die hohe National=Versammlung mit einer solchen Todtenfeier sich befaßt hat, und ihre nachdrückliche Verwahrung gegen alle Folgerungen die daraus zu Gunsten hoch= und landesverrätherischer Bestrebungen ge= zogen werden möchten. Potsdam, den 5. December 1848."

220) S. 220. Die erste diesfällige Kundmachung erschien in der Abend=Beilage zur Wr. Ztg. vom 13. und in dem darauf folgenden Morgenblatte vom 14. November. Dessenungeachtet schrieb Grüner a. a. O. S. 327, nachdem er die Erschießung der vierzig Studenten in Floridsdorf erzählt: "Die edle Wiener Zeitung brachte wohl einen Artikel der den ganzen Thatbestand in Frage stellte, aber nichts desto weniger bewährte sich alles als wahr." Vgl. übrigens unsere Anm. [189]), wo dieselbe Geschichte von zwölf Studenten und von Hetzendorf erzählt wird. — Der blutrothe Friedrich Unterreiter brachte in dem Schlußhefte seiner „Revolution in Wien" (Wien 1849, M. Lell) S. 5—12 Verzeichnisse der standrechtlich Erschossenen, zu schwerem Kerker, zu schwerer Körperstrafe (1200—1300 „Ruthenstreiche"), der zu leichten Kerker Ver= urtheilten, endlich der vollständig Begnadigten, und setzte zu dem ersten Verzeichnisse die Anmerkung: „Hiezu sind noch mehrere zu rechnen, welche im Haupt=Quartier zu Hetzendorf standrechtlich erschossen, aber nicht veröffentlicht wurden", während er selbst nicht einmal Messenhauser erwähnt, gleichsam als ob auch dieser in Hetzendorf „er= schossen aber nicht veröffentlicht" worden wäre! S. 18 f. spricht er sich dann noch deutlicher aus: „Diese Executionen wechselten häufig die Plätze, von der schweigsamen Brigittenau, im Stadtgraben und. bei der Spinnerin am Kreuze, ungerechnet jener in Hetzendorf, von denen die Wiener nur in entstellender Tradition vernahmen. Man frug hörte murmelte, man wußte nie wem (sic!) es traf und hielt sich dadurch in steter Agitation; deshalb gab man einige Urtheile zum Besten, um dahinter eine weit größere Anzahl zu verbergen" ꝛc.

221) S. 225. Heller von Hellwald Manuscript Bogen CCVII S. 2.

222) S. 225. Springer, der sich überall gern auf das Behorchen des Gras= wachsens verlegt, spricht bezüglich Messenhauser's eine Meinung aus, von der wir nur anmerkungsweise Act nehmen wollen: Die persönliche Schuld des Mannes sei „aus keinem andern Grunde so schwer gewogen worden, als weil der Sieger in ihm gleich= zeitig den an sich unerreichbaren Reichstag traf; Messenhauser hatte als Mandatar des Reichstages gehandelt, die Verurtheilung die er erdulden mußte galt daher eigentlich dem Reichstage und dem Sicherheitsausschusse des letztern, welcher bis zu den letzten Tagen der Revolution den Widerstand gegen den Feldmarschall gebilligt, durch seine Proteste unterstützt hatte." A. a. O. II. S. 585.

223) S. 226. Über das Abgeschmackte dieser Gerüchte s. Ritschner Wenzel Messenhauser S. 125 f.

224) S. 226. Von allen Schriftstellern über die October=Revolution faßt, unseres

8*

Erinnerns, nur der anonyme C. „Die Octobertage Wiens" S. 96 die richtige An=
sicht in die kurzen Worte zusammen: „Was er allein zu verantworten gehabt, war,
daß er als ehemaliger Officier der Armee gegen dieselbe im Kampfe stand." Vgl.
Privat (Haupt=Quartier W.) 17. November: „Messenhauser starb als Märtyrer . . . .
Windischgrätz ist von vielen Seiten angegangen worden Messenhauser zu begnadigen
und ich glaube es hat ihm (viel) gekostet das nicht zu thun. Doch alle Militärs
riethen zur Strenge, hauptsächlich als Satisfaction für die Armee."

225) S. 227. Über das letzte Gespräch Messenhauser's brachte das „Neue Wiener
Tagblatt" vom Jahre 1868 oder 1869 einen Aufsatz von L. Haffner, der auf uns
den Eindruck von „Wahrheit und Dichtung" machte; wir folgten darum lieber der
schlichteren Darstellung des in der letzten Anm. [224] erwähnten Anonymus, dessen
Bericht S. 97—99 „ein durch Freundeshände zugekommener Brief" zu Grunde lag.
Den Wortlaut von Messenhauser's letztem Willen bringt Ritschner S. 129 f. und,
mit Beifügung der gerichtlichen Kundmachungs=Clausel, die „Geißel" Nr. 99 vom
15. December 1848. Unter den von ihm Bedachten findet sich wiederholt ein „Fräulein
Eugenia L . . . . auf Schloß Osiek bei Kenty in Galizien" der er Ring und Locke
und seine Bibel hinterließ, dieselbe Dame der Messenhauser seit 1846 wo er sie kennen
gelernt „mit der ritterlichen Ergebenheit eines Troubadours" huldigte; Ritschner
S. 39 f.

226) S. 227. Den Vorfall erzählt C. a. a. O. S. 98 f. mit den Worten: „Da
stand ein Mann mit der Priesterbinde auf und trug einfach darauf an zur Tages=
ordnung überzugehen" 2c. und mit der Anmerkung unter dem Texte: „Wir vergessen
auch nicht in der bittersten Stimmung die sonstige Achtung vor ihm in wissenschaft=
licher Beziehung und darum verschweigen wir seinen Namen." Damit konnte nur
P. Götz von den Schotten oder Dr. Häusle von St. Augustin gemeint sein. Nun
war es aber weder der eine noch der andere, sondern, wie die Original=Protocolle des
Gemeinderathes darthun, Karl Bernbrunn selbst der den Übergang zur Tagesordnung
beantragte. Ohne Zweifel überwog bei den Vätern der Stadt die Betrachtung daß
eine Verwendung in Olmütz schon darum keinen Erfolg haben könne, weil der Feld=
marschall unbedingte Vollmachten besaß und daher das Begnadigungsrecht einzig und
allein in seiner Hand lag. — Darnach mag man sich selbst sagen, was von der bei
Schriftstellern der radicalen Seite regelmäßig wiederkehrenden Unterstellung zu halten
sei: Windischgrätz habe, um durch keinen Gegenbefehl von Olmütz gestört zu werden,
die Vollstreckung des Urtheils beschleunigt; wie es z. B. in den „Enthüllungen aus
Österreichs jüngster Vergangenheit" S. 209 heißt: „Damit ihm sein Opfer nicht
entrissen werde begnadigte er, es ist fürchterlich, den Messenhauser dahin daß er nicht
am dritten sondern schon am zweiten Tage erschossen werden solle." Im ähnlichen
Sinne heißt es bei Nordstein „Geschichte d. Wiener Revolution" S. 371: „Der
Fürst hat dem Opfer einen Tag geschenkt." Nun ist aber abgesehen von dem per=
fiden Raisonnement nicht einmal die Thatsache richtig: Messenhauser wurde wirklich
am dritten und nicht schon am zweiten Tage nach seiner Verurtheilung erschossen;
oder war der ganze 14., an dessen Morgen ihm sein Schicksal verkündet worden,
kein Tag?

227) S. 228. Am 18. theilt Windischgrätz dem Fürsten Felix mit, die Adresse
der Vierundzwanzig sei nicht an ihn gelangt; sie hätte übrigens „nicht berücksichtigt
werden können, da die Umstände derart waren daß der Gerechtigkeit freier Lauf gelassen
werden mußte."

228) S. 229. Nach dem —frd— Correspondenten des Const. Bl. a. B. Nr.

121 v. 18. Nov. Beil. hätte Meffenhaufer die Soldaten bevor es zum Acte kam haranguirt, wovon andere Berichterstatter nichts wiffen; auch ist dies bei der streng militärischen Haltung die Meffenhaufer bei feinem Ende eingehalten ganz unwahrschein- lich. Nach Nitschner S. 133 ruhen die Gebeine Meffenhaufer's auf dem Währin- ger Friedhof „in der neuen Abtheilung im Grabe Nr. 34." Demfelben Schriftsteller zufolge wäre Meffenhaufer's Schwager „als er die Nachricht von dem Schreckens- ende erhielt" irrsinig geworden und am 18. Juli 1849 „in einem Krankenhaufe" gestorben.

229) S. 229. Meynert Geschichte der Ereigniffe in der österreichischen Monarchie während der Jahre 1848 und 1849 (Wien, Gerold, 1853) S. 609.

230) S. 232. Nordstein Wiener Revolution S. 375. — S. auch Correspon- denz aus Kremsier vom 26. Const. Bl. a. B. Nr. 129 v. 28. November: „Man kann die Hinrichtung nur als eine Demonstration gegen die Schriftsteller und besonders gegen die Journalisten betrachten. Auch andere wurden vom Kriegsgerichte für schuldig befunden und einstimmig zum Strang verurtheilt, der Alter-Ego des Kaisers fand sich aber veranlaßt Gnade zu üben. Becher und Jelinek aber mußten Pulver und Blei verschlucken."

231) S. 233. „Notizen aus dem Leben des Dr. Becher" in der „Geißel" Nr. 78 v. 22. Nov. S. 324; „Julius Becher" A. A. Ztg. Beilage zu Nr. 338 v. 3. December S. 5334 f. In einem Feuilleton der N. Fr. Pr. „Aus Alt- und Neu-Wien" führt Bauernfeld ein Epigramm Grillparzer's über eine von Becher's Compositionen an, in deffen „etwas harten" Verfen der Dichter die curiofe Musik „auch rhytmisch, zugleich mit einem höchst glücklich gewählten Bilde" wiederzugeben verfucht habe:

Dein Quartett klang als ob Einer
mit der Art in schweren Schlägen,
fammt drei Weibern welche fägen,
eine Klafter Holz verkleiner'!

Eine ziemlich scharfe Charakteristik, aus den Octobertagen herstammend, brachten die „Gränzboten" 1848 IV. S. 358—361, wo es u. a. über Becher's Collegen heißt: „Ich brauche nur an die Herren Mahler und Conforten und all das feige Gefinde zu erinnern, welches glaubte fchmieren fei leichter als fludieren und die Kunst des Schreibens beftehe einfach in der Begeiferung alles Edlen und Höheren." Aus diefem Auffatze erfahren wir zugleich daß, wenn Viele in Becher's Ehrlichkeit volles Vertrauen fetzten, „die meisten ihm nicht recht trauten, ihn Egoist Fuchs Verräther nannten."

232) S. 233. Kühne Tagebuch S. 550: „Hermann Jelinek war uns in Leipzig aus der Zeit des Redeübungsvereins als ein confuser, aber harmlofer Kopf bekannt."

233) S. 233. Wenn Wurzbach Biogr. Lexikon X. S. 159 Jelinek einen „fehr tiefen Denker" nennt, fo können wir diefe Bezeichnung doch unmöglich von einem Schriftsteller gelten laffen, der über einen und denfelben Gegenstand an einem Orte dünkelhafte Aussprüche macht, und ein paar Seiten weiter mit eben fo großer Selbstge- fälligkeit dem Lefer zumuthet das gerade Gegentheil davon gläubig hinzunehmen. Das thut aber Jelinek in feiner „Krit. Gesch. der Wiener Revolution von 13. März bis zum constituirenden Reichstag" (Wien, Leopold Sommer, 1848) bezüglich der Natio- nalitäten-Frage. S. 110—116 find ihm die Deutschen „eine Nation mit der die Slaven fich in keinem Falle meffen können", fie find „fich klar über den Gang der geschichtlichen Entwicklung"; die Slaven dagegen find folche die „für die Kämpfe der Geschichte" nie ein Auge hatten, die „nur aus andern Cultur-Strömungen ihre Nahrung gezogen"; daher es fich „von felbst versteht daß Deutschland das Recht

hat und auch die Macht sich für autonom zu erklären", und daß den Slaven
nicht der Beruf zukommt "auf eigene Faust ein Reich zu bilden oder gar vollends seinen" (Deutschlands) "Bestrebungen entgegenzutreten". Dagegen wird S. 117 f., also
unmittelbar nach den eben angeführten Aussprüchen, das Programm
des Slaven-Congresses gebracht, da es "von hohem Interesse" sei Deutschland darauf
aufmerksam zu machen "und das Gefühl der Sympathie für unsere lang unterjochten
Brüder auszusprechen"; und heißt es S. 132 f.: "Jedes Volk muß sich selbst regieren;
es steht ihm frei sich mit andern Völkern in ein föderatives Verhältnis zu setzen; die
Czechen sind berechtigt, so gut wie die Franzosen, als freies Volk sich selbst zu organisiren; der Deutsche hat kein Recht sie zu beherrschen". — Um nur noch einiges aus
diesem Werke anzuführen das die Lectüre Blum's in den Tagen vor seiner Hinrichtung zu bilden bestimmt war, so parabirt gleich in der ersten Zeile der Vorrede "der
anmaßende und talentlose Justizminister Bach" — Talent hat wohl kein vernünftiger Mensch Bach je abgesprochen! —, wird S. 19 f. J. N. Berger geschulmeistert
weil er von einer "gründlichen Kritik" nichts verstehe; empfängt S. 20 f. Kuranda
seinen Theil der nach dem Sturze Metternich's den "Sturz des Liberalismus seiner Gränzboten" erleben mußte. S. 31—43 werden die beiden "Grundfragen für Österreich"
behandelt; die erste ist die Wahlfrage, "das ist der Herzpunkt in der österreichischen
politischen Frage"; was die zweite sei, wird nicht recht klar; es scheint aber nach S.
35 der "Constitutionalismus im Sinne Welcker's oder Rottek's" zu sein, in welcher
Stelle das "oder" von großer Wirkung ist ꝛc. ꝛc. — In der "Wiener Katzen-Musik"
Nr. 9 v. 25. Juni S. 33 f. findet sich eine witzige Durchhechelung von Jelinek's
großsprecherischen Phrasen.

234) S. 234. Welcher Geist zu jener Zeit in Becher's Familie waltete, illustrirt
einigermaßen ein Ausruf des kleinen Toni, des Söhnchens der Perin, als er einem
Mitarbeiter der "Gränzboten" (IV. S. 358) seine Waffen wies indem er dazu sagte:
"Mit diesem Pistol erschieß' ich den Latour und mit diesem Säbel bringe ich alle
Schwarzgelben um".

235) S. 235. Gränzboten IV. S. 360.

236) S. 236. Die Erklärung Tuvora's trug das Datum: "B. . . . am 11.
October 1848", erschien zuerst im Grätzer "Herold" und ging von da in viele andere
Blätter über, u. a. in die "Presse" Nr. 101 vom 22. October. Der "Freimüthige"
brachte seinen im Texte angeführten Artikel gleich darauf (Extra-Blatt zum 23.). Die
Beschuldigung, daß Tuvora im Solde des Ministeriums stehe und besonders dem Minister Bach sich verkauft habe, nahm sich sonderbar in einer Zeit aus, wo das Ministerium zersprengt und Minister Bach gar "unwissend wo" war. Der Artikel im "Radicalen" aus Siegmund Engländer's Feder war überschrieben: "Die Speculanten
der Freiheit mit Beziehung auf Herrn Tuvora's Erklärung".

237) S. 237. In der Stadt hieß es, unter Becher's Papieren habe man Beweise
eines Einverständnisses mit Kossuth gefunden, "durch eine enorme Masse nachgeahmter
österreichischer Banknoten die Nationalbank zu erschüttern und die Finanzen des Staates zu zerrütten"; dieser höllische Plan gewinne dadurch an Glaubwürdigkeit daß man
fast gleichzeitig eine Fälscher-Bande entdeckt, Presse und Hilfswerkzeuge und ein Päck-
chen von 11.000 fl. in gefälschten Noten aufgegriffen habe. — Dieses Gerücht hatte
offenbar seinen Ursprung in der Thatsache, daß bei Begrisch ein Brief gefunden wurde
der auf eine in Ungarn im Werk begriffene Banknoten-Fälschung hinzudeuten schien;
Begrisch wußte nichts näheres anzugeben: "er sei Commissionär seines Herrn, habe in
dessen Auftrage Gänge zu machen, Briefe auf die Post zu tragen; was in den letztern

stehe oder wohin sie gerichtet, sei nicht seine Sache" ꝛc. Ob weiter in der Angelegenheit etwas herausgefunden worden, sind wir außer Stande anzugeben; jedenfalls stand
sie in keinerlei Beziehung zu dem Processe Becher.

238) S. 239. Darnach ist die Anführung S p r i n g e r ' s a. a. O. II. S. 585:
„das Militär-Gericht habe sein Urtheil durch die Haltung des Radicalen v o r dem
23. October mitbestimmen lassen", auf ihr richtiges Maß zurückzuführen. Was
S p r i n g e r ' s fernere Behauptung betrifft, das Gericht habe „das Unerhörte gethan
und einen förmlich aufgehobenen Paragraph des Strafgesetzbuches willkürlich angewendet", so ist nur so viel richtig, daß v o r der am 22. October in Wien kundgemachten Lnnbenburger Proclamation und der damit ausgesprochenen Verhängung des
Belagerungszustandes, die mit der Autorität des Kriegsrechtes und seiner Gesetze
identisch war, die §§. 52—58 des St. G. B. v. 1803 durch den §. 10 des Preßgesetzes
vom 20. Mai 1848 außer Kraft gesetzt waren.

239) S. 241. Andere erzählten von einem Bajonnetstich durch die Brust. Wir
halten uns an eine Correspondenz aus Wien in Nr. 84 des Grätzer „Herold"; der
Einsender, J. S., hatte sich bald nach der Hinrichtung auf den Platz „außer dem
Neuthor links" verfügt; das Hirn lag verspritzt noch auf dem Grase umher, es war
ein „grauenvoller Anblick!" In der Abend-Beilage zur Wr. Ztg. Nr. 216 v. 28.
November S. 847 wird nur das Gerücht widerlegt, „daß Hr. Jelinek bis zu seinem
Tode protestirt und sich widersetzt habe"; und denselben Zweck hatte das im „Öster.
Corresp." v. 1. December enthaltene an die Redaction dieses Blattes gerichtete Schreiben
von Hermann's Bruder Moritz; von den nähern Umständen seines Todes schweigen
beide. — In den Blättern jener Tage sowie in spätern Darstellungen stößt man vielfach auf die Behauptung: es sei dem Wiener Militärgerichte darum zu thun gewesen,
„von jeder der Kategorien in die man die ganze revolutionäre Masse eingetheilt hatte"
e i n e n Repräsentanten mit dem Leben büßen zu lassen. Vertheidiger dieser Theorie
fanden es daher begreiflich, daß der Feldmarschall von den zwei Frankfurter Abgeordneten einen erschießen, den andern laufen ließ, und zerbrachen sich die Köpfe höchstens
darüber: „warum zu diesem Opfer der mehr constitutionell gesinnte Robert Blum aus-
erwählt worden sein sollte statt des als entschiedener Republicaner aufgetretenen Julius
Fröbel"; H e l d Deutschlands Lehrjahre S. 334. Weshalb mußten nun aber, fragten
sie weiter, die Literaten Becher und Jelinek, noch dazu einem und demselben Journale
zugehörig, b e i d e fallen, da doch für diese Kategorie der e i n e Becher genügt hätte?
„Aber man brauchte einen Juden", antwortet B a u e r n f e l d („Aus Alt- und Neu-
Wien") zur Aufklärung, „und hatte sonst keinen zur Hand." Dann hätten ja aber,
erlauben wir uns zu bemerken, auch Blum und Fröbel beide fallen müssen; der eine
als Abgeordneter von Frankfurt, der andere als Deutsch-Katholik, für welche letztere
„Kategorie" man auch keinen andern „zur Hand" hatte. Wenn wir aus diesem Anlasse
eine Stelle aus Johannes S c h e r r neuestem Werke (Leipzig, O. Wigand, 1868) II.
2, S. 274 anführen: „Die Sache ist aber wohl diese, daß der Herr Fürst an e i n e r
Nummer: Deutsches Parlaments-Mitglied, in seiner Todes-Rubrik genug hatte; man
mochte dem „Slaven" (NB. Windischgrätz!) „auch begreiflich gemacht haben" ꝛc., so
geschieht es nur um die Bemerkung daran zu knüpfen, daß ein Schriftsteller der die Jahre
1848 bis 1851 als „eine Komödie der Weltgeschichte" behandelt, kaum als ein
„homme sérieux" gelten kann, mit dem man sich in ernstgemeinte Erörterungen einzulassen hätte.

240) S. 242. Die G r e t s c h n i g g'sche Volkszeitung vom 2. December brachte
ein „politisches Gespräch" zwischen einem Grätzer Bürger und einem Nationalgarden,

wobei letzterer u. a. sagt: „Hast Recht, 's ist eine wahre Schand für Österreich, wegen einigen Lumpenkerls an Wien so eine niedrige Rache zu nehmen.“ — Auch Widmann Smolka S. 201 stellt die Sache so dar als ob alle Gerichts-Proceduren ein Rache-Act um des einen Latour willen gewesen wären: „Za śmierć jednego Latoura byliby radzi tysiące ludzi skazać na śmierć.“

241) S. 242. Schuselka S. 430. — Derselbe erzählt auch, daß er, als er die Hinrichtung Messenhauser's erfahren, ausgerufen habe: „Nun muß auch ich, nun muß auch der Finanz-Minister erschossen werden!“

242) S. 243. Die Egerer Adresse datirte vom 21. November; Wr. Ztg. Nr. 318 v. 28. November S. 1186 f. Eine scharfe „Entgegnung“ erfuhr dieselbe ebenda Nr. 327 v. 7. December S. 1276.

243) S. 243. „Presse“ Nr. 123 v. 26. November. — Der Antrag im Brünner Landtage, von Dr. Wildorf am 8. November gestellt, wurde in der Sitzung vom 10. zum Beschlusse erhoben.

244) S. 244. Diesen letztern Gedanken führte insbesondere der „Hans Jörgl“ Heft 45 S. 9—12 aus: „Es wäre schauerlich zu denken, wenn die Unglücklichen sich in den Tod g'stürzt hätten, weil ihnen der Gemeinderath versprochen hat daß die Witwe 200 fl. C. M. und jedes Kind 50 fl. C. M. kriegen wird! … Von einigen Weibern hab i g'hört daß sie ihre Männer mit Gewalt g'zwungen hab'n daß sie kämpfen müssen, weil's auf den sichern Tod vom Herrn Ehegemahl und auf die Pension g'wart hab'n“ ꝛc. Vgl. Dr. F. C. Weidmann „Die Zustände Wiens seit 1. Decem-ber 1848“ in der „Austria“ v. J. 1850 S. 224.

245) S. 244. „Es geht ihnen wie allenfalls einem gewissenlosen Hausmeister, der sich über den Hausherrn schrecklich beklagt, die halbe Stadt mit Schmähungen über ihn erfüllt, die ganze Nachbarschaft gegen ihn in die Höhe bringen will. Und warum? Weil derselbe eine versoffene Partei vom vierten Stocke wegschickte und ein-sperren ließ. Warum ist denn der Hausmeister gerade deshalb so wild über den Hausherrn? Weil ihm die fortgeschickte Partei wegen ihrer Unordnung, ihres nächt-lichen Herumschwärmens, fleißig gehaltener Zechgelage einen schönen Beitrag für's Thoraufsperren hatte zukommen lassen!“ Friedensbote Nr. 33 S. 257—259.

246) S. 245. Hist. polit. Blätter 1849 I.: „Wien im November 1848 und die Correspondenten der A. A. Ztg“; Austria 1849: „Die Zustände der Hauptstadt im Laufe des Monats November“ S. 428; Meynert Geschichte der Ereignisse ꝛc. S. 612.

247) S. 248. „Seit kurzem ist Baron Welden unser Gouverneur. Er ist ein wissenschaftlich gebildeter Mann, der jedoch im Umgange eine Eigenschaft entwickelt die mit der Grobheit sehr nahe verwandt sein soll.“ (Grätzer) Volks-Zeitung Nr. 30 v. 9. December.

248) S. 249. Episoden aus meinem Leben ꝛc. von Ludwig Frhr. v. Welden ꝛc. (Grätz, Damian & Sorge, 1853) S. 47 f. Mit den Ziffern scheint übrigens der Verfasser etwas willkürlich herumzuwerfen; so sprechen amtliche Quellen, z. B. Abend-Beilage z. Wr. Ztg. Nr. 203 v. 13. Nov. nur von einer „Anzahl von 1600 Indivi-duen verschiedener Stände“ die „zur Haft gebracht“ worden seien.

249) S. 250. Auch in andern Stücken drang Welden darauf, daß alle Mahn-zeichen an die vorausgegangene wirre Zeit verwischt würden. So mußte z. B. dem „Brünner Platz“ in der Leopoldstadt sein früherer Name „Karmeliter-Platz“ zurück-gegeben werden. — Da nicht daran zu denken war den Candelaber Latour's am Hof durch einen neuen zu ersetzen, beschloß der Gemeinderath „wegen der Gleichförmigkeit“

auch die übrigen vom Platze zu entfernen und tröstete das Publicum damit, daß durch die 36 Gasflammen, die nun statt der frühern 31 rings um den Platz in Thätigkeit gesetzt wurden, die Beleuchtung eher zu- als abgenommen habe.

250) S. 252. Letzteres Gerücht war in der That — so weit kann die Albernheit in aufgeregten Zeiten gehen! — eine Zeit in Wien verbreitet. Den türkischen Bot- schafter, hieß es, habe man in den letzten Tagen vor der Einnahme der Leopoldstadt in der Jägerzeile auf und ab gehen sehen, er habe die Leute getröstet und ihnen ver- sprochen bei der Pforte Meldung von dem Verfahren gegen Wien zu machen, und von da an ging eine dunkle Sage, die Türken würden nach Wien kommen. Das war wohl blöd genug, aber wohl noch mehr . . . auffallend mußte es erscheinen, wenn der — frd— Correspondent des Const. Bl. a. B. Nr. 117 v. 14. Nov. diese Sache ganz ernsthaft erörterte und damit einen aus Agram gemeldeten räuberischen Einfall der Türken bei Cetin (Sluiner Gränzbezirk), der mit blutigen Köpfen zurückgewiesen worden sei, in Verbindung brachte. „Jedoch", fügt er zuletzt zweifelnd hinzu, „scheint mir der Zwischenraum an Zeit vom 31. October bis zum 8. November zu kurz als daß ich es auch nur für wahrscheinlich halten möchte."

251) S. 254. Kundmachung des G. M. Frank v. 19. November, womit er den Absatz 5 der Proclamation vom 1. November um so eindringlicher in Erinnerung brachte, „als ein diesfälliger Leichtsinn gleichwie jede böse Absicht eine unnachtsichliche Bestrafung nach der Strenge des Militär=Gesetzes zur unausbleiblichen Folge haben würde."

252) S. 254. Die öffentlichen Blätter benannten damals folgende Gegenstände die noch vermißt würden: Scanderbeg's Säbel, 17 geätzte Handschuhe von den Kaiser- harnischen, 1 türkische Streitart, 1 chinesische Glefe (Sturmsense), 20 Geschütz=Modelle. — Die Waffen der Nationalgarde und der akademischen Legion kehrten zum größten Theile in das bürgerliche Zeughaus zurück. Einer Zeitungs=Notiz a. d. J. 1869 entnehmen wir darüber Folgendes: „Ein Theil von den deutschen Schwertern der aka- demischen Legion dient der städtischen Feuerwehr bei Parade=Aufzügen als Seitenwehre, 200 Stück Gardesäbel wurden im Jahre 1866 an die Direction der galizischen Karl Ludwigs=Bahn verkauft um ihre Bahnwächter zu bewaffnen. Vor kurzem stellte die Direction der genannten Bahn an den Wiener Gemeinderath abermals das Ansuchen um käufliche Überlassung von 160 Stück solcher Säbel, da die Zahl ihrer Bahnwächter wegen Erweiterung des Bahnnetzes abermals vermehrt wurde, und es wanderten neuer- dings 160 Säbel nach Galizien. Übrigens besitzt die Commune Wien noch immer nahezu an 7.000 Säbel alter Art, vom Korbsäbel der Nationalgarde bis zum Stutz- säbel in Lederscheide. Es wurde dem Gemeinderathe von einem Messerschmiede das Anerbieten gemacht ihm diese Säbel alle abzulassen, da es zweckmäßiger wäre wenn aus diesen Waffen, die im bürgerlichen Zeughause nutzlos hinterlegt sind, Messer und andere Instrumente fabricirt würden. Die schleunige Aufstellung der Stadtwache und die Errichtung einer provisorischen Bürgerwehr im Jahre 1866 haben jedoch die Noth- wendigkeit eines kleinen Vorrathes von Waffen für die Commune Wien dargelegt und das Ansuchen des Messerschmiedes wurde abweislich beschieden."

253) S. 255. Einen bedeutenden Fang machte man, wie die Tagesblätter erzähl- ten, am 16. November in dem Hause „zum rothen Hahn" auf der Landstraße an mehr als 1000 Stück Gewehren, die ein Großfuhrmann zur Versendung nach Ungarn auf- gekauft haben sollte; er selbst, sein Magazineur und dessen Handlanger wurden gefäng- lich eingezogen. Sehr oft liefen falsche Anzeigen ein, die nutzlose Mühe verursachten. Eines Tages wurde im Canal des Alserbaches nachgeforscht, ohne daß man irgend

einer ... Am 3. November kam zu Regensburg ... Beratung ... Sprache ...

254) S. 258. Ähnliche Wahrnehmungen waren in Brünn zu machen. So hieß es u. a. in einer Korrespondenz v. 22. Dec. im „Öſterr. Correſp." (Nr. und Datum haben wir aufzuzeichnen verſäumt): „Mit dem ſogenannten Proletariat macht man ſich hier manche Sorge. Wie aber die Koſten und die Mühe, die man auf künſtliche, im Ganzen wenig productive Beſchäftigung der theils arbeitsloſen theils arbeitsſcheuen Individuen verwendet, gelohnt werden, davon zwei Beiſpiele. Neulich wurde in einer hieſigen Schänke eine Geſellſchaft ſpät in der Nacht von der Sicherheitsbehörde beim Karbelſpiele überraſcht; die Spielenden waren Mitglieder der auf allgemeine Koſten mit Erdarbeiten unterhalb des Spielbergs beſchäftigten Arbeiterpartien!! In der Fabrik des Hrn. P. wurde eine Beſtellung auf Stoffe nach einem neuen Muſter gemacht. Herr P. vertheilte die Arbeit nach der hier üblichen Weiſe. Die Arbeiter aber weigerten ſich, weil man bei dieſem neuen Muſter zu viel Aufmerkſamkeit verwenden müſſe. Als der Fabricant ihnen bemerkte, er müſſe in dieſem Falle die Arbeit andern geben die ſich bereitwilliger finden würden, remonſtrirten ſie gewaltig dagegen und argumentirten: er dürfe das nicht, er ſei als Fabrikherr verpflichtet ſie zu beſchäftigen u."

259) S. 258. Siehe über dieſe Streitfrage: Geißel Nr. 72 v. 15. November S. 209; Beil. z. Abendb. der Wr. Ztg. v. 30. November: „Latour und die Entſchädigungsfrage"; Öſterr. Courier Nr. 286 v. 9. December: „Die Entſchädigungsfrage aus Anlaß der durch die October Ereigniſſe in und um Wien herbeigeführten Beſchädigungen"; Abendb. z. Wr. Ztg. Nr. 232 v. 16. December S. 912: „Über die Entſchädigung" und dagegen Beil. z. Morgenbl. der Wr. Ztg. v. 30. December: „Noch ein Wort über die Entſchädigung."

260) S. 259. Unter andern ſpendeten die Großhändler und Fabriks-Beſitzer von Fiume auf einmal einen Betrag von 1000 fl., vorzüglich für Witwen und Waiſen deutſcher mittelloſer Familien. Von der National-Verſammlung zu Frankfurt liefen 1000 fl. ? h. als Hälfte jenes Unterſtützungsbetrages ein, den dieſelbe von einer Geſellſchaft Deutſcher in New-York „für die Verwundeten und hinterbliebenen Witwen und Waiſen der Opfer bei den die Freiheit begründenden Kämpfen des Volkes gegen die arbitrare Gewalt im deutſchen Vaterlande, namentlich in Wien und Berlin", im

Monate Juni durch den americanischen Consul Karl Grabt empfangen hatte. Da jedoch, wie Gemeinderath Winter ganz richtig bemerkte (Sitzung v. 9. December), schon der Zeitrechnung nach mit jener Widmung nur die Opfer der März-Ereignisse gemeint sein konnten, so gingen die ungleich zahlreicheren October-Beschädigten bei dieser großen Summe leer aus. Eben so war bei den nied. österr. Ständen noch von März und April her von einer zur Unterstützung der damals verunglückten Gewerbs-leute hergeleiteten Subscription ein Betrag von 18.416 fl. 42³/₄ kr. übrig geblieben; allein auch dieser konnte seiner Widmung nach für die Opfer der Octoberzeit streng-genommen nicht verwendet werden. — Unter den Vereinen, die ausgiebigere Hilfe nach Wien sandten, befanden sich u. a. der deutsche Verein zu Rosendorf bei Teschen (128 fl.), der Verein zur politischen Bildung des Volkes zu Ried (551 fl. 31 kr.), der Congreß zu Eger, der am 21. Nov. an alle deutschen Vereine Böhmens die Aufforderung rich-tete, Sammlungen für die Verunglückten Wiens zu veranstalten ꝛc.

261) S. 260. S. „Wiener Geschäftsbericht und Neuigkeitsbote" (lithographirt) Nr. 116 v. 4. und 118 v. 6. December: „Der hiesige Bürger-, Kaufmanns- und Fabricanten-stand spricht sich im allgemeinen für Verlängerung des Belagerungszustandes aus und es sollen in diesem Sinne Petitionen vorbereitet werden. Das Bedürfnis einer starken, Sicherheit und Ordnung verbürgenden Regierung stellt sich in den gedachten Kreisen auf eine vorwaltende Weise heraus".

262) S. 262. F. G . . . . . . (Franz Gaberden?) Tragi-komische Abenteuer eines Wiener October-Flüchtlings ꝛc. (Wien, J. B. Wallishausser, 1850), wo die Irr-fahrten eines Schauspielers beschrieben werden, der am 13. Morgens von Brünn nach Wien eben noch zurecht kam um der ersten Theater-Probe beizuwohnen. — Den Auf-satz Hanslik's: „Die Wieder-Eröffnung der Theater in Wien" brachte die Beil. z. Abendb. d. Wr. Ztg. v. 5. December. Es gebe, heißt es daselbst „ascetische Seelen" die es „für sehr unpassend halten in einer belagerten Stadt Komödie zu spielen; wahr-scheinlich gilt ihnen jeder Belagerungszustand als eine Art solenner Trauer, die in Reue und Leid verbracht und durch keinerlei Ergötzlichkeit unterbrochen werden darf"; er dagegen sehe mit so vielen Andern den Belagerungszustand „nicht als den Anfang sondern als das Ende einer Trauerzeit an"; der Wiener habe frei aufgeathmet, als ihm derselbe „Ruhe Ordnung und Sicherheit schwarz auf weiß geboten", da in den vorausgegangenen Wochen „die genannten drei Abstracte wenigstens nicht vereint zu finden" gewesen; „denn wer ruhig und ordentlich war, ist keineswegs sicher gewesen."

263) S. 263. Siehe z. B. „Wanderer" Nr. 252 v. 21., „Österr. Courier" Nr. 272 v. 24. November S. 1094.

264) S. 265. Auffallend war es übrigens, wie oft in den Blättern der ersten No-vember-Zeit Verwechslungen mit dem Datum des vorangegangenen Monats vorkamen; so z. B. trug gleich der Eingangs-Artikel v. Nr. 66 der „Geißel", des ersten seit ihrer Unterbrechung wiedererscheinenden Blattes, die Überschrift: „Wien, am 8. October 1848". Es war als ob man den fatalen „October" gar nicht aus dem Kopfe bringen könnte.

265) S. 265. Hist. polit. Blätter 1849 I. S. 182. — Über die während des Be-lagerungszustandes geübte „Controlle", von den Gegnern „Censur" gescholten s. Welden Episoden S. 53 und „Fremden-Blatt" Nr. 292 v. 26. November; letzteres zählt 32 Wiener Journale auf die bereits wieder zu erscheinen begonnen hatten. — Eine Charakteristik der „Wiener Journale und Journalisten" jener Zeit vom Standpunkte ei-nes Radicalen (Engländer) brachten die „Wiener Boten" I. S. 124—128: „Selbst der Conservative ist ihnen zu radical, sie wollen gar nichts als Habsburg, Habsburg

um jeden Preis; der Sphärenklang des Himmels klingt ihnen nicht so schön wie:
‚Gott erhalte unsern Kaiser‘ .... Über Becher witzeln sie und heißen ihn einen
schlechten Musikanten ‚den die Kugeln ausgepfiffen‘; Jelinek rufen sie in's Grab nach:
‚Judenbub‘ und in diesem Tone beschimpfen sie die Todten und denunciren die Lebenden ... Ihr delicatester Ausdruck ist ‚Galgen‘ und ihr drittes Wort ist ‚rebellischer
Lotterbube‘ ... Der possierlichste unter diesen über die Knechtschaft Verzückten ist Saphir, der alt gewordene Bajazzo, dem es nicht gelang die Revolution zu einem Wortspiel zu verrenken und der ihr deshalb grollt ... Endlich hält die Welt für unvollkommen weil Juden darin sind; er bekommt an einem Samstag Krämpfe weil die Juden an diesem Tag sich nicht plagen, und hält die Schweine für die reinlichsten Thiere
weil sie nicht von Juden berührt werden ... Die ‚Presse‘ findet ihr Vorbild in Emil
de Girardin. Ihr Redacteur ist Dr. Landsteiner, welcher Girardin in Bezug auf Charakterlosigkeit und Reactions-Gelüste gänzlich, in Bezug auf Geist jedoch nicht ganz erreicht ... Die ‚Wiener Zeitung‘ ist die Metze welche im October die Aula auf das
begeistertste pries und sie jetzt ein Rebellen-Nest nennt; seitdem uns aus diesem Blatte
die Todesurtheile von Blum Jelinek und Becher eiskalt angrinsten, hat es für uns einen
Modergeruch“ ... Die „Ost-Deutsche Post“ nannte **England**er „das einzige
Blatt in Wien das wenigstens nicht noch reactionärer ist als die reactionäre Regierung.“
Allein selbst diese verschüttete es bei **Kolisch** (a. a. O. I. S. 55 f.), als sie es wagte
über die Wiener Universitäts-Jugend ein wegwerfendes Urtheil zu fällen: „Trägern von
Ideen, wie sie durch die Mai-Bewegung lebendig geworden, Unreife und Selbstüberschätzung vorzuwerfen, sei so etwas erhört worden?! Das sei eine armselige Überlegenheit der Reife die die Liberalen von ehemals sich anmaßen, und beweise nichts anderes
als wie leicht Herr Kuranda mit der Freiheit zu schreiben abzufinden sei“ ꝛc.

266) S. 265. Österr. Corresp. Nr. 11 v. 14. Nov. 1848 S. 42.

267) S. 266. Eines dieser Verzeichnisse brachte die Namen von etwa anderthalb
Dutzend Gemeinden und Gutsbesitzern des B. O. W. B., die 1194 Laib Brod, 458
Bund Heu, 219 Metzen Erdäpfel, 107 Bund Stroh, 10 Metzen Hafer, 6 Säcke Kraut
eingeschickt hatten. — Der „Hans Jörgel“ sammelte insbesondere „für unsre braven
Kroaten“, deren Ausstattung allerdings das meiste zu wünschen übrig ließ. Man sandte
ihm Geld, Kleidungsstücke und Kleiderstoffe, Schlafröcke u. dgl., fast durchaus ohne
Namen oder mit bloser Chiffre oder mit eigenen, zum Theil komischen Bezeichnungen
z. B. „von einem Tarokkönigrufer dem man vorwirft daß er Brod sitzt“. Ganz
glücklich war er, als er eines Tages 300 fl. verzeichnen konnte, die ihm ein Ungenannter aus Grätz „zur Anschaffung von Tuch zu Pantalons für unsere braven Kroaten“
eingeschickt hatte.

268) S. 266. Mit diesem Beisatze spendete Alfred und Karl Skene 500 fl. —
Die meisten Widmungen lauteten „für die bei Wien verwundeten Krieger“, für die z.
B. Fürst Dietrichstein, der Leinwandhändler Franz X. Felbermayer und „ein Ungenannter“ je 1.000 fl., Fürst Philipp Batthyányi 500 fl. spendete, eine in Baden eingeleitete Sammlung 2.660 fl. 5 kr. — Wr. Ztg. Nr. 313 v. 22. November S. 1144 —
einbrachte u. dgl. m. Manche Widmungen betrafen einzelne Truppenkörper insbesondere
wie z. B. eine „ungenannt sein wollende Dame aus Brünn“ dem 12. Feldjäger-Bataillon und dem 1. Bataillon Schönhals „in Anerkennung ihrer Tapferkeit vor den
Mauern Wiens“ je 50 fl. einsandte, die an die Reconvalescenten bei ihrem Austritte
aus dem Spitale zu vertheilen waren. — Unermüdlich in Aufrufen und Sammlungen
erwies sich damals, wie später noch so oft, Michael Edler von Rambach, Mit-Interessent und ehemaliger Administrator der „Wiener Zeitung.“

269) S. 266. Wr. Ztg. Nr. 306, v. 14. Nov. S. 1084; der Name des freigebigen Engländers war John Horsfall.

270) S. 266. Näheres über die Feierlichkeit in Abendb. z. Wr. Ztg. Nr. 209 v. 20. Nov. und „Haus Jörgel" 38. Heft S. 22—24. Letzterer behauptet, die bei der Leichenfeier verwendeten Pechkränze seien dieselben deren man bei der Einnahme der Stadt drei Wägen voll, zum Anzünden der ärarischen Gebäude bestimmt, in Beschlag genommen habe. — Die Beilage zur Abendb. d. Wr. Ztg. v. 30. Nov. enthielt den Vorschlag „eines von Frankfurt Heimgekehrten", Latour an der Stelle wo er auf so schreckliche Weise sein Leben ausgehaucht ein bleibendes Denkmal zu setzen; ein Vorschlag der bis heute unausgeführt geblieben ist.

271) S. 267. Schreiben Nesselrode's an den Botschaftsrath Felix von Fonton in Wien: „Sa victoire sur l'anarchie est non seulement un service qu'il a rendu à l'Autriche et à l'Europe, mais encore à l'ordre social tout entier, et nous aimons à espérer qu' à cette victoire se rattachera une régénération que nous appelons de tous nos voeux." Das Schreiben Nesselrode's an Fonton, das des russischen Kriegs-Ministers Černičev an Windischgrätz, endlich die beiden kaiserlichen Handschreiben an Windischgrätz und Jelačić — letztere beide übersetzt und abgedruckt Abendb. z. Wr. Ztg. Nr. 212 v. 23. und Wr. Ztg. Nr. 315 v. 24. November — lauten insgesammt vom $\frac{29.\ October}{10.\ November}$ 1848. Windischgrätz dankte dem Kaiser in einem Schreiben vom 23. November, worin er unter andern die Bitte stellte, das kleinere Ordenszeichen als unschätzbares Andenken in seiner Familie behalten zu dürfen. Anfang December erhielt der Banus durch die russische Gesandtschaft ein mit kaiserlichem Siegel verschlossenes Paquet; er vermuthete einen Orden, es war aber ein Kreuzchen oder Heiligenbild — es bekam es niemand zu Gesicht als sein Bruder „Toni" —, eine Sendung der Kaiserin mit einem Schreiben von ihrer Hand, es während des Krieges als Amulet zu tragen. Er hing es augenblicklich um und behielt es von da an verborgen an seinem Herzen. Auch sonst erfuhren Windischgrätz und Jelačić von Seiten des Auslandes Anerkennungen der schmeichelhaftesten Art. Die Wr. Ztg. Nr. 315 v. 24. Nov. brachte den Wortlaut zweier an den Banus gerichteten Huldigungs-Adressen: der einen v. 8. Nov. aus Carow bei Genthin, Provinz Sachsen; der andern v. 15. Nov. aus Berlin. Am 19. December kam im Landtag zu Schwerin eine mit vielen Unterschriften versehene Petition an den Landtag zur Sprache, des Inhalts: „Eine hohe Versammlung wolle im Namen des mecklenburgischen Volkes gegen den Fürsten Windischgrätz aussprechen, daß derselbe sich durch sein energisches Auftreten gegen die Anarchisten zu Wien um das deutsche Vaterland wohlverdient gemacht habe." Der Landtag nahm jedoch den Antrag des Abg. Grabow an, ohne weitere Debatte über die Adresse zur Tagesordnung überzugehen. — Über die im Text erwähnte Besorgnis der Freunde und Anhänger des Fürsten vor einem Attentate belehrt uns ein Privat-Schreiben (Staatskanzlei) v. 23. November: „Nous avions eu le coeur serré dans la prévision de cette première apparition. L'aberration des esprits, et la perversité des coeurs qui en résulte, est si grande dans cette misérable Allemagne qu'il n'y a pas de crime qui ne soit dans les possibilités" . . .

272) S. 268. Den Wortlaut der betreffenden Adressen und der Antworten darauf s. Wr. Ztg. 317 v. 26., Abendb. Nr. 215 v. 27., Wr. Ztg. Nr. 319 v. 29., 320 v. 30. November, 322 v. 2. December. Über die Scene am 26. in Schönbrunn lesen wir in einem Privat-Schreiben (Haupt-Qu. Wind.) vom 4. December: „Es war eine

der touchantesten Scenen. Der Feldmarschall sprach von den Opfern die er gebracht, die Deputation, vielleicht 130, brachten ihm drei laute Vivats und alles weinte" . . . Vielleicht waren es jene Dank- und Vertrauens-Bezeigungen, die einem Correspondenten der „Gränzboten" (1848 IV. S. 392) nicht zu Gesichte standen und ihn zu der Äußerung veranlaßten: „Wollen Sie wissen wie es in Wien aussieht? Wie in einer Kneipe in der sich Besoffene erbrechen. Wien stinkt nach Katzenjammer. Der Anblick ist ekel wie der Geruch."

273) S. 268. Hans Jörgel 43. Hft. S. 1 ff.: „Wie i g'hört hab, so schäunten sich viele Wahlmänner das Mistrauens-Votum vom Füster zu unterschreib'n. Sie fürchten sich, wenn die Demokraten wieder an's Brett kummen, so kunnten sie den Kopf verlier'n" ꝛc.

274) S. 268. „Die k. k. Post brachte mir täglich zwei bis drei Briefe voll der ausgesuchtesten Grobheiten in Prosa und Versen. Die Herren und Frauen Briefsteller gingen zuletzt so weit, daß sie auf die Adresse die gemeinsten Schmähungen schrieben, was jedoch die k. k. Post nicht hinderte die Briefe zu befördern." Alle diese Briefe, bis auf einen einzigen, seien anonym gewesen, mit verstellter Hand geschrieben, mit Kreuzern oder Knöpfen gesiegelt ꝛc. Schuselka Revolutions-Jahr S. 453. — Von Journalen braucht man nur die Rambach'schen Verzeichnisse in den Inseraten der Wr. Ztg. zu durchblicken, wo man finden wird: „In freudigem Gefühle über das Mistrauens-Votum des Wahlbezirkes Mariahilf an den Reichstags-Deputirten Füster" . . . 5 fl.; „aus patriotischer Freude über das dem Deputirten Füster zugewendete Mistrauens - Votum" . . . . 1 fl.; „die Mistrauensanerkennungen der Deputirten Borrosch Füster Goldmark erfreuen die Bewohner Wiens und geben Hoffnung zu deren ehestem Verschwinden aus dem Reichstage" . . . . 4 fl.; „aus Seelenfreude über die Mistrauens-Bota an die Reichstags-Deputirten Füster und Goldmark" . . . 10 fl.; „die Freude über die an Füster und Goldmark ertheilten Mistrauensvota hat noch zugenommen, daher statt 5 fl." . . . 10 fl.; „in Übereinstimmung mit den bereits gegebenen Mistrauens-Voten und in der Hoffnung daß noch mehrere verdiente nachfolgen werden" . . . . 10 fl. — Zuletzt fand man sich, um dem Scandal ein Ende zu machen, veranlaßt alle weitere derlei Bemerkungen der Einsender zu unterdrücken.

275) S. 269. Privat (Haupt-Qu. Wind.) 17. November und 4. December: „es ist etwas theatralisches in der ganzen Gesellschaft das mir mißfällt". Unbetheiligte gewahrten mit einigem Unbehagen diese Stimmung, und wünschten im Interesse des Fürsten daß ihm selbe nicht unbekannt bleiben möge. „Je souhaite tout particulièrement que les alentours du Prince sachent ménager avec soin, et avec un tact qui est toujours rare et quelquefois difficile, les rapports si importants de cordialité qui doivent exister avec un homme de cette valeur. J'ai du promettre à la P⁸⁸ᵉ. . . . de vous faire part de cet Anliegen sur lequel nos coeurs sont d'accord, comme preuve de la manière dont elle s'identifie avec les intérêts de la gloire de celui que nous révérons avec une tendre solicitude" (Privat, Staats-Kanzlei 27. Nov.). Jelačić selbst wußte sehr gut um diese Stimmung V. „Il m'a parlé qu'il y avait de petits mécontentements et de germes de misentendus entre les deux maisons . . .; j'espère qu'on réussira à calmer les susceptibilités dans lesquelles du reste les sentiments personnelles de J. n'entrent pour rien. Son désintéressement et sa loyauté serviront même beaucoup à aplanir toutes les difficultés" (Privat, alt-conf. 14. Nov.).

276) S. 270. „Wenn der Ban erscheint ist alles elektrisirt, alles springt auf, jeder ist glücklich wenn er ihm zuwinkt oder einige Worte mit ihm spricht, und fällt

sein schönes Auge nicht ganz freundlich auf Einen oder den Andern, so ist der Betreffende gewiß betreten und fragt sich: was habe ich verschuldet? Daß er barsch hart grob mit jemand wäre, kommt gar niemals vor." 2c. Privat (Haupt=Qu. Jel.) Nov. 1848.

277) S. 270. Ebenda zum 20. November, welcher Quelle wir noch folgendes heitere Histörchen entnehmen: „Als sich das Vorzimmer bereits zu leeren anfing, trat noch ein hübsches geputztes Dämchen mit der ,Mama' herein; sie hatte eine schöne Bitte an den Banus: sie ist Tänzerin und kann es Ballet=Intriguen wegen zu keinem Solo bringen, und der ,pas seul' ist das ganze Dichten und Trachten einer Ballerina. Der Ban soll ihr ein Solo verschaffen, er hätte dabei nichts zu thun als sich bei dem Regisseur, dem Baffisten Staudigl für sie zu verwenden. Alles capacitiren von meiner Seite nützte nichts; sie wisse daß Se. Excellenz jedermann anhört, und wenn er noch so beschäftigt sei finde er gewiß eine Minute um sich einer Unglücklichen anzunehmen: ,Nicht wahr, Mama?' ,Erbarmen' brummte die ,Mama' nach, die ,cara mama' versteht sich. Ich sagte ihr, es sei eben der Minister Kraus drinnen, der gehe vor zwei Stunden nicht fort, dann würde der Banus ausreiten, dann . . . Es half alles nichts, das hübsche Ding bettelte fort und fort: es sei nur eine Intrigue von den Ballet=Koryphäen, sie nehme es mit jeder im Tanzen auf, aber sie bringe es zu keinem Solo weil man ihr neidisch wäre über ihre schönen Waden, nicht wahr, Mama? ,Waden' bekräftigte nickend die ,Mama'. Und wenn Se. Excellenz dem Herrn v. Staudigl nur ein Wort sagt oder auch nur schreibt, so habe ich mein Solo; ,ihr Solo', murmelte das rothnasige Echo. Nun ließ sie zwar der Banus nicht vor, wollte sich auch nicht befassen mit derlei Protectionen die den tugendhaftesten Menschen um Ehre und Reputation bringen; ,aber', sagte er, ,vielleicht will einer der Kibitze das Abenteuer bestehen, den Dank der Dame schenke ich ihm'" 2c. Es nahm sich in der That einer der Officiere um das liebe Närrchen an und log Staudigl vor „es sei der Wunsch des Banus", worauf jener alsogleich einwilligte, aber dabei wie Pilatus seine Hände in Unschuld wusch, da sich die Kleine trotz ihrer hübschen Waden überschätze. „Gestern", schreibt unser Gewährsmann weiter, „hatte sie nun wirklich den pas seul in den ,Willis', aber obgleich N., wahrscheinlich in Rücksicht auf den süßen Lohn, das möglichste that und selbst eine Anzahl Cameraden als Claqueurs anstellte, es war alles umsonst, sie fiel durch und soll auch, wie N. lachend erzählte, nicht anders getanzt haben als ein Schwein an der Corda." Wir finden unter den Theater=Vorstellungen des November und December 1848 den „Feen=See" und unter den Solistinen die sonst nicht wieder vorkommenden Namen „Fräulein Noto" und „Fräulein Santi", von welch beiden unsere Heldin eine gewesen sein muß.

278) S. 270. Die Deputation fand sich beim Banus am 23. November ein; Wr. Ztg. Nr. 326 v. 6. Dec. S. 1263 f.

279) S. 271. Wie sehr stach gegen dies bescheidene Wort die Antwort von Csorich ab, der bei dem gleichen Anlasse großsprecherisch sagte: „Daß ich bei Gelegenheit wo ich den Brand der k. k. Burg wahrnahm den Entschluß faßte die Stadt Wien um jeden Preis zu nehmen, lag in dem Drange meines Herzens" 2c. Wr. Ztg. Nr. 322 v. 2. Dec. S. 1228. Vgl. unsern I. Bd. S. 407 uub Anm. [276]).

280) S. 272. Österr. Soldatenfreund Nr. 38 v. 28. November S. 169 f. — Einer anderseitigen Schilderung des Festes entnehmen wir die Stelle: „Es war ein Gewühl, ein Lärmen, man setzte sich zum Souper wie und wann man wollte. Getrunken und geschrien wurde gottesmörderlich, und nur wenn der Banus eine Gesundheit ausbrachte, eingekleidet in begeisternde Worte, war eine heilige Stille, dann

ein um so mehr höllisches Halloh. Rechts neben dem Banus saß Edmund Schwarzenberg, links Franz Liechtenstein" 2c. Außer dem Feldmarschall und seiner Suite war
bei dem „Armee-Rout" so ziemlich alles erschienen was von Officieren in Wien war.

281) S. 274. Springer II. S. 589: „Der im Studium der Pergamente alt-
gewordene Provinzialhistoriker besaß keinen Maßstab für die Schätzung lebendiger
politischer Mächte, hatte keine Ahnung von dem nothwendigen Wechselverkehr zwischen
dem Parlament und dem Volke aus welchem es durch Wahl hervorgegangen war."
War etwa das österreichische Parlament nur aus dem „Volke" von Wien durch
Wahl hervorgegangen?

282) S. 275. Schuselka „Revolutionsjahr" S. 451 meint freilich, gerade weil
über diesen Punkt verfassungsmäßig nichts bestimmt war, „so hätte dieser (constituirende
Reichstag) gesetzmäßig nur mit seiner eigenen Einwilligung verlegt werden können."
Vgl. Gretschnigg's Volks-Zeitung Nr. 38 S. 150: „Der Kaiser hat die Errungenschaften des März und Mai dem Volke nicht geschenkt, das Volk hat sie errungen
. . . Zu Folge dieses Compromisses steht der constituirende Reichstag wenigstens gleich-
berechtigt neben dem Kaiser, der Kaiser kann ihn vor Vollendung seiner Aufgabe ohne
seine eigene freiwillige Bestimmung weder auflösen noch an einen andern Ort versetzen" 2c. Die gleiche Frage tauchte ein paar Tage später rücksichtlich der Berliner
National-Versammlung auf. Unruh „Skizzen" S. 120: „Wenn ich mich im Besitze
der materiellen Macht mit jemand über unser gegenseitiges Verhältnis vereinbaren soll
und behalte mir das Recht vor ihn beliebig, ohne seine Einwilligung, nach Hause zu
schicken, so bleibt es lediglich meinem Ermessen anheimgestellt ob alles beim alten
bleiben soll — so urtheilt der natürliche Verstand." Siehe dagegen: Held Deutschland's Lehrjahre S. 358—360, der sich überdies über die „wahrhaft naiven Erörterungen" der Versammlung „über die Frage, ob die Regierung nach constitutionellem
Brauche zu ihrer Handlungsweise berechtigt sei oder nicht", S. 362 lustig macht. Der
Chef-Präsident des Revisions- und Cassations-Hofes für die Rhein-Provinzen Sethe
erklärte in einem ausführlichen Rechtsgutachten: „Zweitens wird dem Könige eben so
grundlos . . . das Recht streitig gemacht, die National-Versammlung von Berlin nach
Brandenburg zu verlegen" 2c. Deutsche Chronik für das Jahr 1848 (Berlin, A. W.
Hayn, 1849) S. 154.

283) S. 277. Vgl. Schuselka a. a. O. S. 437 f.: „Die Entfernung der
Volksvertreter aus dem Mittelpunkte des Staates und von dem daselbst mächtig wirkenden elektrischen Fluidum der öffentlichen Meinung konnte überhaupt nur trübe Besorgnisse erwecken." In der That, eine Behauptung die sich von dem offenen Geständnis
einer Verbindung der Linken mit der Gasse kaum unterscheidet.

284) S. 277. Nordstein S. 383.

285) S. 277. Schuselka S. 437.

286) S. 277. Im Hinblick auf die Vorgänge in der preußischen Hauptstadt machte
der „Lloyd" Nr. 266 v. 26. November die beißende Bemerkung: „Berliner Volk und
Deputirte behaupten zwar die Berathungen seien ganz frei gewesen; denn man habe
den Volksvertretern blos die Stricke gezeigt, aber noch keinen aufgehängt, und die
Vernaglung der Eingangsthüre habe nicht so lang gedauert daß sie verhungert wären.
Die Berathungen in Berlin waren also erwiesen ganz frei; ob die Berathungen in
Wien eben so frei waren das ist zu erweisen, und wenn es erwiesen wird, dann erst
wäre gegen Krone und Ministerium zu protestiren daß sie nach Belieben sich ein Recht
anmaßen."

287) S. 280. Schuselka S. 442.

288) S. 280. Adam Potocki legte gegen dieses Wort sogleich Verwahrung ein: „Wir gehen ja von der Gleichberechtigung der Nationen aus; wir sollen nicht von Čechisirung, nicht von Germanisirung sprechen, wir wissen daß wir uns alle die Hand gereicht haben" 2c. und selbst Schuselka that Einsprache dagegen, „sich in Recriminationen gegen Nationalitäten, in die Furcht vor der Čechisirung einzulassen." Was Borrosch auf diese Vorwürfe entgegnete (stenogr. Ber. IV. S. 357) war noch ungeschickter als was er zuvor gesagt hatte.

289) S. 285. Näheres in: „Erinnerung an Kremsier. Zusammengestellt von W. A. Neumann und Eduard Edl. v. Meyer." (Kremsier, k. k. Hof= und Staats= druckerei, 1849. Als Titelbild eine Ansicht von Kremsier.) Eine werthvolle Zugabe bilden die statistischen Daten über die österr. constituirende Reichsversammlung von Kremsier, zusammengestellt von J. R. Wallner. Angehängt sind Pläne von Kremsier, des erzbischöflichen Palastes und des Reichstagssaales mit den Sitzen der einzelnen Abgeordneten.

290) S. 289. So faßte z. B. der constitutionelle Verein von Karlsbad den Beschluß: „In Anbetracht, daß die erste wichtige und unaufschiebbare Aufgabe des Reichs= tags die Vollendung des Staatsgrundgesetzes sei; in Betracht, daß der Reichstag von Kremsier aus sein unantastbares Recht der Selbstvertagung Selbstverlegung und Auf= lösung wahren und gegen alle inconstitutionellen Schritte protestiren kann und muß; in Betracht, daß der Reichstag auf baldige Aufhebung des Belagerungszustandes in Wien und auf Verlegung der Versammlung nach der Hauptstadt Wien dringen wird; in Betracht, daß es der sehnlichste Wunsch der Bevölkerung ist aus dem Zustande der wachsenden Gesetzlosigkeit befreit zu werden: ist dem Reichstagsabgeordneten Herrn Professor Haimerl der Wunsch des constitutionellen Vereins in Karlsbad auszudrücken: er möge sich in jedem Falle und sobald als möglich zur Reichsversammlung in Kremsier begeben."

291) S. 290. Wenn wir nicht irren war es in der Kremsierer Zeit, wo ein Spaßvogel von einem Deputirten einem seiner gelehrten Collegen von dem uralten Brauche bei den mährischen Walachen erzählte, ihren Todten drei Dinge mit in's Grab zu legen: eine Zange, eine Lichtputze und ein Schneuztuch. Der Belehrte war schon im Begriffe tiefsinnige Betrachtungen über diese Wahrzeichen einer frühen Bil= dung anzustellen und die ohne Zweifel symbolische Bedeutung jener Beigaben zu er= gründen, als ihm noch zu rechter Zeit beifiel, sie könnten wohl insgesammt — die rechte Hand des Verstorbenen sein.

292) S. 291. Schuselka S. 440. — Daß selbst dem Reichstags=Präsidenten Schwierigkeiten wegen seiner Abreise von Wien gemacht wurden, erzählt Karl Wid= mann „Franciszek Smolka; wspomnienie biograficzne" (Lwów 1868) S. 203 aus= führlich; zuletzt habe Smolka's Drohung, unmittelbar nach Olmütz zu telegraphiren und über dies Hinhalten, wodurch die rechtzeitige Eröffnung des Reichstages verhindert werde, Klage zu führen, den Ausschlag gegeben. Ob sich indeß die Sache buchstäblich so verhielt wie sie Widmann erzählt: daß nämlich Smolka „dem Windischgrätz" den Termin von einer Stunde gegeben binnen welcher die Bewilligung da sein müsse widrigens 2c. und daß er auf dieses „noch vor Ablauf der Stunde" die Bewilligung erhalten habe, möchten wir dahingestellt sein lassen.

293) S. 292. Reichstags=Gallerie III. S. 83—85: „Seit Jahren hatte sich Herr Wessenberg in irgend einem Winkel der Eidgenossenschaft eingepuppt in sein otium sine dignitate" und Österreich habe der Vorsehung gewiß nicht zu danken, „daß sie an ihm den Verwesungs=Proceß bis zur Neugeburt Österreichs unvollendet ließ" 2c. —

wobei letzterer u. a. sagt: „Haſt Recht, 's iſt eine wahre Schand für Öſterreich, wegen einigen Lumpenkerls an Wien ſo eine niedrige Rache zu nehmen." — Auch Wid mann Smolka S. 201 ſtellt die Sache ſo dar als ob alle Gerichts=Proceduren ein Rache= Act um des einen Latour willen geweſen wären: „Za śmierć jednego Latoura byliby radzi tysiące ludzi skazać na śmierć."

241) S. 242. Schuſelka S. 430. — Derſelbe erzählt auch, daß er, als er die Hinrichtung Meſſenhauſer's erfahren, ausgerufen habe: „Nun muß auch ich, nun muß auch der Finanz=Miniſter erſchoſſen werden!"

242) S. 243. Die Egerer Adreſſe datirte vom 21. November; Wr. Ztg. Nr. 318 v. 28. November S. 1186 f. Eine ſcharfe „Entgegnung" erfuhr dieſelbe ebenda Nr. 327 v. 7. December S. 1276.

243) S. 243. „Preſſe" Nr. 123 v. 26. November. — Der Antrag im Brünner Landtage, von Dr. Wilsdorf am 8. November geſtellt, wurde in der Sitzung vom 10. zum Beſchluſſe erhoben.

244) S. 244. Dieſen letztern Gedanken führte insbeſondere der „Hans Jörgl" Heft 45 S. 9—12 aus: „Es wäre ſchauerlich zu denken, wenn die Unglücklichen ſich in den Tod g'ſtürzt hätten, weil ihnen der Gemeinderath verſprochen hat daß die Witwe 200 fl. C. M. und jedes Kind 50 fl. C. M. kriegen wird! . . . Von einigen Weibern hab i g'hört daß ſie ihre Männer mit Gewalt g'zwungen hab'n daß ſie kämpfen müſſen, weil's auf den ſichern Tod vom Herrn Ehegemahl und auf die Penſion g'wart hab'n ꝛc. Vgl. Dr. F. C. Weidmann „Die Zuſtände Wiens ſeit 1. Decem= ber 1848" in der „Auſtria" v. J. 1850 S. 224.

245) S. 244. „Es geht ihnen wie allenfalls einem gewiſſenloſen Hausmeiſter, der ſich über den Hausherrn ſchrecklich beklagt, die halbe Stadt mit Schmähungen über ihn erfüllt, die ganze Nachbarſchaft gegen ihn in die Höhe bringen will. Und warum? Weil derſelbe eine verſoffene Partei vom vierten Stocke wegſchickte und ein= ſperren ließ. Warum iſt denn der Hausmeiſter gerade deshalb ſo wild über den Hausherrn? Weil ihm die fortgeſchickte Partei wegen ihrer Unordnung, ihres nächt= lichen Herumſchwärmens, fleißig gehaltener Zechgelage einen ſchönen Beitrag für's Thorauffſperren hatte zukommen laſſen!" Friedensbote Nr. 33 S. 257—259.

246) S. 245. Hiſt. polit. Blätter 1849 I.: „Wien im November 1848 und die Correspondenten der A. A. Ztg"; Auſtria 1849: „Die Zuſtände der Hauptſtadt im Laufe des Monats November" S. 428; Meynert Geſchichte der Ereigniſſe ꝛc. S. 612.

247) S. 248. „Seit kurzem iſt Baron Welden unſer Gouverneur. Er iſt ein wiſſenſchaftlich gebildeter Mann, der jedoch im Umgange eine Eigenſchaft entwickelt die mit der Grobheit ſehr nahe verwandt ſein ſoll." (Grätzer) Volks=Zeitung Nr. 30 v. 9. December.

248) S. 249. Epiſoden aus meinem Leben ꝛc. von Ludwig Frhr. v. Welden ꝛc. (Grätz, Damian & Sorge, 1853) S. 47 f. Mit den Ziffern ſcheint übrigens der Verfaſſer etwas willkürlich herumzuwerfen; ſo ſprechen amtliche Quellen, z. B. Abend= Beilage z. Wr. Ztg. Nr. 203 v. 13. Nov. nur von einer „Anzahl von 1600 Indivi= duen verſchiedener Stände" die „zur Haft gebracht" worden ſeien.

249) S. 250. Auch in andern Stücken drang Welden darauf, daß alle Mahn= zeichen an die vorausgegangene wirre Zeit verwiſcht würden. So mußte z. B. dem „Brünner Platz" in der Leopoldſtadt ſein früherer Name „Karmeliter-Platz" zurück= gegeben werden. — Da nicht daran zu denken war den Candelaber Latour's am Hof durch einen neuen zu erſetzen, beſchloß der Gemeinderath „wegen der Gleichförmigkeit"

auch die übrigen vom Platze zu entfernen und tröstete das Publicum damit, daß durch die 36 Gasflammen, die nun statt der frühern 31 rings um den Platz in Thätigkeit gesetzt wurden, die Beleuchtung eher zu= als abgenommen habe.

250) S. 252. Letzteres Gerücht war in der That — so weit kann die Albernheit in aufgeregten Zeiten gehen! — eine Zeit in Wien verbreitet. Den türkischen Bot= schafter, hieß es, habe man in den letzten Tagen vor der Einnahme der Leopoldstadt in der Jägerzeile auf und ab gehen sehen, er habe die Leute getröstet und ihnen ver= sprochen bei der Pforte Meldung von dem Verfahren gegen Wien zu machen, und von da an ging eine dunkle Sage, die Türken würden nach Wien kommen. Das war wohl blöd genug, aber wohl noch mehr . . . auffallend mußte es erscheinen, wenn der — frd— Correspondent des Const. Bl. a. B. Nr. 117 v. 14. Nov. diese Sache ganz ernsthaft erörterte und damit einen aus Agram gemeldeten räuberischen Einfall der Türken bei Cetin (Sluiner Gränzbezirk), der mit blutigen Köpfen zurückgewiesen worden sei, in Verbindung brachte. „Jedoch", fügt er zuletzt zweifelnd hinzu, „scheint mir der Zwischenraum an Zeit vom 31. October bis zum 8. November zu kurz als daß ich es auch nur für wahrscheinlich halten möchte."

251) S. 254. Kundmachung des G. M. Frank v. 19. November, womit er den Absatz 5 der Proclamation vom 1. November um so eindringlicher in Erinnerung brachte, „als ein diesfälliger Leichtsinn gleichwie jede böse Absicht eine unnachsichtliche Bestrafung nach der Strenge des Militär=Gesetzes zur unausbleiblichen Folge haben würde."

252) S. 254. Die öffentlichen Blätter benannten damals folgende Gegenstände die noch vermißt würden: Scanderbeg's Säbel, 17 geätzte Handschuhe von den Kaiser= harnischen, 1 türkische Streitart, 1 chinesische Glefe (Sturmsense), 20 Geschütz=Modelle. — Die Waffen der Nationalgarde und der akademischen Legion kehrten zum größten Theile in das bürgerliche Zeughaus zurück. Einer Zeitungs=Notiz a. d. J. 1869 entnehmen wir darüber Folgendes: „Ein Theil von den deutschen Schwertern der aka= demischen Legion dient der städtischen Feuerwehr bei Parade=Aufzügen als Seitenwehre, 200 Stück Gardesäbel wurden im Jahre 1866 an die Direction der galizischen Karl Ludwigs=Bahn verkauft um ihre Bahnwächter zu bewaffnen. Vor kurzem stellte die Direction der genannten Bahn an den Wiener Gemeinderath abermals das Ansuchen um käufliche Überlassung von 160 Stück solcher Säbel, da die Zahl ihrer Bahnwächter wegen Erweiterung des Bahnnetzes abermals vermehrt wurde, und es wanderten neuer= dings 160 Säbel nach Galizien. Übrigens besitzt die Commune Wien noch immer nahezu an 7.000 Säbel alter Art, vom Korbsäbel der Nationalgarde bis zum Stutz= säbel in Lederscheide. Es wurde dem Gemeinderathe von einem Messerschmiede das Anerbieten gemacht ihm diese Säbel alle abzulassen, da es zweckmäßiger wäre wenn aus diesen Waffen, die im bürgerlichen Zeughause nutzlos hinterlegt sind, Messer und andere Instrumente fabricirt würden. Die schleunige Aufstellung der Stadtwache und die Errichtung einer provisorischen Bürgerwehr im Jahre 1866 haben jedoch die Noth= wendigkeit eines kleinen Vorrathes von Waffen für die Commune Wien dargelegt und das Ansuchen des Messerschmiedes wurde abweislich beschieden."

253) S. 255. Einen bedeutenden Fang machte man, wie die Tagesblätter erzähl= ten, am 16. November in dem Hause „zum rothen Hahn" auf der Landstraße an mehr als 1000 Stück Gewehren, die ein Großfuhrmann zur Versendung nach Ungarn auf= gekauft haben sollte; er selbst, sein Magazineur und dessen Handlanger wurden gefäng= lich eingezogen. Sehr oft liefen falsche Anzeigen ein, die nutzlose Mühe verursachten. Eines Tages wurde im Canal des Alserbaches nachgeforscht, ohne daß man irgend

etwas fand. Am 20. November kam im Gemeinderathe der Vorschlag zur Sprache die Schleuße des Wien-Flußes abzulassen, da im Flußbette Waffen verborgen seien; man scheint aber, durch ähnliche Zumuthungen von früher her gewitzigt, nicht weiter darauf eingegangen zu sein.

254) S. 256. E. K. Belagerungszustand und Standrecht; Beil. z. Abendb. der Wr. Ztg. v. 30. Nov. 1848. S. auch „Kundmachung" der k. k. Cent.-Comm. der k. k. Stadt-Commandantur v. 8. December 1848. — Über die Zusammensetzung des Kriegsgerichtes durch alle drei Instanzen, so wie über dessen Thätigkeit f. Welden a. a. O. S. 51 f.

255) S. 256. Über Pova und dessen Verurtheilung f. Fröbel Briefe S. 60 f.

256) S. 256. Vorzugsweise treffe das, wie General Frank am 17. November befahl, die ehemaligen Mitglieder der akademischen Legion und der Mobilgarde; die Maßregel sei gleich mit jenen Individuen in Gang zu setzen, die von der Untersuchungs-Commission entlassen worden; die die Eignung als Combattanten nicht besäßen, sollten für das Fuhrwesen oder als Krankenwärter in Militär-Spitälern assentirt werden; alles das für die Armee von Italien.

257) S. 257. Comité-Bericht an das Handels-Ministerium v. 12. November 1848; Wr. Ztg. Nr. 309 v. 17. November S. 1106.

258) S. 258. Ähnliche Wahrnehmungen waren in Brünn zu machen. So hieß es u. a. in einer Correspondenz v. 22. Dec. im „Österr. Corresp." (Nr. und Datum haben wir aufzuzeichnen versäumt): „Mit dem sogenannten Proletariat macht man sich hier manche Sorge. Wie aber die Kosten und die Mühe, die man auf künstliche, im Ganzen wenig productive Beschäftigung der theils arbeitslosen theils arbeitsscheuen Individuen verwendet, gelohnt werden, davon zwei Beispiele. Neulich wurde in einer hiesigen Schänke eine Gesellschaft spät in der Nacht von der Sicherheitsbehörde beim Färbelspiele überrascht; die Spielenden waren Mitglieder der auf allgemeine Kosten mit Erdarbeiten unterhalb des Spielbergs beschäftigten Arbeiterpartien!! In der Fabrik des Hrn. P. wurde eine Bestellung auf Stoffe nach einem neuen Muster gemacht. Herr P. vertheilte die Arbeit nach der hier üblichen Weise. Die Arbeiter aber weigerten sich, weil man bei diesem neuen Muster zu viel Aufmerksamkeit verwenden müsse. Als der Fabricant ihnen bemerkte, er müsse in diesem Falle die Arbeit andern geben die sich bereitwilliger finden würden, remonstrirten sie gewaltig dagegen und argumentirten: er dürfe das nicht, er sei als Fabriksherr verpflichtet sie zu beschäftigen ꝛc."

259) S. 258. Siehe über diese Streitfrage: Geißel Nr. 72 v. 15. November S. 299; Beil. z. Abendb. der Wr. Ztg. v. 30. November: „Latour und die Entschädigungsfrage"; Österr. Courier Nr. 286 v. 9. December: „Die Entschädigungsfrage aus Anlaß der durch die October-Ereignisse in und um Wien herbeigeführten Beschädigungen"; Abendb. z. Wr. Ztg. Nr. 232 v. 16. December S. 912: „Über die Entschädigung" und dagegen Beil. z. Morgenbl. der Wr. Ztg. v. 30. December: „Noch ein Wort über die Entschädigung."

260) S. 259. Unter andern spendeten die Großhändler und Fabriks-Besitzer von Fiume auf einmal einen Betrag von 1000 fl., vorzüglich für Witwen und Waisen deutscher mittelloser Familien. — Von der National-Versammlung zu Frankfurt liefen 4655 fl. 2 kr. als Hälfte jenes Unterstützungsbetrages ein, den dieselbe von einer Gesellschaft Deutscher in New-York „für die Verwundeten und hinterbliebenen Witwen und Waisen der Opfer bei den die Freiheit begründenden Kämpfen des Volkes gegen die arbiträre Gewalt im deutschen Vaterlande, namentlich in Wien und Berlin", im

Monate Juni durch den americanischen Consul Karl Grabe empfangen hatte. Da jedoch, wie Gemeinderath Winter ganz richtig bemerkte (Sitzung v. 9. December), schon der Zeitrechnung nach mit jener Widmung nur die Opfer der März-Ereignisse gemeint sein konnten, so gingen die ungleich zahlreicheren October-Beschädigten bei dieser großen Summe leer aus. Eben so war bei den nied. österr. Ständen noch von März und April her von einer zur Unterstützung der damals verunglückten Gewerbs-leute hergeleiteten Subscription ein Betrag von 18.416 fl. 42³/₄ kr. übrig geblieben; allein auch dieser konnte seiner Widmung nach für die Opfer der Octoberzeit streng-genommen nicht verwendet werden. — Unter den Vereinen, die ausgiebigere Hilfe nach Wien sandten, befanden sich u. a. der deutsche Verein zu Rosendorf bei Teschen (128 fl.), der Verein zur politischen Bildung des Volkes zu Ried (551 fl. 31 kr.), der Congreß zu Eger, der am 21. Nov. an alle deutschen Vereine Böhmens die Aufforderung rich-tete, Sammlungen für die Verunglückten Wiens zu veranstalten 2c.

261) S. 260. S. „Wiener Geschäftsbericht und Neuigkeitsbote" (lithographirt) Nr. 116 v. 4. und 118 v. 6. December: „Der hiesige Bürger-, Kaufmanns- und Fabricanten-stand spricht sich im allgemeinen für Verlängerung des Belagerungszustandes aus und es sollen in diesem Sinne Petitionen vorbereitet werden. Das Bedürfnis einer starken, Sicherheit und Ordnung verbürgenden Regierung stellt sich in den gedachten Kreisen auf eine vorwaltende Weise heraus".

262) S. 262. F. G . . . . . . (Franz Gaberden?) Tragi-komische Abenteuer eines Wiener October-Flüchtlings 2c. (Wien, J. B. Wallishauser, 1850), wo die Irr-fahrten eines Schauspielers beschrieben werden, der am 13. Morgens von Brünn nach Wien eben noch zurecht kam um der ersten Theater-Probe beizuwohnen. — Den Auf-satz Hanslik's: „Die Wieder-Eröffnung der Theater in Wien" brachte die Beil. z. Abendb. d. Wr. Ztg. v. 5. December. Es gebe, heißt es daselbst „ascetische Seelen" die es „für sehr unpassend halten in einer belagerten Stadt Komödie zu spielen; wahr-scheinlich gilt ihnen jeder Belagerungszustand als eine Art solenner Trauer, die in Reue und Leid verbracht und durch keinerlei Ergötzlichkeit unterbrochen werden darf"; er dagegen sehe mit so vielen Andern den Belagerungszustand „nicht als den Anfang sondern als das Ende einer Trauerzeit an"; der Wiener habe frei aufgeathmet, als ihm derselbe „Ruhe Ordnung und Sicherheit schwarz auf weiß geboten", da in den vorausgegangenen Wochen „die genannten drei Abstracte wenigstens nicht vereint zu finden" gewesen; „denn wer ruhig und ordentlich war, ist keineswegs sicher gewesen."

263) S. 263. Siehe z. B. „Wanderer" Nr. 252 v. 21., „Österr. Courier" Nr. 272 v. 24. November S. 1094.

264) S. 265. Auffallend war es übrigens, wie oft in den Blättern der ersten No-vember-Zeit Verwechslungen mit dem Datum des vorangegangenen Monats vorkamen; so z. B. trug gleich der Eingangs-Artikel v. Nr. 66 der „Geißel", des ersten seit ihrer Unterbrechung wiedererscheinenden Blattes, die Überschrift: „Wien, am 8. October 1848". Es war als ob man den fatalen „October" gar nicht aus dem Kopfe bringen könnte.

265) S. 265. Hist. polit. Blätter 1849 I. S. 182. — Über die während des Be-lagerungszustandes geübte „Controlle", von den Gegnern „Censur" gescholten s. Wel-den Episoden S. 53 und „Fremden-Blatt" Nr. 292 v. 26. November; letzteres zählt 32 Wiener Journale auf die bereits wieder zu erscheinen begonnen hatten. — Eine Charakteristik der „Wiener Journale und Journalisten" jener Zeit vom Standpunkte ei-nes Radicalen (Engländer) brachten die „Wiener Boten" I. S. 124—128: „Selbst der Conservative ist ihnen zu radical, sie wollen gar nichts als Habsburg, Habsburg

um jeden Preis; der Sphärenklang des Himmels klingt ihnen nicht so schön wie: ‚Gott erhalte unsern Kaiser' . . . Über Becher witzeln sie und heißen ihn einen schlechten Musikanten ‚den die Kugeln ausgepfiffen'; Jelinek rufen sie in's Grab nach: ‚Judenbub' und in diesem Tone beschimpfen sie die Todten und denunciren die Lebenden . . . Ihr delicatester Ausdruck ist ‚Galgen' und ihr drittes Wort ist ‚rebellischer Lotterbube' . . . Der possierlichste unter diesen über die Knechtschaft Verzückten ist Saphir, der alt gewordene Bajazzo, dem es nicht gelang die Revolution zu einem Wortspiel zu verrenken und der ihr deshalb grollt . . . Endlich hält die Welt für unvollkommen weil Juden darin sind; er bekommt an einem Samstag Krämpfe weil die Juden an diesem Tag sich nicht plagen, und hält die Schweine für die reinlichsten Thiere weil sie nicht von Juden berührt werden . . . Die ‚Presse' findet ihr Vorbild in Emil de Girardin. Ihr Redacteur ist Dr. Landsteiner, welcher Girardin in Bezug auf Charakterlosigkeit und Reactions-Gelüste gänzlich, in Bezug auf Geist jedoch nicht ganz erreicht . . . Die ‚Wiener Zeitung' ist die Metze welche im October die Aula auf das begeistertste pries und sie jetzt ein Rebellen-Nest nennt; seitdem uns aus diesem Blatte die Todesurtheile von Blum Jelinek und Becher eiskalt angrinsten, hat es für uns einen Modergeruch" . . . Die „Ost-Deutsche Post" nannte Engländer „das einzige Blatt in Wien das wenigstens nicht noch reactionärer ist als die reactionäre Regierung." Allein selbst diese verschüttete es bei Kolisch (a. a. O. I. S. 55 f.), als sie es wagte über die Wiener Universitäts-Jugend ein wegwerfendes Urtheil zu fällen: „Trägern von Ideen, wie sie durch die Mai-Bewegung lebendig geworden, Unreife und Selbstüberschätzung vorzuwerfen, sei so etwas erhört worden?! Das sei eine armselige Überlegenheit der Reife die die Liberalen von ehemals sich anmaßen, und beweise nichts anderes als wie leicht Herr Kuranda mit der Freiheit zu schreiben abzufinden sei" ꝛc.

266) S. 265. Österr. Corresp. Nr. 11 v. 14. Nov. 1848 S. 42.

267) S. 266. Eines dieser Verzeichnisse brachte die Namen von etwa anderthalb Dutzend Gemeinden und Gutsbesitzern des V. O. W. W., die 1194 Laib Brod, 458 Bund Heu, 219 Metzen Erdäpfel, 107 Bund Stroh, 10 Metzen Hafer, 6 Säcke Kraut eingeschickt hatten. — Der „Hans Jörgel" sammelte insbesondere „für unsre braven Kroaten", deren Ausstattung allerdings das meiste zu wünschen übrig ließ. Man sandte ihm Geld, Kleidungsstücke und Kleiderstoffe, Schlafröcke u. dgl., fast durchaus ohne Namen oder mit bloßer Chiffre oder mit eigenen, zum Theil komischen Bezeichnungen z. B. „von einem Tarokkönigrufer dem man vorwirft daß er Brod sitzt". Ganz glücklich war er, als er eines Tages 300 fl. verzeichnen konnte, die ihm ein Ungenannter aus Grätz „zur Anschaffung von Tuch zu Pantalons für unsere braven Kroaten" eingeschickt hatte.

268) S. 266. Mit diesem Beisatze spendete Alfred und Karl Skene 500 fl. — Die meisten Widmungen lauteten „für die bei Wien verwundeten Krieger", für die z. B. Fürst Dietrichstein, der Leinwandhändler Franz X. Felbermayer und „ein Ungenannter" je 1.000 fl., Fürst Philipp Batthyányi 500 fl. spendete, eine in Baden eingeleitete Sammlung 2.660 fl. 5 kr. — Wr. Ztg. Nr. 313 v. 22. November S. 1144 — einbrachte u. dgl. m. Manche Widmungen betrafen einzelne Truppenkörper insbesondere wie z. B. eine „ungenannt sein wollende Dame aus Brünn" dem 12. Feldjäger-Bataillon und dem 1. Bataillon Schönhals „in Anerkennung ihrer Tapferkeit vor den Mauern Wiens" je 50 fl. einsandte, die an die Reconvalescenten bei ihrem Austritte aus dem Spitale zu vertheilen waren. — Unermüdlich in Aufrufen und Sammlungen erwies sich damals, wie später noch so oft, Michael Edler von Rambach, Mit-Interessent und ehemaliger Administrator der „Wiener Zeitung."

269) S. 266. Wr. Ztg. Nr. 306, v. 14. Nov. S. 1084; der Name des freigebigen Engländers war John Horsfall.

270) S. 266. Näheres über die Feierlichkeit in Abendb. z. Wr. Ztg. Nr. 209 v. 20. Nov. und „Hans Jörgel" 38. Heft S. 22—24. Letzterer behauptet, die bei der Leichenfeier verwendeten Pechkränze seien dieselben deren man bei der Einnahme der Stadt drei Wägen voll, zum Anzünden der ärarischen Gebäude bestimmt, in Beschlag genommen habe. — Die Beilage zur Abendb. d. Wr. Ztg., v. 30. Nov. enthielt den Vorschlag „eines von Frankfurt Heimgekehrten", Latour an der Stelle wo er auf so schreckliche Weise sein Leben ausgehaucht ein bleibendes Denkmal zu setzen; ein Vorschlag der bis heute unausgeführt geblieben ist.

271) S. 267. Schreiben Nesselrode's an den Botschaftsrath Felix von Fonton in Wien: „Sa victoire sur l'anarchie est non seulement un service qu'il a rendu à l'Autriche et à l'Europe, mais encore à l'ordre social tout entier, et nous aimons à espérer qu' à cette victoire se rattachera une régénération que nous appelons de tous nos voeux." Das Schreiben Nesselrode's an Fonton, das des russischen Kriegs-Ministers Černičev an Windischgrätz, endlich die beiden kaiserlichen Handschreiben an Windischgrätz und Jelačić — letztere beide übersetzt und abgedruckt Abendb. z. Wr. Ztg. Nr. 212 v. 23. und Wr. Ztg. Nr. 315 v. 24. November — lauten insgesammt vom $\frac{29.\ \text{October}}{10.\ \text{November}}$ 1848. Windischgrätz dankte dem Kaiser in einem Schreiben vom 23. November, worin er unter andern die Bitte stellte, das kleinere Ordenszeichen als unschätzbares Andenken in seiner Familie behalten zu dürfen. Anfang December erhielt der Banus durch die russische Gesandtschaft ein mit kaiserlichem Siegel verschlossenes Paquet; er vermuthete einen Orden, es war aber ein Kreuzchen oder Heiligenbild — es bekam es niemand zu Gesicht als sein Bruder „Toni" —, eine Sendung der Kaiserin mit einem Schreiben von ihrer Hand, es während des Krieges als Amulet zu tragen. Er hing es augenblicklich um und behielt es von da an verborgen an seinem Herzen. Auch sonst erfuhren Windischgrätz und Jelačić von Seiten des Auslandes Anerkennungen der schmeichelhaftesten Art. Die Wr. Ztg. Nr. 315 v. 24. Nov. brachte den Wortlaut zweier an den Banus gerichteten Huldigungs-Adressen: der einen v. 8. Nov. aus Carow bei Genthin, Provinz Sachsen; der andern v. 15. Nov. aus Berlin. Am 19. December kam im Landtag zu Schwerin eine mit vielen Unterschriften versehene Petition an den Landtag zur Sprache, des Inhalts: „Eine hohe Versammlung wolle im Namen des mecklenburgischen Volkes gegen den Fürsten Windischgrätz aussprechen, daß derselbe sich durch sein energisches Auftreten gegen die Anarchisten zu Wien um das deutsche Vaterland wohlverdient gemacht habe." Der Landtag nahm jedoch den Antrag des Abg. Grabow an, ohne weitere Debatte über die Adresse zur Tagesordnung überzugehen. — Über die im Text erwähnte Besorgnis der Freunde und Anhänger des Fürsten vor einem Attentate belehrt uns ein Privat-Schreiben (Staatskanzlei) v. 23. November: „Nous avions eu le coeur serré dans la prévision de cette première apparition. L'aberration des esprits, et la perversité des coeurs qui en résulte, est si grande dans cette misérable Allemagne qu'il n'y a pas de crime qui ne soit dans les possibilités" . . .

272) S. 268. Den Wortlaut der betreffenden Adressen und der Antworten darauf s. Wr. Ztg. 317 v. 26., Abendb. Nr. 215 v. 27., Wr. Ztg. Nr. 319 v. 29., 320 v. 30. November, 322 v. 2. December. Über die Scene am 26. in Schönbrunn lesen wir in einem Privat-Schreiben (Haupt-Qu. Wind.) vom 4. December: „Es r eine

der touchanteſten Scenen. Der Feldmarſchall ſprach von den Opfern die er gebracht, die Deputation, vielleicht 130, brachten ihm drei laute Vivats und alles weinte" . . . Vielleicht waren es jene Dank= und Vertrauens=Bezeigungen, die einem Correſponden=ten der „Gränzboten" (1848 IV. S. 392) nicht zu Geſichte ſtanden und ihn zu der Äußerung veranlaßten: „Wollen Sie wiſſen wie es in Wien ausſieht? Wie in einer Kneipe in der ſich Beſoffene erbrechen. Wien ſtinkt nach Katzenjammer. Der Anblick iſt ekel wie der Geruch."

273) S. 268. Hans Jörgel 43. Hft. S. 1 ff.: „Wie i g'hört hab, ſo ſchöniren ſich viele Wahlmänner das Mistrauens=Votum vom Füſter zu unterſchreib'n. Sie fürchten ſich, wenn die Demokraten wieder an's Brett kummen, ſo kunnten ſie den Kopf verlier'n" ꝛc.

274) S. 268. „Die k. k. Poſt brachte mir täglich zwei bis drei Briefe voll der ausgeſuchteſten Grobheiten in Proſa und Verſen. Die Herren und Frauen Brief=ſteller gingen zuletzt ſo weit, daß ſie auf die Adreſſe die gemeinſten Schmähungen ſchrieben, was jedoch die k. k. Poſt nicht hinderte die Briefe zu befördern." Alle dieſe Briefe, bis auf einen einzigen, ſeien anonym geweſen, mit verſtellter Hand geſchrieben, mit Kreuzern oder Knöpfen geſiegelt ꝛc. Schuſelka Revolutions=Jahr S. 453. — Von Journalen braucht man nur die Rambach'ſchen Verzeichniſſe in den Inſeraten der Wr. Ztg. zu durchblicken, wo man finden wird: „In freudigem Gefühle über das Mistrauens=Votum des Wahlbezirkes Mariahilf an den Reichstags=Deputirten Füſter" . . . 5 fl.; „aus patriotiſcher Freude über das dem Deputirten Füſter zugewendete Mistrauens = Votum" . . . . 1 fl.; „die Mistrauensanerkennungen der Deputirten Borroſch Füſter Goldmark erfreuen die Bewohner Wiens und geben Hoffnung zu deren eheſtem Verſchwinden aus dem Reichstage" . . . . 4 fl.; „aus Seelenfreude über die Mistrauens=Bota an die Reichstags=Deputirten Füſter und Goldmark" . . . 10 fl.; „die Freude über die an Füſter und Goldmark ertheilten Mistrauensvota hat noch zu=genommen, daher ſtatt 5 fl." . . . 10 fl.; „in Übereinſtimmung mit den bereits ge=gebenen Mistrauens=Voten und in der Hoffnung daß noch mehrere verdiente nach=folgen werden" . . . . 10 fl. — Zuletzt fand man ſich, um dem Scandal ein Ende zu machen, veranlaßt alle weitere derlei Bemerkungen der Einſender zu unterdrücken.

275) S. 269. Privat (Haupt=Qu. Wind.) 17. November und 4. December: „es iſt etwas theatraliſches in der ganzen Geſellſchaft das mir mißfällt". Unbetheiligte ge=wahrten mit einigem Unbehagen dieſe Stimmung, und wünſchten im Intereſſe des Fürſten daß ihm ſelbe nicht unbekannt bleiben möge. „Je souhaite tout particulière-ment que les alentours du Prince sachent ménager avec soin, et avec un tact qui est toujours rare et quelquefois difficile, les rapports si importants de cordialité qui doivent exister avec un homme de cette valeur. J'ai du promettre à la Psse. . . . de vous faire part de cet Anliegen sur lequel nos coeurs sont d'accord, comme preuve de la manière dont elle s'identifie avec les intérêts de la gloire de celui que nous révérons avec une tendre solicitude" (Privat, Staats=Kanzlei 27. Nov.). Jelačić ſelbſt wußte ſehr gut um dieſe Stimmung V. „Il m'a parlé qu'il y avait de petits mécontentements et de germes de misentendus entre les deux maisons . . .; j'espère qu'on réussira à calmer les susceptibilités dans lesquelles du reste les sentiments personnelles de J. n'entrent pour rien. Son désintéres-sement et sa loyauté serviront même beaucoup à aplanir toutes les difficultés" (Privat, alt=conf. 14. Nov.).

276) S. 270. „Wenn der Ban erſcheint iſt alles elektriſirt, alles ſpringt auf, jeder iſt glücklich wenn er ihm zuwinkt oder einige Worte mit ihm ſpricht, und fällt

sein schönes Auge nicht ganz freundlich auf Einen oder den Andern, so ist der Betreffende gewiß betreten und fragt sich: was habe ich verschuldet? Daß er barsch
hart grob mit jemand wäre, kommt gar niemals vor." 2c. Privat (Haupt=Qu. Jel.)
Nov. 1848.

277) S. 270. Ebenda zum 20. November, welcher Quelle wir noch folgendes
heitere Histörchen entnehmen: „Als sich das Vorzimmer bereits zu leeren anfing, trat
noch ein hübsches geputztes Dämchen mit der ‚Mama‘ herein; sie hatte eine schöne
Bitte an den Banus: sie ist Tänzerin und kann es Ballet=Intriguen wegen zu keinem
Solo bringen, und der ‚pas seul‘ ist das ganze Dichten und Trachten einer Ballerina.
Der Ban soll ihr ein Solo verschaffen, er hätte dabei nichts zu thun als sich bei
dem Regisseur, dem Bassisten Staudigl für sie zu verwenden. Alles capacitiren von
meiner Seite nützte nichts; sie wisse daß Se. Excellenz jedermann anhört, und wenn
er noch so beschäftigt sei finde er gewiß eine Minute um sich einer Unglücklichen anzunehmen: ‚Nicht wahr, Mama?‘ ‚Erbarmen‘ brummte die ‚Mama‘ nach, die ‚cara
mama‘ versteht sich. Ich sagte ihr, es sei eben der Minister Kraus drinnen, der
gehe vor zwei Stunden nicht fort, dann würde der Banus ausreiten, dann . . . Es
half alles nichts, das hübsche Ding bettelte fort und fort: es sei nur eine Intrigue
von den Ballet=Koryphäen, sie nehme es mit jeder im Tanzen auf, aber sie bringe es
zu keinem Solo weil man ihr neidisch wäre über ihre schönen Waden, nicht wahr,
Mama? ‚Waden‘ bekräftigte nickend die ‚Mama‘. Und wenn Se. Excellenz dem Herrn
v. Staudigl nur ein Wort sagt oder auch nur schreibt, so habe ich mein Solo; ‚ihr
Solo‘, murmelte das rothnasige Echo. Nun ließ sie zwar der Banus nicht vor,
wollte sich auch nicht befassen mit derlei Protectionen die den tugendhaftesten Menschen
um Ehre und Reputation bringen; ‚aber‘, sagte er, ‚vielleicht will einer der Kibitze
das Abenteuer bestehen, den Dank der Dame schenke ich ihm‘" 2c. Es nahm sich in
der That einer der Officiere um das liebe Närrchen an und log Staudigl vor „es sei
der Wunsch des Banus", worauf jener allsogleich einwilligte, aber dabei wie Pilatus
seine Hände in Unschuld wusch, da sich die Kleine troß ihrer hübschen Waden über-
schäte. „Gestern", schreibt unser Gewährsmann weiter, „hatte sie nun wirklich den
pas seul in den ‚Willis‘, aber obgleich N., wahrscheinlich in Rücksicht auf den süßen Lohn,
das möglichste that und selbst eine Anzahl Cameraden als Claqueurs anstellte, es
war alles umsonst, sie fiel durch und soll auch, wie N. lachend erzählte, nicht anders
getanzt haben als ein Schwein an der Corda." Wir finden unter den Theater=Vor-
stellungen des November und December 1848 den „Feen=See" und unter den Solistinen die sonst nicht wieder vorkommenden Namen „Fräulein Roto" und „Fräulein
Santi", von welch beiden unsere Heldin eine gewesen sein muß.

278) S. 270. Die Deputation fand sich beim Banus am 23. November ein;
Wr. Ztg. Nr. 326 v. 6. Dec. S. 1263 f.

279) S. 271. Wie sehr stach gegen dies bescheidene Wort die Antwort von Csorich
ab, der bei dem gleichen Anlasse großsprecherisch sagte: „Daß ich bei Gelegenheit wo
ich den Brand der k. k. Burg wahrnahm den Entschluß faßte die Stadt Wien um
jeden Preis zu nehmen, lag in dem Drange meines Herzens" 2c. Wr. Ztg. Nr. 322
v. 2. Dec. S. 1228. Vgl. unsern I. Bd. S. 407 uud Anm. [276]).

280) S. 272. Österr. Soldatenfreund Nr. 38 v. 28. November S. 169 f. —
Einer anderseitigen Schilderung des Festes entnehmen wir die Stelle: „Es war ein
Gewühl, ein Lärmen, man setzte sich zum Souper wie und wann man wollte. Getrunken und geschrien wurde gottesmörderlich, und nur wenn der Banus eine Gesundheit ausbrachte, eingekleidet in begeisternde Worte, war eine heilige Stille, dann aber

ein um so mehr höllisches Halloh. Rechts neben dem Banus saß Edmund Schwarzen=
berg, links Franz Liechtenstein" 2c. Außer dem Feldmarschall und seiner Suite war
bei dem „Armee=Rout" so ziemlich alles erschienen was von Officieren in Wien war.

281) S. 274. Springer II. S. 589: „Der im Studium der Pergamente alt=
gewordene Provinzialhistoriker besaß keinen Maßstab für die Schätzung lebendiger
politischer Mächte, hatte keine Ahnung von dem nothwendigen Wechselverkehr zwischen
dem Parlament und dem Volke aus welchem es durch Wahl hervorgegangen war."
War etwa das österreichische Parlament nur aus dem „Volke" von Wien durch
Wahl hervorgegangen?

282) S. 275. Schuselka „Revolutionsjahr" S. 451 meint freilich, gerade weil
über diesen Punkt verfassungsmäßig nichts bestimmt war, „so hätte dieser (constituirende
Reichstag) gesetzmäßig nur mit seiner eigenen Einwilligung verlegt werden können."
Vgl. Gretschnigg's Volks=Zeitung Nr. 38 S. 150: „Der Kaiser hat die Errun=
genschaften des März und Mai dem Volke nicht geschenkt, das Volk hat sie errungen
. . . In Folge dieses Compromisses steht der constituirende Reichstag wenigstens gleich=
berechtigt neben dem Kaiser, der Kaiser kann ihn vor Vollendung seiner Aufgabe ohne
seine eigene freiwillige Bestimmung weder auflösen noch an einen andern Ort ver=
setzen" 2c. Die gleiche Frage tauchte ein paar Tage später rücksichtlich der Berliner
National=Versammlung auf. Unruh „Skizzen" S. 120: „Wenn ich mich im Besitze
der materiellen Macht mit jemand über unser gegenseitiges Verhältnis vereinbaren soll
und behalte mir das Recht vor ihn beliebig, ohne seine Einwilligung, nach Hause zu
schicken, so bleibt es lediglich meinem Ermessen anheimgestellt ob alles beim alten
bleiben soll — so urtheilt der natürliche Verstand." Siehe dagegen: Held Deutsch=
land's Lehrjahre S. 358—360, der sich überdies über die „wahrhaft naiven Erörte=
rungen" der Versammlung „über die Frage, ob die Regierung nach constitutionellem
Brauche zu ihrer Handlungsweise berechtigt sei oder nicht", S. 362 lustig macht. Der
Chef=Präsident des Revisions= und Cassations=Hofes für die Rhein=Provinzen Sethe
erklärte in einem ausführlichen Rechtsgutachten: „Zweitens wird dem Könige eben so
grundlos . . . das Recht streitig gemacht, die National=Versammlung von Berlin nach
Brandenburg zu verlegen" 2c. Deutsche Chronik für das Jahr 1848 (Berlin, R. W.
Hayn, 1849) S. 154.

283) S. 277. Vgl. Schuselka a. a. O. S. 437 f.: „Die Entfernung der
Volksvertreter aus dem Mittelpunkte des Staates und von dem daselbst mächtig wirken=
den elektrischen Fluidum der öffentlichen Meinung konnte überhaupt nur trübe Besorg=
nisse erwecken." In der That, eine Behauptung die sich von dem offenen Geständnis
einer Verbindung der Linken mit der Gasse kaum unterscheidet.

284) S. 277. Nordstein S. 383.

285) S. 277. Schuselka S. 437.

286) S. 277. Im Hinblick auf die Vorgänge in der preußischen Hauptstadt machte
der „Lloyd" Nr. 266 v. 26. November die beißende Bemerkung: „Berliner Volk und
Deputirte behaupten zwar die Berathungen seien ganz frei gewesen; denn man habe
den Volksvertretern blos die Stricke gezeigt, aber noch keinen aufgehängt, und die
Vernaglung der Eingangsthüre habe nicht so lang gedauert daß sie verhungert wären.
Die Berathungen in Berlin waren also erwiesen ganz frei; ob die Berathungen in
Wien eben so frei waren das ist zu erweisen, und wenn es erwiesen wird, dann erst
wäre gegen Krone und Ministerium zu protestiren daß sie nach Belieben sich ein Recht
anmaßen."

287) S. 280. Schuselka S. 442.

288) S. 280. Adam Potocki legte gegen dieses Wort sogleich Verwahrung ein: „Wir gehen ja von der Gleichberechtigung der Nationen aus; wir sollen nicht von Cechisirung, nicht von Germanisirung sprechen, wir wissen daß wir uns alle die Hand gereicht haben" 2c. und selbst Schuselka that Einsprache dagegen, „sich in Recriminationen gegen Nationalitäten, in die Furcht vor der Cechisirung einzulassen." Was Borrosch auf diese Vorwürfe entgegnete (stenogr. Ber. IV. S. 357) war noch ungeschickter als was er zuvor gesagt hatte.

289) S. 285. Näheres in: „Erinnerung an Kremsier. Zusammengestellt von W. A. Neumann und Eduard Edl. v. Meyer." (Kremsier, k. k. Hof- und Staatsdruckerei, 1849. Als Titelbild eine Ansicht von Kremsier.) Eine werthvolle Zugabe bilden die statistischen Daten über die österr. constituirende Reichsversammlung von Kremsier, zusammengestellt von J. R. Wallner. Angehängt sind Pläne von Kremsier, des erzbischöflichen Palastes und des Reichstagssaales mit den Sitzen der einzelnen Abgeordneten.

290) S. 289. So faßte z. B. der constitutionelle Verein von Karlsbad den Beschluß: „In Anbetracht, daß die erste wichtige und unaufschiebbare Aufgabe des Reichstags die Vollendung des Staatsgrundgesetzes sei; in Betracht, daß der Reichstag von Kremsier aus sein unantastbares Recht der Selbstvertagung Selbstverlegung und Auflösung wahren und gegen alle inconstitutionellen Schritte protestiren kann und muß; in Betracht, daß der Reichstag auf baldige Aufhebung des Belagerungszustandes in Wien und auf Verlegung der Versammlung nach der Hauptstadt Wien dringen wird; in Betracht, daß es der sehnlichste Wunsch der Bevölkerung ist aus dem Zustande der wachsenden Gesetzlosigkeit befreit zu werden: ist dem Reichstagsabgeordneten Herrn Professor Haimerl der Wunsch des constitutionellen Vereins in Karlsbad auszudrücken: er möge sich in jedem Falle und sobald als möglich zur Reichsversammlung in Kremsier begeben."

291) S. 290. Wenn wir nicht irren war es in der Kremsierer Zeit, wo ein Spaßvogel von einem Deputirten einem seiner gelehrten Collegen von dem uralten Brauche bei den mährischen Walachen erzählte, ihren Todten drei Dinge mit in's Grab zu legen: eine Zange, eine Lichtputze und ein Schneuztuch. Der Belehrte war schon im Begriffe tiefsinnige Betrachtungen über diese Wahrzeichen einer frühen Bildung anzustellen und die ohne Zweifel symbolische Bedeutung jener Beigaben zu ergründen, als ihm noch zu rechter Zeit beifiel, sie könnten wohl insgesammt — die rechte Hand des Verstorbenen sein.

292) S. 291. Schuselka S. 440. — Daß selbst dem Reichstags-Präsidenten Schwierigkeiten wegen seiner Abreise von Wien gemacht wurden, erzählt Karl Widmann „Franciszek Smolka; wspomnienie biograficzne" (Lwów 1868) S. 203 ausführlich; zuletzt habe Smolka's Drohung, unmittelbar nach Olmütz zu telegraphiren und über dies Hinhalten, wodurch die rechtzeitige Eröffnung des Reichstages verhindert werde, Klage zu führen, den Ausschlag gegeben. Ob sich indeß die Sache buchstäblich so verhielt wie sie Widmann erzählt: daß nämlich Smolka „dem Windischgrätz" den Termin von einer Stunde gegeben binnen welcher die Bewilligung da sein müsse widrigens 2c. und daß er auf dieses „noch vor Ablauf der Stunde" die Bewilligung erhalten habe, möchten wir dahingestellt sein lassen.

293) S. 292. Reichstags-Gallerie III. S. 83—85: „Seit Jahren hatte sich Herr Wessenberg in irgend einem Winkel der Eidgenossenschaft eingepuppt in sein otium sine dignitate" und Österreich habe der Vorsehung gewiß nicht zu danken, „daß sie an ihm den Verwesungs-Proceß bis zur Neugeburt Österreichs unvollendet ließ" 2c. —

9

S. dagegen den aus Klagenfurt eingesandten Artikel „Wesenberg" im „Lloyd" von 1849 Nr. 2 Morgenblatt, der mit den schönen Worten schließt: „Die Geschichte wird wohl die Uneigennützigkeit des Privatmannes zu würdigen wissen, aber auch die Zeitgenossen sollten einen so edlen Charakter nicht ohne Anerkennung von sich scheiden lassen. Wessenberg war nur kurze Zeit im Ministerium, doch der Wendepunkt zum Besseren, unsere Hoffnungen auf die Zukunft sind sein Werk. Die Ausführung des Begonnenen überläßt er gern und ohne Neid jüngeren glücklicheren Händen. So wie er einst in Gemeinschaft der unvergeßlichen Brüder Stadion das politische Werk seiner Tage begonnen, so befindet sich unter den Männern, denen der Greis jetzt die letzte größte Arbeit seines Lebens übergeben hat, abermals ein Stadion, edel und frei gesinnt wie jene, und zugleich voll unerschütterlicher Thatkraft und unbeugsamen Willens. Aber unsere Blicke sind billiger Weise auf den Scheidenden gerichtet, und so wie sein Kaiser ihm den großen Dank den er für ihn fühlte in menschlich edler Weise öffentlich ausgedrückt hat, so verdient Wessenberg auch von seinem Vaterlande eine Bürgerkrone." — Im Auslande rechnete man die imposanten Erfolge, welche die österreichische Regierung und und nach der Einnahme Wiens erzielte und zu benützen verstand, vielfach Wessenberg mit zum Verdienste an. Daran war der alternde Mann freilich unschuldig.

293b) S. 296. Der Grund seines Nichterscheinens lag darin daß das Ministerium nicht ohne sein Programm vor die Kammer treten wollte und dieses Programm am 22. noch nicht zu Ende redigirt war. Von dem bei Witmann „Franciszek Smolka" S. 205 f. erzählten Auftritt zwischen Smolka und Schwarzenberg ist uns nichts erinnerlich.

294) S. 298. In diesem letztern Sinne deutete das Ereignis vom 22. November der Abgeordnete Sitka (für Iglau), der in einem der Wochenberichte, die er seinen Wählern über die Vorgänge am Reichstage zuzusenden pflegte, „diese unglückliche und in den Folgen sehr bedauerliche Wahl" besprach. Sein Bericht wurde in dem Iglauer „Sonntags-Blatt für Gewerbe" ꝛc. Nr. 34 v. 26. November abgedruckt und einer seiner politischen Gegner der Gastwirth „zum goldenen Löwen" hatte nichts eiligeres zu thun als die betreffende Nr. an Smolka zu schicken, da es „wünschenswerth" wäre „wenn in eben diesem Blatt eine Entgegnung über diesen Gegenstand käme." Smolka war edeldenkend genug das dennunciatorische Schreiben dem Dr. Richter, dessen Namen in dem gastwirthlichen Schreiben als eines Gesinnungsgenossen Sitka's genannt war, zu übergeben und so erschienen denn in Nr. 35 des „Sonntags-Blattes" dieses, eine Zuschrift Richter's an die Redaction und eine Entgegnung Sitka's abgedruckt.

295) S. 302. So kam u. a. in der Sitzung vom 14. December der Ausschuß zur Sprache, den Szaszkiewicz für die Bildung schiedsrichterlicher Commissionen in den Provinzen zur Schlichtung vieler Beschwerden wegen Grundentziehung beantragt hatte und in welchen für Böhmen Strobal gewählt worden war. „Wann geschah das?" fragte Brauner. Ruf: „Im October!" Brauner setzte sich, ohne eine Bemerkung darüber zu machen.

296) S. 305. Verhandlungen d. österr. R. T. nach der stenographischen Aufnahme IV. S. 14. — Privat (alt-conservativ) Kremsier 27. November: „Le programme du ministère a été accueilli avec de vifs, quelquefois avec de bruyants applaudissements. Même les paragraphes qui se rapportent aux mesures répressives contre les abus de la presse et du droit d'association ont été favorablement reçus. Le Prince Felix a été quelquefois besangeu; mais il s'est bientôt animé et a continué sa lecture avec force dignité et énergie. Son succès a été complet."

297) S. 306. Die Adresse trug das Datum des 30. November 1848. Zwei etwas spätere Wiener Adressen, die eine von den Frankfurter Wahlmännern der Wieden am 2. December an den alten, die andere von den Wahlmännern der Leopoldstadt am 18. December an den neuen Kaiser, gegen die §§. 2 und 3 des Frankfurter Verfassungs=Entwurfes gerichtet, gehören, da sie beide an das ministerielle Programm anknüpfen, gleichfalls hieher. In der ersteren heißt es über das Verhältnis zwischen Österreich und Deutschland: „Nie soll, nie darf der Herrscherfülle unserer Gesammt=Monarchie eine außer ihrem Gebiete liegende Souveränetät aufgezwungen, nie der europäischen Großmacht Österreich ruhmvoll erworbene selbsteigene Vertretung nach außen, nie die Selbständigkeit seiner österreichischen Heeresmacht und Besteuerungshoheit, nie die Majestät seiner Gesetzgebung im Gesammtumfange all unserer Länder, nie die frei=eigene Verfügung über seine Flüsse, seine Straßen und Canäle, seine Eisenbahnen Posten und Telegraphen irgendwie geschmälert, nie ihm der Nicht=Österreicher als vaterländischer Staatsbürger aufgedrungen werden, ohne daß Österreichs Regierung vorher ihre Zustimmung und Vereinbarung einzeln über jedes dieser Momente gäbe! . . . Erst ein großes und macht=ungeschmälertes Österreich, und nur mit diesem, in und aus demselben wollen wir unsern Brüdern des großen deutschen Gesammt=Vaterlandes zu dessen und unserem Heile bieder und offen die Hand zum treuen Bruderbunde reichen." — Der Glaser=Gesell Unterreiter (die Revolution in Wien; Schlußheft) S. 32 f. bemerkt zur erstern Adresse: „Die Schrift ging von Bureau zu Bureau und wehe dem Beamten der sie nicht unterzeichnet hätte — das war zwar nicht zu tadeln weil jedes Ministerium von den unterstehenden Beamten unterstützt werden muß —, aber daß diese Lobschrift durch eigens bestellte Leute von Haus zu Haus, von Wohnung zu Wohnung ging, das halten wir für unpassend, und unter den 12.000 Unterschriften befindet sich die Mehrzahl Übertölpelter Überredeter und Indifferenter."

298) S. 306. „Presse" Nr. 126 v. 30. November.

299) S. 307. A. A. Ztg. Nr. 338 v. 3. December S. 5326.

300) S. 308. Chlumecky in der Landtags=Sitzung vom 29. November begründete das Vertrauens=Votum: 1) weil es dem Ministerium gelungen, sich von jedem unverfassungsmäßigen Einfluß loszumachen und es fest entschlossen sei zwischen sich und dem Kaiser keine volksfeindliche Macht zu dulden; 2) weil in dem Programme des Ministeriums die Politik des Landtages wie in einem Spiegel erkenbar sei: freie Gemeinde, Autonomie, Selbstregierung der Länder, Gleichheit der Staatsbürger, Gleichberechtigung der Nationalitäten; 3) weil Mähren die Wiege dieser ersten That des Ministeriums sei." — Vgl. den Dithyrambus des —d Correspondenten im Const. Bl. .a. B. Nr. 131 v. 30. November Beil. aus Kremsier 28. November, desselben der noch am 24. (ebenda Nr. 129 v. 28.) über dies „volksthümliche" Ministerium gespöttelt hatte in welchem „zwei Generale, ein Graf, ein paar Barone" säßen!

301) S. 309. Dies geschah denn auch ohne Säumnis. Beim Brünner Gubernium z. B. fand die letzte Gremial=Berathung am 30. November statt; als sich am 7. December darauf die Räthe in der gewohnten Weise mit ihren Referatstücken im Sitzungssaale einfanden, wurde ihnen vom Hofrathe angekündigt, daß es mit dieser Weise der Geschäftsbehandlung von nun an zu Ende sei und daß sich jeder einzelne Referent unmittelbar an den Präsidenten, in dessen Person sich alle Verantwortung vereinige, zu wenden habe.

302) S. 311. Das Schreiben, in welchem Pillersdorff die Beweggründe seines Schrittes entwickelte, wurde über sein ausdrückliches Verlangen in der Reichstags=sitzung v. 30. November verlesen. Die Wiener Tagesblätter widmeten dem „bedeutend=

steu unter den Männern gegen die sich die öffentliche Meinung gekehrt hat" Nachrufe, die zwar seinen Kenntnissen und seiner großen Befähigung volle Anerkennung zollten, und insbesondere das Bedauern aussprachen daß der Reichstag seine reichen Erfahrungen im Finanzfache hinfort werde entbehren müssen, die es aber zugleich an schonungslosen Ausfällen gegen sein Wirken als Minister und als Mitglied des October-Reichstages nicht fehlen ließen. „Der Rückblick auf seine jüngste Vergangenheit", sagte „der österreichische Lloyd" (Nr. 272 v. 3. December), „erfüllt uns mit großer Bitterkeit und mit großem Bedauern"; der Mann „der ein Vierteljahrhundert hindurch die fast ungetheilte Verehrung seiner Mitbürger genoß" mußte es dahin bringen daß „auch das letzte Blatt seines Kranzes verdorrt abgefallen und verweht" ist. „Wir hoffen im Interesse des Staates wie des Staatsmannes, daß dessen öffentliches Leben zum Abschlusse gekommen ist: wer Herrn von Pillersdorff wohl will wird ihm kein Amt mehr aufbürden wollen. Es wäre gut für das große Publicum und für Herrn von Pillersdorff, sich jetzt auf Jahre oder für immer von einander zu trennen." In einem Artikel des Ö. Corr. hieß es von dem Enthebungsgesuche Pillersdorffs: „Auch hier gab sich sein schwacher wankender Charakter kund der sich jedem Sturme beugt, freilich darum auch den Vortheil genießt nie gebrochen zu werden. In diesem seinem politischen Testamente erklärt er, seine Aufgabe sei die eines Vermittlers gewesen. Vor lauter Vermitteln aber hat er das Regieren vergessen. Er hatte sich keine Gränze gezogen wie weit die Mitte gehe, und ließ sich oft zu beiden Extremen hinreißen" ꝛc. Und in einem andern, aus Anlaß seiner Wiederwahl (Anf. Febr.): „Noch jetzt lassen sich Stimmen vernehmen, die Pillersdorff einen Staatsmann, und gar einen großen Staatsmann nennen. Er ist weder das eine noch das andere je gewesen. In der vormärzlichen Periode war alles Staatsmann, da jeder, den man über den Stand der Dinge fragen mochte, zur Antwort gab: ‚So kann es nicht mehr gehen!' Nach den Märztagen aber ist er es allein, der in der Freudentrunkenheit der Jugend nicht den Katzenjammer der Zukunft ahnte den jeder wirkliche Staatsmann ahnen konnte und geahnt hatte; ist er es allein, der von unseliger Eitelkeit befangen dem Knaben- und Pöbel-Regiment freieren Lauf ließ, weil er davon eine Bürgerkrone erwartete."

303) S. 311. Füster erzählt selbst in seinen Memoiren II. S. 245 f. daß er von der Bevölkerung der Stadt und Umgegend allerhand Unglimpf erfahren habe: „einer spuckte sogar vor mir aus." Als er den Vorsteher des Kremsierer Piaristen-Collegiums um die Erlaubnis Messe zu lesen anging, wies ihn dieser an den Landgrafen von Fürstenberg, von dem er den Bescheid erhielt daß der Fürst-Erzbischof den ausdrücklichen Befehl ertheilt habe ihm die Meß-Licenz zu verweigern, worauf Füster, wenn wir ihm glauben wollen, u. a. erwiederte: „daß er ganz andere Dinge zu thun habe als sich mit dem Erzbischof und Bischof zu zanken; daß er keine besondere Sehnsucht nach Messelesen hege und es auch künftig gern aufgeben möchte." Füster berichtet auch II. S 252: Stadion habe ihm bei einer Audienz gesagt „daß wir von der Linken, die wir durch Aufhebung des Unterthänigkeitsverhältnisses tausende von Familien unglücklich gemacht, es alle büßen werden." Wir wollen es dahingestellt sein lassen ob Stadion etwas dergleichen gesagt haben könne, und nur aus eigener Erfahrung beifügen daß Füster, da er einsah daß es mit seiner Professur jedenfalls zu Ende sei, beim damaligen Minister und beim damaligen Unter-Staatssecretär des Unterrichtes in der submissesten Weise scherwenzelte, um eine Stelle an einer Bibliothek zu erlangen. S. noch über Füster „Wiener Kirchenzeitung" Nr. 114 v. 21. December 1848 S. 459 und Kühne Tagebuch S. 510 f., welcher letztere sich aus Wien „privatim" schreiben ließ, wie Füster auf der Kanzel gegen das Cölibat gepredigt habe: „er

begriffe seine Collegen nicht, die sich noch immer für die Ehelosigkeit der Geistlichkeit erklärten; er seinerseits schlösse jetzt mit hoher stolzer Vaterfreude einen wohlgerathenen hoffnungsvollen sechzehnjährigen Sohn in seine Arme." Letzteres mag ein Tratsch= Tratsch gewesen sein, wie überhaupt mit derlei Dingen die „Gutgesinnten" nicht eben sparsam waren. Galten ihnen doch Füster so wie Fischhof Goldmark Umlauft Vio= land Borrosch u. a. für ausgemachte Mitschuldige am Morde Latour's, und war selbst ein Schuselka, dessen persönlicher Charakter bei allen die ihn näher kannten ungetheilte Achtung genoß, vor den gemeinsten Schmähungen nicht sicher. Siehe z. B. „Zuschauer" Nr. 178 v. 29. November S. 1457—1461 und „Hans Jörgel" Heft 42 S. 19: „I hab's schon öfters g'sagt, es gibt Deputirte die man mit'm Ochsenzehm aus'n Reichstag hinauspeitschen sollt. I hab's gut g'meint, denn wenn Einer nit der scham= loseste Kerl von der Welt ist, so müssen ihm hundert Ochsenzehm nit so weh thun als ein solches Mistrauens=Votum." Aber man darf andererseits nicht übersehen, was die „Gutgesinnten" überhaupt, was Ebersberg und J. B. Weiß insbesondere in den Monaten zuvor zu erdulden und zu fürchten gehabt hatten, um solch extreme Sprache entschuldbar zu finden.

304) S. 312. Proteste aus den galizischen Landbezirken, die ein eigenthümliches Licht auf die Vorgänge bei den im Sommer stattgefundenen Wahlen warfen, liefen zahlreich in Kremsier ein; so in der Sitzung vom 7. December von 33 Gemeinden des Wahlbezirkes Krzywce gegen die Wahl Pienczykovski's, mehrerer der Gemeinde von Koszov gegen die Podlevski's; die letzteren beschwerten sich, sie seien gekommen um einen Bauer zu wählen, aber der Wahl=Commissär habe es ihnen verwehrt: „ein Bauer würde ihnen Schande machen, zu diesem Geschäfte gehören ein Geistlicher, ein Edelmann, ein Jude oder ein Mandatar." Ähnliche Beschwerden kamen später aus dem Bezirke Leżaysk gegen die Wahl Szeleszczynki's, Zaleszczyk gegen Goj, Tysmienice gegen Petrijszyn, Horodenka gegen Kruchovski u. s. w. — Den Entschluß Zamojski's, es auf eine Neuwahl ankommen zu lassen, brachte „Czas" Nr. 16 v. 21. November mit dem Wahlerfolge Helcel's, wovon in unserem Texte S. 127 ff. die Rede war, in Verbindung und bemerkte dazu: „Krok ten p. Zamojskiego jest zupełnie zgodny z konstytucyinym rzeczy porządkiem . . . . Spodziewać się należy że inni depu= towani polscy prędzéj czy późniéj pojdą za przykładem danym przez p. p. Krzy= żanowskiego Potockiego i Zamojskiego."

305) S. 313. Die Rechte ging in diesem Punkte bis in's kleinliche. So kam es in der Sitzung vom 11. December vor, daß sich der Berichterstatter bei der dritten Lesung der Geschäftsordnung zur Unterstützung eines vom Ausschusse beantragten Zu= satzes unter anderm auf die „Autorität" des Frankfurter Parlaments berief, worauf sich Trojan erhob und sprach: „Wenn ich auch für die angetragene Abänderung stim= men werde, so verwahre ich mich gegen die Deutung als ob ich den ersten Grund des Antragstellers gelten ließe: ich erkenne keine Autorität des Frankfurter Parlaments für uns an." Die Bemerkung rief eine „Bewegung" in der Kammer hervor, und Cajetan Mayer glaubte im weitern Verlaufe der Verhandlung beschwichtigend einfließen lassen zu müssen: der Zusatz sei beantragt worden „nicht deßwegen weil es sondern obgleich es in Frankfurt beschlossen worden."

306) S. 315. Füster Memoiren II. S. 255—259: Löhner hatte „keine Charak= terstärke, keinen Muth", er war „wankelmüthig"; in der zweiten Hälfte des Reichstages verlor er gänzlich das Zutrauen seiner Partei und verließ sie auch endlich". Borrosch „war durch die October=Ereignisse ganz gebrochen"; er hatte sich durch seine „unbe= zähmbare Redesucht" und seine „Sucht Anträge zu stellen" abgenützt; er wurde so zu

sagen alltäglich. Brestel war „der Logicus des Reichstags"; aber „wegen seiner manchmal zum Vorschein kommenden Hinneigung zum Ministerium verlor sich das Zutrauen zu ihm"; in der letzten Zeit des Reichstages neigte er „mit seinem Mentor Löhner" zu der Rechten, zu den Čechen. „Goldmark wollte mit Gewalt Führer der Linken sein und maltraitirte sie mit seinem arroganten aufdringlichen Benehmen. Er war fast immer zugleich der Linken und der Rechten und dem Centrum lästig. Er hat die Linke oft compromittirt, aber nie geführt." Vgl. mit diesen merkwürdigen Urtheilen über die Führer der Linken von einem Mitgliede der Linken die „Wiener Boten" I. Jahrgang S. 11 f.: Löhner hatte durch seine feige Haltung im October das Vertrauen eingebüßt. „Der kranke Kossuth wird gesund so wie das Vaterland seine Kraft, seine Thätigkeit in Anspruch nimmt; der gesunde Löhner wird krank, so wie das Vaterland in Gefahr geräth und ihn braucht." Borrosch ist „ein oberfläch- licher Politiker, er faßt ganz besonders den erblichen traditionellen Thron als unent- behrlichen Theil der constitutionellen Regierungsform mit einem possierlichen Gefühls- Pathos auf, der gegen seine demokratischen Ideen grell absticht." Über die galizischen Abgeordneten heißt es ebenda S. 209: „Borkovski steht im politischen Drange nach radicalen Umänderungen am höchsten in der Kammer, doch plätschert er nur in den Wellen der Gedanken herum. Hubicki und noch einige Polen mit ihm sind thatkräf- tige Männer; doch da ihr Auge stets nur nach Polen gerichtet ist, so können sie auf dem Boden wo sie stehen kein Terrain gewinnen und keine Zügel ergreifen." Über die mit Smrekr vorgegangene Metamorphose s. „Geißel" Nr. 93 v. 8. December 1848 S. 888 und Draxler's „Herold" S. 375. Von allen Abgeordneten der Kremsierer Linken gestehen die „Wiener Boten" dem einzigen Violand „energisches Wollen" zu; „doch ist dieses bei dem Mangel der nöthigen Bildung unbestimmt und gefühlsschwel- gerisch geblieben." Violand selbst erzählt uns in seinen „Enthüllungen" S. 215, wie er gleich bei Eröffnung des Reichstags in Kremsier die Absicht hatte „den früheren Minister Wessenberg und den Windischgrätz in den Anklagestand zu versetzen und auf Erfüllung der kaiserlichen Versprechen zu dringen"; nur „seine politischen Freunde" brachten ihn davon ab, weil die Majorität gegen ihn sein und „durch das Fallen der Anklage gerade das Benehmen dieses Wütherichs den Schein der Billigung erhalten" würde.

307) S. 316. Wer den Beruf und die Stellung der Linken so ideal auffaßte wie Schuselka, durfte nur nicht ungerecht gegen die andere Seite werden, wie z. B. wenn er S. 451 beschreibt: seine Partei habe „den Männern der Gewalt, den Männern die über Armeen zu gebieten hatten, durch die göttliche Macht des freien Wortes so sehr imponirt, daß sie bleichen Antlizes und mit bebenden Lippen vor den Rednern der Linken da saßen." Oder hat der damalige Schuselka in der That gemeint, die Conservativen hätten nicht auch einen Beruf und eine Stellung, besäßen nicht auch Charakter und Überzeugung, seien nichts als ein Häuflein armer Sünder und Böse- wichter mit schlechtem Gewissen?

308) S. 317. „Zu einer solchen Harlekinade hat es nicht einmal die Städtchen- wirthschaft Deutschlands gebracht, trotz seiner Enclaven. Ein solcher Nations-Staat hätte die eine Gränze bei Preußisch-Schlesien, die andere bei der Schweiz. Die Mittel- und Schwerpunkte dieser Nations-Staaten sind gar nicht angegeben, sondern blos ihre Sprachen. Zugleich werden die kleinern Bezirke als verlorne Vorposten aufge- geben. Daß durch die ,eigene Verwaltung und Gesetzgebung' der Nations-Staaten alle bisherigen Gemein-Interessen der Provinzen der fürchterlichsten Verwirrung an- heimfallen, ist nirgends berührt. Wie soll das Vermögen getheilt, wie sollen die

tausend und tausend Verwicklungen der Gemeinden Bezirke Kreise und Provinzen
bei diesem Auseinanderreißen und Zusammenkleben des Troppauer Kreises zu den Bewohnern Vorarlbergs, als Bruchtheile eines Nations-Staates, die Sympathien zum
Kaiserstaate überwiegen? Glaubt man wirklich, daß die Antipathien zwischen dem
deutschen Leitmeritzer und dem czechischen Rakonitzer Kreis dadurch gedämpft werden,
wenn der erstere sich an den Villacher Kreis anschließt und von dort Gesetze holt, die
der Nachbar nicht respectirt?" Österr. Lloyd Nr. 272 vom 3. December 1848. Von
der Brünner Ztg. Nr. 336 v. 5. Dec. wurde darauf hingewiesen, daß Teschen zu
Čechisch-Österreich geschlagen sei, obgleich sich im Kreise mindestens eben so viel, wo
nicht mehr polnische Stammesgenossen befinden; Sternberg, Mährisch-Neustadt, das
Kuhländchen, die Zwittauer Gegend würden zu Deutsch-Österreich, ihre unmittelbare
Umgebung aber zu Čechisch-Österreich geschlagen werden; „wir sagen mit voller Überzeugung, daß Löhner's Idee in Mähren gar nicht, in Böhmen sehr schwer ausführbar
ist, und auch Galizien, noch mehr aber Ungarn und Siebenbürgen würden nie in den
Rahmen der Löhner'schen Nations-Staaten passen." Siehe auch: „Die österreichischen
Programme", A. A. Z. Nr. 350 v. 15. December in der „Beilage" und den Leitmeritzer „Vaterlandsfreund" Nr. 10 v. 2. December: „Wie sollen die Deutschen in
Böhmen, welche die Gränze ringsum bewohnen, mit den Österreichern und Thyrolern
unter ein Gubernium treten? Unser Böhmen ist von Natur ein Ganzes: wie sollen
darin zwei gleichberechtigte Regierungen oder Gubernien, eines in Prag, das andere
in Wien, herrschen? Und wird das Volk es verlangen?"

309) S. 317. Übrigens gehörten einzelne Abgeordnete dem Verein der deutschen
Österreicher und dem Central-Club gleichzeitig an; siehe z. B. das Schreiben Kudler's
an die Wähler der Laimgrube in der Abend-Beilage z. W. Ztg. Nr. 230 v. 14. December S. 904. Kudler war der erste Monats-Präsident des deutsch-österreichischen Vereins, sein Stellvertreter Karl Herzig aus Reichenberg; als Schriftführer fungirten Dr.
Selinger und Gustav Schopf, als Berichterstatter Leopold Neumann und Wildner von
Maithstein.

310) S. 318. Verhandlungen d. öst. Reichstages IV S. 145.

311) S. 318. Auf slavischer Seite fühlte man das und machte bittere Bemerkungen darüber: „Warum ist man so lässig den slovakischen Landsturm förmlich zu
organisiren? Warum thut die Regierung so gut wie nichts dafür? Schätzt man ihn
für gering? Wenn vor ein paar Wochen die Slovaken, als sie sich zuerst gegen ihre
unmenschlichen Unterdrücker erhoben, nicht zugleich gegen kaiserliches Militär zu kämpfen gehabt hätten, so wäre heute der ganze Landstrich frei und kaiserlich vom Křivan
bis zu den weißen Karpathen? Oder hat man kein Vertrauen zu uns? O über diese
unglückliche Zweifelsucht, die noch uns den Untergang bereiten wird und der Regierung
mit uns! Im oberen Trencíner Comitat haben die Magyaren einen Menschen aufgehängt; wisset ihr warum? Weil er sich für den Kaiser erklärte, eine Schaar Gleichge-
sinnter um sich sammelte und gegen den Erbfeind zu kämpfen gedachte, aber von der
bewaffneten Hilfe auf die er zählte im Stich gelassen wurde! Und wie viele solcher
Fälle aus den letzten Kämpfen könnten wir nicht aufzählen bei uns und drunten im
Süden, wo das Slaventhum sich für sein Recht erhoben, aber zugleich für den Bestand
des Gesammtreiches, unter dessen Schutz es allein finden kann was ihm der beschränkte
selbst- und herrschsüchtige Magyarismus niemals gewähren wird. Und trotz all dem
immer noch dieses alte Mistrauen?!" . . . Aus welchem der čecho-slavischen Blätter
wir diese Stelle ausgezogen, können wir in unsern Aufzeichnungen nicht finden; wahrscheinlich aus Havlíček's Nár. Nov. — Übrigens hatten die slovakischen Führer

nicht minder über die Theilnahmslosigkeit ihrer eigenen Landsleute zu klagen; man lese die Jeremiade Hurban's (a. a. O. Nr. 175 v. 2. November: „Ze Slovenska") über den Abfall der früheren Maulhelden von der slovakischen Sache, die dann, letztere verrathend, in das magyarische Lager übergingen; „von hundert und hundert slovakischen Agitatoren findest du jetzt in der Slovakei kaum zehn und die müssen sich in Bergen verstecken. Unsere Priester, unsere Sänger, unsere Redner, unsere Patriarchen, alle sind verstummt und als es zur That kam, haben sie das Volk verlassen verkauft schmählich verrathen. Jest to k zoufáni, vidět teď ty naše horlivce, jenž před nedávnem z kazatelny, ze stolic něitelských, z časopisů, z cestopisů a kněh učených na nás volali: Dejte nám příležitost zemříti za národ, a my srdečně zemřeme, nebo lépe jest umříti než v hanbě s celým národem živu býti . . . jest to, pravím, k zoufání, vidět tyto lidé teď, an sedí tiše v koutku, an podpisují soudy na bratry své k šibenicem odsuzované, an se vklouzají mermomocí do přízně vrahův našich, an odpřisáhavají Slovenstvo, an táhnou v řadách maďaronských proti svobodě národa svého, an zbaběle z řadů bojovníků našich zoufajíce nad národem utikají."

312) S. 319. Der Aufruf „K Národu Slowenskému" war unterfertigt von Hurban Štúr Boriš Bloudek und Zach als „Sprawugiej Slowenská rada".

313) S. 319. Moravské Noviny č. 39 příloha: „O tom hrozném Hurbanu!!"

314) S. 321. Ein Vorfall der letzteren Art ereignete sich bei der Verhandlung über den §. 84, die Interpellationen betreffend, wofür der Ausschuß ein neues Verfahren beantragte. „Jede Interpellation sollte schriftlich in bündiger Fassung mindestens vierundzwanzig Stunden vor der Sitzung dem Vorstande übergeben werden, der den betreffenden Minister davon in Kenntnis zu setzen hätte; sobald der Minister anwesend läßt der Präsident die Interpellation ablesen, stellt die Unterstützungsfrage, und dafern sich fünfzig Mitglieder dafür erheben, soll der Interpellant zu einer kurzen Begründung seiner Anfrage zugelassen werden". Mit Recht wurde von Schuselka der Zeitaufwand und die Weitschweifigkeit einer solchen „Beschränkung des Interpellations-Rechtes, die geradezu eine Aufhebung desselben" sei, gerügt. „Wenn ich", sagte er, „um halb eins hereinkomme und auf der Post einen Brief finde der es mir zur heiligsten Pflicht macht eine Anfrage an das Ministerium zu richten, muß ich vierundzwanzig Stunden hingehen lassen, und daraus kann in bringenden Fällen wesentlicher Nachtheil entstehen." Die Unterstützungsfrage, bemerkte er ferner, widerspreche dem Wesen der Interpellation; denn es handle sich nicht darum das Haus zu befragen ob es die Interpellation zu seiner Angelegenheit machen wolle, es sei vielmehr in dem Rechte eines jeden Abgeordneten begründet das Ministerium öffentlich zu befragen. Goriup, Abgeordneter für Tolmein im Küstenlande, machte aufmerksam: er gehöre einer Provinz an die nur sehr wenig Abgeordnete zähle; und es sei mitunter schwierig werden, fünfzig Mitglieder des Hauses für einen Gegenstand zu interessiren der vielleicht für die Andern gleichgiltig, für die Verhältnisse seiner Provinz aber von großer Wichtigkeit sei. Als nun auch Thiemann (für Rumburg in Böhmen) einen Fall anführte, wo er im Lesezimmer aus einer Zeitung erfahren, daß 3000 österreichische Staatsbürger an Sachsen abgetreten werden sollen, wo dann seine allsogleich an das Ministerium gerichtete Anfrage, als die Nachricht davon mit der Post nach Rumburg kam, die Wirkung gehabt habe daß der kaiserliche Bevollmächtigte sogleich die Maßregel sistirt habe, was vom Ministerium nachträglich genehmigt worden sei, wohingegen bei der vom Ausschuße jetzt beantragten Einengung des Interpellations-Rechtes es geschehen wäre, daß 3000 österreichische Unterthanen aus dem Staatsverbande ausgeschieden worden wären, ohne daß ihr Vertreter

im Hause die Möglichkeit gehabt hätte rechtzeitig für sie das Wort zu ergreifen: da benützte Mayer den ersten Anlaß wo er zum Worte kommen konnte zu der Erklärung, daß der Ausschuß seinen Antrag zurückzuziehen finde.

315) S. 327. Die Berechnung wurde in der That gemacht und die Summe bei Heller und Pfennig herausgebracht. Wir erinnern uns dieselbe in einem Zeitungs=blatte jener Tage gelesen zu haben, aber haben uns seither vergeblich bemüht die be=treffende Notiz wieder aufzufinden.

316) S. 328. Der Banus hatte den Befehl nach Olmütz zu kommen in der Nacht des 30. November erhalten; er nahm General Zeisberg, Oberst Denkstein und Major Rodić mit sich. Im Geleite des Feldmarschalls erschienen General Mertens, Oberst=Lieutenant Langenau, die Prinzen Alfred und Ludwig Windischgrätz und zwei Ordonnanz=Officiere.

317) S. 330. Nach der in unserem Texte enthaltenen sachgemäßen Darstellung möge man die verschiedenen in gleichzeitigen Zeitungsblättern zu findenden Versionen beurtheilen z. B. Erzherzogin Sophie habe laut erklärt, „daß sie keinen Anstand nehmen würde selbst ihr Kind zu verlassen und sich von ihm zu trennen, wenn es das Wohl des Staates als nothwendig darstelle"; Kaiser Ferdinand habe seine beiden Feldherren Windischgrätz und Jelačić, die ihm zur Seite standen, mit beiden Händen ergriffen und sie dem jungen Kaiser zuführend gesagt: „sie mögen diesem eben so eine Stütze sein wie sie dies ihm gewesen" u. dgl. m. — Die Brüder des jungen Kaisers hatten gleich allen andern Gliedern der kaiserlichen Familie keine Ahnung von dem was am 2. December vor sich gehen sollte. Einen besonders tiefen Eindruck machte das Ereignis auf den lebhaften Ferdinand, dem der Gedanke, statt eines einfachen Bruders jetzt einen Kaiser vor sich zu haben, mächtig zu Herzen ging. Nachdem im Saale das Ereignis abgespielt hatte, trat er an den Tisch auf welchem sein Oheim die Entsagung und sein Vater die Verzichtleistung unterzeichnet hatte. In dem Augenblicke kam auch Hübner dazu und ergriff die Feder mit der das wichtige Schriftstück unter=zeichnet worden war; Erzherzog Ferdinand, Hübner's Absicht errathend, nahm sie ihm aus der Hand: „Ich habe wohl ein größeres Recht darauf als Sie." Er hatte die Feder noch in Miramare als kostbare Reliquie aufbewahrt. Es steckte von je eine Art Sammelgeist in ihm. Er hatte sich frühzeitig eine Autographen=Sammlung an=gelegt; als im März 1848 die Dinge bedrohlich zu werden schienen, sandte er selbe dem Abbé Mislin, der die Prinzen im französischen unterrichtet hatte, mit der Bitte, sie ihm aufzuheben, „bei ihm sei sie sicherer."

318) S. 332. Die wahre Ursache der Verspätung lag nicht an der Bahn, sondern an dem Fürsten Windischgrätz der vor seiner Rückkehr nach Wien die versammelten Minister zu sprechen wünschte; es war ein Gegenstand von untergeordneter Bedeutung, eine Bestimmung des künftigen Wehrpflichtgesetzes, die der Feldmarschall zur Sprache aber nicht zur Entscheidung brachte; aber das dadurch herbeigeführte Säumnis betrug mehr als eine Stunde.

319) S. 335. Die Deputation bestand aus folgenden Gliedern: für Böhmen Palacky Stark Strobach; für Nieder=Österreich Brestel Schmitt Schuselka; für Galizien Wierzchlejski Jachimowicz Smolka; für Ober=Österreich Wiser Vacano Lasser; für Steiermark Wiesenauer Engelhofer Gleispach; für Mähren und Schlesien Hein Szabel Mayer; für Illyrien Rak Ullepitsch Scholl; für das Küstenland Pitteri Blach Spang=her; für Dalmatien Ivichievich Filippi, Micheli=Vitturi; für Tyrol Klebelsberg Zwickle Gredler. — Über die im Texte berührten Schwierigkeiten wegen Smolka's s.

Widmann Franciszek Smolka, S. 207—212, nur aus dieser Quelle: Neues Wr.
Tagblatt Nr. 331 v. 1. December 1869: „Zur Geschichte der Thronbesteigung des
Kaisers Franz Joseph I." Von der Geschichte mit dem Separat-Zug in Hullein haben
wir im Texte darum keinen Gebrauch gemacht, weil sie uns nicht ganz zweifellos ist.
Daß Palacký und Rieger mit ihrem nächtlichen Besuche bei Smolka nichts ausgerichtet,
wußte Schwarzenberg am Morgen des 3. so gut wie einer; was hatte er also nöthig
den Herren erst mitzutheilen sie würden zur Hoftafel gezogen werden, wenn es bei ihm
festhand daß dies nicht zu geschehen habe? Auch stimmt die in jener Erzählung dem
Fürsten Schwarzenberg zugemuthete Haltung durchaus nicht mit seinem Charakter.
Die pflichtwidrige Vertraulichkeit des Telegraphen-Beamten gegen Smolka wäre übrigens
nur ein neuer Beweis, wie wenig im Durchschnitt sich auf das bei dieser Branche
so wie beim Eisenbahnwesen verwendete Personale zu verlassen war. Die Geschichte
wegen des Salutirens der Hauptwachen in Olmütz wolle man a. a. O. selbst nachlesen; Smolka hat sich jedenfalls auch bei dieser Gelegenheit mannhaft und muthvoll
gezeigt: ob er mit seiner Forderung formell im Rechte war, ist eine andere Frage.

320) S. 337. Morawské Nowiny v. 9. December.

321) S. 337. Schuselka Revolutions-Jahr S. 455 f. Dieselbe Scene, doch
mit einer offenbar unrichtigen Beigabe, erzählt das „Prager Abend-Blatt" Nr. 159
v. 6. December S. 896 f.

322) S. 339. Privat (Reichstag) Pilsen 8. December: „Am 5. Abends in Prag
sollen die Techniker für Smolka eine Katzenmusik beabsichtigt haben, doppelte Militär-
und Nationalgarde-Posten und Patrouillen schienen die Sage zu bestätigen und in
den Häusern nächst der Wohnung Smolka's (blauer Stern) sollen diverse Gutgesinnte
mit Stöcken bewaffnet versteckt gewesen sein, um gehörig Tact zu schlagen; am andern
Tage entschuldigten sie sich im ‚Abendblatt' die Harmlosen, sie gedachten — einen Fackelzug zu bringen (?)". Über das Souper in der Bürger-Ressource und den Toast Lasser's
auf die „Slaven", die ihm erst „als Menschenfresser geschildert" worden seien, s.
Prager Abend-Blatt Nr. 160 v. 7. December S. 900.

323) S. 339. Smolka wittert auch in den Schwierigkeiten, die er hatte den
Empfang der Deputation beim Kaiser zu erwirken, überall nur Manoeuvres einer
„gewissen Partei" welche „deutlich die Absicht verriethen daß die Reichstags-Deputation
mit dem Kaiser Ferdinand nicht in Berührung komme", und meint schließlich: „man
sah es ihm deutlich an daß er sehr erfreut darüber war daß der Reichstag an ihn
gedacht hatte." Allein die Züge die in Smolka's eigener Erzählung vorkommen,
das „etwas angegriffene" Aussehen des Kaisers, die „unruhigen Bewegungen" die er
während der Vorlesung „wiederholt" machte, scheinen denn doch für unsere Auffassung
zu sprechen, daß der alte kränkliche Kaiser selbst von allem am liebsten verschont geblieben wäre.

324) S. 342. Eine sehr ausführliche der hierher gehörigen Versionen, zuerst aus
Frankfurt 13. December der D. Z. eingesandt und von da in mehrere unserer Pro-
vincial-Blätter übergangen, lautete: Das neue Ministerium habe Zurücknahme der
Windischgrätz und Jelačić gegebenen außerordentlichen Vollmachten verlangt, der Kaiser
sich durch sein Wort gebunden erklärt. Da habe man am 1. December die beiden
Feldherren nach Olmütz berufen, Jelačić habe sich bereit gezeigt der ministeriellen Forderung zu entsprechen, nicht so Windischgrätz der erst nachgegeben als das Ministerium
mit dem Rücktritt, der Kaiser mit der Niederlegung der Krone gedroht habe. Nun
sei die ungarische Frage zur Verhandlung gekommen; das Ministerium habe energische
Maßregeln und Verschmelzung Ungarns mit der Gesammt-Monarchie verlangt; aber

malige Weigerung des Kaisers „weil er sein Wort nicht brechen könne und wolle", neue Drohung des Ministeriums mit seinem Rücktritte. Jetzt erst sei der Entschluß des Kaisers zur Resignation definitiv gereift, und es habe sich nur noch gehandelt: wer nachfolgen solle; Schwarzenberg und Stadion hätten entschieden dem Erzherzog Franz Joseph das Wort geredet, und „nach kurzer Rücksprache mit den Damen des kaiserlichen Hauses erfolgte noch spät in der Nacht der bekannte Entschluß." Andere Kunde bringen dagegen Held Deutschlands Lehrjahre S. 339—341 vgl. mit Nordstein Wiener Revolution S. 405 f.; Biolaud's Enthüllungen S. 221: „Er ließ sich endlich dazu bewegen, wahrscheinlich konnte er mit seinem wirklich guten Herzen nicht mehr länger all die Schändlichkeiten ansehen und sie unterschreiben die sich Windischgrätz und sein Ministerium erlaubten"; Ernst Hellmuth (Dr. Gundling) Österreichs Lehrjahre 1848—1860 (Prag, Kober 1862) I. S. 205 f. u. a. m. Von allen der Öffentlichkeit übergebenen Deutungen kam jene, die sich bei Blaze de Bury Reise durch Deutschland ꝛc. (A. d. Fr. v. Alvensleben; Weimar 1851, B. F. Voigt) S. 215 findet, der Wahrheit am nächsten: „Wer die tiefe Frömmigkeit und die Seeleneinfalt des Kaisers Ferdinand und der Kaiserin Marianne kennt, der wird leicht einsehen daß nach den Ereignissen, die so eben in Wien stattgefunden hatten, die Abdankung für sie kein großes Opfer war."

325) S. 345. Ob die in unserem Texte gebrauchten Ausdrücken zu hart seien, möge man nach einem Vorfalle beurtheilen dessen Einzelnheiten jedenfalls besser verbürgt sind als die von Horváth gebrachte Anekdote. Seit der Abreise des Hofes nach Innsbruck hatte die regierende Kaiserin es sich zum Gesetze gemacht, so oft an ihren Gemahl Zumuthungen ernster Art gestellt werden wollten, ihn nicht aus dem Auge zu lassen, sondern ihm tapfer zur Seite zu stehen. Das beobachtete sie namentlich, so oft ein Besuch von ungarischer Seite angesagt war. Eines Tages — es war in der Zeit da Jelačić in Innsbruck weilte — hatten sich Batthyányi und Eszterházy melden lassen und erschienen zur anberaumten Stunde; Batthyányi zeigte weltmännische Laune und Unbefangenheit: „man komme diesmal nicht, Seiner Majestät mit Geschäften lästig zu fallen; man fühle sich nur gedrängt sich von Allerhöchstdessen Wohlbefinden zu überzeugen." In der That wurde von nichts als ganz gleichgiltigen Dingen gesprochen, vom Wetter, von der tyroler Luft, von Stadt-Neuigkeiten, so daß die Kaiserin sich überzeugt hielt ihre Gegenwart sei diesmal unnöthig und keinen Anstand nahm, als irgend ein Anlaß sie abrief, sich momentan zu entferute. Kaum hatte sich die Thüre hinter ihr geschlossen, als Batthyányi ein zusammengefaltetes Papier hervorzog und es mit leichten Worten dem Kaiser überreichte: „er erlaube sich nur um eine Unterschrift zu ersuchen; es sei nichts von Bedeutung; es beziehe sich auf die Anwesenheit des Banus von Kroatien in Innsbruck" u. dgl. m. Der Kaiser griff arglos zur Feder und unterzeichnete, Batthyányi nahm das Papier wieder in Empfang, worauf sich die Beiden unterthänigst empfahlen und Batthyányi augenblicklich mit Courier-Pferden nach Wien zurückfuhr. Es war die Entsetzung und Acht-Erklärung des Banus Jelačić was er in seiner Tasche mit sich forttrug. Nach der Abreise Batthyányi's hatte Fürst Eszterházy eine vertrauliche Unterredung mit Jelačić; er wurde von diesem seltenen Manne derart eingenommen, fand dessen politische Ansichten so correct, dessen Anforderungen so billig, daß er ihm sagte, er möge sich nur unmittelbar an ihn wenden; er, Eszterházy, werde es übernehmen sein Anliegen im ungarischen Ministerium zur Geltung zu bringen und halte sich überzeugt daß eine Verständigung erfolgen werde. Nun lag Eszterházy alles daran das unglückselige Papier aus den Händen Batthyányi's zu bekommen, und schickte diesem sogleich eine Depesche nach: er möge um alles in

der Welt den Druck und die Veröffentlichung desselben einstellen bis er mit ihm ge=
sprechen. Allein Batthyányi, zu glücklich ein so wichtiges Document in seinen Händen
zu haben, kehrte sich nicht an den Hilferuf seines fürstlichen Collegen, sondern beschleu=
nigte die Drucklegung. Jelačić hatte bereits Innsbruck verlassen und die freundlichsten
Versicherungen von allen Gliedern des Herrscherhauses mit sich genommen, als er auf
dem Wege nach Agram von dem Inhalte der jüngsten kaiserlichen Entschließung über=
rascht wurde . . .

326) S. 316. Prag 18. Juli 1848: „Je me permets encore une observation,
celle de La prier instamment de n'entrer dans aucun cas dans une negociation
qui porterait Sa Majesté l'Empereur à l'abdication. Le nom de Votre auguste
époux, Madame, a Dieu merci encore une grande influence sur une classe nom-
breuse de la société."

327) S. 347. Privat (Staatskanzlei) Wien 7. August: „. . . tout est changé.
L'Empereur a eu de nouveau une nervose Aufregung et ne veut pas partir . . .
Tous les alentours ont fait l'impossible pour engager l'Empereur à partir; tout
a été en vain."

328) S. 347. Windischgräz an die Kaiserin Maria Anna, Prag 14. August:
„Je déplore profondément le retour de Sa Majesté à Vienne."

329) S. 348. Ebenda: . . . „dans un moment où les prétentions et les
exigences du parti révolutionnaire se renouveleront et où Sa Majesté l'Empereur
ne croira plus pour Son auguste personne pouvoir résister avec succès."

330) S. 348. Windischgräz an die Erzherzogin Sophie, Prag 14. August.

331) S. 349. Fürst Lobkovic, der von da an bis zum Ausbruch der October=
Revolution ein Tagebuch führte, hat darin die Worte Windischgräz' genau eingetragen,
die nach dieser Aufzeichnung lauteten wie folgt: „Du kommst in eine äußerst schwierige
Stellung die Du, obgleich sie nicht beneidenswerth ist, nicht ausschlagen kannst. Leider
sind schon so viele Fehler geschehen die nicht mehr gut zu machen sind; allein die
Regierung steht auf einem so lockern Boden daß es in kürzester Zeit zu einer Revo=
lution kommen muß, wo es sich vorerst nur darum handeln wird die geheiligte Person
Sr. Majestät des Kaisers in Sicherheit zu bringen. Vor allem mache ich Dich ver=
antwortlich daß Se. Majestät eine solche verlangen sollte, der es gewiß sehr gut meint aber durch die Ereig=
nisse der letzten Zeit und durch den Reichstag ganz verblendet, man möchte sagen ganz
verwirrt ist. Sobald Du bemerken solltest daß man auf eine Concession bringt oder
daß die Person des Kaisers auf irgend eine Art in Gefahr kommt, so nehme so viele
Truppen wie möglich zusammen und führe Se. Majestät mit der ganzen kaiserlichen
Familie unter dem Schutze seiner Armee, und nicht als Flucht, über Krems nach
Olmüz. Dann werde ich Wien erobern, Se. Maj. wird zu Gunsten seines Neffen E.
H. Franz Joseph abdiciren, und dann werde ich Ofen erobern."

332) S. 349. Windischgräz an die Kaiserin, Prag 28. August. Über die Pro=
clamation des scheidenden Monarchen heißt es: „Cette proclamation qui doit montrer
toute la bonté et la noblesse de son caractére à sa juste valeur et justifier tout
les magnanimes sacrifices que les intentions si bienveillantes de cet auguste
Souverain l'ont engagé à porter à ses peuples, cette proclamation doit le placer,
non seulement aussi honorablement qu'il le mérite vis-à-vis de ses peuples, mais
même dans l'opinion de l'Europe entière." Und von dem Thronfolger: „Le jeune
archiduc avec une armée comme celle que Dieu merci nous possédons encore

ne pourra faillir en se prononçant avec l'énergie que lui donne une position
libre de tout engagement préalable."

333) S. 349. Windischgrätz an die Kaiserin, Prag 6. September. Über das Veto
sagt er, dasselbe stehe in allen constitutionellen Staaten dem Monarchen zu; dasselbe
sei eine Sache „à laquelle Sa Majesté l'Empereur ne doit renoncer sous aucune
condition." An einer andern Stelle heißt es: „Toutes les résolutions du Reichstag incompatibles avec les formes d'une constitution monarchique sont des pro-
positions que je considère comme inadmissibles."

334) S. 350. Wir erinnern an die Stelle in jenem Liede das Lenau seinen
„Faust" im Saale des Königsschlosses singen läßt:

> „Siecher Mann, hast keinen Leib, keine Seel', Du blödes Weib!
> Drum Du hocherlauchtes Paar Paßt zur Hochzeit auf ein Haar
> Dir das Sprüchlein: Mann und Weib Eine Seele und Ein Leib!"

335) S. 351. Die Worte: „Tant que moi je serai là, nous pourrons tomber,
mais nous tomberons dignement!" sprach die Kaiserin zum Grafen Anton Szécsen.
Bezüglich des ersteren Ausspruches lesen wir in einem den alten Staatskanzlei=Kreisen
entstammenden Schreiben aus Wien 10. September: „L'impératrice a été sublime
en soutenant le refus de la première adresse. ‚Quand je vois une chose contraire
à la dignité de l'Empereur‘, a-t-elle dit à Eszterházy, ‚je m'y opposerai jusqu'
à la mort.‘ Je tiens ce témoignage d'une bouche auguste non suspecte de
partialité."

336) S. 353. Darnach ist zu berichtigen, was u. a. in der „Gegenwart" (Leipzig,
Brockhaus) X. S. 748 zu lesen ist: „nicht einmal alle Minister hatten eine vorläufige
Kenntnis davon." Im Gegentheil, von dem Augenblicke, da Schwarzenberg den in
den allerhöchsten Kreisen gefaßten Beschluß seinen Collegen eröffnete, war es das
Ministerium allein und das Ministerium als Ganzes, das diese Angelegenheit in
gemeinsamer Berathung zu Ende führte. Von Ministerial=Beamten befanden sich in
der letzten Zeit außer Hübner nur Gubernial=Rath Ottel und Legations=Secretär
Aloys Kübeck in der Zahl der Eingeweihten.

337) S. 353. Windischgrätz an Felix Schwarzenberg, Schönbrunn 14. November.

338) S. 354. Doch konnte es bei den damaligen vielfach behinderten Verkehrs=
mitteln kaum vor dem 2. December in Mailand eintreffen, selbst wenn man es noch
am Tage der Ausfertigung abgeschickt hätte. Das geschah aber nicht; sondern es kam
dem Marschall gleichzeitig mit dem am 2. December datirten Begrüßungsschreiben des
neuen Kaisers erst am 6. oder 7. zu. Konnte man auch bei einem so folgenschweren,
obwohl fest beschlossenen Ereignisse eine solche Mittheilung aus der Hand lassen, bevor
es zur vollendeten Thatsache geworden? Eine Correspondenz aus Laibach vom 5.
December (Österr. Lloyd Nr. 277) brachte die Mittheilung, man habe „gestern Nachts",
also vom 3. auf den 4., „von einem als Courier nach Italien hier durchgehenden
Stabs=Officier die unerwartete höchst wichtige und ergreifende Kunde von dem Thron=
wechsel in Österreich" erfahren. — Vom 30. November datirte übrigens auch die Ver=
leihung des Großkreuzes vom Stephans=Orden an Windischgrätz, ein Beweis daß der
alte Kaiser hoffte schon an diesem Tage die Abdankung verwirklichen zu können.

339) S. 358. Der Vergleich der Thronentsagung Ferdinand's mit jener Karl V.
wurde damals vielfach gemacht und allerhand Betrachtungen daran geknüpft. Siehe
z. B. C. Bl. a. B. Nr. 135 v. 5. December: „Wir hoffen daß die Ähnlichkeit sich
nicht noch weiter hinausspinne. Wir hoffen für den resignirten Regenten, daß ihm
eine längere Reihe von Lebensjahren bestimmt sei als sie dem Mönche von St. Just

geworden war. Wir hoffen aber auch im Interesse der österreichischen Völker daß der junge Fürst der nun ihre Kronen auf seinem Haupte vereinigt, ein edlerer freiheits= humblicherer Monarch sein werde als es der Nachfolger des spanischen Karl geworden war."

410) S. 359. „Na rozloučenou s paměti hodným na věky panováním našeho laskavého Ferdinanda budiž to slavně i s neshasitelnou vděčností před celým světem připomenuto: že nám v jediné krátké době více dal nežli kterýkoli předešlý král z jeho rodu." Rittersberg im „Ranní list" Nr. 61 v. 10. December S. 242.

411) S. 360. Nr. 41 v. 5. December 1848 S. 182: „Der Thronwechsel in Österreich." — Es ist überhaupt in unserem Texte nicht die Rolle des Panegyrikers, die wir auf uns genommen; wir geben vielmehr, treu dem Berufe des Geschichts= erzählers, überall nur den Nachhall gleichzeitiger Kundgebungen wieder; wir vermöch= ten wenn es uns darauf ankäme, fast jeden Satz, jeden Ausdruck mit einem Citate zu belegen. Selbst das überaus harte und bissige Urtheil der „Opinione" (Venetianer Raccolta" V. S. 24) konnte nicht umhin, der Herzensgüte und Volksthümlichkeit des Kaisers Ferdinand seinen Tribut zu zollen.

412) S. 363. Privat (böhm. Arist.) Prag 2. Jänner 1849: „Chaquefois que je cause avec Elle, je reviens édifiée et émue de la noblesse d'ame et du courage de cette femme inconnue si longtemps, et qu'on croyait une bûche et un corps sans ame."

413) S. 364. So zählte die kärntnerische Deputation zwölf Stände=Mitglieder mit dem Landes=Präsidenten Baron Lango, die steirische neun Abgeordnete des proviso= rischen Landtages mit dem Landeshauptmann Grafen Attems an der Spitze; jene des Klagenfurter Gemeinderathes bestand aus sieben Personen; eine Deputation des mäh= rischen Landtages fand sich unter Führung ihres Präsidenten Koppel ein ꝛc. — Es wolle nicht kleinlich genannt werden, wenn wir sowohl beim Abschiede des alten als beim Erscheinen des neuen Kaisers einige der bezeichnendsten Stellen aus den verschie= denen Landtags=, Gemeinde=, Körperschafts=Adressen unserem Texte einverleiben; es sind das Bausteine der Gefühle und Stimmungen, der Hoffnungen und Aussichten, die sich in jenen Tagen an das große Ereignis knüpften.

414) S. 366. Siehe den gehaltvollen Aufsatz: „Gedanken über die staatsrecht= liche Bedeutung der Thronentsagung S. M. des Kaisers Ferdinand" in der Beil. z. Abend=Ausg. d. Wr. Ztg. v. 15. December 1848: „Die Thronentsagung Ferdinand's ist ein Abschluß der österreichischen politisch=nationalen Revolution und ihrer historischen Berechtigung; der Antritt Franz Joseph's ist die Renovirung des Princips der Revo= lution unter gleichzeitiger Anerkennung ihrer Ideen, damit die Verpflanzung der politisch= nationalen Freiheit in Österreich auf den förmlichsten Boden des Rechtes." Und so werden wir denn, heißt es zum Schluße, „die Überzeugung aus, daß, wenn allerdings eine Entsagung, zumal eine doppelte wie die vorliegende, eine schwere dem Princip der Erblichkeit geschlagene Wunde ist, eine solche Wunde um eines solchen Zweckes willen genugsam gerechtfertigt sei."

415) S. 368. Laibacher Ztg. Nr. 149 v. 12. December.

416) S. 368. Friedensbote Nr. 34 S. 265 f.: „Der Kaiser von Österreich"

417) S. 369. Siehe: Maria Theresia als Mutter. Ein Beitrag zur Charakteristik der Kaiserin mitgetheilt von Friedr. Firnhaber; und: Kaiser Joseph II. als Er= zieher. Vortrag von Joseph Feil. (Sylvester=Spenden eines Kreises von Freunden vaterländischer Geschichtsforschung 1850—1 und 1851—2; nicht im Buchhandel).

348) S. 370. Das freimüthigste was über die Erziehung der kaiserlichen Prin=
zen, und das zu einer Zeit wo freies Wort noch schwer verpönt war, geschrieben worden,
enthielten die „Sibyllinischen Bücher" II S. 291—314, womit man das „Indiscrete"
einer 1867 bei Ahe in Köln und Leipzig erschienenen Schrift (Moderne Imperatoren.
Discretes und Indiscretes. Aus dem Tagebuch eines politischen Agenten. II. Hft. :
Franz Joseph I.) S. 39—43 vergleichen mag. Doch auch bei Möring ist, abgesehen
von der breiten, die gang und gäben Floskeln und Phrasen in einen kaum verdaulichen
Brei zusammenwerfenden Schwulst seiner Darstellung, vieles übertrieben, ja geradezu
unwahr. So z. B. was er über die im Hause Österreich traditionelle blinde, so zu
sagen sclavische Botmäßigkeit gegenüber den Organen des kirchlichen Regiments, über
ihre ungebührliche Abhängigkeit von ihren geistlichen Gewissensräthen u. dgl. vorbringt.
Protestantische Historiker und Pamphletisten haben dies Thema seit drei Jahrhunderten
mehr als zur Genüge behandelt und viele der unsern, auf den Ehrenpreis des Libe=
ralismus speculirend, haben nichts besseres zu thun gewußt als gefügig in den gleichen
Ton zu fallen. Diese Schablonen=Historiographie pflegt nur Maximilian II. und die
beiden Joseph als rühmliche Ausnahmen gelten zu lassen, übersieht aber dabei oder
weiß nichts davon, daß sich gerade von zweien der frömmsten, von dem grimmigen
Protestanten = Verfolger Ferdinand II. und von der strengen Sittenrichterin Maria
Theresia Züge anführen lassen, die da zeigen daß sie, wo es Interessen des Staates
oder ihre Herrscher=Würde galt, gegen kirchliche Anmaßungen sehr entschieden aufzutreten
wußten. Am übelsten angebracht sind die Redensarten vom Zwang der Etiquette, mit
denen die „sibyllinischen Bücher" herumwerfen. Im Gegentheile läßt sich behaupten,
daß die Anforderungen dieser einstigen Tyrannin des Hoflebens seit Joseph II. in
unserer Kaiserburg auf das geringste Maß herabgebracht sind. Vollends das Verhältnis
der Prinzen zu ihren Eltern ist von dieser Zeit einfach, natürlich, von allen Förmlich=
keiten frei; die Erziehungsgewalt von Seite der letztern wird gehandhabt wie in irgend
einer bürgerlichen Familie. Noch eine Bemerkung Möring's können wir nicht über=
gehen. Er meint, die strenge Regelmäßigkeit der Stunden=Eintheilung — „selbst der
Prinzen karge Erholungsstunden müssen nach Vorschrift benützt werden" — habe alle
Selbständigkeit derselben getödtet: „Es scheint eigens darauf angelegt, die Prinzen
immer zu dem zu verhalten was Andere wollen; ihr Wille, theils auf dem Rade
der Etiquette gebrochen theils vom Zwange erdrückt, hört nach und nach auf activ zu
sein, gewöhnt sich an Leitung und Führung, an die geistige Nachhülfe, an das Bequeme
der Verantwortlichkeit Anderer." Wir wollen die Persönlichkeit unseres gegenwärtig
regierenden Monarchen, weil wir es nur mit dessen Jugend zu thun haben, hier aus
dem Spiele lassen; aber von seinem unglücklichen Bruder Max, der mit ihm genau
dieselbe Erziehung genossen, wird doch gewiß kein Mensch behaupten, daß jenes System
die Eigenart von dessen Charakter zerstört habe. Jede vernünftige Erziehung wird in
den Entwicklungsjahren dahin gerichtet sein, den Zögling anzuhalten das zu thun was
wohlmeinend und erfahren „Andere" wollen; der eigene Wille hat Zeit und Gelegen=
heit genug sich später geltend zu machen.

349) S. 380. Reschauer S. 154, 326 u. a. — Der ebenda S. 348 von
einem „Bürger=Officier" erzählte Auftritt vor der Hauptwache des Kriegsgebäudes
dürfte nicht auf den Kronprinzen, sondern auf einen andern der jüngeren damals in
Wien öfter genannten Erzherzoge, etwa Wilhelm, zu beziehen sein; da sich die Scene
nächtlicher Weile (vom 13. zum 14. März) abspielte, war ein Verkennen der Person
wohl möglich.

350) S. 380. So lautet es in der Abendb. z. Wr. Ztg. Nro. 7 v. 7. April;

erſt zwei Tage ſpäter heißt es, er ſei zum „Statthalter" von Böhmen ernannt. Daß aber anfangs ein höherer Titel für ihn beſtimmt war, möchten wir aus einem Bruſt=bild in Lebensgröße ſchließen das damals, gemalt von Ammerling lithographirt bei Balder gedruckt bei J. Höfelich, in zwei Auflagen erſchien, die eine mit deutſcher Unter=ſchrift: „Franz Joſeph, Erzherzog von Öſterreich", die andere mit böhmiſcher: „Fran-tišek Josef, arckníže rakouský, místokrál český." — Graf Hartig in ſeiner „Geneſis" 1. Auflage S. 265 gibt den ſechſten April als den Tag der diesfälligen A. h. Entſchließung an. Vor uns liegt aber ein Placat des Grafen Rudolph Stadion von Prag den fünften April, worin er der Bevölkerung die „erfreuliche Nachricht" mittheilt: laut eingelangter „Eröffnung des Miniſters des Innern" ſei „der durchlauch=tigſte Erzherzog Franz Joſeph zum Statthalter von Böhmen ernannt" und werde „ſeine Beſtimmung demnächſt antreten."

351) S. 382. Siehe den Eingangsartikel im amtlichen Theile der Wr. Ztg. Nr. 119 v. 29. April.

352) S. 383. Siehe über dieſe Scene auch Joſeph Bruna „Im Heere Ra-decky's" (Prag 1859 Credner) S. 68; und über die Unerſchrockenheit und Geiſtesgegen=wart des ſpätern Kaiſers überhaupt: „Moderne Imperatoren" S. 51.

353) S. 386. Privat (Staatsk.) Wien 22. Juli: „Pourvu qu'on ne songe pas à envoyer ici le jeune Archiduc sous de pareilles circonstances. Ce seroit l'user à jamais hélas! Je voudrois au contraire que, si l'on se décideroit à venir, on l'envoyât de nouveau à l'armée d'où on n'avoit jamais dû le retirer. C'est là seu-lement qu'il peut mûrir, pour le moment où il sera opportun de lui remettre le pouvoir avec un ministère et un système nouveau." Und ebenſo 6. Auguſt: „La demi-mesure de l'envoi de l'Archiduc F. Ch. avec son fils auroit trop mis en évidence celui-ci dans un moment où tout ce qui paroit sur la scène doit s'user et où il vaut mieux tenir en réserve ce qui est la dernière corde à votre arc."

354) S. 388. Über das Regiment Großfürſt Michael in Lemberg ſ. unſern I. Bd. S. 316 und 433. — Privat (alt=conſ.) Olmüz 19. November: „Je ne saurais vous exprimer quelle joie mélancolique j'ai éprouvée en voyant ces glorieux débris d'une armée qui nous rendait si fiers de notre patrie; en entendant ces airs nationaux qui, il y a à peine un an, accompagnaient à Pressbourg l'enthousiasme trompeux d'un peuple inconstant, et qui réveillaient tant de tristes et tant d'heureux souvenirs dans mon ame. Je ne vous cacherai pas mon profond attendrissement, lorsque ses simples soldats, fiers de leur fidélité, accueillaient avec des accla-mations vives et joyeuses le souverain qu'il n'avaient point voulu quitter dans ce temps de trouble, et le correct discours hongrois que l'Archiduc François Joseph leur adressa avec autant de dignité que de bienveillance, accompagné, interrompu, suivi par les Eljen de la troupe, me toucha jusqu' aux larmes." — Über die Hal=tung des Erzherzogs in dieſer Zeit überhaupt heißt es ebenda 14. November: „Il m'inspire de la confiance, il me parait vrai, simple, sans affectation de Gemüth=lichkeit . . . . Les évènements l'ont rendu sérieux, sans le priver toutefois de la gaieté de son âge, que j'aime tant, et qui n'inspire toujours de l'attachement pour les jeunes gens qui l'ont su conserver sans être pour cela ni frivoles ni futiles."

355) S. 389. Es wurde darum mißfällig bemerkt, daß in dem Texte der dem neuen Monarchen angepaßten Volks=Hymne von dem Namen „Joſeph" nichts zu finden war; man hatte nämlich in der erſten Eile einfach den urſprünglichen Wortlaut hervor=geſucht: „Gott erhalte Franz den Kaiſer, unſern guten Kaiſer Franz" ꝛc.

356) S. 390. Der Wiener „Friedensbote" Nr. 37 S. 295 machte dazu die Be-

merkung: „Warum an den Papst nicht ein gleiches? Warum läßt man die Franzosen uns zuvorkommen? Die ebensten Wege stehen ja dem österreichischen Herrscher offen um dem Papste, dem verfolgten zur Flucht genöthigten Pius IX. ein Asyl anzubieten, das den Pariser Tuilerien nicht nachstände." Mit dem Papste, antworten wir, stand man nach allem was vorangegangen keineswegs auf so freundlichem Fuße wie mit Rußland und Preußen; wie man sich unsrerseits „dem verfolgten zur Flucht genöthigten" wieder näherte, werden wir im folgenden Bande berichten.

357) S. 390. Privat aus Olmütz: „Doch verspäteten sich manche Träger (der Astral-Fackeln) mit dem Anzünden, da der Kaiser in einem offenen Wagen ungemein rasch fuhr; die Bemühungen dem Kaiser nachzuleuchten waren ungemein komisch."

358) S. 390. Olmütz 11. December; Const. Bl. a. B. Nr. 141 v. 12. December, II. Beilage.

359) S. 391. „Und wahrlich, kein Herrscher Österreichs hat wohl gleich bei seiner Thronbesteigung so viele Gelegenheit gefunden Großmuth zu üben, sich den schönen Beinamen eines Titus zu erwerben, wie Franz Joseph". Irgendwo.

360) S. 391. So Prinz Karl am 11. mit welchem die Prager Majestäten zum erstenmal im ständischen Theater erschienen, vom stürmischen Jubel des übervollen Hauses begrüßt, am 14. Prinz Albert, am 28. Großfürst Konstantin. — Die Sendung des Fürsten Fürstenberg nach Olmütz wurde von der demokratischen Partei nicht freundlich begrüßt: „Junges Deutschland, Du träumst von einem Bunde der Völker und wirst wahrscheinlich wieder werden was du warst, ein Bund der Fürsten; ein Fürst repräsentirt dich am Olmützer Kaiserhofe!" Const. Bl. a. B. Nro. 155 v. 28. December 1848.

361) S. 391. Mitglieder der Wiener Deputation waren: Pfarrer Edmund Götz (Schotten-B.), Professor Stubenrauch (Wieden), Dr. Settler (Wimmer B.), Professor Kaiser (Landstraße), Mil. Appell.-Rath Liborius Skacel (Schotten.-B.), Zimmermeister Franz Jacks (Roßau), Richter Joseph Schmidt (Josephst.), Bäckermeister Franz Khun (Landstraße) und Lithograph Aloys Leykum (Laimgrube). — An der ungarischen Deputation betheiligten sich die Grafen Georg und Karl Apponyi, Dominik Bethlen, Johann Bakonyi, Arthur und Johann Batthyányi, Joseph Mailáth, Karl, Leopold und Rudolph Pálffy, die Barone Lázár, Karl und Alexander Apor, Eötvös, Herr von Cserghes, von Remekházi, von Ürményi u. a. Die Audienz war kurz, der gegenwärtigen Lage wurde nur mit ein paar Worten gedacht. Der größte Theil reiste am 21. wieder ab, Eötvös und Pálffy, der ehemalige Ober-Gespan von Preßburg, blieben etwas länger.

362) S. 395. Näheres über die Schönbrunner Feierlichkeit: Abendb. z. Wr. Ztg. Nr. 224 u. Österr. Sold. Fr. Nr. 42 v. 7. December; dann Köveß das k. k. L. J. R. E. H. Stephan Nr. 66. Vertheilt wurden 14 goldene 47 silberne I. und 208 II. Classe. Ein Jäger-Cadet kaum 20 Jahre alt erschien dabei mit dem Charpie-Verband seiner Kopfwunde; mehrere Betheilte lagen noch in den Spitälern. Die Mannschaft des 12. Jäger-Bataillons hatte sich so ausgezeichnet daß es ihrem Commandanten schwer fiel die Tapfersten zu benennen; der Feldmarschall ließ darum für jede Compagnie eine silberne Tapferkeits-Medaille ausfolgen. Die Feierlichkeit dauerte von 11 Uhr B. M. bis 1 Uhr N. M.

363) S. 395. Ansprache Welden's aus diesem Anlasse f. Wr. Ztg. Abendb. Nr. 232 v. 16. December 1848.

364) S. 395. S. auch die Klagenfurter Relation vom 26. December: „Jeder Einzelne der Deputation fühlte sich innig überzeugt, daß in diesem Fürsten ein heller Stern der Hoffnung am Horizonte Österreichs aufgegangen sei, und daß es nur des

redlichen Mitwirkens seiner Völker bedürfe um dem Gesammtreiche die ersehnte glückliche Zukunft zu bereiten."

365) S. 396. „It was a noble exclamation for a boy of but nineteen years,
for it told of duties accepted and of devotion to an arduous task. To be master
in the fresh flush of youth of one of the greatest empires of the world, and to
think first of the sacrifices which duty imposes rather than of the splendor which
the position offers, exhibits an appreciation of the task as rarely to be met with,
as it is indispensable to success in those that are born to rule." Stiles
Austria in 1848—1849 S. 151 f.

366) S. 397. „Der Kaiser hat bereits einer Minister-Conferenz beigewohnt,
und man erfährt daß zwischen ihm und dem Ministerium keine Mittelspersonen und
also kein Einfluß von irgend einer Art bestehe." Brünner Tags-Courier Nr. 167 v.
11. December S. 672.

367) S. 402. Erlaß des Ministeriums des Innern v. 20. December 1848, kundgemacht in Wien mit Regierungs Präsidial-Erlaß v. 28. J. 57.773.

368) S. 403. Memorandum Wickenburg's an Wessenberg v. 10., an Windischgrätz vom 16., dessen Abreise von Grätz am 18. November; das Datum der a. h.
Entschließung, die ihn von seinem Posten entfernte, sind wir nicht in der Lage anzugeben. Wenn die guten Steirer, wie das zu geben pflegt, am Grafen Wickenburg
manches auszusetzen hatten so lang er an der Spitze stand, so war das Bedauern über
sein Scheiden ein ungetheiltes und allgemeines. „Von Aussee bis zu den Gletschern
der Sulzbach, von den Alpenhöhen des Hochlandes bis zu den stattlichen Grafen zu
seinen Penaten zählt, bis zu den Nebengeländen der Wendenzaue deren Bewohner mit
ihm manch herzliches Wort in ihrer Landessprache wechselten, ist nur ein Laut der
Verehrung und Liebe für ihn." S. Laibacher Ztg. Nr. 149 v. 12. Dec., wo es auch
heißt: „Wickenburg hat seit März im kleinen das milde Beispiel Ferdinand des
Gütigen nachgeahmt." So auch Gatti Ereignisse d. J. 1848 in der Steiermark
S. 288: „Mag die Pensionirung dieses Mannes, der achtzehn Jahre lang an der
Spitze der Provinz gestanden, immerhin eine aus Staatsrücksichten gebotene Maßregel
sein, so liegt darin kein Hinderniß daß die Steiermark sich ihrem letzten Gouverneur
noch immer zur Dankbarkeit Hochachtung und Anhänglichkeit verpflichtet hält, worauf
er sich durch sein langjähriges Wirken, durch seine bürgerfreundliche Gesinnung, durch
seinen humanen Charakter ein unbestreitbares Recht erworben hat. „Dem Fürsten den
dem Volke gut, so nannte ihn der Dichter, und wir glauben der Dichter hatte Recht."
Der Gemeinde Ausschuß von Grätz richtete am den 12. December eine Adresse an
den Grafen er möge die Leitung der Provinz beibehalten. Die Bürgerschaft wollte
ihm einen Fackelzug darbringen den er jedoch ablehnte. Darauf vereinigte sich der
größte Theil der Bürger und Nationalgarde zu einem Fretiermarsch, der seinen Weg
an der Burg vorbeinahm und dem Gefeierten laute Hochs brachte. „Bei dieser
Gelegenheit erkannten wir daß die Grätzer Garten eine imposante Macht bildet;
die Nationalgarde zählt 1549, die Bürgergarde 961, zusammen 2510 Mann." S. Bl.
a. S. Nr 144 v. 15. December Beilage.

369) S. 404. Die erste Adresse verfaßt der „Lloyd" in einem vom 4. Jänner
datirten Seitenartikel Nr. 8 v. 5. Jänner 1849 Morgenblatt. Ganz richtig war es
was er sagte: „Unter dem alten Regime arbeiten Cavaliere gegen ihre Überzeugung;
sie haben zu dem Steuerer Cabinet der Reik sie drücken in der höhern Kammer der
Grafen sie warnen sie tadelten, sie stürzen Steuere; aber sie nennen der Staatsdiener
vom Neunten und wirken nunmehr ihres Geist von der Arbeit ab der er diente.

Jetzt ist der Beamte der bewußtvolle Mitarbeiter der Staatsregierung." Allein offen=
bar zu weit gegangen war es, wenn der „Lloyd" seine beliebten nord=americanischen
Verhältnisse als Muster aufstellte: „Der Staat nimmt dort Beamte nicht an wie der
Mann seine Frau, mit der Verpflichtung für sie zu sorgen ihr ganzes Leben hindurch",
oder wenn er die Staatsverwaltung mit einem industriellen Unternehmen auf eine
Linie setzte: „Eisenbahnen, Fabriken, große Grundbesitzer hüten sich wohl ihre Beamten
auf Lebenszeit anzustellen", welch letztere Behauptung überdies mit den thatsächlichen
Verhältnissen gar nicht übereinstimmt. Der Artikel des „Lloyd" war eigentlich die
Entgegnung auf einen am Tage zuvor in der „Presse" (Nr. 3 v. 4. Jänner) erschie=
nenen Artikel, der sich in der entschiedensten Weise gegen den Inhalt der Stadion'schen
Rundschreiben aussprach. Außer den in unsern Text verflochtenen Vorwürfen hob die
„Presse" auch den finanziellen Standpunkt hervor: „Wo es genügt mit einem eben an
der Spitze der Verwaltung stehenden Minister nicht in allem zu sympathisiren um von
seinem Posten entfernt zu werden, da tritt der Fall der Amtsentsetzung um so viel
häufiger ein als es sonst möglich wäre."

370) S. 405. So sagten die „Občanské Noviny" Nr. 15 v. 16. December, wo
sie sich über das Stadion'sche Gemeindegesetz ausließen: „Das Ministerium entblödet
sich nicht uns einen Entwurf vorzulegen der geradezu gegen die vom Könige unserem
Volke zugesicherte Freiheit der Gemeinde gerichtet ist. Aber das Volk wird sich das
nicht gefallen lassen; es kann und darf sich nicht zum Diener eines armseligen Mini=
steriums hergeben, eines Ministeriums das nicht einmal den Gehorsam einiger Generale
sich zu verschaffen vermag — národ nesmí a nemůže sluhou nepatrného ministerstva se stát, ministerstva jemuž ani nelze vůli jenerálů sobě podrobiti."

371) S. 407. Windischgrätz an Schwarzenberg am 21. und 24. November 1848.
Der Vortrag an den jungen Kaiser trägt im Concepte die Adresse „Franz II.", ein
Beweis daß solcher vom Fürsten bereits vor seiner Abreise nach Olmütz am 1. December
entworfen war.

372) S. 408. Der erste dieser durch den Abdruck der Wiener Ztg. veröffent=
lichten a. u. Vorträge war der des Grafen Stadion v. 3. December 1848, Wiener Ztg.
Nr. 2 v. 3. Jänner 1849; darin kommt auch die von uns im Texte angeführte Stelle
bezüglich der „provisorischen Anordnungen" vor. Wie sehr der Bevölkernng dieser
Vorgang erwünscht kam, bewies eine am 5. December einstimmig beschlossene Adresse
des provisorischen Landtags=Ausschusses von Kärnten, worin in voller Zustimmung mit
den im ministeriellen Programm ausgesprochenen Grundsätzen die Bitte enthalten war
diese Grundsätze sobald als möglich zur Verwirklichung zu bringen; „sollte das Mini=
sterium vor Vollendung der Verfassung einzelne Gesetze für unerläßlich halten, so möge
es selbe im Wege der Ordonnanz provisorisch unter eigener Verantwortung erlassen."

373) S. 410. Wiener Ztg. Nr. 333 v. 14. December 1. 1349.

374) S. 410. Abend=Beil. z. Wiener Ztg. Nr. 240 v. 27. December S 943 f.

375) S. 411. Vortrag des Justiz=Ministers an den Kaiser v. 11., a. h. Ent=
schließung vom 15. December 1848; „Lloyd" Nr. 38 v. 23. Jänner 1849 Morgenblatt. —
In Prag fungirte Ministerialrath Kulhanek an der Spitze der Organisirungs=Com=
mission welche die Appellationsräthe Klaudi Väter Hisisch und Steyrer in die südlichen
westlichen nördlichen und östlichen Kreise zur Besichtigung und Aufnahme an Ort und
Stelle aussandte. In Schlesien nahm der Präsident des herzoglichen Landrechtes zu
Teschen Franz Scharschmidt Ritter von Adlertreu die Bereisungen vor u. s. w.

376) S. 411. Die Ernennungen machten darum auch in Beamtenkreisen ziemlich
böses Blut; s. dagegen den „Lloyd" Nr. 24 v. 14. Jänner 1849 Morgenblatt: „Es ist

freilich nicht Sitte gewesen in anderen als in constitutionellen Staaten, nach welchen
wir uns jedoch wohl jetzt richten dürfen. In England haben der Attorney=General,
nach ihm der Solicitor=General, beide Advocaten und stets Mitglieder des Parlaments,
die besten Ansprüche auf erledigte Richterstellen. Der Lord=Kanzler, der höchste Richter
des Landes, ist ein politischer Charakter. In Frankreich und Nord=Amerika sind die
Zierden des Richterstandes sehr häufig früher Zierden des Parlaments gewesen. Die
kurze Erfahrung die wir in Österreich im parlamentarischen Leben gemacht haben zeigt
uns schon wie rein unmöglich es sei im alten bureaukratischen Geleise fortzufahren.
Die besten Männer im Staate werden durch die Stimmen ihrer Mitbürger erst in's
Parlament, nachher in wichtige Ämter gedrängt werden. Es ist nicht im Interesse des
Volkes, nicht im Interesse des Staates, Männer von dem Staatsdienste auszuschließen,
blos weil sie nicht von Jugend auf für denselben bestimmt worden sind.".

377) S. 411. Ministerial=Erlaß v. 22. November und Kundmachung v. 4. De=
cember, Wiener Ztg. Nr. 326 v. 6. December 1848.

378) S. 412. Schwarzenberg an Windischgrätz 19. December 1848: „England
wird uns unter den gegenwärtigen Umständen keinen leihen, wir wollen uns nicht
umsonst an unsern Feind Palmerston wenden. Der Herzog von Wellington hat selbst
von dem Schritte abgerathen; wir haben daher nach Holland geschickt."

379) S. 412. Schwarzenberg bewohnte in Olmütz mit Hübner ein Privathaus
Nr. 67 in der Nähe der Burg, Stadion und Bruck wohnten im Domherrn Ritter
von Unckhrechtsberg, Bach Nr. 219 auf dem Mar=Josephs=Platz, Kraus Nr. 19 nächst
der Burgthorwache, Cordon beim Domherrn Grafen Szapáry; Thinnfeld, der die meiste
Zeit in Kremsier zubrachte, pflegte in Olmütz im Gasthofe „zum Goliath" abzusteigen.

380) S. 413. Abendb. z. Wiener Ztg. Nr. 230 v. 14. December. „Politische
Erfahrungen" III: „Auch das parlamentarische Leben nimmt für sich das Recht der
Flegeljahre in Anspruch; es will nicht fertig und gerüstet aus dem Haupte eines für
die Freiheit sich reif fühlenden Volkes entspringen, es will stolpernd zur Kunst des
Gehens und lallend zur Geläufigkeit des Sprechens gelangen, es will durch Unvoll=
kommenheit und Unarten aller Art hindurch wie jedes andere Kind zur Einsicht, zum
Anstand, zur männlichen Würde emporsteigen."

381) S. 413. Z. B. „Puffe: Was macht der ‚Humorist' in Kremsier? Pieffe:
Nichts! Puffe: So? Ist er denn auch ein Deputirter?" — Wie bedeutend der
Mißmuth der Bevölkerung über den schleppenden Gang der Reichstags=Verhandlungen
selbst in Böhmen um sich zu greifen begann, bewies auch der Umstand daß Karl
Havliček, der mittlerweile sein Mandat zurückgelegt hatte um sich mit voller Muße
dem ihm mehr zusagenden Berufe eines Publicisten zu widmen, in den „Národni
Noviny" für nöthig fand seinen Lesern eine geharnischte Strafpredigt über dies Capitel
zu halten: „Ein solches Verlangen" (einer rascheren Lösung der Verfassungsfrage)
„heiße einfach die Zeit des früheren Despotismus sich zurückwünschen, der allerdings
seine Gesetze ohne viel Federlesens gemacht und erlassen habe. Das sei aber jetzt
anders, wo es sich um ein Zusammenwirken von Volk und Thron und darum handle
daß die Gesetze besprochen und berathen werden, was nicht so schnell gehe als wenn
sie einfach dictirt würden. Wenn es schon überall schwierig sei die verschiedenen
Meinungen zu vernehmen, die allseitigen Gründe abzuwägen, die Mehrheit für die
eine oder andere Ansicht zustande zu bringen, wie erst in Österreich das aus so vielen
Gebieten, aus so mancherlei Volksstämmen zusammengesetzt sei, die alle ihre besonderen
Interessen Bedürfnisse Wünsche hätten! Allerdings werde manches gesprochen was
nicht nothwendig sei, und er selbst könne sich rühmen als Abgeordneter das Verlangen

nach dem ‚Schluß der Debatte‘ so oft gestellt zu haben daß es schon sprichwörtlich geworden sei. Andrerseits müsse man aber sagen, daß die Herren Wähler an der Verzögerung der Verhandlungen zum Theil selbst Schuld seien, indem sie von jedem Abgeordneten verlangen er solle sich vernehmen lassen, weil sie meinen nur der sei thätig der in der öffentlichen Sitzung spreche."

382) S. 414. „Zu Neujahrsgeschenken", spöttelte der „Humorist" in einer seiner December-Nummern, „sind heuer neue elegante Mistrauens-Votums sehr in der Mode; man bekommt sie prompt und billig an allen Straßenecken." — Das Mistrauens-Votum gegen Borrosch war von 310 Urwählern und 35 Wahlmännern unterzeichnet; von letztern, 50 in der Gesammtzahl, hatten sich nur 3 dagegen erklärt, 8 waren von Prag abwesend, 4 hatten zwar der Adresse zugestimmt, doch ihre Unterschrift nicht darunter setzen wollen. Eine Vertheidigung Borrosch's bei all' seinen Fehlern und Misgriffen, siehe C. Bl. a. B. Nr. 147 v. 19. December. — Ebenda Nr. 135 v. 5. war auf S. 1 eine Ehrenrettung Goldmark's aus Kremsier v. 1. Dec. zu lesen, während auf S. 2 eine Correspondenz aus Wien v. 2. December ihn wegen seiner „Vehemenz" und Leidenschaftlichkeit mit Vergnügen aus dem Reichstage scheiden sah. Betrachtungen über das gegen ihn gerichtete Mistrauens-Votum im Abendb. z. Wr. Ztg. Nr. 220 v. 2. December S. 863 f. Einen Nachtrag zu dem Mistrauens-Votum gegen Füster brachte die Wr. Ztg. Nr. 341 v. 23. December S. 1455 f. Die vom 17. datirte Antwort Violand's s. Abendb. z. Wr. Ztg. Nr. 234 v. 19. S. 920. — Die Frage, ob ein Abgeordneter aus Anlaß eines Mistrauens-Votums seine Stelle behalten könne oder nicht, wurde damals vielseitig behandelt; siehe z. B. Abendb. z. Wr. Ztg. Nr. 227 v. 11. S. 891, Nr. 234 v. 19. S. 920, Beil. z. Morgenbl. b. Wr. Ztg. v. 24. December: „Noch ein Wort über Mistrauens-Zurufe der Wahlmannschaft an die Reichstags-Abgeordneten." Am unermüdlichsten für die „Purificirung" des Reichstags und die Wirksamkeit der Mistrauens-Voten schrieben der „Hans-Jörgel" und der „Zuschauer". Jener sagte in seiner Huldigungs-Adresse „An Se. Maj. Kaiser Franz Joseph I." Hft. 42 S. 7: „Es ist aber heilige Wahrheit, daß Tausende und Tausende ihre Blicke mit Abscheu und Verachtung auf einzelne Männer der äußersten Linken im Reichstag wenden, die der Stimme des Volkes, die man Gottesstimme nennt, Hohn sprechen und die so wenig Ehre besitzen daß sie der ganzen Welt zum Trotz eine Stellung behaupten deren sie nie würdig waren." Im „Zuschauer" erschien ein Artikel von Georg Emanuel Haas „Urwähler im Bezirke Maßleinsdorf" Nr. 182 v. 6. December S. 1494 f. unter der Aufschrift: „An gewisse Deputirte der Linken und ihre Wähler", worin es u. a. hieß: „Mehr Scham hat wahrhaftig so mancher Verbrecher am Hochgerichte bewiesen, mehr Ehrgefühl so manche feile Dirne die eben auch käuflich war, als ihr die ihr nicht erröthet nach den Vorgängen der Octobertage, nachdem die Stimme des Volks euch gebrandmarkt hat, noch einmal mit eurem Athem zu verpesten jene Räume die der Berathung des allgemeinen Wohls gewidmet sein sollen . . . Und wenn ihr längst ausgelebt habt und euer irdisches Wirken zu Ende ist, wird noch die Geschichte euch ein Denkmal setzen das euch wie Herostrat unsterblich macht: sie wird euch betrachten als Kehricht, als Dünger der nothwendig war damit die Saat wahrer Freiheit üppig aufsprosse." S. auch ebenda Nr. 187 v. 15. December S. 1541—1543: „Ein Strohhalm zur Abwehr der Mistrauens-Voten" von A. Wilhelm, der hauptsächlich von der „bettelhaften Ausflucht" handelt: die Mistrauens-Voten hätten keine Kraft, weil sie unter dem Einflusse des Belagerungszustandes geschrieben seien. S. auch „Zeit-Epigramme" von Franz Fitzinger:

Die Philosophen.

Ein Mistrau'nsvotum läßt sich leicht erbulden,
Man abstrahirt als Philosoph davon
Und findet im Bewußtsein jenen Lohn —
Von baren monatlich zweihundert Gulden . . .

Das naiveste, was gegen die Bedeutung und Giltigkeit der Mistrauens-Voten vor-
gebracht wurde, war wohl die Frage des Kremsterer Correspondenten des C. Bl. a. B.
Nr. 135 v. 5. December: „Warum hat denn keiner dieser Wähler, die doch anwesend
waren bis zum 30. October, die Stimme erhoben gegen diesen Vertrauensmann
(Goldmark), wenn es auch nicht öffentlich, sondern zwischen vier Mauern, ganz im
Vertrauen gewesen wäre?!" Ein „Mistrauens"-Votum „ganz im Vertrauen"!

383) S. 415. Die Prager „Slavischen Centralblätter" erklärten es in einem
diesen Gegenstand betreffenden Artikel für eine wahre Schmach, wenn sich der Reichstag
dazu hergeben wollte seine in der Octoberzeit auf Abwege gerathenen Mitglieder „den
racheschnaubenden Tribunalen Wiens auszuliefern; mögen Verirrungen noch so arger
Gattung stattgefunden haben so sind die Verirrten doch Männer der Volkswahl, und
der Reichstag, ein Kind der Revolution, darf an sie nicht das stramme Maß einer soldatisch influencirten Untersuchungs-Commission anlegen."

384) S. 415. „Herausgenommen aus seinem ursprünglichen Boden, wo das Erd-
reich umwühlt war und er üppig emporschoß, wurde er in einen Gartentopf versetzt,
wo er freilich unter sorgsamer Pflege des Gärtners steht; allein der Brütofen kann die
freie Sonne nicht ersetzen und das Zugloch ist kein erfrischender Zephyr" 2c. Correspondenz aus Kremsier vom 12., Const. Bl. a. B. Nr. 143 v. 14. December 1848.
— Ein großes Verdienst um die gemäßigtere Haltung der Linken hatte unstreitig
Smolka. „Właśnie teraz nie zdaje mi się", schrieb er am 1. December an seine
Frau, „aby się sejm miał rozpaść, albowiem gdy wszyscy to niebezpieczeństwo
czują, a osobliwie lewa, bardzo na to uważają aby nie dać powodu do tego.
Od najniebezpieczniejszych i najgwałtowniejszych wziąłem słowo, że się z żadnymi
wnioskami nierozważnemi i spokój izby zakłócić mogącemi wyrywać nie będą, i
że v ogólności z umiarkowaniem będą postępować."

385) S. 416. Siehe z. B. Österr. Corresp. vom 14. December S. 142: „Es
beginnen wieder Stimmen laut zu werden die dem Reichstage Mangel an Thätigkeit
vorwerfen; es sind dies Stimmen in jenem Theile der Wiener Presse den wir von
unserem Standpunkte aus als wühlerisch bezeichnen, Blätter die in Wohldienerei das
Wörterbuch der Schmähungen zu klein finden" 2c. — Nicht blos die Leitartikel des
Österr. Corresp., sondern auch die aus „Olmüz" datirten, wie der eben erwähnte, galten
nicht ohne Grund als im Geiste der Regierung geschrieben, während in den anderweitigen Correspondenzen desselben Blattes allerdings auch Meinungen vertreten wurden
die mit den ersteren nicht leicht in Einklang zu bringen waren.

386) S. 417. Widmann a. a. O. S. 216. — Daselbst wird auch der verschiedenen Mittel erwähnt, welche die Rechte angewandt habe die galizischen Bauern
von der Partei Smolka's abzubringen; „die Leute wollen Euch die Religion nehmen",
habe man ihnen gesagt. Um die Bauern von dem Gegentheil zu überzeugen, habe sich
die Partei Smolka's, er vor allem, von da an beflissen gezeigt alle kirchlichen Übungen
auf das pünktlichste zu beobachten.

387) S. 417. Die Gesammt-Einnahme war veranschlagt auf 101,269.403 fl.
das ordentliche Erfordernis auf .... 112,184.504 ,

daher Ausfall von.. 10.915.101 ,
dazu das unbedeckte außerordentliche Erfordernis mit.................. 50,920.297 ,

388) S. 422. Da der Finanz-Ausschuß zwar für die Credit-Bewilligung, aber in
herabgeminderter Summe war, so entstanden bei Vertheilung der Redner die für und
g e g e n sprechen wollten einige Mißverständnisse, indem die letzteren sowohl gegen die
Credit-Forderung als gegen die Herabminderung derselben gerichtet sein konnten. Dies
bot dem „Humoristen" (Nr. 284 v. 27. December), da unter den „dagegen" einge-
schriebenen Rednern auch der Name Neuwall's gelesen wurde, Anlaß zu folgender heitern
Darstellung: „Als der Finanzminister den Letztern nennen hörte, sah er sich um und
sein Blick sagte: ‚Et tu mi fili!' zu deutsch: Auch Sie, Herr Kameralrath! Aber der
Herr Ritter von Neuwall stand auf, öffnete seinen Mund, antwortete und sprach: ‚Ich
habe mich als Redner d a g e g e n zu sprechen eingeschrieben, um zu sprechen gegen den
Antrag des Finanz-Ausschusses, ich stimme lieber für 80 denn 50 Millionen, um Gnade
zu finden in den Augen des Herrn.' Und er setzte sich nieder und war zufrieden". —
Welche Erbitterung übrigens die leidenschaftliche Opposition der linksseitigen Galizianer
in gewissen Kreisen der Bevölkerung hervorrief, beweist das von W i d m a n n S. 213
Anm. *) mitgetheilte Spottgedicht.

389) S. 425. „Die Linke wird ihren Wählern trotz der Mistrauens-Vota zeigen,
daß sie wenn auch nicht sonderlich für Ruhe und Ordnung, doch sonderlich für den
Säckel der Völker bedacht ist. Die Wiener und die Österreicher dazu werden wohl in
ihre Brieftaschen sehen, wie viel auseinander gerissene Banknoten sie darin haben und
daß die Geldbörsen bei dem Mangel an Silber und Kupfer purer Luxus sind ...
.. Die ‚Gottes Gnade' wird nicht so leicht verschluckt, und ‚die Prüfung' der Arbeiten
des Reichstags vor der Sanction ist auch kein Leckerbissen. Ein nicht unbedeutender
Strauß ist daher bei Berathung dieses Antrages zu erwarten." Const. Bl. a. B.
Nr. 136 v. 6. December Beil.

390) S. 426. .... „wohl aus dem Grunde", meinte etwas naiv eine Correspondenz des C. Bl. a. B. Nr. 135 v. 5. December, „weil die Weglassung des Bei-
satzes ‚constitutioneller Kaiser' und der Zusatz ‚von Gottes Gnaden' die Gemüther
anfänglich verstimmte."

391) S. 427. C. Bl. a. B. Nr. 136 v. 6. December Beilage: „Gegen Abend
(des 3.) endlich begann der bessere Genius der Stadt durchzubrechen. Eine freudige
Aufregung tritt an die Stelle der Gedrücktheit, wie ich sie nur im März so lauter
und ungetrübt gesehen habe. Man fühlt es allgemein daß ein großer Moment in die
Geschichte Österreichs getreten und Leute der verschiedensten Politik geben der Hoffnung
einer bessern Zukunft Raum, die alle Schmerzen der Zeit zwischen März und December
vergessen machen soll. Man reicht einander freudig die Hand und sieht einander zufrieden in die Augen."

392) S. 427. Der —frd Correspondent des C. Bl. a. B. Nr. 137 v. 7. December gibt unseres Dafürhaltens dieser Erscheinung nicht ganz die richtige Deutung,
wenn er von der Fest-Vorstellung am 4. December Abends im Theater a. d. W.
schreibt: „Ich wollte Ihnen berichten können, der Enthusiasmus sei ein bedeutender
gewesen. Ist es die alte Liebe in den Wiener Gemüthern die einer jungen Freude
den Durchbruch verwehrt? Will man sich, noch blutend aus tausend Wunden, nicht
voreilig einem übermäßigen Jubel hingeben?"

Waffen gefunden worden; um die süstirten Kategorien zu completiren ist dies gestern
' M. 4 Uhr geschehen." (Correspondenz aus Wien vom 8. December, C. Bl. a. B.
140 v. 10. Wie sie die Executionen vom 13. und 22. mit ihrer Theorie in Ein-
.q brachten, wissen wir nicht.

398) S. 432. „Circulare" des k. k. nied. öst. Landes-Präsidiums vom 3. Decem-
er 1848. Vgl. Welten an Windischgrätz am 16. November: „Darum muß bei
den geschilderten obigen Verhältnissen, die nichts weniger als übertrieben sind, der
Belagerungszustand mit all seinen Folgen auf die ganze Provinz N. Ö. ausgedehnt
und muß verfügt werden, daß alle Behörden, die nach dem Landes-Organismus mit
der Aufsicht über Ruhe Ordnung und Sicherheit betraut sind, dem gefertigten Gouverneur untergeordnet werden und nur von ihm allein die darauf Bezug nehmenden Verfügungen zu empfangen haben, damit Einigkeit in selben herrsche und selbe dadurch eine
kräftige Wirkung erhalte."

399) S. 433. Correspondenz aus Ober-Österreich im „Wiener Zuschauer" Nr. 181
v. 5. December S. 1485—1486, wo es u. a. heißt: „Landvolk, sage es selbst: während
dich die demokratischen Zeithelden für aufgewacht und verstandesreif erklären, erfrecht
sich die nämliche Partei dich in das Joch ihrer eigenen Ansichten einzuzwängen. Man
ruft dir zu du sollst dich nicht mehr am Gängelbande fremder Willkür ziehen lassen,
und dennoch wollen dich die demokratischen Schulfüchse an ihrem vergifteten Leitseile
herumziehen um dich tanzen zu lassen wie sie pfeifen. Und sind denn diese schulmeister-
lichen Demagogen die einzigen einsichtsvollen und unfehlbaren Menschen auf der Erde?
Sind denn sie allein die vom Himmel begünstigten Gesandten dir das Heil der Welt
zu verkünden?" u. s. w.

400) S. 433. Den Misgriff in St. Pölten hatte eigentlich der Kreishauptmann
auf seinem Gewissen, der amtlich nach Wien berichtet hatte die anbefohlene Entwaffnung
werde nicht ohne Widerstand vor sich gehen, an welche Anzeige sich dann durch die
„im Gehen wachsende Fama" das Gerücht knüpfte, St. Pölten befinde sich in vollem
Aufstand. Regierungsrath Graf Paul von Coudenhove war als Regierungs-Commissär
an die Spitze der Colonne gestellt und erkannte gleich nach dem Einmarsch den Irrthum
in den sich seine Behörde hatte hineinziehen lassen. Siehe auch das „Eingesendet"
v. 18. December in der Beil. z. Abendb. der Wiener Ztg. v. 27. Dec. 1848. Von
besonderen Vorfällen im übrigen Kreise wurde nur das unglückliche Ende eines
Schmiedmeisters in Reichersdorf unweit Traismauer bekannt, der seine Flinte, um sie
nicht abliefern zu müssen, auf den Amboß legte und zerschlagen wollte; dabei entlud
sich das Gewehr und jagte ihm die Kugel tödtend in den Unterleib. — Einen triftigen
Grund zur Klage wegen der im offenen Lande eingeleiteten Entwaffnung hatten die
Besitzer einzeln stehender Bauernhöfe, abgelegener Mühlen und anderer außerhalb der
Ortschaften befindlicher Werke, insbesondere in den gebirgigeren einsameren Theilen des
Landes, die zu ihrer eigenen Sicherheit nie ohne Waffen sein durften. Siehe die Inter-
pellation, welche aus diesem Anlasse siebenzehn Reichstags-Abgeordnete aus Nieder-
Österreich am 20. December an das Ministerium des Innern richteten; Verhandlungen
u. d. stenogr. Aufnahme IV. S. 187.

401) S. 435. Dieselbe Correspondentin der „Bohemia" die während des October,
wo sie in freiwilligem Exil in Döbling weilte, aus eigener Anschauung sowohl den
kaiserlichen Soldaten als deren Führern die rühmlichsten Dinge nachzusagen hatte, ließ
sich jetzt in die Stadt zurückgekehrt von ihren der Säbelherrschaft abholden Freunden
mitunter arge Bären aufbinden So schrieb sie am 19. November (Bohemia Nr. 229
v. 23.) u. a.: „Director Karl mußte zur Aufführung der ,sieben Mädchen in Uniform'

erst zwei Tage später heißt es, er sei zum „Statthalter" von Böhmen ernannt. Daß aber anfangs ein höherer Titel für ihn bestimmt war, möchten wir aus einem Brust-bild in Lebensgröße schließen das damals, gemalt von Ammerling lithographirt bei Zalber gedruckt bei J. Höfelich, in zwei Auflagen erschien, die eine mit deutscher Unter-schrift: „Franz Joseph, Erzherzog von Österreich", die andere mit böhmischer: „Fran-tišek Josef, arcikníže rakouský, místokrál český." — Graf Hartig in seiner „Genesis" 1. Auflage S. 265 gibt den sechsten April als den Tag der diesfälligen A. h. Entschließung an. Vor uns liegt aber ein Placat des Grafen Rudolph Stadion von Prag den fünften April, worin er der Bevölkerung die „erfreuliche Nachricht" mittheilt: laut eingelangter „Eröffnung des Ministers des Innern" sei „der durchlauch-tigste Erzherzog Franz Joseph zum Statthalter von Böhmen ernannt" und werde „seine Bestimmung demnächst antreten."

351) S. 382. Siehe den Eingangsartikel im amtlichen Theile der Wr. Ztg. Nr. 119 v. 29. April.

352) S. 383. Siehe über diese Scene auch Joseph Bruna „Im Heere Ra-decky's" (Prag 1859 Credner) S. 68; und über die Unerschrockenheit und Geistesgegen-wart des spätern Kaisers überhaupt: „Moderne Imperatoren" S. 51.

353) S. 386. Privat (Staatsk.) Wien 22. Juli: „Pourvu qu'on ne songe pas à envoyer ici le jeune Archiduc sous de pareilles circonstances. Ce seroit l'user à jamais hélas! Je voudrois au contraire que, si l'on se décideroit à venir, on l'envoyât de nouveau à l'armée d'où on n'avoit jamais dû le retirer. C'est là seu-lement qu'il peut mûrir, pour le moment où il sera opportun de lui remettre le pouvoir avec un ministère et un système nouveau." Und ebenso 6. August: „La demi-mesure de l'envoi de l'Archiduc F. Ch. avec son fils auroit trop mis en évidence celui-ci dans un moment où tout ce qui paroit sur la scène doit s'user et où il vaut mieux tenir en réserve ce qui est la dernière corde à votre arc."

354) S. 388. Über das Regiment Großfürst Michael in Lemberg s. unsern I. Bd. S. 316 und 433. — Privat (alt-conf.) Olmüz 19. November: „Je ne saurais vous exprimer quelle joie mélancolique j'ai éprouvée en voyant ces glorieux débris d'une armée qui nous rendait si fiers de notre patrie; en entendant ces airs nationaux qui, il y a à peine un an, accompagnaient à Pressbourg l'enthousiasme trompeux d'un peuple inconstant, et qui réveillaient tant de tristes et tant d'heureux souvenirs dans mon ame. Je ne vous cacherai pas mon profond attendrissement, lorsque ses simples soldats, fiers de leur fidélité, accueillaient avec des accla-mations vives et joyeuses le souverain qu'il n'avaient point voulu quitter dans ce temps de trouble, et le correct discours hongrois que l'Archiduc François Joseph leur adressa avec autant de dignité que de bienveillance, accompagné, interrompu, suivi par les Eljen de la troupe, me toucha jusqu' aux larmes." — Über die Hal-tung des Erzherzogs in dieser Zeit überhaupt heißt es ebenda 14. November: „Il m'inspire de la confiance, il me parait vrai, simple, sans affectation von Gemüth-lichkeit .... Les évènements l'ont rendu sérieux, sans le priver toutefois de la gaieté de son âge, que j'aime tant, et qui n'inspire toujours de l'attachement pour les jeunes gens qui l'ont su conserver sans être pour cela ni frivoles ni futiles."

355) S. 389. Es wurde darum mißfällig bemerkt, daß in dem Texte der dem neuen Monarchen angepaßten Volks-Hymne von dem Namen „Joseph" nichts zu finden war; man hatte nämlich in der ersten Eile einfach den ursprünglichen Wortlaut hervor-gesucht: „Gott erhalte Franz den Kaiser, unsern guten Kaiser Franz" 2c.

356) S. 390. Der Wiener „Friedensbote" Nr. 37 S. 295 machte dazu die Be-

merkung: „Warum an den Papst nicht ein gleiches? Warum läßt man die Franzosen uns zuvorkommen? Die ebensten Wege stehen ja dem österreichischen Herrscher offen um dem Papste, dem verfolgten zur Flucht genöthigten Pius IX. ein Asyl anzubieten, das den Pariser Tuilerien nicht nachstände." Mit dem Papste, antworten wir, stand man nach allem was vorangegangen keineswegs auf so freundlichem Fuße wie mit Rußland und Preußen; wie man sich unsrerseits „dem verfolgten zur Flucht genöthigten" wieder näherte, werden wir im folgenden Bande berichten.

357) S. 390. Privat aus Olmüz: „Doch verspäteten sich manche Träger (der Astral-Fackeln) mit dem Anzünden, da der Kaiser in einem offenen Wagen ungemein rasch fuhr; die Bemühungen dem Kaiser nachzuleuchten waren ungemein komisch."

358) S. 390. Olmüz 11. December; Const. Bl. a. B. Nr. 141 v. 12. December, II. Beilage.

359) S. 391. „Und wahrlich, kein Herrscher Österreichs hat wohl gleich bei seiner Thronbesteigung so viele Gelegenheit gefunden Großmuth zu üben, sich den schönen Beinamen eines Titus zu erwerben, wie Franz Joseph". Irgendwo.

360) S. 391. So Prinz Karl am 11. mit welchem die Prager Majestäten zum erstenmal im ständischen Theater erschienen, vom stürmischen Jubel des übervollen Hauses begrüßt, am 14. Prinz Albert, am 28. Großfürst Konstantin. — Die Sendung des Fürsten Fürstenberg nach Olmüz wurde von der demokratischen Partei nicht freundlich begrüßt: „Junges Deutschland, Du träumst von einem Bunde der Völker und wirst wahrscheinlich wieder werden was du warst, ein Bund der Fürsten; ein Fürst repräsentirt dich am Olmüzer Kaiserhofe!" Const. Bl. a. B. Nro. 155 v. 28. December 1848.

361) S. 391. Mitglieder der Wiener Deputation waren: Pfarrer Edmund Götz (Schotten-B.), Professor Stubenrauch (Wieden), Dr. Settler (Wimmer B.), Professor Kaiser (Landstraße), Mil. Appell.-Rath Liborius Skacel (Schotten-B.), Zimmermeister Franz Jacks (Roßau), Richter Joseph Schmidt (Josephst.), Bäckermeister Franz Khun (Landstraße) und Lithograph Aloys Leykum (Laimgrube). — An der ungarischen Deputation betheiligten sich die Grafen Georg und Karl Apponyi, Dominik Bethlen, Johann Bakonyi, Arthur und Johann Batthyányi, Joseph Mailáth, Karl, Leopold und Rudolph Pálffy, die Barone Lázár, Karl und Alexander Apor, Eötvös, Herr von Csergheö, von Remekházi, von Ürményi u. a. Die Audienz war kurz, der gegenwärtigen Lage wurde nur mit ein paar Worten gedacht. Der größte Theil reiste am 21. wieder ab, Eötvös und Pálffy, der ehemalige Ober-Gespan von Preßburg, blieben etwas länger.

362) S. 395. Näheres über die Schönbrunner Feierlichkeit: Abendb. z. Wr. Ztg. Nr. 224 u. Österr. Sold. Fr. Nr. 42 v. 7. December; dann Köveß das k. k. L. J. R. E. H. Stephan Nr. 66. Vertheilt wurden 14 goldene 47 silberne I. und 208 II. Classe. Ein Jäger-Cadet kaum 20 Jahre alt erschien dabei mit dem Charpie-Verband seiner Kopfwunde; mehrere Betheilte lagen noch in den Spitälern. Die Mannschaft des 12. Jäger-Bataillons hatte sich so ausgezeichnet daß es ihrem Commandanten schwer fiel die Tapfersten zu benennen; der Feldmarschall ließ darum für jede Compagnie eine silberne Tapferkeits-Medaille ausfolgen. Die Feierlichkeit dauerte von 11 Uhr V. M. bis 1 Uhr N. M.

363) S. 395. Ansprache Welden's aus diesem Anlasse s. Wr. Ztg. Abendb. Nr. 232 v. 16. December 1848.

364) S. 395. S. auch die Klagenfurter Relation vom 26. December: „Jeder Einzelne der Deputation fühlte sich innig überzeugt, daß in diesem Fürsten ein heller Stern der Hoffnung am Horizonte Österreichs aufgegangen sei, und daß es nur des

10

... Die ... Ansicht ... der „Presse" in einem vom 4. Jänner ... Feuilleton ... 6. Jänner 1849 Morgenblatt. Ganz richtig war es wenn es sagte: „Unter dem alten Regime arbeiteten Tausende gegen ihre Überzeugung: sie saßen in dem schwarzen Cabinet der Post, sie reichten in der düstern Kammer der Censur, sie wachten, sie lasteten, sie schufen Spione; aber sie trennten den Staatsbiener vom Menschen und wandten ... ihren Geist von der Arbeit ab der er biente.

Jetzt ist der Beamte der bewustvolle Mitarbeiter der Staatsregierung." Allein offen=
bar zu weit gegangen war es, wenn der „Lloyd" seine beliebten nord=americanischen
Verhältnisse als Muster aufstellte: „Der Staat nimmt dort Beamte nicht an wie der
Mann seine Frau, mit der Verpflichtung für sie zu sorgen ihr ganzes Leben hindurch",
oder wenn er die Staatsverwaltung mit einem industriellen Unternehmen auf eine
Linie setzte: „Eisenbahnen, Fabriken, große Grundbesitzer hüten sich wohl ihre Beamten
auf Lebenszeit anzustellen", welch letztere Behauptung überdies mit den thatsächlichen
Verhältnissen gar nicht übereinstimmt. Der Artikel des „Lloyd" war eigentlich die
Entgegnung auf einen am Tage zuvor in der „Presse" (Nr. 3 v. 4. Jänner) erschie=
nenen Artikel, der sich in der entschiedensten Weise gegen den Inhalt der Stadion'schen
Rundschreiben aussprach. Außer den in unsern Text verflochtenen Vorwürfen hob die
„Presse" auch den finanziellen Standpunkt hervor: „Wo es genügt mit einem eben an
der Spitze der Verwaltung stehenden Minister nicht in allem zu sympathisiren um von
seinem Posten entfernt zu werden, da tritt der Fall der Amtsentsetzung um so viel
häufiger ein als es sonst möglich wäre."

370) S. 405. So sagten die „Občanské Nowiny" Nr. 15 v. 16. December, wo
sie sich über das Stadion'sche Gemeindegesetz ausließen: „Das Ministerium entblödet
sich nicht uns einen Entwurf vorzulegen der geradezu gegen die vom Könige unserem
Volke zugesicherte Freiheit der Gemeinde gerichtet ist. Aber das Volk wird sich das
nicht gefallen lassen; es kann und darf sich nicht zum Diener eines armseligen Mini=
steriums hergeben, eines Ministeriums das nicht einmal den Gehorsam einiger Generale
sich zu verschaffen vermag — národ nesmí a nemůže sluhou nepatrného ministerstva se stát, ministerstva jemuž ani nelze vůli jenerálů sobě podrobiti."

371) S. 407. Windischgrätz an Schwarzenberg am 21. und 24. November 1848.
Der Vortrag an den jungen Kaiser trägt im Concepte die Adresse „Franz II.", ein
Beweis daß solcher vom Fürsten bereits vor seiner Abreise nach Olmütz am 1. December
entworfen war.

372) S. 408. Der erste dieser durch den Abdruck der Wiener Ztg. veröffent=
lichten a. u. Vorträge war der des Grafen Stadion v. 3. December 1848, Wiener Ztg.
Nr. 2 v. 3. Jänner 1849; darin kommt auch die von uns im Texte angeführte Stelle
bezüglich der „provisorischen Anordnungen" vor. Wie sehr der Bevölkerung dieser
Vorgang erwünscht kam, bewies eine am 5. December einstimmig beschlossene Adresse
des provisorischen Landtags=Ausschusses von Kärnten, worin in voller Zustimmung mit
den im ministeriellen Programm ausgesprochenen Grundsätzen die Bitte enthalten war
diese Grundsätze sobald als möglich zur Verwirklichung zu bringen; „sollte das Mini=
sterium vor Vollendung der Verfassung einzelne Gesetze für unerläßlich halten, so möge
es selbe im Wege der Ordonnanz provisorisch unter eigener Verantwortung erlassen."

373) S. 410. Wiener Ztg. Nr. 333 v. 14. December S. 1349.

374) S. 410. Abend=Beil. z. Wiener Ztg. Nr. 240 v. 27. December S 943 f.

375) S. 411. Vortrag des Justiz=Ministers an den Kaiser v. 11., a. h. Ent=
schließung vom 15. December 1848; „Lloyd" Nr. 38 v. 23. Jänner 1849 Morgenblatt. —
In Prag fungirte Ministerialrath Kulhanek an der Spitze der Organisirungs=Com=
mission welche die Appellationsräthe Klaudi Väter Hikisch und Steyrer in die südlichen
westlichen nördlichen und östlichen Kreise zur Besichtigung und Aufnahme an Ort und
Stelle aussandte. In Schlesien nahm der Präsident des herzoglichen Landrechtes zu
Teschen Franz Scharschmidt Ritter von Adlertreu die Bereisungen vor u. s. w.

376) S. 411. Die Ernennungen machten darum auch in Beamtenkreisen ziemlich
böses Blut; s. dagegen den „Lloyd" Nr. 24 v. 14. Jänner 1849 Morgenblatt: „Es ist

10*

freilich nicht Sitte gewesen in anderen als in constitutionellen Staaten, nach welchen wir uns jedoch wohl jetzt richten dürfen. In England haben der Attorney-General, nach ihm der Soliritor-General, beide Advocaten und stets Mitglieder des Parlaments, die besten Ansprüche auf erledigte Richterstellen. Der Lord-Kanzler, der höchste Richter des Landes, ist ein politischer Charakter. In Frankreich und Nord-Amerika sind die Zierden des Richterstandes sehr häufig früher Zierden des Parlaments gewesen. Die kurze Erfahrung die wir in Österreich im parlamentarischen Leben gemacht haben zeigt uns schon wie rein unmöglich es sei im alten bureaukratischen Geleise fortzufahren. Die besten Männer im Staate werden durch die Stimmen ihrer Mitbürger erst in's Parlament, nachher in wichtige Ämter gedrängt werden. Es ist nicht im Interesse des Volkes, nicht im Interesse des Staates, Männer von dem Staatsdienste auszuschließen, blos weil sie nicht von Jugend auf für denselben bestimmt worden sind.".

377) S. 411. Ministerial-Erlaß v. 22. November und Kundmachung v. 4. December, Wiener Ztg. Nr. 326 v. 6. December 1848.

378) S. 412. Schwarzenberg an Windischgrätz 19. December 1848: „England wird uns unter den gegenwärtigen Umständen keinen leihen, wir wollen uns nicht umsonst an unsern Feind Palmerston wenden. Der Herzog von Wellington hat selbst von dem Schritte abgerathen; wir haben daher nach Holland geschickt."

379) S. 412. Schwarzenberg bewohnte in Olmüz mit Hübner ein Privathaus Nr. 67 in der Nähe der Burg, Stadion und Bruck wohnten beim Domherrn Ritter von Unckhrechtsberg, Bach Nr. 219 auf dem Mar-Josephs-Platz, Kraus Nr. 19 nächst der Burgthorwache, Cordon beim Domherrn Grafen Szapáry; Thinnfeld, der die meiste Zeit in Kremsier zubrachte, pflegte in Olmüz im Gasthofe „zum Goliath" abzusteigen.

380) S. 413. Abendbl. z. Wiener Ztg. Nr. 230 v. 14. December. „Politische Erfahrungen" III: „Auch das parlamentarische Leben nimmt für sich das Recht der Flegeljahre in Anspruch; es will nicht fertig und gerüstet aus dem Haupte eines für die Freiheit sich reif fühlenden Volkes entspringen, es will stolpernd zur Kunst des Gehens und lallend zur Geläufigkeit des Sprechens gelangen, es will durch Unvollkommenheit und Unarten aller Art hindurch wie jedes andere Kind zur Einsicht, zum Anstand, zur männlichen Würde emporsteigen."

381) S. 413. Z. B. „Puffe: Was macht der ‚Humorist' in Kremsier? Pieffe: Nichts! Puffe: So? Ist er denn auch ein Deputirter?" — Wie bedeutend der Mismuth der Bevölkerung über den schleppenden Gang der Reichstags-Verhandlungen selbst in Böhmen um sich zu greifen begann, bewies auch der Umstand daß Karl Havlicek, der mittlerweile sein Mandat zurückgelegt hatte um sich mit voller Muße dem ihm mehr zusagenden Berufe eines Publicisten zu widmen, in den „Národni Noviny" für nöthig fand seinen Lesern eine geharnischte Strafpredigt über dies Capitel zu halten: „Ein solches Verlangen" (einer rascheren Lösung der Verfassungsfrage) „heiße einfach die Zeit des früheren Despotismus sich zurückwünschen, der allerdings seine Gesetze ohne viel Federlesens gemacht und erlassen habe. Das sei aber jetzt anders, wo es sich um ein Zusammenwirken von Volk und Thron und darum handle daß die Gesetze besprochen und berathen werden, was nicht so schnell gehe als wenn sie einfach dictirt würden. Wenn es schon überall schwierig sei die verschiedenen Meinungen zu vernehmen, die allseitigen Gründe abzuwägen, die Mehrheit für die eine oder andere Ansicht zustande zu bringen, wie erst in Österreich das aus so vielen Gebieten, aus so mancherlei Volksstämmen zusammengesetzt sei, die alle ihre besonderen Interessen Bedürfnisse Wünsche hätten! Allerdings werde manches gesprochen was nicht nothwendig sei, und er selbst könne sich rühmen als Abgeordneter das Verlangen

nach dem ‚Schluß der Debatte‘ so oft gestellt zu haben daß es schon sprichwörtlich geworden sei. Andrerseits müsse man aber sagen, daß die Herren Wähler an der Verzögerung der Verhandlungen zum Theil selbst Schuld seien, indem sie von jedem Abgeordneten verlangen er solle sich vernehmen lassen, weil sie meinen nur der sei thätig der in der öffentlichen Sitzung spreche.‘

382) S. 414. „Zu Neujahrsgeschenken“, spöttelte der „Humorist“ in einer seiner December-Nummern, „sind heuer neue elegante Mistrauens-Votums sehr in der Mode; man bekommt sie prompt und billig an allen Straßenecken.“ — Das Mistrauens-Votum gegen Borrosch war von 310 Urwählern und 35 Wahlmännern unterzeichnet; von letztern, 50 in der Gesammtzahl, hatten sich nur 3 dagegen erklärt, 8 waren von Prag abwesend, 4 hatten zwar der Adresse zugestimmt, doch ihre Unterschrift nicht darunter setzen wollen. Eine Vertheidigung Borrosch's bei all' seinen Fehlern und Misgriffen, siehe C. Bl. a. B. Nr. 147 v. 19. December. — Ebenda Nr. 135 v. 5. war auf S. 1 eine Ehrenrettung Goldmark's aus Kremsier v. 1. Dec. zu lesen, während auf S. 2 eine Correspondenz aus Wien v. 2. December ihn wegen seiner „Vehemenz“ und Leidenschaftlichkeit mit Vergnügen aus dem Reichstage scheiden sah. Betrachtungen über das gegen ihn gerichtete Mistrauens - Votum im Abendb. z. Wr. Ztg. Nr. 220 v. 2. December S. 863 f. Einen Nachtrag zu dem Mistrauens-Votum gegen Füster brachte die Wr. Ztg. Nr. 341 v. 23. December S. 1455 f. Die vom 17. datirte Antwort Bioland's s. Abendb. z. Wr. Ztg. Nr. 234 v. 19. S. 920. — Die Frage, ob ein Abgeordneter aus Anlaß eines Mistrauens-Votums seine Stelle behalten könne oder nicht, wurde damals vielseitig behandelt; siehe z. B. Abendb. z. Wr. Ztg. Nr. 227 v. 11. S. 891, Nr. 234 v. 19. S. 920, Beil. z. Morgenbl. d. Wr. Ztg. v. 24. December: „Noch ein Wort über Mistrauens-Zurufe der Wahlmannschaft an die Reichstags-Abgeordneten.“ Am unermüdlichsten für die „Purificirung“ des Reichstags und die Wirksamkeit der Mistrauens-Voten schrieben der „Hans-Jörgel“ und der „Zuschauer“. Jener sagte in seiner Huldigungs-Adresse „An Se. Maj. Kaiser Franz Joseph I.“ Hft. 42 S. 7: „Es ist aber heilige Wahrheit, daß Tausende und Tausende ihre Blicke mit Abscheu und Verachtung auf einzelne Männer der äußersten Linken im Reichstag wenden, die der Stimme des Volkes, die man Gottesstimme nennt, Hohn sprechen und die so wenig Ehre besitzen daß sie der ganzen Welt zum Trotz eine Stellung behaupten deren sie nie würdig waren.“ Im „Zuschauer“ erschien ein Artikel von Georg Emanuel Haas „Urwähler im Bezirke Matzleinsdorf“ Nr. 182 v. 6. December S. 1494 f. unter der Aufschrift: „An gewisse Deputirte der Linken und ihre Wähler“, worin es u. a. hieß: „Mehr Scham hat wahrhaftig so mancher Verbrecher am Hochgerichte bewiesen, mehr Ehrgefühl so manche feile Dirne die eben auch käuflich war, als ihr die ihr nicht erröthet nach den Vorgängen der Octobertage, nachdem die Stimme des Volks euch gebrandmarkt hat, noch einmal mit eurem Athem zu verpesten jene Räume die der Berathung des allgemeinen Wohls gewidmet sein sollen . . . Und wenn ihr längst ausgelebt habt und euer irdisches Wirken zu Ende ist, wird noch die Geschichte euch ein Denkmal setzen das euch wie Herostrat unsterblich macht: sie wird euch betrachten als Kehricht, als Dünger der nothwendig war damit die Saat wahrer Freiheit üppig aufsprosse.“ S. auch ebenda Nr. 187 v. 15. December S. 1541—1543: „Ein Strohhalm zur Abwehr der Mistrauens-Voten“ von A. Wilhelm, der hauptsächlich von der „bettelhaften Ausflucht“ handelt: die Mistrauens-Voten hätten keine Kraft, weil sie unter dem Einflusse des Belagerungszustandes geschrieben seien. S. auch „Zeit-Epigramme“ von Franz Fitzinger:

Die Philosophen.

Ein Mistrau'nsvotum läßt sich leicht erdulden,
Man abstrahirt als Philosoph davon
Und findet im Bewußtsein jenen Lohn —
Von baren monatlich zweihundert Gulden . . .

Das naiveste, was gegen die Bedeutung und Giltigkeit der Mistrauens-Voten vor-
gebracht wurde, war wohl die Frage des Kremsierer Correspondenten des C. Bl. a. B.
Nr. 135 v. 5. December: „Warum hat denn keiner dieser Wähler, die doch anwesend
waren bis zum 30. October, die Stimme erhoben gegen diesen Vertrauensmann
(Goldmark), wenn es auch nicht öffentlich, sondern zwischen vier Mauern, ganz im
Vertrauen gewesen wäre?!" Ein „Mistrauens"-Votum „ganz im Vertrauen"!

383) S. 415. Die Prager „Slavischen Centralblätter" erklärten es in einem
diesen Gegenstand betreffenden Artikel für eine wahre Schmach, wenn sich der Reichstag
dazu hergeben wollte seine in der Octoberzeit auf Abwege gerathenen Mitglieder „den
racheschnaubenden Tribunalen Wiens auszuliefern; mögen Verirrungen noch so arger
Gattung stattgefunden haben so sind die Verirrten doch Männer der Volkswahl, und
der Reichstag, ein Kind der Revolution, darf an sie nicht das stramme Maß einer soldatisch influencirten Untersuchungs-Commission anlegen."

384) S. 415. „Herausgenommen aus seinem ursprünglichen Boden, wo das Erd-
reich umwühlt war und er üppig emporschoß, wurde er in einen Gartentopf versetzt,
wo er freilich unter sorgsamer Pflege des Gärtners steht; allein der Brütofen kann die
freie Sonne nicht ersetzen und das Zugloch ist kein erfrischender Zephyr" 2c. (Correspondenz aus Kremsier vom 12., Const. Bl. a. B. Nr. 143 v. 14. December 1848.
— Ein großes Verdienst um die gemäßigtere Haltung der Linken hatte unstreitig
Smolka. „Właśnie teraz nie zdaje mi się", schrieb er am 1. December an seine
Frau, „aby się sejm miał rozpaść, albowiem gdy wszyscy to niebezpieczeństwo
czują, a osobliwie lewa, bardzo na to uważają aby nie dać powodu do tego.
Od najniebezpieczniejszych i najgwałtowniejszych wziąłem słowo, że się z żadnymi
wnioskami nierozważnemi i spokój izby zakłócić mogącemi wyrywać nie będą, i
że v ogólności z umiarkowaniem będą postępować."

385) S. 416. Siehe z. B. Österr. Corresp. vom 14. December S. 142: „Es
beginnen wieder Stimmen laut zu werden die dem Reichstage Mangel an Thätigkeit
vorwerfen; es sind dies Stimmen in jenem Theile der Wiener Presse den wir von
unserem Standpunkte aus als wühlerisch bezeichnen, Blätter die in Wohldienerei das
Wörterbuch der Schmähungen zu klein finden" 2c. — Nicht blos die Leitartikel des
Österr. Corresp., sondern auch die aus „Olmüz" datirten, wie der eben erwähnte, galten
nicht ohne Grund als im Geiste der Regierung geschrieben, während in den anderweitigen Correspondenzen desselben Blattes allerdings auch Meinungen vertreten wurden
die mit den ersteren nicht leicht in Einklang zu bringen waren.

386) S. 417. Widmann a. a. O. S. 216. — Daselbst wird auch der verschiedenen Mittel erwähnt, welche die Rechte angewandt habe die galizischen Bauern
von der Partei Smolka's abzubringen; „die Leute wollen Euch die Religion nehmen",
habe man ihnen gesagt. Um die Bauern von dem Gegentheil zu überzeugen, habe sich
die Partei Smolka's, er vor allem, von da an beflissen gezeigt alle kirchlichen Übungen
auf das pünktlichste zu beobachten.

387) S. 417. Die Gesammt=Einnahme war veranschlagt auf 101,269.403 fl.
das ordentliche Erfordernis auf .... 112,184.504 =

daher Ausfall von... 10.915.101 =
dazu das unbedeckte außerordentliche Erfordernis mit................ 50,920.297 =

388) S. 422. Da der Finanz=Ausschuß zwar für die Credit=Bewilligung, aber in
herabgeminderter Summe war, so entstanden bei Vertheilung der Redner die für und
gegen sprechen wollten einige Misverständnisse, indem die letzteren sowohl gegen die
Credit=Forderung als gegen die Herabminderung derselben gerichtet sein konnten. Dies
bot dem „Humoristen" (Nr. 284 v. 27. December), da unter den „dagegen" einge=
schriebenen Rednern auch der Name Neuwall's gelesen wurde, Anlaß zu folgender heitern
Darstellung: „Als der Finanzminister den Letztern nennen hörte, sah er sich um und
sein Blick sagte: ‚Et tu mi fili!' zu deutsch: Auch Sie, Herr Kameralrath! Aber der
Herr Ritter von Neuwall stand auf, öffnete seinen Mund, antwortete und sprach: ‚Ich
habe mich als Redner dagegen zu sprechen eingeschrieben, um zu sprechen gegen den
Antrag des Finanz=Ausschusses, ich stimme lieber für 80 denn 50 Millionen, um Gnade
zu finden in den Augen des Herrn.' Und er setzte sich nieder und war zufrieden". —
Welche Erbitterung übrigens die leidenschaftliche Opposition der linksseitigen Galizianer
in gewissen Kreisen der Bevölkerung hervorrief, beweist das von Widmann S. 213
Anm. *) mitgetheilte Spottgedicht.

389) S. 425. „Die Linke wird ihren Wählern trotz der Mistrauens=Vota zeigen,
daß sie wenn auch nicht sonderlich für Ruhe und Ordnung, doch sonderlich für den
Säckel der Völker bedacht ist. Die Wiener und die Österreicher dazu werden wohl in
ihre Brieftaschen sehen, wie viel auseinander gerissene Banknoten sie darin haben und
daß die Geldbörsen bei dem Mangel an Silber und Kupfer purer Luxus sind . . .
. . Die ‚Gottes Gnade' wird nicht so leicht verschluckt, und ‚die Prüfung' der Arbeiten
des Reichstags vor der Sanction ist auch kein Leckerbissen. Ein nicht unbedeutender
Strauß ist daher bei Berathung dieses Antrages zu erwarten." Const. Bl. a. B.
Nr. 136 v. 6. December Beil.

390) S. 426. . . . . „wohl aus dem Grunde", meinte etwas naiv eine Corre=
spondenz des C. Bl. a. B. Nr. 135 v. 5. December, „weil die Weglassung des Bei=
satzes ‚constitutioneller Kaiser' und der Zusatz ‚von Gottes Gnaden' die Gemüther
anfänglich verstimmte."

391) S. 427. C. Bl. a. B. Nr. 136 v. 6. December Beilage: „Gegen Abend
(des 3.) endlich begann der bessere Genius der Stadt durchzubrechen. Eine freudige
Aufregung tritt an die Stelle der Gedrücktheit, wie ich sie nur im März so lauter
und ungetrübt gesehen habe. Man fühlt es allgemein daß ein großer Moment in die
Geschichte Österreichs getreten und Leute der verschiedensten Politik geben der Hoffnung
einer bessern Zukunft Raum, die alle Schmerzen der Zeit zwischen März und December
vergessen machen soll. Man reicht einander freudig die Hand und sieht einander zu=
frieden in die Augen."

392) S. 427. Der —frd Correspondent des C. Bl. a. B. Nr. 137 v. 7. Decem=
ber gibt unseres Dafürhaltens dieser Erscheinung nicht ganz die richtige Deutung,
wenn er von der Fest=Vorstellung am 4. December Abends im Theater a. d. W.
schreibt: „Ich wollte Ihnen berichten können, der Enthusiasmus sei ein bedeutender
gewesen. Ist es die alte Liebe in den Wiener Gemüthern die einer jungen Freude
den Durchbruch verwehrt? Will man sich, noch blutend aus tausend Wunden, nicht
voreilig einem übermäßigen Jubel hingeben?"

393) S. 430. Siehe z. B. (Wieland) Enthüllungen S. 222: „Franz Joseph, bei dessen erstem Namen die Wiener ungeachtet des Belagerungszustandes das n auf den Proclamationen herauskratzten." Ebenda heißt es über die Thronentsagung: Hiezu wäre die Einwilligung des Reichstags erforderlich gewesen, „denn die constitutionelle Monarchie war nach dem 15. Mai blos ein Provisorium"!!!

394) S. 430. Wie von der politischen Leidenschaft alles, auch das abseitigst liegende, herbeigezogen zu werden pflegt wenn es zur Variirung irgend eines Lieblings-Themas benützt werden kann — wovon wir oben Anm. ³⁹⁰) ein Beispiel angeführt — so mußten ihr auch jetzt die gehäuften „Fälle von Einbruch Raub und Mord" als ein Argument gegen die Fortdauer des Belagerungszustandes dienen. Man höre! „Mitten in der Stadt im Rothgäßchen wird ganz systematisch in ein Goldarbeiter-gewölbe mittelst Durchbruch einer dicken Mauer eingebrochen und alles darin befindliche von Werth in ungestörter Bequemlichkeit fortgetragen; die Nacht darauf wird eine Frau in der Leopoldstadt nächtlich überfallen erschlagen und beraubt 2c. Das traurigste dabei ist daß dem Unglücklichen, den jemand sei es im Hause oder unter freiem Himmel überfällt, nichts übrig bleibt als sich zu ergeben und wenn es dem Räuber beliebt zu sterben. In Folge des Entwaffnungsgesetzes ist jedes Haus durchgehends wehrlos und den Waffen des Räubers preisgegeben" 2c. (E. M. a. B. Nr. 143 v. 14. December Beil.) Als ob ein ganzes Arsenal von Waffen dem beraubten Goldarbeiter das geringste nützen konnte wenn ihm, während er in seiner Wohnung, vielleicht in einer entfernten Vorstadt, behaglich schlief, nächtlicher Weile sein im Rothgäßchen gelegenes Gewölbe ausgeraubt wurde! Oder als ob die Leopoldstädter Frau, die vielleicht in ihrem ganzen Leben keinen Stutzen oder Säbel in der Hand gehabt hatte, darum erschlagen worden wäre weil sich General Frank von den Mitbewohnern ihres Hauses alle Waffen hatte ausliefern lassen! Von großer Wirkung ist auch das „unter freiem Himmel" und das elegische Mitleid mit dem „Unglücklichen dem . . . nichts übrig bleibt als . . . . wenn es dem Räuber gefällt zu sterben."

395) S. 431. Am letzten Tage des Jahres verordnete die Central-Commission der Stadt-Commandantur unter gemessener Warnung die unbedingte Abschaffung aller Ausländer und nach Wien nicht zuständiger Inländer, dafern sich dieselben nicht „vollkommen über ihre gesellschaftliche und politische Haltung und über die Nothwendigkeit ihres Aufenthaltes ausweisen können." — Welden's Ansichten über die Aufgabe der Polizei einer in Belagerungszustand erklärten Stadt s. „Episoden" S. 54 f.

396) S. 431. Der Steckbrief gegen die beiden ersten wurde am 16., der gegen Tausenau am 31. December von der Wiener Stadthauptmannschaft veröffentlicht.

397) S. 432. Die im December durch Pulver und Blei vollzogenen Todes-urtheile trafen:

am 7. den schon erwähnten Horváth wegen Waffenverheimlichung;

am 13. den Gemeinen von Ceccopieri Jakob Marzutto und

am 22. den Ex-propriis-Feldwebel vom Bataillon Richter Franz Stockhammer wegen treuloser und meineidiger Entweichung und Theilnahme am bewaffneten Aufstand.

Eine Hinrichtung mittelst Stranges fand am 15. December 9 Uhr B. M. auf dem Richtplatze nächst der Spinnerin am Kreuz statt; sie traf den Gemeinen des 12. Jäger-Bataillons Jos. Křivan, der am 7. December früh in der Forstmeister-Allee des Praters aus Rache den in Reih und Glied vor ihm stehenden Oberjäger Anton Killer niedergeschossen hatte. Die Anhänger der Kategorien-Theorie fanden auch für die Execution am 7. December ihren Schlüssel: „noch war niemand erschossen bei dem

Waffen gefunden worden; um die füfilirten Kategorien zu completiren ift dies geftern N. M. 4 Uhr gefchehen." Correfpondenz aus Wien vom 8. December, C. Bl. a. B. Nr. 140 v. 10. Wie fie die Executionen vom 13. und 22. mit ihrer Theorie in Einklang brachten, wiffen wir nicht.

398) S. 432. „Circulare" des k. k. nied. öft. Landes-Präfidiums vom 3. December 1848. Vgl. Welden an Windifchgrätz am 16. November: „Darum muß bei den gefchilderten obigen Verhältniffen, die nichts weniger als übertrieben find, der Belagerungszuftand mit all feinen Folgen auf die ganze Provinz N. Ö. ausgedehnt und muß verfügt werden, daß alle Behörden, die nach dem Landes-Organismus mit der Aufficht über Ruhe Ordnung und Sicherheit betraut find, dem gefertigten Gouverneur untergeordnet werden und nur von ihm allein die darauf Bezug nehmenden Verfügungen zu empfangen haben, damit Einigkeit in felben herrfche und felbe dadurch eine kräftige Wirkung erhalten."

399) S. 433. Correfpondenz aus Ober-Öfterreich im „Wiener Zufchauer" Nr. 181 v. 5. December S. 1485—1486, wo es u. a. heißt: „Landvolk, fage es felbft: während dich die demokratifchen Zeithelden für aufgewacht und verftandesreif erklären, erfrecht fich die nämliche Partei dich in das Joch ihrer eigenen Anfichten einzuzwängen. Man ruft dir zu du follft dich nicht mehr am Gängelbande fremder Willkür ziehen laffen, und dennoch wollen dich die demokratifchen Schulfüchfe an ihrem vergifteten Leitfeile herumziehen um dich tanzen zu laffen wie fie pfeifen. Und find denn diefe fchulmeifterlichen Demagogen die einzigen einfichtsvollen und unfehlbaren Menfchen auf der Erde? Sind denn fie allein die vom Himmel begünftigten Gefandten dir das Heil der Welt zu verkünden?" u. f. w.

400) S. 433. Den Misgriff in St. Pölten hatte eigentlich der Kreishauptmann auf feinem Gewiffen, der amtlich nach Wien berichtet hatte die anbefohlene Entwaffnung werde nicht ohne Widerftand vor fich gehen, an welche Anzeige fich dann durch die „im Gehen wachfende Fama" das Gerücht knüpfte, St. Pölten befinde fich in vollem Aufftand. Regierungsrath Graf Paul von Coudenhove war als Regierungs-Commiffar an die Spitze der Colonne geftellt und erkannte gleich nach dem Einmarfch den Irrthum in den fich feine Behörde hatte hineinziehen laffen. Siehe auch das „Eingefendet" v. 18. December in der Beil. z. Abendb. der Wiener Ztg. v. 27. Dec. 1848. Von befonderen Vorfällen im übrigen Kreife wurde nur das unglückliche Ende eines Schmiedmeifters in Reichersdorf unweit Traismauer bekannt, der feine Flinte, um fie nicht abliefern zu müffen, auf den Amboß legte und zerfchlagen wollte; dabei entlud fich das Gewehr und jagte ihm die Kugel tödtend in den Unterleib. — Einen triftigen Grund zur Klage wegen der im offenen Lande eingeleiteten Entwaffnung hatten die Befitzer einzeln ftehender Bauernhöfe, abgelegener Mühlen und anderer außerhalb der Ortfchaften befindlicher Werke, insbefondere in den gebirgigeren einfameren Theilen des Landes, die zu ihrer eigenen Sicherheit nie ohne Waffen fein durften. Siehe die Interpellation, welche aus diefem Anlaffe fiebenzehn Reichstags-Abgeordnete aus Nieder-Öfterreich am 20. December an das Minifterium des Innern richteten; Verhandlungen u. d. ftenogr. Aufnahme IV. S. 187.

401) S. 435. Diefelbe Correfpondentin der „Bohemia" die während des October, wo fie in freiwilligem Exil in Döbling weilte, aus eigener Anfchauung fowohl den kaiferlichen Soldaten als deren Führern die rühmlichften Dinge nachzufagen hatte, ließ fich jetzt in die Stadt zurückgekehrt von ihren der Säbelherrfchaft abholden Freunden mitunter arge Bären aufbinden So fchrieb fie am 19. November (Bohemia Nr. 229 v. 23.) u. a.: „Director Karl mußte zur Auffführung der ‚fieben Mädchen in Uniform'

eine Eingabe machen, und als er die Bewilligung erlangte bekamen die sieben schönen uniformirten Mädchen erst dann die Gewehre in die Hände als Abends das Stück in die Scene ging. Die Soldaten hatten strenge Ordre vom Herrn Jelačić, die Gewehre selbst zu laden und nach dem Acte sie jedesmal wieder in Empfang zu nehmen. Heißt das nicht Vorsicht üben?"... So etwas sah dem Banns gleich! Daß übrigens „Herr Jelačić" mit derlei Dingen überhaupt nichts zu schaffen hatte, scheint unsere Dame übersehen zu haben. Doch fügt sie unmittelbar daran etwas zu seinem Lobe: „Dieser Held des Tages soll sonst den Frauen gegenüber galant die Strenge und Vorsicht vergessen. Das bewies er unlängst in einem Wirthshause, wo er der schönen Wirthstochter den eingeschenkten Wein zu trinken verweigerte. Das Mädchen glaubte, weil er das Glas nicht an den Mund setzte, er meine der Trank sei vielleicht vergiftet; er antwortete aber hierauf: ‚Diese Furcht kenne ich nicht, schönes Kind, sondern der Wein mundet mir nur besser wenn Du ihn mir credenzest!' So sind unsere neuen Don Juan's d'Austria!"... Der Bewohner des Beatrix-Palais in einem „Wirthshause"!?

402) S. 436. Gemeinderaths-Beschluß v. 27. November 1848.

403) S. 441. Unter der Überschrift: „Rückblicke auf die Gruppen des österreichischen Reichstages" brachte der II. Band der „Wiener Boten" eine Reihe von Charakteristiken der Abgeordneten nach folgenden Rubriken: A. Das Centrum. 1. Die Central-Sophisten: E. Mayer. Lasser. Kudler. Leopold und Joseph Neumann. Neuwall. Helfert. Gredler. Thiemann ꝛc. S. 69—78. 2. Die Central-Esel: Selinger. Wildner Jonak. Trojan. Doliak. Trummer und Thinnfeld. Kulik. Jachimowicz. Fleischer. Schopf. Straffer. Ingramm S. 109—116. B. Die Rechte: Strobach. Brauner. Rieger. Havelka. Pinkas. Hanisch und Klaudy. Palacky. C. Linkes Centrum: Wiser. Pillersdorff. Baccano. Schmitt. Szabel. Halter. Hein. Sidon S. 209—227. D. Die Linke: 1. Die gemäßigte Linke: Löhner. Schuselka. Borrosch (s. über diesen noch: Ebenda I. S. 246—250). Fischhof. Brestel. Mannheimer. Schneider S. 264—281. 2. Die äußerste Linke: a) Die deutsche äußerste Linke: Kudlich. Goldmark. Violand. Umlauft. Purtscher. Zimmer. Prato. b) Die polnische äußerste Linke: Smolka. Borkowski. Hubicki. Popiel. Sierakowski. Stobnicki. Bilinski. Ziemialkowski. c) Die österreichischen Bauern. E. Der Troß S. 289—309. Der Ausdruck „Gassenbuben des Reichstages" kommt nur gelegenheitlich z. B. 77 vor.

404) S. 443. Vgl. Nár. Now. Nr. 203 p. 5. December: „‚Von Gottes Gnaden' werde nicht im Sinne der Frömmigkeit ausgelegt, sondern in dem, als ob die Könige ihre Völker von Gott in ihre Unterthänigkeit würden erhalten haben, was aber kein Vernünftiger für wahr annehmen könne, weil wir sehr wohl wissen daß die Könige nicht von Gott herrühren, sondern wie jeder andere Mensch ihre Pflichten auf der Welt haben. Gott habe nicht Könige geschaffen sondern Menschen." S. dagegen den Artikel „Von Gottes Gnaden" von Mathias Koch im „Wiener Zuschauer" Nr. 184 v. 9. Dec. S. 1514 f. und ein ähnlicher im Medau'schen „Vaterlandsfreund" Nr. 14 v. 16. December S. 54 f. In ersterem wird geschichtlich nachgewiesen, der Ausdruck sei ursprünglich eine Demuths-Äußerung und niemals eine Anweisung zur Tyrannei gewesen, auch nie von Regenten in diesem Sinne verstanden worden. Koch führt bei dieser Gelegenheit einen Ausspruch an, den er bei einer Volksversammlung zu Heidelberg aus Soiron's Munde vernommen: „Mit den Fürsten wollen wir es ungefähr wie mit den Hausmeistern halten: wenn uns einer nicht recht ist, schicken wir ihn fort und nehmen einen andern." Sehr schön und treffend sagte auch Schuselka in seiner Reichstagsrede v. 21. December: „Ich fühle mich durch das ‚von Gottes Gnaden' nicht besorgt. Ich sage vielmehr daß gerade ein freisinniger Monarch das Recht hat sich

‚von Gottes Gnaden‘ zu nennen. Nur der Absolutismus ist nicht ‚von Gottes Gnaden‘; denn es ist nicht in Gottes Vorsehung begründet daß ein einzelner Mensch das Geschick von Millionen nach seinem eigenen Ermessen zu leiten den Wahn haben sollte. So wenig ferner ein einzelner Bürger zur Bezeichnung seiner verfassungsmäßigen Freiheit es für nöthig halten wird seinem Namen ‚constitutioneller Bürger von Österreich‘ vorzusetzen so wenig, glaube ich, ist es eine unbedingte Nothwendigkeit in dem Titel des Monarchen auszusprechen daß er constitutionell sei.“ In gleich verständiger Weise beurtheilt **Schuselka** Revolutionsjahr S. 266 ff. die Sanctions-Frage, über die sich mit derberen Worten der „Hans Jörgel“ 43. Hft. S. 12 also ausläßt: „Wenn Einer sein Haus mit mir theilt, so wird er do a ein Wort über die Gewähranschreibung und über die Zinssteigerung und Hausordnung was reden dürfen; oder wenn der Hausherr vom Trattnerhof mit mir theilt, so hätt‘ er hernach gar nir mehr z‘ reden und müßt froh sein wann i ihn nit beim Haus h’nauswirf? So müssen viele Deputirte das Theilen der Rechte der Krone mit dem Volk versteh’n, denn sonst begreif‘ i nit, wie’s ein Schnoferl da dr’über machen künnten, weil der Kaiser g’sagt hat, der Reichstag soll schaun daß er mit der Constitutiou bald fertig wird daß er’s ihm zur Prüfung und Sanction vorlegt. Die Prüfung war ihnen nit recht, als ob der Kaiser etwas sanctioniren sollt, was er nit einmal prüfen darf!“

405) S. 444. Doch waren die „Wiener Boten“ über diesen Punkt unter einander nicht recht einig, sonst hätten sie dem im Texte angeführten Satze gegenüber Hermann **Rollett’s** „Gesang der deutschen Österreicher (I. S. 80) nicht aufnehmen können mit dem Refrain:

Wir wollen D e u t s c h e bleiben, ihr Brüder froh und frei,
Wir lassen uns nicht treiben in’s Joch der S l a v e r e i!“

406) S. 444. Flüchtlingsleben S. 74 f.

407) S. 445. Warum, fragte die „Presse“ Nr. 113 v. 15. November, geschah das nicht einfach durch das Verordneten-Collegium? „Man hätte dadurch den Schein vermieden, als ob sich noch Ansprüche und Erwartungen dabei geltend machen, die von der Zeit bereits erledigt sind und die wieder aufgenommen nur zum Gegenstande des Mistrauens und Widerspruchs werden könnten.“

408) S. 446. So z. B. wenn es in einer Olmützer Correspondenz vom 11. December in den „Občanské Nowiny“ von den Prinzen-Reisen und militärischen Aufzügen aus solchem Anlasse hieß: „Ti welcj páni mi přicházegj gako děti, když gedno druhé nawsstjwj, hued se wychloubagj se swými hrackami. Gen že při těchto hrackách se lid marně trmácj, a národ platit muss. Ostatně dostanu wždy gakest drkotánj zubů když slyssjm o něgakém sgezdu knjžat a panownjků, tu se wždycky pro národy lecgaké pochoutky smařegj při nichž lid přežalostně wzdychá.“

409) S. 447. „Občanské Nowiny“ Nr. 15 v. 16. December „Swoboda obcj“ „Obec a Stadion“, Nr. 16. vom 17. December S. 63 ꝛc.

410) S. 448. Über die Plenar-Versammlung der Prager Studentenschaft am 10. December s. „Bohemia“ Nr. 245 v. 12. December. — Der schriftliche Befehl des Fürsten Windischgrätz, die altstädter Hauptwache dem Militär einzuräumen, kam dem Stadtverordneten-Collegium am 13. December zu, das darüber am folgenden Tage berieth und eine ausführliche Einsprache dagegen erhob; s. C. Bl. a. B. Nr. 144 v. 15. und „Bohemia“ Nr. 249 v. 16. December. Die Angelegenheit bildete zugleich den Gegenstand einer lebhaften Correspondenz zwischen dem Ministerium und dem Feldmarschall. Fürst Schwarzenberg bemerkte diesem am 16.: die Frist von vier Tagen

die der Nationalgarde zur Räumung festgesetzt worden, sei zu kurz da das Ministerium erst am gestrigen Tage davon Kunde erhalten habe; der Feldmarschall möge sie bis zum 20. ausdehnen und überhaupt derlei Dinge nicht ohne vorherige Rücksprache mit dem Ministerium vornehmen: „das Ministerium und das Armee-Ober-Commando müssen in allen beide Gewalten betreffenden Angelegenheiten Hand in Hand gehen." Fürst Windischgrätz antwortete umgehend am 17. von Petronell: „er werde dem Grafen Khevenhüller den Befehl zukommen lassen das Resultat der ministeriellen Weisungen abzuwarten, obwohl er bedaure daß derselbe nicht gleich anfangs mit Bestimmtheit ge-handelt habe; wäre er, Windischgrätz, in Prag gewesen, würde er diesen neuerlichen Übergriff der Prager Nationalgarde im ersten Stadium zurückgewiesen haben; wie aber die Sachen jetzt stehen, sei er bereit zur Vermeidung eines Conflictes und zum Be-weise daß er stets zu einem wünschenswerthen Einvernehmen mit dem Ministerium gern die Hand biete, mit der Ausführung der angedrohten Maßregel bis auf weiteres einzu-halten, erwarte aber mit Zuversicht von Seite des Ministeriums die in Aussicht gestell-ten gemeinsamen energischen Schritte in dieser Sache." In seiner Zuschrift vom 25. aus Ungarisch-Altenburg kam Windischgrätz aus Anlaß eines Berichtes Khevenhüller's nochmals auf diesen Gegenstand zurück: „er könne mit dem Erfolge der Ministerial-Einwirkung in dieser Sache nicht zufrieden sein und müsse nur darauf bestehen daß die Angelegenheit vollkommen durchgeführt werde." — Über den Stand der Prager National-garde gegen Ende December 1848 s. Prager Abendblatt Nr. 175 v. 22. December S. 982.

411) S. 448. „All das lustige Gesindel, das noch vor kurzem hier sein Unwesen trieb und auf die anwiderubste Weise sein Freiheitsgefühl entfaltete z. B. durch Ab-singen von Zotenliedern auf den Straßen, Katzen-Musiken, Fenster-Einwerfen, verbreche-rische Pamphlete, politisirende Saufgelage 2c. soll nun sichern Nachrichten zufolge in Klagenfurt eingefallen sein, und wünscht die dortige Bürgerschaft nichts sehnlicher als das Einrücken von Truppen die auch, wie man behauptet, in der Gestalt von Kroaten dahin abrücken werden." Correspondenz aus Grätz v. 5., C. Bl. a. B. Nr. 139 v. 9. December.

412) S. 448. „Letzten Sonntag (10. December) spielte die Regimentsmusik der Lifaner in einem großen Gasthaus-Locale. Es wimmelte von kroatischen Officieren die vom versammelten Civile mit zahllosen Zivios begrüßt wurden; unter diesen Zivio-Rufern bemerkte man auch mehrere ci-devant deutsch-demagogische Schreier." Cor-respondenz aus Grätz v. 12., C. Bl. a. B. Nr. 144 v. 15. December Beil.

413) S. 449. Siehe z. B. den Fehdebrief eines Bewohners von Ouřinoves an die von Řičan in Böhmen, „Nár. Nov." Nr. 205 v. 7. December S. 810. — Be-greiflicherweise machte sich bei dieser Gelegenheit auch die Rivalität zwischen der deutschen und der slavischen Bevölkerung des Landes geltend; s. das Promemoria der deutsch-böhmischen Abgeordneten an das Justiz-Ministerium v. 15. December im „Boten von der Eger" Nr. 38 v. 24. December 1848.

414) S. 451. Lloyd Nr. 48 v. 28. Jänner 1849 Morgenblatt, Correspondenz aus Salzburg v. 24.

415) S. 452. Fischer Aus meinem Amtsleben S. 5—8. Als Fischer auf die erste Eröffnung die ihm Stadion machte die Bemerkung fallen ließ: „Ich begreife daß Sie einen Mann aus meinem Stande berufen wollen, es soll eine Concession für diesen sein", gestand ihm Stadion diese Auslegung zu: „Sie haben Recht, wir wollen einen bürgerlichen Landes-Chef um Ihrem Stande zu beweisen wie ernst es uns mit dem Grundsatze sei daß jeder Staatsbürger zu den höchsten Ehrenstellen und Würden ge-

.langen könne." — In plumperer Weise wurde derselbe Gedanke von Fischer's Reichstags-Collegen Peitler breitgeschlagen der, wie wir im Texte kurz andeuten, an der
Spitze von dreizehn andern obberennsischen Abgeordneten in der Linzer Ztg. Nr. 265 v.
22. December einen aus Kremsier v. 18. datirten „Aufruf" veröffentlichte, der eigentlich
ein ambrosianischer Lobgesang auf den „Sieg der neuen Zeit gegen das alte Zopf-
Regiment" war „nach welchem nur Fürsten Grafen oder höchstens Barone und" — sic!
— „Freiherrn für tauglich befunden wurden die Angelegenheiten einer Provinz zu leiten."
Da aber der ungeschickte Mensch seinen neuen Abgott als „Vertreter der Bürger und
Bauern" nicht herausstreichen konnte ohne dem „höhern Adel- und Beamtenstand" einen
Fußtritt zu geben, so folgte in einer der nächsten Nummern der Linzer Ztg. (Nr. 268
v. 28. December) „ein offenes Wort zur Verständigung" nach, wo sich der k. k. Kreis-
Commissär Adalbert Frhr. v. Buol um jene beiden in Pausch und Bogen verläumdeten Classen annahm. — Aber Fischer selbst gab sich in der Peitler'schen Richtung
mitunter Blößen, wie z. B. wenn er sich vor einer der Deputationen, die ihm in den
ersten Tagen ihre Aufwartung machten, rühmte: „es seien noch nicht eilf Monate her
daß er seines Freiheitssinnes wegen unter polizeilicher Aufsicht gestanden." Im Munde
eines Statthalters, der nun selbst die Polizei wenn auch in anderem Sinne als dem des
abgethanen Systems zu handhaben hatte, nahm sich ein solcher Ausfall immerhin etwas
sonderbar aus.

416) S. 454. Correspondenz aus Triest v. 19., C. Bl. a. B. Nr. 153/154 v.
27. December.

417) S. 454. In dem Buche der mysteriösen Baronin Beck, die um die Mitte
December Depeschen von Kossuth an die Linke des Kremsierer Reichstages überbracht
und deren schriftliche Antwort entgegengenommen haben will; ihre Erzählungen in der
englischen (I. S. 50 ff.) und in der deutschen Ausgabe (I. S. 39 f.) weichen in Neben-
umständen von einander ab.

418) S. 455. Während Stiles (Austria in 1848—1849) rücksichtlich der ersten
Kossuth'schen Depesche nur allgemein sagt, „a friend of Mr. Kossuth" habe sie ihm
überbracht (II. S. 402), beschreibt er bei der zweiten die Überbringerin als eine
reizende Dame deren edle schlanke Formen der Anzug einer Bäuerin umhüllt und die
geläufig französisch gesprochen habe; er versichert es sei ein vornehmes ungarisches
Fräulein, später verheirathete Gräfin M., ihre Dienerin aber jene angebliche Baronin
Beck gewesen die dann als Verfasserin der bekannten „Memoiren einer Dame" aufgetreten sei (II. S. 156 f. Anm.). Die angebliche Baronin Beck selbst aber will die
Überbringerin auch der früheren Depesche an Stiles gewesen sein und die spätere erst
am 6. December übergeben haben; a. a. O. I. S. 30, 33, 35 — ein weiterer Beweis,
daß die Angaben des Buches im allgemeinen auf wahren Thatsachen beruhen, aber
freilich in allen Einzelheiten im hohen Grade unzuverläßig sind.

419) S. 455. Stiles a. a. O. II. S. 155—157 und Documente 402—406.
Der americanische Staats-Secretär James Buchanan billigte das Benehmen Stiles' in
dieser heiklen Angelegenheit: „In our foreign policy, we must ever be governed by
the wise maxim not to interfere with the domestic concerns of foreign nations;
and from this you have not departed . . . Had you refused thus to act upon the
request of Mr. Kossuth, you might have been charged with a want of humanity,
and been held, in some degree, responsible for the blood which has since been
so profusedly shed in the war."

420) S. 457. „Kein König mehr!" Leitartikel der „Pester Zeitung" Nr. 847
vom 7. December. Abgedruckt in Janotyah's Archiv III. S. 436—439. Noch frecher

in Gedanken und Ausdruck war: „Die Thronentsagung Ferdinand's" Flugblatt vom 7. December; unterzeichnet Stein; a. a. O. III. S. 446—449, worin es nicht das ärgste ist wenn es z. B. heißt: „Die Camarilla weiß wohl daß Ferdinand nie und nimmer nach Wien kommen kann, und fühlt nur zu gut daß es auch in Böhmen, ja in Mähren nicht mehr recht geheuer sei. Sie ist schon müde, einer wandernden Schauspielertruppe gleich, von einem Orte in den andern zu ziehen und ausgepfiffen zu werden und wählt sich einen neuen Director, um unter seinem Namen in der Hauptstadt wieder auftreten zu können" u. s. f. — Hierher gehört auch eine „Proclamation der Ungarn an die Völker Europa's", die der Deputirte Agoston zur selben Zeit veröffentlichte (Pester Ztg. Nr. 847 v. 7. December und c. a. Archiv III. S. 439—444). Es beginnt gleich mit dem Satze, der eine Unwahrheit und eine Übertreibung zugleich enthält: „Ein Jahrtausend und vier Decennien sind es daß der Ungar das Gebiet zwischen der Adria und den Karpathen inne hat." Im nächsten Alinea wird gefragt: „Wo ist jene Macht, die da sagen könnte sie habe den Ungar bezwungen? wo jene Macht, die dieses Land als tributpflichtige Provinz sich unterworfen?" Einige Geschichtschreiber wollen wissen, erlauben wir uns zu bemerken, daß etwas dergleichen in der Türkenzeit vorgefallen und ein großer Theil des Landes mit der Landeshauptstadt anderthalbhundert Jahre in Feindesmacht gewesen sei! Gegen den für Deutschland Frankreich und England berechneten Satz; „Der Ungar jedoch, im Gefühle daß es sein Beruf sei sich anzuschließen an die Civilisation des westlichen Europa", ließe sich nichts einwenden, wenn nur die s. g. deutsch-slavischen Kronländer im Westen von Ungarn nicht auch zum civilisirten Europa gehörten, sondern wie eine barbarische Wüste zwischen Ungarn und jenen andern Staaten lägen! Und dergleichen mehr.

421) S. 457. Janotyck Tagebuch III. S. 314.

422) S. 458. Den Wortlaut des Reichstagsbeschlusses in Janotyck's Tagebuch III. S. 315—317 und in dessen Archiv III. S. 451—454. Über die Sitzung im Repräsentantenhause s. noch „Pester Ztg." Nr. 848 und Arthur Frey Ludwig Kossuth und Ungarns neueste Geschichte (Mannheim J. P. Grohe 1849) II. S. 204.

423) S. 460. Janotyck Tagebuch III. S. 326 f., Archiv III. S. 497 f.

424) S. 460. Adresse der Wahlmänner des Haupt-Wahlbezirkes Wieden für den Frankfurtertag an den Kaiser v. 2. December 1848: „Dann erst wenn Österreichs Völker allesammt, neben freiester Volksvertretung ihrer Sonder-Interessen auf provincialen Landtagen, über ihre gemeinsamen Anliegen mit vollster Gleichberechtigung aller Nationalitäten periodisch in einem Gesammt-Congresse tagen werden, dann erst wird unseres Gesammt-Vaterlandes neue und eine unvergängliche Dauer verbürgende Ära angebrochen sein." S. auch unsern II. Bd. S. 243 f. 282 f.

425) S. 460. Von der Prager Slovanstá Lipa wurde am 7., und dann nochmals am 17. December beschlossen, den Banal-Rath zu Agram zu ersuchen bei Sr. Maj. sich dahin zu verwenden: „daß Allerhöchst-Dieselben Abgeordnete aus dem Königreiche Kroatien und Slavonien zu dem constituirenden Reichstage einzuberufen geruhen mögen"; und desgleichen an die serbische Woiwodschaft ein Schreiben zu richten, worin diese bezüglich der Beschickung des österreichischen Reichstages zu einem ähnlichen Verfahren eingeladen würde. Auch die Slovanstá Lipa von Agram und der „Vorwärts-Verein" zu Karlovic sollten für diesen Gegenstand interessirt werden. S. auch „Upřimná slova k poslancům českým na říšském sněmu" von Ludwig Ritter von Rittersberg im „Ranní List" Nr. 55 v. 3. December S. 216: „Ich ersuche die erwählten Vertrauensmänner des böhmischen Volkes auf der geschichtlich ge-

heiligten Stätte (v historické svatyni) von Kremsier ohne Aufschub darauf zu be=
stehen daß der Reichstag beschließe: alle in Ungarn wohnenden Völker die sich frei=
willig dazu entschließen würden einzuladen, daß sie sogleich ihre Abgeordneten zum
österreichischen Reichstage wählen und denselben unverzüglich beschicken, was das Mini=
sterium kund machen wolle." Welches Interesse man aus diesem Grunde in Kroatien
an dem Fortbestande des Reichstages nahm, zeigte ein Artikel der „Novine Dalmatsko=
horvatsko=slavonske" der sich heftig gegen jene österreichischen Journale ausließ welche
die Heimschickung der Kremsierer Abgeordneten befürworteten: „Wer so etwas aus=
sprechen kann, der verdient gar nicht den Namen eines Wieners, die in den Märztagen
gezeigt haben daß ihnen das Herz für die Freiheit schlägt. Wir verwerfen mit Ab=
scheu solche gotteslästerliche (bohomrské) Vorschläge. Haben wir etwa darum zu den
Waffen gegriffen damit uns die Freiheit gleich einem Almosen verabreicht werde?
Täuschet Euch nicht, auf die Kunde von einem solchen Vorhaben würde das kroatische
Volk wie ein Mann aufstehen, würden alle österreichischen Völker miteinander
aufstehen?"

426) S. 460. Smolka an seine Frau bei Widmann S. 213 f.

427) S. 462. Der erste Anstoß zu dieser Ernennung war wie es scheint von
Windischgrätz ausgegangen, der in seinem allerunterthänigsten Vortrage v. 17. Novem=
ber womit er Welden für den Wiener Posten vorschlug „nach vorherigem Einver=
nehmen mit dem Fürsten Felix Schwarzenberg" dem Kaiser Ferdinand rieth, Jelačić
zum Civil= und Militär=Gouverneur von Dalmatien, das derselbe ohnedies in seinem
Titel als Banus führe, zu ernennen.

428) S. 462. Es fehlte zwar auch der Name des Abgeordneten für Ragusa
Nicl. Androvich; allein wohl nur deßhalb weil derselbe nicht in Kremsier anwesend
war und allen Aufforderungen zum Trotz in Wien verblieb, indem er sich darauf steifte
er sei nur nach Wien und nicht auch wo andershin als Abgeordneter geschickt worden.

429) S. 463. Nár. Nowiny Nr. 211 v. 14. December S. 833 H. B. (Havlíček):
„Jaké jest to zastaupení! 10.000 Wlachů dalmatských má 9 zástupců na sněmu
a 390.000 Slowanů jednoho!! Toť jest ta rownopráwnost Slowanů. Němec
Maďar Wlach Turek wšude nad námi panují, a když se někdy proti tomu
ozweme nadáwají nám přepiatců! A jaká bolest ještě pro Slowana, že sami
odrodilci proti wlastní krwi brojí: wizme jen jméno těchto pseudo-dalmatinských
poslanců, a wětšina z nich nese na čele nezrušitelnau známku půwodu slowan-
ského. Jediný Petranović ujímá se poctiwě národu" ꝛc. Die Zahl der italieni=
schen Bevölkerung ist hier um etwa 5000 Seelen zu niedrig angegeben, so wie die der
slavischen um beinahe ebenso viel zu hoch gegriffen. Im J. 1857 zählte man 387.573
Slaven und 15.672 Italiener in Dalmatien.

430) S. 463. „Wenn man ihn nur aus den Zeitungsnachrichten kennt als den
Sieger über die Ungarn bei Szent=Tamas, an der Römerschanze, bei Temerin, so
denkt man an einen alten Häuptling, einen verwitterten Soldaten, einen Serben der
alten Heldenlieder, an alles andere nur nicht an die wahre Erscheinung von Strati=
mirović. Statt des alten Häuptlings, des verwitterten Soldaten finden Sie einen
jungen Menschen von ächt männlicher Schönheit, eleganten wenn auch etwas unruhigen
Bewegungen und einer politischen Bildung die wohl zeigt daß dieser geniale Geist,
wenn auch nach den Märztagen plötzlich aufgetaucht, doch nicht unvorbereitet seine
Zeit abgewartet. Es ist eine große Zukunft, die dieser junge sechsundzwanzigjährige
Mann hat, auf den die ganze serbische Nation blickt und mit dem Rußland mehr

coquetirt als es vielleicht für Österreich gut ist." (Correspondenz aus Olmütz 30. November im C. B. aus B. Nr. 133 v. 2. December 1848 Beil.

431) S. 467. Die Erstürmung und Plünderung von Marienburg „war der erste blutige Act des Bürgerkrieges im eigentlichen Sachsenlande. Er zerstörte den frommen Glauben des Sachsenvolkes daß es ihm gelingen werde durch Opfer an Gut und Geld die theure Heimat vor den Gräueln des Krieges zu bewahren. Wie ein Ver- nichtungsschlag durchzitterte diese Nachricht die Gemüther. Die grauenhaften Schreck- bilder waren jedem näher gerückt, und so hatte die Zerstörung Marienburgs zwar keine militärische aber eine desto höhere politische Bedeutung." Österr. Soldatenfreund 1853: „Der Feldzug in Siebenbürgen 1848 und 1849" Nr. 4 S. 26. — Über die Stärke und Standorte der kaiserlichen Truppen im Burzenlande gegen Ende November 1848 s. ebenda S. 25. — Die Darstellung bei Czetz (Bem's Feldzug S. 133—145) über die Vorgänge im Burzenlande, die übrigens wie er selbst gesteht nur auf Hören- sagen beruht, ist vielfach unrichtig, mit Fabeln durchwebt, eine aller Chronologie spot- tende Durcheinandermengung früherer und späterer Ereignisse.

432) S. 468. Correspondenz aus Tattlan vom 24. und aus dem Kronstädter District vom 27. December 1848 in der Pester Ztg. gegen Ende Jänner 1849. Die Herren Magyaren haben von 1848 bis heute alle europäischen Zeitungen und Zeit- schriften nur mit dem Jammergeschrei über die Unthaten der Romanen, der „modernen Kuruzen", der „Horden Jancu's" ꝛc. angefüllt. Es sind aber nicht romanische, son- dern es sind sächsische Stimmen, die wir hier als altera pars die auch gehört zu werden verlangt vorführen. Wie es um dieselbe Zeit in andern Gegenden Sieben- bürgens zuging, siehe den Aufruf eines „Romanen" im „Siebenbürger Boten": „Donnerstag den 12. December hieben die Magyaren dem Romanen Pap Sándor in Maros-Vásárhely beide Hände ab und hingen ihn dann auf. So weit hat es der Terrorismus und die Grausamkeit der magyarischen Henker gebracht. Jetzt ist es Zeit zu handeln. Blut verlangt Blut. Auf ihr Brüder, ergreift die Waffen und rächet euren Bruder, der als Opfer seines patriotischen Eifers fiel."

433) S. 468. Näheres s. Winter-Feldzug in Siebenbürgen I. S. 157 f. Dem Lieutenant Hilarius Fenz von Savoyen-Dragonern wurde ein Pferd unter dem Leibe erschossen, er warf sich zu Fuß gegen den Feind bis er von einer Kugel zu Tode ge- troffen zusammenstürzte. Außerdem verloren die Kaiserlichen 6 Dragoner an Todten, 26 Mann wurden verwundet; die Szekler ließen bei 100 Todte auf dem Platze, 1 Officier und 2 Mann wurden gefangen.

434) S. 469. „Die Romanen d. österr. Monarchie" S. 119—122. — Was die Genesis des kais. Handschreibens betrifft so ist nur das eine zu sagen, daß dessen In- halt durchaus den Anschauungen Jósika's entsprach der in den siebenbürger Wirren nichts als walachische Umtriebe sah und besonders die communistische Richtung der- selben fürchtete. Daß Windischgrätz, so sehr er mindestens eine Zeit lang zu Jósika hinneigte, darum gewußt habe, ist darum nicht glaublich weil sonst in der sehr leb- haften alle wichtigeren Vorfälle berührenden Correspondenz des Feldmarschalls sowohl mit Wessenberg als mit Schwarzenberg und Stadion eine Andeutung davon zu finden sein müßte; etwas dergleichen hinter dem Rücken der Olmützer Staatsmänner zu thun, lag ganz und gar nicht in des Fürsten Charakter. — Als der Vertrauensmann der sächsischen Nation nach Olmütz kam, fand er das a. h. Handschreiben v. 14. November in dem Protocolle wo alle kaiserlichen Entschließungen in Evidenz gehalten zu werden pflegen ordnungsgemäß eingetragen, allein das Concept desselben oder des Vortrages in dessen Erledigung es ergangen, bekam er trotz aller Bemühungen nie zu Gesicht.

Eine bloße Vermuthung ist es, daß der Entwurf aus der Feder des Hof-Secretärs Samuel Nagy von Radnotfája, des Vertrauten Jósika's herrührte.

435) S. 471. Bei dem übereilten Rückzug fanden 12 Mann in den Fluthen ihren Tod; um die Verschanzungen und in Tomaševac fanden die Serben 70 Todte liegen. Wie viel die Ungarn außerdem verloren, finden wir nirgends genauer angegeben; gegen Botos führten sie 9 Wagen mit Todten und Verwundeten ab, andere wurden über Zsigmondfalva und Ecska transportirt. Die Verluste der Serben waren gering. Auf einem Hügel nächst dem Ufer der Temeš steht eine bescheidene Pyramide unter welcher die irdischen Reste des 1788 bei Vertheidigung der Brücke gegen die Türken gefallenen k. k. Hauptmanns Radivojević ruhen; derselbe Hügel nahm jetzt die Leichen der gefallenen Serben auf. Über das Lager von Tomaševac f. „Erlebnisse im serb. österr. Armeecorps" S. 50—52, über die Kämpfe daselbst, ebenda S. 86—90, Klapka II. S. 62—75, Janotych Archiv III. S. 481 f., 544 f.

436) S. 472. Unter andern gelang es zwei Officieren von Don Miguel-Infanterie Nr. 39, Hauptmann Dominik Baron Balbi und Lieutenant Friedrich von Piß am 6. December 1848 aus Peterwardein nach Karlovic zu entkommen, wo sie am 7. eine Erklärung und Schilderung ihrer Flucht veröffentlichten.

437) S. 473. „Der Wütherich Damianić wollte seine Grausamkeit an den Jarkovacern beschönigen, indem er vorgab daß der nächtliche Angriff im Einverständnisse mit den Bewohnern geschah. Wußte ja der General Suplikac selbst nicht, so wie keiner des Corps, wo wir überhaupt auf den Feind stoßen würden!" Erlebnisse S. 98. — Die Katastrophe von Jarkovac bildet den Vorwurf von Jókai's Novelle: „Die Rothkäppler" in dessen (Sajo's) Schlachtenbilder und Scenen S. 1—28.

438) S. 474. Klapka Nationalkrieg II. S. 76.

439) S. 474. Über einen Plan, den der damalige Feldwebel Wenzel Menhard von Zanini-Infanterie schon Ende November zur Überrumpelung von Peterwardein entworfen hatte f. „Erlebnisse" ꝛc. S. 83—85.

440) S. 476. Über den Entsatz von Arad vgl. Czeß in Klapka's Nationalkrieg II. S. 153—155; Correspondenz aus Arad im „Ungar" vom 31. December; „Temešvár im Jahre 1849" (Wien Greß 1850) S. 53—57 („Die allerglänzendste gelungenste Waffenthat die der tapfern Temešvárer Garnison auszuführen vorbehalten war") und „Reminiscenzen" S. 44—50, 178 f., wo es S. 48 heißt: „Man konnte die Ordnung und Präcision, die während der ganzen Affaire bei allen Bewegungen herrschte, nicht genug bewundern und hätte nicht der schärfere Donner des Geschützes und hie und da die Leiche eines Gefallenen an das ernste Drama gemahnt, man hätte glauben mögen ein wohl studirtes Friedens-Manöver vollzogen zu haben; nur mit dem Unterschiede daß bei diesem mit den Bomben der Grobheit und Brutalität mindestens sehr häufig auf unsere Ehre mörderische Versuche gemacht werden, während es in jenem nur unserem Leibe und unsern Gliedern galt." Ungarischerseits empfand man den Schlag von Arad schwer und tief: „Das von uns bis zur Uneinnehmbarkeit verschanzte Neu-Arad ist in den Händen des Feindes. Die Lohe der Scham und der Schande flammt auf unsern Wangen wenn wir an diesen schmählichen Rückzug denken, Furcht und Niedergeschlagenheit bemächtigt sich unser wenn wir die daraus quellenden Folgen überdenken. Mariássy ist gewaltig niedergeschlagen. Es ist keine Kleinigkeit: drei verlorne Schlachten hintereinander! Doch trotzdem können wir seinem Willen keine Unlauterkeit zumuthen" ꝛc.

441) S. 476. Den ganzen Wortlaut f. „Temešvár im J. 1849" S. 59 f.

Berichtigungen:

S. 147 Seitenüberschrift lies: Reichstag statt Reichsrath.

„ 295 Z. 8 v. u. lies „verschiedener" statt „verschiedenen".

„ 324 „ 15 v. o. fehlt nach „Gewissenhaftigkeit" der Schlußpunkt.

„ 383 „ 10 v. u. lies: „Mensdorff" statt „Mensdorf".

„ 445 „ 5 v. o. lies „Franck" statt „Frank".

Lightning Source UK Ltd.
Milton Keynes UK
UKHW021257180219
337443UK00006B/189/P